中國國家圖書館編

國家圖書館藏敦煌遺書

第十六冊　北敦〇一〇六二號——北敦〇一一三一號

北京圖書館出版社

圖書在版編目(CIP)數據

國家圖書館藏敦煌遺書·第十六册/中國國家圖書館編;任繼愈主編. —北京:北京圖書館出版社,2006.1

ISBN 7-5013-2958-3

Ⅰ.國… Ⅱ.①中…②任… Ⅲ.敦煌學-文獻 Ⅳ.K870.6

中國版本圖書館 CIP 數據核字(2005)第 153402 號

書　　名　國家圖書館藏敦煌遺書·第十六册
著　　者　中國國家圖書館編　任繼愈主編
責任編輯　徐　蜀　孫　彦
封面設計　李　璀

出　　版　北京圖書館出版社　(100034　北京西城區文津街 7 號)
發　　行　010-66139745　66151313　66175620　66126153
　　　　　66174391(傳真)　66126156(門市部)
E-mail　cbs@nlc.gov.cn(投稿)　btsfxb@nlc.gov.cn(郵購)
Website　www.nlcpress.com
經　　銷　新華書店
印　　刷　北京文津閣印務有限責任公司

開　　本　八開
印　　張　54.75
版　　次　2006 年 1 月第 1 版第 1 次印刷
印　　數　1-150 册(套)

書　　號　ISBN 7-5013-2958-3/K·1241
定　　價　990.00 圓

目錄

是[illegible]
不停欲手[illegible]
親友知識於僧塔廟作夫
斷言。三者男女形殊理无凡[illegible]
是故聖制，別緣有五：一是人女，二相成就，三
釋爲取人女，簡餘女，謂異男等，但是人女
亦云十二律通三趣女，謂祇中云母女姊妹，大小道俱成，是秋[illegible]
駝馬牛羊等，外若畫等，獼猴乳牛鹿、鷄等，若一部主頭，一項即名[illegible]
猫子處宿亦犯，四犯無同宿者，但知宿即犯，不同二行，要須共期方犯，五[illegible]
若有慈勢，自律不臥皆不犯，此律下引自病不犯，對此病開，應生緣。已下自
律行路至小舍宿，彼女娆尊者，尋在處室中，放慙愧，擁極說法得道，比丘[illegible]
若比丘与女人同室宿者，波逸提　此第是戒本文有四句：一犯人，二女人，三同室宿，四結
犯。初句可知。第二言与女人者，律云人女有知，命根不斷。三言室宿者，室有四種：一周障上有
覆，即同在一堂内，中有隔者，唯論不合，二前敞无壁，即長行房檐下兩頭有障，三雖覆
而不遍，即周障一門上通覆，開中央四離覆，而有開處，謂通覆障上方開明。既言宿
者，夫并四室，比丘与女人同宿，或女人後至，或比丘後至，或二人俱至，若比丘臥，隨脇側轉，轉犯
四言波逸提者，犯是句，於中有二：若与女人同宿室，隨轉側側犯；提若与非人畜生，若人黃
門二根人同宿吉羅，若比丘晝日臥，女人立者吉羅，女人若坐犯。房隨多少，善見論，若都集
堂同郭内，設使堂中有諸小房，房雖各別，以堂同故，猶是一房。若多房共一房，亦犯。乃至
由户出入，皆犯。十誦，若在堂中通夜坐者不犯，必應多共處，有明不睡者，祇云一房
別户，有障无犯。若大會通夜說法，靈地風雨寒雪，致入房内，應端直坐，若老病不
[illegible]

BD01062號　四分戒本疏卷三

六二形人同宿吉羅若晝日卧女人立者吉羅女人若坐犯房墮多多善論若都集
堂同幹内設使堂中有諸小房房雖各別以堂同故猶是一房若多房共一房亦犯乃至
由一戶出入皆犯十誦若在堂中通夜坐者不犯必應多共處有明不睡者祇在一房
別戶有障无犯若大會通夜說法露地風雨寒雪聽入房内應端直坐若老病不
不能坐者當施障不得用疏物高齊肩膊下至地不得容猫兒過若无障者女人信可應
語女人言汝先眠我坐若恐眠語令起我欲眠汝莫眠若眠者比丘无稽遲多論與十女宿得
十墮一一轉得十墮若白衣舍與女人並房不閉戶吉羅亦犯中律云若先不知室内有女
宿若入戒室想若坐若行若病若為强力所捉若為人所縛若命梵難皆无犯
與未受具戒人同室宿過限戒第五　一制意者凡道俗殊表情事相反始習未閑事多粗
擾近則生慢亂道廢業故宜別處存道生敬為是須制然出家之人栖心无定事有遊行接
人出宿在於俗舍又沙彌雜俗馮依在上處无所依事須眷接是以開限聽二宿然無限則污
其道開則通其益制制之宜理所應然　二別緣具五一未受具人男子同去女人以俗不應與
女人同室本不開一夜何有過三三各故如論云以二夜共沙彌宿第三夜共異人宿得提若二宿相
成就三共同室而知同室三過三夜犯提已下正明戒本之文戒文三初句明制意二牒制隨開二夜三夜後
應制言明制者因六群共長者同室宿中有比丘亂心睡眠不覆形露為彼調悖佛制不聽共宿
言隨開者次因羅云開聽二三問佛既不聽與未具人宿驅出羅云應順教何以可言擯人无
慈不護我意答羅云為佛子有事之時理須恣留佛因事開輒不驅出未子之儀天意之
甚是以佛呵擯人未慈之親是佛子尚不慈念重況餘人寧有慈愍五分佛呵擯人云何野
干駈逐佛子讚嘆持戒因聽共未受具人二宿言第三擯制者下所弁是
若比丘與未受具戒人共宿過二宿至三宿波逸提　往論是戒之文有四句一犯人二未受具
三共宿過限四結罪初句可知二言未受具人者除比丘比丘尼餘未受大戒人是三言共宿者律
云室宿有四種如前所明於中四句者一別人一室異室二室一人異室三人室俱異四人室俱異言
至是共宿中擯言過二宿至三宿者是開限律云若宿至三夜明相未出應起避去若至第
四宿若自去若使彼去若不避明相似應明想出至第四日旦即犯一提若避明相旦時未犯於
第四夜隨側轉一轉提罪今戒本中直對不避明相違法一邊而結故言過二宿至三宿提若避
明相過三亦犯第四夜祇若三夜犯竟未識往无二夜開隨宿宿結罪若識竟得二夜十誦若通
夜坐若病得與沙彌過宿病人臥者開餘不病比丘不應臥四言波逸提者是犯名毋論云若

第四夜随餘轉一提罪人今戒本中直云不避明相違法一邊而結故言過二宿至三宿提若違
明相過三未犯第四夜祇若三夜犯責未識悔无二夜開随宿々結罪若識責覓得二夜十誦若通
夜坐若病得与沙弥過宿病人卧者開餘不病比丘不應卧四分之後逸提者是犯名毋論云若
至第三夜比丘无去處者不應卧坐至明相現若至第四宿又无去處明相欲現時若自
去若遣彼去若不去者皆犯提罪若与非人畜生男共過三宿一切吉羅餘不犯緣並同前
戒　共未受具人同誦戒第六　制意多論四種義故仏制此戒一為異外道故二為師
与弟子位别故三為分別言語多少故四為依實義不貴言聲故　别緣有五一是仏所説法
二字句味三未具人四齊同誦五言説了々便犯已下明戒本此戒因六群比丘与諸長者在講堂高
聲同誦經語似婆羅門如仏便制戒　若比丘与未受具戒人同誦者波逸提
法滿足戒本文有四句初一犯人二未受具人三同誦四結罪前二句可知三言同誦法者論謂名文句
前不後同時而誦戒本前本後二誦皆名同誦所言法者仏所説聲聞所説仙人所説諸天
所説皆是正法所言波逸提者是違犯罪故律云若者聲聞弟子及餘人等説為仏印可者
即名為法々法者秘前秘後而説皆犯提罪故律云共誦者謂誦句義味字義非句
義而句字言句義者二人齊誦聲同句表二行理同名為句義犯提十誦云齊聲句異
吉羅言非句義者前人説諸莫作未竟後人秘前言諸惡莫作者使前人言教表正行
不圓故曰非句義亦犯提罪以句同聲相接故言句味者句表无常理同有貪神々無名
四句味秘奪前言表不周无貪神々闕故曰非句々義々言字義者齊同誦表名體理圓名
為字々義秘奪前言名體不圓故曰非字義見論一切律藏阿毗曇脩多羅是仏所説後
五百羅漢結集此法同誦悉犯提罪十誦随一品一章一段各得提罪若自以己意撰集文字者
但書非仏所説故无罪不犯中律云應言我説竟汝説若二人誦竟一人書若二人同業
同誦若錯説彼者皆不犯　向未受具人説他麁罪戒第七　制意者出家僧
衆理宜隠顯善名外彰生人信敬以其麁悪之事向俗人説前人聞之於彼僧所
生譏謗失其敬信出家重々意在積壞處深故須聖制　别緣有六一是比丘及尼二犯初篇
罪三知犯麁罪四无僧法向五未受具人説六言辭了々前人聞知已下明戒本此戒因六
群比丘向白衣説犯僧殘比丘過彼犯者聞慙愧餘比丘白仏々便制戒　若比丘知他比
丘犯麁悪罪向未受大戒人説除僧羯磨波逸提　法滿足戒本文有五句初一犯人二
知麁罪三向未受人説四除僧羯磨五結罪初句可知第二言知他犯麁者律云犯初二
兩篇名為麁悪罪第三句言向未受戒人説者律云除比丘々尼餘人是第四句言除僧羯

辟比丘向白衣說犯僧殘比丘過彼犯者聞羞乃熟餘比丘白佛佛使制戒

若比丘知他比丘犯麁惡罪向未受大戒人說除僧羯磨波逸提　此滿足戒本文有五句一犯人二

知麁罪三向未受人說四除僧羯磨五結罪初句可知第二言知他犯麁者律云犯初二

两篇名為麁惡罪第三句言向未受戒人說者律云除比丘比丘尼餘人是第四句言除僧羯

磨者是開限第五句言波逸提是結犯罪故多論云為破塔壞僧不說他麁罪若破

塔其罪有限說他麁罪破壞法身罪同五逆故律云不向前人有罪无罪亦僧不

作羯磨向人說一下比丘[illegible]五篇白衣說僧[illegible]罪過皆墮僧衹若人問言其中

比丘犯婬飲酒若者彼自當知除上二篇說餘罪一下犯吉又若說種名字若種性若

衣服若房舍若相狼皆犯提罪說下三篇得吉若自說麁罪若犯吉羅不犯者若不

知若僧若若非麁想若白衣先已聞皆不犯非不有十罪　實得道向未受具人說戒第八

論云二義故制一為大人法故理宜隱德覆藏諸惡故戒今自說德行隱僧罪過非

大人之法二自顯聖德則賢愚有異前人聞之偏心尊敬失於平等淨善之心是故

聖制　別緣有五一內有實德二為增上慢人三境虛不犯二自言已有三向未受具人說四

言辭了了五前人聞知然後此戒不別有緣舉大妄語中戒有實得者以制斯戒此聖

人制責不復更犯謂制聖遮凡　若比丘向未受戒人說過人法言我見是我

知是實者波逸提　此戒文有四句一人二前境三說已所得四結罪言若比丘者義如上

言未受具戒者除比丘比丘尼餘人是言過人法者是聖所證法是言波逸提者是遠犯非故

十律云比丘實是四果四向四戒得四禪四空戒成就慈悲喜捨不淨阿那蓉說者皆犯提

罪戒具實諸天龍鬼來至我所說者多提向說已得罪別義提所以現通但有吉羅若口

論說義通凡聖事[illegible]虛實則過重實則德微故別義提神通聖能更无有[illegible]但

得吉羅　問義境所對說七衆犯實除二具現神足者皆二俱犯所以下衆若減揚過有增微

故此僧降然後此戒不別有緣舉大妄語中　前戒若有

與女人說法過五六語戒第九

凡說法皆事須應時不請而說理无往機本无信敬情掛貪增眠因斯次致興過非不

免世呵又女人形貌禍緣難遇若全不說无由生善於法長滿永淪苦海故復聽說齊

五六語過則制犯　別緣有六一是女人二知是女人三不請四无有智信人男子五言過五六

過五六語使犯已下正明戒本此戒同迦留陀夷在姑前與兒婦耳語說法便起譏謗

佛使制斷後因請說故聽齊五六語及有智男證聞過限說　若比丘與女人說法

過五六語除有智男子波逸提　此滿足戒本文有五句一犯人二所為女人三說過限四

過五六語便犯。已下正明戒本。此戒同迦留陀夷，在姑前與兒婦耳語說法，便起譏謗。佛便制斷。後因請說，故聽齊五六語及有智男證，開過限說。

若比丘尼與女人說法過五六語，除有智男子，波逸提

法滿足戒本文有七句：一犯人，二所為女人，三說過限，（四）除開，（五）結罪。初二兩句可知。三言說法過五六語者，法者謂是如來親所言說，及諸天菩薩所說，名為法。言過五六語者，五謂五陰，色是無常，受想行識亦復無常；六謂六根，言眼是無常，乃至意亦無常。謂五至六過，六至七，故名過五六語。四言除有智男子者，是開緣。律云：智男子者，知好惡，不癡事。多論：解人情語，可作證明，故名有智男子。若是不同者，不聽。必須傍人出家，不得以筆同故。若盲若聾，亦名無人。若減七歲，不過，不解好惡義味，亦名無人。知男子，又上可是。五言波逸提者，是遠犯罪。律云：若已外說齊，相接不斷，一罪。若句句斷絕，說句句提。罪五家齊說五六意。從坐起去，更有因緣還坐為說，不犯。若五六語竟，為後女人說，如是相因，無量女人，亦說不犯。又上即犯。若解句不了，犯吉。若向非人畜生說，亦吉。不犯者，律云：若依限說，若知男子前過說，若無男子請應廣說，若受五戒說五戒法，受八關齋法，乃至女人聰明，轉生疑問，隨問廣說，皆得無犯。

掘地戒第十　多論：三種益，故不聽掘地壞生。一不惱害眾生故，出家循道宜應物合宜。二止誹謗故。三為大護佛法故。若佛不制此戒者，國王大臣役使比丘，由佛制故，王臣息心，不復役使，得令靜緣循道，藏智斷惑，是名大護。別緣有五：一是生地，二作生地想，三自掘，四使人掘時不作知淨語，五隨作便犯。已下正明戒本。此戒同六群為修治講堂，故自掘地土，居識譏比丘，故略制。二教人掘時不行知淨，前制非圓，更復積結。

若比丘自手掘地，若教人掘者，波逸提

三滿足。戒本文有五句：一犯人，二自作，三所傷地，四教人，五結罪。初可知。第二言手掘者，律云：若用鋤钁，或椎打，刀剌，指搯，折傷。第三言掘地，律云：若已掘地，已掘者經四月，被雨漬，還如本，見於生地，無有砂石瓦礫純土，是名生地。若四分一分土，皆非生地，自掘無過。祇云：地有二種：一生，二作。生者大地，作者有二基。作者露地、覆地二。上作者，重閣上露土，是皆名所傷之地。第四言若教者，律云：若不教言看是知是，犯緣。第五言波逸提者，是遠犯罪。律云：若比丘如上所說傷之地，若以用鋤钁，乃至指抓損傷，及地上然火，但使地作地想，一切皆墮。若使掘時不教看是知是，犯吉羅。祇云：若轉石擲地，欲使地平，貪傷如蚊腳，一切皆提。土塊一人不勝破者，犯提。畫地作字，亦提。若大小便時，水手磨地，犯墮。若取器物木塼瓦等，在露地，經雨已，不得自取，犯提。若死砂無罪。[illegible]

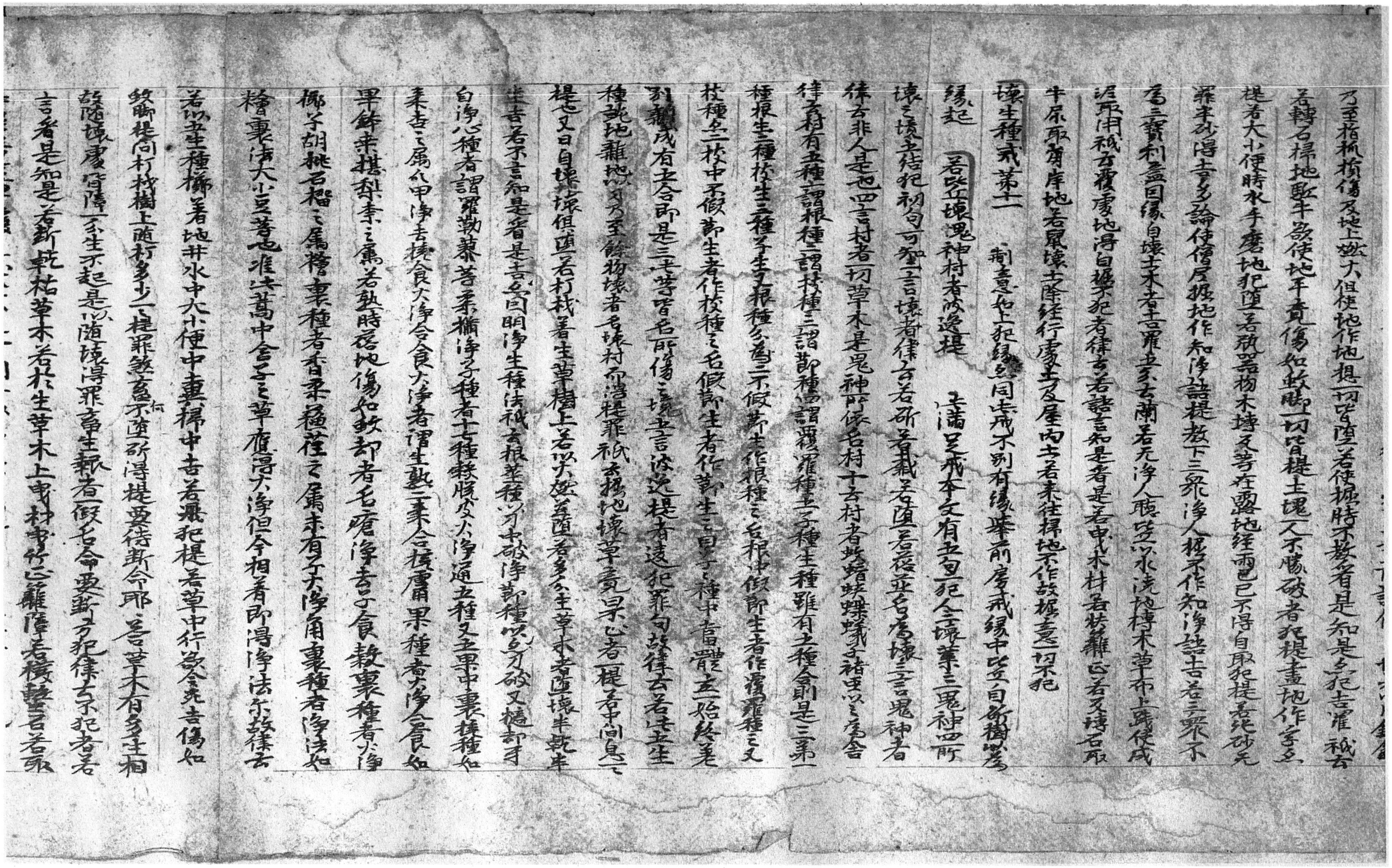

BD01062號　四分戒本疏卷三

（9–6）

若以生草覆，若地井水中大小便中重，擲中吉。若蹴犯提。若草中行欲令死吉，傷如
蚊蛇提。向打拭樹上，隨打多少一一提罪。然意不同，所得提吉，斯分耶。若草木有多主相
故，隨境處得隨一。不生不起，是以隨境得罪。言生種者，假名命要，斷方犯。律云不犯者，若
言者是知是。若斷乾枯草木，若於生草木上曳材木、竹，正籬障，若撥塼石，若取
牛屎，若生草覆道，以杖披遮令開，若以瓦石柱之而斷傷草木，若除經行地土，若
掃經行地，若以杖築地而誤撥生草木斷者，並皆不犯　異語惱僧戒第十二
制意者，凡身口業倚傲而難制，過不至重，惱眾非輕，事須眾僧作法可制。所作不正，
違法惱僧，其過不淺，故隨得罪。別緣有五：一身口業，二發惱業，三作白，四制僧如法喚問，
五更作便犯。已下兩明戒本。此戒未作制前，未有僧命眾法可遮，但犯小惱；制後違者
方犯提罪。口業綺互毀兩舌，惱壞事重，直作即提。此之綺者，事似輕微，惱眾不少，
故制方犯提。知闡陀比丘犯罪，餘比丘問，以別事答，佛便可以作餘語白。後使惱僧，喚來不
來，乃至不應語，佛可已作羯磨，白曰此制戒　若比丘妄作異語惱他者，波逸提
戒文有三句：初略制，次顯結，後滿足制。持此滿足戒本句有三：一犯人，二惡業，三結罪。
初句可知。二言妄作餘語惱他者，於中分二：初僧未白前妄作餘語者，律云餘語者，向
誰說，為說何事，為論何理，為我說，為餘人說，我不見此罪，如是語者犯吉。若僧白已，
如是語犯者提。二惱他者，如律中說，僧喚來不來，乃至不應語而語，未作白前，如是惱者得吉
罪。若白已作者犯提。三言波逸提者，是遠犯之罪。律云如上惱僧者一一犯提。若上坐喚來
不來吉羅。不犯者，重聽不解，前語有參錯，便言此何說，誰為論何事，乃至我不見
此罪。若為作非法無利羯磨，若不與和合，喚來不來不犯。若為作非法羯磨，若欲教言莫
來便來不犯。若坐食，若不作餘食法食，若病，喚起不起不犯。若命難梵難，教起
便起不犯。若遇心閉不高說，若作非法事便語者，若小語錯誤，一切不犯。又見云異戒屬僧
斷无者得　嫌罵戒第十三　制意者，凡僧務廣，處處易，故簡倫德之人，如法斷
理。宜應讚嘆，令彼勤營，反懷嫉恚，忿發言嫌罵，令彼生惱，廢營僧事，損壞不輕，
是故須制。初釋名者，見而不聞處說有愛恚名嫌，聞不見處名罵。雖前後二結同
總知事，合為一戒。次弁具緣，通如上別緣有六：一是羯磨所差，二知是所差人，三如法經營
無愛恚等，四說嫌語，五言詞了了，六前人見而不聞，聞而不見，便犯。闕緣比說可知。已下兩明戒
本。此戒因慈地比丘於沓婆比丘所有恨，故眼見處譏嫌，餘比丘白佛，佛便呵制戒。後又
於聞處罵，以事白佛，佛重制此戒，故律有初略制，次隨後廣制　若比丘嫌罵者，波

无受者等亦嫌訶言訶～～云前人見而不聞～而不見便犯開緣比說可知已下三明戒
本文戒日及說比丘於僧邊比丘所有根故者眼見處識嫌餘比丘白佛～便呵制戒後更
於聞處罵以事白佛佛重制此戒故律本初略次隨後廣制　若比丘嫌罵者波
逸提、　滿足戒本文有三句一犯人二罵事三結犯初句可知二言嫌罵者律云
嫌者面見不聞處說言有愛有恚有怖有癡等是言罵者皆面可聞不見處而說
罵三言波逸提者是違犯罪問曰罵戒何別答前非知事人此是知事
人又前戒實不實犯此戒實不犯處律云若戲嫌罵者隨罵～直若不受上座
故嫌罵者亦羯磨差律云不犯者實有其事恐後悔恨語令如法發露便言有愛
恚等若戲若錯說者並皆不犯　露處敷僧卧具戒第十四
制意者多論云三義故制戒一所具四方僧物是篤信檀越所施供僧受用利益
事重理宜尊貴護資身行道得安樂故二既是施主三寶物許八受皆由常
存受用為令增長信敬之心三用助於舉使僧物不壞令受用得及資施主
善根成就故為並益是以重制　別有六四方僧卧具二知是僧物三露處
四自敷使人敷五為己受用六去時不自舉不教人舉七出門便犯十去出門卌九步或卅
五步乃犯已下三明戒本此戒因六群比丘敷僧坐具安去不收風塵所汙佛便制
戒　若比丘取僧繩牀木牀若卧具坐蓐露地敷若教人敷捨去不自舉不教舉波逸
提滿足戒本文有四句一犯人二是僧物三露地已下明受用四捨去已下結不舉之罪
一言若比丘者義如上釋二言取僧物者律云僧者謂四方現前二言物者繩床有五種
脚直脚曲脚入陛無脚木床多有五種如上所說卧具或具坐或用卧坐蓐者褥者
用坐此等四種皆是僧物三言露地敷若教人敷是其露地受用四捨去不自舉
不教人舉波逸提者是不舉之罪律云若比丘敷僧物已而不收舉出寺時不
囑知事者出門便犯若方便還悔者吉羅若二人同坐下座收不者犯上座
犯提若俱不收二俱墮故論云上座與下座同一床坐下座謂上座收而上座不收下座
犯提及吉上座意謂下座當收下座貴不收上座犯提二人不前不後俱不收二俱得提
若露敷僧物而入房思惟吉五分見僧卧具在露地不自敷不使人敷故而不舉至
墮對房者數及僧卧具不舉名提又俗人家會借僧卧具食訖比丘不舉名提
祇云若行路中捉乳草坐已去時眾已者應多去露地敷已不屬人遊行諸房去

戒　若比丘取僧繩牀木牀若卧具坐褥露地敷若教人敷捨去不自舉不教舉
提滿足戒本文有四句一犯人二是僧物三露地已下明受用四捨去已下結不舉之罪
一言若比丘者義如上釋二言取僧物者律云僧者謂四方現前三言物者繩床有五種旋
脚直脚曲脚入梐無脚木床亦有五種如上所說卧具或具坐或用卧坐褥者襆衣
用坐等四種皆是僧物三言露地敷若教人敷是其露地受用四捨去不自舉
不教人舉波逸提者是不舉之罪律云若比丘敷僧物已而不教舉出寺時不
囑知事者出門便犯墮若方便還悔者吉羅若二人同坐下座收不者犯二罪上座
犯提若俱不收二俱墮故論云上座為下座同一床在下座謂上座收而上座不收下座
犯提及吉上意謂下座當收下座竟不收上座犯提二人不前不後俱不收二俱得提
若露敷僧物而入房思惟吉五分見僧卧具在露地以不自敷亦使人敷故而不舉吉
墮到房吉敷房僧卧具不舉吉提又俗人家入舍請僧卧具食訖比丘不舉得提
祇云若行路中校乱草坐已去時聚已吉去多在露地敷已不屬人捉行諸房吉來
犯者律云若取僧物露地敷去時語知事人令知若天陰人皆舉者屏處若天雨處人
知不失皆得除者還彼者上若即還時便應隨而中庭久時還應往彼可遂作屋
方便應去若不示者初出門即犯提罪　屏處敷僧卧具戒第十五
前意同前　六緣成犯一是僧物二知是僧物三是屏處四為己敷用五去時不白
舉六過限便犯　已下亦明戒本文曰客比丘在邊房敷卧具着去時不語知

BD01062 號背　麵麥歷（擬）　（1–1）

[illegible]身相得見如來何
說身相即非身相佛告須菩提
是虛妄若見諸相非相則見
須菩提白佛言世尊頗有
說章句生實信不佛告須
來滅後後五百歲有持戒
能生信心以此為實當知是人不
三四五佛而種善根已於无量
諸善根聞是章句乃至一念生
菩提如來悉知悉見是諸眾生得
福德何以故是諸眾生无復我相人
相壽者相无法相亦无非法相何以故是諸
眾生若心取相則為著我人眾生壽者若取
法相即著我人眾生壽者何以故若取非法
相即著我人眾生壽者是故不應取法不
應取非法以是義故如來常說汝等比丘知
我說法如筏喻者法尚應捨何況非法
須菩提於意云何如來得阿耨多羅三藐三
菩提耶如來有所說法耶須菩提言如我解

BD01063 號 1　金剛般若波羅蜜經　（16–1）

應取非法以是義故如來常說汝等比丘知
我說法如筏喻者法尚應捨何況非法
須菩提於意云何如來得阿耨多羅三藐三
菩提耶如來有所說法耶須菩提言如我解
佛所說義无有定法名阿耨多羅三藐三菩
提亦无有定法如來可說何以故如來所說
法皆不可取不可說非法非非法所以者何一
切賢聖皆以无為法而有差別
須菩提於意云何若人滿三千大千世界七
寶以用布施是人所得福德寧為多不須菩
提言甚多世尊何以故是福德即非福德性
是故如來說福德多若復有人於此經中受持
乃至四句偈等為他人說其福勝彼何以故
須菩提一切諸佛及諸佛阿耨多羅三藐三
菩提法皆從此經出須菩提所謂佛法者
即非佛法
須菩提於意云何須陁洹能作是念我得須
陁洹果不須菩提言不也世尊何以故須陁
洹名為入流而无所入不入色聲香味觸法
是名須陁洹須菩提於意云何斯陁含能作
是念我得斯陁含果不須菩提言不也世尊
何以故斯陁含名一往來而實无往來是名
斯陁含須菩提於意云何阿那含能作是念
我得阿那含果不須菩提言不也世尊何以故
[illegible]

BD01063 號 1　金剛般若波羅蜜經　（16–2）

斯陁含須菩提於意云何阿那含能作是念
我得阿那含果不須菩提言不也世尊何以故
阿那含名為不来而實无来是故名阿那含
須菩提於意云何阿羅漢能作是念我得阿
羅漢道不須菩提言不也世尊何以故實无
有法名阿羅漢世尊若阿羅漢作是念我
得阿羅漢道即為着我人衆生壽者世尊佛
說我得无諍三昧人中最為第一是第一離
欲阿羅漢我不作是念我是離欲阿羅漢世
尊我若作是念我得阿羅漢道世尊則不說
須菩提是樂阿蘭那行者以須菩提實无
所行而名須菩提是樂阿蘭那行
佛告須菩提於意云何如来昔在然燈佛所
於法有所得不世尊如来在然燈佛所於法實
无所得須菩提於意云何菩薩莊嚴佛土不
不也世尊何以故莊嚴佛土者則非莊嚴是
名莊嚴是故須菩提諸菩薩摩訶薩應如
是生清淨心不應住色生心不應住聲香味
觸法生心應无所住而生其心須菩提譬如
有人身如須弥山王於意云何是身為大不
須菩提言甚大世尊何以故佛說非身是
名大身
須菩提如恒河中所有沙數如是沙等恒河
於意云何是諸恒河沙寧為多不須菩提言
甚多世尊但諸恒河尚多无數何况其沙須

BD01063號1　金剛般若波羅蜜經　（16-3）

須菩提如恒河中所有沙數如是沙等恒河
於意云何是諸恒河沙寧為多不須菩提言
甚多世尊但諸恒河尚多无數何况其沙須
菩提我今實言告汝若有善男子善女人以
七寶滿尒所恒河沙數三千大千世界以用
布施得福多不須菩提言甚多世尊佛告須
菩提若善男子善女人於此經中乃至受持
四句偈等為他人說而此福德勝前福德復
次須菩提隨說是經乃至四句偈等當知此
處一切世間天人阿脩羅皆應供養如佛塔
廟何况有人盡能受持讀誦須菩提當知是
人成就最上第一希有之法若是經典所在之
處則為有佛若尊重弟子
尒時須菩提白佛言世尊當何名此經我等
云何奉持佛告須菩提是經名為金剛般若
波羅蜜以是名字汝當奉持所以者何須菩
提佛說般若波羅蜜則非般若波羅蜜須菩
提於意云何如来有所說法不須菩提白佛
言世尊如来无所說須菩提於意云何三千
大千世界所有微塵是為多不須菩提言甚
多世尊須菩提諸微塵如来說非微塵是
名微塵如来說世界非世界是名世界須菩
提於意云何可以卅二相見如来不不也世尊
何以故如来說卅二相即是非相是名卅二
相須菩提若有善男子善女人以恒河沙等

BD01063號1　金剛般若波羅蜜經　（16-4）

何以故如来說卅二相即是非相是名卅二
相須菩提若有善男子善女人以恒河沙等
身命布施若復有人於此經中乃至受持四
句偈等為他人說其福甚多
尒時須菩提聞說是經深解義趣涕淚悲泣
而白佛言希有世尊佛說如是甚深經典我
從昔来所得慧眼未曾得聞如是之經世尊
若復有人得聞是經信心清淨則生實相當
知是人成就第一希有功德世尊是實相者
則是非相是故如来說名實相世尊我今得
聞如是經典信解受持不足為難若當来世
後五百歲其有衆生得聞是經信解受持是
人則為第一希有何以故此人无我相人相衆
生相壽者相所以者何我相即是非相人相
衆生相壽者相即是非相何以故離一切諸
相則名諸佛
佛告須菩提如是如是若復有人得聞是經
不驚不怖不畏當知是人甚為希有何以故
須菩提如来說第一波羅蜜非第一波羅蜜
是名第一波羅蜜須菩提忍辱波羅蜜如来
說非忍辱波羅蜜何以故須菩提如我昔為
歌利王割截身體我於尒時无我相无人相
无衆生相无壽者相何以故我於往昔節節
支解時若有我相人相衆生相壽者相應生
瞋恨須菩提又念過去於五百世作忍辱仙

BD01063號1　金剛般若波羅蜜經　（16–5）

无衆生相无壽者相何以故我於往昔節節
支解時若有我相人相衆生相壽者相應生
瞋恨須菩提又念過去於五百世作忍辱仙
人於尒所世无我相无人相无衆生相无壽
者相是故須菩提菩薩應離一切相發阿
耨多羅三藐三菩提心不應住色生心不應
住聲香味觸法生心應生无所住心若心有
住則為非住是故佛說菩薩心不應住色
布施須菩提菩薩為利益一切衆生應如是
布施如来說一切諸相即是非相又說一切
衆生則非衆生須菩提如来是真語者實
語者如語者不誑語者不異語者須菩提如
来所得法此法无實无虛須菩提若菩薩心
住於法而行布施如人入闇則无所見若菩薩
心不住於法而行布施如人有目日光明照見
種種色須菩提當来之世若有善男子善
女人能於此經受持讀誦則為如来以佛智
慧悉知是人悉見是人皆得成就无量无
邊功德須菩提若有善男子善女人初日分
以恒河沙等身布施中日分復以恒河沙等身
布施後日分亦以恒河沙等身布施如是无量
百千万億劫以身布施若復有人聞此經典信
心不逆其福勝彼何况書寫受持讀誦為人
解說須菩提以要言之是經有不可思議不

BD01063號1　金剛般若波羅蜜經　（16–6）

心不逆其福勝彼何況書寫受持讀誦為人
解說須菩提以要言之是經有不可思議不
可稱量无邊功德如来為發大乘者說為發
最上乘者說若有人能受持讀誦廣為人說
如来悉知是人悉見是人皆得成就不可量
不可稱无有邊不可思議功德如是人等則為
荷擔如来阿耨多羅三藐三菩提何以故須
菩提若樂小法者著我見人見衆生見壽者
見則於此經不能聽受讀誦為人解說須菩
提在在處處若有此經一切世間天人阿脩
羅所應供養當知此處則為是塔皆應恭
敬作礼圍遶以諸華香而散其處
復次須菩提若善男子善女人受持讀誦此經
若為人輕賤是人先世罪業應墮惡道以今
世人輕賤故先世罪業則為消滅當得阿耨多
羅三藐三菩提須菩提我念過去无量阿僧
祇劫於然燈佛前得值八百四千万億那由
他諸佛悉皆供養承事无空過者若復有人
於後末世能受持讀誦此經所得功德於我
所供養諸佛功德百分不及一千万億分乃
至筭數譬喻所不能及須菩提若善男子
善女人於後末世有受持讀誦此經所得功
德我若具說者或有人聞心則狂亂狐疑不
信須菩提當知是經義不可思議果報亦不
可思議

BD01063 號 1　金剛般若波羅蜜經　（16–7）

善女人於後末世有受持讀誦此經所得功
德我若具說者或有人聞心則狂亂狐疑不
信須菩提當知是經義不可思議果報亦不
可思議
尒時須菩提白佛言世尊善男子善女人發
阿耨多羅三藐三菩提心應云何住云何降伏
其心佛告須菩提善男子善女人發阿耨多羅
三藐三菩提心者當生如是心我應滅度一
切衆生滅度一切衆生已而无有一衆生實
滅度者何以故若菩薩有我相人相衆生相
壽者相則非菩薩所以者何須菩提實无
有法發阿耨多羅三藐三提者須菩提於
意云何如来於然燈佛所有法得阿耨多羅
三藐三菩提不不也世尊如我解佛所說義
佛於然燈佛所无有法得阿耨多羅三藐三
菩提佛言如是如是須菩提實无有法如来
得阿耨多羅三藐三菩提須菩提若有法如来
得阿耨多羅三藐三菩提者然燈佛則不與
我受記汝於来世當得作佛号釋迦牟尼以實
无有法得阿耨多羅三藐三菩提是故然燈佛
與我受記作是言汝於来世當得作佛号釋迦
牟尼何以故如来者即諸法如義若有人言
如来得阿耨多羅三藐三菩提須菩提實无
有法佛得阿耨多羅三藐三菩提須菩提如
来所得阿耨多羅三藐三菩提於是中无實

BD01063 號 1　金剛般若波羅蜜經　（16–8）

如来得阿耨多羅三藐三菩提須菩提實无
有法佛得阿耨多羅三藐三菩提須菩提如
来所得阿耨多羅三藐三菩提於是中无實
无虗是故如来說一切法皆是佛法須菩提
所言一切法者即非一切法是故名一切法須
菩提譬如人身長大須菩提言世尊如來說
人身長大則為非大身是名大身須菩提菩
薩亦如是若作是言我當滅度无量衆生則
不名菩薩何以故須菩提實无有法名為菩
薩是故佛說一切法无我无人无衆生无壽
者須菩提若菩薩作是言我當莊嚴佛土
是不名菩薩何以故如來說莊嚴佛土者即
非莊嚴是名莊嚴須菩提若菩薩通達无我
法者如来說名真是菩薩
須菩提於意云何如来有肉眼不如是世尊
如来有肉眼須菩提於意云何如来有天眼
不如是世尊如来有天眼須菩提於意云何
如来有慧眼不如是世尊如来有慧眼須菩
提於意云何如来有法眼不如是世尊如来
有法眼須菩提於意云何如来有佛眼不如
是世尊如来有佛眼
須菩提於意云何恒河中所有沙佛說是沙
不如是世尊如来說是沙須菩提於意云何
如一恒河中所有沙有如是等恒河是諸恒

BD01063 號 1　金剛般若波羅蜜經　（16–9）

須菩提於意云何恒河中所有沙佛說是沙
不如是世尊如来說是沙須菩提於意云何
如一恒河中所有沙有如是等恒河是諸恒
河所有沙數佛世界如是寧為多不甚多世
尊佛告須菩提尒所國土中所有衆生若干
種心如来悉知何以故如来說諸心皆為非
心是名為心所以者何須菩提過去心不可
得現在心不可得未来心不可得
須菩提於意云何若有人滿三千大千世界
七寶以用布施是人以是因緣得福多不如
是世尊此人以是因緣得福甚多須菩提若
福德有實如来不說得福德多以福德无
故如来說得福德多
須菩提於意云何佛可以具足色身見不不
也世尊如来不應以色身見何以故如来說具
足色身即非具足色身是名具足色身須
菩提於意云何如来可以具足諸相見不不
也世尊如来不應以具足諸相見何以故如
来說諸相具足即非具足是名諸相具足
須菩提汝勿謂如来作是念我當有所說法
莫作是念何以故若人言如来有所說法即
為謗佛不能解我所說故須菩提說法者
无法可說是名說法須菩提白佛言世尊佛
得阿耨多羅三藐三菩提為无所得耶如是
如是須菩提我於阿耨多羅三藐三菩提乃

BD01063 號 1　金剛般若波羅蜜經　（16–10）

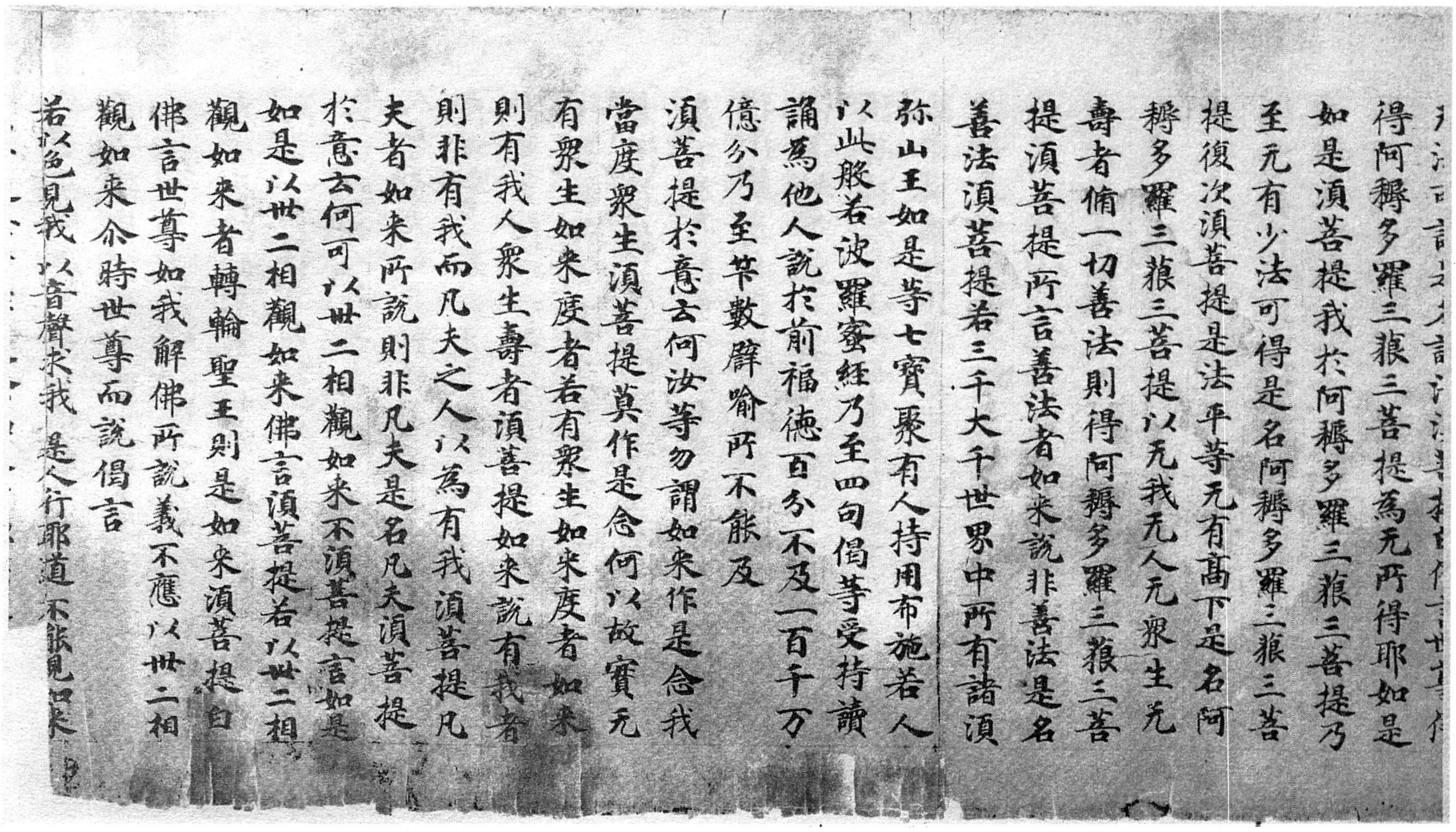
得阿耨多羅三藐三菩提爲无所得耶如是
如是須菩提我於阿耨多羅三藐三菩提乃
至无有少法可得是名阿耨多羅三藐三菩
提復次須菩提是法平等无有高下是名阿
耨多羅三藐三菩提以无我无人无衆生无
壽者脩一切善法則得阿耨多羅三藐三菩
提須菩提所言善法者如來說非善法是名
善法須菩提若三千大千世界中所有諸須
弥山王如是等七寶聚有人持用布施若人
以此般若波羅蜜經乃至四句偈等受持讀
誦爲他人說於前福德百分不及一百千万
億分乃至筭數譬喻所不能及
須菩提於意云何汝等勿謂如來作是念我
當度衆生須菩提莫作是念何以故實无
有衆生如來度者若有衆生如來度者如來
則有我人衆生壽者須菩提如來說有我者
則非有我而凡夫之人以爲有我須菩提凡
夫者如來說則非凡夫是名凡夫須菩提
於意云何可以卅二相觀如來不須菩提言如是
如是以卅二相觀如來佛言須菩提若以卅二相
觀如來者轉輪聖王則是如來須菩提白
佛言世尊如我解佛所說義不應以卅二相
觀如來尒時世尊而說偈言
若以色見我以音聲求我是人行耶道不能見如來

BD01063 號 1　金剛般若波羅蜜經　（16–11）

觀如來尒時世尊而說偈言
若以色見我以音聲求我是人行耶道不能見如來
須菩提汝若作是念如來不以具足
阿耨多羅三藐三菩提須菩提莫
來不以具足相故得阿耨多羅三藐
須菩提汝若作是念發阿耨多羅
提心者說諸法斷滅相莫作是念
阿耨多羅三藐三菩提者於法不說
須菩提若菩薩以滿恒河沙等世
用布施若復有人知一切法无我得
菩薩勝前菩薩所得功德須菩提
薩不受福德故須菩提白佛言世
薩不受福德須菩提菩薩所作福
貪著是故佛說不受福德須菩提
如來若來若去若坐若卧是人不解我所義何
以故如來者无所從來亦无所去故名如來須
菩提若善男子善女人以三千大千世界碎爲微
塵於意云何是微塵衆寧爲多不甚多世
尊何以故若是微塵衆實有者佛則不說
是微塵衆所以者何佛說微塵衆則非微塵
衆是名微塵衆世尊如來所說三千大千世
界則非世界是名世界何以故若世界實有
者則是一合相如來說一合相則非一合相是
名一合相須菩提一合相者則是不可說但凡

BD01063 號 1　金剛般若波羅蜜經　（16–12）

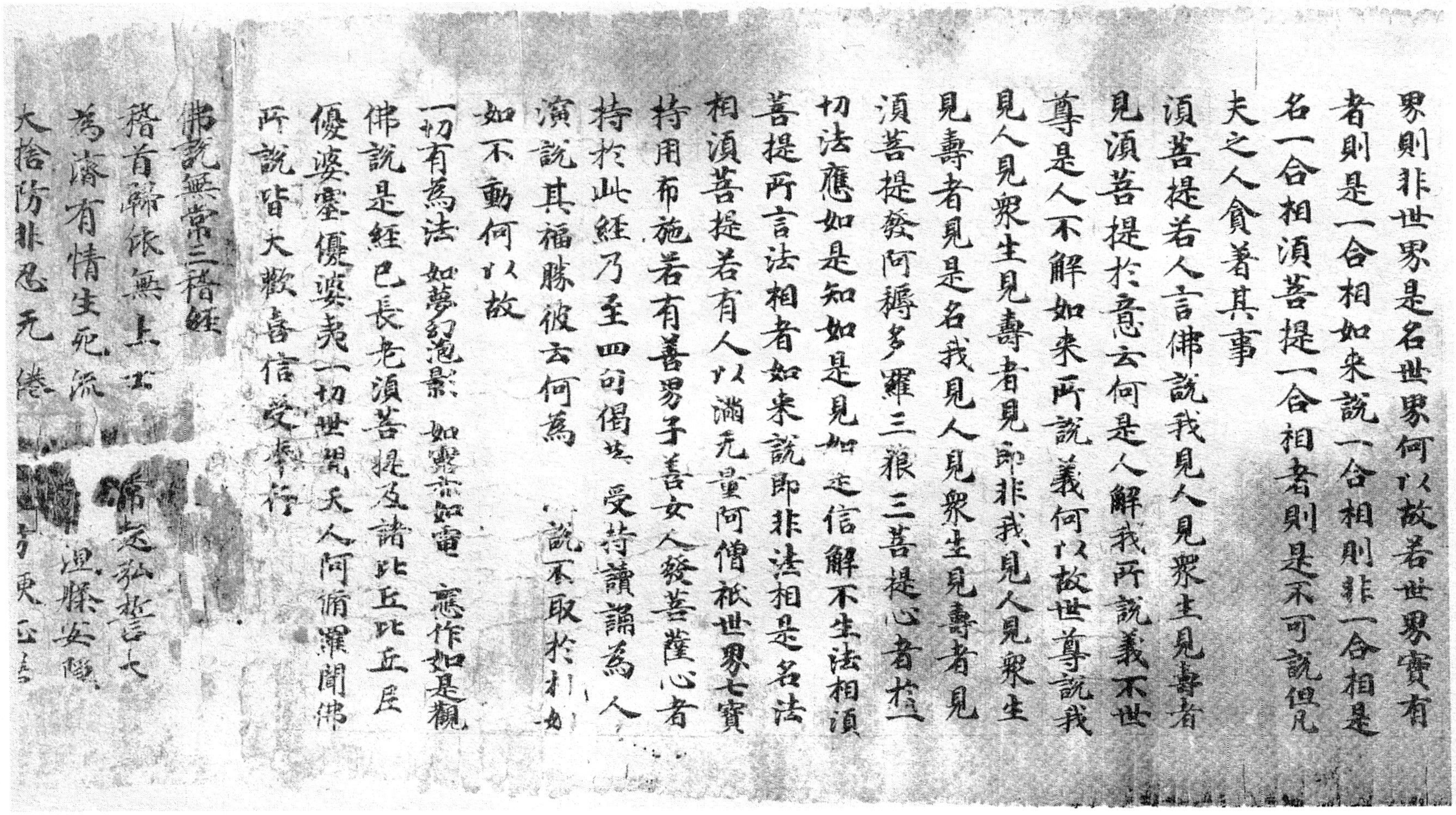
界則非世界是名世界何以故若世界實有
者則是一合相如來說一合相則非一合相是
名一合相須菩提一合相者則是不可說但凡
夫之人貪著其事
須菩提若人言佛說我見人見衆生見壽者
見須菩提於意云何是人解我所說義不世
尊是人不解如來所說義何以故世尊說我
見人見衆生見壽者見即非我見人見衆生
見壽者見是名我見人見衆生見壽者見
須菩提發阿耨多羅三藐三菩提心者於一
切法應如是知如是見如是信解不生法相須
菩提所言法相者如來說即非法相是名法
相須菩提若有人以滿无量阿僧祇世界七寶
持用布施若有善男子善女人發菩薩心者
持於此經乃至四句偈等受持讀誦為人
演說其福勝彼云何為人演說不取於相如
如不動何以故
一切有為法 如夢幻泡影 如露亦如電 應作如是觀
佛說是經已長老須菩提及諸比丘比丘尼
優婆塞優婆夷一切世間天人阿脩羅聞佛
所說皆大歡喜信受奉行
佛說無常三啓經
稽首歸依無上士 常起弘誓大
為濟有情生死流 令得涅槃安隱
大捨防非忍无惓 方便正慧

BD01063 號 1　金剛般若波羅蜜經　　（16–13）
BD01063 號 2　無常經

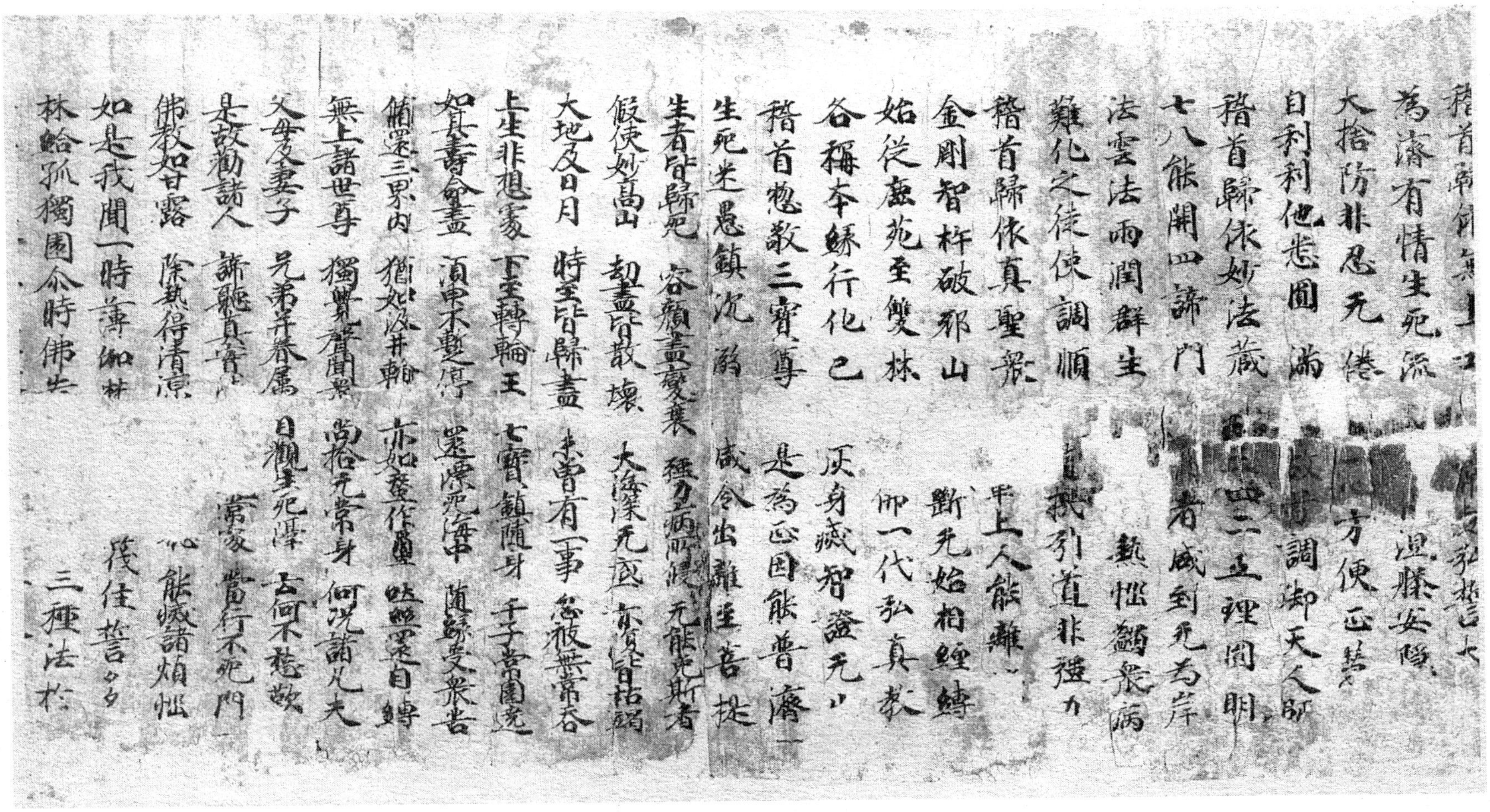
稽首歸依無上士 常起弘誓大
為濟有情生死流 令得涅槃安隱
大捨防非忍无惓 方便正慧
自利利他悲圓滿 調御天人師
稽首歸依妙法藏 三四二五理圓明
七八能開四諦門 修者咸到无為岸
法雲法雨潤群生 能除熱惱蠲衆病
難化之徒使調順 隨機引導非強力
稽首歸依真聖衆 八輩上人能離染
金剛智杵破邪山 永斷无始相纏縛
始從鹿苑至雙林 隨佛一代弘真教
各稱本緣行化已 灰身滅智證无生
稽首總敬三寶尊 是謂正因能普濟
生死迷愚鎮沉溺 咸令出離至菩提
生者皆歸死 容顏盡變衰 強力病所侵 无能免斯者
假使妙高山 劫盡皆散壞 大海深无底 亦復皆枯竭
大地及日月 時至皆歸盡 未曾有一事 不被無常吞
上至非想處 下至轉輪王 七寶鎮隨身 千子常圍遶
如其壽命盡 須臾不暫停 還漂死海中 隨緣受衆苦
循還三界內 猶如汲井輪 亦如蠶作繭 吐絲還自縛
無上諸世尊 獨覺聲聞衆 尚捨无常身 何況諸凡夫
父母及妻子 兄弟并眷屬 目觀生死隔 云何不愁歎
是故勸諸人 諦聽真實法 共捨无常處 當行不死門
佛法如甘露 除熱得清涼 心能滅諸煩惱
如是我聞一時薄伽梵 住誓多
林給孤獨園爾時佛告 三種法於

BD01063 號 2　無常經　　（16–14）

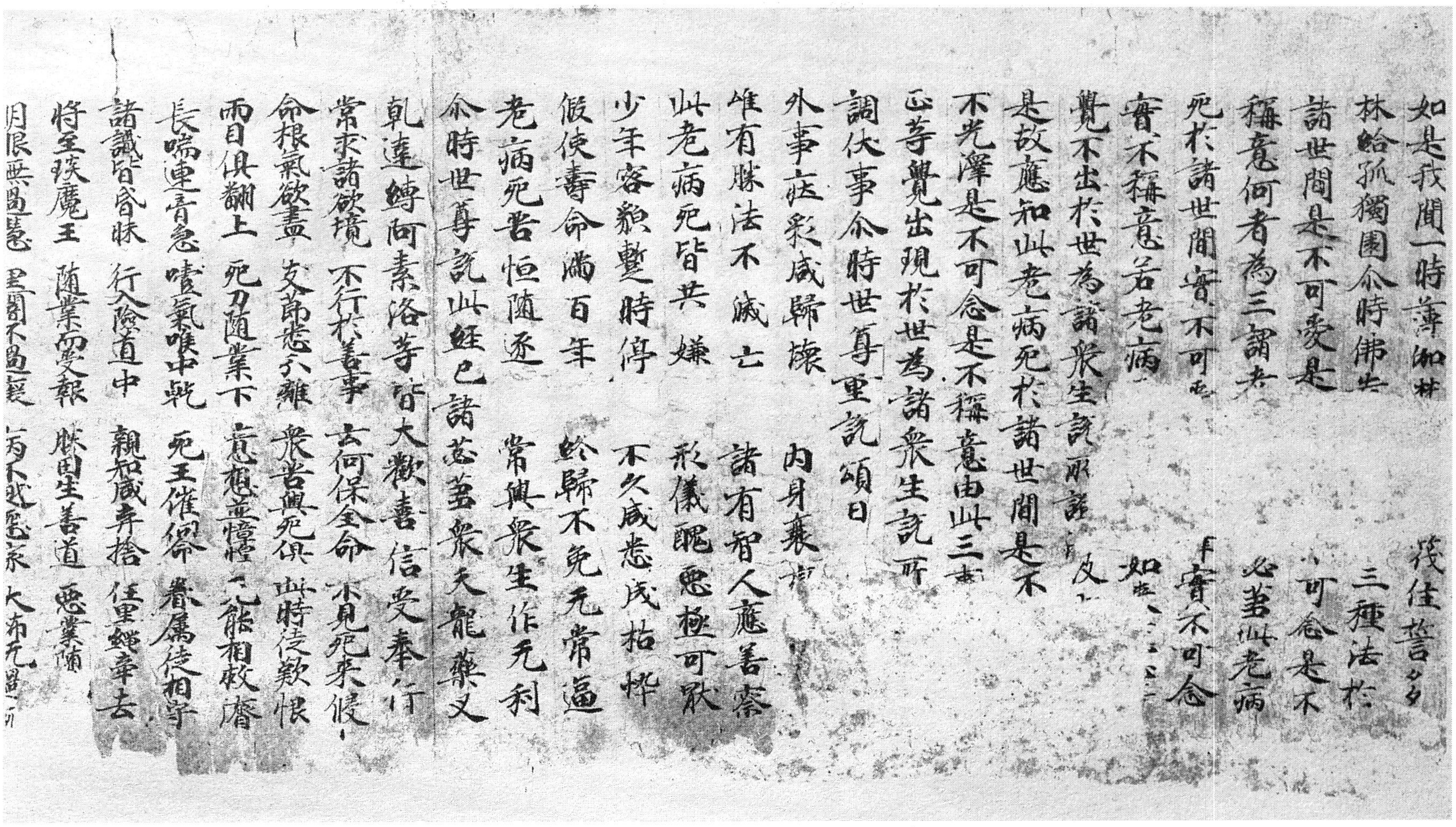
如是我聞一時薄伽梵住誓多
林給孤獨園尒時佛告 三種法於
諸世間是不可愛是 不可念是不
稱意何者為三謂老 必并此老病
死於諸世間實不可愛 實不可念
實不稱意若老病 如此……
覺不出於世為諸眾生說所證
是故應知此老病死於諸世間是不
不光澤是不可念是不稱意由此三事
正等覺出現於世為諸眾生說所
調伏事尒時世尊重說頌曰
外事莊彩咸歸壞 內身衰變亦同然
唯有勝法不滅亡 諸有智人應善察
此老病死皆共嫌 形儀醜惡極可猒
少年容貌暫時停 不久咸悲成枯悴
假使壽命滿百年 終歸不免无常逼
老病死苦恒隨逐 常與眾生作无利
尒時世尊說此經已 諸苾芻眾天龍藥叉
乾闥婆阿素洛等 皆大歡喜 信受奉行
常求諸欲境 不行於善事 云何保身命 不見死來侵
命根氣欲盡 支節悉分離 眾苦與死俱 此時徒歎恨
兩目俱翻上 死刀隨業下 意想並慞惶 无能相救濟
長喘連胸急 喉氣喘中乾 死王催伺命 親屬徒相守
諸識皆昏昧 行入險城中 親知咸棄捨 任彼繩牽去
將至琰魔王 隨業而受報 勝因生善道 惡業墮
明眼無過慧 黑闇不過癡 病不越怨家 大怖无過死

BD01063 號 2　無常經　（16–15）

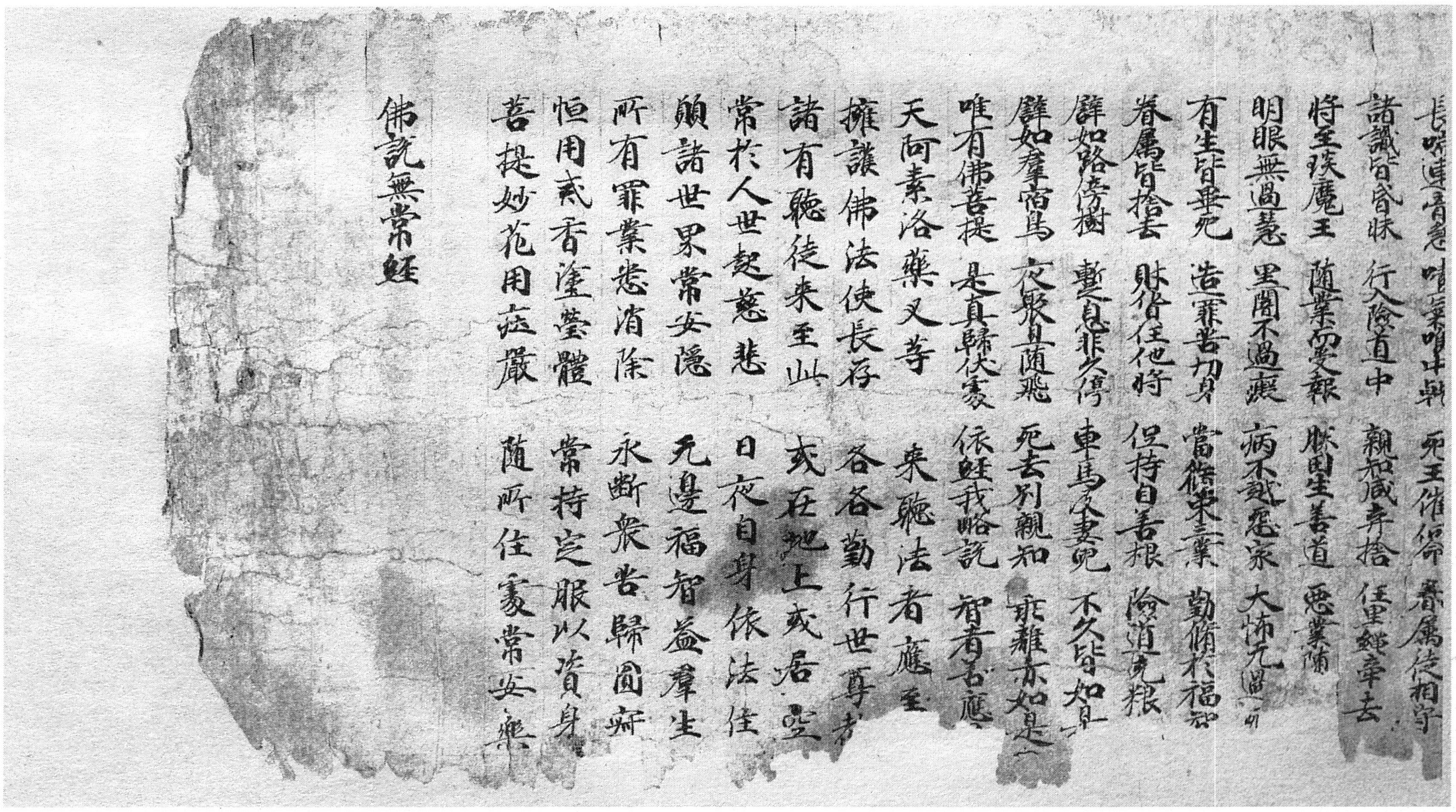
長喘連胸急 喉氣喘中乾 死王催伺命 眷屬徒相守
諸識皆昏昧 行入險城中 親知咸棄捨 任彼繩牽去
將至琰魔王 隨業而受報 勝因生善道 惡業墮
明眼無過慧 黑闇不過癡 病不越怨家 大怖无過死
有生皆必死 造罪苦切身 當勤策三業 恒修於福智
眷屬皆捨去 財貨任他將 但持自善根 險道充糧
譬如路傍樹 暫息非久停 車馬及妻兒 不久皆如是
譬如群宿鳥 夜聚旦隨飛 死去別親知 乖離亦如是
唯有佛菩提 是真歸仗處 依經我略說 智者善應思
天阿素洛藥叉等 來聽法者應至心
擁護佛法使長存 各各勤行世尊教
諸有聽徒來至此 或在地上或居空
常於人世起慈悲 日夜自身依法住
願諸世界常安隱 无邊福智益群生
所有罪業並消除 遠離眾苦歸圓寂
恒用戒香塗瑩體 常持定服以資身
菩提妙花遍莊嚴 隨所住處常安樂
佛說無常經

BD01063 號 2　無常經　（16–16）

乾符六年正月一日□寫牛

BD01063 號背　雜寫　（1–1）

大乘无量壽經
如是我聞一時薄伽梵在舍衛國祇樹給孤獨園與大苾芻僧千二百五十
人大菩薩摩訶薩眾俱同會坐爾時世尊告曼殊室利童子曼殊上方世界
名无量功德聚彼土有佛号无量智決定王如來阿羅訶三藐三菩提現為眾生
開示說法曼殊諦聽南閻浮提人壽命大限百年於中夭枉橫死眾多曼殊是无
量壽如來功德名稱法要若有眾生得聞名号若自書或使人書能為經卷受持讀誦
若於舍所住之處以種種花鬘瓔珞塗香末香而為供養如其命盡復得延年
滿足百歲如是曼殊若有眾生得聞是无量壽智決定王如來一百八名号者益其
長壽若有眾生大命將盡憶念如是如來名号便得增壽如是曼殊善男子善女
人欲求長命者是无量壽如來一百八名号有得聞者或自書或使人書受持讀誦得如是
等果報福得具足陀羅尼曰
南謨薄伽勃底阿波唎蜜多阿喻紇硯娜須毗你失指陀囉佐耶怛他羯他耶怛姪他唵薩
婆桑悉迦囉波唎輸馱達磨底伽伽娜娑摩訥伽底娑婆婆毗輸馱摩訶娜耶波唎
婆囉莎訶　世尊復告曼殊室利如是如來一百八名号若有自書或使人書
為經卷受持讀誦如壽命盡復滿百年壽終之後得往生无量福智世界无量
壽淨土陀羅尼曰　南謨薄伽勃底阿波唎蜜多阿喻紇硯娜須毗你失指陀囉佐耶怛他
羯他耶怛姪他唵薩婆桑悉迦囉波唎輸馱達磨底伽伽娜娑摩訥伽底娑婆婆毗輸馱摩訶
娜耶波唎婆囉莎訶　爾時有九十九俱胝佛一時同聲說是无量壽宗要經陀羅尼曰
南謨薄伽勃底阿波唎蜜多阿喻紇硯娜須毗你失指陀囉佐耶怛他羯他耶怛姪他唵薩婆桑悉迦
囉波唎輸馱達磨底伽伽娜娑摩訥伽底娑婆婆毗輸馱摩訶娜耶波唎婆囉莎訶
爾時復有一百四俱胝佛一時同聲說是无量壽宗要經陀羅尼曰
南謨薄伽勃底阿波唎蜜多阿喻紇硯娜須毗你失指陀囉佐耶怛他羯他耶怛姪他唵薩婆

BD01064 號　無量壽宗要經　（5–1）

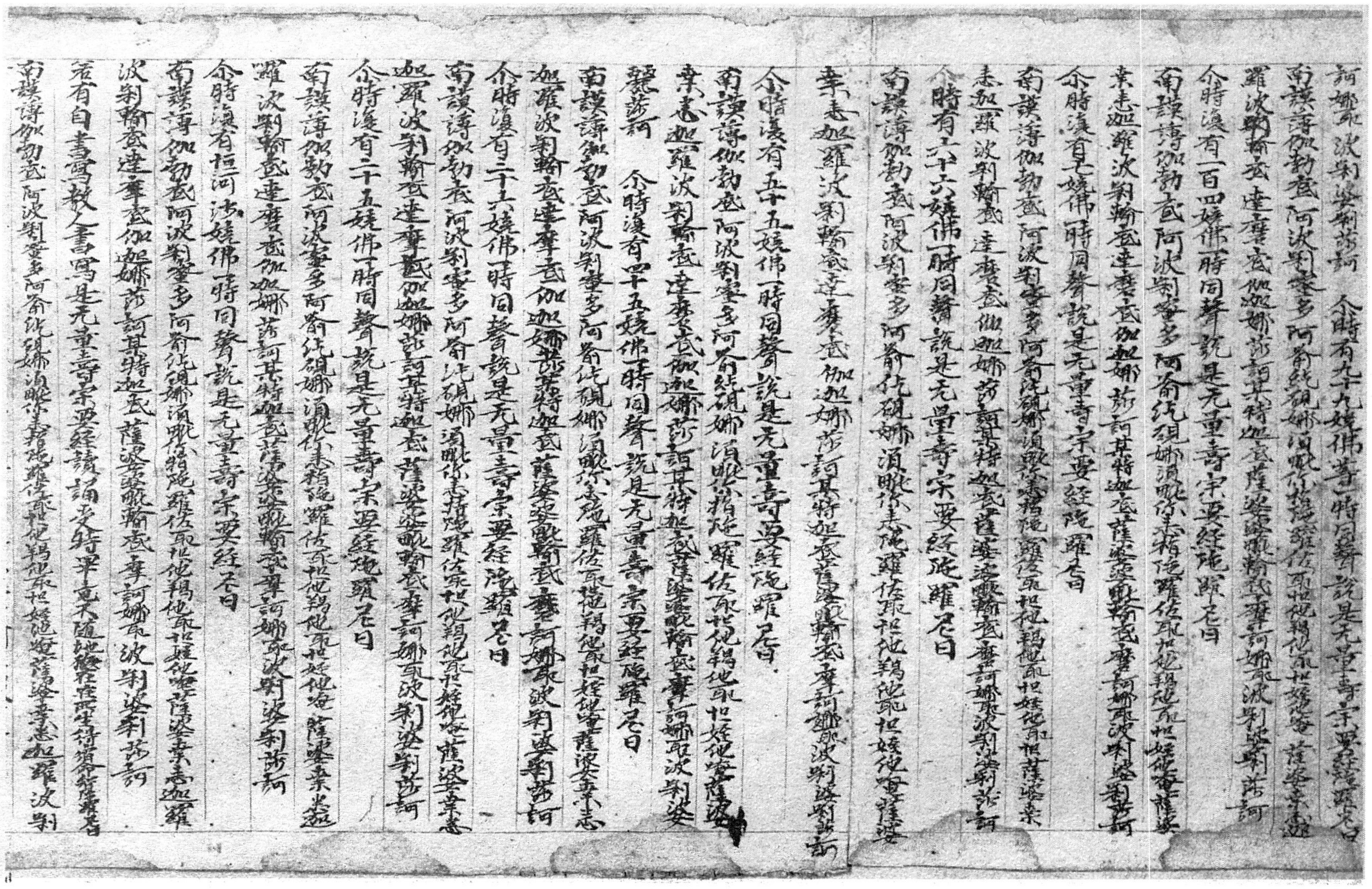

BD01064 號　無量壽宗要經　（5–2）

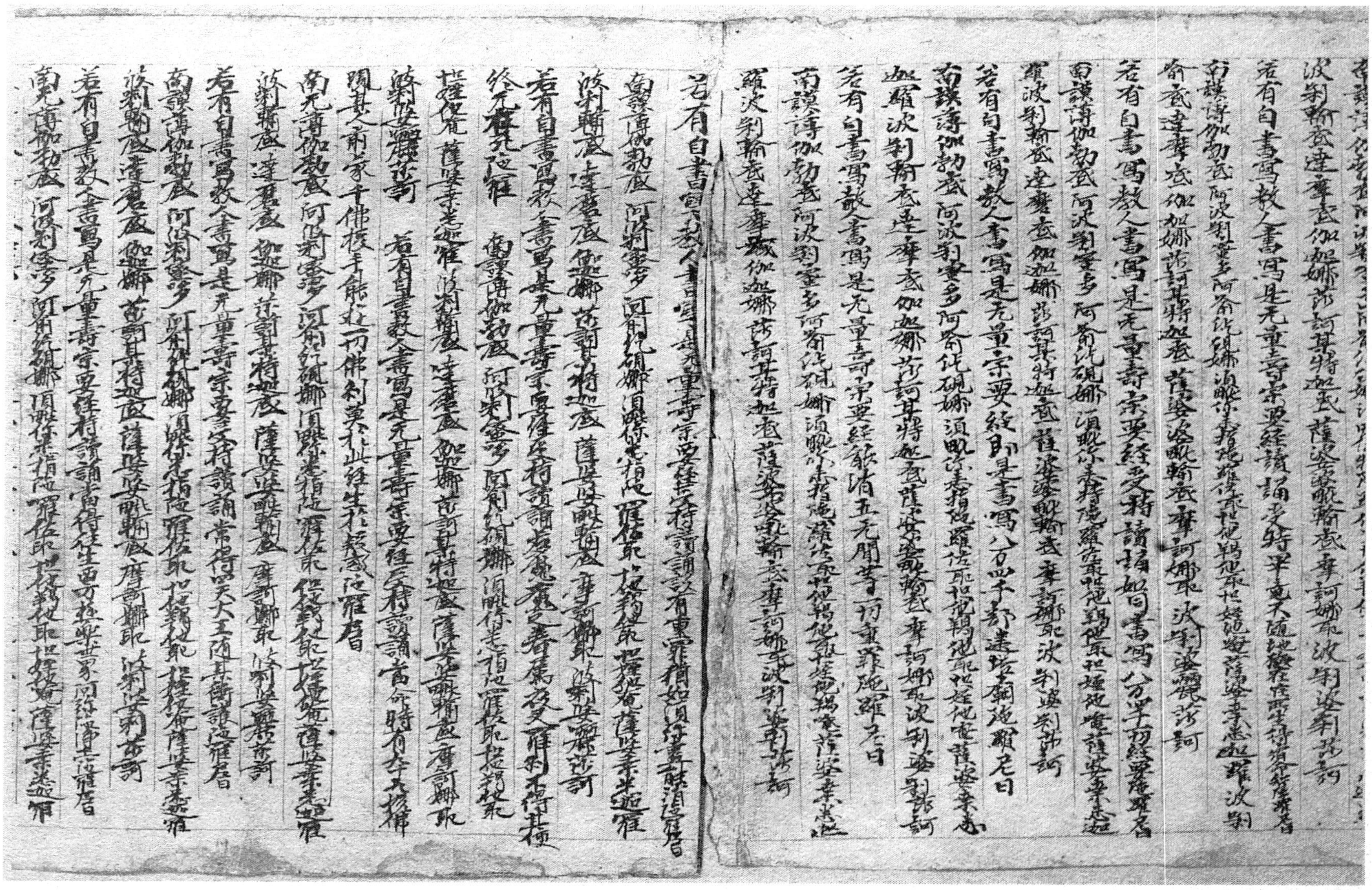

BD01064 號　無量壽宗要經　（5–3）

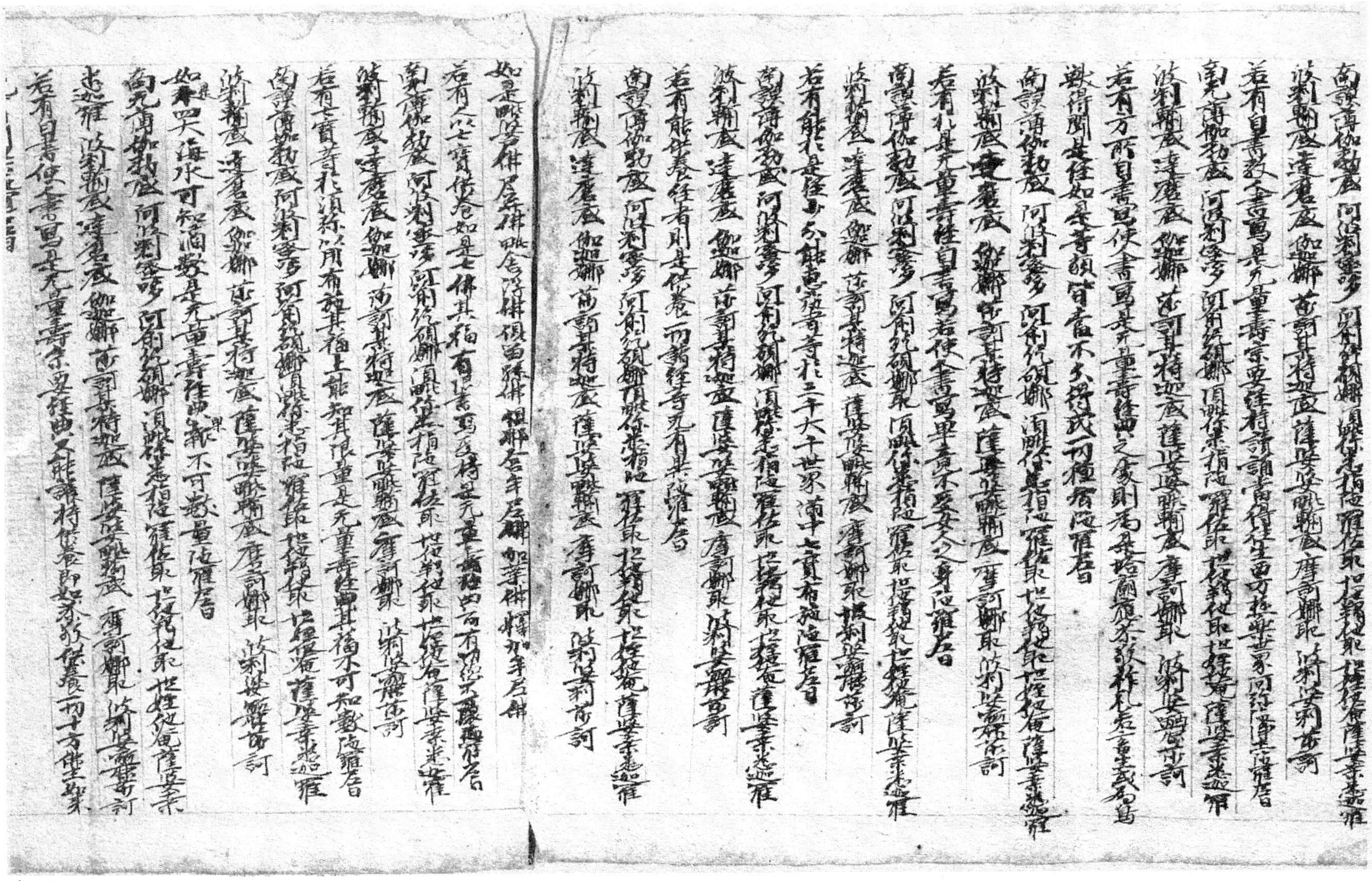

BD01064號　無量壽宗要經　（5–4）

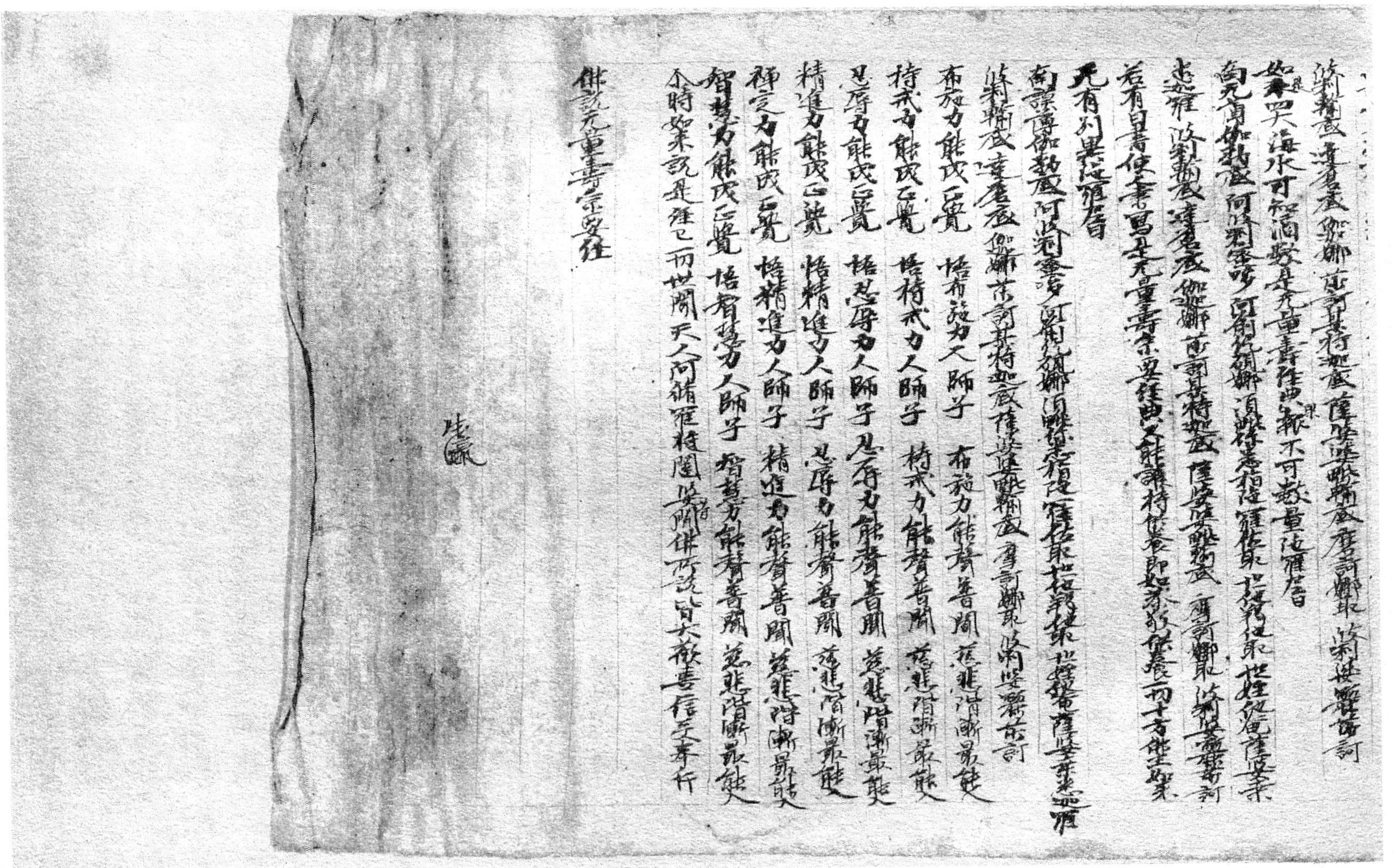

BD01064號　無量壽宗要經　（5–5）

摩訶般若波羅蜜經卷廿六
須菩提白佛言世尊
不實者亦不垢不淨一
有故世尊无所有中无
垢无淨世尊无所有中云
淨世尊云何實語者不
不垢不淨佛告須菩
說是淨須菩提何等是
不誑法相法性法住
性常住是名淨世諦故
義過一切語言論議音聲
若一切法空不可說如夢　一夢如響如
幻如化云何菩薩摩訶　實云何能
炎如景如幻如化法无有　願我當具
發阿耨多羅三藐三菩提　蜜我當具
是檀波羅蜜乃至具足般　足四禪四
是神通波羅蜜具足智波
无量心四无色定四念處乃至具足八聖道
分我當具足三解脫門八背舍九次第定我

BD01065號　摩訶般若波羅蜜經卷二六　（5–1）

炎如景如幻如化法无有　實云何能
發阿耨多羅三藐三菩提　願我當具
是檀波羅蜜乃至具足般　蜜我當具
是神通波羅蜜具足智波　足四禪四
无量心四无色定四念處乃至具足八聖道
分我當具足三解脫門八背捨九次第定我
當具足佛十力乃至具足十八不共法我當
具足卅二相八十隨形好具足諸陁羅尼門
諸三昧門我當放大光明遍照十方知諸衆
生心如應說法佛告須菩提於汝意云何汝
所說諸法如夢如響如炎如景如幻如化不須
菩提言尒世尊世尊若一切法如夢乃至
如化菩薩摩訶薩云何行般若波羅蜜世尊
是夢乃至化虛妄不實世尊不應用不實虛
妄法能具足檀波羅蜜乃至十八不共法佛
告須菩提如是如是不實虛妄法不能具足
檀波羅蜜乃至十八不共法行是不實虛妄
法不能得阿耨多羅三藐三菩提須菩提是
一切法皆是憶想思惟作法用是思惟憶想
作法不能得一切種智須菩提是一切法能
助道法不能益果所謂是諸
相菩薩從初發心來所作善
乃至一切種智何以故知諸
如化如是等法不具足檀波羅蜜乃
種智不能得成就衆生淨佛國土得阿耨
羅三藐三菩提是菩薩摩訶

BD01065號　摩訶般若波羅蜜經卷二六　（5–2）

如化如是等法不具足檀波羅蜜乃至
種智不能得成就衆生淨佛國土得阿耨
羅三藐三菩提是菩薩摩訶
檀波羅蜜乃至一切種智知
知一切衆生如夢中行乃至知
菩薩摩訶薩不取般若波羅蜜是有法用是
取故得一切種智知是法如夢无所取乃至
諸法如化无所取何以故般若波羅蜜是不
可取相禪波羅蜜乃至十八不共法是不可
取相是菩薩摩訶薩知一切法是不可取相
已發心求阿耨多羅三藐三菩提何以故一
切法不可取相无根本定實如夢乃至如化
用不可取相法不能得不可取相法但以衆
生不知不見如是諸法相是菩薩摩訶薩為
是衆生故求阿耨多羅三藐三菩提是菩薩
從初發意已來所有布施為一切衆生故
乃至有所脩智慧皆為一切衆生不為已身
菩薩摩訶薩不為餘事故求阿耨多羅三藐
三菩提但為一切衆生故是菩薩行般若波
羅蜜時見衆生无衆生但衆生相中住乃至无
知者无見者知見相中住令衆生遠離顛倒遠離
已置甘露性中住是中无有妄相所謂衆生
相乃至知者見者相是時菩薩動心念心戲
論心皆捨常行不動心不念心不戲論心須
菩提以是方便力故菩薩摩訶薩行般若波
羅蜜時自无所著亦教一切衆生令得无所

BD01065號　摩訶般若波羅蜜經卷二六　（5–3）

論心皆捨常行不動心不念心不戲論心須
菩提以是方便力故菩薩摩訶薩行般若波
羅蜜時自无所著亦教一切衆生令得无所
著世諦故非第一義須菩提白佛言世尊世
尊得阿耨多羅三藐三菩提時得諸佛法以
世諦故得以第一義中得佛言以世諦故說
佛得是法是法中无有法可得是人得是法
何以故是人得是法是為大有所得用二法
无道无果須菩提白佛言世尊若行二法无
道无果行不二法有道有果不佛言行二法
无道无果行不二法亦无道无果若无二法
无不二法即是道即是果何以故用如是法
得道得果用是法不得道不得果是為戲
論諸平等法中无有戲論无戲論相是諸法
平等須菩提白佛言世尊諸法无所有性是
中何等是平等佛言若无有法无有无法亦
不說諸法平等相除平等更无餘法離一切
法平等相平等者若凡夫若聖人不能行不
能到須菩提白佛言世尊乃至佛亦不能行
亦不能到佛言是諸法平等一切聖人皆不
能行不能到所謂諸須陁洹斯陁含阿那含
阿羅漢辟支佛諸菩薩摩訶薩及諸佛須菩
提白佛言世尊佛者一切諸法中行力自在
云何說佛亦不能行亦不能到佛告須菩提
若諸法平等與佛有異應當如是問須菩提
今諸凡夫人平等諸須陁洹斯陁含阿那含阿
羅漢辟支佛諸菩薩摩訶薩諸佛及聖法皆

BD01065號　摩訶般若波羅蜜經卷二六　（5–4）

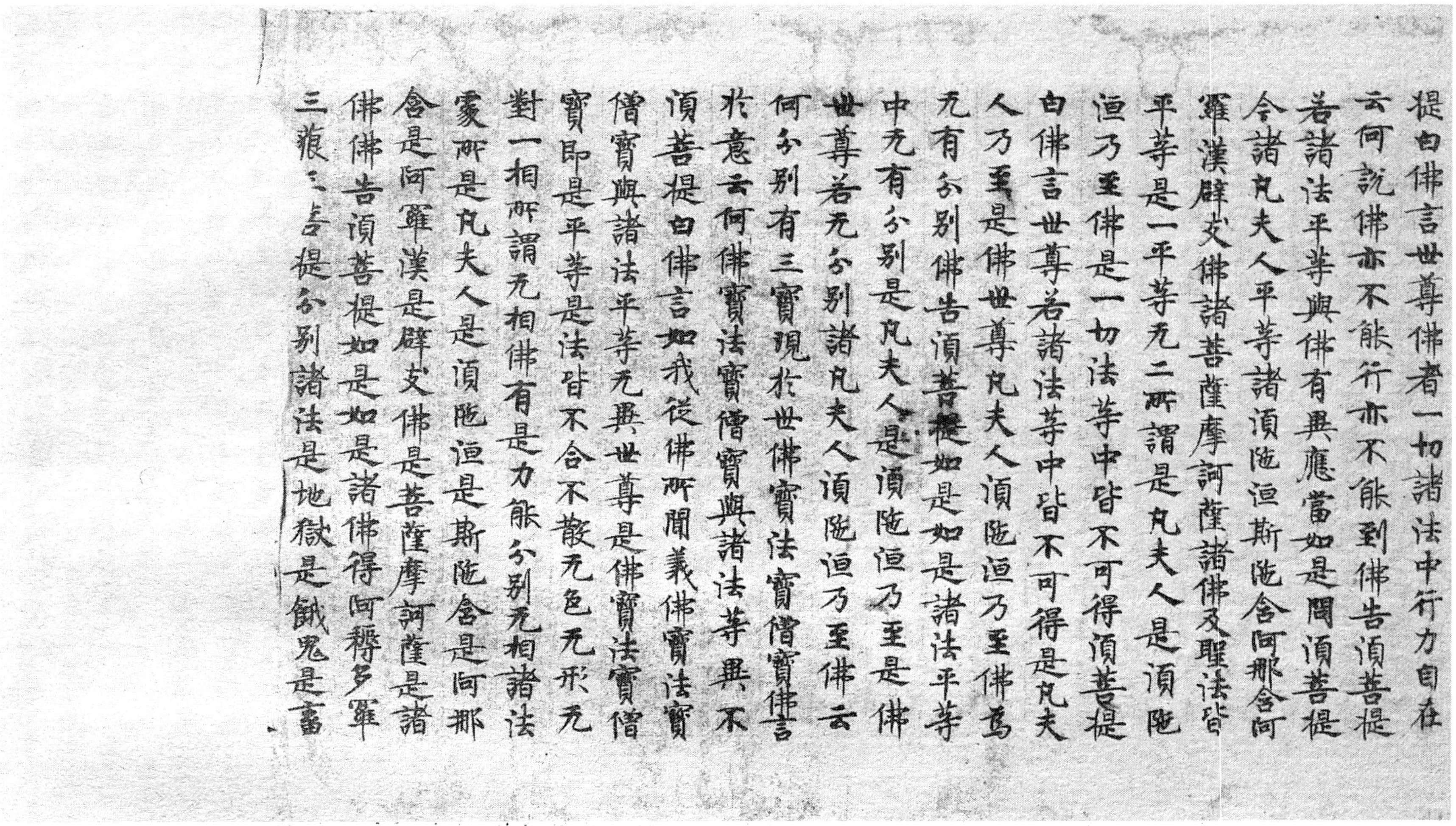

提白佛言世尊佛者一切諸法中行力自在
云何說佛亦不能行亦不能到佛告須菩提
若諸法平等與佛有異應當如是問須菩提
今諸凡夫人平等諸須陁洹斯陁含阿那含阿
羅漢辟支佛諸菩薩摩訶薩諸佛及聖法皆
平等是一平等无二所謂是凡夫人是須陁
洹乃至佛是一切法等中皆不可得須菩提
白佛言世尊若諸法等中皆不可得是凡夫
人乃至是佛世尊凡夫人須陁洹乃至佛為
无有分別佛告須菩提如是如是諸法平等
中无有分別是凡夫人是須陁洹乃至是佛
世尊若无分別諸凡夫人須陁洹乃至佛云
何分別有三寶現於世佛寶法寶僧寶佛言
於意云何佛寶法寶僧寶與諸法等異不
須菩提白佛言如我從佛所聞義佛寶法寶
僧寶與諸法平等无異世尊是佛寶法寶僧
寶即是平等是法皆不合不散无色无形无
對一相所謂无相佛有是力能分別无相諸法
處所是凡夫人是須陁洹是斯陁含是阿那
含是阿羅漢是辟支佛是菩薩摩訶薩是諸
佛佛告須菩提如是如是諸佛得阿耨多羅
三藐三菩提分別諸法是地獄是餓鬼是畜

BD01065 號　摩訶般若波羅蜜經卷二六　（5–5）

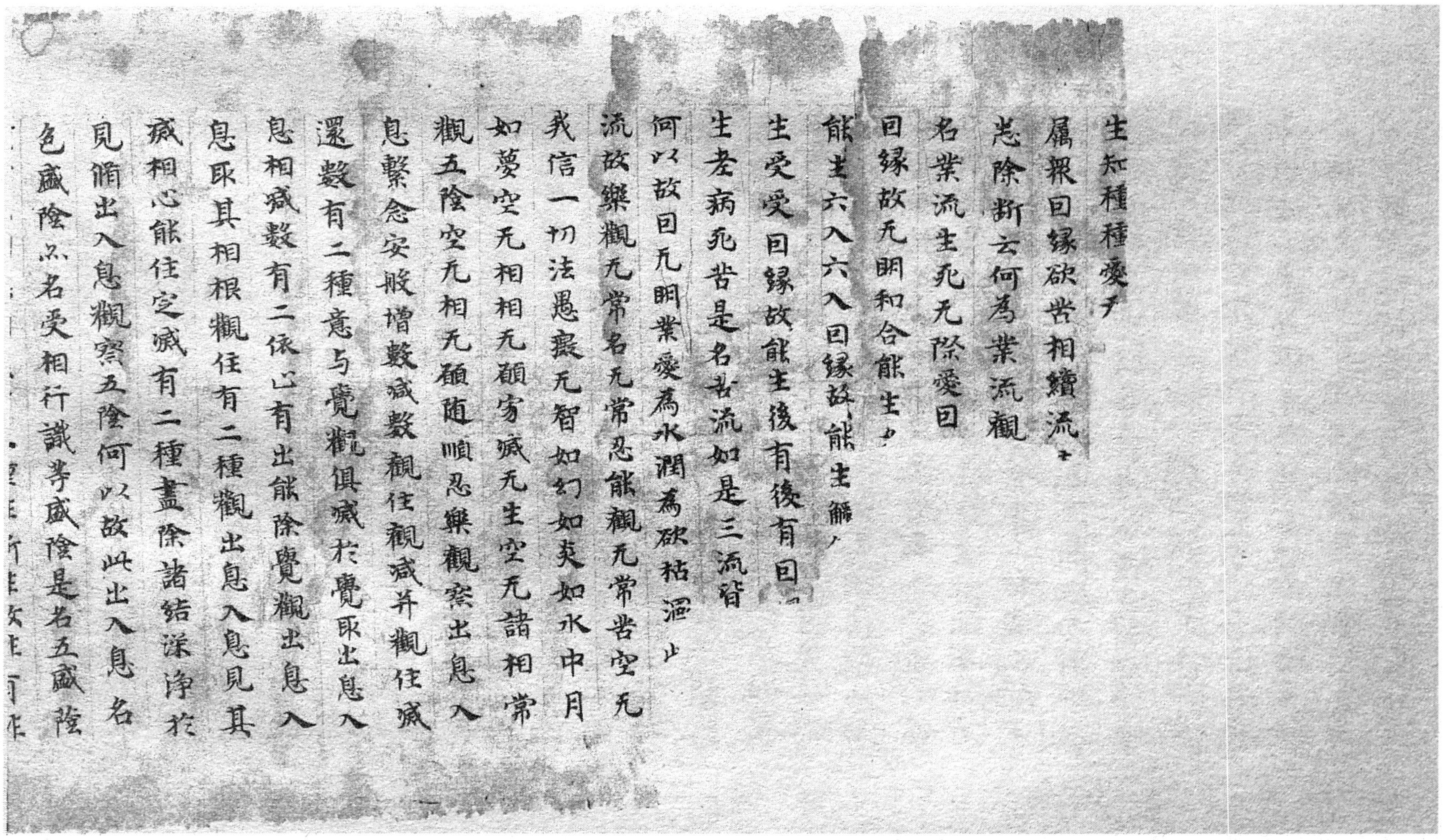

生知種種愛
屬報因緣欲苦相續流
悉除斷云何為業流觀
名業流生死无際愛因
因緣故无明和合能生
能生六入六入因緣故能生觸
生受受因緣故能生後有後有因
生老病死苦是名苦流如是三流皆
何以故因无明業愛為水潤為欲枯涸止
流故樂觀无常名无常忍能觀无常苦空无
我信一切法愚癡无智如幻如炎如水中月
如夢空无相相无願寂滅无生空无諸相常
觀五陰空无相无願隨順忍樂觀察出息入
息繫念安般增數滅數觀住觀滅并觀住滅
還數有二種意与覺觀俱滅於覺取出息入
息相滅數有二依心有出能除覺觀出息入
息取其相根觀住有二種觀出息入息見其
滅相心能住定滅有二種盡除諸結深淨於
見脩出入息觀察五陰何以故此出入息名
色盛陰亦名受相行識等盛陰是名五盛陰

BD01066 號　大方廣十輪經卷二　（7–1）

息取其相根觀住有二種觀出息入息見其
滅相心能住定滅有二種盡除諸結深淨於
見脩出入息觀察五陰何以故此出入息名
色盛陰亦名受相行識等盛陰是名五盛陰
種種不相應相復有五種非新非故非有非
無非言如是五種以此五陰觀三種業以此
三業觀究竟盡復觀六處有我我所有業无
明為田愛為濕潤究竟滅盡以是觀察具四
念處脩集滿足四念處四正懃四如意足五
根五力七覺分八聖道分乃至能滿十八不
共法得无生忍及一切智具足首楞嚴三昧
脩出入息安般三昧滿足一切正法住處若
能如是脩諸禪定則是供養過去未来一切
諸佛是名佛子從佛口生從正法生有能如
此善脩禪者我是大士諸菩薩等或是盡辟
支羅漢如所脩集是名菩薩摩訶薩則能滿
足十八不共法具一切智善男子是人不久
當得阿耨多羅三藐三菩提亦是三世如来
世尊甚深法眼滿足業行觀察果報安住衆
生於十種禪定如是善男子則能轉於如来
所轉禪定法輪彼善男子云何脩於如来誦
習若有比丘比丘尼優婆塞優婆夷善男子
有少信心微薄善根於世諦中善根未熟令
彼衆生於初中後夜以時誦習脩禪喜悅求
无上智我於尒時安置大乘脩習禪定讀誦

彼衆生於初中後夜以時誦習脩禪喜悅求
无上智我於尒時安置大乘脩習禪定讀誦
受持種種供養自誦教人誦自說教人說自
供養教人供養自住大乘亦教人住大乘乎
相教化滅諸煩惱皆為得於无上道利亦欲
滅諸衆生无量苦若口一為得入无所畏處
涅槃之城若有衆生樂求辟支佛者為說十
二因緣法樂求聲聞者為說百千四種阿含
及与无量阿毗曇等教令誦習如說脩行善
男子是名如来脩誦習輪善男子若有純根
衆生為欲發起善根因緣懈怠少智忘失正
念貪着住處衣服飲食四事供養遠離一切
諸善知識如衆生教令勸化断理僧事及与
佛法和上阿闍梨故是善男子則為安置如
来勸化營事福處如是善男子如實知於脩
習業法善男子是名第二佛輪具足三業成
熟衆生輪到於安隱无畏之處能師子吼轉
梵法輪令諸外道皆悉降伏如實能知衆生
因報善男子譬如灌頂刹利王沙門婆羅門
毗舍首陁諦善觀察誰有勇健種種伎能多
聞持戒善知分別有功德者方便智慧能懃
精進堅固不退種種福德而自莊嚴於是衆
中作灌頂刹利王隨其相狼金銀珎寶倉庫
穀帛及諸田宅奴婢僕使皆悉給与此國若
有於衆生中能持戒者如此衆生亦給拯之
[illegible]

穀帛及諸田宅奴婢僕使皆悉給与此國若
有於衆生中能持戒者如此衆生亦給拒之
若有衆生下持戒者少於精進懈怠懶惰忘
失正念无慈愍心亦无返復不畏後世在欲
於涅槃如是灌頂刹利大王隨其事相適罰
安慰或以教令適罰或以繫閉適罰或以財
物適罰或以復有種種產業或有罰其鞭杖
或有截其枝節或有斬其身首有如是等无
量教授是名灌頂刹利大王第三輪也能令
增益己之國土降伏一切諸惡外敵守護身
命令得長壽如是如是善男子若我聲聞弟子
離於智慧方便福德及諸調伏忘失正念亂心
放逸歸依於我我知體性隨其相根而調伏之
若有貢高難可調伏心不恭敬不堅持戒為
法久住而調伏之若起心念教令心悔又須
言語而適罰者驅令下意終不与語亦於僧
中適罰令礼拜呵詰嫌責不同僧利或在
僧前四體投地自歸伏罪或時驅出不得共
住我知衆生種種體性心所趣向能生信解
為利彼故除其黑闇乾竭欲流得涅槃樂為
欲調伏破戒衆生廣說諸經地獄苦等若有
衆生能起信敬淨意方便隨彼體相說諸善
根為具善故乃至令得到无畏城善男子是
名第三輪也以如是輪隨彼衆生得種種解
脩行諸業悉具善本使得安隱到无畏處如

名第三輪也以如是輪隨彼衆生得種種解
脩行諸業悉具善本使得安隱到无畏處如
彼賢聖轉佛法輪外道怨敵自然降伏能師
子吼善男子譬如灌頂刹利大王於國人民有
若干種即歸即見即解即出家或於吉相專
脩如此无量苦惱傷害衆生灌頂大王以先
王舊法為彼衆生令專脩學斷除倒見先
王舊善治國之法亦使脩行灌頂刹利大王
制法令諸衆生悉同一意俱共調伏同一怖
望同所樂欲同共歸趣皆令和合隨順先王
舊國之法聽受詔命皆共隨伏同奉國法尒
時灌頂刹利大王常与國人同其飲食而共
戲樂不相疑猜心相體信共行王法是名灌
頂大王第四輪也以如是輪能令己國悉得
增長并制怨敵皆悉降伏能保國土守護壽
命善男子如来世尊見諸衆生有若干種即
歸即見怖樂即業觀諸衆生以是因緣已於
過去諸佛如来在大衆前數數聞亦佛法因
果說六波羅蜜脩行正道說佛法僧三寶聖
種數數顯現一切業報亦教利養而將導之
令諸即見悉得解脫及与四衆亦皆解脫具
脩善行柔和調順遊戲四念處於諸解脫知
見正道悉得快樂令久住使三寶種終不斷
絶乃至四正懃四如意足五根五力七覺分
八聖道分一切禪定解脫知見悉得自在遊

見正道悉得快樂令又住使三寶種終不斷
絶乃至四正勤四如意足五根五力七覺分
八聖道分一切禪定解脫知見悉得自在遊
戲无㝵如是善男子是名如来第四輪也如
来成就如是輪故令諸衆生一切歸依皆俻
善業同其知見安隱快樂悉令住於无畏之
地高勝大仙所證之處轉佛法輪一切沙門
婆羅門諸梵魔天所不能轉摧伏天魔一切
外道於四衆中能師子吼善男子譬如灌頂
大王能令己國及他人民若自妻色心无猒
足於他產業并諸妻色皆生貪著守護城廓
禁諸雜物國土村邑及以王宮乃至戎邏皆
悉遮制鐵審堅固善男子是名第五灌頂大
王禁制輪也時灌頂王如是成就輪已能令
外諸怨敵皆悉降伏亦使己國常得增長救
護身命善男子如来多陁阿伽度能令魔王
波旬九十五種衆耶外道及諸无量一切衆
生於已產業心无猒足乃至欲害我故以火
燒毒飯推山欲鉀放其醉鵄或拔利劒以如
是等而遂於我或以塵穢而坌於佛或以婬
欲而謗如来或言非人亦非丈夫如是種種
誹謗毀呰此口惡罵於佛法僧為諸利養衆
因緣故而生嫉妬誹謗聲聞如来世尊善守
六根住四梵處教諸聲聞或以四念處以四
辯才為說聲聞三解脫門如是如来若干種

BD01066號　大方廣十輪經卷二　（7–6）

欲而謗如来或言非人亦非丈夫如是種
誹謗毀呰此口惡罵於佛法僧為諸利養衆
因緣故而生嫉妬誹謗聲聞如来世尊善守
六根住四梵處教諸聲聞或以四念處以四
辯才為說聲聞三解脫門如是如来若干種
或以世間法及出世法能令一切如實而知
善男子是名如来第五輪也如来俻如是輪
以出世間知令他衆生種種歸依皆同產業
共其知見安隱快樂住无所畏是諸高勝大
仙居處轉佛法輪沙門婆羅門諸梵魔王天
所不能轉悉能摧伏一切天魔及諸外道於
四衆中能師子吼

十輪經卷第二

BD01066號　大方廣十輪經卷二　（7–7）

之人五欲所縛令魔波旬自在將
師輪捕獮猴擔負歸家善男子辟如國
住已界身心安樂若至他界則得衆苦一切
衆生亦復如是若能自住己境界者則得安
樂若至他界則遇惡魔受諸苦惱自境界者
謂四念處他境界者謂五欲也云何名爲繫
屬於魔有諸衆生无常見常常見无常苦見
於樂樂見於苦不淨見淨淨見不淨无我見
我我見无我非實解脫橫見解脫真實解
脫見非解脫非乘見乘乘見非乘如是之人
名繫屬魔繫屬魔者心不清淨復次善男子
若見諸法真實是有揔別之相當知是人若
見色時便作色相乃至見識亦作識相見男
男相見女女相見日日相見月月相見歲歲
相見陰陰相見入入相見界界相如是見者
名繫屬魔繫屬魔者心不清淨復次善男子
若見我是色色中有我我中有色色屬於我
乃至見我是識識中有我我中有識識屬於

BD01067 號　大般涅槃經（北本　宮本）卷二六　（21–1）

相見陰陰相見入入相見界界相如是見者
名繫屬魔繫屬魔者心不清淨復次善男子
若見我是色色中有我我中有色色屬於我
乃至見我是識識中有我我中有識識屬於
我如是見者繫屬於魔非我弟子善男子我
聲聞弟子遠離如來十二部經脩習種種外
道典籍不脩出家寂滅之業純營世俗在家
之事何等名爲在家事耶受畜一切不淨之物
奴婢田宅象馬車乘驢駝鷄犬獮猴猪羊種種
穀麦遠離師僧親附白衣違反聖教向諸白
衣作如是言佛聽比丘受畜種種不淨之物
是名脩習在家之事有諸弟子不爲涅槃但
爲利養親近聽受十二部經招提僧物及僧
鬪物衣著食噉如自己有慳惜他家及以稱
譽親近國王及諸王子卜噬吉凶推步盈虛
圍碁六博樗捕投壺親比丘尼及諸處女畜
二沙弥常遊屠獵估酒之家及旃陁羅所住
之處種種販賣手自作食受使隣國通致信
命如是之人當知即是魔之眷屬非我弟子
以是因緣心共貪生心共貪滅乃至癡心
共生共滅亦復如是善男子以是因緣心性
不淨亦非不淨是故我說心得解脫若有不
受不畜一切不淨之物爲大涅槃受持讀誦
十二部經書寫解說當知是等真我弟子不

BD01067 號　大般涅槃經（北本　宮本）卷二六　（21–2）

受不害一切不淨之物爲大涅槃受持讀誦
十二部經書寫解說當知是等真我弟子不
行惡魔波旬境界即是修習卅七品以修習
故不共貪生不共貪藏是名菩薩修大涅槃
微妙經典具足成就第八功德復次善男子
云何菩薩摩訶薩修大涅槃微妙經典具足
成就第九功德善男子菩薩摩訶薩修大涅
槃微妙經典初發五事悉得成就何等爲五
一者信二者直心三者戒四者親近善友五者
多聞云何爲信菩薩摩訶薩信於三寶施有
果報信於二諦一乘之道更无異趣爲諸衆
生速得解脫諸佛菩薩分別爲三信第一義
諦信善方便是故爲信如是信者若諸沙門
若婆羅門若天魔梵一切衆生所不能壞因
是信故得聖人性修行布施若多若少悉得
近於大般涅槃不墮生死戒聞智慧亦復如
是是名爲信雖有是信而亦不見是爲菩薩
修大涅槃成就初事云何直心菩薩摩訶薩
於諸衆生作質直心一切衆生若遇因緣則
生諂曲菩薩不尒何以故善解諸法悉因緣
故菩薩摩訶薩雖見衆生諸惡過咎終不說
之何以故恐生煩惱若生煩惱則墮惡趣如
是菩薩若見衆生有少善事則讚嘆之云何
爲善所謂佛性讚佛性故令諸衆生發阿耨

BD01067 號　大般涅槃經（北本　宮本）卷二六　（21-3）

之何以故恐生煩惱若生煩惱則墮惡趣如
是菩薩若見衆生有少善事則讚嘆之云何
爲善所謂佛性讚佛性故令諸衆生發阿耨
多羅三藐三菩提心
尒時光明遍照高貴德王菩薩摩訶薩白佛
言世尊如佛所說菩薩摩訶薩讚嘆佛性令
无量衆生發阿耨多羅三藐三菩提心是義
不然何以故如來初開涅槃經時說有三種
一者若有病人得良醫藥及瞻病者病則易
差如其不得則不可愈二者若得不得悉不
可差三者若得不得悉皆可差一切衆生亦
復如是若遇善友諸佛菩薩聞說妙法則得
發於阿耨多羅三藐三菩提心如其不遇則
不能發所謂須陁洹斯陁含阿那含阿羅漢
辟支佛二者雖遇善友諸佛菩薩聞說妙法
亦不能發若其不遇亦不能發謂一闡提三
者若遇不遇一切悉能發阿耨多羅三藐三
菩提心所謂菩薩若言遇与不遇悉發阿耨
多羅三藐三菩提心者如來今者云何說言
因讚佛性令諸衆生發阿耨多羅三藐三菩
提心世尊若遇善友諸佛菩薩聞說妙法及
以不遇悉不能發阿耨多羅三藐三菩提心
當知是義亦復不然何以故如是之人當得
阿耨多羅三藐三菩提故一闡提輩以佛性

BD01067 號　大般涅槃經（北本　宮本）卷二六　（21-4）

以不遇恚不能發阿耨多羅三藐三菩提心
當知是義亦復不然何以故如是之人當得
阿耨多羅三藐三菩提故一闡提輩以佛性
故若聞不聞恚亦當得阿耨多羅三藐三菩
提故世尊如佛所說何等名為一闡提也謂
斷善根如是之義亦復不然何以故不斷佛
性故如是佛性理不可斷云何佛說斷諸善
根如佛往昔說十二部經善有二種一者常
二者无常常者不斷无常者斷无常可斷故
墮地獄常不可斷何故不遮佛性不斷非一
闡提如來何故作如是說言一闡提世尊若
因佛性發阿耨多羅三藐三菩提何故如來
廣為衆生說十二部經世尊譬如四河從阿
那婆踏多池出若有天人諸佛世尊說言是
河不入大海當還本原无有是處菩提之心
亦復如是有佛性者若聞不聞若戒非戒若
施不施若脩不脩若智非智悉皆應得阿耨
多羅三藐三菩提世尊如憂陁延山日從中
出至于正南日若念言我不至西還東方者
无有是處佛性亦尒若不聞不戒不施不脩
不智不得阿耨多羅三藐三菩提者无有是
處世尊諸佛如來說因果性非有非无如是
之義是亦不然何以故如其乳中无酪性者
則无有酪尼拘陁子无五丈者則不能生五

BD01067號　大般涅槃經（北本　宮本）卷二六　（21-5）

之義是亦不然何以故如其乳中无酪性者
則无有酪尼拘陁子无五丈者則不能生五
丈之質若佛性中无阿耨多羅三藐三菩提
樹者云何能生阿耨多羅三藐三菩提樹以
是義故所說因果非有非无如是之義云何
相應尒時世尊讚言善哉善哉善男子世有
二人甚為希有如優曇華一者不行惡法二
者有罪能悔如是之人甚為希有復有二人
一者作恩二者念恩復有二人一者諮受新
法二者温故不忘復有二人一者造新二者
脩故復有二人一樂聞法二樂說法復有二
人一善問難二能善荅善問難者汝身是也
善能荅者謂如來也善男子因是善問即得
轉于无上法輪能枯十二因緣大樹能度无
邊生死大河能与魔王波旬共戰能摧波旬
所立勝幢善男子如我先說三種病人值遇
良醫瞻病好藥及以不遇病悉得差是義云
何若得不得謂定壽命所以者何是人已於
无量世中脩三種善謂上中下以脩如是三
種善故得定壽命如鬱單曰人壽命千年有
遇病者若得良醫好藥瞻病及以不得悉皆
得差何以故得定命故善男子如我所說若
有病人得遇良醫好藥瞻病病得除差若不
遇者則不得差是義云何善男子如是之人

BD01067號　大般涅槃經（北本　宮本）卷二六　（21-6）

有病人得遇良醫好藥瞻病病得除差若不
遇者則不得差是義云何善男子如是之人
壽命不定命雖未盡有九因緣能夭其壽何
等為九一者知食不安而反食之二者多食
三者宿食未消而復更食四者大小便利不
隨時節五者病時不隨醫教六者不隨瞻病
教勑七者強耐不吐八者夜行以夜行故惡
鬼打之九者房室過差以是緣故我說病者
若遇醫藥病則可差若不遇者則不可愈善
男子如我先說若遇不遇俱不差者是義云
何有人命盡若遇不遇悉不可差何以故以
命盡故以是義故我說病人若遇醫藥及以
不遇悉不得差眾生亦尒發菩提心者若遇
善友諸佛菩薩諮受深法若不遇之皆悉當
成何以故以其能發菩提心故如鬱單曰人
得定壽命如我所說從須陁洹至辟支佛若
聞善友諸佛菩薩所說深法則發阿耨多羅
三藐三菩提心若不值遇諸佛菩薩聞說深
法則不能發阿耨多羅三藐三菩提心如不定
命以九因緣命則中夭如彼病人值遇醫藥
病則得差若不遇者病則不差是故我說遇
佛菩薩聞說深法則能發心若不值遇則不
能發如我先說若遇善友諸佛菩薩聞說深
法若不值遇俱不能發是義云何善男子一

BD01067號　大般涅槃經（北本　宮本）卷二六　（21–7）

病則得差若不遇者病則不差是故我說遇
佛菩薩聞說深法則能發心若不值遇則不
能發如我先說若遇善友諸佛菩薩聞說深
法若不值遇俱不能發是義云何善男子一
闡提輩若遇善友諸佛菩薩聞說深法及以
不遇俱不得離一闡提心何以故斷善法故
一闡提輩不得阿耨多羅三藐三菩提所以
者何若能發於善提之心則不復名一闡提
也善男子以何緣故說一闡提得阿耨多羅
三藐三菩提一闡提輩實不得阿耨多羅三
藐三菩提如命盡者雖遇良醫好藥瞻病不
能得差何以故以命盡故善男子一闡名信
提名不具不具信故名一闡提佛性非信眾
生非具以不具故云何可斷一闡名善方便
提名不具脩善方便不具足故名一闡提佛
性非是脩善方便眾生非具以不具故云何
可斷一闡名進提名不具進不具故名一闡
提佛性非進眾生非具以不具故云何可斷
一闡名念提名不具念不具故名一闡提佛性
非念眾生非具以不具故云何可斷一闡名
定提名不具定不具故名一闡提佛性非定
眾生非具以不具故云何可斷一闡名慧提
名不具慧不具故名一闡提佛性非慧眾
生非具以不具故云何可斷一闡名无常善

BD01067號　大般涅槃經（北本　宮本）卷二六　（21–8）

衆生非具以不具故云何可断一闡名慧提
名不具慧不具故名一闡提佛性非慧衆
生非具以不具故云何可断一闡名无常善
提名不具以无常善不具足故名一闡提佛
性是常非善非不善何以故善法要從方便
而得而是佛性非方便得是故非善何故復
名非不善也能得善果故善果即是阿耨多
羅三藐三菩提又善法者生已得故而是佛性
非生已得是故非善以断生得諸善法故名
一闡提善男子如汝所言若一闡提有佛性
者云何不遮地獄之罪善男子一闡提中无
有佛性善男子譬如有王聞箜篌音其聲清
妙心即耽著喜樂愛念情无捨離即告大臣
如是妙音從何處出大臣答言如是妙音從
箜篌出王復語言持是聲來尒時大臣即持
箜篌置於王前而作是言大王當知此即是
聲王語箜篌出聲出聲而是箜篌聲亦不
出尒時大王即断其弦聲亦不出取其皮木
悉皆拆裂推求其聲了不能得尒時大王即
瞋大臣云何乃作如是妄語大臣白王夫取
聲者法不如是應以衆緣善巧方便聲乃出
耳衆生佛性亦復如是无有住處以善方便
故得可見以可見故得阿耨多羅三藐三菩

BD01067號　大般涅槃經（北本　宮本）卷二六　　（21–9）

瞋大臣云何乃作如是妄語大臣白王夫取
聲者法不如是應以衆緣善巧方便聲乃出
耳衆生佛性亦復如是无有住處以善方便
故得可見以可見故得阿耨多羅三藐三菩
提一闡提輩不見佛性云何能遮三惡道罪
善男子若一闡提信有佛性當知是人不至三
惡是亦不名一闡提也以不自信有佛性故
即墮三惡墮三惡故名一闡提善男子如汝
所説若乳无酪性不應出酪尼拘陁子无五
丈性則不應有五丈之質愚癡之人作如是
説智者終不發如是言何以故以无性故善
男子如其乳中有酪性者不應復假衆緣力
也善男子如水乳雜卧至一月終不成酪若
以一渧頗求樹汁投之於中即便成酪若本
有酪何故待緣衆生佛性亦復如是假衆緣
故則便可見假衆緣故得成阿耨多羅三藐
三菩提若待衆緣然後成者即是无性以无
性故能得阿耨多羅三藐三菩提善男子以
是義故菩薩摩訶薩常讚人善不訟彼缺名
質直心復次善男子云何菩薩質直心也菩
薩摩訶薩常不犯惡設有過失即時懺悔於
師同學終不覆藏慚愧自責不敢復作於輕
罪中生極重想若人詰問答言實犯復問是

BD01067號　大般涅槃經（北本　宮本）卷二六　　（21–10）

薩摩訶[illegible]
師同學終不覆藏慚愧自責不敢復作於輕
罪中生極重想若人詰問答言實犯復問是
罪爲好不好答言不好復問是罪爲善不善
即言不善復問是罪是善果耶不善果耶答
言是罪實非善果又問是罪誰之所造將非
諸佛法僧爲汝作耶答言非佛法僧我所作
也乃是煩惱之所攏集以直心故信有佛性
信佛性故則不得名一闡提也以直心故名
佛弟子若受衆生衣服飲食卧具醫藥種各
十万不足爲多是名菩薩質直心也云何菩薩
脩持於戒菩薩摩訶薩受持禁戒不爲生天
不爲恐怖乃至不受雞戒狗戒牛戒雉戒不
作破戒不作缺戒不作瑕戒不作雜戒不作
聲聞戒受持菩薩摩訶薩戒尸波羅蜜戒得
具足戒不生憍慢是名菩薩脩大涅槃具第
三戒云何菩薩親近善友菩薩摩訶薩常爲
衆生說於善道不說惡道說於惡道非善果
報善男子我身即是一切衆生真善知識是
故能斷富伽羅婆羅門所有耶見善男子若
有衆生親近我者雖有生於地獄因緣即得
生天如須那刹多等應墮地獄以見我故即
得斷墮地獄因緣生於色天雖有舍利弗目
揵連等不名衆生真善知識何以故生一闡
是心因緣故善男子我昔住於波羅㮈國時

BD01067 號　大般涅槃經（北本　宮本）卷二六　（21–11）

得斷墮地獄因緣生於色天雖有舍利弗目
揵連等不名衆生真善知識何以故生一闡
提心因緣故善男子我昔住於波羅㮈國時
舍利弗教二弟子一觀白骨一令數息經歷
多年各不得定以是因緣即生耶見言无涅
槃无漏之法設其有者我應得之何以故我
能善持所受戒故我於尒時見是比丘生此
耶心喚舍利弗而呵責之汝不善教云何乃
爲是二弟子顛倒說法汝二弟子其性各
異一主浣衣一是金師金師之子應教數息
浣衣之人應教骨觀以汝錯教令是二人生
於惡耶我於尒時爲是二人如應說法二人
聞已得阿羅漢果是故我爲一切衆生真善
知識非舍利弗目揵連等若使衆生有極重
結得遇我者我以方便即爲斷之如我弟難
陁有極重欲我以種種善巧方便而爲除斷
鴦崛摩羅有重瞋恚以見我故瞋恚即息阿
闍世王有重愚癡以見我故癡心即滅如婆
熈伽長者於无量劫脩習成就極重煩惱以
見我故即便斷滅設有薄惡斯下之人親近
於我作弟子者以是因緣一切人天恭敬愛
念尸利毱多耶見熾盛因見我故耶見即滅
因見我故斷地獄因作生天緣如氣嘘旃陁
羅命垂終時因見我故還得壽命如憍尸迦
狂心錯亂因見我故還得本心如瘦瞿曇弥

BD01067 號　大般涅槃經（北本　宮本）卷二六　（21–12）

曰見我故断地獄曰作生天緣如氣嘘栴陁
羅命垂終時曰見我故還得壽命如憍尸迦
狂心錯亂曰見我故還得本心如瘦瞿曇弥
屠家之子常脩悪業以見我故即便捨離如
闡提比丘曰見我故寧捨身命不毀禁戒如
草繫比丘以是義故阿難比丘説半梵行名
善知識我言不尒具足梵行乃名善知識是
故菩薩脩大涅槃具足第四親善知識云何
菩薩具足多聞菩薩摩訶薩為大涅槃十二
部經書寫讀誦分別解説是名菩薩具足多
聞除十一部唯毗佛略受持讀誦書寫解説
亦名菩薩具足多聞除十二部經若能受持
是大涅槃微妙經典書寫讀誦分別解説是
名菩薩具足多聞除是經典具足全體若能
受持一四句偈復除是偈若能受持如来常
住性无變易是名菩薩具足多聞復除是事
若知如来常不説法亦名菩薩具足多聞何
以故法无性故如来雖説一切諸法常无所
説是名菩薩脩大涅槃成就第五具足多聞
善男子若有善男子善女人為大涅槃具足
成就如是五事難作能作難忍能忍難施能
施云何菩薩難作能作若聞有人食一胡麻
得阿耨多羅三藐三菩提者信是語故乃至
无量阿僧祇劫常食一麻若聞入火得阿耨

BD01067號　大般涅槃經（北本　宮本）卷二六　（21–13）

得阿耨多羅三藐三菩提者信是語故乃至
无量阿僧祇劫常食一麻若聞入火得阿耨
多羅三藐三菩提者於无量劫在阿鼻獄入
熾火聚是名菩薩難作能作云何菩薩難忍
能忍若聞受苦手杖刀石斫打曰緣得大涅槃
即於无量阿僧祇劫身具受之不以為苦是
名菩薩難忍能忍云何菩薩難施能施若聞
能以國城妻子頭目髓腦恵施於人得阿耨
多羅三藐三菩提者即於无量阿僧祇劫以
其所有國城妻子頭目髓腦恵施於人是名
菩薩難施能施菩薩雖復難作能作終不念
言是我所作難忍難施亦復如是善男子辟
如父母唯有一子愛之甚重以好衣裳上妙
餚饍随時將養令无所乏其子若於是父母
所生輕慢心悪口罵辱父母愛故不生瞋恨
亦不念言我与是兒衣服飲食菩薩摩訶薩
亦復如是視諸衆生猶如一子若子遇病父母
亦病為求醫藥懃而療之病既差已終不生
念我為是兒療治病苦菩薩亦尒見諸衆生
遇煩惱病生愛念心而為説法以聞法故諸
煩惱断煩惱断已終不念言我為衆生断諸
煩惱若生此念終不得成阿耨多羅三藐三
菩提唯作是念无一衆生我為説法令断煩

BD01067號　大般涅槃經（北本　宮本）卷二六　（21–14）

煩惱若生此念終不得成阿耨多羅三藐三
菩提難作是念无一衆生我為說法令断煩
惱菩薩摩訶薩於諸衆生不瞋不喜何以故
善能脩習空三昧故菩薩若脩空三昧者當
於誰所生瞋生喜善男子辟如山林猛火所
焚若人斫伐或為水漂而是林木當於誰所
生瞋生喜菩薩摩訶薩亦復如是於諸衆生
无瞋无喜何以故脩空三昧故尒時光明遍
照高貴德王菩薩摩訶薩白佛言世尊一切
諸法性自空耶空故空若性自空者不湏
脩空然後見空云何如來言以脩空而見空
耶若性自不空雖復脩空不能令空善男子
一切諸法性夲自空何以故一切法性不可
得故善男子色性不可得云何色性色者非
地水火風不離地水火風非青黄赤白不離
青黄赤白非有非无云何當言色有自性以性
不可得故說為空一切諸法亦復如是以相
似相續故凡夫見已說言諸法性不空寂菩
薩摩訶薩具足五事是故見法性夲空寂善
男子若有沙門及婆羅門見一切法性不空
者當知是人非是沙門非婆羅門不得脩習
般若波羅蜜不得入於大般涅槃不得覩見
諸佛菩薩是魔眷屬善男子一切諸法性夲
自空亦因菩薩脩習空故見諸法空善男子

BD01067號　大般涅槃經（北本　宮本）卷二六　（21–15）

諸佛菩薩是魔眷屬善男子一切諸法性夲
自空亦因菩薩脩習空故見諸法空善男子
如一切法性无常故滅能滅之若非无常滅
不能滅有為之法有生相故生能生之有滅
相故滅能滅之一切諸法有苦相故苦能令
苦善男子如塩醎性能醎異物石蜜性甘能
甘異物苦酒性酢能酢異物薑夲性辛能辛
異物呵梨勒苦能苦異物菴羅菓醂能醂異
物毒性能害令異物害甘露之性令人不死
若合異物亦能不死菩薩脩空亦復如是以
脩空故見一切法性皆空寂光明遍照高貴
德王菩薩復作是言世尊若塩能令非醎作
醎脩空三昧若如是者當知是法非善非妙
其性顛倒若空三昧唯見空者空是无法為
何所見善男子是空三昧見不空法能令空
寂然非顛倒如塩非醎作醎是空三昧亦
復如是不空作空善男子貪是有性非是空
性貪若是空衆生不應以是因緣墮於地獄
若墮地獄云何貪性當是空耶善男子色性
是有何等是性所謂顛倒以顛倒故衆生生
貪若是色性非顛倒者云何能令衆生生貪
以生貪故當知色性非不是有以是義故脩空
三昧非顛倒也善男子一切凡夫若見女人
即生女想菩薩不尒雖見女人不生女想以

BD01067號　大般涅槃經（北本　宮本）卷二六　（21–16）

三昧非顛倒也善男子一切凡夫若見女人
即生女想菩薩不尒雖見女人不生女想以
不生想貪則不生貪不生故非顛倒也以世
間人見有女故菩薩隨說言有女人若見男
時說言是女是則顛倒是故我為闍提說言
汝婆羅門若以晝為夜是即顛倒以夜為晝
是亦顛倒晝為晝相夜為夜相云何顛倒善
男子一切菩薩住九地者見法有性以是見
故不見佛性若見佛性則不復見一切法性
以循如是空三昧故不見法性以不見故則
見佛性諸佛菩薩有二種說一者有性二者
无性為衆生故說有法性為諸賢聖說无法
性為不空者見法空故循空三昧令得見空
无法性者亦循空故空以是義故循空見空
善男子汝言見空空是无法為何見者善男
子如是如是菩薩摩訶薩實无所見无所見
者即无所有无所有者即一切法菩薩摩訶
薩循大涅槃於一切法悉无所見若有見者
不見佛性不能循習般若波羅蜜不得入於
大般涅槃是故菩薩見一切法性无所有善
男子菩薩不但因見三昧而見空也般若波
羅蜜亦空禪波羅蜜亦空毗梨耶波羅蜜亦
空羼提波羅蜜亦空尸波羅蜜亦空檀波羅
蜜亦空色亦空眼亦空識亦空如來亦空

BD01067號　大般涅槃經（北本　宮本）卷二六　（21–17）

空羼提波羅蜜亦空尸波羅蜜亦空檀波羅
蜜亦空色亦空眼亦空識亦空如來亦空
大般涅槃亦空是故菩薩見一切法皆悉是
空是故我在迦毗羅城告阿難言汝莫愁惱
悲泣涕哭阿難即言如來世尊我今眷屬悉
皆死盡云何當得不愁啼耶如來与我俱生
此城俱同釋種親戚眷屬云何如來獨不愁
惱光顏更顯善男子我復告言阿難汝見迦
毗羅真實而有我見空寂悉无所有汝見
釋種悉是親戚我循空故悉无所見以是因
緣汝生愁苦我身顏容益見光顯諸佛菩薩
循習如是空三昧故不生愁惱是名菩薩循
大涅槃微妙經典成就具足第九功德善男
子云何菩薩循大涅槃微妙經典具足㝡後
第十功德善男子菩薩循習三十七品入大
涅槃常樂我淨為諸衆生分別解說大涅
槃經顯示佛性若須陁洹斯陁含阿那含阿
羅漢辟支佛菩薩信是語者悉得入於大般
涅槃若不信者輪迴生死尒時光明遍照高
貴德王菩薩白佛言世尊何等衆生於是經
中不生恭敬善男子我涅槃後有聲聞弟子
愚癡破戒喜生鬪諍捨十二部經讀誦種種
外道典籍文頌手筆受畜一切不淨之物言
是佛聽如是之人以好栴檀貿易凡木以金

BD01067號　大般涅槃經（北本　宮本）卷二六　（21–18）

外道典籍文頌手筆受畜一切不淨之物言
是佛聽如是之人以好栴檀貿易凡木以金
易鍮銀易白鑞絹易氀褐以甘露味易於惡
毒云何栴檀貿易凡木如我弟子爲供養故
向諸白衣演說經法白衣情逸不喜聽聞白
衣處高比丘在下兼以種種餚饍飲食而供
給之猶不肯聽是名栴檀貿易凡木云何以
金貿易鍮石鍮石喻色聲香味觸金喻於戒
我諸弟子以色因緣破所受戒是名以金貿
易鍮石云何以銀易於白鑞銀喻十善鑞喻
十惡我諸弟子放捨十善行十惡法是名以
銀貿易白鑞云何以絹貿易氀褐氀褐喻於
无慚无愧絹喻慚愧我諸弟子放捨慚愧習
无慚愧是名以絹貿易氀褐云何甘露貿易
毒藥毒藥喻於種種利養甘露喻於諸无漏
法我諸弟子爲利養故向諸白衣若自譽讚
言得无漏是名甘露貿易毒藥以如是等惡
比丘故是大涅槃微妙經典廣行流布於閻
浮提當是時也有諸弟子受持讀誦書寫是
經演說流布當爲如是諸惡比丘之所殺害
時惡比丘共相聚集立嚴峻制若有受持大
涅槃經書寫讀誦分別說者一切不得共住
共坐談論語言何以故涅槃經者非佛所說
邪見所造邪見之人即是六師六師經典非

BD01067號　大般涅槃經（北本　宮本）卷二六　（21–19）

涅槃經書寫讀誦分別說者一切不得共住
共坐談論語言何以故涅槃經者非佛所說
邪見所造邪見之人即是六師六師經典非
佛經典所以者何一切諸佛悉說諸法无常
无我无樂无淨若言諸法常樂我淨云何當
是佛所說經諸佛菩薩聽諸比丘畜種種物
六師所說不聽弟子畜一切物如是之義云
何當是佛之所說諸佛菩薩不制弟子斷牛
五味及以食肉六師不聽食五種鹽五種牛
味及以脂肉若斷是者云何當是佛之正典
諸佛菩薩說有三乘而是經中純說一乘謂
大涅槃如此之言云何當是佛之正典諸佛
畢竟入於涅槃是經言佛常樂我淨不入涅
槃是經不在十二部數即是魔說非是佛說
善男子如是之人雖我弟子不能信順是涅
槃經善男子當尒之時若有衆生信此經典
乃至半句當知是人真我弟子因如是信即
見佛性入於涅槃尒時光明遍照高貴德王
菩薩白佛言世尊善哉善哉如來今日善能
開示大涅槃經世尊我因是事即得悟解大
涅槃經一句半句以解一句至半句故見少
佛性如佛所說我亦當得入大涅槃是名菩
薩脩大涅槃微妙經典具足成就第十功德

BD01067號　大般涅槃經（北本　宮本）卷二六　（21–20）

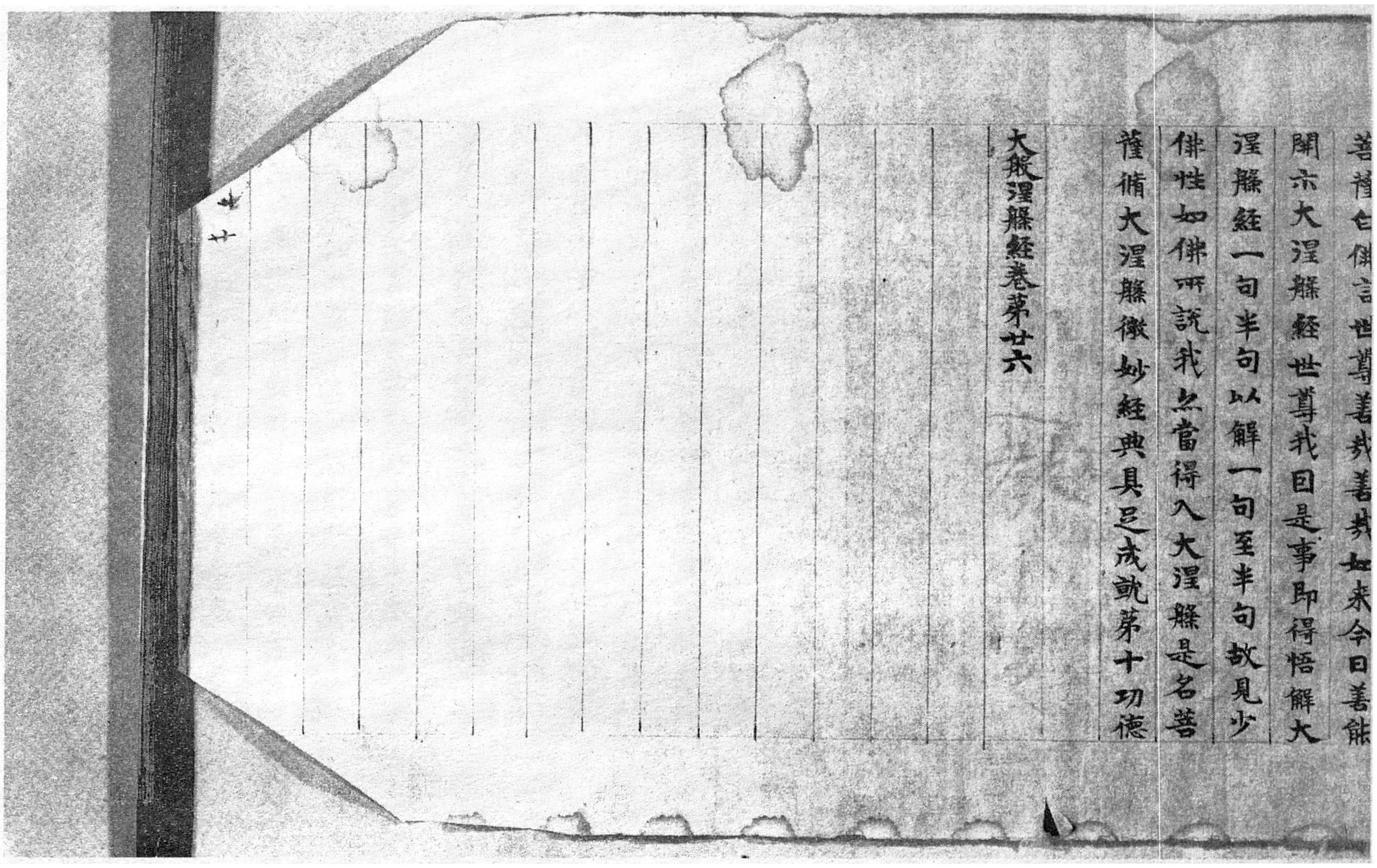
菩薩白佛言世尊善哉善哉如來今日善能
開示大涅槃經世尊我曰是事即得悟解大
涅槃經一句半句以解一句至半句故見少
佛性如佛所說我亦當得入大涅槃是名菩
薩脩大涅槃微妙經典具足成就第十功德
大般涅槃經卷第廿六

BD01067 號　大般涅槃經（北本　宮本）卷二六　（21–21）

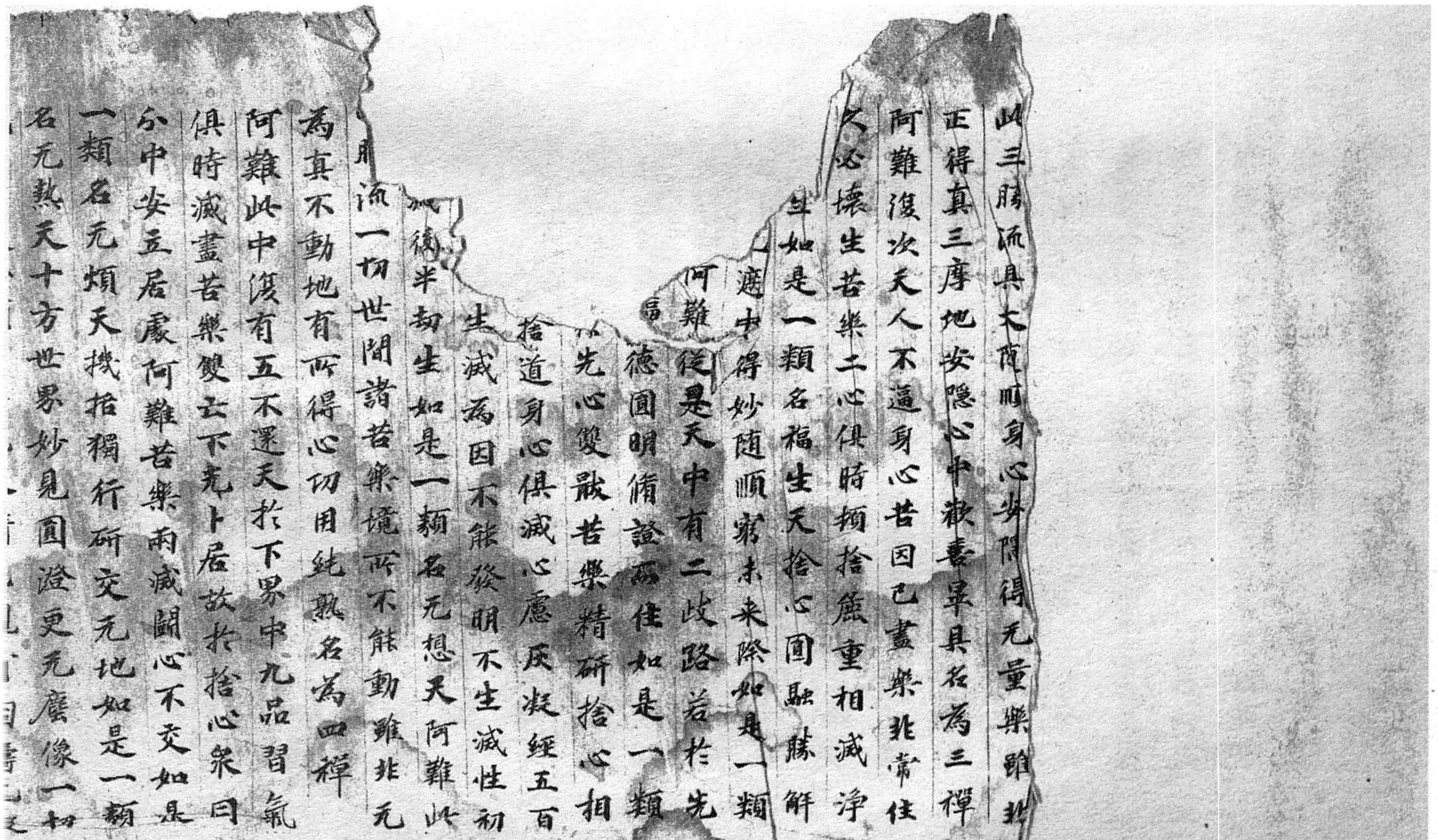
此三勝流具大隨順身心安隱得无量樂雖非
正得真三摩地安隱心中歡喜畢具名為三禪
阿難復次天人不逼身心苦因已盡樂非常住
久必壞生苦樂二心俱時頓捨麁重相滅淨
生如是一類名福生天捨心圓融勝解
遮中得妙隨順窮未來際如是一類
阿難從是天中有二歧路若於先
德圓明脩證而住如是一類
先心雙厭苦樂精研捨心相
捨道身心俱滅心慮灰凝經五百
生滅為因不能發明不生滅性初
半劫生如是一類名无想天阿難此
流一切世間諸苦樂境所不能動雖非无
為真不動地有所得心功用純熟名為四禪
阿難此中復有五不還天於下界中九品習氣
俱時滅盡苦樂雙亡下无卜居故於捨心衆同
分中安立居處阿難苦樂兩滅鬪心不交如是
一類名无煩天機括獨行研交无地如是一類
名无熱天十方世界妙見圓澄更无塵像一切

BD01068 號　大佛頂如來密因修證了義諸菩薩萬行首楞嚴經卷九　（18–1）

俱時滅盡苦樂雙亡下无卜居故於捨心衆同
分中安立居處阿難苦樂兩滅鬪心不交如是
一類名无煩天機括獨行研交无地如是一類
名无熱天十方世界妙見圓澄更无塵像一切
沉垢如是一類名善見天精見現前陶鑄无礙
如是一類名善現天究竟群幾窮色性性入无
邊際如是一類名色究竟天阿難此不還天彼
諸四禪四位天王獨有欽聞不能知見如今世
間曠野深山聖道場地皆阿羅漢所住持故世
間麁人所不能見阿難是十八天獨行无交未
盡形累自此已還名為色界復次
阿難從是有頂色邊際中其間復有二種歧
路若於捨心發明智惠惠光圓通便出塵界
成阿羅漢入菩薩乘如是一類名為迴心大阿
羅漢若在捨心捨猒成就覺身為礙銷礙入空
如是一類名為空處諸礙既銷无礙无滅其中
唯留阿賴耶識全於末那半分微細如是一類
名為識處空色既亡識心都滅十方寂然迥无
攸往如是一類名无所有處識性不動以滅窮
研於无盡中發宣盡性如存不存若盡非盡如
是一類名為非想非非想處此等窮空不盡空
理從不還天聖道窮者如是一類名不迴心鈍
阿羅漢若從无想諸外道天窮空不歸迷漏无
聞便入輪轉阿難是諸天上各各天人則是凡
夫業果酬荅荅盡入輪彼之天王即是菩薩遊
三摩提漸次增進迴向聖倫所脩行路阿難是
四空天身心滅盡定性現前无業果色從此逮
終名无色界此皆不了妙覺明心積妄發生妄

BD01068號　大佛頂如來密因修證了義諸菩薩萬行首楞嚴經卷九　（18–2）

三摩提漸次增進迴向聖倫所脩行路阿難是
四空天身心滅盡定性現前无業果色從此逮
終名无色界此皆不了妙覺明心積妄發生妄
有三界中間妄隨七趣沉溺補特伽羅各從其
類復次阿難是三界中復有四種阿脩羅類若
於鬼道以護法力成通入空此阿脩羅從卵而
生鬼趣所攝若於天中降德貶墜其所卜居隣
於日月此阿脩羅從胎而出人趣所攝有脩羅
王執持世界力洞无畏能與梵王及天帝釋四
天爭權此阿脩羅因變化有天趣所攝阿難別
有一分下劣脩羅生大海心沉水穴口旦遊虛
空暮歸水宿此阿脩羅因濕氣有畜生趣攝
阿難如是地獄餓鬼畜生人及神仙天洎脩羅
精研七趣皆是昏沉諸有為相妄想受生妄想
隨業於妙圓明无作本心皆如空花元无所著
但一虛妄更无根緒阿難此等衆生不識本心
受此輪迴經无量劫不得真淨皆由隨順煞盗
婬故反此三種又則出生无煞盗婬有名鬼倫
无名天趣有无相傾起輪迴性若得妙發三摩
提者則妙常寂有无二无无二亦滅尚无不煞
不偷不婬云何更隨煞盗婬事阿難不斷三業
各各有私因各各私衆私同分非无定處自妄
發生生妄无因无可尋究汝勗脩行欲得菩提
要除三惑不盡三惑縱得神通皆是世間有為
功用習氣不滅落於魔道雖欲除妄倍加虛偽
如来說為可哀憐者汝妄自造非菩提咎作是
說者名為正說若他說者即魔王說

BD01068號　大佛頂如來密因修證了義諸菩薩萬行首楞嚴經卷九　（18–3）

切用習氣不滅落於魔道雖欲除妄倍加虛偽
如来說為可哀憐者汝妄自造非菩提咎作是
說者名為正說若他說者即魔王說
即時如来將罷法座於師子牀攬七寶机迴紫
金山再来憑倚普告大衆及阿難言汝等有學
緣覺聲聞今日迴心趣大菩提无上妙覺吾今
已說真脩行法汝猶未識脩奢摩他毗婆舍那
微細魔事魔境現前汝不能識洗心非正落於
邪見或汝陰魔或復天魔或著鬼神或遭魑魅
心中不明認賊為子又復於中得少為足如第
四禪无聞比丘妄言證聖天報已畢衰相現前
謗阿羅漢身遭後有墮阿鼻獄汝應諦聽吾今
為汝子細分別阿難起立并其會中同有學者
歡喜頂禮伏聽慈誨
佛告阿難及諸大衆汝等當知有漏世界十二類
生本覺妙明覺圓心體與十方佛无二无別由汝
妄想迷理為咎癡愛發生生發遍迷故有空性
化迷不息有世界生則此十方微塵國土非无
漏者皆是迷頑妄想安立當知虛空生汝心內
猶如片雲點太清裏况諸世界在虛空耶汝等
一人發真歸元此十方空皆悉消殞云何空中
所有國土而不振裂汝輩脩禪餝三摩地十方
菩薩及諸无漏大阿羅漢心精通溜當處湛然
一切魔王及與鬼神諸凡夫天見其宮殿无故
崩裂大地振拆水陸飛騰无不驚慴凡夫昏暗
不覺遷訛彼等咸得五種神通唯除漏盡戀此
塵勞如何令汝摧裂其處是故鬼神及諸天魔

BD01068號　大佛頂如來密因修證了義諸菩薩萬行首楞嚴經卷九　（18–4）

崩裂大地振拆水陸飛騰无不驚慴凡夫昏暗
不覺遷訛彼等咸得五種神通唯除漏盡戀此
塵勞如何令汝摧裂其處是故鬼神及諸天魔
魍魎妖精於三昧時僉来惱汝然彼諸魔雖有
大怒彼塵勞內汝妙覺中如風吹光如刀斷水了
不相觸汝如沸湯彼如堅冰煖氣漸隣不日銷
殞徒恃神力但為其客成就破亂由汝心中五陰
主人主人若迷客得其便當處禪那覺悟无惑
則彼魔事无奈汝何陰銷入明則彼群邪咸受
幽氣明能破暗近自消殞如何敢留擾亂禪定
若不明悟被陰所迷則汝阿難必為魔子成就
魔人如摩登伽殊為眇劣彼唯呪汝破佛律儀
八万行中祇毀一戒心清淨故尚未淪溺此乃
隳汝寶覺全身如宰臣家忽逢藉沒宛轉零落
无可哀救阿難當知汝坐道場銷落諸念其念
若盡則諸離念一切精明動靜不移憶忘如一
當住此處入三摩提如明目人處大幽暗精性
妙淨心未發光此則名為色陰區宇若目明朗
十方洞開无復幽黯名色陰盡是人則能超越
劫濁觀其所由堅固妄想以為其本
阿難當在此中精研妙明四大不織少選之間
身能出礙此名精明流溢前境斯但功用暫得
如是非為聖證不作聖心名善境界若作聖解
即受群邪阿難復以此心精研妙明其身內徹
是人忽然於其身內拾出蟯蛔身相宛然亦无
傷毀此名精明流溢形體斯但精行暫得如是
非為聖證不作聖心名善境界若作聖解即受

BD01068號　大佛頂如來密因修證了義諸菩薩萬行首楞嚴經卷九　（18–5）

是人忽然於其身內拾出蟯蛔身相宛然亦无
傷毀此名精明流溢形體斯但精行暫得如是
非為聖證不作聖心名善境界若作聖解即受
群邪又以此心內外精研其時魂魄意志精神
除執受身餘皆涉入若為賓主忽於空中聞說
法聲或聞十方同敷密義此名精魂遞相離合
成就善種暫得如是非為聖證不作聖心名善
境界若作聖解即受群邪又以此心澄露皎徹
內光發明十方遍作閻浮檀色一切種類化為
如來于時忽見毗盧遮那踞天光臺十佛圍繞
百億國土及與蓮花俱時出現此名心魂靈悟
所染心光研明照諸世界暫得如是非為聖證
不作聖心名善境界若作聖解即受群邪
又以此心精研妙明觀察不停抑按降伏制止
超越於時忽然十方虛空成七寶色或百寶色
同時遍滿不相留礙青黃赤白各各純現此名
抑按功力踰分暫得如是非為聖證不作聖心
名善境界若作聖解即受群邪又以此心研究
澄徹精光不亂忽於夜合在暗室內見種種物
不殊白晝而暗室物亦不除滅此名心細密澄
其見所視洞幽暫得如是非為聖證不作聖心
名善境界若作聖解即受群邪又以此心圓入
虛融四體忽然同於草木火燒刀斫曾无所覺
又則火光不能燒爇縱割其肉猶如削木此名
塵併排四大性一向入純暫得如是非為聖證不
作聖心名善境界若作聖解即受群邪又以此心
成就清淨淨心功極忽見大地十方山河皆成佛

BD01068號　大佛頂如來密因修證了義諸菩薩萬行首楞嚴經卷九　（18–6）

塵併排四大性一向入純暫得如是非為聖證不
作聖心名善境界若作聖解即受群邪又以此心
成就清淨淨心功極忽見大地十方山河皆成佛
國具足七寶光明遍滿又見恒沙諸佛如來遍滿
空界樓殿華麗下見地獄上觀天宮得无障礙
此名欣厭凝想日深想久化成非為聖證不作
聖心名善境界若作聖解即受群邪又以此心
研究深遠忽於中夜遙見遠方市井街巷親族
眷屬或聞其語此名迫心逼極飛出故多隔見
非為聖證不作聖心名善境界若作聖解即受
群邪又以此心研究精極見善知識形體變移
少選无端種種遷改此名邪心含受魑魅或遭
天魔入其心腹无端說法通達妙義非為聖證
不作聖心魔事銷歇若作聖解即受群邪
阿難如是十種禪那現境皆是色陰用心交互
故現斯事眾生頑迷不自忖量逢此因緣迷不
自識謂言登聖大妄語成墮无間獄汝等當依
如來滅後於末法中宣示斯義无令天魔得其
方便保持覆護成无上道阿難彼善男子脩三
摩提奢摩他中色陰盡者見諸佛心如明鏡中
顯現其像若有所得而未能用猶如魘人手足
宛然見聞不惑心觸客邪而不能動此則名為
受陰區宇若魘咎歇其心離身返觀其面去住
自由无復留礙名受陰盡是人則能超越見濁
觀其所由虛明妄想以為其本阿難彼善男子
當在此中得大光耀其心發明內抑過分忽於
其處發无窮悲如是乃至觀見蚊蝱猶如赤子
心生憐愍不覺流淚此名功用抑摧過越悟則

BD01068號　大佛頂如來密因修證了義諸菩薩萬行首楞嚴經卷九　（18–7）

觀其所由虛明妄想以為其本阿難彼善男子
當在此中得大光耀其心發明內抑過分忽於
其處發无窮悲如是乃至觀見蚊蝱猶如赤子
心生憐愍不覺流淚此名功用抑摧過越悟則
无咎非為聖證覺了不迷久自消歇若作聖解
則有悲魔入其心腑見人則悲啼泣无限失於
正受當從淪墜阿難又彼定中諸善男子見色
陰消受陰明白勝相現前感激過分忽於其中
生无限勇其心猛利志齊諸佛謂三僧祇一念
能越此名功用凌率過越悟則无咎非為聖證
覺了不迷久自消歇若作聖解則有狂魔入其
心府見人則誇我慢无比其心乃至上不見佛
下不見人失於正受當從淪墜又彼定中諸善
男子見色陰銷受陰明白前无新證歸失故居
智力衰微入中隳地迥无所見心中忽然生大
枯渴於一切時沉憶不散將此以為勤精進相
此名脩心无慧自失悟則无咎非為聖證若作
聖解則有憶魔入其心府旦夕撮心懸在一處
失於正受當從淪墜又彼定中諸善男子見色
陰銷受陰明白慧力過定失於猛利以諸勝性
懷於心中自心已疑是盧舍那得少為足此名
用心亡失恒審溺於知見悟則无咎非為聖證
若作聖解則有下劣易知足魔入其心府見人
自言我得无上第一義諦失於正受當從淪墜
又彼定中諸善男子見色陰銷受陰明白新證
未獲故心已亡歷覽二際自生艱險於心忽生
然无盡憂如坐鐵床如飲毒藥心不欲活常求

BD01068號　大佛頂如來密因修證了義諸菩薩萬行首楞嚴經卷九　（18–8）

未獲故心已亡歷覽二際自生艱險於心忽生
然无盡憂如坐鐵床如飲毒藥心不欲活常求
於人令害其命早取解脫此名脩行失於方便
悟則无咎非為聖證若作聖解則有一分常憂
愁魔入其心府手執刀劍自割其肉欣其捨壽
或常憂愁走入山林不耐見人失於正受當從
淪墜又彼定中諸善男子見色陰銷受陰明白
處清淨中心安隱後忽然自有无限喜生心中
歡悅不能自止此名輕安无慧自禁悟則无咎
非為聖證若作聖解則有一分好喜樂魔入其
心府見人則笑於衢路傍自歌自舞自謂已得
无礙解脫失於正受當從淪墜又彼定中諸善
男子見色陰銷受陰明白自謂已足忽有无端
大我慢起如是乃至慢與過慢及慢過慢或增
上慢或卑劣慢一時俱發心中尚輕十方如來
何況下位聲聞緣覺此名見勝无慧自救悟則
无咎非為聖證若作聖解則有一分大我慢魔
入其心府不禮塔廟摧毀經像謂檀越言此是
金銅或是土木經是樹葉或是疊花肉身真常
不自恭敬却崇土木實為顛倒其深信者從其
毀碎埋弃地中疑悮眾生入无間獄失於正受
當從淪墜又彼定中諸善男子見色陰銷受陰
明白於精明中圓悟精理得大隨順其心忽生
无量輕安已言成聖得大自在此名因慧獲諸
輕清悟則无咎非為聖證若作聖解則有一分
好清輕魔入其心府自謂滿足更不求進此等
多作无聞比丘疑誤後生墮阿鼻獄失於正受
當從淪墜又彼定中諸善男子見色陰消受陰

BD01068號　大佛頂如來密因修證了義諸菩薩萬行首楞嚴經卷九　（18–9）

輕清悟則无咎非為聖證若作聖解則有一分
好清輕魔入其心府自謂滿足更不求進此等
多作无聞比丘疑謗後生墮阿鼻獄失於正受
當從淪墜又彼定中諸善男子見色陰銷受陰
明白於明悟中得虛明性其中忽然歸向永滅
撥无因果一向入空空心現前乃至心生長斷
滅解悟則无咎非為聖證若作聖解則有空魔
入其心府乃謗持戒名為小乘菩薩悟空有何
持犯其人常於信心擅越飲酒噉肉廣行婬穢
因魔力故攝其前人不生疑謗鬼心久入或食
屎尿與酒肉等一種俱空破佛律儀誤入人罪
失於正受當從淪墜又彼定中諸善男子見色
陰銷受陰明白其虛明性深入心骨其心忽有
无限愛生愛極發狂便為貪欲此名定境安順
入心无惠自持悞入諸欲悟則无咎非為聖證
若作聖解則有欲魔入其心府一向說欲為菩
提道化諸白衣平等行欲其行婬者名持法子
神鬼力故於末世中攝其凡愚其數至百如是
乃至一百二百或五六百多滿千万魔心生猒
離其身體威德既无陷於王難疑悞眾生入无
間獄失於正受當從淪墜
阿難如是十種禪那現境皆是受陰用心交互
故現斯事眾生頑迷不自忖量逢此因緣迷不
自識謂言登聖大妄語成墮无間獄汝等亦當
將如來語於我滅後傳示末法遍令眾生開悟
斯義无令天魔得其方便保持覆護成无上道
阿難彼善男子修三摩提受陰盡者雖未漏盡

BD01068 號　大佛頂如來密因修證了義諸菩薩萬行首楞嚴經卷九　（18–10）

故現斯事眾生頑迷不自忖量逢此因緣迷不
自識謂言登聖大妄語成墮无間獄汝等亦當
將如來語於我滅後傳示末法遍令眾生開悟
斯義无令天魔得其方便保持覆護成无上道
阿難彼善男子修三摩提受陰盡者雖未漏盡
心離其形如鳥出籠已能成就從是凡身上歷
菩薩六十聖位得意生身隨往无礙譬如有人
熟寐寱言是人雖則无別所知其言已成音韻
倫次令不寐者咸悟其語此則名為想陰區宇
若動念盡浮想銷除於覺明心如去塵垢一倫
死生首尾圓照名想陰盡是人則能超煩惱濁
觀其所由融通妄想以為其本阿難彼善男
子受陰虛妙不遭邪慮圓定發明三摩地中心
愛圓明銳其精思貪求善巧尒時天魔候得其
便飛精附人口說經法其人不覺是其魔着自
言謂得无上涅槃來彼求巧善男子處敷坐說
法其形斯須或作比丘令彼人見或為帝釋或
為婦女或比丘尼或寢暗室身有光明是人愚
迷惑為菩薩信其教化搖蕩其心破佛律儀潛
行貪欲口中好言災祥變異或言如來某處出
世或言劫火或說刀兵恐怖於人令其家資无
故耗散此名怪鬼年老成魔惱亂是人猒足生
心去彼人體弟子與師俱陷王難汝當先覺不
入輪迴迷惑不知墮无間獄阿難又善男子受
陰虛妙不遭邪慮圓定發明三摩地中心愛遊蕩
飛其精思貪求經歷尒時天魔候得其便飛
精附人口說經法其人亦不覺知魔著亦言自
得无上涅槃來彼求遊善男子處敷座說法自

BD01068 號　大佛頂如來密因修證了義諸菩薩萬行首楞嚴經卷九　（18–11）

飛其精思貪求經歷尒時天魔候得其便飛
精附人口說經法其人亦不覺知魔著亦言自
得无上涅槃來彼求遊善男子處敷座說法自
形无變其聽法者忽自見身坐寶蓮花全體化
成紫金光聚一衆聽人各各如是得未曾有是
人愚迷惑為菩薩婬逸其心破佛律儀潛行貪
欲口中好言諸佛應世某處某人當是某佛化
身來此某人即是某菩薩等來化人間其人見故
心生傾渴邪見密興種智銷滅此名魃鬼年老成
魔惱亂是人猒足心生去彼人體弟子與師俱陷
王難汝當先覺不入輪迴迷惑不知墮无間獄
又善男子受陰虛妙不遭邪慮圓定發明三摩地
中心愛綿涽澄其精思貪求契合尒時天魔候
得其便飛精附人口說經法其人實不覺知魔
著亦言自得无上涅槃來彼求合善男子處敷
座說法其形及彼聽法之人外无遷變令其聽者
未聞法前心自開悟念念移易或得宿命或有他
心或見地獄或知人間好惡諸事或口說偈或自
誦經各各歡娛得未曾有是人愚迷惑為菩薩
綿愛其心破佛律儀潛行貪欲口中好言佛有
大小某佛先佛某佛後佛其中亦有真佛假佛
男佛女佛菩薩亦然其人見故洗滌本心易入
邪悟此名魅鬼年老成魔惱亂是人猒足心生
去彼人體弟子與師俱陷王難汝當先覺不入
輪迴迷惑不知墮无間獄又善男子受陰虛妙
不遭邪慮圓定發明三摩地中心愛根本窮覽
物化性之終始精爽其心貪求辨析尒時天魔

BD01068號　大佛頂如來密因修證了義諸菩薩萬行首楞嚴經卷九　（18–12）

輪迴迷惑不知墮无間獄又善男子受陰虛妙
不遭邪慮圓定發明三摩地中心愛根本窮覽
物化性之終始精爽其心貪求辨析尒時天魔
候得其便飛精附人口說經法其人不先覺知
魔著亦言自得无上涅槃來彼求元善男子處
敷坐說法身有威神摧伏求者令其坐下雖未
聞法自然心伏是諸人等將佛涅槃菩提法身
即是現前我肉身上父父子子遞代相生即是
法身常住不絕都指現在即為佛國无別淨居
及金色相其人信受忘失先心身命歸依得未
曾有是等愚迷惑為菩薩推究其心破佛律儀
潛行貪欲口中好言眼耳鼻舌皆為淨土男女
二根即是菩提涅槃真處彼无知者信是穢言
此名蠱毒魘勝惡鬼年老成魔惱亂是人猒足
心生去彼人體弟子與師俱陷王難汝當先覺
不入輪迴迷惑不知墮无間獄又善男子受陰
虛妙不遭邪慮圓定發明三摩地中心愛懸應
周流精研貪求冥感尒時天魔候得其便飛精
附人口說經法其人元不覺知魔著亦言自得
无上涅槃來彼求應善男子處敷坐說法能
令聽者暫見其身如百千歲心生愛染不能
捨離身為奴僕四事供養不覺疲勞各各令其
坐下人心知是先師本善知識別生法愛粘如
膠漆得未曾有是人愚迷惑為菩薩親近其心
破佛律儀潛行貪欲口中好言我於前世於某
生中先度某人當時是我妻妾兄弟今來相度
與汝相隨歸某世界供養某佛或言別有大光

BD01068號　大佛頂如來密因修證了義諸菩薩萬行首楞嚴經卷九　（18–13）

破佛律儀潛行貪欲口中好言我於前世於某
生中先度某人當時是我妻妾兄弟今來相度
與汝相隨歸某世界供養某佛或言別有大光
明天佛於中住一切如來所休居地彼无知者
信是虛誑遺失本心此名癘鬼年老成魔惱亂
是人猒足心生去彼人體弟子與師俱陷王難
汝當先覺不入輪迴迷惑不知墮无間獄
又善男子受陰虛妙不遭邪慮圓定發明三摩
地中心愛深入克己辛勤樂處陰寂貪求靜
謐尒時天魔候得其便飛精附人口說經法其
人本不覺知魔著亦言自得无上涅槃來彼求
陰善男子處敷坐說法令其聽人各知本業或
於其處語一人言汝今未死已作畜生勅使一
人於後踏尾頓令其人起不能得於是一衆傾
心欽伏有人起心已知其肇佛律儀外重加精
苦誹謗比丘罵詈徒衆訐露人事不避譏嫌口
中好言未然禍福及至其時毫髮无失此大力
鬼年老成魔惱亂是人猒足心生去彼人體弟
子與師多陷王難汝當先覺不入輪迴迷惑不
知墮无間獄又善男子受陰虛妙不遭邪慮
圓定發明三摩地中心愛知見勤苦研尋貪求
宿命尒時天魔候得其便飛精附人口說經法
其人殊不覺知魔著亦言自得无上涅槃來彼
求知善男子處敷坐說法是人无端於說法處
得大寶珠其魔或時化為畜生口銜其珠及雜
珎寶簡策符牘諸奇異物先授彼人後著其體
或誘聽人藏於地下有明月珠照耀其處是諸

BD01068 號　大佛頂如來密因修證了義諸菩薩萬行首楞嚴經卷九　（18–14）

得大寶珠其魔或時化為畜生口銜其珠及雜
珎寶簡策符牘諸奇異物先授彼人後著其體
或誘聽人藏於地下有明月珠照耀其處是諸
聽者得未曾有多食藥草不餐嘉膳或時日餐
一麻一麥其形肥充魔力持故誹謗比丘罵詈
徒衆不避譏嫌口中好言他方寶藏十方賢聖
潛匿之處隨其後者往往見有奇異之人此名
山林土地城隍川嶽鬼神年老成魔或有宣婬
破佛戒律與承事者潛行五欲或有精進純食
草木无定行事惱亂彼人猒足心生去彼人體
弟子與師俱陷王難汝當先覺不入輪迴迷惑
不知墮无間獄又善男子受陰虛妙不遭邪慮
圓定發明三摩地中心愛神通種種變化研究
化元貪取神力尒時天魔候得其便飛精附人
口說經法其人誠不覺知魔著亦言自得无上
涅槃來彼求通善男子處敷坐說法是人或復
手執火光手撮其光分於所聽四衆頭上是諸
聽人頂上火光皆長數尺亦无熱性曾不焚燒
或上水行如履平地或於空中安坐不動或入
瓶內或處囊中越牖透垣曾无鄣礙唯於刀兵
不得自在自言是佛身著白衣受比丘禮誹謗
禪律罵詈徒衆訐露人事不避譏嫌口中常說
神通自在或復令人旁見佛土鬼力惑人非有
真實讚歎行婬不毀麁行將諸猥媟以為傳去
此名天地大力山精海精風精河精土精一
切草樹積劫精魅或復龍魅或壽終仙再活
為魅或仙期終計年應死其形不化他怪所附

BD01068 號　大佛頂如來密因修證了義諸菩薩萬行首楞嚴經卷九　（18–15）

真實讚歎行婬不毀麤行將諸猥媟以為
此名天地大力山精海精風精河精土精一
切草樹積劫精魅或復龍魅或壽終仙再活
為魅或仙期終計年應死其形不化他恠所附
年老成魔惱乱是人猒足心生去彼人體弟子
與師俱陷王難汝當先覺不入輪迴迷惑不知
墮无間獄又善男子受陰虛妙不遭邪慮圓定
發明三摩地中心愛入滅研究化性貪求深空
尒時天魔候得其便飛精附人口說經法其人
終不覺知魔著亦言自得无上涅槃來彼求空
善男子處敷坐說法於大衆內其形忽空衆无
所見還從虛空突然而出存沒自在或現其身
洞如瑠璃或垂手足作旃檀氣或大小便如厚
石蜜誹毀戒律輕賤出家口中常說无因无果
一死永滅无復後身及諸凡聖雖得空寂潛行
貪欲受其欲者亦得空心撥无因果此名日月
薄蝕精氣金玉芝草麟鳳龜鶴經千万年不
死為靈出生國土年老成魔惱乱是人猒足
心生去彼人體弟子與師俱陷王難汝當先覺
不入輪迴迷惑不知墮无間獄又善男子受陰
虛妙不遭邪慮圓定發明三摩地中心愛長壽
辛苦研幾貪求永歲弃分段生頓希變易細
相常住尒時天魔候得其便飛精附人口說經
法其人竟不覺知魔著亦言自得无上涅槃來
彼求生善男子處敷坐說法好言他方往還无
滯或經万里瞬息再來皆於彼方取得其物或
於一處在一宅中數步之間令其從東詣至西
壁是人急行累年不到因此心信疑佛現前口

BD01068 號　大佛頂如來密因修證了義諸菩薩萬行首楞嚴經卷九　（18–16）

法其人竟不覺知魔著亦言自得无上涅槃來
彼求生善男子處敷坐說法好言他方往還无
滯或經万里瞬息再來皆於彼方取得其物或
於一處在一宅中數步之間令其從東詣至西
壁是人急行累年不到因此心信疑佛現前口
中常說十方衆生皆是吾子我生諸佛我出世
界我是元佛出世自然不因脩得此名住世自在
天魔使其眷屬如遮文荼及四天王毗舍童子
未發心者利其虛明食彼精氣或不因師其
脩行人親自觀見稱執金剛與汝長命現美女
身盛行貪欲未逾年歲肝腦枯竭口兼獨言聽
若魑魅前人未詳多陷王難未及遇刑先已乾
死惱乱彼人以至殂殞汝當先覺不入輪迴迷
惑不知墮无間獄
阿難當知是十種魔於末世時在我法中出家
脩道或附人體或自現形皆言已成正遍知覺
讚歎婬欲破佛律儀先惡魔師與魔弟子婬婬
相傳如是邪精魅其心府近則九生多逾百世
令真脩行揔為魔眷命終之後畢為魔民失
正遍知墮无間獄汝今未須先取寂滅縱得无
學留願入彼末法之中起大慈悲救度正心深
信衆生令不著魔得正知見我今度汝已出生
死汝遵佛語名報佛恩
阿難如是十種禪那現境皆是想陰用心交互
故現斯事衆生頑迷不自忖量逢此因緣迷不
自識謂言登聖大妄語成墮无間獄
汝須將如來語於我滅後傳示末法遍

BD01068 號　大佛頂如來密因修證了義諸菩薩萬行首楞嚴經卷九　（18–17）

脩行人親自觀見稱執金剛與汝長命現美女
身盛行貪欲未逾年歲肝腦枯竭口兼獨言聽
若魅魅前人未詳多陷王難未及遇刑先已乾
死惱亂彼人以至殂殞汝當先覺不入輪迴迷
惑不知墮无間獄
阿難當知是十種魔於末世時在我法中出家
脩道或附人體或自現形皆言已成正遍知覺
讚歎婬欲破佛律儀先惡魔師與魔弟子婬婬
相傳如是邪精魅其心府近則九生多逾百世
令真脩行惣為魔眷命終之後畢為魔民失
正遍知墮无間獄汝今未須先取寂滅縱得无
學留願入彼末法之中起大慈悲救度正心深
信衆生令不著魔得正知見我今度汝已出生
死汝遵佛語名報佛恩
阿難如是十種禪那現境皆是想陰用心交互
故現斯事衆生頑迷不自忖量逢此因緣迷不
自識謂言登聖大妄語成墮无間獄
必須將如來語於我滅後傳示末法遍
衆生開悟斯義无令天魔行其方便保

BD01068號　大佛頂如來密因修證了義諸菩薩萬行首楞嚴經卷九　（18–18）

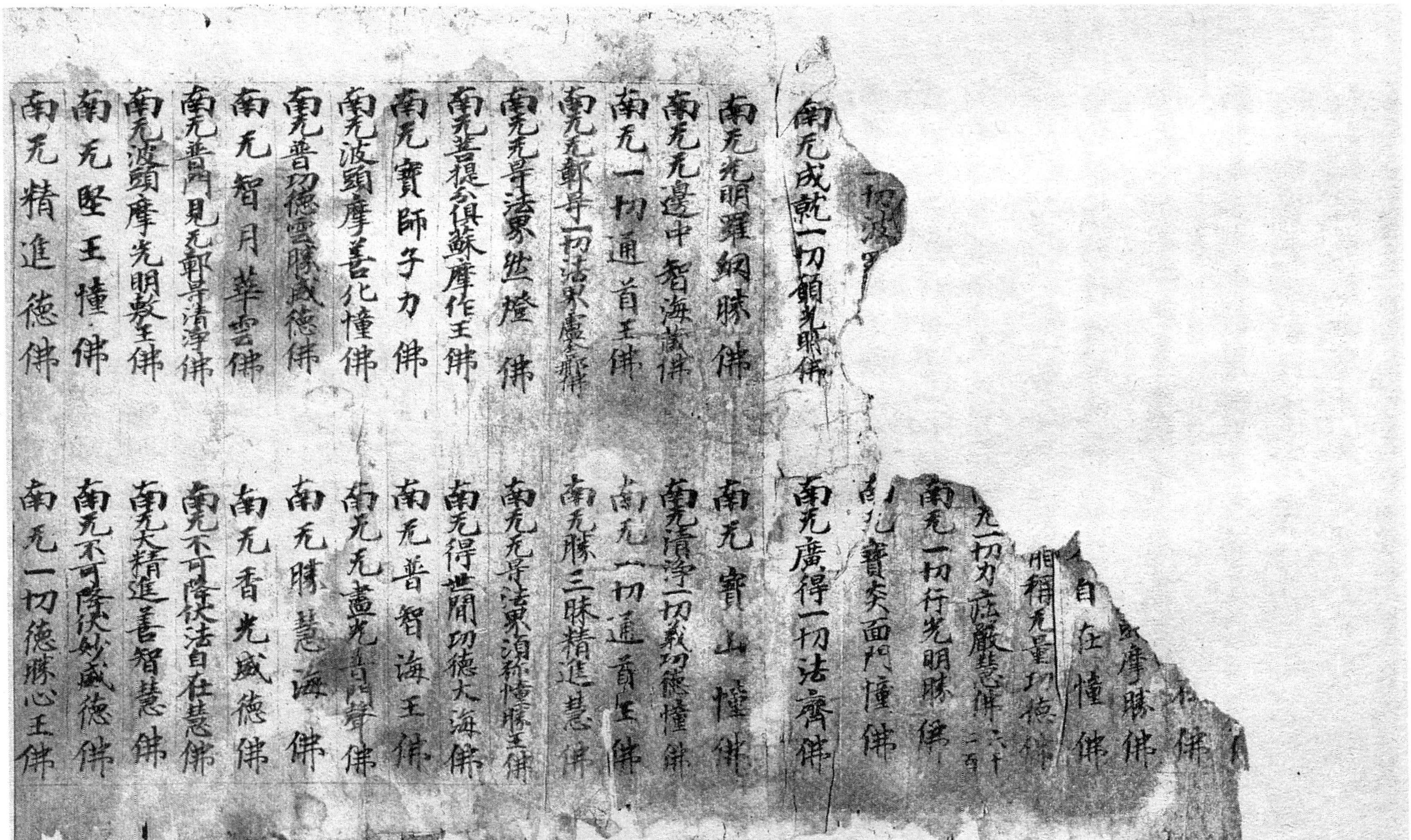
一切波
南无成就一切顛光明佛
南无光明羅網勝佛
南无无邊中智海藏佛
南无一切通首王佛
南无无邊身一切法界處藏佛
南无无量清淨然燈佛
南无善提分俱蘇摩作王佛
南无寶師子力佛
南无波頭摩善化幢佛
南无普功德雲勝威德佛
南无智月華雲佛
南无普門見无邊身清淨佛
南无波頭摩光明數王佛
南无堅王幢佛
南无精進德佛
佛
摩勝佛
自在幢佛
明精无量功德佛
南无一切力莊嚴慧佛　一百一十
南无一切行光明勝佛
南无寶安面門幢佛
南无廣得一切法齊佛
南无寶山幢佛
南无清淨一切威功德幢佛
南无一切通首王佛
南无勝三昧精進慧佛
南无无量清淨須彌幢勝王佛
南无得世間功德大海佛
南无普智海王佛
南无无盡光普智佛
南无勝慧海佛
南无香光威德佛
南无不可降伏法自在慧佛
南无大精進善智慧佛
南无不可降伏妙威德佛
南无一切德勝心王佛

BD01069號　佛名經（二十卷本）卷一〇　（20–1）

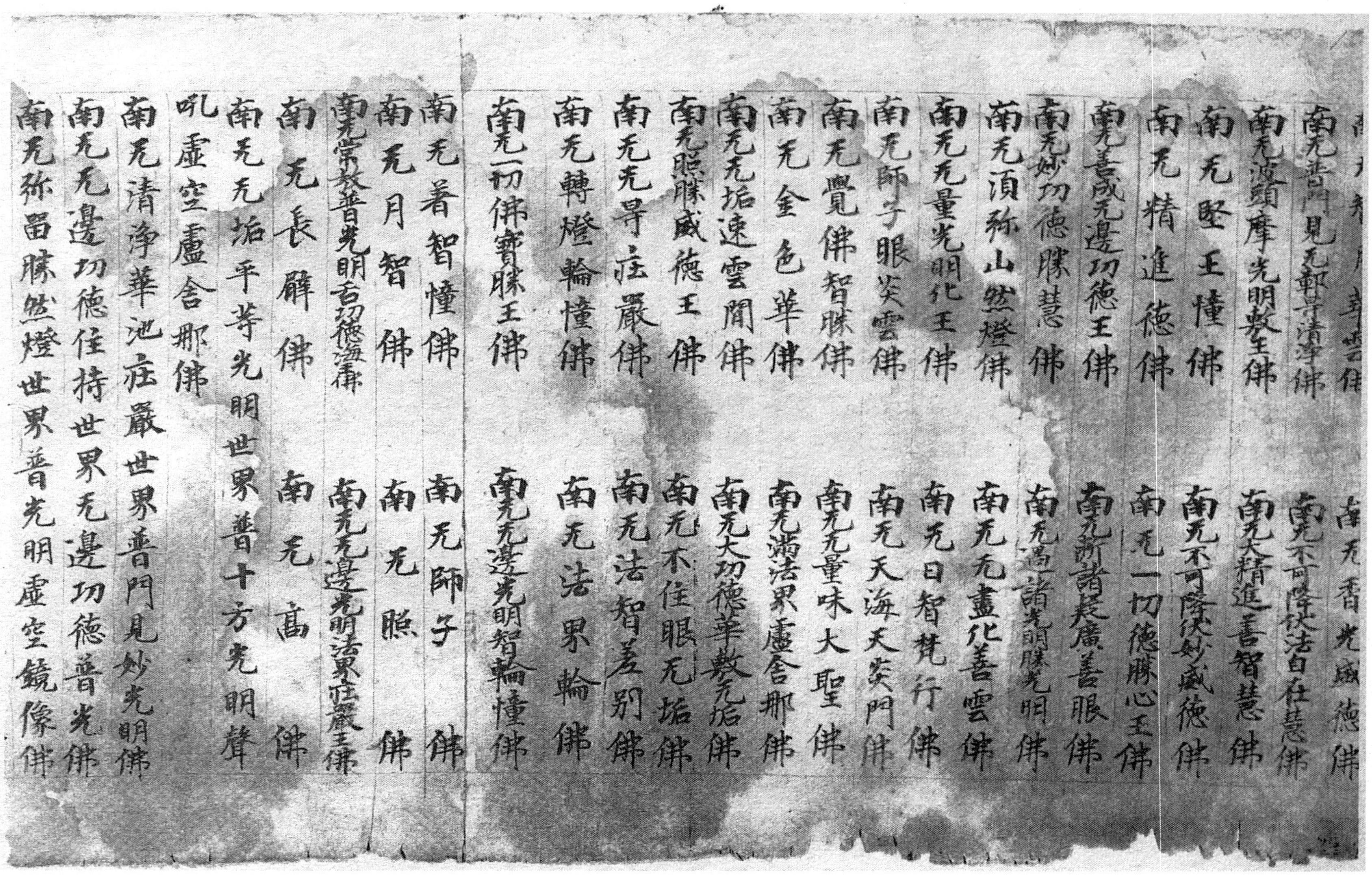
南无香光威德佛
南无普門見无邨寻清淨佛　南无不可降伏法自在慧佛
南无波頭摩光明數生佛　南无大精進善智慧佛
南无堅王幢佛　南无不可降伏妙威德佛
南无精進德佛　南无一切德勝心王佛
南无善成无邊功德王佛　南无新諸疑廣善眼佛
南无妙功德勝慧佛　南无過諸光明勝光明佛
南无須弥山然燈佛　南无无盡化善雲佛
南无无量光明化王佛　南无日智梵行佛
南无師子眼炎雲佛　南无天海天炎門佛
南无覺佛智勝佛　南无无量味大聖佛
南无金色華佛　南无滿法界盧舍那佛
南无无垢速雲聞佛　南无大功德華數无垢佛
南无賒勝威德王佛　南无不住眼无垢佛
南无无量莊嚴佛　南无法智差別佛
南无轉燈輪幢佛　南无法界輪佛
南无一切佛寶勝王佛　南无邊光明智輪幢佛
南无著智幢佛　南无師子佛
南无月智佛　南无照佛
南无常放普光明一切德海佛　南无无邊光明法界莊嚴王佛
南无長臂佛　南无高佛
南无无垢平等光明世界普十方光明聲
吼虛空盧舍那佛
南无清淨華池莊嚴世界普門見妙光明佛
南无无邊功德住持世界无邊功德普光佛
南无弥留勝然燈世界普光明虛空鏡像佛

BD01069號　佛名經（二十卷本）卷一〇　（20–2）

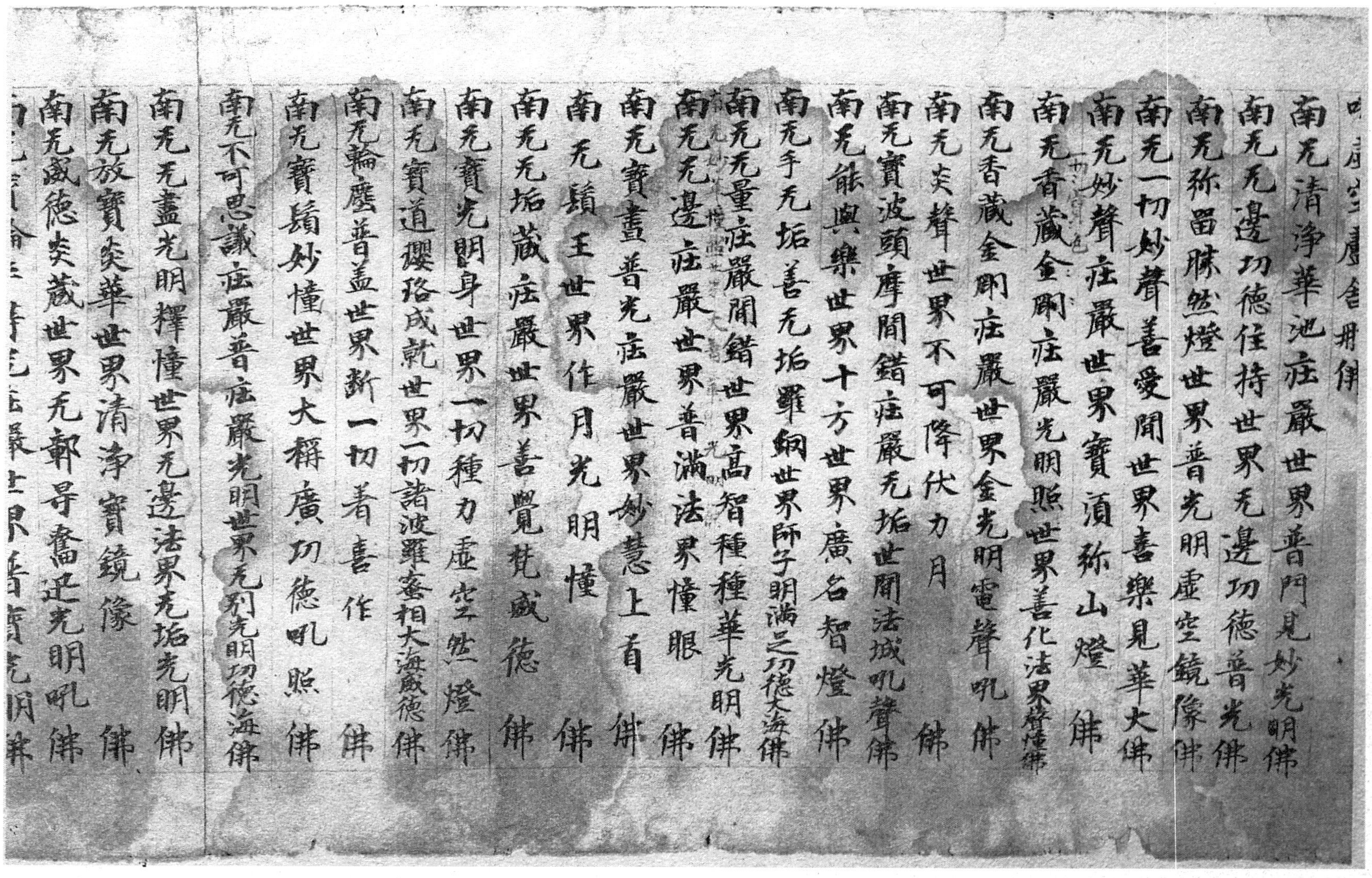
吼虛空盧舍那佛
南无清淨華池莊嚴世界普門見妙光明佛
南无无邊功德住持世界无邊功德普光佛
南无弥留勝然燈世界普光明虛空鏡像佛
南无一切妙聲善愛聞世界喜樂見華大佛
南无妙聲莊嚴世界寶須弥山燈佛
南无香藏金剛莊嚴光明照世界善化法界聲燈佛
南无香藏金剛莊嚴世界金光明雷聲吼佛
南无炎聲世界不可降伏力月佛
南无寶波頭摩間錯莊嚴无垢世間法城吼聲佛
南无能與樂世界十方世界廣名智燈佛
南无手无垢善无垢羅網世界師子明滿足功德大海佛
南无无量莊嚴間錯世界高智種種華光明佛
南无无邊莊嚴世界普滿法界幢眼佛
南无寶盡普光莊嚴世界妙慧上首佛
南无蹟王世界作月光明幢佛
南无无垢藏莊嚴世界善覺梵威德佛
南无寶光明身世界一切種力虛空然燈佛
南无寶道瓔珞成就世界一切諸波羅蜜相大海威德佛
南无輪塵普蓋世界斷一切著喜作佛
南无寶蹟妙幢世界大稱廣功德吼照佛
南无不可思議莊嚴普莊嚴光明世界无別光明功德海佛
南无无盡光明釋幢世界无邊法界无垢光明佛
南无放寶炎華世界清淨寶鏡像佛
南无威德炎藏世界无邨寻奮迅光明吼佛

BD01069號　佛名經（二十卷本）卷一〇　（20–3）

南无放寶炎華世界清淨寶鏡像佛
南无威德炎藏世界无鄣㝵奮迅光明吼佛
南无寶輪平等光莊嚴世界普寶光明佛
南无稱種樹𦋺幢世界清淨一切念无疑光明佛
南无佛國土色輪善脩莊嚴世界廣善見光明智慧佛
南无微細光明莊嚴照世界法界奮善觀佛
南无邊色形相世界无鄣㝵智成就佛
南无普炎雲大然世界不退轉法輪吼佛
南无種種寶莊嚴清淨輪世界清淨相華威德佛
南无究竟善脩世界无鄣㝵日眼佛 六千三百
南无善住堅固金剛坐成就勝世界過法界智身光明佛
南无十方莊嚴光鄣㝵世界寶廣炬佛
南无差別色光明世界普光明華雲王佛
南无寶門種種幢世界普見妙功德光明佛
南无摩尼頂作𦋺光明世界普十方聲雲佛
南无自在摩尼金剛藏世界智勝須彌王佛
南无摩尼衣坐成就勝世界放香光明功德寶莊嚴佛
南无華憂波羅莊嚴世界普智幢聲王佛
南无寶莊嚴種種藏世界一切法无无然燈佛
南无香勝无垢光明世界普善速勝王佛
南无日幢樂藏世界普門智盧舍那吼佛
南无香莊嚴快藏快藏世界无量功德海光明佛
南无寶師子大光明世界法界電光佛
南无相快照世界无鄣㝵功德稱解脫光明王佛
南无功德成就光明照世界清淨明无垢然燈佛
南无種種香花勝莊嚴世界師子光明勝光佛

BD01069號　佛名經（二十卷本）卷一〇　（20–4）

南无寶師子大光明世界法界電光佛
南无相快照世界无鄣㝵功德稱解脫光明王佛
南无功德成就光明照世界清淨明无垢然燈佛
南无種種香花勝莊嚴世界師子光明勝光佛
南无寶莊嚴平等光明世界廣光明智勝幢佛
南无種種光明𦋺快世界金光明无量力日成就佛
南无放光句素摩沉論世界香光明喜力堅固佛
南无光明清淨種種作世界光明力堅固佛
南无光明清淨種種作世界普光明大自在幢佛
南无句素彌多炎輪莊嚴世界喜海疾功德稱自在王佛
南无地成就威德世界廣稱智海幢佛
南无放聲吼世界相光明月佛
南无金剛幢世界一切法海勝王佛
南无无量功德莊嚴世界无量衆生功德法住佛
南无光明照世界梵自在勝佛
南无生无垢光明世界妙法界勝吼佛
南无種種光照然世界不可壞力普光明幢佛
南无照平等光明世界无垢功德日明佛
南无寶作莊嚴藏世界无鄣㝵智普照十方佛
南无无塵世界无量勝行幢佛
南无清淨光明世界法界虛空平等光明照佛
南无寶藏波浪勝成就世界功德相雲勝威德佛
南无宮殿莊嚴幢世界盧舍那勝頂光明佛
南无𦋺勝藏世界一切法无邊海慧佛
南无善化香勝世界相化普光佛
南无大地色光世界善[illegible][illegible]盧舍那佛

BD01069號　佛名經（二十卷本）卷一〇　（20–5）

南无須睺藏世界一切法无邊海慧佛
南无善化香勝世界相化普光佛
南无快地色光世界善眷屬盧舍那佛
南无善作數世界法行喜无盡慧佛
南无勝福德威德輪世界无垢清淨普化佛
南无磨色寶波頭摩莊嚴世界清淨眼花勝佛
南无炎地成就世界无量力成就慧佛
南无梵照世界虛空廣眼月佛
南无聲塵平等世界金色然弥樓然燈佛
南无寶色莊嚴世界智勝妙法界光明佛
南无金色善光明世界寶然燈普光明幢佛
南无盧舍那光明月世界火勝華奮迅善照佛
南无寶月作藏世界无盡功德華威德佛
南无鏡光明照世界行力甘露吼聲佛
南无妙稱幢快月莊嚴世界妙智慧勝藏德佛光明佛
南无无邊功德聚集世界无邊精進光明功德勝佛
南无大莊嚴成就世界燈王佛
南无波頭摩跋提世界普華佛
南无摩梨支世界盧舍那佛
南无清淨行世界那羅延華幢佛
南无有華世界波頭摩威德佛
南无有雲世界雲聲王佛
南无不可行世界薝蔔色佛
南无蓮華世界波頭摩勝佛
南无光幢世界光明王佛
南无无邊功德莊嚴光明世界莊嚴王佛

BD01069 號　佛名經（二十卷本）卷一〇　（20–6）

南无蓮華世界波頭摩勝佛
南无光幢世界光明王佛
南无无邊功德莊嚴光明世界莊嚴王佛
南无无量光明世界普賢佛
南无无邊功德寶作示現安樂世界无邊
功德寶集示現安樂金色光明師子奮迅佛
南无普寶閻錯世界普光明妙勝山王佛
南无普无垢世界无垢稱王佛
南无清淨行世界普華佛
如是諸世界中諸佛一切歸命及菩
薩摩訶薩一切大衆亦悉歸命
尒時諸比丘白佛言世尊世尊如是諸佛
如来所有壽命長短等不
佛告諸比丘汝等諦聽當為說比丘我此
娑婆世界賢劫釋迦牟尼佛國土一劫於安
樂世界為一日一夜
若安樂世界向弥陁佛國土一劫於袈裟幢
世界碎金剛佛國土為一日一夜
若袈裟幢世界一劫於不退輪吼世界善快
光明波頭摩敷身如來佛國土為一日一夜
若不退輪吼世界一劫於无垢世界法幢如
来佛國土為一日一夜
若无垢世界一劫於善然燈世界師子如来
佛國土為一日一夜

BD01069 號　佛名經（二十卷本）卷一〇　（20–7）

來佛國土為一日一夜
若无垢世界一劫於善然燈世界師子如來
佛國土為一日一夜
若善然燈世界一劫於善光明世界盧舍那
藏如來佛國土為一日一夜
若善光明世界一劫於難過世界法光明波
頭摩敷身如來佛國土為一日一夜
若難過世界一劫於莊嚴慧世界一劫通光
如來佛國土為一日一夜
若莊嚴慧世界一劫於鏡輪光世界月智如
來佛國土為一日一夜
比丘入如是數滿足過十阿僧祇百千万世
界最後波頭摩勝世界於賢勝如來佛國
土為一日一夜
比丘如是等世界无量无邊長短不等諸
佛如來壽命住世亦復如是
諸比丘汝等應當稱諸佛名作如是言
南无如是等諸佛如來
南无不動智佛　南无阿尼羅智佛
南无阿私陁智佛　南无行智佛
南无阿樓那智佛　南无常智佛
南无妙智佛　南无樂自在天佛
南无梵天佛　南无勝智天佛
南无菴摩羅月佛　南无不退月佛
南无不動月佛　南无阿尼羅月佛
南无婆留那月佛　南无阿私月佛

BD01069號　佛名經（二十卷本）卷一〇　（20–8）

南无梵天佛　南无勝智天佛
南无菴摩羅月佛　南无不退月佛
南无不動月佛　南无阿尼羅月佛
南无婆留那月佛　南无阿私月佛
南无勝月佛　南无阿樓那月佛
南无无垢月佛　南无勝智月佛
南无不退眼佛　南无第一眼佛
南无阿尼羅眼佛　南无不動眼佛
南无阿私陁眼佛　南无行眼佛
南无婆留那眼佛　南无勝眼佛
南无微妙清眼佛　南无不退憧佛
南无阿尼羅憧佛　南无阿私陁憧佛　六千四百
南无行憧佛　南无阿樓那憧佛
南无常憧佛　南无妙憧佛
南无自在憧佛　南无梵憧佛
南无勝憧佛　南无彌留勝佛
南无波頭摩勝藏佛　南无普眼佛
南无梵命佛　南无金剛齊佛
南无婆藪天佛　南无一切法決定王佛
南无彌留憧宿眼勝佛　南无致沙佛
南无弗沙佛　南无波頭摩勝佛
南无火光眼佛　南无法意佛
南无善法佛　南无稱勝佛
南无寶慧佛　南无微妙明佛
南无燈佛　南无擇義佛

BD01069號　佛名經（二十卷本）卷一〇　（20–9）

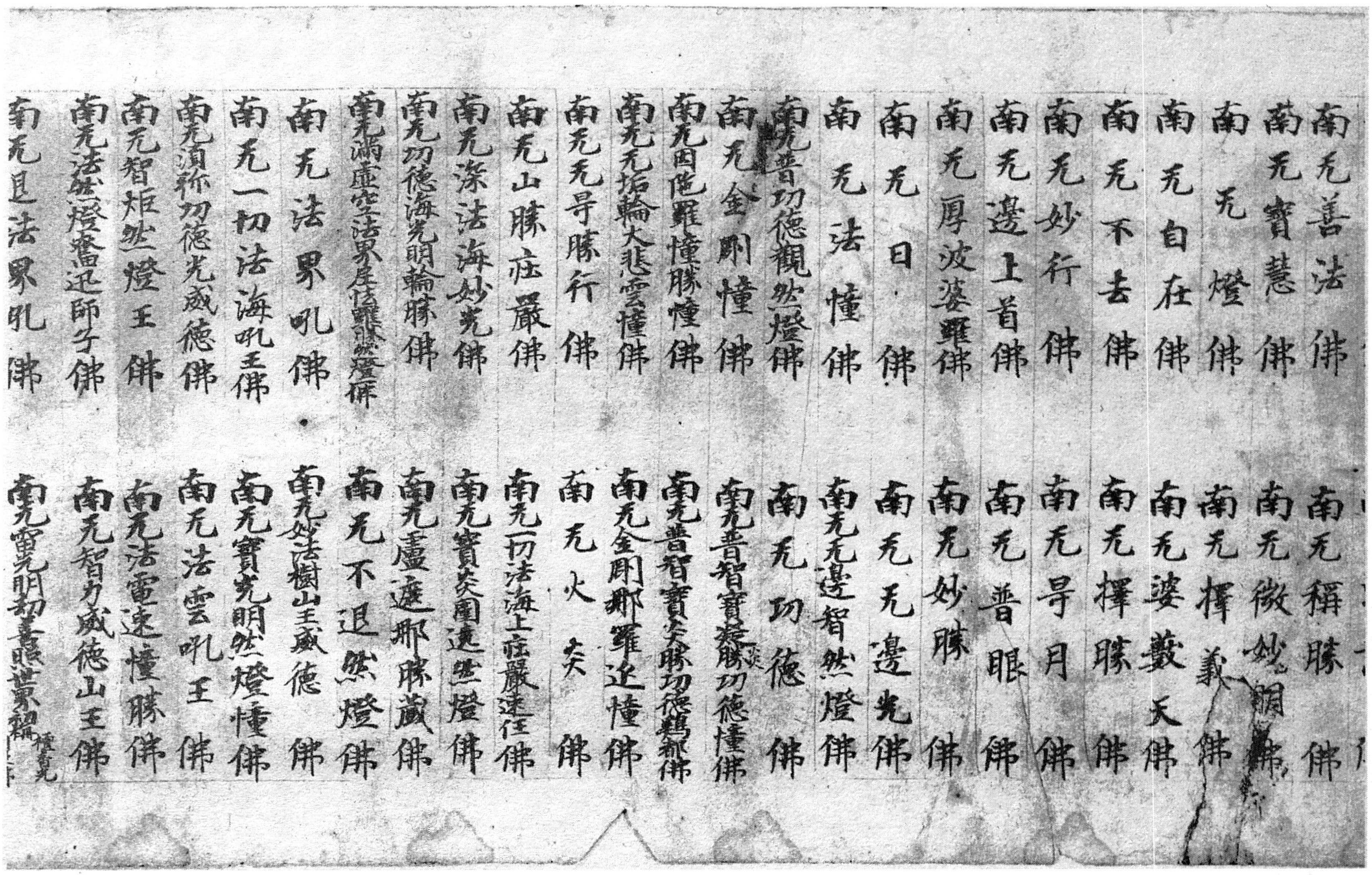
南无善法佛 南无稱勝佛
南无寶慧佛 南无微妙明佛
南无燈佛 南无揮義佛
南无自在佛 南无婆藪天佛
南无不去佛 南无擇勝佛
南无妙行佛 南无号月佛
南无邊上首佛 南无普眼佛
南无厚波婆羅佛 南无妙勝佛
南无日佛 南无无邊光佛
南无法幢佛 南无无邊智然燈佛
南无普功德觀然燈佛 南无功德佛
南无金剛幢佛 南无普智寶炎勝功德幢佛
南无因陁羅幢勝幢佛 南无普智寶炎勝功德鷄都佛
南无无垢輪大悲雲幢佛 南无金剛那羅延幢佛
南无号勝行佛 南无火炎佛
南无山勝莊嚴佛 南无一切法海上莊嚴迷住佛
南无深法海妙光佛 南无寶炎圍遶然燈佛
南无功德海光明輪勝佛 南无盧遮那勝藏佛
南无滿虛空法界尽悕離勝然燈佛 南无不退然燈佛
南无法界吼佛 南无妙法樹山王威德佛
南无一切法海吼王佛 南无寶光明然燈幢佛
南无須彌功德光威德佛 南无法雲吼王佛
南无智炬然燈王佛 南无法電速幢勝佛
南无法然燈當迅師子佛 南无智力威德山王佛
南无退法界吼佛 南无雷光明劫善眼叢稱幢覺

BD01069號　佛名經（二十卷本）卷一〇　（20–10）

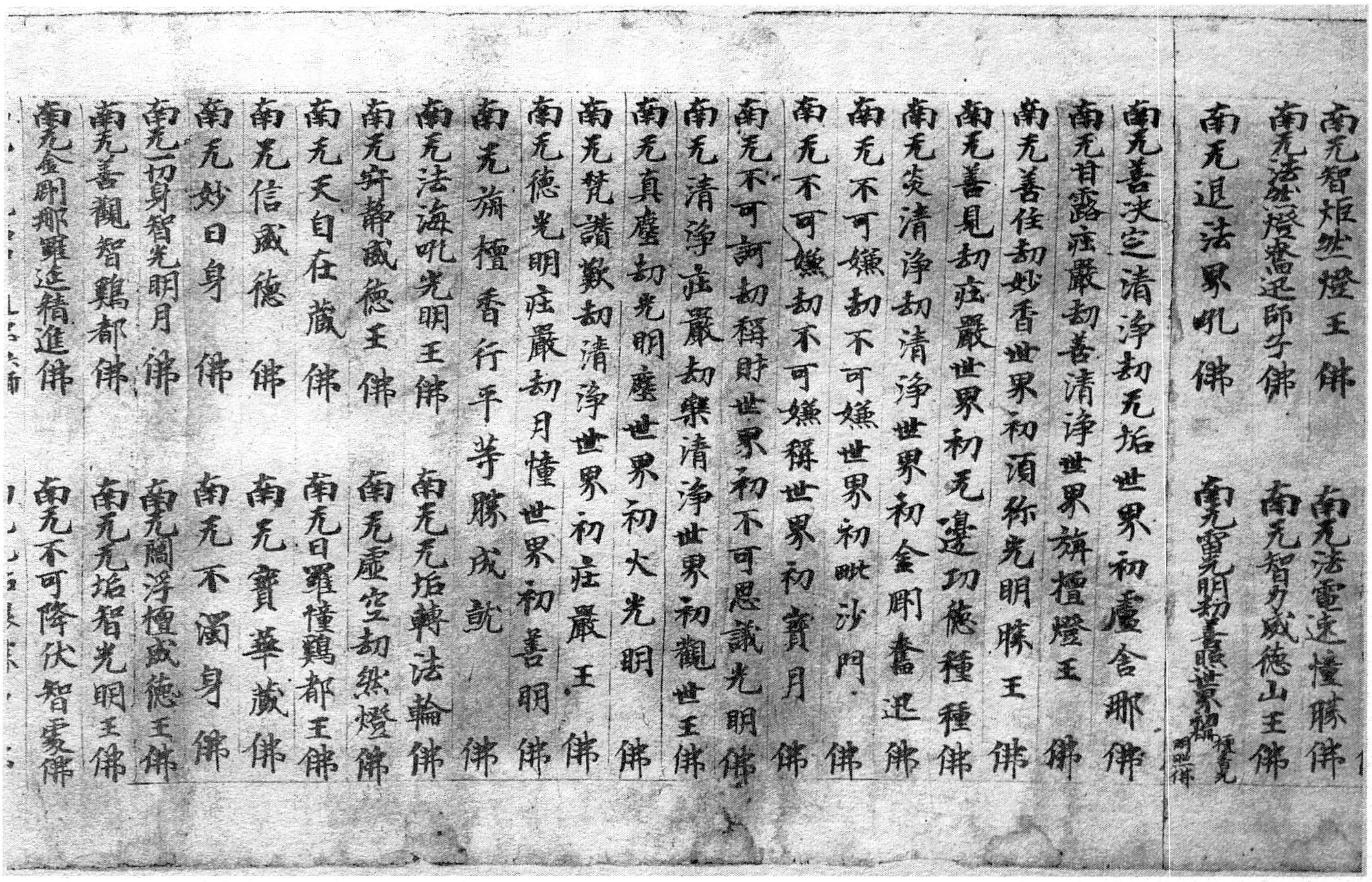
南无智炬然燈王佛 南无法電速幢勝佛
南无法然燈當迅師子佛 南无智力威德山王佛
南无退法界吼佛 南无雷光明劫善眼叢稱幢覺明佛
南无善決定清淨劫无垢世界初盧舍那佛
南无甘露莊嚴劫善清淨世界旃檀燈王佛
南无善住劫妙香世界初須弥光明勝王佛
南无善見劫莊嚴世界初无邊功德種種佛
南无炎清淨劫清淨世界初金剛奮迅佛
南无不可嫌劫不可嫌世界初毗沙門佛
南无不可嫌劫不可嫌稱世界初寶月佛
南无不可訶劫稱財世界初不可思議光明佛
南无清淨莊嚴劫樂清淨世界初觀世王佛
南无真塵劫光明塵世界初大光明佛
南无梵讚歎劫清淨世界初莊嚴王佛
南无德光明莊嚴劫月幢世界初善明佛
南无旃檀香行平等勝成就佛
南无法海吼光明王佛 南无无垢轉法輪佛
南无寂靜威德王佛 南无虛空劫然燈佛
南无天自在藏佛 南无日羅幢鷄都王佛
南无信威德佛 南无寶華藏佛
南无妙日身佛 南无不濁身佛
南无一切身智光明月佛 南无閻浮檀威德王佛
南无善觀智鷄都佛 南无无垢智光明王佛
南无金剛那羅延精進佛 南无不可降伏智處佛

BD01069號　佛名經（二十卷本）卷一〇　（20–11）

南无善觀智鷄都佛　南无无垢智光明王佛
南无金剛那羅延精進佛　南无不可降伏智雲佛
南无普无垢智通佛 六十五百　南无无垢眼勝雲佛
南无師子智佛　南无金剛菩提光佛
南无光燈火髻佛　南无智日鷄都佛
南无寶波頭摩敷身佛　南无得功德佛
南无智光明雲光佛　南无普照月佛
南无无郭蓋吼佛　南无普光明奮迅師子佛
南无法界吼境界意月佛　南无一切虛空樂說覺佛
南无初香善名佛　南无普聲新聲吼佛
南无甘露山威德佛　南无法海吼聲佛
南无善堅羅網堅佛　南无佛虛空鏡像頭髻佛
南无光明月微塵佛　南无善智滿月面佛
南无清淨智華光明佛　南无寶炎山勝王佛
南无无垢功德火光明佛　南无寶月幢佛
南无三昧輪身佛　南无寶勝光明威德王佛
南无普智行佛　南无炎海然燈佛
南无法无垢吼王佛　南无不可比功德稱憶佛
南无長臂本願无垢月佛　南无相智義然燈佛
南无法起寶齊聲佛　南无勝照藏王佛
南无乘幢佛　南无法海波頭摩藏信无畏天佛
南无法海吼光王佛　南无无垢法山佛
南无法輪光明髻佛　南无法日勝雲佛
南无法海說聲王佛　南无法日智輪然燈佛
南无法華鷄都幢雲佛　南无法炎山鷄都王佛

南无法輪光明髻佛　南无法日勝雲佛
南无法海說聲王佛　南无法日智輪然燈佛
南无法華鷄都幢雲佛　南无法炎山鷄都王佛
南无法行深勝月佛　南无法智普鏡佛
南无藏普智作照佛　南无山王勝藏王佛
南无普門賢照佛　南无遠一切法精進幢佛
南无法寶華勝雲佛　南无舜光明深髻佛
南无法光明意樂說光明月幢佛
南无炎海佛　南无智日普光明佛
南无普輪頂佛　南无智光明王佛
南无福德光華燈佛　南无智師子鷄都幢王佛
南无日光明王佛　南无寶相山佛
南无莊嚴山佛　南无日步普照佛
南无法羅網覺勝月佛　南无毘耶羅延師子佛
南无普智不二勇猛佛　南无法波頭摩敷身佛
南无功德華勝海佛　南无菩提輪善覺勝月佛
南无然法炬勝月佛　南无普賢鏡像髻佛
南无法幢然燈佛　南无金剛海幢王佛
南无稱山勝雲佛　南无旃檀勝月佛
南无普功德華德光佛　南无照衆生王佛
南无勝波頭摩華藏佛　南无香炎光明勝佛
南无因波頭摩佛　南无相山盧舍那佛
南无普聞名稱幢佛　南无普門光明須彌佛
南无法城光勝佛　南无功德威德佛
南无相勝淨勇猛幢佛　南无轉法輪光明吼佛

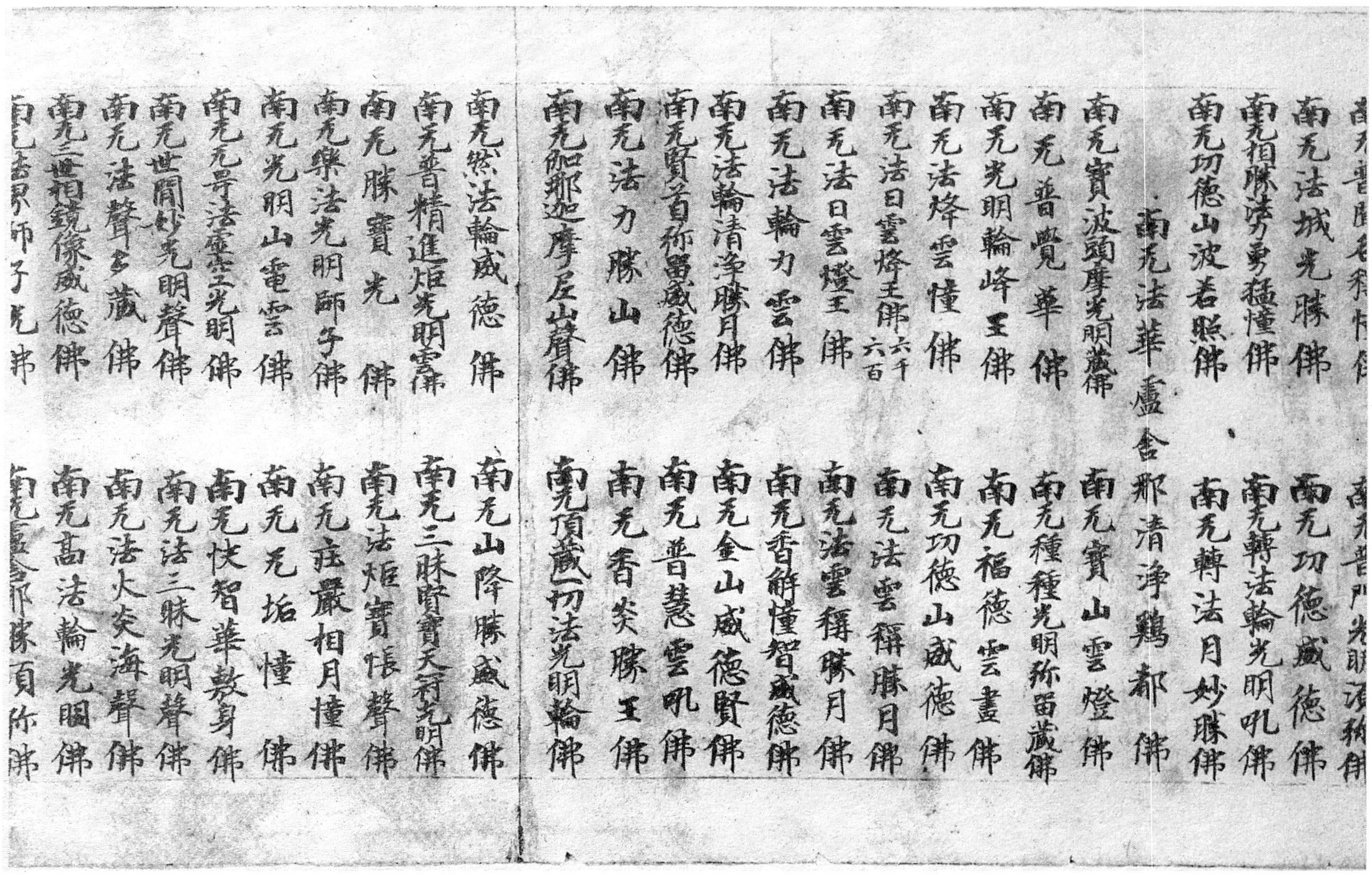

南无法城光勝佛　南无功德威德佛
南无相勝法勇猛幢佛　南无轉法輪光明吼佛
南无功德山波若照佛　南无轉法月妙勝佛
南无法華盧舍那清淨鷄都佛
南无寶波頭摩光明藏佛　南无寶山雲燈佛
南无普覺華佛　南无種種光明弥留藏佛
南无光明輪峰王佛　南无福德雲盡佛
南无法峰雲幢佛　南无功德山威德佛
南无法日雲峰王佛 六千六百　南无法雲稱勝月佛
南无法日雲燈王佛　南无法雲稱勝月佛
南无法輪力雲佛　南无香餅幢智威德佛
南无法輪清淨勝月佛　南无金山威德賢佛
南无賢首弥留威德佛　南无普慧雲吼佛
南无法力勝山佛　南无香炎勝王佛
南无伽耶迦摩尼山聲佛　南无頂藏一切法光明輪佛
南无然法輪威德佛　南无山降勝威德佛
南无普精進炬光明雲佛　南无三昧賢實天冠光明佛
南无勝寶光佛　南无法炬寶帳聲佛
南无樂法光明師子佛　南无莊嚴相月幢佛
南无光明山電雲佛　南无无垢幢佛
南无无异法虛空王光明佛　南无快智華敷身佛
南无世間妙光明聲佛　南无法三昧光明聲佛
南无法聲多藏佛　南无法火炎海聲佛
南无三世相鏡像威德佛　南无高法輪光明佛
南无法界師子光佛　南无盧舍那勝頂弥佛

BD01069 號　佛名經（二十卷本）卷一〇　（20–14）

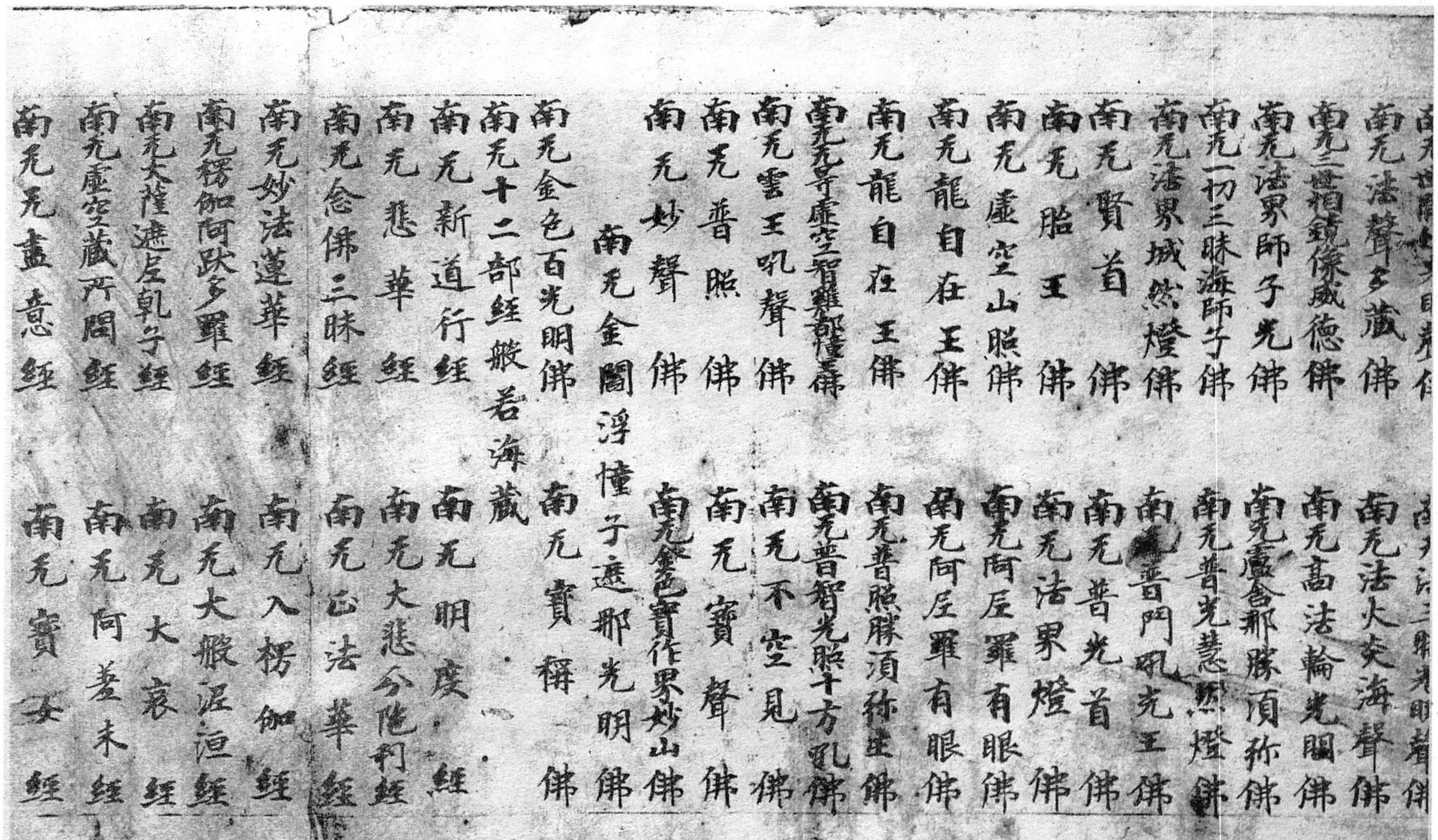

南无法聲多藏佛　南无法火炎海聲佛
南无三世相鏡像威德佛　南无高法輪光明佛
南无法界師子光佛　南无盧舍那勝須弥佛
南无一切三昧海師子佛　南无普光慧然燈佛
南无法界城然燈佛　南无普門吼光王佛
南无賢首佛　南无普光首佛
南无胎王佛　南无法界燈佛
南无盧空山照佛　南无阿尼羅有眼佛
南无龍自在王佛　南无阿尼羅有眼佛
南无龍自在王佛　南无普照勝須弥生佛
南无无异虛空智難敵幢雲佛　南无普智光照十方吼佛
南无雲王吼聲佛　南无不空見佛
南无普照佛　南无寶聲佛
南无妙聲佛　南无金色寶作界妙山佛
南无金閻浮幢子遮那光明佛
南无金色百光明佛　南无寶稱佛
南无十二部經般若海藏
南无新道行經　南无明度經
南无悲華經　南无大悲分陀利經
南无念佛三昧經　南无正法華經
南无妙法蓮華經　南无入楞伽經
南无楞伽阿跋多羅經　南无大般涅洹經
南无大薩遮尼乾子經　南无大哀經
南无虛空藏所問經　南无阿差末經
南无无盡意經　南无寶女經

BD01069 號　佛名經（二十卷本）卷一〇　（20–15）

南无大薩遮尼乾子經　南无大哀經
南无虛空藏所問經　南无阿差末經
南无无盡意經　南无寶女經
南无菩薩淨行經　南无无言童子經
南无大樹緊那羅王所問經　南无毛真陁羅所問經
南无持人菩薩所問經　南无持世經
南无諸大菩薩摩訶薩衆
南无善眼菩薩　南无住持世間手菩薩
南无大將菩薩　南无寂意菩薩
南无速行菩薩　南无善解菩薩
南无山峯菩薩　南无曇无竭菩薩
南无勝頴菩薩　南无莊嚴相星宿山王菩薩
南无樂說无滯菩薩　南无无始智菩薩
南无娑伽羅菩薩　南无斷一切憂菩薩
南无地藏菩薩　南无普現菩薩
南无發行成就菩薩 六千七百　南无深行心菩薩
南无清淨三輪菩薩　南无寂靜心菩薩
南无聲聞緣覺一切辟支佛
南无心上辟支佛　南无最上辟支佛
南无吉沙辟支佛　南无憂波吉沙辟支佛
南无斷有辟支佛　南无聲聞緣覺一切賢聖
南无過現未來三世諸佛歸命懺悔
如上所說已懺悔於三寶間輕重諸罪其餘
諸惡今當次第更復懺悔經中佛說有二
種健兒一者自在作罪二者作已能悔又言

BD01069號　佛名經（二十卷本）卷一〇　（20–16）

如上所說已懺悔於三寶間輕重諸罪其餘
諸惡今當次第更復懺悔經中佛說有二
種健兒一者自在作罪二者作已能悔又言
有二種白法能為衆生滅除衆鄣一者慙二
者愧慙者自不作惡愧者不令他作有慙愧者
可名為人若无慙愧與諸禽獸不相異也弟
子今日慚愧歸依十方諸佛
南无東方一寶莊嚴佛　南无南方旃檀德佛
南无西方梵音王佛　南无北方寶智手佛
南无東南方師子相佛　南无西南方寶照空王佛
南无西北方歡喜進佛　南无東北方摩尼清淨佛
南无上方大名稱佛　南无下方寶香勝王佛
如是十方盡虛空界一切三寶
弟子等无始以來至于今日或信邪倒見穿
煞衆生解奏魑魅魍魎鬼神欲希延年終不
能得或忘言見鬼假稱神語如是等罪今日
慚愧皆悉懺悔
又復无始以來至于今日或行動憍誕自高
自大或恃種姓輕慢一切以貴輕賤用强陵弱
或飲酒鬪乱不避親踈惛醉終日不識尊卑
如是等罪今悉懺悔
弟子等自從无始以來至于今日或貪嗜飲
食无有期度或食生膾或噉五辛薰穢經
像排突清衆縱心肆意不知限極疏遠善
人狎近惡友如是等罪今悉懺悔
弟子等自從无始以來至于今日或貢高矯
……自是非他

BD01069號　佛名經（二十卷本）卷一〇　（20–17）

像排突清衆縱心肆意不知限極踰遶善
人狎近惡友如是等罪今悉懺悔
弟子等自從无始以來至于今日或貢高矯
假偃蹇自用悳邑坻突不識人情自是非他
望倖僥如是等罪今悉懺悔
弟子等自從无始以來至于今日或棰奴
撲婢驅使僮吏不問飢渴不知寒暑或發徹橋
梁杜絕行路如是等罪今悉懺悔
弟子等從无始以來至于今日或放逸自恣
无記散亂摴蒱圍碁群會毛聚飲酒食肉
更相僥戲无趣談話說一切從年竟歲空
喪天日初中後夜禪誦不脩懈怠懶尸卧終
日於六念處心不經理見他勝事便生嫉妬
心懷慘毒備起煩惱致諸惡猛風吹罪薪
火常以熾然无有休息三業微善一切焚善
法既盡為一闡提墮大地獄无有出期是故
弟子等今日懇懃向十方一切三寶懺悔上來
所有一切衆罪若麁若細若自作若教他作若
隨喜作若以勢力逼迫令作如是乃至讚歎
行惡法者今日至誠發露懺悔願皆消滅
願弟子等承是懺悔一切諸惡所生功德生
生世世慈和忠孝謙卑忍辱知廉識恥先意
問訊脩良貞謹清潔義讓遠離惡友常遇善
緣守攝六根檢讓三業捍勞忍苦心不退沒
建立菩提荷負衆生

BD01069號　佛名經（二十卷本）卷一〇　（20–18）

問訊脩良貞謹清潔義讓遠離惡友常遇善
緣守攝六根檢讓三業捍勞忍苦心不退沒
建立菩提荷負衆生
大乘蓮華寶達菩薩問答報應沙門經
寶達菩薩復前入一火鉾地獄云何名曰火
鉾地獄其地獄縱廣一百五十由旬周帀鐵壁
猛火焱熾地生鐵鉾來刺罪人從足下入足趺
上出罪人呻呼苦痛万端有五千沙門南門
而來唱如是言我今何罪來入此中馬頭
剎手捉三鈷鐵叉望背而鍾胸前而出來
入地獄中鐵鉾來鉾其足烟火焱上下徹
胸心一日一夜受罪万端千生千死万生万
死若得人身身不具足
寶達菩薩問曰此諸沙門作何等惡業來
入此中受苦如是馬頭羅剎答寶達菩薩
曰此中沙門受佛淨戒不護威儀脉著靴鞋以
上清廁而不脫前踰佛地僧地或踰佛像
靈塔之影以是因緣受如是罪寶達菩薩
聞之悲泣而去

佛名經卷第十

BD01069號　佛名經（二十卷本）卷一〇　（20–19）

上清蒯而不肯脫前蹹佛地僧地或蹹佛像
靈塔之影以是因緣受如是罪寶達菩薩
聞之悲泣而去

佛名經卷第十

BD01069號　佛名經（二十卷本）卷一〇　（20–20）

者尊尚不能趣菩薩正道況能證入
城憍尸迦布施等五波羅蜜多要由
羅蜜多名有目者復由般若波羅蜜
多攝受名到彼岸時舍利子復白佛言
菩薩引發般若波羅蜜多佛告舍利子
菩薩不引發色受想行識亦不見色受想
是即名為引發般若波羅蜜多時舍利子
白佛言若諸菩薩引發般若波羅蜜多為
何法佛告舍利子若諸菩薩引發般若波羅
蜜多於一切法都無所成無所成故得名般
若波羅蜜多時天帝釋便白佛言如是般若
波羅蜜多豈不能成一切智智佛言憍尸迦
如是般若波羅蜜多亦不能成一切智智何以
故憍尸迦如有所得如有名想如有造作不
能成故時天帝釋復白佛言若尒般若波羅
蜜多云何說成一切智智佛言憍尸迦如是
般若波羅蜜多於所引發一切智智無所成故
說名為成時天帝釋便白佛言甚奇世尊如
是般若波羅蜜多不為生滅一切法故不為
成壞一切法故出現世間而與世間作饒益
事尒時善現便白佛言若諸菩薩起如是想
則便捨遠甚深般若波羅蜜多佛告善現如
是如是復有因緣捨遠般若波羅蜜多謂生
[illegible]般若波羅蜜多空無所有而便捨

BD01070號　大般若波羅蜜多經卷五五九　（2–1）

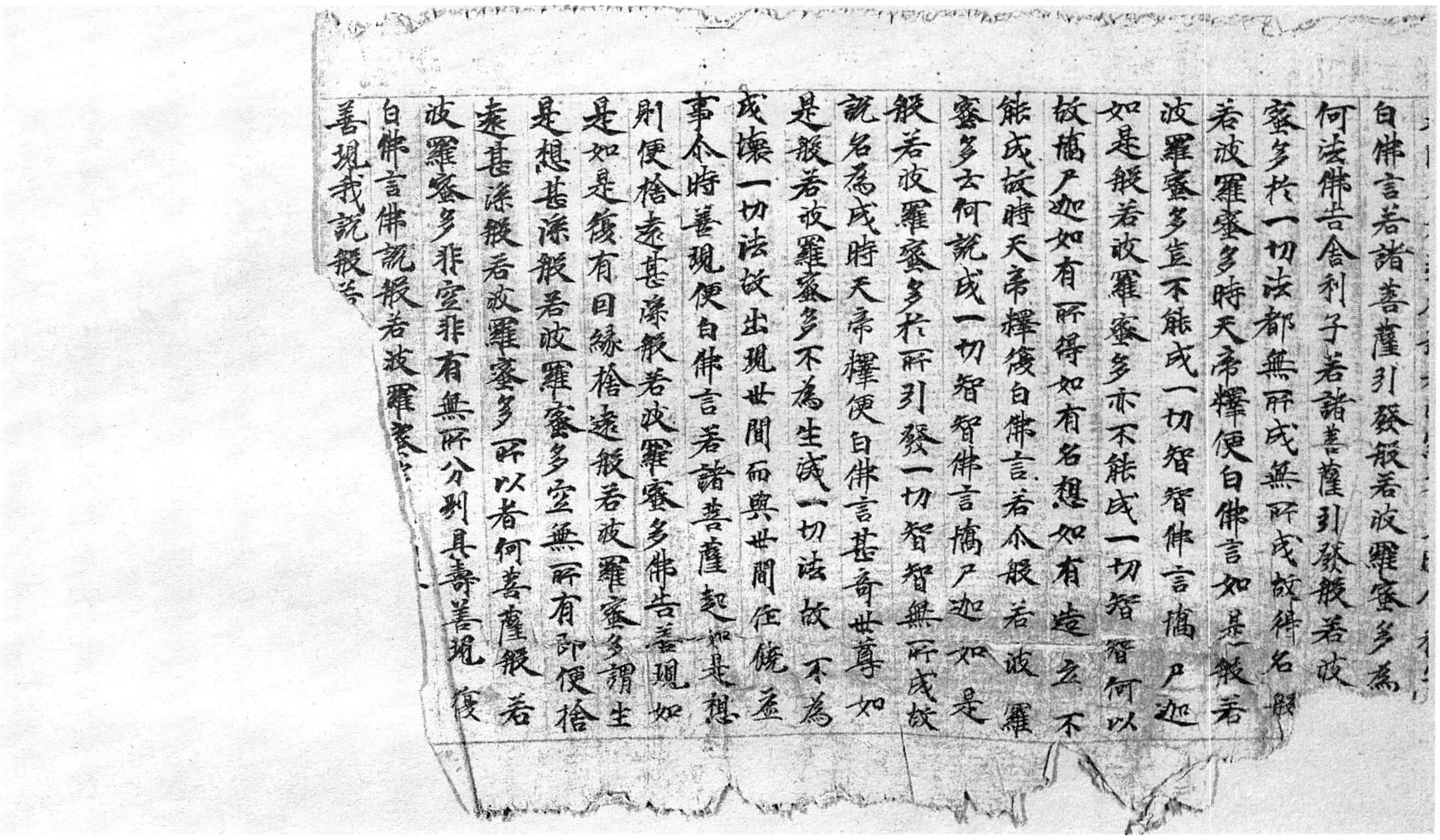
白佛言若諸菩薩引發般若波羅蜜多為
何法佛告舍利子若諸菩薩引發般若波
羅蜜多於一切法都無所成無所成故得名般
若波羅蜜多時天帝釋便白佛言如是般若
波羅蜜多豈不能成一切智智佛言憍尸迦
如是般若波羅蜜多亦不能成一切智智何以
故憍尸迦如有所得如有名想如有造立不
能成故時天帝釋復白佛言若尒般若波羅
蜜多云何能成一切智智佛言憍尸迦如是
般若波羅蜜多於所引發一切智智無所成故
說名為成時天帝釋便白佛言甚奇世尊如
是般若波羅蜜多不為生滅一切法故不為
成壞一切法故出現世間而與世間作饒益
事尒時善現便白佛言若諸菩薩起如是想
則便捨遠甚深般若波羅蜜多佛告善現如
是如是復有因緣捨遠般若波羅蜜多謂生
是想甚深般若波羅蜜多空無所有即便捨
遠甚深般若波羅蜜多所以者何菩薩般若
波羅蜜多非空非有無所分別具壽善現復
白佛言佛說般若波羅蜜…
善現我說般若…

BD01070 號　大般若波羅蜜多經卷五五九　（2–2）

五百五十九

BD01070 號背　勘記　（1–1）

切三摩地門清淨故道相智一切相智清
道相智一切相智清淨故一切智智清淨何
以故若一切三摩地門清淨若道相智一切
相智清淨若一切智智清淨無二無二分無
別無斷故善現一切三摩地門清淨故一切
陁羅尼門清淨一切陁羅尼門清淨故一切
智智清淨何以故若一切三摩地門清淨若
一切陁羅尼門清淨若一切智智清淨無二
無二分無別無斷故
善現一切三摩地門清淨故預流果清淨預
流果清淨故一切智智清淨何以故若一切
三摩地門清淨若預流果清淨若一切智智
清淨無二無二分無別無斷故一切三摩地
門清淨故一來不還阿羅漢果清淨一來不
還阿羅漢果清淨故一切智智清淨何以故
若一切三摩地門清淨若一來不還阿羅漢
果清淨若一切智智清淨無二無二分無別
無斷故善現一切三摩地門清淨故獨覺菩
提清淨獨覺菩提清淨故一切智智清淨何
以故若一切三摩地門清淨若獨覺菩提清

BD01071號　大般若波羅蜜多經（兌廢稿）卷二四一　（2–1）

善現一切三摩地門清淨故預流果清淨預
流果清淨故一切智智清淨何以故若一切
三摩地門清淨若預流果清淨若一切智智
清淨無二無二分無別無斷故一切三摩地
門清淨故一來不還阿羅漢果清淨一來不
還阿羅漢果清淨故一切智智清淨何以故
若一切三摩地門清淨若一來不還阿羅漢
果清淨若一切智智清淨無二無二分無別
無斷故善現一切三摩地門清淨故獨覺菩
提清淨獨覺菩提清淨故一切智智清淨何
以故若一切三摩地門清淨若獨覺菩提清
淨若一切智智清淨無二無二分無別無斷故
善現一切三摩地門清淨故一切菩薩摩
訶薩行清淨一切菩薩摩訶薩行清淨故一
切智智清淨何以故若一切三摩地門清淨
若一切菩薩摩訶薩行清淨若一切智智清
淨無二無二分無別無斷故善現一切三摩
地門清淨故諸佛無上正等菩提清淨諸佛

BD01071號　大般若波羅蜜多經（兌廢稿）卷二四一　（2–2）

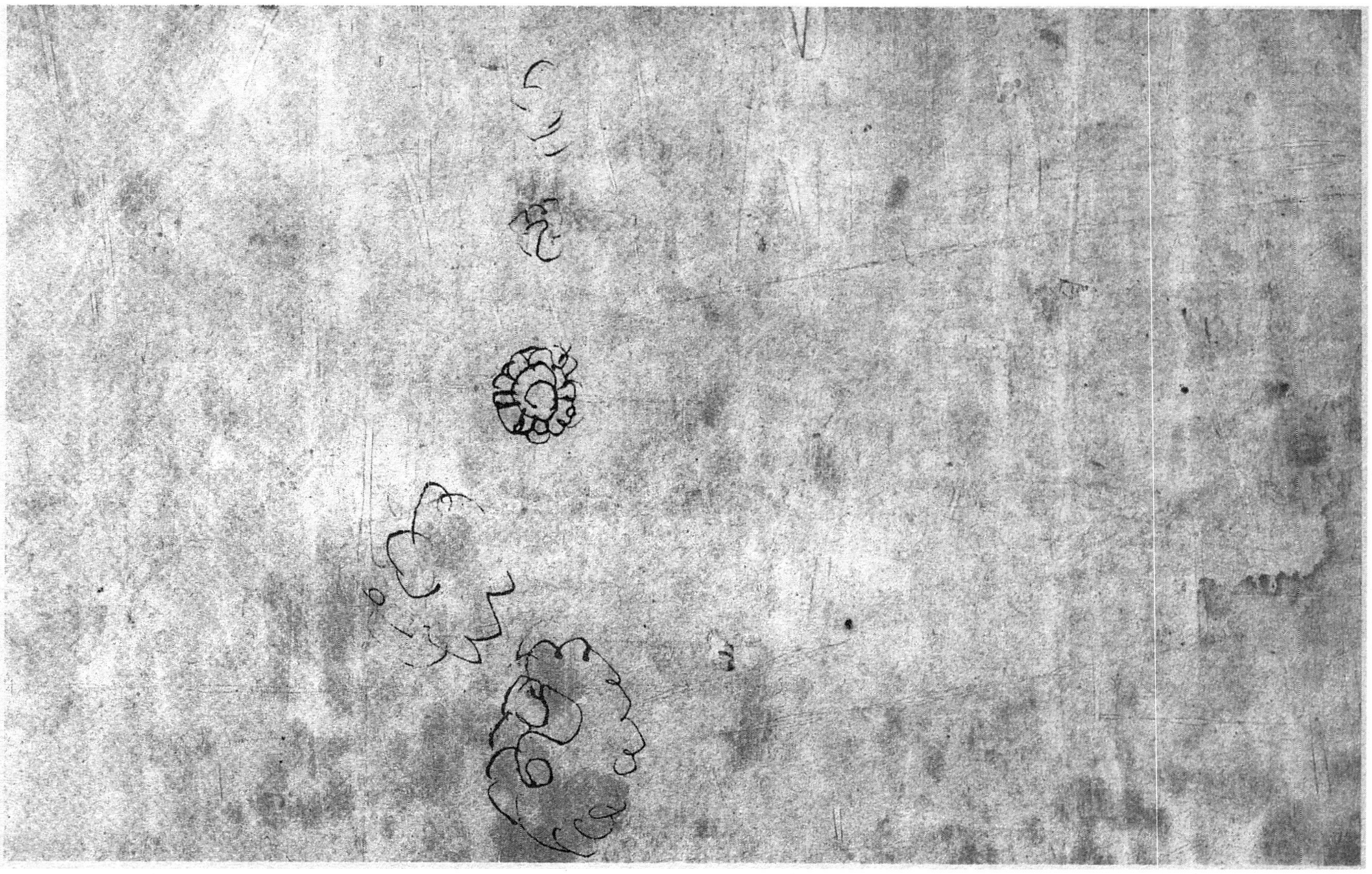

BD01071 號背　墨寫雜劃　　　　（1-1）

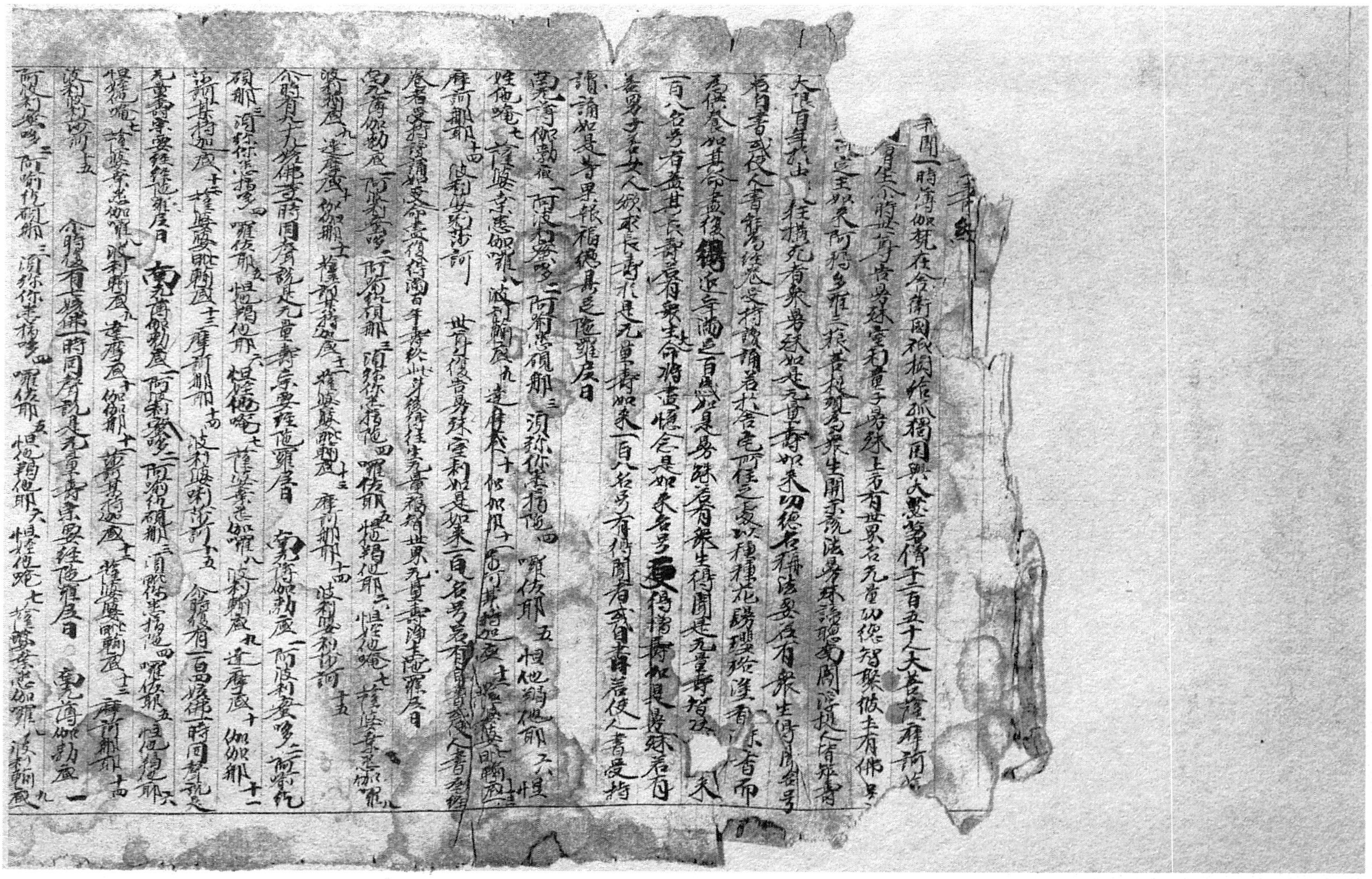

BD01072 號 1　無量壽宗要經　　　　（10-1）

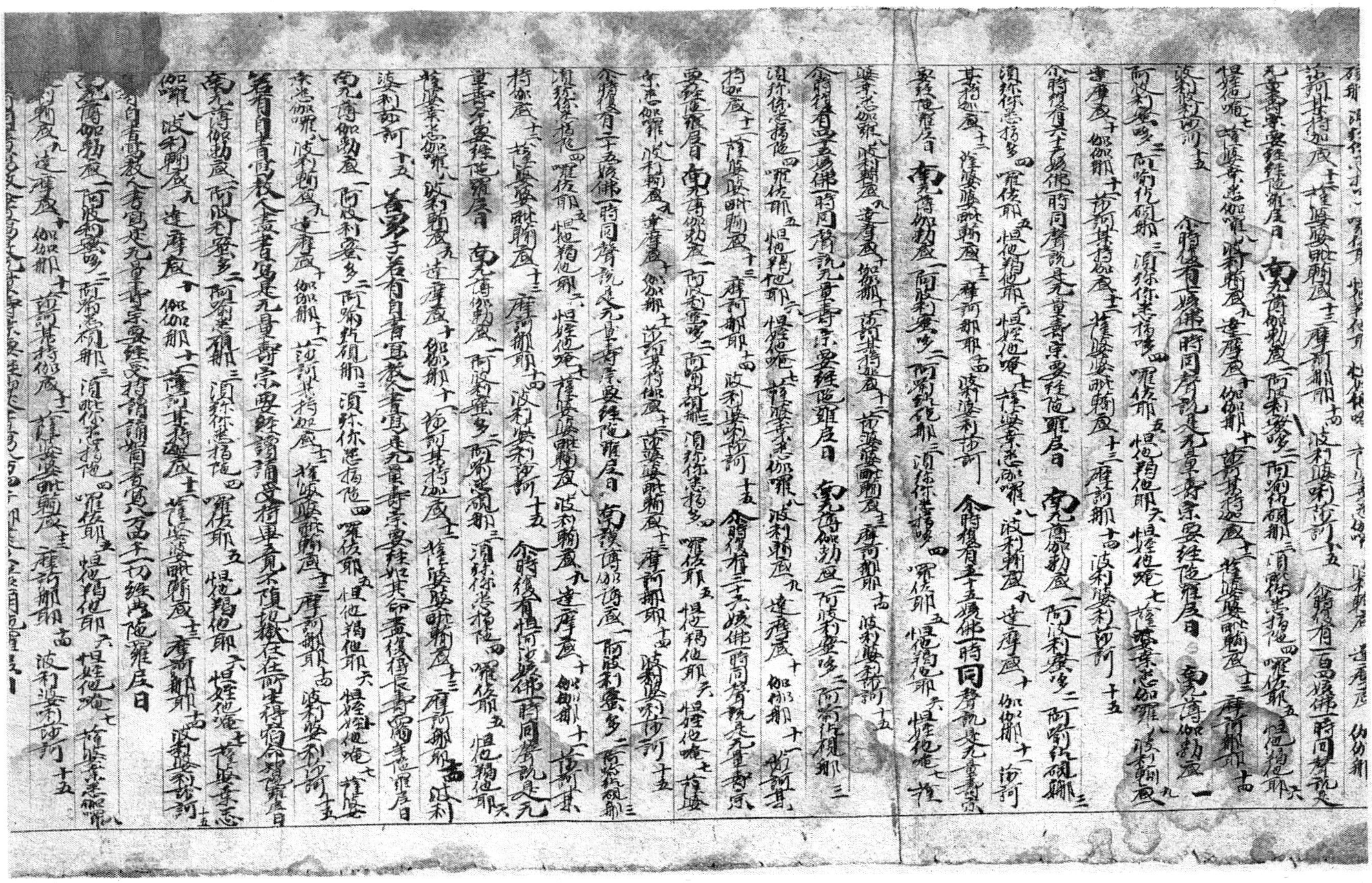

BD01072 號 1　無量壽宗要經　（10–2）

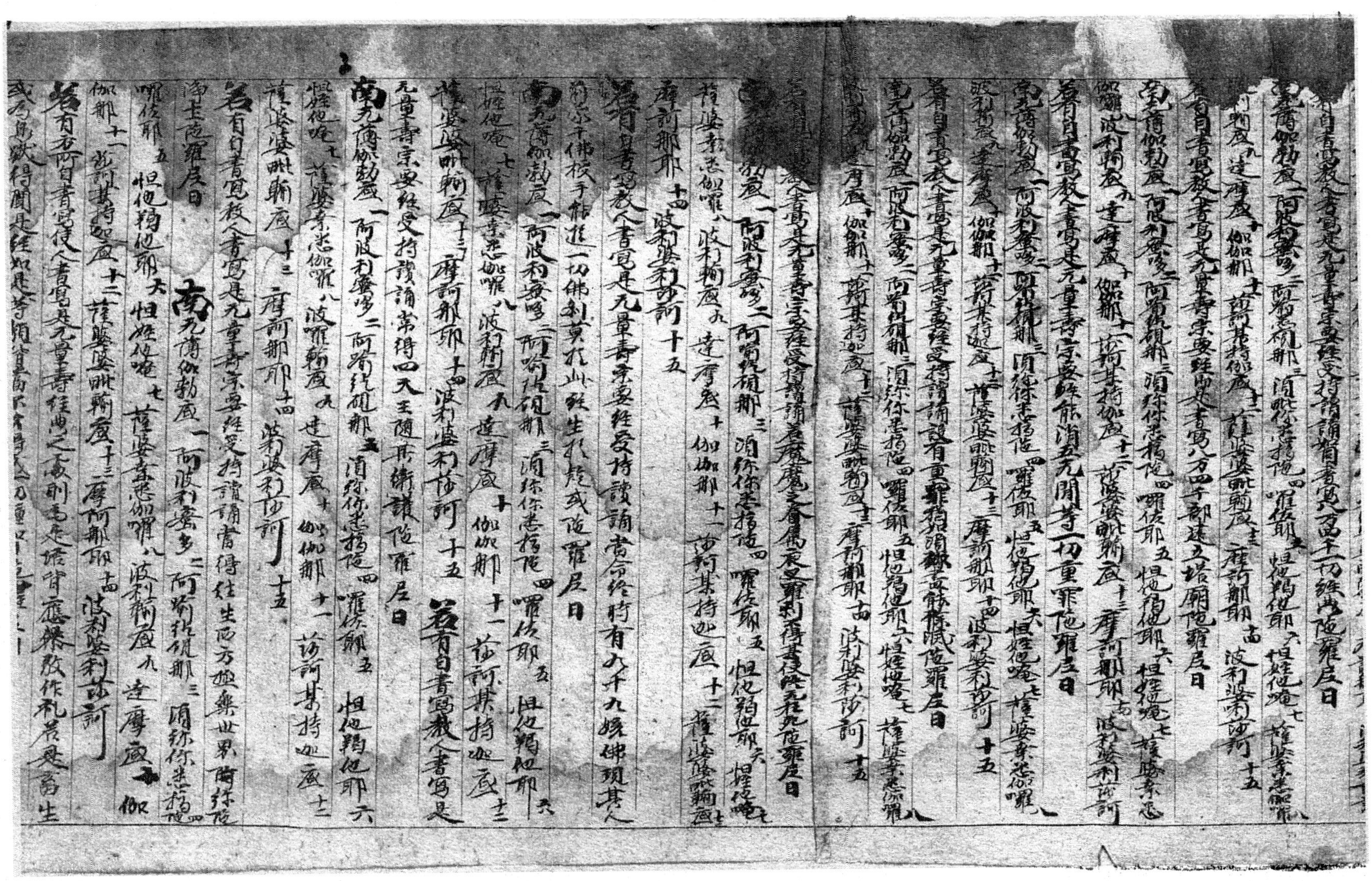

BD01072 號 1　無量壽宗要經　（10–3）

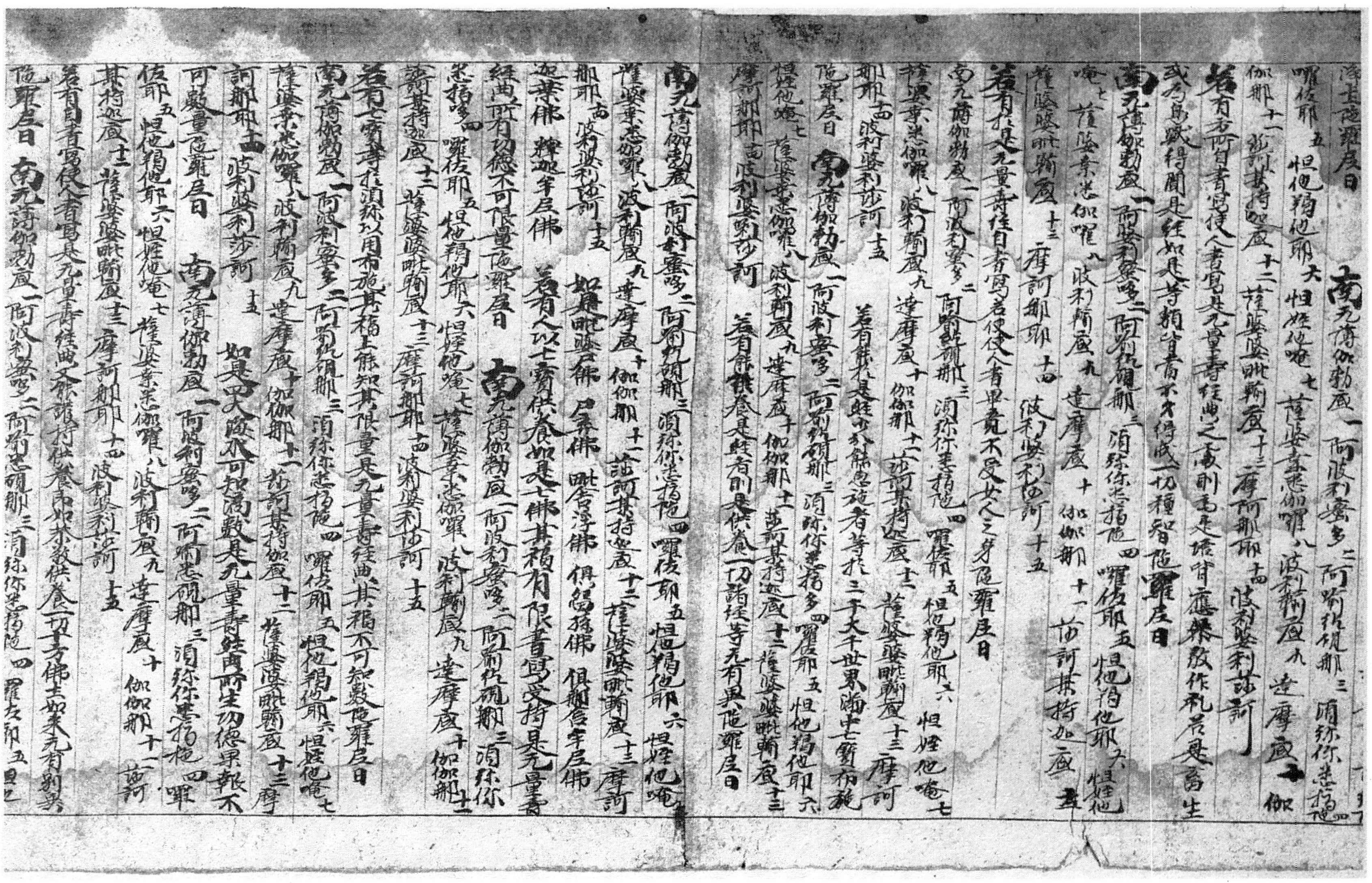
淨土陁羅尼曰　南无薄伽勃底一　阿波利蜜多二　阿喻紇硯那三　須弥你悉指陁四
囉佐耶五　怛他羯他耶六　怛姪他唵七　薩婆桑悉伽囉八　波利輸底九　達摩底十　伽
伽那十一　莎訶娑特迦底十二　薩婆婆毗輸底十三　摩訶那耶十四　波利婆利莎訶十五
若有衆生自書寫使人書寫是无量壽經典之處則爲是塔皆應恭敬作禮若是畜生
或為鳥獸得聞是經如是等類皆當不久得成一切種智陁羅尼曰
南无薄伽勃底一　阿波利蜜哆二　阿喻紇硯那三　須弥你悉指陁四　囉佐耶五　怛他揭他耶六　怛姪他
唵七　薩婆桑悉伽囉八　波利輸底九　達摩底十　伽伽那十一　莎訶娑特迦底十二
薩婆婆毗輸底十三　摩訶那耶十四　波利婆利莎訶十五
若有於是无量壽經自書寫若使人書畢竟不受女人之身陁羅尼曰
南无薄伽勃底一　阿波利蜜多二　阿喻紇硯那三　須弥你悉指陁四　囉佐耶五　怛他羯他耶六　怛姪他唵七
薩婆桑悉伽囉八　波利輸底九　達摩底十　伽伽那十一　莎訶娑特迦底十二　薩婆婆毗輸底十三　摩訶
那耶十四　波利婆利莎訶十五　若有能於是經少分錢財布施者等於三千大千世界滿中七寶布施
陁羅尼曰　南无薄伽勃底一　阿波利蜜多二　阿喻紇硯那三　須弥你悉指多四　囉佐耶五　怛他羯他耶六
怛姪他唵七　薩婆桑悉伽囉八　波利輸底九　達摩底十　伽伽那十一　莎訶娑特迦底十二　薩婆婆毗輸底十三
摩訶那耶十四　波利婆利莎訶　若有能供養是經者則是供養一切諸經等无有異陁羅尼曰
南无薄伽勃底一　阿波利蜜哆二　阿喻紇硯那三　須弥你悉指陁四　囉佐耶五　怛他羯他耶六　怛姪他唵
七　薩婆桑悉伽囉八　波利輸底九　達摩底十　伽伽那十一　莎訶娑特迦底十二　薩婆婆毗輸底十三　摩訶
那耶十四　波利婆利莎訶十五　如是毗婆尸佛　尸棄佛　毗舍浮佛　俱留孫佛　俱那含牟尼佛
迦葉佛　釋迦牟尼佛　若有人以七寶供養如是七佛其福有限書寫受持是无量壽
經典所有功德不可限量陁羅尼曰　南无薄伽勃底一　阿波利蜜哆二　阿喻紇硯那三　須弥你
悉指哆四　囉佐耶五　怛他羯他耶六　怛姪他唵七　薩婆桑悉伽囉八　波利輸底九　達摩底十　伽伽那十一
莎訶娑特迦底十二　薩婆婆毗輸底十三　摩訶那耶十四　波利婆利莎訶十五
若有七寶等於須弥山用布施其福上能知其限量是无量壽經典其福不可知數陁羅尼曰
南无薄伽勃底一　阿波利蜜多二　阿喻紇硯那三　須弥你悉指陁四　囉佐耶五　怛他羯他耶六　怛姪他唵七
薩婆桑悉伽囉八　波利輸底九　達摩底十　伽伽那十一　莎訶娑特迦底十二　薩婆婆毗輸底十三　摩
訶那耶十四　波利婆利莎訶十五　如是四大海水可知滴數是无量壽經所生功德果報不
可數量陁羅尼曰　南无薄伽勃底一　阿波利蜜哆二　阿喻紇硯那三　須弥你悉指陁四　囉
佐耶五　怛他羯他耶六　怛姪他唵七　薩婆桑悉伽囉八　波利輸底九　達摩底十　伽伽那十一　莎訶
娑特迦底十二　薩婆婆毗輸底十三　摩訶那耶十四　波利婆利莎訶十五
若有自書寫使人書寫是无量壽經典文亦讀持供養即如恭敬供養一切十方佛土如來无有別異
陁羅尼曰　南无薄伽勃底一　阿波利蜜哆二　阿喻紇硯那三　須弥你悉指陁四　羅佐耶五　怛他

BD01072號1　無量壽宗要經　（10–4）

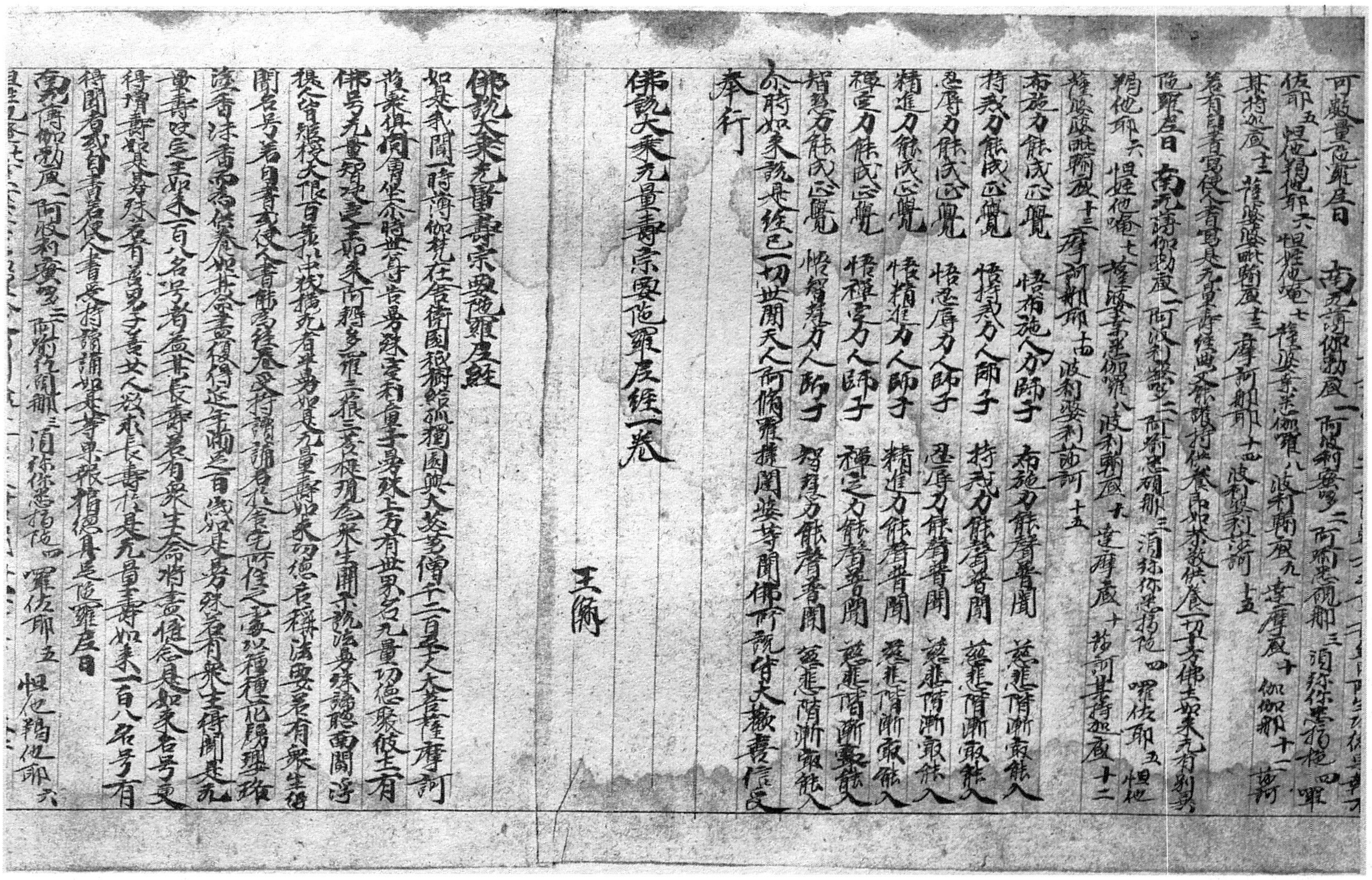
可數量陁羅尼曰　南无薄伽勃底一　阿波利蜜哆二　阿喻紇硯那三　須弥你悉指陁四　囉
佐耶五　怛他羯他耶六　怛姪他唵七　薩婆桑悉伽囉八　波利輸底九　達摩底十　伽伽那十一　莎訶
娑特迦底十二　薩婆婆毗輸底十三　摩訶那耶十四　波利婆利莎訶十五
若有自書寫使人書寫是无量壽經典文亦讀持供養即如恭敬供養一切十方佛土如來无有別異
陁羅尼曰　南无薄伽勃底一　阿波利蜜哆二　阿喻紇硯那三　須弥你悉指陁四　囉佐耶五　怛他
羯他耶六　怛姪他唵七　薩婆桑悉伽囉八　波利輸底九　達摩底十　莎訶娑特迦底十二
薩婆婆毗輸底十三　摩訶那耶十四　波利婆利莎訶十五
布施力能成正覺　悟布施人力師子　布施力能聲普聞　慈悲隨漸慈能入
持戒力能成正覺　悟持戒力人師子　持戒力能聲普聞　慈悲隨漸取能入
忍辱力能成正覺　悟忍辱力人師子　忍辱力能聲普聞　慈悲隨漸取能入
精進力能成正覺　悟精進力人師子　精進力能聲普聞　慈悲隨漸取能入
禪定力能成正覺　悟禪定力人師子　禪定力能聲普聞　慈悲隨漸取能入
智慧力能成正覺　悟智慧力人師子　智慧力能聲普聞　慈悲隨漸取能入
尒時如來說是經已一切世間天人阿脩羅揵闥婆等聞佛所說皆大歡喜信受
奉行
佛說大乘无量壽宗要陁羅尼經一卷
王儞

佛說大乘无量壽宗要陁羅尼經
如是我聞一時薄伽梵在舍衛國祇樹給孤獨園與大苾芻僧千二百五十人大菩薩摩訶
薩衆俱尒時世尊告曼殊室利童子曼殊上方有世界名无量功德聚彼土有
佛号无量智決定王如來阿羅訶三藐三菩提現爲衆生開示說法曼殊諦聽南閻浮
提人皆短命大限百年於中夭枉横死者衆曼殊是无量壽如來功德名稱法要若有衆生得
聞名号若自書若使人書能爲經卷受持讀誦於舍宅所住之處以種種花鬘瓔珞
塗香末香而爲供養如其命盡復得延年滿足百歲如是曼殊若有衆生得聞是无
量壽決定王如來一百八名号者益其長壽若有衆生大命將盡憶念是如來名号更
得增壽如是曼殊若有善男子善女人欲求長壽於是无量壽如來一百八名号有
得聞者或自書若使人書受持讀誦如是等果報福德具足陁羅尼曰
南无薄伽勃底一　阿波利蜜哆二　阿喻紇硯那三　須弥你悉指陁四　羅佐耶五　怛他羯他耶六

BD01072號1　無量壽宗要經　（10–5）
BD01072號2　無量壽宗要經

得增壽若有善男子善女人欲求長壽於是无量壽如來一百八名号有
得聞者或自書若使人書受持讀誦如是等輩報福德具足陁羅尼曰
南无薄伽勃底一 阿波唎蜜多二 阿喻紇硯那三 須毗你失指陀四 囉佐耶五 怛他羯他耶六
怛姪他唵七 薩婆桑悉迦囉八 波唎輸底九 達磨底十 伽伽那十一 娑謨伽底十二 薩婆
婆毗輸底十三 摩訶那耶十四 波唎婆唎莎訶十五
世尊復告曼殊室利如是如來一百八名号若有自書或使人書為經卷受持讀誦
如是命盡復滿百年壽終此身復得往生无量福智世界无量壽淨土陁羅尼曰
南无薄伽勃底一 阿波唎蜜多二 阿喻紇硯那三 須毗你失指陀四 囉佐耶五 怛他羯他耶六
怛姪他唵七 薩婆桑悉迦囉八 波唎輸底九 達磨底十 伽伽那十一 娑謨伽底十二
薩婆婆毗輸底十三 摩訶那耶十四 波唎婆唎莎訶十五
尒時復有九十九姟佛等一時同聲說是无量壽宗要經陁羅尼曰
南无薄伽勃底一 阿波唎蜜多二 阿喻紇硯那三 須毗你失指陀四 囉佐耶五 怛他羯他耶六 怛姪
他唵七 薩婆桑悉迦囉八 波唎輸底九 達磨底十 伽伽那十一 娑謨伽底十二 薩婆
婆毗輸底十三 摩訶那耶十四 波唎婆唎莎訶十五
尒時復有八十四姟佛一時同聲說是无量壽宗要經陁羅尼曰
南无薄伽勃底一 阿波唎蜜多二 阿喻紇硯那三 須毗你失指多四 囉佐耶五 怛他羯他耶
怛姪他唵七 薩婆桑悉迦囉八 波唎輸底九 達磨底十 伽伽那十一 娑謨伽底十二 薩婆
婆毗輸底十三 摩訶那耶十四 波唎婆唎莎訶那十五
尒時復有七十七姟佛一時同聲說是无量壽宗要經陁羅尼曰
南无薄伽勃底一 阿波唎蜜多二 阿喻紇硯那三 須毗你失指陀四 囉佐耶五 怛他羯他耶
怛姪他唵七 薩婆桑悉迦囉八 波唎輸底九 達磨底十 伽伽那十一 娑謨伽底十二
薩婆婆毗輸底十三 摩訶那耶十四 波唎婆唎莎訶十五
尒時復有六十五姟佛一時同聲說是无量壽宗要經陁羅尼曰
南无薄伽勃底一 阿波唎蜜多二 阿喻紇硯那三 須毗你失指陀四 囉佐耶五 怛他羯他耶六
尒時復有五十五姟佛一時同聲說是无量壽宗要經陁羅尼曰
南謨薄伽勃底一 阿波唎蜜多二 阿喻紇硯那三 須毗你失指陀四 囉佐耶五 怛他羯他耶
怛姪他唵七 薩婆桑悉迦囉八 波唎輸底九 達磨底十 伽伽那十一 娑謨伽底十二
薩婆婆毗輸底十三 摩訶那耶十四 波唎婆唎莎訶十五
尒時復有四十五姟佛一時同聲說是无量壽宗要經陁羅尼曰
南无薄伽勃底一 阿波唎蜜多二 阿喻紇硯那三 須毗你失指陀四 囉佐耶五 怛他羯他耶六
怛姪他唵七 薩婆桑悉迦囉八 波唎輸底九 ……

BD01072 號 2　無量壽宗要經　（10–6）

薩婆婆毗輸底十三 摩訶那耶十四 波唎婆唎莎訶十五
尒時復有四十五姟佛一時同聲說是无量壽宗要經陁羅尼曰
南无薄伽勃底一 阿波唎蜜多二 阿喻紇硯那三 須毗你失指陀四 囉佐耶五 怛他羯他耶六
怛姪他唵七 薩婆桑悉迦囉八 波唎輸底九 達磨底十 伽伽那十一 娑謨伽底十二
薩婆婆毗輸底十三 摩訶那耶十四 波唎婆唎莎訶
尒時復有三十六姟佛一時同聲說是无量壽宗要經陁羅尼曰
南无薄伽勃底一 阿波唎蜜多二 阿波唎蜜多三 須毗你失指陀四 囉佐耶五 怛他羯他耶六
怛姪他唵七 薩婆桑悉迦囉八 波唎輸底九 達磨底十 伽伽那十一 娑謨伽底十二
薩婆婆毗輸底十三 薩婆婆毗輸底十三 摩訶那耶十四 波唎婆唎莎訶十五
尒時復有二十五姟佛一時同聲說是无量壽宗要經陁羅尼曰
南謨薄伽勃底一 阿波唎蜜多二 阿喻紇硯那三 須毗你失指陀四 囉佐耶五 怛他羯他耶六
怛姪他唵七 薩婆桑悉迦囉八 波唎輸底九 達磨底十 伽伽那十一 娑謨伽底十二
薩婆婆毗輸底十三 摩訶那耶十四 波唎婆唎莎訶十五
尒時復有殑伽沙姟佛一時同聲說是无量壽宗要經陁羅尼曰
南无薄伽勃底一 阿波唎蜜多二 阿喻紇硯那三 須毗你失指陀四 囉佐耶五 怛他羯
他耶六 怛姪他唵七 薩婆婆毗輸底八 波唎輸底九 達磨底十 伽伽那十一 娑謨伽底十二
薩婆婆毗輸底十三 摩訶那耶十四 波唎婆唎莎訶十五
若善男子若有自書寫教人書寫是无量壽宗要經其命盡已復得長壽滿百年陁羅尼曰
南无薄伽勃底一 阿波唎蜜多二 阿喻紇硯那三 須毗你失指陀四 囉佐耶五 怛他羯他耶
怛姪他唵七 薩婆桑悉迦囉八 波唎輸底九 達磨底十 伽伽那十一 娑謨伽底十二
薩婆婆毗輸底十三 摩訶那耶十四 波唎婆唎莎訶十五
若有善男子自書寫是无量壽宗要經讀誦受持畢竟不墮地獄在在所生得宿命智陁羅尼曰
南无薄伽勃底一 阿波唎蜜多二 阿喻紇硯那三 須毗你失指陀四 囉佐耶五 怛他羯他耶六 怛姪
他唵七 薩婆桑悉迦囉八 波唎輸底九 達磨底十 伽伽那十一 娑謨伽底十二 薩婆婆毗
輸底十三 摩訶那耶十四 波唎婆唎莎訶十五
若有自書寫教人書寫是无量壽宗要經受持讀誦如同書寫八万四千一切經陁羅尼曰
南无薄伽勃底一 阿波唎蜜多二 阿喻紇硯那三 須毗你失指陀四 囉佐耶五 怛他羯他耶六 怛姪他
唵七 薩婆桑悉迦囉八 波唎輸底九 達磨底十 伽伽那十一 娑謨伽底十二 薩婆婆毗輸底十三
摩訶那耶十四 波唎婆唎莎訶十五
若有自書寫教人書寫是无量壽宗要經即是書寫八万四千部建立塔廟陁羅尼曰
南无薄伽勃底一 阿波唎蜜多二 阿喻紇硯那三 ……

BD01072 號 2　無量壽宗要經　（10–7）

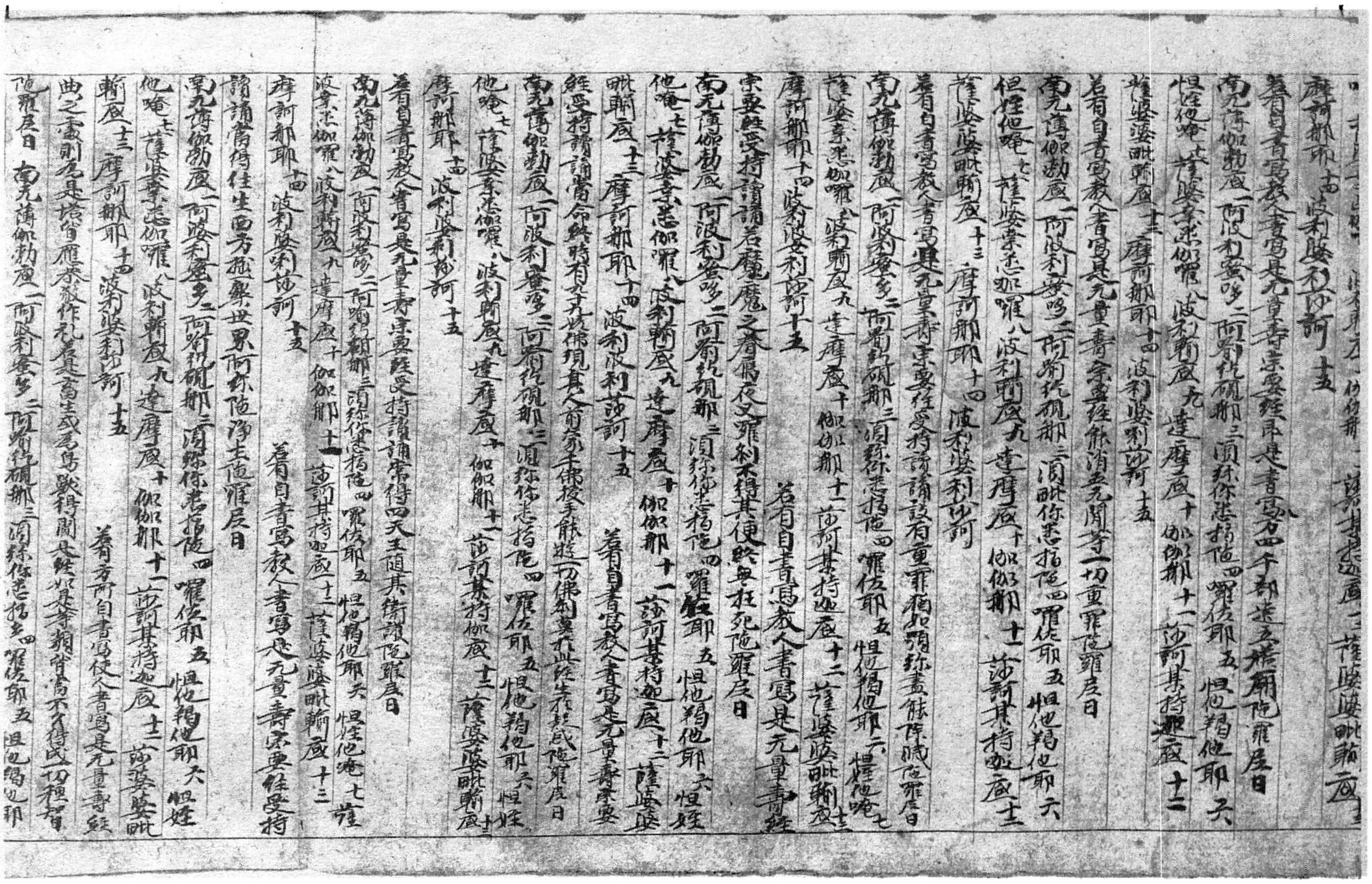

BD01072 號 2　無量壽宗要經　　（10–8）

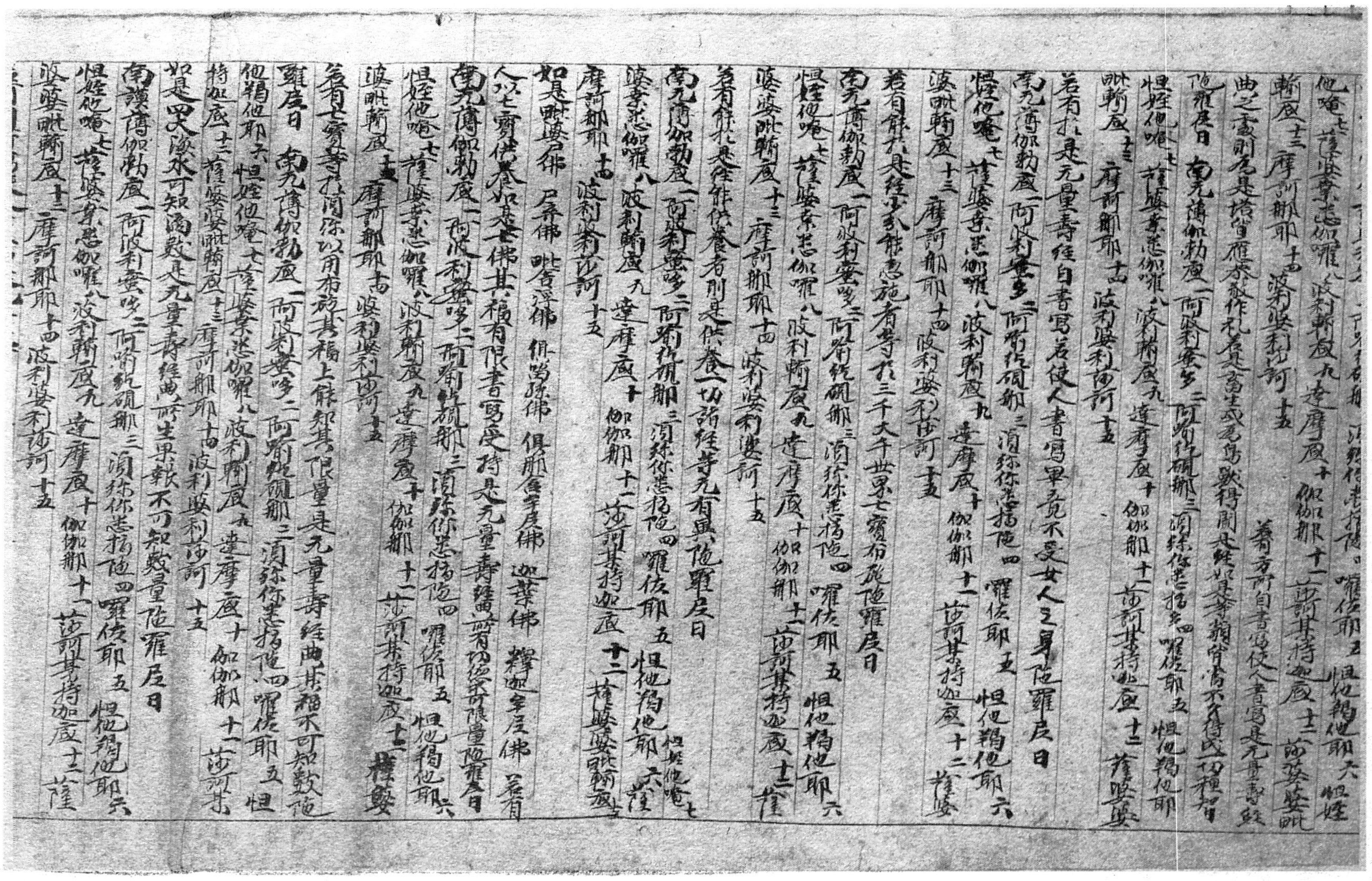

BD01072 號 2　無量壽宗要經　　（10–9）

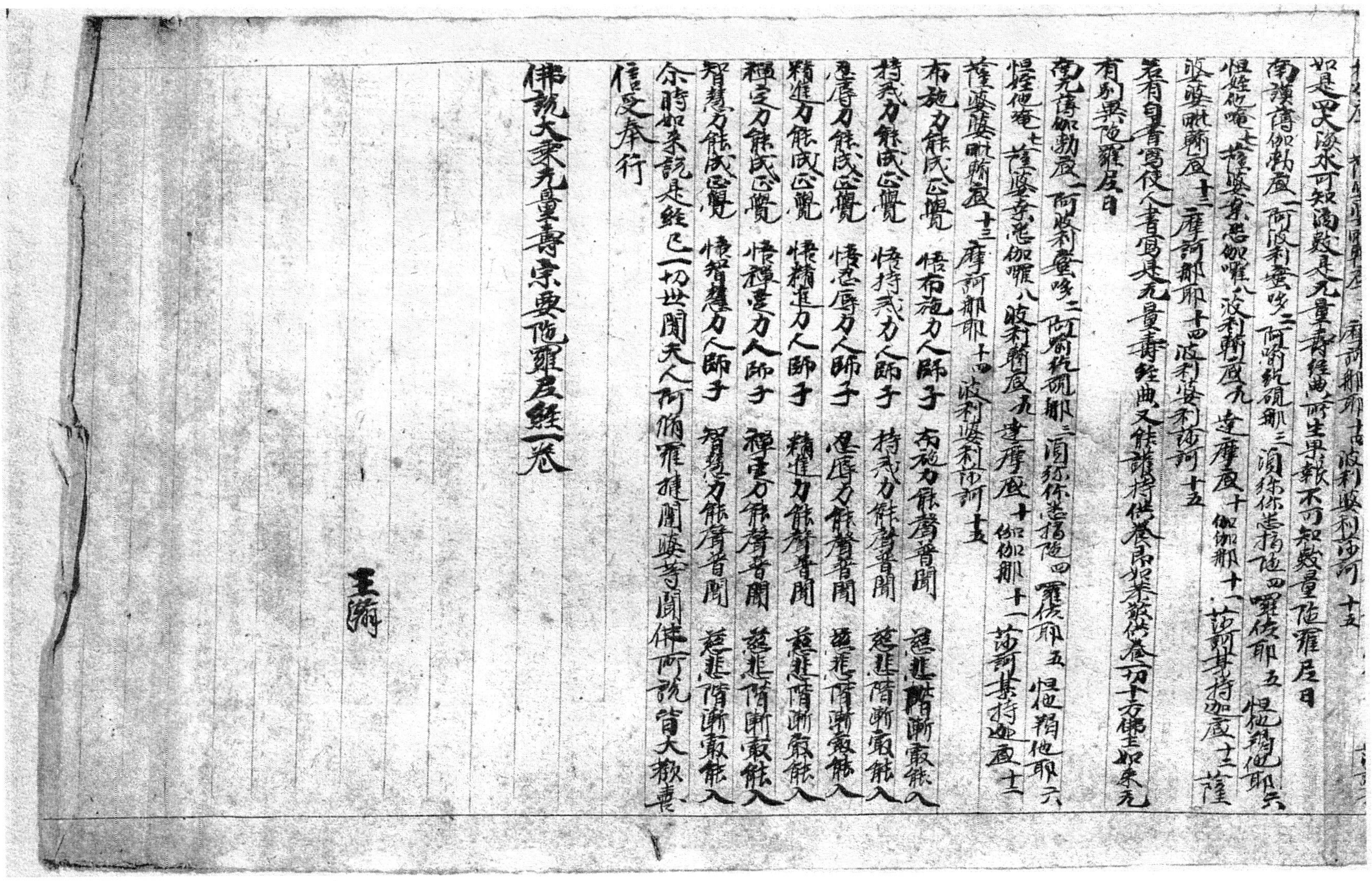

……摩訶那耶十四 波利婆利沙訶 十五
如是四天下海水可知渧數是无量壽經典所生果報不可知數量陁羅尼曰
南謨薄伽勃底一 阿波唎蜜哆二 阿喻紇硯那三 須毗你悉指陁四 囉佐耶五 怛他羯他耶六
怛姪他唵七 薩婆桑悉伽囉八 波利輸底九 達摩底十 伽伽那十一 莎訶其持伽底十二 薩
婆婆毗輸底十三 摩訶那耶十四 波利婆利莎訶十五
若有自書寫使人書寫是无量壽經典又能誦持供養禮拜如來供養一切十方佛土如來无
有別異陁羅尼曰
南无薄伽勃底一 阿波利蜜哆二 阿喻紇硯那三 須毗你悉指陁四 囉佐耶五 怛他羯他耶六
怛姪他唵七 薩婆桑悉伽囉八 波利輸底九 達摩底十 伽伽那十一 莎訶其持伽底十二
薩婆婆毗輸底十三 摩訶那耶十四 波利婆利莎訶十五
布施力能成正覺 悟布施力人師子 布施力能聲普聞 慈悲隨漸敷能入
持戒力能成正覺 悟持戒力人師子 持戒力能聲普聞 慈悲隨漸敷能入
忍辱力能成正覺 悟忍辱力人師子 忍辱力能聲普聞 慈悲隨漸敷能入
精進力能成正覺 悟精進力人師子 精進力能聲普聞 慈悲隨漸敷能入
禪定力能成正覺 悟禪定力人師子 禪定力能聲普聞 慈悲隨漸敷能入
智慧力能成正覺 悟智慧力人師子 智慧力能聲普聞 慈悲隨漸敷能入
尒時如來說是經已一切世間天人阿脩羅揵闥婆等聞佛所說皆大歡喜
信受奉行
佛說大乘无量壽宗要陁羅尼經一卷

王瀚

BD01072 號 2　無量壽宗要經　（10–10）

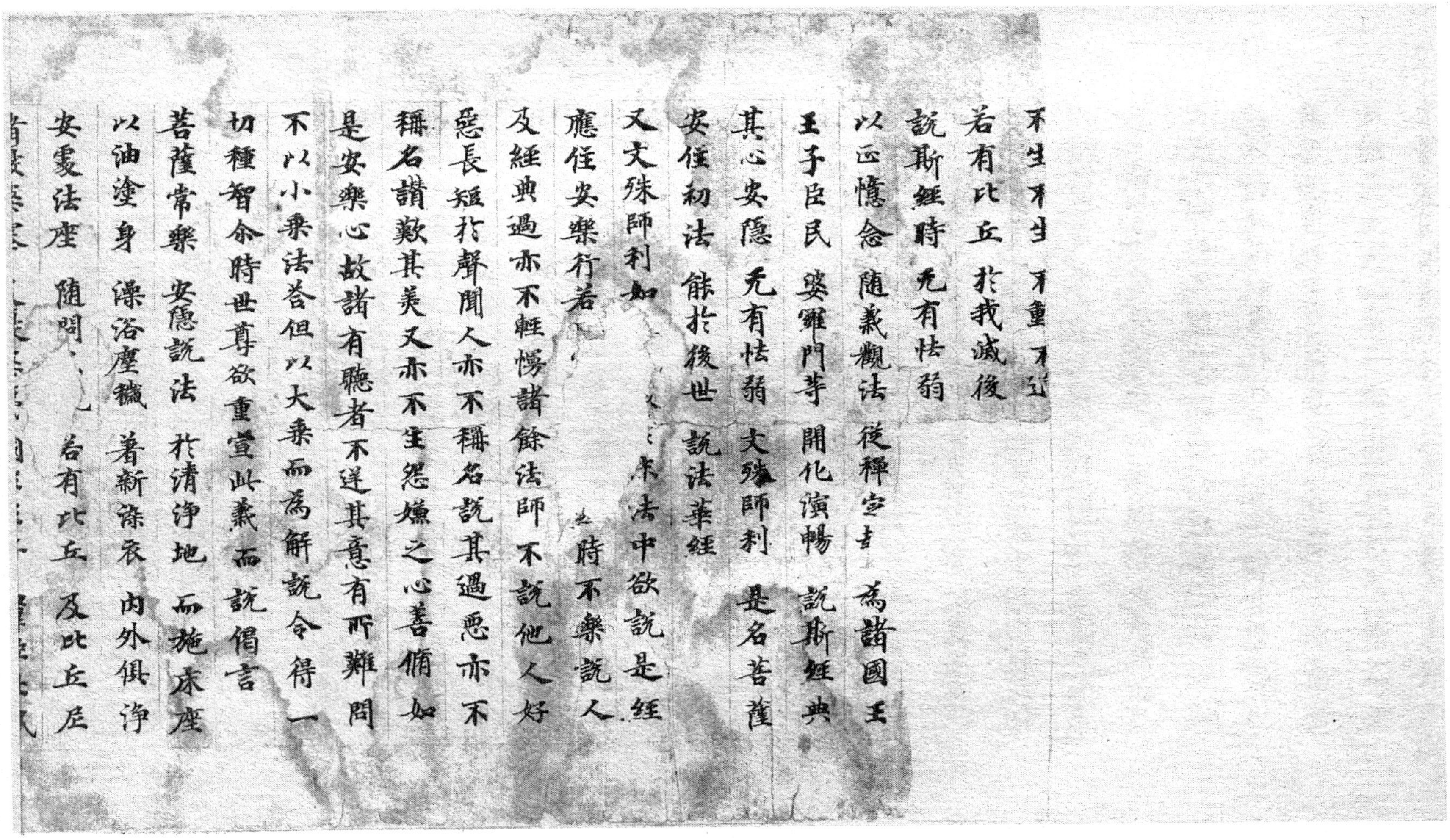

不生不生　不重不
若有比丘　於我滅後
說斯經時　无有怯弱
以正憶念　隨義觀法　從禪定起　為諸國王
王子臣民　婆羅門等　開化演暢　說斯經典
其心安隱　无有怯弱　文殊師利　是名菩薩
安住初法　能於後世　說法華經
又文殊師利如　末法中欲說是經
應住安樂行若　時不樂說人
及經典過亦不輕慢諸餘法師不說他人好
惡長短於聲聞人亦不稱名說其過惡亦不
稱名讚歎其美又亦不生怨嫌之心善脩如
是安樂心故諸有聽者不逆其意有所難問
不以小乘法荅但以大乘而為解說令得一
切種智尒時世尊欲重宣此義而說偈言
菩薩常樂　安隱說法　於清淨地　而施床座
以油塗身　澡浴塵穢　著新淨衣　內外俱淨
安處法座　隨問為說　若有比丘　及比丘尼

BD01073 號　妙法蓮華經卷五　（11–1）

切種智佛世尊欲重宣此義而說偈言
菩薩常樂　安隱說法　於清淨地　而施床座
以油塗身　澡浴塵穢　著新淨衣　內外俱淨
安處法座　隨問為說　若有比丘　及比丘尼
諸優婆塞　及優婆夷　國王王子　群臣士民
以微妙義　和顏為說　若有難問　隨義而荅
因緣譬喻　敷演分別　以是方便　皆使發心
漸漸增益　入於佛道　除嬾惰意　及懈怠想
離諸憂惱　慈心說法　晝夜常說　无上道教
以諸因緣　无量譬喻　開示眾生　咸令歡喜
衣服臥具　飲食醫藥　而於其中　无所悕望
但一心念　說法因緣　願成佛道　令眾亦尒
是則大利　安樂供養　我滅度後　若有比丘
能演說斯　妙法華經　心无嫉恚　諸惱障礙
亦无憂愁　及罵詈者　又无怖畏　加刀杖等
亦无擯出　安住忍故　智者如是　善脩其心
能住安樂　如我上說　其人功德　千万億劫
筭數譬喻　說不能盡
又文殊師利菩薩摩訶薩於後末世法欲滅
時受持讀誦斯經典者无懷嫉妬諂誑之心
亦勿輕罵學佛道者求其長短若比丘比丘
尼優婆塞優婆夷求聲聞者求辟支佛者求
菩薩道者无得惱之令其疑悔語其人言汝
等去道甚遠終不能得一切種智所以者何
汝是放逸之人於道懈怠故又亦不應戲論

BD01073號　妙法蓮華經卷五　（11–2）

菩薩道者无得惱之令其疑悔語其人言汝
等去道甚遠終不能得一切種智所以者何
汝是放逸之人於道懈怠故又亦不應戲論
諸法有所諍競當於一切眾生起大悲想於
諸如來起慈父想於諸菩薩起大師想於十
方諸大菩薩常應深心恭敬禮拜於一切眾
生平等說法以順法故不多不少乃至深愛
法者亦不為多說文殊師利是菩薩摩訶薩
於後末世法欲滅時有成就是第三安樂行
者說是法時无能惱亂得好同學共讀誦是
經亦得大眾而來聽受聽已能持持已能誦
誦已能說說已能書若使人書供養經卷恭
敬尊重讚歎尒時世尊欲重宣此義而說偈
言
若欲說是經　當捨嫉恚慢　諂誑邪偽心　常脩質直行
不輕蔑於人　亦不戲論法　不令他疑悔　云汝不得佛
是佛子說法　常柔和能忍　慈悲於一切　不生懈怠心
十方大菩薩　愍眾故行道　應生恭敬心　是則我大師
於諸佛世尊　生无上父想　破於憍慢心　說法无障礙
第三法如是　智者應守護　一心安樂行　无量眾所敬
又文殊師利菩薩摩訶薩於後末世法欲滅
時有持法華經者於在家出家人中生大慈心
於非菩薩人中生大悲心應作是念如是之
人則為大失如來方便隨宜說法不聞不知
不覺不問不信不解其人雖不問不信不解

BD01073號　妙法蓮華經卷五　（11–3）

於非菩薩人中生大悲心應作是念如是之
人則為大失如來方便隨宜說法不聞不知
不覺不問不信不解其人雖不問不信不解
是經我得阿耨多羅三藐三菩提時隨在何
地以神通力智慧力引之令得住是法中文
殊師利是菩薩摩訶薩於如來滅後有成
就此第四法者說是法時无有過失常為比
丘比丘尼優婆塞優婆夷國王王子大臣人
民婆羅門居士等供養恭敬尊重讚歎虛空
諸天為聽法故亦常隨侍若在聚落城邑空
閑林中有人來欲難問者諸天晝夜常為法
故而衛護之能令聽者皆得歡喜所以者何
此經是一切過去未來現在諸佛神力所護
故文殊師利是法華經於无量國中乃至名
字不可得聞何況得見受持讀誦文殊師利
譬如强力轉輪聖王欲以威勢降伏諸國而
諸小王不順其命時轉輪王起種種兵而往
討伐王見兵衆戰有功者即大歡喜隨功賞
賜或與田宅聚落城邑或與衣服嚴身之具
或與種種珍寶金銀瑠璃車𤦲馬瑙珊瑚虎
珀象馬車乘奴婢人民唯髻中明珠不以與
之所以者何獨王頂上有此一珠若以與之
王諸眷屬必大驚怪文殊師利如來亦復如
是以禪定智慧力得法國土王於三界而諸
魔王不肯順伏如來賢聖諸將與之共戰其

BD01073號　妙法蓮華經卷五　（11–4）

王諸眷屬必大驚怪文殊師利如來亦復如
是以禪定智慧力得法國土王於三界而諸
魔王不肯順伏如來賢聖諸將與之共戰其
有功者心亦歡喜於四衆中為說諸經令其
心悅賜以禪定解脫无漏根力諸法之財又
復賜與涅槃之城言得滅度引導其心令皆
歡喜而不為說是法華經文殊師利如轉輪
王見諸兵衆有大功者心甚歡喜以此難信
之珠久在髻中不妄與人而今與之如來亦
復如是於三界中為大法王以法教化一切
衆生見賢聖軍與五陰魔煩惱魔死魔共戰
有大功勳滅三毒出三界破魔網尒時如來
亦大歡喜此法華經能令衆生至一切智一
切世間多怨難信先所未說而今說之文殊
師利此法華經是諸如來第一之說於諸說
中最為甚深末後賜與如彼强力之王久護
明珠今乃與之文殊師利此法華經諸佛如
來祕密之藏於諸經中最在其上長夜守護
不妄宣說始於今日乃與汝等而敷演之尒
時世尊欲重宣此義而說偈言
常行忍辱　哀愍一切　乃能演說　佛所讚經
後末世時　持此經者　於家出家　及非菩薩
應生慈悲　斯等不聞　不信是經　則為大失
我得佛道　以諸方便　為說此法　令住其中

BD01073號　妙法蓮華經卷五　（11–5）

後末世時　持此經者　於家出家　及非菩薩
應生慈悲　斯等不聞　不信是經　則為大失
我得佛道　以諸方便　為說此法　令住其中
譬如强力　轉輪之王　兵戰有功　賞賜諸物
象馬車乘　嚴身之具　及諸田宅　聚落城邑
或與衣服　種種珎寶　奴婢財物　歡喜賜與
如有勇健　能為難事　王解髻中　明珠賜之
如來亦尒　為諸法王　忍辱大力　智慧寶藏
以大慈悲　如法化世　見一切人　受諸苦惱
欲求解脫　與諸魔戰　為是眾生　說種種法
以大方便　說此諸經　既知眾生　得其力已
末後乃為　說是法華　如王解髻　明珠與之
此經為尊　眾經中上　我常守護　不妄開示
今正是時　為汝等說　我滅度後　求佛道者
欲得安隱　演說斯經　應當親近　如是四法
讀是經者　常无憂惱　又无病痛　顏色鮮白
不生貧窮　卑賤醜陋　眾生樂見　如慕賢聖
天諸童子　以為給使　刀杖不加　毒不能害
若人惡罵　口則閉塞　遊行无畏　如師子王
智慧光明　如日之照　若於夢中　但見妙事
見諸如來　坐師子座　諸比丘眾　圍繞說法
又見龍神　阿脩羅等　數如恒沙　恭敬合掌
自見其身　而為說法　又見諸佛　身相金色
放无量光　照於一切　以梵音聲　演說諸法
佛為四眾　說无上法　見身處中　合掌讚佛

BD01073號　妙法蓮華經卷五　（11-6）

自見其身　而為說法　又見諸佛　身相金色
放无量光　照於一切　以梵音聲　演說諸法
佛為四眾　說无上法　見身處中　合掌讚佛
聞法歡喜　而為供養　得陁羅尼　證不退智
佛知其心　深入佛道　即為授記　成最正覺
汝善男子　當於來世　得无量智　佛之大道
國土嚴淨　廣大无比　亦有四眾　合掌聽法
又見自身　在山林中　脩習善法　證諸實相
深入禪定　見十方佛
諸佛身金色　百福相莊嚴　聞法為人說　常有是好夢
又夢作國王　捨宮殿眷屬　及上妙五欲　行詣於道場
在菩提樹下　而處師子座　求道過七日　得諸佛之智
成无上道已　起而轉法輪　為四眾說法　經千万億劫
說无漏妙法　度无量眾生　後當入涅槃　如烟盡燈滅
若後惡世中　說是第一法　是人得大利　如上諸功德
妙法蓮華經從地踊出品第十五
尒時他方國土諸來菩薩摩訶薩過八恒河
沙數於大眾中起合掌作礼而白佛言世尊
若聽我等於佛滅後在此娑婆世界勤加精
進護持讀誦書寫供養是經典者當於此土
而廣說之尒時佛告諸菩薩摩訶薩眾止善
男子不須汝等護持此經所以者何我娑婆
世界自有六万恒河沙等菩薩摩訶薩一一
菩薩各有六万恒河沙眷屬是諸人等能於

BD01073號　妙法蓮華經卷五　（11-7）

男子不須汝等護持此經所以者何我娑婆
世界自有六万恒河沙等菩薩摩訶薩一一
菩薩各有六万恒河沙眷屬是諸人等能於
我滅後護持讀誦廣說此經佛說是時娑婆
世界三千大千國土地皆震裂而於其中有
无量千万億菩薩摩訶薩同時踊出是諸菩
薩身皆金色三十二相无量光明先盡在此
娑婆世界之下此界虛空中住是諸菩薩聞
釋迦牟尼佛所說音聲從下發來一一菩薩
皆是大衆唱導之首各將六万恒河沙眷屬
況將五万四万三万二万一万恒河沙等眷
屬者況復乃至一恒河沙半恒河沙四分之
一乃至千万億那由他分之一況復千万億
那由他眷屬況復億万眷屬況復千万百万
乃至一万況復一千一百乃至一十況復將
五四三二一弟子者況復單己樂遠離行如
是等比无量无邊筭數譬喻所不能知是諸
菩薩從地出已各詣虛空七寶妙塔多寶如
来釋迦牟尼佛所到已向二世尊頭面礼足
及至諸寶樹下師子座上佛所亦皆作礼右
繞三帀合掌恭敬以諸菩薩種種讚法而以
讚歎住在一面欣樂瞻仰於二世尊是諸菩
薩摩訶薩從初踊出以諸菩薩種種讚法而
讚於佛如是時間經五十小劫是時釋迦牟

BD01073號　妙法蓮華經卷五　（11-8）

薩摩訶薩從初踊出以諸菩薩種種讚法而
讚於佛如是時間經五十小劫是時釋迦牟
尼佛默然而坐及諸四衆亦皆默然五十小
劫佛神力故令諸大衆謂如半日尒時四衆
亦以佛神力故見諸菩薩遍滿无量百千万
億國土虛空是菩薩衆中有四導師一名上
行二名无邊行三名淨行四名安立行是四
菩薩於其衆中最為上首唱導之師在大衆
前各共合掌觀釋迦牟尼佛而問訊言世尊
少病少惱安樂行不所應度者受教易不不
令世尊生疲勞耶尒時四大菩薩而說偈言
世尊安樂　少病少惱　教化衆生　得无疲倦
又諸衆生　受化易不　不令世尊　生疲勞耶
尒時世尊於菩薩大衆中而作是言如是如是
諸善男子如来安樂少病少惱諸衆生等易
可化度无有疲勞所以者何是諸衆生世
世已来常受我化亦於過去諸佛供養尊重
種諸善根此諸衆生始見我身聞我所說即
皆信受入如来慧除先脩習學小乘者如是
之人我今亦令得聞是經入於佛慧尒時諸
大菩薩而說偈言
善哉善哉　大雄世尊　諸衆生等　易可化度
能問諸佛　甚深智慧　聞已信行　我等隨喜
於時世尊讚歎上首諸大菩薩善哉善哉善

BD01073號　妙法蓮華經卷五　（11-9）

能問諸佛 甚深智慧 聞已信行 我等隨喜
於時世尊讚歎上首諸大菩薩善哉善哉善
男子汝等能於如來發隨喜心尒時彌勒菩
薩及八千恒河沙諸菩薩衆皆作是念我等
從昔已來不見不聞如是大菩薩摩訶薩衆
從地踊出住世尊前合掌供養問訊如來時
彌勒菩薩摩訶薩知八千恒河沙諸菩薩等
心之所念并欲自決所疑合掌向佛以偈問曰
无量千万億 大衆諸菩薩 昔所未曾見 願兩足尊說
是從何所來 以何因緣集 巨身大神通 智慧叵思議
其志念堅固 有大忍辱力 衆生所樂見 為從何所來
一一諸菩薩 所將諸眷屬 其數无有量 如恒河沙等
或有大菩薩 將六万恒沙 如是諸大衆 一心求佛道
是諸大師等 六万恒河沙 俱來供養佛 及護持此經
將五万恒沙 其數過於是 四万及三万 二万至一万
一千一百等 乃至一恒沙 半及三四分 億万分之一
千万那由他 万億諸弟子 乃至於半億 其數復過上
百万至一万 一千及一百 五十與一十 乃至三二一
單已无眷屬 樂於獨處者 俱來至佛所 其數轉過上
如是諸大衆 若人行籌數 過於恒沙劫 猶不能盡知
是諸大威德 精進菩薩衆 誰為其說法 教化而成就
從誰初發心 稱揚何佛法 受持行誰經 脩習何佛道
如是諸菩薩 神通大智力 四方地震裂 皆從中踊出
世尊我昔來 未曾見是事 願說其所從 國土之名号

BD01073號　妙法蓮華經卷五　（11-10）

一千一百等 乃至一恒沙 半及三四分 億万分之一
千万那由他 万億諸弟子 乃至於半億 其數復過上
百万至一万 一千及一百 五十與一十 乃至三二一
單已无眷屬 樂於獨處者 俱來至佛所 其數轉過上
如是諸大衆 若人行籌數 過於恒沙劫 猶不能盡知
是諸大威德 精進菩薩衆 誰為其說法 教化而成就
從誰初發心 稱揚何佛法 受持行誰經 脩習何佛道
如是諸菩薩 神通大智力 四方地震裂 皆從中踊出
世尊我昔來 未曾見是事 願說其所從 國土之名号
我常遊諸國 未曾見是衆 我於此衆中 乃不識一人
忽然從地出 願說其因緣 今此之大會 无量百千億
是諸菩薩等 皆欲知此事 是諸菩薩衆 本末之因緣
无量德世尊 唯願決衆疑
尒時釋迦牟尼佛分身諸佛從无量千万億
他方國土來者在於八方諸寶樹下師子座
上結跏趺坐其佛侍者各各見是菩薩大衆
於三千大千世界四方從地踊出住於虛空
各白其佛言世尊此諸无量无邊阿僧祇菩

BD01073號　妙法蓮華經卷五　（11-11）

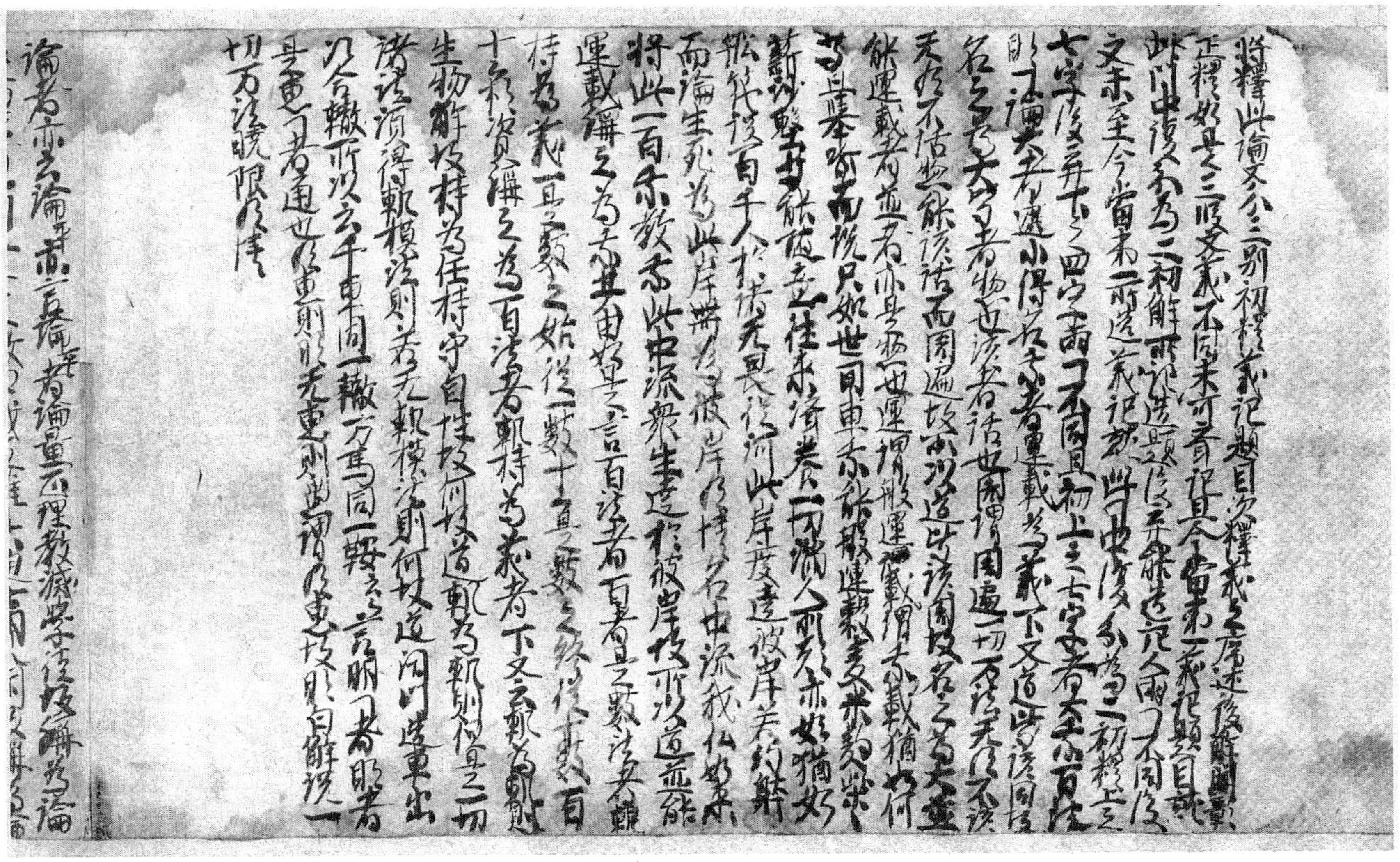

BD01073 號背　大乘百法明門論開宗義記疏（擬）　（4–1）

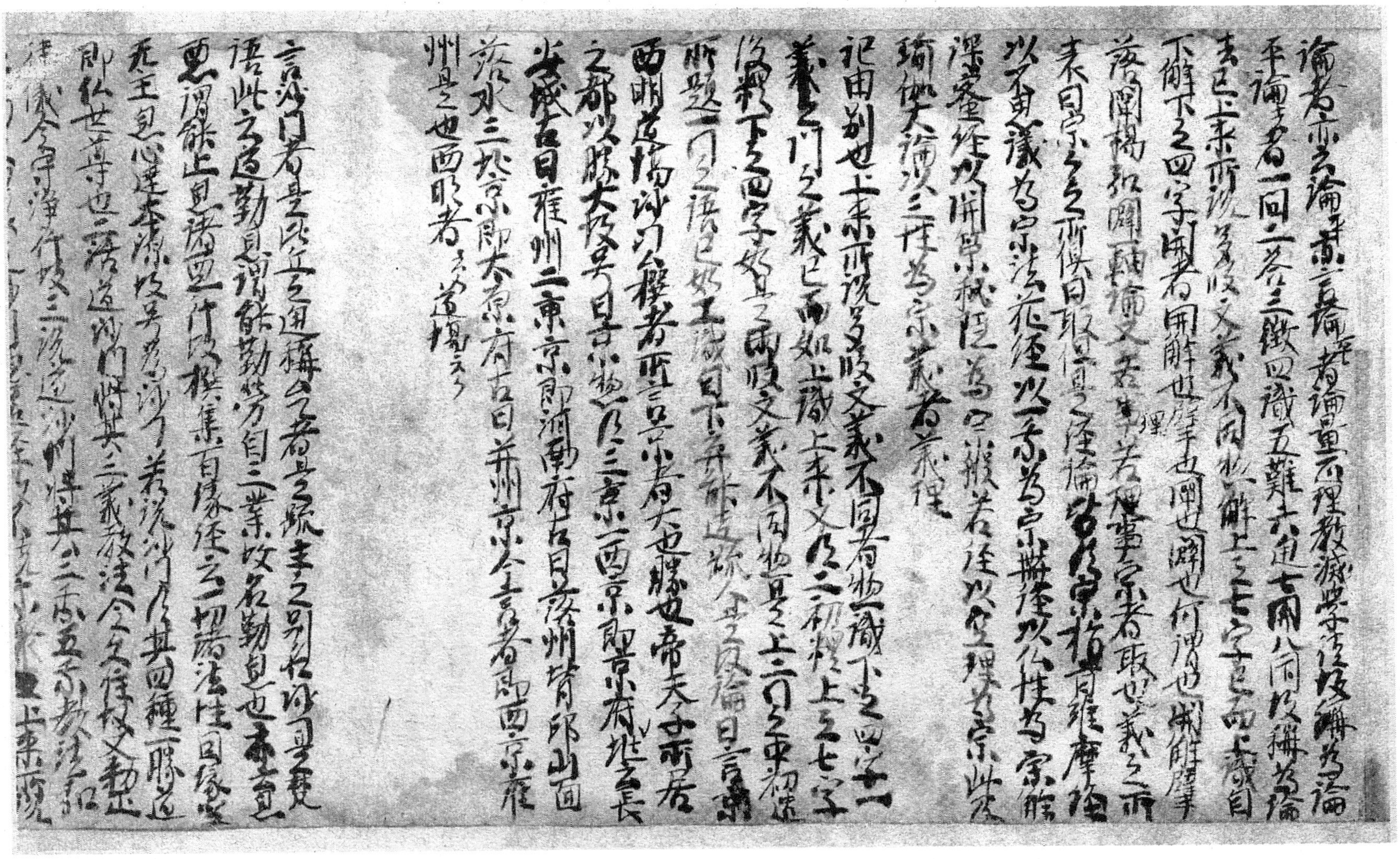

BD01073 號背　大乘百法明門論開宗義記疏（擬）　（4–2）

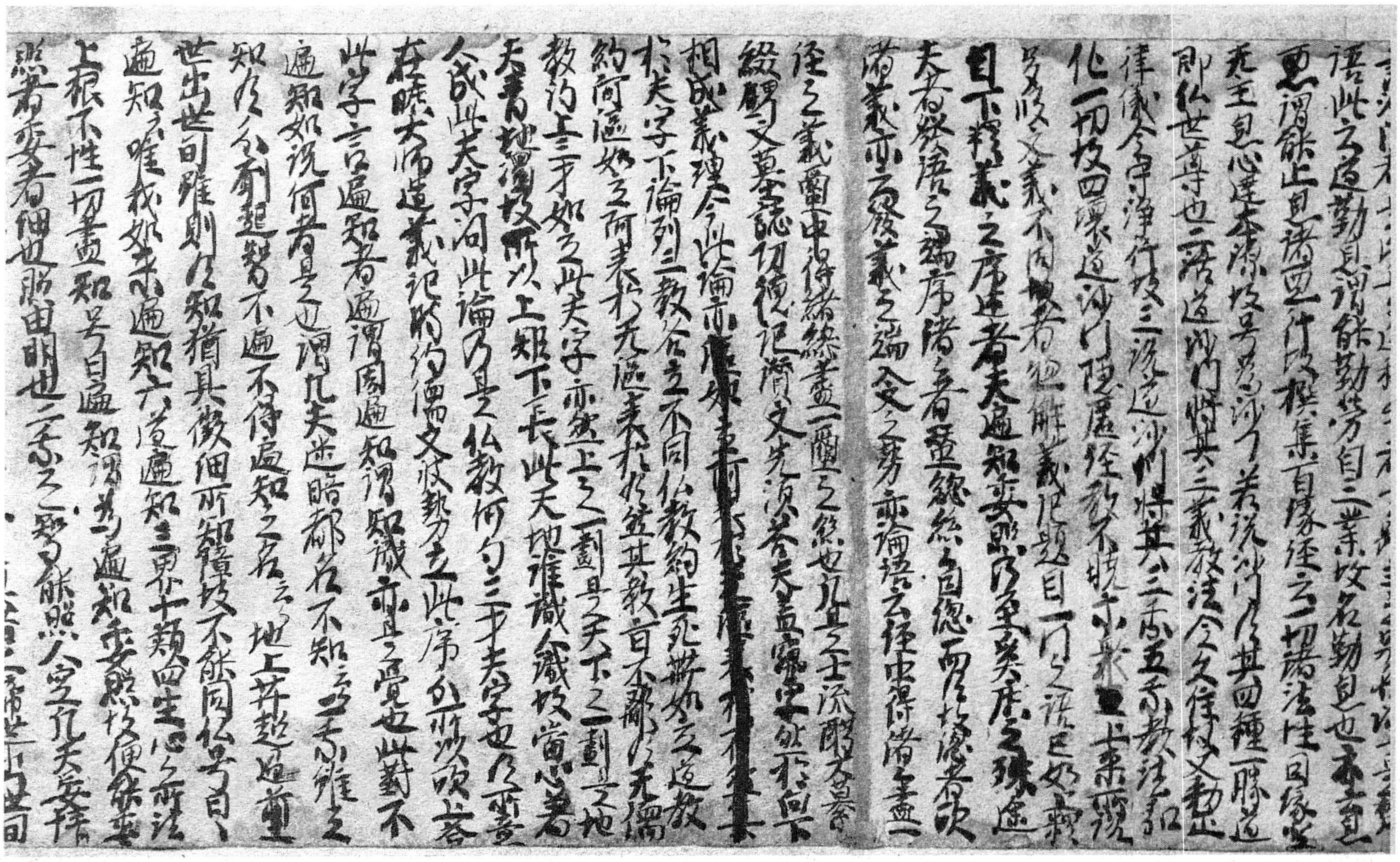

BD01073 號背　大乘百法明門論開宗義記疏（擬）　（4–3）

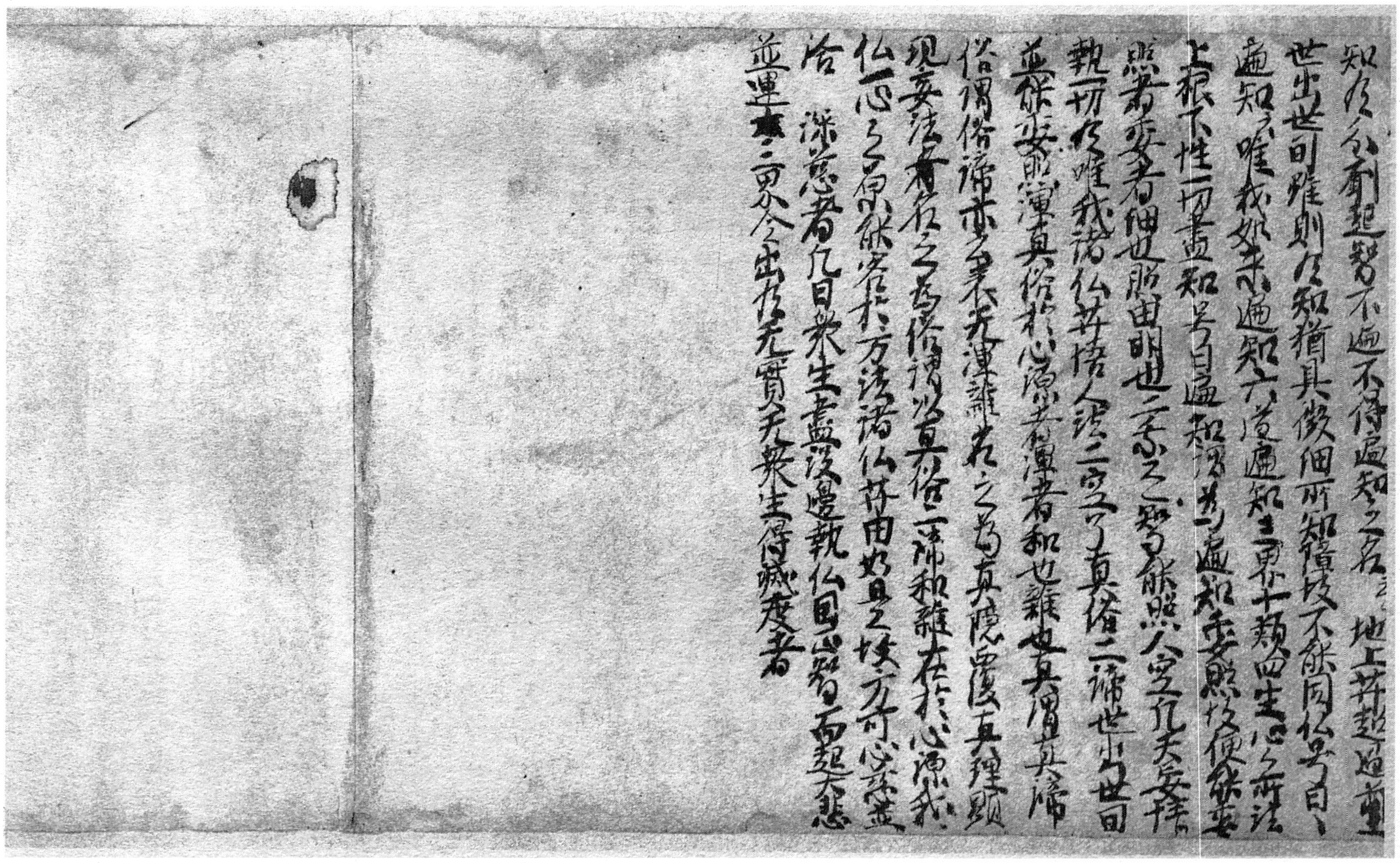

BD01073 號背　大乘百法明門論開宗義記疏（擬）　（4–4）

南无一味勝佛　南□
南无鷃香勝佛　南□
南无月藏佛　南□
南无樹提光明佛　南□
南无龍藏佛　南无寶光□
南无大雲藏佛　南无智德佛
南无金剛藏佛　南无任持地佛
南无虛空平等佛　南无勝藏佛
南无濡語佛　南无有德佛
南无山藏佛　南无妙鼓佛
南无愛勝佛　南无鼓僧上佛
南无歡喜藏佛　南无日藏佛
南无行勝佛　南无寶語佛
南无智勝佛　南无妙聲佛
南无自在勝佛　南无勝妙勝佛

BD01074號　佛名經（十六卷本）卷一二　（14–1）

南无歡喜藏佛　南无日藏佛
南无行勝佛　南无寶語佛
南无智勝佛　南无妙聲佛
南无自在勝佛　南无勝妙勝佛
南无佛寶幢佛　南无隨順衰佛
南无寶勝佛　南无无垢琉璃佛
南无滿足金剛任持佛
南无甘露幢佛　南无成就功德佛
南无香山佛　南无根本勝藏佛
南无不可知佛　南无无邊知佛
南无无量佛　南无无量自在佛
南无大光明佛　南无德藏佛
南无根本莊嚴奮迅佛　南无根本光佛
南无一切衆生見愛奮迅莊嚴王佛
從此以上八千九百佛十二部經一切賢聖
南无忍王佛　南无離一切煩惱佛
南无寶色勝佛　南无香勝王佛
南无憶藏佛　南无見一切佛
南无見愛佛　南无不可見佛
南无甘露功德稱佛　南无一切異差別能斷疑佛
南无師子吼佛　南无散華佛
南无□勝佛　南无□智作佛

BD01074號　佛名經（十六卷本）卷一二　（14–2）

南无七寶功德稱佛　南无一切無差別能斷疑佛
南无師子吼佛　南无散華佛
南无勝佛　南无无量智作佛
南无一切作樂佛　南无尊勝佛
南无吉王佛　南无一切世間道自在王佛
南无須弥劫佛　南无勝須弥佛
南无解勝佛　南无世間聲佛
南无堅奮迅佛　南无堅自在佛
南无旃檀勝佛　南无不差別佛
南无息功德佛　南无善思惟佛
南无能斷一切業佛　南无相佛
南无寶勝佛　南无寶輪佛
南无大寶佛　南无无垢光明佛
南无樂說莊嚴稱佛　南无无垢月幢稱佛
南无華莊嚴光明佛　南无出火佛
南无畏觀佛　南无師子奮迅力佛
南无寶精進日月光明莊嚴功德知聲王佛
南无初發心念斷一切疑煩惱佛
南无破一心闇勝佛
南无寶炎佛　南无旃檀香佛
南无火寶炎佛　南无華幢佛
南无普勝帝沙佛　南无滿賢佛

BD01074 號　佛名經（十六卷本）卷一二　（14–3）

南无火寶炎佛　南无華幢佛
南无普勝帝沙佛　南无滿賢佛
南无衆力精進奮迅佛　南无香勝佛
南无勝稱佛　南无淨鏡佛
南无華勝佛　南无離塵佛
南无讚功德佛　南无不動佛
南无旃檀佛　南无因陁羅財佛
南无樂山佛　南无能化佛
南无因陁羅幢佛　南无无畏作佛
南无富樓那佛　南无弗沙佛
南无法水清淨虛空界王佛　南无普智光明勝王佛
南无香光明功德寶莊嚴王佛
南无普智聲王佛　南无一切四无畏照燈佛
南无普善速勝王佛　南无善光火光佛
南无普門智照聲佛　南无无量功德海藏光明佛
南无法界電光无障导功德佛
南无清淨眼无垢照燈佛　南无師子光明勝光佛
南无廣光明智勝幢佛　南无金光明无邊力精進成佛
南无香光明歡喜力海佛　南无成就王佛
南无自在高佛　南无歡喜大海迷行佛
南无稱自在光佛　南无廣稱智佛

BD01074 號　佛名經（十六卷本）卷一二　（14–4）

南无自在高佛　南无歡喜大海迷行佛
南无稱自在光佛　南无廣稱智佛
南无智成就海王幢佛　南无相顯文殊月佛
南无一切法海勝王佛　南无智功德法住佛
南无梵自在勝佛　南无過法界勝聲佛
南无不可數力普照光明幢佛
南无无垢功德日眼佛　南无无量智普照光明佛
南无无量勝難光幢佛　南无法界虛空普邊光明佛
南无福德相雲勝威德佛　南无照勝頂光明佛
南无法風大海意佛　南无法相化普光明佛
從此以上九千佛十二部經一切賢聖
南无善成就眷屬普照佛　南无法盡疾速歡喜悲佛
南无无垢清淨普光明佛
南无清淨眼華勝佛　南无善智力威德佛
南无虛空清淨眼月佛　南无照金色須彌燈佛
南无智勝寶法光明佛　南无照寶燈佛
南无普光明高山佛　南无大勝佛
南无波頭摩奮迅佛　南无善天照佛
南无无盡功德佛　南无華威德佛
南无甘露力佛　南无聲邊佛
南无妙聲勝威德成就佛　南无普光明聲虛空照佛

BD01074號　佛名經（十六卷本）卷一二　（14–5）

南无无盡功德佛　南无華威德佛
南无甘露力佛　南无聲邊佛
南无妙聲勝威德成就佛　南无普光明聲虛空照佛
南无普門見勝佛　南无无邊功德照佛
南无普光功德照燈鏡像佛
南无喜樂現華火佛　南无寶須彌照燈王佛
南无善化法界金光明電聲佛
南无可降伏力願佛　南无虛空城惠孔聲佛
南无上方廣遍稱智光燈佛　南无師子光明滿足功德海佛
南无智數華光明佛　南无普眼滿足法界難勝幢佛
南无勝惠善導師佛
南无光明作佛　南无月幢佛
南无東方善護四天下名金剛良如來為上首
南无南方難勝四天下曰陁羅如來為上首
南无西方親意四天下娑樓那如來為上首
南无北方師子意四天下摩訶牟尼如來為上首
南无東北方善擇四天下降伏諸魔如來為上首
南无東南方樂四天下毗沙門如來為上首
南无西南方堅固四天下不動如來為上首
南无西北方善地四天下普門如來為上首
南无上妙四天下得智者意如來為上首
南无下方[illegible]為上首

BD01074號　佛名經（十六卷本）卷一二　（14–6）

南无西北方善地四天下普門如来為上首
南无上妙四天下得智者意如来為上首
南无下方尖四天下善集如来為上首
歸命如是等无量无邊諸佛
南无盧舍那勝威德王佛　南无普光明勝藏王佛
南无法界佛　南无智燈佛
南无法界虛空智幢聡佛　南无阿弥濫波浪佛
南无龍自在王佛　南无法月普智光明佛
南无普勝弥留王佛　南无无障虛空智難兜幢王佛
南无普輪到贊佛　南无无量宿自在王佛
南无普香佛　南无弥留妝燈王佛
南无阿那羅睺境界佛　南无香毗頭羅佛
南无旃檀難兜佛　南无一切佛寶勝王佛
南无无邊世間智輪難兜佛　南无阿僧伽智難兜佛
南无不可思量命佛　南无不可用佛
南无師子佛　南无月智佛
南无照佛　南无燈佛
南无无垢佛　南无山勝佛
南无波頭勝藏佛　南无盧舍那佛
南无普眼佛　南无梵命佛
南无婆藪天佛
南无无邊光明平等法界莊嚴王佛

BD01074 號　佛名經（十六卷本）卷一二　　（14–7）

南无波頭勝藏佛　南无盧舍那佛
南无普眼佛　南无梵命佛
南无婆藪天佛
南无无邊光明平等法界莊嚴王佛
南无力光明佛　南无高行佛
南无旃檀達佛　南无金色意佛
南无妙歆佛　南无高聲佛
南无眾勝佛　南无高見佛
南无吉妙佛　南无持沙佛
南无高稱佛　南无妙波頭摩佛
南无普功德佛　南无作燈佛
南无善自佛　南无一切法佛孔王佛
南无山幢身眼勝佛　南无寶勝妝大功德幢佛
南无普智寶光勝功德佛　南无功德幢佛
南无因陁羅幢勝難兜佛
從此以上九千一百佛十二部經一切賢聖
南无勝輪佛　南无大悲雲幢佛
南无金剛那羅延難兜佛　南无隆昇勝安隱滿足佛
南无大光山勝莊嚴佛　南无一切法海勝王佛
南无深法海光佛　南无寶髻光滿足燈佛
南无一切十億國土微塵同名金剛藏佛
南无十億國土微塵同名金剛難兜佛

BD01074 號　佛名經（十六卷本）卷一二　　（14–8）

南无淨法海光佛　南无寶髻炎諦足燈佛
南无一切十億國土微塵同名金剛藏佛
南无十億國土微塵同名金剛難勝佛
南无十百千國土微塵數同名金剛幢佛
南无十百千國土微塵數同名善法佛
南无十百千國土微塵數同名稱心佛
南无十國土微塵數同名普功德佛
南无不可說佛國土微塵數同名不可勝佛
南无不可說佛國土微塵數同名毗婆尸佛
南无十佛國土微塵數同名普幢佛
南无八十億佛國土微塵數不可數百千万億那由他同名普賢佛
南无一切佛國土微塵數同名佛勝佛
南无十佛國土微塵數百千万億那由他不可說同名普稱自在佛
南无賢勝王佛　南无功德海光明勝藏佛
南无法界盡虛空遍足不退佛　南无法界光佛
南无不退轉法輪界聲佛　南无法樹山威德佛
南无一切法堅固光王佛　南无寶光世燈幢王佛
南无功德山光明威德王佛　南无法雲光王佛
南无智炬王佛　南无法電幢王勝佛
南无法燈智師子山威德王佛　南无一切法印光威德王佛
南无垢法山威德燈佛　南无法輪光明頂佛

BD01074號　佛名經（十六卷本）卷一二　（14–9）

南无法燈智師子山威德王佛　南无一切法印光威德王佛
南无垢法山威德燈佛　南无法輪光明頂佛
南无法光明勝雲佛　南无法海說聲王佛
南无法日智輪光燈佛　南无法華高幢雲佛
南无法炎山難勝王佛　南无法行深勝月佛
南无法智普光明藏佛　南无常知作化佛
南无山王勝藏王佛
南无普門賢孫番法疾精進幢佛
南无一切法寶俱蘊摩勝雲佛
南无寂靜光明身髻佛　南无法光明慈鏡像月佛
南无炎勝海佛　南无智日普照佛
南无普輪佛　南无智照頂王佛
南无智山法界十方光明威德王佛
次礼十二部尊經大藏法輪
南无國土蕯經　南无阿毗曇經
南无金剛密迹經　南无持世經
南无阿那律八念經　南无菩集經
南无迦羅越經　南无阿難問因緣持來經
南无薩和達王經　南无阿難分利四時施經
南无阿闍世王經　南无阿閦佛經
南无德光太子經　南无小阿闍經

BD01074號　佛名經（十六卷本）卷一二　（14–10）

南无薩和達王經　南无阿難邠利四時施經
南无阿闍世王經　南无阿閦佛經
南无德光太子經　南无小阿闍經
南无阿陁三昧經　南无胞藏經
南无阿鳩留經　南无漸備一切智經
南无菩薩悔過經　南无阿闍世女經
南无曉所諍不解者經　南无菩薩十遍和經
南无阿扶經　南无惡人經
南无菩薩等行分衛國經　南无阿毗曇九十八結經
南无越度世道經　南无惟越經
次礼十方諸大菩薩
南无文殊師利菩薩摩訶薩　南无觀世音菩薩
南无大勢至菩薩　南无普賢菩薩
南无龍勝菩薩　南无龍德菩薩
南无勝成菩薩　南无勝藏菩薩
南无波頭勝菩薩　南无成就有菩薩
南无地持菩薩　南无寶掌菩薩
南无寶印手菩薩　南无子意菩薩
南无虛空藏菩薩　南无師子奮迅吼聲菩薩
南无發心即轉法輪菩薩
從此以上九千二百佛十二部經一切賢聖
南无一切聲差別說衆菩薩　南无山衆說菩薩

BD01074號　佛名經（十六卷本）卷一二　（14-11）

南无發心即轉法輪菩薩
從此以上九千二百佛十二部經一切賢聖
南无一切聲差別說衆菩薩　南无山衆說菩薩
南无大海音菩薩　南无大山菩薩
南无愛見菩薩　南无歡喜王菩薩
南无无邊觀菩薩
次礼聲聞緣覺一切賢聖
南无善伏辟支佛　南无違陁辟支佛
南无吉沙辟支佛　南无旻波吉沙辟支佛
南无斷有辟支佛　南无旻波叉羅辟支佛
南无斷愛辟支佛　南无施婆羅辟支佛
南无轉覺辟支佛　南无吉始辟支佛
南无高去辟支佛　南无阿悲多辟支佛
歸命如是等无量无邊辟支佛
礼三寶已次復懺悔
已懺地獄報竟今當次復懺悔三惡道報經中佛說多
欲之人多求利故苦惱亦多知足之人雖卧地上猶以為樂
不知足者雖處天宮猶不稱意但世間人忽有急難
便能捨財不計多少而不知此身臨於三塗深坑之上一
息不還便應墮落忽有知識勸營功德令脩未來
善法資粮執此慳心无肯作理大如此者無爲愚惑

BD01074號　佛名經（十六卷本）卷一二　（14-12）

便能捨財不計多少而不知此身臨於三塗深坑之上一
息不還便應殞落忽有知識勸營功德令脩未來
善法資粮執此慳心无肯作理夫如此者極為愚惑
何以故如經中說生時不賫一文而來死亦不持一文
而去苦身積聚為之憂惱於己无益徒為他有无
善可恃无德可怙致使命終墮諸惡道是故弟子
等今日稽懇顙到歸依於佛

南无東方大光明曜佛　南无南方虛空住佛
南无西方金剛步佛　南无北方无邊力佛
南无東南方无邊王佛　南无西南方壞諸惡賊佛
南无西北方離垢光佛　南无東北方金色光音佛
南无下方師子遊戲佛　南无上方月幢王佛
如是十方盡虛空界一切三寶
弟子等今日次復懺悔畜生道中无所識知罪報懺
悔畜生道中負重牽犂償他宿債罪報懺悔畜
生道中不得自在為他所刺屠割罪報懺悔畜生
道中无足二足四足多足罪報懺悔畜生道中身
諸毛羽鱗甲之內為諸小虫之所唼食罪報如是畜
生道中有无量罪報今日至誠皆悉懺悔
次復懺悔餓鬼道中長飢罪報懺悔餓鬼百千万
歲劫初不曾聞漿水之名罪報懺悔餓鬼食噉膿血

悔畜生道中負重牽犂償他宿債罪報懺悔畜
生道中不得自在為他所刺屠割罪報懺悔畜生
道中无足二足四足多足罪報懺悔畜生道中身
諸毛羽鱗甲之內為諸小虫之所唼食罪報如是畜
生道中有无量罪報今日至誠皆悉懺悔
次復懺悔餓鬼道中長飢罪報懺悔餓鬼百千万
歲劫初不曾聞漿水之名罪報懺悔餓鬼食噉膿血
糞穢罪報懺悔餓鬼動身之時一切枝節火然罪報
懺悔餓鬼腹大咽小罪報如是餓鬼道中无量苦報
今日稽顙皆悉懺悔
次復懺悔一切鬼神脩羅道中諂曲詐稱罪報懺悔
鬼神道中擔沙負石塡河塞海罪報懺悔鬼神羅
刹鳩槃荼諸惡鬼神生噉血肉受此醜陋罪報如是
鬼神道中无量无邊一切罪報今日稽顙向十方佛大
地菩薩求哀懺悔悉令消滅
願弟子等承是懺悔畜生等報所生功德生生世世滅

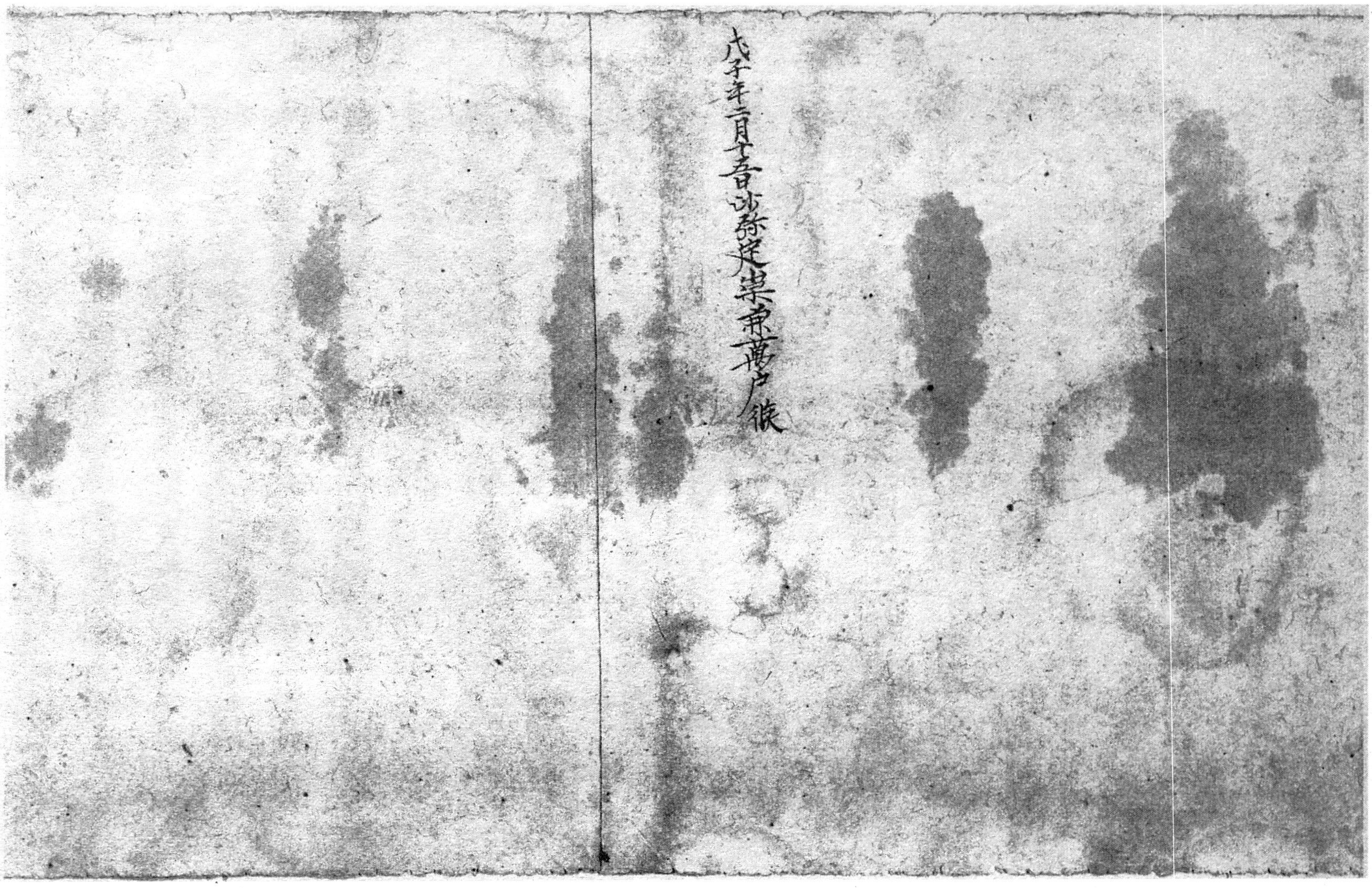
戊子年三月十三日沙弥定崇東萬户張

BD01074 號背　雜寫　　（1–1）

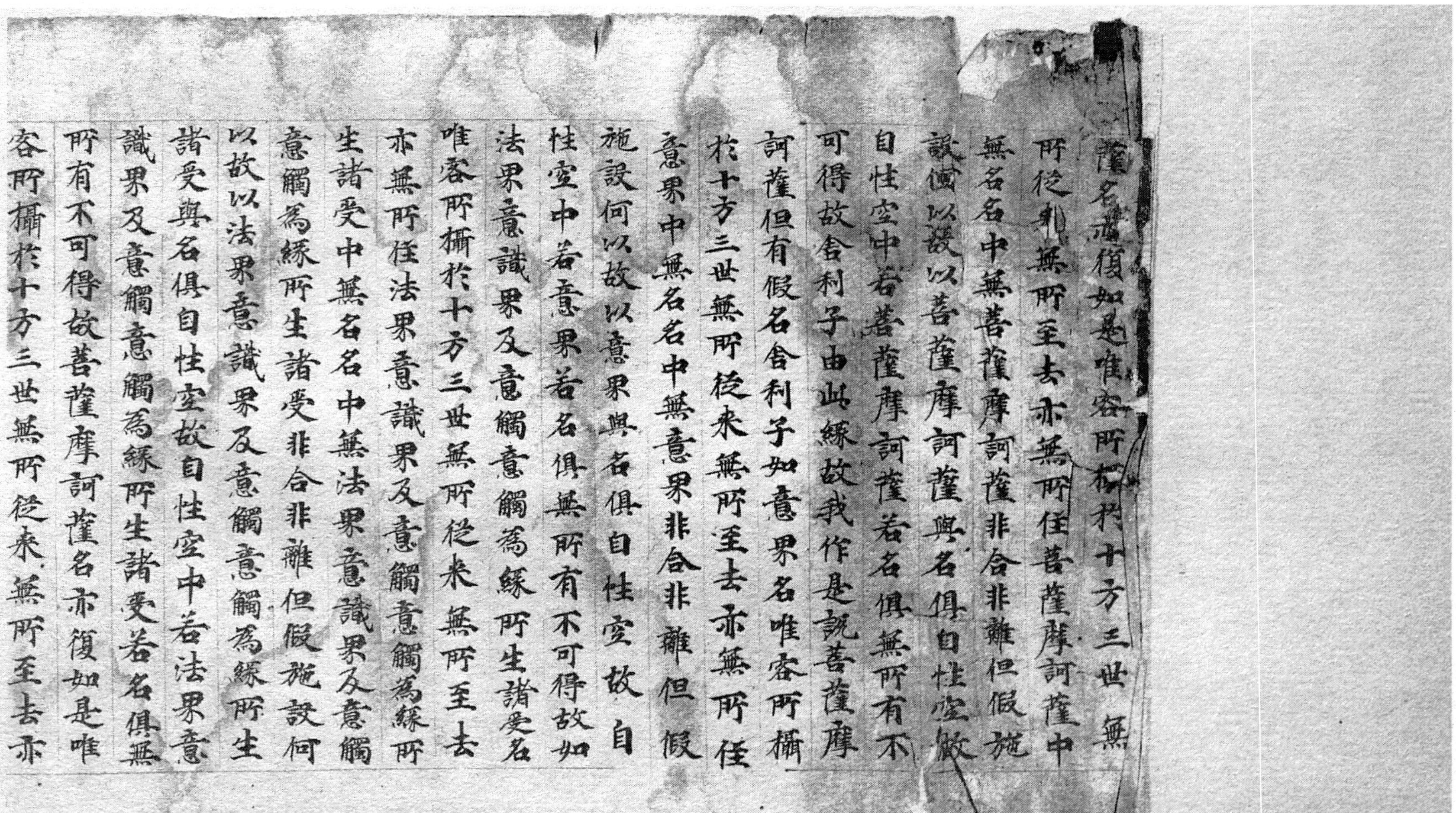
薩名亦復如是唯容所攝於十方三世無
所從來無所至去亦無所住菩薩摩訶薩中
無名名中無菩薩摩訶薩非合非離但假施
設假以設以菩薩摩訶薩與名俱自性空故
自性空中若菩薩摩訶薩若名俱無所有不
可得故舍利子由此緣故我作是說菩薩摩
訶薩但有假名舍利子如意界名唯容所攝
於十方三世無所從來無所至去亦無所住
意界中無名名中無意界非合非離但假
施設何以故以意界與名俱自性空故自
性空中若意界若名俱無所有不可得故如
法界意識界及意觸意觸為緣所生諸受名
唯容所攝於十方三世無所從來無所至去
亦無所住法界意識界及意觸意觸為緣所
生諸受中無名名中無法界意識界及意觸
意觸為緣所生諸受非合非離但假施設何
以故以法界意識界及意觸意觸為緣所生
諸受與名俱自性空故自性空中若法界意
識界及意觸意觸為緣所生諸受若名俱無
所有不可得故菩薩摩訶薩名亦復如是唯
容所攝於十方三世無所從來無所至去亦

BD01075 號　大般若波羅蜜多經卷六六　　（7–1）

諸受與名俱自性空故自性空中若法界意
識界及意觸意觸為緣所生諸受若名俱無
所有不可得故菩薩摩訶薩名亦復如是唯
客所攝於十方三世無所從來無所至去亦
無所住菩薩摩訶薩中無名名中無菩薩摩
訶薩非合非離但假施設何以故以菩薩摩
訶薩與名俱自性空故自性空中若菩薩摩
訶薩若名俱無所有不可得故舍利子由此
緣故我作是說菩薩摩訶薩但有假名
舍利子如地界名唯客所攝於十方三世無
所從來無所至去亦無所住地界中無名名
中無地界非合非離但假施設何以故以地
界與名俱自性空故自性空中若地界若名
俱無所有不可得故如水火風空識界名唯
客所攝於十方三世無所從來無所至去亦
無所住水火風空識界中無名名中無水火
風空識界非合非離但假施設何以故以水
火風空識界與名俱自性空故自性空中若
水火風空識界若名俱無所有不可得故菩
薩摩訶薩名亦復如是唯客所攝於十方三
世無所從來無所至去亦無所住菩薩摩訶
薩中無名名中無菩薩摩訶薩非合非離但
假施設何以故以菩薩摩訶薩與名俱自性
空故自性空中若菩薩摩訶薩若名俱無所
有不可得故舍利子由此緣故我作是說菩
薩摩訶薩但有假名

BD01075號　大般若波羅蜜多經卷六六　（7–2）

空故自性空中若菩薩摩訶薩若名俱無所
有不可得故舍利子由此緣故我作是說菩
薩摩訶薩但有假名
舍利子如苦聖諦名唯客所攝於十方三世
無所從來無所至去亦無所住苦聖諦中無
名名中無苦聖諦非合非離但假施設何以
故以苦聖諦與名俱自性空故自性空中若
苦聖諦若名俱無所有不可得故如集滅道
聖諦名唯客所攝於十方三世無所從來無
所至去亦無所住集滅道聖諦中無名名中
無集滅道聖諦非合非離但假施設何以故
以集滅道聖諦與名俱自性空故自性空中
若集滅道聖諦若名俱無所有不可得故菩
薩摩訶薩名亦復如是唯客所攝於十方三
世無所從來無所至去亦無所住菩薩摩訶
薩中無名名中無菩薩摩訶薩非合非離但
假施設何以故以菩薩摩訶薩與名俱自性
空故自性空中若菩薩摩訶薩若名俱無所
有不可得故舍利子由此緣故我作是說菩
薩摩訶薩但有假名
舍利子如無明名唯客所攝於十方三世無
所從來無所至去亦無所住無明中無名名
中無無明非合非離但假施設何以故以無明
與名俱自性空故自性空中若無明若名俱
無所有不可得故如行識名色六處觸受愛
取有生老死愁歎苦憂惱名唯客所攝於

BD01075號　大般若波羅蜜多經卷六六　（7–3）

中無無明非合非離但假施設何以故以無明
與名俱自性空故自性空中若無明若名俱
無所有不可得故如行識名色六處觸受愛
取有生老死愁歎苦憂惱名唯客所攝於
十方三世無所從來無所至去亦無所住行
乃至老死愁歎苦憂惱中無名名中無行乃
至老死愁歎苦憂惱非合非離但假施設何
以故以行乃至老死愁歎苦憂惱與名俱自
性空故自性空中若行乃至老死愁歎苦憂
惱若名俱無所有不可得故菩薩摩訶薩名
亦復如是唯客所攝於十方三世無所從來
無所至去亦無所住菩薩摩訶薩中無名名
中無菩薩摩訶薩非合非離但假施設何以
故以菩薩摩訶薩與名俱自性空故自性空
中若菩薩摩訶薩若名俱無所有不可得故
舍利子由此緣故我作是說菩薩摩訶薩但
有假名
舍利子如四靜慮名唯客所攝於十方三世
無所從來無所至去亦無所住四靜慮中無
名名中無四靜慮非合非離但假施設何以
故以四靜慮與名俱自性空故自性空中若
四靜慮若名俱無所有不可得故如四無量
四無色定名唯客所攝於十方三世無所從
來無所至去亦無所住四無量四無色定中
無名名中無四無量四無色定非合非離但
假施設何以故以四無量四無色定與名俱自

BD01075號　大般若波羅蜜多經卷六六　（7–4）

無名名中無四無量四無色定非合非離但
假施設何以故以四無量四無色定與名俱自
性空故自性空中若四無量四無色定若名
俱無所有不可得故菩薩摩訶薩名亦復如
是唯客所攝於十方三世無所從來無所至
去亦無所住菩薩摩訶薩中無名名中無菩
薩摩訶薩非合非離但假施設何以故以菩
薩摩訶薩與名俱自性空故自性空中若菩
薩摩訶薩若名俱無所有不可得故舍利子
由此緣故我作是說菩薩摩訶薩但有假名
舍利子如八解脫名唯客所攝於十方三世
無所從來無所至去亦無所住八解脫中無
名名中無八解脫非合非離但假施設何以
故以八解脫與名俱自性空故自性空中若
八解脫若名俱無所有不可得故如八勝處
九次第定十遍處名唯客所攝於十方三世
無所從來無所至去亦無所住八勝處九次
第定十遍處中無名名中無八勝處九次第定
十遍處非合非離但假施設何以故以八勝處
九次第定十遍處與名俱自性空故自性空
中若八勝處九次第定十遍處若名俱無
所有不可得故菩薩摩訶薩名亦復如是唯
客所攝於十方三世無所從來無所至去亦
無所住菩薩摩訶薩中無名名中無菩薩摩
訶薩非合非離但假施設何以故以菩薩摩
訶薩與名俱自性空故自性空中若菩薩摩

BD01075號　大般若波羅蜜多經卷六六　（7–5）

無所住菩薩摩訶薩中無名名中無菩薩摩
訶薩非合非離但假施設何以故以菩薩摩
訶薩與名俱自性空故自性空中若菩薩摩
訶薩若名俱無所有不可得故舍利子由此
緣故我作是說菩薩摩訶薩但有假名舍利
子如四念住名唯客所攝於十方三世無所
從來無所至去亦無所住四念住中無名名
中無四念住非合非離但假施設何以故以
四念住與名俱自性空故自性空中若四念
住若名俱無所有不可得故如四正斷四神
足五根五力七等覺支八聖道支名唯客所
攝於十方三世無所從來無所至去亦無所
住四正斷四神足五根五力七等覺支八聖
道支中無名名中無四正斷四神足五根五
力七等覺支八聖道支非合非離但假施設
何以故以四正斷四神足五根五力七等覺
支八聖道支與名俱自性空故自性空中若
四正斷四神足五根五力七等覺支八聖道
支若名俱無所有不可得故菩薩摩訶薩名
亦復如是唯客所攝於十方三世無所從來
無所至去亦無所住菩薩摩訶薩中無名名
中無菩薩摩訶薩非合非離但假施設何以
故以菩薩摩訶薩與名俱自性空故自性空
中若菩薩摩訶薩若名俱無所有不可得故
舍利子由此緣故我作是說菩薩摩訶薩但
有假名

BD01075號　大般若波羅蜜多經卷六六　（7–6）

亦復如是唯客所攝於十方三世無所從來
無所至去亦無所住菩薩摩訶薩中無名名
中無菩薩摩訶薩非合非離但假施設何以
故以菩薩摩訶薩與名俱自性空故自性空
中若菩薩摩訶薩若名俱無所有不可得故
舍利子由此緣故我作是說菩薩摩訶薩但
有假名

大般若波羅蜜多經卷第六十六

BD01075號　大般若波羅蜜多經卷六六　（7–7）

小德小智稱量如来无量福慧□□竭此
飯无盡使一切人食揣若須彌乃至一劫猶不
能盡所以者何无盡戒定智慧解脫解脫知
見功德具足者所食之餘終不可盡於是鉢
飯悉飽衆會猶故不賜其諸菩薩聲聞天人
食此飯者身安快樂譬如一切樂莊嚴國諸
菩薩也又諸毛孔皆出妙香亦如衆香國土
諸樹之香
尒時維摩詰問衆香菩薩香積如来以何說
法彼菩薩曰我土如来无文字說但以衆香令
諸天人得入律行菩薩各各坐香樹下聞斯妙
香即獲一切德藏三昧得是三昧者菩薩所
有功德皆悉具足彼諸菩薩問維摩詰今世
尊釋迦牟尼佛以何說法維摩詰言此土衆
生剛强難化故佛為說剛强之語以調伏之
言是地獄是畜生是餓鬼是諸難處是愚
人生處是身耶行是身耶行報是口耶行
是口耶行報是意耶行是意耶行報是殺
生是殺生報是不與取是不與取報是耶婬

BD01076 號　維摩詰所說經卷下　（19–1）

言是地獄是畜生是餓鬼是諸難處是愚
人生處是身耶行是身耶行報是口耶行
是口耶行報是意耶行是意耶行報是殺
生是殺生報是不與取是不與取報是耶婬
是耶婬報是妄語是妄語報是兩舌是兩舌
報是惡口是惡口報是无義語是无義語報
是貪嫉是貪嫉報是瞋惱是瞋惱報是耶
見是耶見報是慳悋是慳悋報是毀戒是毀
戒報是瞋恚是瞋恚報是懈怠是懈怠報是
亂意是亂意報是愚癡是愚癡報是結戒
是持戒是犯戒是應作是不應作是鄣閡是
不鄣閡是得罪是離罪是淨是垢是有漏是
无漏是耶道是正道是有為是无為是世間是
涅槃以難化之人心如猨猴故以若干種法制
御其心乃可調伏譬如象馬𢕟悷不調加諸楚
毒乃至徹骨然後調伏如是剛强難化衆生故
以一切苦切之言乃可入律彼諸菩薩聞說是
已皆曰未曾有也如世尊釋迦牟尼佛隱其无
量自在之力乃以貧所樂法度脫衆生斯諸菩
薩亦能勞謙以无量大悲生是佛土維摩詰
言此土菩薩於諸衆生大悲堅固誠如所言
然其一世饒益衆生多於彼國百千劫行所
以者何此娑婆世界有十事善法諸餘淨土
之所无有何等為十以布施攝貧窮以淨
戒攝毀禁以忍辱攝瞋恚以精進攝懈怠以

BD01076 號　維摩詰所說經卷下　（19–2）

以者何此娑婆世界有十事善法諸餘淨土
之所无有何等為十以布施攝貧窮以淨
戒攝毀禁以忍辱攝瞋恚以精進攝懈怠以
禪定攝亂意以智慧攝愚癡說除難法度八
難者以大乘法度樂小乘者以諸善根濟无
德者常以四攝成就衆生是為十彼菩薩曰
菩薩成就幾法於此世界行无創疣生于淨
土維摩詰言菩薩成就八法於此世界行无
創疣生于淨土何等為八饒益衆生而不望
報代一切衆生受諸苦惱所作功德盡以施
之等心衆生謙下无閡於諸菩薩視之如佛
所未聞經聞之不疑不與聲聞而相違背不
嫉彼供不高已利而於其中調伏其心常省
已過不訟彼短恒以一心求諸功德是為八
維摩詰文殊師利於大衆中說是法時百千天
人皆發阿耨多羅三藐三菩提心十千菩薩
得无生法忍

菩薩行品第十一

是時佛說法於奄羅樹園其地忽然廣博嚴
事一切衆會皆作金色阿難白佛言世尊以
何因緣有此瑞應是處忽然廣博嚴事一切
衆會皆作金色佛告阿難是維摩詰文殊師
利與諸大衆恭敬圍遶發意欲來故先為此
瑞應於是維摩詰語文殊師利可共見佛與
諸菩薩礼事供養文殊師利言善哉行矣今

BD01076號　維摩詰所說經卷下　（19–3）

何因緣有此瑞應是處忽然廣博嚴事一切
衆會皆作金色佛告阿難是維摩詰文殊師
利與諸大衆恭敬圍遶發意欲來故先為此
瑞應於是維摩詰語文殊師利可共見佛與
諸菩薩礼事供養文殊師利言善哉行矣今
正是時維摩詰即以神力持諸大衆并師
子坐置於右掌往詣佛所到已著地稽首
佛足右繞七匝一心合掌在一面立其諸菩
薩即皆避坐稽首佛足亦繞七匝於一面立
諸大弟子釋梵四天王等亦皆避坐稽首佛
足在一面立於是世尊如法慰問諸菩薩已
各令復坐即皆受教衆坐已定佛語舍利弗汝
見菩薩大士自在神力之所為乎唯然已見汝
意云何世尊我覩其為不可思議非意所圖
非度所測尒時阿難白佛言世尊今所聞香
自昔未有是為何香佛告阿難是彼菩薩毛
孔之香於是舍利弗語阿難言我等毛孔亦
出是香阿難言此所從來曰是長者維摩詰
從衆香國取佛餘飯於舍食者一切毛孔皆
香若此阿難問維摩詰是香氣住當久如
維摩詰言至此飯消曰此飯久如當消曰此飯
勢力至于七日然後乃消又阿難若聲聞人
未入正位食此飯者得入正位然後乃消已入
正位食此飯者得心解脫然後乃消若未發
大乘意食此飯者至發意乃消已發意食此
飯者得无生忍然後乃消已得无生忍食此

BD01076號　維摩詰所說經卷下　（19–4）

未入正位食此飯者得入正位然後乃消已入
正位食此飯者得心解脫然後乃消若未發
大乘意食此飯者至發意乃消已發意食此
飯者得无生忍然後乃消已得无生忍食此
飯者至一生補處然後乃消譬如有藥名曰
上味其有服者身諸毒滅然後乃消此飯如
是滅除一切諸煩惱毒然後乃消阿難白佛言
未曾有也世尊如此香飯能作佛事佛言如
是如是阿難或有佛土以佛光明而作佛事
有以諸菩薩而作佛事有以佛所化人而
作佛事有以菩提樹而作佛事有以佛衣服
卧具而作佛事有以飯食而作佛事有以薗
林臺觀而作佛事有以三十二相八十隨形好
而作佛事有以佛身而作佛事有以虛空而
作佛事衆生應以此緣得入律行有以夢幻影
響鏡中像水中月熱時炎如是等喻而作佛
事有以音聲語言文字而作佛事或有清淨
佛土寂莫无言无說无示无識无作无為而
作佛事如是阿難諸佛威儀進止諸所施為
无非佛事阿難有此四魔八万四千諸煩惱
門而諸衆生為之疲勞諸佛即以此法而作
佛事是名入一切諸佛法門菩薩入此門者
若見一切淨妙佛土不以為喜不貪不高若
見一切不淨佛土不以為憂不閡不沒但於
諸佛生清淨心歡喜恭敬未曾有也諸佛如

BD01076號　維摩詰所說經卷下　（19–5）

若見一切淨妙佛土不以為喜不貪不高若
見一切不淨佛土不以為憂不閡不沒但於
諸佛生清淨心歡喜恭敬未曾有也諸佛如
來功德平等為教化衆生故而現佛土不同
阿難汝見諸佛國土地有若干而虛空无若
干也如是見諸佛色身有若干耳其无閡慧
无若干也阿難諸佛色身威相種姓戒定智
慧解脫解脫知見力无所畏不共之法大慈
大悲威儀所行及其壽命說法教化成就衆
生淨佛國土具諸佛法悉皆同等是故名為
三藐三佛陁名為多陁阿伽度名為佛駄阿
難若我廣說此三句義汝以劫壽不能盡受
正使三千大千世界滿中衆生皆如阿難多聞
第一得念總持此諸人等以劫之壽亦不能
受如是阿難諸佛阿耨多羅三藐三菩提无
有限量智慧辯才不可思議阿難白佛言我
從今已往不敢自謂以為多聞佛告阿難勿
起退意所以者何我說汝於聲聞中為最多
聞非謂菩薩且止阿難其有智者不應限
度諸菩薩也一切海淵尚可測量菩薩禪定
智慧總持辯才一切功德不可量也阿難汝
等捨置菩薩所行是維摩詰一時所現神通
之力一切聲聞辟支佛於百千劫盡力變化所
不能作
尒時衆香世界菩薩來者合掌白佛言世

BD01076號　維摩詰所說經卷下　（19–6）

不能作
尒時衆香世界菩薩來者合掌白佛言世
尊我等初見此土生下劣想今自悔責捨
離是心所以者何諸佛方便不可思議爲度
衆生故隨其所應現佛國異唯然世尊願賜
少法還於彼土當念如來佛告諸菩薩有盡无
盡觧脫法門汝等當學何謂爲盡謂有爲法何
謂无盡謂无爲法如菩薩者不盡有爲不住无
爲何謂不盡有爲謂不離大慈不捨大悲深發
一切智心而不忽忘教化衆生終不厭惓於四
攝法常念順行護持正法不惜軀命種諸善根
无有疲厭志常安住方便迴向求法不懈說法
无悋懃供諸佛故入生死而无所畏於諸榮
辱心无憂喜不輕未學敬學如佛墮煩惱者
令發正念於遠離樂不以爲貴不著己樂慶
於彼樂在諸禪定如地獄想於生死中如薗
觀想見來求者爲善師想捨諸所有具一切
智想見毀戒人起救護想諸波羅蜜爲父母
想道品之法爲眷屬想發行善根无有齊限
以諸淨國嚴飾之事成己佛土開門大施具
足相好除一切惡身口意淨故生死无數劫
意而有勇聞佛无量德志而不惓以智慧劒
破煩惱賊出陰界入荷負衆生永使觧脫以
大精進摧伏魔軍常求无念實相智慧行少
欲知足而不捨世間法不壞威儀而能隨俗起

BD01076號　維摩詰所說經卷下　（19–7）

大精進摧伏魔軍常求无念實相智慧行少
欲知足而不捨世間法不壞威儀而能隨俗起
神通慧引導衆生得念揔持所聞不忘善別
諸根斷衆生疑以樂說辯演法无閡淨十善
道受天人福脩四无量開梵天道勸請說
法隨喜讚善得佛音聲身口意善得佛
威儀深脩善法所行轉勝以大乘教成菩
薩僧心无放逸不失衆善行如此法是名菩
薩不盡有爲何謂菩薩不住无爲謂脩學空
不以空爲證脩學无相无作不以无相无作爲
證脩學无起不以无起爲證觀於无常而不猒
善本觀世間苦而不惡生死觀於无我而誨人
不惓觀於寂滅而不永寂滅觀於遠離而身
心脩善觀无所歸而歸趣善法觀於无生而
以生法荷負一切觀於无漏而不斷諸漏觀
无所行而以行法教化衆生觀於空无而不
捨大悲觀正法位而不隨小乘觀諸法虛妄
无牢无人无主无相本願未滿而不虛福德
禪定智慧脩如此法是名菩薩不住无爲又
具福德故不住无爲具智慧故不盡有爲大
慈悲故不住无爲滿本願故不盡有爲集法
藥故不住无爲隨授藥故不盡有爲知衆生
病故不住无爲滅衆生病故不盡有爲諸正
士菩薩已脩此法不盡有爲不住无爲是名
盡无盡觧脫法門汝等當學尒時彼諸菩

BD01076號　維摩詰所說經卷下　（19–8）

士菩薩已脩此法不盡有為不住无為是名
盡无盡觧脫法門汝等當學尒時彼諸菩
薩聞說是法皆大歡喜以衆妙華若干種色
若干種香散遍三千大千世界供養於佛及
此經法并諸菩薩已稽首佛足嘆未曾有
言釋迦牟尼佛乃能於此善行方便言已
忽然不現還到彼國
見阿閦佛品第十二
尒時世尊問維摩詰汝欲見如来為以何等
觀如来乎維摩詰言如自觀身實相觀佛亦
然我觀如来前際不来後際不去今則不住不
觀色不觀色如不觀色性不觀受想行識不
觀識如不觀識性非四大起同於虛空六入无
積眼耳鼻舌身心已過不在三界三垢已離順
三脫門三明與无明等不一相不異相不自相
不他相非无相非取相不此岸不彼岸不中
流而化衆生觀於寂滅亦不永滅不此不彼
不以此不以彼不可以智知不可以識識无
晦无明无名无相无強无弱非淨非穢不在
方不離方非有為非无為无示无說不施
不慳不戒不犯不忍不恚不進不怠不定
不亂不智不愚不誠不欺不来不去不出
不入一切言語道斷非福田非不福田非應
供養非不應供養非取非捨非有相非无
相同真際等法性不可稱不可量過諸稱量

BD01076號　維摩詰所說經卷下　(19–9)

供養非不應供養非取非捨非有相非无
相同真際等法性不可稱不可量過諸稱量
非大非小非見非聞非覺非知離衆結縛等
諸智同衆生於諸法无分別一切无失无濁
无惱无作无起无生无滅无畏无憂无喜
无厭无著无已有无當有无今有不可以
一切言說分別顯示世尊如来身為若此
作如是觀以斯觀者名為正觀若他觀者名
為耶觀
尒時舍利弗問維摩詰汝於何沒而来生此
維摩詰言汝所得法有沒生乎舍利弗言无沒
生也若諸法无沒生相云何問言汝於何沒而
来生此於意云何譬如幻師幻作男女寧沒生
也舍利弗言无沒生也汝豈不聞佛說諸法
如幻相乎荅曰如是若一切法如幻相者云
何問言汝於何沒而来生此舍利弗沒者為
虛誑法壞敗之相生者為虛誑法相續之相
菩薩雖沒不盡善本雖生不長諸惡是時
佛告舍利弗有國名妙喜佛号无動是維
摩詰於彼國沒而来生此舍利弗言未曾有
也世尊是人乃能捨清淨土而来樂此多怒
害處維摩詰語舍利弗於意云何日光出時
與冥合乎荅曰不也日光出時則无衆冥維摩
詰言夫日何故行閻浮提荅曰欲以明照為
之除冥維摩詰言菩薩如是雖生不淨佛

BD01076號　維摩詰所說經卷下　(19–10)

與冥合乎答曰不也日光出時則无衆冥維摩
詰言夫日何故行閻浮提荅曰欲以明照為
之除冥維摩詰言菩薩如是雖生不淨佛
土為化衆生不與愚闇而共合也但滅衆生
煩惱闇耳
是時大衆渴仰欲見妙喜世界不動如來及
其菩薩聲聞之衆佛知一切衆會所念告維
摩詰言善男子為此衆會現妙喜國不動
如來及諸菩薩聲聞之衆衆皆欲見於是維
摩詰心念吾當不起于坐接妙喜國鐵圍山川
溪谷江河大海泉源須弥諸山及日月星宿天
龍鬼神梵天等宮并諸菩薩聲聞之衆城邑
聚落男女大小乃至无動如來及菩提樹諸
妙蓮華能於十方作佛事者三道寶階從
閻浮提至忉利天以此寶階諸天來下悉為
礼敬无動如來聽受經法閻浮提人亦登其
階上昇忉利見彼諸天妙喜世界成就如是
无量功德上至阿迦貳吒天下至水際以右
手斷取如陶家輪入此世界猶持華鬘示一切
衆作是念已入於三昧現神通力以其右手斷
取妙喜世界置於此土彼得神通菩薩及聲
聞衆并餘天人俱發聲言唯然世尊誰取
我去願見救護无動佛言非我所為是維摩
詰神力所作其餘未得神通者不覺不知已
之所往妙喜世界雖入此土而不增減於是
世界亦不迫隘如本无異

之所往妙喜世界雖入此土而不增減於是
世界亦不迫隘如本无異
尒時釋迦牟尼佛告諸大衆汝等且觀妙喜
世界无動如來其國嚴飾菩薩行淨弟子清
白皆曰唯然已見佛言若菩薩欲得如是清
淨佛土當學无動如來所行之道見此妙喜
國時娑婆世界十四那由他人發阿耨多羅三
藐三菩提心皆願生於妙喜佛土釋迦牟尼
佛即記之曰當生彼國時妙喜世界於此國
土所應饒益其事訖已還復本處舉衆皆
見佛告舍利弗汝見此妙喜世界及无動佛
不唯然已見世尊願使一切衆生得清淨土
如无動佛獲神通力如維摩詰世尊我等
快得善利得見是人親近供養其諸衆生
若今現在若佛滅後聞此經者亦得善利
况復聞已信解受持讀誦解說如法脩行
若有手得是經典者便為已得法寶之藏
若有讀誦解釋其義如說脩行則為諸佛
之所護念其有供養如是人者當知則為供養
於佛其有書持此經卷者當知其室則有如來
若聞是經能隨喜者斯人則為取一切智若能
信解此經乃至一四句偈為他說者當知此人即
是受阿耨多羅三藐三菩提記
法供養品第十三
尒時釋提桓因於大衆中白佛言世尊我雖

是受阿耨多羅三藐三菩提記
法供養品第十三
尒時釋提桓因於大衆中白佛言世尊我雖
從佛及文殊師利聞百千經未曾聞此不可
思議自在神通決定實相經典如我解佛所
說義趣若有衆生聞是經法信解受持讀誦
之者必得是法不疑何況如說脩行斯人則
為閉衆惡趣開諸善門常為諸佛之所護
念降伏外學摧滅魔怨脩治菩提安處道
場履踐如來所行之跡世尊若有受持讀誦
如說脩行者我當與諸眷屬供養給事所在
聚落城邑山林曠野有是經處我亦與諸眷
屬聽受法故共到其所其未信者當令生信
其已信者當為作護佛言善哉善哉天帝如汝
所說吾助尒喜此經廣說過去未來現在諸佛
不可思議阿耨多羅三藐三菩提是故天帝
若善男子善女人受持讀誦供養是經者
則為供養去來今佛天帝正使三千大千世
界如來滿中譬如甘蔗竹葦稻麻叢林若有
善男子善女人或一劫或減一劫恭敬尊重讚
嘆供養奉諸所安至諸佛滅後以一一全身舍
利起七寶塔縱廣一四天下高至梵天表刹
莊嚴以一切華香瓔珞幢幡伎樂微妙第一
若一劫若減一劫而供養之於天帝意云何
其人殖福寧為多不釋提桓因言多矣世尊
彼之福德若以百千億劫說不能盡佛告天

BD01076號　維摩詰所說經卷下　（19–13）

若一劫若減一劫而供養之於天帝意云何
其人殖福寧為多不釋提桓因言多矣世尊
彼之福德若以百千億劫說不能盡佛告天
帝當知是善男子善女人聞是不可思議解
脫經典信解受持讀誦脩行福多於彼所以
者何諸佛菩提皆從是生菩提之相不可限
量以是因緣福不可量
佛告天帝過去无量阿僧祇劫時世有佛号
曰藥王如來應供正遍知明行足善逝世間
解无上士調御丈夫天人師佛世尊世界曰
大莊嚴劫曰莊嚴佛壽二十小劫其聲聞僧
三十六億那由他菩薩僧有十二億天帝是時
有轉輪聖王名曰寶蓋七寶具足主四天下
王有千子端政勇健能伏怨敵尒時寶蓋與
其眷屬供養藥王如來施諸所安至滿五劫
過五劫已告其千子汝等亦當如我以深心供
養於佛於是千子受父王命供養藥王如來
復滿五劫一切施安其王一子名曰月蓋獨坐
思惟寧有供養殊過此者以佛神力空中有
天曰善男子法之供養勝諸供養即問何謂
法之供養天曰汝可往問藥王如來當廣為汝
說法之供養即時月蓋王子行詣藥王如來
稽首佛足却住一面白佛言世尊諸供養中
法供養勝云何為法供養佛言善男子法供
養者諸佛所說深經一切世間難信難受微
妙難見清淨无染非但分別思惟之所能得

BD01076號　維摩詰所說經卷下　（19–14）

法供養勝云何為法供養佛言善男子法供
養者諸佛所說深經一切世間難信難受微
妙難見清淨无染非但分別思惟之所能得
菩薩法藏所攝陁羅尼印印之至不退轉
成就六度善分別義順菩提法衆經之上入
大慈悲離衆魔事及諸邪見順因緣法无我
无人无衆生无壽命空无相无作无起能令衆
生坐於道場而轉法輪諸天龍神乾闥婆等所
共嘆譽能令衆生入佛法藏攝諸賢聖一切
智慧說衆菩薩所行之道依於諸法實相之
義明宣无常苦空无我寂滅之法能救一切毀
禁衆生諸魔外道及貪著者能使怖畏諸佛
賢聖所共稱嘆背生死苦示涅槃樂十方三
世諸佛所說若聞如是等經信解受持讀誦
以方便力為諸衆生分別解說顯示分明守護
法故是名法之供養
又於諸法如說脩行隨順十二因緣離諸邪見
得无生忍決定无我无有衆生而於因緣果報
无違无諍離諸我所依於義不依語依於智不
依識依了義經不依不了義經依於法不依
人隨順法相无所入无所歸无明畢竟滅故
諸行亦畢竟滅乃至生畢竟滅故老死亦畢
竟滅作如是觀十二因緣无有盡相不復起
見是名最上法之供養
佛告天帝王子月蓋從藥王佛聞如是法得

竟滅作如是觀十二因緣无有盡相不復起
見是名最上法之供養
佛告天帝王子月蓋從藥王佛聞如是法得
柔順忍即解寶衣嚴身之具以供養佛白
佛言世尊如來滅後我當行法供養守護正
法願以威神加哀建立令我得降魔怨脩菩
薩行佛知其深心所念而記之曰汝於末後守
護法城天帝時王子月蓋見法清淨聞佛受
記以信出家脩集善法精進不久得五神通
具菩薩道得陁羅尼无斷辯才於佛滅後以
其所得神通總持辯才之力滿十小劫藥王
如來所轉法輪隨而分布月蓋比丘以守護法
懃行精進即於此身化百万億人於阿耨多羅
三藐三菩提立不退轉十四那由他人深發聲
聞辟支佛心无量衆生得生天上天帝時王
寶蓋豈異人乎今現得佛号寶炎如來
其王千子即賢劫中千佛是也從迦羅鳩
村大為始得佛最後如來号曰樓至月蓋比
丘則我身是也如是天帝當知此要以法供
養於諸供養為上為最第一无比是故天帝
當以法之供養供養於佛
囑累品第十四
於是佛告弥勒菩薩言弥勒我今以是无量
億阿僧祇劫所集阿耨多羅三藐三菩提付
囑於汝如是輩經於佛滅後末世之中汝等

囑累品第十四

於是佛告弥勒菩薩言弥勒我今以是无量
億阿僧祇劫所集阿耨多羅三藐三菩提付
囑於汝如是輩經於佛滅後末世之中汝等
當以神力廣宣流布於閻浮提无令斷絶所
以者何未來世中當有善男子善女人及天
龍鬼神乹闥婆羅刹等發阿耨多羅三藐三
菩提心樂于大法若使不聞如是等經則失善
利如此輩人聞是等經必多信樂發希有心當
以頂受隨諸衆生所應得利而為廣說弥勒
當知菩薩有二相何謂為二一者好於雜句文
餝之事二者不畏深義如實能入若好雜句文
餝事者當知是為新學菩薩若於如是无染
无著甚深經典无有恐畏能入其中聞已心淨
受持讀誦如說脩行當知是為久脩道行弥
勒復有二法名新學者不能決定於甚深法
何等為二一者所未聞深經聞之驚怖生疑
不能隨順毀謗不信而作是言我初不聞從
何所來二者若有護持解說如是深經者不
肯親近供養恭敬或時於中說其過惡有此
二法當知是新學菩薩為自毀傷不能於
深法中調伏其心弥勒復有二法菩薩雖信
解深法猶自毀傷而不能得无生法忍何等
為二一者輕慢新學菩薩而不教誨二者雖
解深法而取相分別是為二法
弥勒菩薩聞說是已白佛言世尊未曾有也

BD01076 號　維摩詰所說經卷下　（19–17）

解深法猶自毀傷而不能得无生法忍何等
為二一者輕慢新學菩薩而不教誨二者雖
解深法而取相分別是為二法
弥勒菩薩聞說是已白佛言世尊未曾有也
如佛所說我當遠離如斯之惡奉持如來无
數阿僧祇劫所集阿耨多羅三藐三菩提法
若未來世善男子善女人求大乘者當令手
得如是等經與其念力使受持讀誦為他廣
說世尊若後末世有能受持讀誦為他說者
當知是弥勒神力之所建立佛言善哉善哉
弥勒如汝所說佛助尒喜於是一切菩薩合掌
白佛言我等亦於如來滅後十方國土廣宣
流布阿耨多羅三藐三菩提復當開導諸
說法者令得是經
尒時四天王白佛言世尊在在處處城邑聚
落山林曠野有是經卷讀誦解說者我當率
諸官屬為聽法故往詣其所擁護其人面百
由旬令无伺求得其便者是時佛告阿難受持
是經廣宣流布阿難言唯我以受持要者世
尊當何名斯經佛言阿難是經名為維摩詰
所說亦名不可思議解脫法門如是受持
佛說是經已長者維摩詰文殊師利舍利
弗阿難等及諸天人阿脩羅等一切大衆聞
佛所說皆大歡喜

維摩詰經卷苐三

BD01076 號　維摩詰所說經卷下　（19–18）

流布阿耨多羅三藐三菩提復當開導諸
說法者令得是經
尒時四天王白佛言世尊在在處處城邑聚
落山林曠野有是經卷讀誦解說者我當率
諸官屬為聽法故往詣其所擁護其人面百
由旬令无伺求得其便者是時佛告阿難受持
是經廣宣流布阿難言唯我以受持要者世
尊當何名斯經佛言阿難是經名為維摩詰
所說名不可思議解脫法門如是受持
佛說是經已長者維摩詰文殊師利舍利
弗阿難等及諸天人阿脩羅等一切大衆聞
佛所說皆大歡喜

維摩詰經卷第三

BD01076號　維摩詰所說經卷下　　（19–19）

喜若十　此法師者則為侵毀是
尒時毗沙門天王護世者白佛言世尊
我亦為愍念衆生擁護此法師故說是陁羅尼
說呪曰
梨一　那梨二　㝹那梨三　阿那盧四　那履五　拘
那履六
世尊以是神呪擁護法師我亦自當擁護持
是經者令百由旬內无諸衰患尒時持國天
王在此會中與千万億那由他乹闥婆衆恭
敬圍繞前詣佛所合掌白佛言世尊我亦
以陁羅尼神呪擁護持法華經者即說呪曰
阿伽祢一　伽祢二　瞿利三　乹陁利四　旃陁利五
摩蹬耆六　常求利七　浮樓莎柅八　頞底九
世尊是陁羅尼神呪四十二億諸佛所說若
有侵毀此法師者則為侵毀是諸佛已尒時
有羅剎女等一名藍婆二名毗藍婆三名曲
齒四名華齒五名黑齒六名多髮七名无猒
足八名持瓔珞九名睪帝十名奪一切衆生
精氣是十羅剎女與鬼子母并其子及眷屬
俱詣佛所同聲白佛言世尊我等亦欲擁護
讀誦受持法華經者除其衰患若有伺求法
師短者令不得便即於佛前而說呪曰
伊提履一　伊提泯二　伊提履三　阿提履四

BD01077號　妙法蓮華經卷七　　（12–1）

是八名持瓔[illegible]名睪帝十名奪一切衆生
精氣是十羅刹女與鬼子母幷其子及眷屬
俱詣佛所同聲白佛言世尊我等亦欲擁護
讀誦受持法華經者除其衰患若有伺求法
師短者令不得便即於佛前而說呪曰
伊提履一伊提泯二伊提履三阿提履四伊提
履五泥履六泥履七泥履八泥履九泥履十
樓醯十一樓醯十二樓醯十三樓醯十四多醯十五多
醯十六多醯十七兜醯十八嵬醯十九
寧上我頭上莫惱於法師若夜叉若羅刹若
餓鬼若富單那若吉蔗若毗陁羅若揵䭾若
烏摩勒伽若阿跋摩羅若夜叉吉蔗若人吉
蔗若熱病若一日若二日若三日若四日若至
七日若常熱病若男形若女形若童男形
若童女形乃至夢中亦復莫惱即於佛前而
說偈言
若不順我呪　惱亂說法者　頭破作七分　如阿梨樹枝
如殺父母罪　亦如壓油殃　斗秤欺誑人　調達破僧罪
犯此法師者　當獲如是殃
諸羅刹女說此偈已白佛言世尊我等亦當
身自擁護受持讀誦脩行是經者令得安隱
離諸衰患消衆毒藥佛告諸羅刹女善哉善
哉汝等但能擁護受持法華名者福不可量
何況擁護具足受持供養經卷華香瓔珞末
香塗香燒香幡蓋伎樂然種種燈蘇燈油燈
諸香油燈蘇摩那華油燈瞻蔔華油燈婆師
迦華油燈優鉢羅華油燈如是等百千種供

BD01077 號　妙法蓮華經卷七　（12–2）

何況擁護具足受持供養經卷華香瓔珞末
香塗香燒香幡蓋伎樂然種種燈蘇燈油燈
諸香油燈蘇摩那華油燈瞻蔔華油燈婆師
迦華油燈優鉢羅華油燈如是等百千種供
養者睪帝汝等及眷屬應當擁護如是法師
說是陁羅尼品時六万八千人得无生法忍
妙法蓮華經妙莊嚴王本事品第廿七
尒時佛告諸大衆乃往古世過无量无邊不
可思議阿僧祇劫有佛名雲雷音宿王華智
多陁阿伽度阿羅訶三藐三佛陁國名光明
莊嚴劫名憙見彼佛法中有王名妙莊嚴其
王夫人名曰淨德有二子一名淨藏二名淨眼
是二子有大神力福德智慧久脩菩薩所
行之道所謂檀波羅蜜尸羅波羅蜜羼提波
羅蜜毗梨耶波羅蜜禪波羅蜜般若波羅蜜
方便波羅蜜慈悲喜捨乃至三十七助道法
皆悉明了通達又得菩薩淨三昧日星宿三
昧淨光三昧淨色三昧淨照明三昧長莊嚴
三昧大威德藏三昧於此三昧亦悉通達尒
時彼佛欲引導妙莊嚴王及愍念衆生故
說是法華經時淨藏淨眼二子到其母所合
十指爪掌白言願母往詣雲雷音宿王華智
佛所我等亦當侍從親近供養禮拜所以者
何此佛於一切天人衆中說法華經宜應聽
受母告子言汝父信受外道深著婆羅門法
[illegible]

BD01077 號　妙法蓮華經卷七　（12–3）

佛所我等亦當侍從親近
何此佛於一切天人眾中說法華經宜應聽
受母告子言汝父信受外道深著婆羅門法
汝等應往白父與共俱去淨藏淨眼合十指
爪掌白母我等是法王子而生此耶見家母
告子言汝等當憂念汝父為現神變若得見
者心必清淨或聽我等往至佛所於是二子
念其父故踊在虛空高七多羅樹現種種神
變於虛空中行住坐臥身上出水身下出火
身下出水身上出火或現大身滿虛空中而
復現小小復現大於空中滅忽然在地入地
如水履水如地現如是等種種神變令其父
王心淨信解時父見子神力如是心大歡喜
得未曾有合掌向子言汝等師為是誰誰之
弟子二子白言大王彼雲雷音宿王華智佛
今在七寶菩提樹下法座上坐於一切世間
天人眾中廣說法華經是我等師我是弟子
父語子言我今亦欲見汝等師可共俱往於
是二子從空中下到其母所合掌白母父王
今已信解堪任發阿耨多羅三藐三菩提心
我等為父已作佛事願母見聽於彼佛所出
家修道尒時二子欲重宣其意以偈白母
願母放我等　出家作沙門　諸佛甚難值　我等隨佛學
如優曇波羅　值佛復難是　脫諸難亦難　願聽我出家
母即告言聽汝出家所以[illegible]何佛難值故於
是二子白父母言善哉父母願時往詣雲雷
音宿王華智佛所親近供養所以者何佛難

BD01077號　妙法蓮華經卷七　（12–4）

如優曇波羅　值佛復難是　脫諸難亦難　願聽我出家
母即告言聽汝出家所以[illegible]何佛難值故於
是二子白父母言善哉父母願時往詣雲雷
音宿王華智佛所親近供養所以者何佛難
得值如優曇波羅華又如一眼之龜值浮木
孔而我等宿福深厚生值佛法是故父母當
聽我等令得出家所以者何諸佛難值時亦
難遇彼時妙莊嚴王後宮八万四千人皆悉
堪任受持是法華經淨眼菩薩於法華三昧
久已通達淨藏菩薩已於无量百千万億劫
通達離諸惡趣三昧欲令一切眾生離諸惡
趣故其王夫人得諸佛習三昧能知諸佛祕
密之藏二子如是以方便力善化其父令心
信解好樂佛法於是妙莊嚴王與羣臣眷屬
俱淨德夫人與後宮采女眷屬俱其王二子
與四万二千人俱一時共詣佛所到已頭面礼
足繞佛三帀却住一面尒時彼佛為王說
法示教利喜王大歡悅尒時妙莊嚴王及其
夫人解頸真珠瓔珞價直百千以散佛上於
虛空中化成四柱寶臺臺中有大寶牀敷百
千万天衣其上有佛結加趺坐放大光明尒
時妙莊嚴王作是念佛身希有端嚴殊特成
就第一微妙之色時雲雷音宿王華智佛告
四眾言汝等見是妙莊嚴王於我前合掌立
不此王於我法中作比丘精勤修習助佛道
法當得作佛号娑羅樹王國名大光劫名大

BD01077號　妙法蓮華經卷七　（12–5）

[illegible]
四衆言汝等見是妙莊嚴王於我前合掌立
不此王於我法中作比丘精懃脩習助佛道
法當得作佛号娑羅樹王國名大光劫名大
高王其娑羅樹王佛有无量菩薩衆及无量
聲聞其國平正功德如是其王即時以國付
弟與夫人二子并諸眷屬於佛法中出家脩
道王出家已於八万四千歲常勤精進脩行
妙法華經過是已後得一切淨功德莊嚴三
昧即外虛空高七多羅樹而白佛言世尊此
我二子已作佛事以神通變化轉我耶心令
得安住於佛法中得見世尊此二子者是我
善知識為欲發起宿世善根饒益我故來生
我家尒時雲雷音宿王華智佛告妙莊嚴王
言如是如是如汝所言若善男子善女人種
善根故世世得善知識其善知識能作佛事
示教利喜令入阿耨多羅三藐三菩提大王
當知善知識者是大因緣所謂化導令得見
佛發阿耨多羅三藐三菩提心大王汝見此
二子不此二子已曾供養六十五百千万億
那由他恒河沙諸佛親近恭敬於諸佛所受
持法華經愍念耶見衆生令住正見妙莊嚴
王即從虛空中下而白佛言世尊如來甚希
有以功德智慧故頂上肉髻光明顯照其眼
長廣而紺青色眉間豪相白如珂月齒白齊
密常有光明脣色赤好如頻婆菓尒時妙莊
嚴王讚嘆佛如是[illegible]

BD01077 號　妙法蓮華經卷七　（12–6）

王即從虛空中下而白佛言世尊如來甚希
有以功德智慧故頂上肉髻光明顯照其眼
長廣而紺青色眉間豪相白如珂月齒白齊
密常有光明脣色赤好如頻婆菓尒時妙莊
嚴王讚嘆佛如是等无量百千万億功德已
於如來前一心合掌復白佛言世尊未曾有
也如來之法具足成就不可思議微妙功德
教戒所行安隱快善我從今日不復自隨心
行不生耶見憍慢瞋恚諸惡之心說是語已
礼佛而出佛告大衆於意云何妙莊嚴王豈
異人乎今華德菩薩是其淨德夫人今佛前
光照莊嚴相菩薩是哀愍妙莊嚴王及諸眷
屬故於彼中生其二子者今藥王菩薩藥上
菩薩是是藥王藥上菩薩成就如此諸大功
德已於无量百千万億諸佛所殖衆德本成
就不可思議諸善功德若有人識是二菩薩
名字者一切世間諸天人民亦應礼拜佛說是
妙莊嚴王本事品時八万四千人遠塵離垢
於諸法中得法眼淨
妙法蓮華經普賢菩薩勸發品第廿八
尒時普賢菩薩以自在神通威德名聞與大
菩薩无量无邊不可稱數從東方來所經諸
國普皆震動雨寶蓮華作无量百千万億種
種伎樂又與无數諸天龍夜叉乾闥婆阿脩羅
迦樓羅緊那羅摩睺羅伽人非人等大衆
圍繞各現威德神通之力到娑婆世界耆闍崛

BD01077 號　妙法蓮華經卷七　（12–7）

種彼樂又與无數諸天龍夜叉乾闥婆阿脩羅
迦樓羅緊那羅摩睺羅伽人非人等大衆
圍繞各現威德神通之力到娑婆世界耆闍崛
山中頭面礼釋迦牟尼佛右繞七帀白佛
言世尊我於寶威德上王佛國遥聞此娑婆
世界說法華經與无量无邊百千万億諸菩
薩衆共來聽受唯願世尊當為說之若善男
子善女人於如來滅後云何能得是法華
經佛告普賢菩薩若善男子善女人成就四
法於如來滅後當得是法華經一者為諸佛
護念二者殖衆德本三者入正定聚四者發
救一切衆生之心善男子善女人如是成就
四法於如來滅後必得是經尒時普賢菩薩
白佛言世尊於後五百歲濁惡世中其有受
持是經典者我當守護除其衰患令得安隱
使无伺求得其便者若魔若魔子若魔女若
魔民若為魔所著者若夜叉若羅刹若鳩槃
荼若毗舍闍若吉蔗若富單那若韋陁羅等
諸惱人者皆不得便是人若行若立讀誦此
經我尒時乘六牙白象王與大菩薩衆俱詣
其所而自現身供養守護安慰其心亦為供
養法華經故是人若坐思惟此經尒時我復
乘白象王現其人前其人若於法華經有所
忘失一句一偈我當教之與共讀誦還令通
利尒時受持讀誦法華經者得見我身甚大
歡喜轉復精進以見我故即得三昧及陁羅

BD01077號　妙法蓮華經卷七　（12–8）

忘失一句一偈我當教之與共讀誦還令通
利尒時受持讀誦法華經者得見我身甚大
歡喜轉復精進以見我故即得三昧及陁羅
尼名為旋陁羅尼百千万億旋陁羅尼法音
方便陁羅尼得如是等陁羅尼世尊若後世
後五百歲濁惡世中比丘比丘尼優婆塞優婆
夷求索者受持者讀誦者書寫者欲脩習是
法華經於三七日中應一心精進滿三七日
已我當乘六牙白象與无量菩薩而自圍
繞以一切衆生所憙見身現其人前而為說
法示教利喜亦復與其陁羅尼呪得是陁羅
尼故无有非人能破壞者亦不為女人之所
惑亂我身亦自常護是人唯願世尊聽我說
此陁羅尼呪即於佛前而說呪曰
阿檀地途賣反一　檀陁婆地二　檀陁婆帝三　檀陁
鳩舍隸四　檀陁脩陁隸五　脩陁隸六　脩陁羅
婆底七　佛馱波羶祢八　薩婆陁羅尼阿婆多
尼九　薩婆婆沙阿婆多尼十　脩阿婆多尼十一
僧伽婆履叉尼十二　僧伽涅伽陁尼十三　阿僧祇
十四　僧伽波伽地十五　帝隸阿惰僧伽兜略盧遮反　阿
羅帝波羅帝十六　薩婆僧伽三摩地伽蘭地十七
薩婆達磨脩波利刹帝十八　薩婆薩埵樓馱憍
舍略阿㝹伽地十九　辛阿毗吉利地帝二十
世尊若有菩薩得聞是陁羅尼者當知普賢
神通之力若法華經行閻浮提有受持者應

BD01077號　妙法蓮華經卷七　（12–9）

世尊若有菩薩得聞是陀羅尼者當知普賢
神通之力若法華經行閻浮提有受持者應
作此念皆是普賢威神之力若有受持讀誦
正憶念解其義趣如說修行當知是人行普
賢行於无量无邊諸佛所深種善根為諸如
來手摩其頭若但書寫是人命終當生忉利
天上是時八万四千天女作衆伎樂而來迎之
其人即著七寶冠於婇女中娛樂快樂何況
受持讀誦正憶念解其義趣如說修行若有
人受持讀誦解其義趣是人命終為千佛
授手令不恐怖不墮惡趣即往兜率天上彌
勒菩薩所彌勒菩薩有三十二相大菩薩衆所
共圍繞有百千万億天女眷屬而於中生有
如是等功德利益是故智者應當一心自書若
使人書受持讀誦正憶念如說修行世尊
我今以神通力守護是經於如來滅後閻浮
提內廣令流布使不斷絕尒時釋迦牟尼
佛讚言善哉善哉普賢汝能護助是經令
多所衆生安樂利益汝已成就不可思議功
德深大慈悲從久遠來發阿耨多羅三藐三
菩提意而能作是神通之願守護是經我當
以神通力守護能受持普賢菩薩名者普賢
若有受持讀誦正憶念修習書寫是法華經
者當知是人則見釋迦牟尼佛如從佛口聞
此經典當知是人供養釋迦牟尼佛當知是
人佛讚善哉當知是人為釋迦牟尼佛手摩

BD01077號　妙法蓮華經卷七　（12–10）

者當知是人則見釋迦牟尼佛如從佛口聞
此經典當知是人供養釋迦牟尼佛當知是
人佛讚善哉當知是人為釋迦牟尼佛手摩
其頭當知是人為釋迦牟尼佛衣之所覆如
是之人不復貪著世樂不好外道經書手筆
亦復不憙親近其人及諸惡者若屠兒若畜
猪羊雞狗若獵師若衒賣女色是人心意質
直有正憶念有福德力是人不為三毒所惱
亦不為嫉妬我慢邪慢增上慢所惱是人少
欲知足能修普賢之行普賢若如來滅後後
五百歲若有人見受持讀誦法華經者應作
是念此人不久當詣道場破諸魔衆得阿耨
多羅三藐三菩提轉法輪擊法鼓吹法螺雨
法雨當坐天人大衆中師子法座上普賢若
於後世受持讀誦是經典者是人不復貪著
衣服臥具飲食資生之物所願不虛亦於現
世得其福報若有人輕毀之言汝狂人耳空
作是行終无所獲如是罪報當世世无眼若
有供養讚歎之者當於今世得現果報若復
見受持是經者出其過惡若實若不實此人
現世得白癩病若輕笑之者當世世牙齒疏缺
醜脣平鼻手腳繚戾眼目角睞身體臭穢
惡瘡膿血水腹短氣諸惡重病是故普賢若
見受持是經典者當起遠迎當如敬佛說是
普賢勸發品時恒河沙等无量无邊菩薩得
百千萬億旋陀羅尼三千大千世界微塵等
諸菩薩具普賢道佛說是經

BD01077號　妙法蓮華經卷七　（12–11）

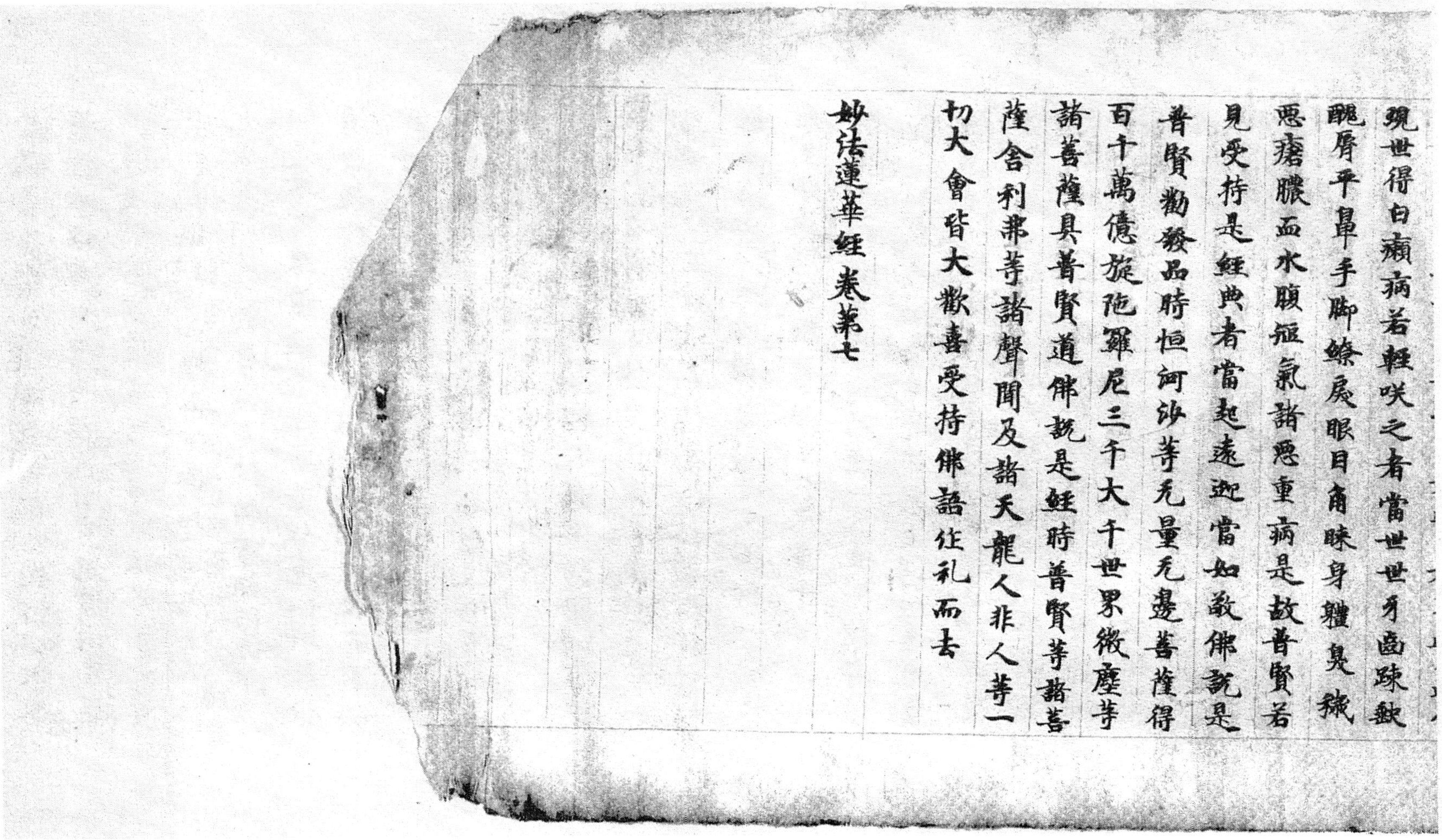

現世得白癩病若輕咲之者當世世牙齒踈缺
醜脣平鼻手脚繚戾眼目角睞身體臭穢
惡瘡膿血水腹短氣諸惡重病是故普賢若
見受持是經典者當起遠迎當如敬佛說是
普賢勸發品時恒河沙等无量无邊菩薩得
百千萬億旋陁羅尼三千大千世界微塵等
諸菩薩具普賢道佛說是經時普賢等諸菩
薩舍利弗等諸聲聞及諸天龍人非人等一
切大會皆大歡喜受持佛語作礼而去

妙法蓮華經卷第七

BD01077 號　妙法蓮華經卷七　（12–12）

諸菩薩善付囑諸菩薩
耨多羅三藐三
何伏其心佛言善哉善
來善護念諸菩薩善
爲汝說善男子善
菩提心應如是住
樂欲聞
菩提諸菩薩摩訶薩應如是降伏其
心所有一切眾生之類若卵生若胎生若濕生
若化生若有色若无色若有想若无想若
非有想若非无想我皆令入无餘涅槃而滅
度之如是滅度无量无數无邊眾生實无眾
生得滅度者何以故須菩提若菩薩有我相
人相眾生相壽者相即非菩薩
復次須菩提菩薩於法應无所住行於布施
所謂不住色布施不住聲香味觸法布施須
菩提菩薩應如是布施不住於相何以故若
菩薩不住相布施其福德不可思量須菩提
於意云何東方虛空可思量不不也世尊須
菩提南西北方四維上下虛空可思量不不
菩薩无住相布施福德亦復

BD01078 號　金剛般若波羅蜜經　（15–1）

菩提菩薩應如是布施不住於相何以故若
菩薩不住相布施其福德不可思量須菩提
於意云何東方虛空可思量不不也世尊須
菩提南西北方四維上下虛空可思量不不
也世尊須菩提菩薩无住相布施福德亦復
如是不可思量須菩提菩薩但應如所教住
須菩提於意云何可以身相見如來不不也
世尊不可以身相得見如來何以故如來所
說身相即非身相佛告須菩提凡所有相皆
是虛妄若見諸相非相則見如來
須菩提白佛言世尊頗有衆生得聞如是言
說章句生實信不佛告須菩提莫作是說如
來滅後後五百歲有持戒脩福者於此章句
能生信心以此爲實當知是人不於一佛二
佛三四五佛而種善根已於无量千万佛所
種諸善根聞是章句乃至一念生淨信者須
菩提如來悉知悉見是諸衆生得如是无量
福德何以故是諸衆生无復我相人相衆生
相壽者相无法相亦无非法相何以故是諸
衆生若心取相則爲著我人衆生壽者若取
法相即著我人衆生壽者何以故若取非法
相即著我人衆生壽者是故不應取法不應
取非法以是義故如來常說汝等比丘知我說
法如筏喻者法尚應捨何况非法
須菩提於意云何如來得阿耨多羅三藐三
菩提耶如來有所說法耶須菩提言如我解

BD01078號　金剛般若波羅蜜經　（15–2）

法如筏喻者法尚應捨何况非法
須菩提於意云何如來得阿耨多羅三藐三
菩提耶如來有所說法耶須菩提言如我解
佛所說義无有定法名阿耨多羅三藐三菩
提亦无有定法如來可說何以故如來所說
法皆不可取不可說非法非非法所以者何
一切賢聖皆以无爲法而有差別
須菩提於意云何若人滿三千大千世界七
寶以用布施是人所得福德寧爲多不須菩
提言甚多世尊何以故是福德即非福德性
是故如來說福德多若復有人於此經中受
持乃至四句偈等爲他人說其福勝彼何以
故須菩提一切諸佛及諸佛阿耨多羅三藐
三菩提法皆從此經出須菩提所謂佛法者
即非佛法
須菩提於意云何須陁洹能作是念我得
須陁洹果不須菩提言不也世尊何以故須陁
洹名爲入流而无所入不入色聲香味觸法
是名須陁洹須菩提於意云何斯陁含能作
是念我得斯陁含果不須菩提言不也世尊
何以故斯陁含名一往來而實无往來是名
斯陁含須菩提於意云何阿那含能作是念
我得阿那含果不須菩提言不也世尊何以
故阿那含名爲不來而實无來是故名阿那
含須菩提於意云何阿羅漢能作是念我得

BD01078號　金剛般若波羅蜜經　（15–3）

我得阿那含果不須菩提言不也世尊何以
故阿那含名為不來而實无來是故名阿那
含須菩提於意云何阿羅漢能作是念我得
阿羅漢道不須菩提言不也世尊何以故實
无有法名阿羅漢世尊若阿羅漢作是念我
得阿羅漢道即為著我人衆生壽者世尊佛
說我得无諍三昧人中最為第一是第一離
欲阿羅漢我不作是念我是離欲阿羅漢世
尊我若作是念我得阿羅漢道世尊則不說
須菩提是樂阿蘭那行者以須菩提實无所
行而名須菩提是樂阿蘭那行
佛告須菩提於意云何如來昔在然燈佛所
於法有所得不世尊如來在然燈佛所於法
實无所得須菩提於意云何菩薩莊嚴佛土
不不也世尊何以故莊嚴佛土者則非莊嚴
是名莊嚴是故須菩提諸菩薩摩訶薩應如
是生清淨心不應住色生心不應住聲香味
觸法生心應无所住而生其心須菩提譬如
有人身如須弥山王於意云何是身為大不
須菩提言甚大世尊何以故佛說非身是名
大身
須菩提如恒河中所有沙數如是沙等恒河
於意云何是諸恒河沙寧為多不須菩提言
甚多世尊但諸恒河尚多无數何況其沙須
菩提我今實言告汝若有善男子善女人以
七寶滿尒所恒河沙數三千大千世界以用

BD01078號　金剛般若波羅蜜經　（15–4）

甚多世尊但諸恒河尚多无數何況其沙須
菩提我今實言告汝若有善男子善女人以
七寶滿尒所恒河沙數三千大千世界以用
布施得福多不須菩提言甚多世尊佛告須
菩提若善男子善女人於此經中乃至受持
四句偈等為他人說而此福德勝前福德復
次須菩提隨說是經乃至四句偈等當知此
處一切世間天人阿脩羅皆應供養如佛塔
廟何況有人盡能受持讀誦須菩提當知是
人成就最上第一希有之法若是經典所在
之處則為有佛若尊重弟子
尒時須菩提白佛言世尊當何名此經我等
云何奉持佛告須菩提是經名為金剛般若
波羅蜜以是名字汝當奉持所以者何須菩
提佛說般若波羅蜜則非般若波羅蜜須菩
提於意云何如來有所說法不須菩提白佛
言世尊如來无所說須菩提於意云何三千
大千世界所有微塵是為多不須菩提言甚
多世尊須菩提諸微塵如來說非微塵是名
微塵如來說世界非世界是名世界須菩提
於意云何可以三十二相見如來不不也世
尊何以故如來說三十二相即是非相是名
三十二相須菩提若有善男子善女人以恒
河沙等身命布施若復有人於此經中乃至
受持四句偈等為他人說其福甚多

BD01078號　金剛般若波羅蜜經　（15–5）

尊何以故如来說三十二相即是非相是名
三十二相須菩提若有善男子善女人以恒
河沙等身命布施若復有人於此經中乃至
受持四句偈等為他人說其福甚多
尒時須菩提聞說是經深解義趣涕淚悲泣
而白佛言希有世尊佛說如是甚深經典我
從昔来所得慧眼未曾得聞如是之經世尊
若復有人得聞是經信心清淨則生實相當
知是人成就第一希有功德世尊是實相者
則是非相是故如来說名實相世尊我今得
聞如是經典信解受持不足為難若當来世
後五百歳其有衆生得聞是經信解受持是
人則為第一希有何以故此人无我相人相
衆生相壽者相所以者何我相即是非相人
相衆生相壽者相即是非相何以故離一切
諸相則名諸佛
佛告須菩提如是如是若復有人得聞是經
不驚不怖不畏當知是人甚為希有何以故
須菩提如来說第一波羅蜜非第一波羅蜜
是名第一波羅蜜須菩提忍辱波羅蜜如来
說非忍辱波羅蜜何以故須菩提如我昔為
歌利王割截身體我於尒時无我相无人相
无衆生相无壽者相何以故我於往昔節節
支解時若有我相人相衆生相壽者相應生
瞋恨須菩提又念過去於五百世作忍辱仙
人於尒所世无我相无人相无衆生相无壽

BD01078 號　金剛般若波羅蜜經　（15–6）

无衆生相无壽者相何以故我於往昔節節
支解時若有我相人相衆生相壽者相應生
瞋恨須菩提又念過去於五百世作忍辱仙
人於尒所世无我相无人相无衆生相无壽
者相是故須菩提菩薩應離一切相發阿耨
多羅三藐三菩提心不應住色生心不應住
聲香味觸法生心應生无所住心若心有住
則為非住是故佛說菩薩心不應住色布施
須菩提菩薩為利益一切衆生應如是布施
如来說一切諸相即是非相又說一切衆生
則非衆生須菩提如来是真語者實語者如
語者不誑語者不異語者須菩提如来所得法
此法无實无虛須菩提若菩薩心住於法而
行布施如人入闇則无所見若菩薩心不住
法而行布施如人有目日光明照見種種色
須菩提當来之世若有善男子善女人能於
此經受持讀誦則為如来以佛智慧悉知是
人悉見是人皆得成就无量无邊功德
須菩提若有善男子善女人初日分以恒河
沙等身布施中日分復以恒河沙等身布施
後日分亦以恒河沙等身布施如是无量百
千万億劫以身布施若復有人聞此經典信
心不逆其福勝彼何况書寫受持讀誦為人
解說須菩提以要言之是經有不可思議不
可稱量无邊功德如来為發大乘者說為發
最上乘者說若有人能受持讀誦廣為人說
如来悉知是人悉見是人皆得成就不可量

BD01078 號　金剛般若波羅蜜經　（15–7）

解說須菩提以要言之是經有不可思議不
可稱量无邊功德如來為發大乘者說為發
最上乘者說若有人能受持讀誦廣為人說
如來悉知是人悉見是人皆得成就不可量
不可稱无有邊不可思議功德如是人等則
為荷擔如來阿耨多羅三藐三菩提何以故
須菩提若樂小法者著我見人見衆生見壽者
見則於此經不能聽受讀誦為人解說須菩
提在在處處若有此經一切世間天人阿脩
羅所應供養當知此處則為是塔皆應恭
敬作礼圍繞以諸華香而散其處
復次須菩提善男子善女人受持讀誦此經
若為人輕賤是人先世罪業應墮惡道以今
世人輕賤故先世罪業則為消滅當得阿耨
多羅三藐三菩提須菩提我念過去无量阿
僧祇劫於然燈佛前得值八百四千万億那
由他諸佛悉皆供養承事无空過者若復有
人於後末世能受持讀誦此經所得功德於
我所供養諸佛功德百分不及一千万億分
乃至筭數譬喻所不能及須菩提若善男子
善女人於後末世有受持讀誦此經所得功
德我若具說者或有人聞心則狂乱狐疑不
信須菩提當知是經義不可思議果報亦不
可思議
尒時須菩提白佛言世尊善男子善女人發
阿耨多羅三藐三菩提心云何應住云何降

BD01078 號　金剛般若波羅蜜經　（15–8）

可思議
尒時須菩提白佛言世尊善男子善女人發
阿耨多羅三藐三菩提心云何應住云何降
伏其心佛告須菩提善男子善女人發阿耨
多羅三藐三菩提者當生如是心我應滅度
一切衆生滅度一切衆生已而无有一衆生
實滅度者何以故若菩薩有我相人相衆生
相壽者相則非菩薩所以者何須菩提實无
有法發阿耨多羅三藐三菩提者須菩提於
意云何如來於然燈佛所有法得阿耨多羅
三藐三菩提不不也世尊如我解佛所說義
佛於然燈佛所无有法得阿耨多羅三藐三
菩提佛言如是如是須菩提實无有法如來
得阿耨多羅三藐三菩提須菩提若有法如
來得阿耨多羅三藐三菩提然燈佛則不與
我受記汝於來世當得作佛号釋迦牟尼以
實无有法得阿耨多羅三藐三菩提是故然
燈佛與我受記作是言汝於來世當得作佛
号釋迦牟尼何以故如來者即諸法如義若
有人言如來得阿耨多羅三藐三菩提須菩
提實无有法佛得阿耨多羅三藐三菩提須
菩提如來所得阿耨多羅三藐三菩提於是
中无實无虛是故如來說一切法皆是佛法
須菩提所言一切法者即非一切法是故名
一切法須菩提譬如人身長大須菩提言世

BD01078 號　金剛般若波羅蜜經　（15–9）

菩提如来所得阿耨多羅三藐三菩提於是
中无實无虚是故如来說一切法皆是佛法
須菩提所言一切法者即非一切法是故名
一切法須菩提譬如人身長大須菩提言世
尊如来說人身長大則為非大身是名大身
須菩提菩薩亦如是若作是言我當滅度无
量衆生則不名菩薩何以故須菩提无有法
名為菩薩是故佛說一切法无我无人无衆
生无壽者須菩提若菩薩作是言我當莊嚴
佛土是不名菩薩何以故如来說莊嚴佛土
者即非莊嚴是名莊嚴須菩提若菩薩通
達无我法者如来說名真是菩薩
須菩提於意云何如来有宍眼不如是世尊
如来有宍眼須菩提於意云何如来有天眼
不如是世尊如来有天眼須菩提於意云何
如来有慧眼不如是世尊如来有慧眼須菩
提於意云何如来有法眼不如是世尊如来
有法眼須菩提於意云何如来有佛眼不如
是世尊如来有佛眼須菩提於意云何如恒
河中所有沙佛說是沙不如是世尊如来說
是沙須菩提於意云何如一恒河中所有沙有
如是等恒河是諸恒河所有沙數佛世界如
是寧為多不甚多世尊佛告須菩提尒所
國土中所有衆生若干種心如来悉知何以故
如来說諸心皆為非心是名為心所以者何

如是等恒河是諸恒河所有沙數佛世界如
是寧為多不甚多世尊佛告須菩提尒所
國土中所有衆生若干種心如来悉知何以故
如来說諸心皆為非心是名為心所以者何
須菩提過去心不可得現在心不可得未来
心不可得須菩提於意云何若有人滿三千
大千世界七寶以用布施是人以是因緣得
福多不如是世尊此人以是因緣得福甚多
須菩提若福德有實如来不說得福德多以
福德无故如来說得福德多
須菩提於意云何佛可以具足色身見不不
也世尊如来不應以色身見何以故如来說
具足色身即非具足色身是名具足色身須
菩提於意云何如来可以具足諸相見不不
也世尊如来不應以具足諸相見何以故如
来說諸相具足即非具足是名諸相具足須
菩提汝等勿謂如来作是念我當有所說法
莫作是念何以故若人言如来有所說法即
為謗佛不能解我所說故須菩提說法者无
法可說是名說法須菩提白佛言世尊佛得
阿耨多羅三藐三菩提為无所得耶如是如
是須菩提我於阿耨多羅三藐三菩提乃至
无有少法可得是名阿耨多羅三藐三菩提
復次須菩提是法平等无有高下是名阿耨
多羅三藐三菩提以无我无人无衆生无壽

无有少法可得是名阿耨多羅三藐三菩提
復次須菩提是法平等无有高下是名阿耨
多羅三藐三菩提以无我无人无衆生无壽
者脩一切善法則得阿耨多羅三藐三菩提
須菩提所言善法者如來說非善法是名善
法須菩提若三千大千世界中所有諸須弥
山王如是等七寶聚有人持用布施若人以
此般若波羅蜜經乃至四句偈等受持為他
人說於前福德百分不及一百千万億分乃
至筭數譬喻所不能及
須菩提於意云何汝等勿謂如來作是念我
當度衆生須菩提莫作是念何以故實无有
衆生如來度者若有衆生如來度者如來則
有我人衆生壽者須菩提如來說有我者則
非有我而凡夫之人以為有我須菩提凡夫
者如來說則非凡夫須菩提於意云何可以
三十二相觀如來不須菩提言如是如是以
三十二相觀如來佛告須菩提若以三十二
相觀如來者轉輪聖王則是如來須菩提白
佛言世尊如我解佛所說義不應以三十二
相觀如來尒時世尊而說偈言
若以色見我　以音聲求我　是人行邪道　不能見如來
須菩提汝若作是念如來不以具足相故得
阿耨多羅三藐三菩提須菩提莫作是念如
來不以具足相故得阿耨多羅三藐三菩提

阿耨多羅三藐三菩提須菩提莫作是念如
來不以具足相故得阿耨多羅三藐三菩提
須菩提汝若作是念發阿耨多羅三藐三菩
提者說諸法斷滅莫作是念何以故發阿耨
多羅三藐三菩提者於法不說斷滅相須菩
提若菩薩以滿恒河沙等世界七寶布施若
復有人知一切法无我得成於忍此菩薩勝
前菩薩所得功德須菩提以諸菩薩不受福
德故須菩提白佛言世尊云何菩薩不受福
德須菩提菩薩所作福德不應貪著是故說
不受福德須菩提若有人言如來若來若去
若坐若臥是人不解我所說義何以故如來者
无所從來亦无所去故名如來
須菩提若善男子善女人以三千大千世界
碎為微塵於意云何是微塵衆寧為多不甚
多世尊何以故若是微塵衆實有者佛則不
說是微塵衆所以者何佛說微塵衆則非微
塵衆是名微塵衆世尊如來所說三千大千
世界則非世界是名世界何以故若世界實
有者則是一合相如來說一合相則非一合
相是名一合相須菩提一合相者則是不可說
但凡夫之人貪著其事須菩提若人言佛說
我見人見衆生見壽者見須菩提於意云何
是人解我所說義不世尊是人不解如來所
說義何以故世尊說我見人見衆生見壽者

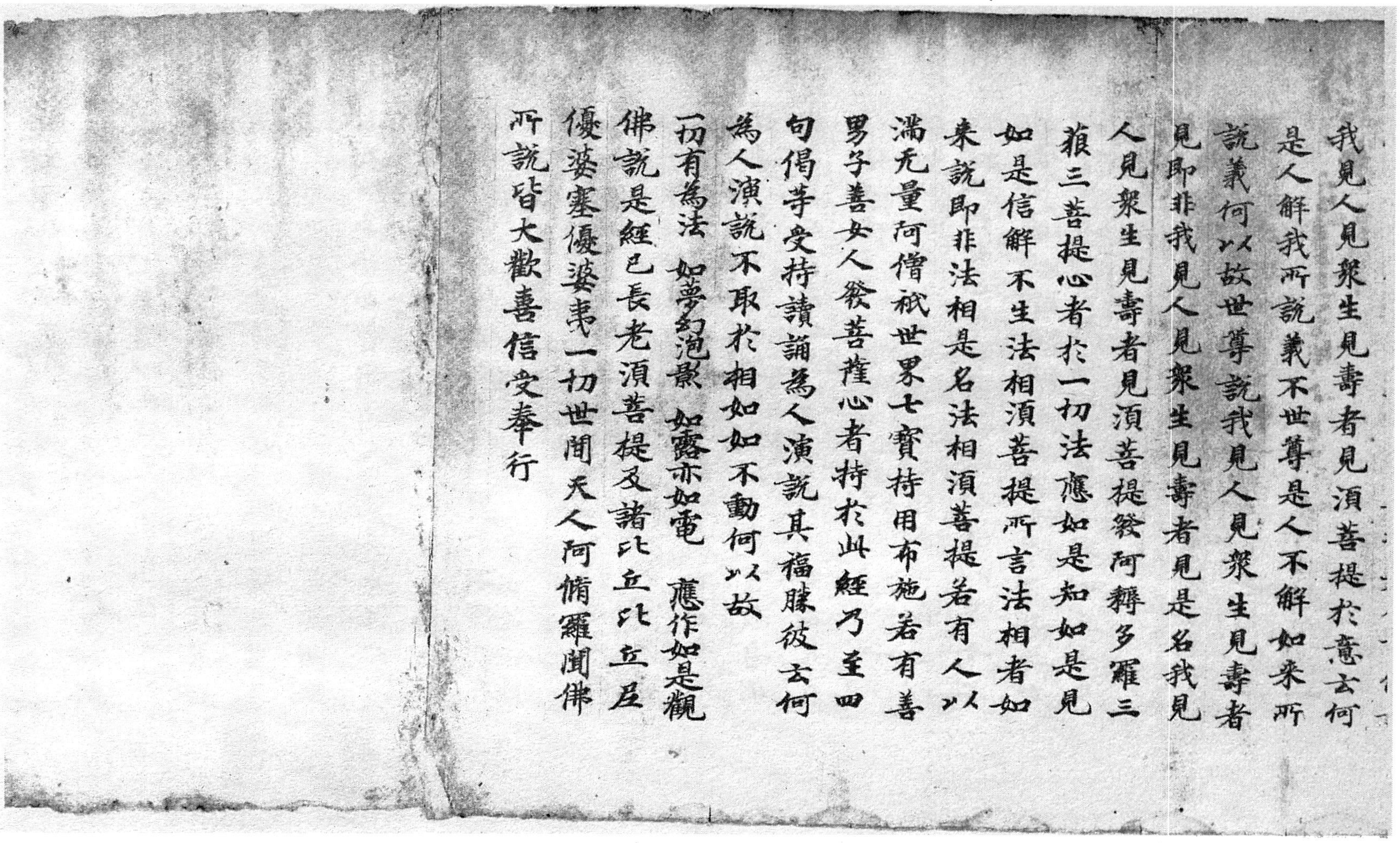

我見人見衆生見壽者見須菩提於意云何
是人解我所說義不世尊是人不解如来所
說義何以故世尊說我見人見衆生見壽者
見即非我見人見衆生見壽者見是名我見
人見衆生見壽者見須菩提發阿耨多羅三
藐三菩提心者於一切法應如是知如是見
如是信解不生法相須菩提所言法相者如
来說即非法相是名法相須菩提若有人以
滿无量阿僧祇世界七寶持用布施若有善
男子善女人發菩薩心者持於此經乃至四
句偈等受持讀誦為人演說其福勝彼云何
為人演說不取於相如如不動何以故
一切有為法　如夢幻泡影　如露亦如電　應作如是觀
佛說是經已長老須菩提及諸比丘比丘尼
優婆塞優婆夷一切世間天人阿脩羅聞佛
所說皆大歡喜信受奉行

BD01078號　金剛般若波羅蜜經　（15–14）

句偈等受持讀誦為人演說其福勝彼云何
為人演說不取於相如如不動何以故
一切有為法　如夢幻泡影　如露亦如電　應作如是觀
佛說是經已長老須菩提及諸比丘比丘尼
優婆塞優婆夷一切世間天人阿脩羅聞佛
所說皆大歡喜信受奉行

BD01078號　金剛般若波羅蜜經　（15–15）

偈言
告諸比丘 我以佛眼 見是迦葉 於未來世
過无數劫 當得作佛 而於來世 供養奉覲
三百万億 諸佛世尊 為佛智慧 淨脩梵行
供養最上 兩足尊已 修習一切 无上之慧
於最後身 得成為佛 其土清淨 琉璃為地
多諸寶樹 行列道側 金繩界道 見者歡喜
常出好香 散衆名華 種種奇妙 以為莊嚴
其地平正 无有丘坑 諸菩薩衆 不可稱計
其心調柔 逮大神通 奉持諸佛 大乘經典
諸聲聞衆 无漏後身 法王之子 亦不可計
乃以天眼 不能數知 其佛當壽 十二小劫
正法住世 二十小劫 像法亦住 二十小劫
光明世尊 其事如是
尒時大目揵連 須菩提 摩訶迦旃延等 皆
悉悚慄 一心合掌 瞻仰世尊 目不暫捨 即
共同聲 而說偈言
大雄猛世尊 諸釋之法王 哀愍我等故 而賜佛音聲
若知我深心 見為授記者 如以甘露灑 除熱得清涼
如從飢國來 忽遇大王膳 心猶懷疑懼 未敢即便食
若復得王教 然後乃敢食 我等亦如是 每惟小乘過

BD01079號　妙法蓮華經卷三　（21–1）

共同聲 而說偈言
大雄猛世尊 諸釋之法王 哀愍我等故 而賜佛音聲
若知我深心 見為授記者 如以甘露灑 除熱得清涼
如從飢國來 忽遇大王膳 心猶懷疑懼 未敢即便食
若復得王教 然後乃敢食 我等亦如是 每惟小乘過
不知當云何 得佛无上慧 雖聞佛音聲 言我等作佛
心尚懷憂懼 如未敢便食 若蒙佛授記 尒乃快安樂
大雄猛世尊 常欲安世間 願賜我等記 如飢須教食
尒時世尊知諸大弟子心之所念 告諸比丘 是
須菩提 於當來世 奉覲三百万億那由他佛 供
養恭敬尊重讚歎 常脩梵行 具菩薩道 於
最後身得成為佛 号曰名相如來 應供 正
遍知 明行足 善逝 世間解 无上士 調御丈夫
天人師 佛世尊 劫名有寶 國名寶生 其土平
正 頗梨為地 寶樹莊嚴 无諸丘坑 沙礫荊棘
便利之穢 寶華覆地 周遍清淨 其土人民 皆
處寶臺 珍妙樓閣 聲聞弟子 无量无邊 算
數譬喻所不能知 諸菩薩衆 无數千万億那
由他 佛壽十二小劫 正法住世二十小劫 像法
亦住二十小劫 其佛常處虛空 為衆說法 度
脫无量菩薩及聲聞衆 尒時世尊 欲重宣此
義 而說偈言
諸比丘衆 今告汝等 皆當一心 聽我所說
我大弟子 須菩提者 當得作佛 号曰名相
當供无數 万億諸佛 隨佛所行 漸具大道
最後身得 三十二相 端正殊妙 猶如寶山

BD01079號　妙法蓮華經卷三　（21–2）

諸比丘衆　皆一心聽我所說
我大弟子　須菩提者　當得作佛　号曰名相
當供无數　万億諸佛　隨佛所行　漸具大道
最後身得　三十二相　端正殊妙　猶如寶山
其佛國土　嚴淨第一　衆生見者　无不愛樂
佛於其中　度无量衆　其佛法中　多諸菩薩
皆悉利根　轉不退輪　彼國常以　菩薩莊嚴
諸聲聞衆　不可稱數　皆得三明　具六神通
住八解脫　有大威德　其佛說法　現於无量
神通變化　不可思議　諸天人民　數如恒沙
皆共合掌　聽受佛語　其佛當壽　十二小劫
正法住世　二十小劫　像法亦住　二十小劫
尒時世尊復告諸比丘衆我今語汝是大迦
旃延於當來世以諸供具供養奉事八千
億佛恭敬尊重諸佛滅後各起塔廟高
千由旬縱廣正等五百由旬皆以金銀琉璃
車璩馬瑙真珠玫瑰七寶合成衆華瓔珞
塗香末香燒香繒蓋幢幡供養塔廟過是
已後當復供養二万億佛亦復如是供養是
諸佛已具菩薩道當得作佛号曰閻浮那提
金光如來應供正遍知明行足善逝世間解无
上士調御丈夫天人師佛世尊其土平正頗梨
為地寶樹莊嚴黃金為繩以界道側妙華
覆地周遍清淨見者歡喜无四惡道地獄餓鬼
畜生阿脩羅道多有天人諸聲聞衆及諸
菩薩无量万億莊嚴其國佛壽十二小劫正

BD01079 號　妙法蓮華經卷三　（21–3）

覆地周遍清淨見者歡喜无四惡道地獄餓鬼
畜生阿脩羅道多有天人諸聲聞衆及諸
菩薩无量万億莊嚴其國佛壽十二小劫正
法住世二十小劫像法亦住二十小劫尒時世尊
欲重宣此義而說偈言
諸比丘衆　皆一心聽　如我所說　真實无異
是迦旃延　當以種種　妙好供具　供養諸佛
諸佛滅後　起七寶塔　亦以華香　供養舍利
其最後身　得佛智慧　成等正覺　國土清淨
度脫无量　万億衆生　皆為十方　之所供養
佛之光明　无能勝者　其佛号曰　閻浮金光
菩薩聲聞　斷一切有　无量无數　莊嚴其國
尒時世尊復告大衆我今語汝是大目揵
連當以種種供具供養八千諸佛恭敬尊重
諸佛滅後各起塔廟高千由旬縱廣正等五百
由旬以金銀琉璃車璩馬瑙真珠玫瑰七寶
合成衆華瓔珞塗香末香燒香繒蓋幢幡以
用供養過是已後當復供養二百万億諸
佛亦復如是當得成佛号曰多摩羅跋栴檀
香如來應供正遍知明行足善逝世間解无上
士調御丈夫天人師佛世尊劫名喜滿國名意
樂其土平正頗梨為地寶樹莊嚴散真珠華
周遍清淨見者歡喜多諸天人菩薩聲聞
其數无量佛壽二十四小劫正法住世四十小劫
像法亦住四十小劫尒時世尊欲重宣此義而
說偈言

BD01079 號　妙法蓮華經卷三　（21–4）

周遍清淨見者歡喜多諸天人菩薩聲聞
其數无量佛壽二十四小劫正法住世四十小劫
像法亦住四十小劫尒時世尊欲重宣此義而
說偈言
我此弟子　大目揵連　捨是身已　得見八千
二百万億　諸佛世尊　為佛道故　供養恭敬
於諸佛所　常脩梵行　於无量劫　奉持佛法
諸佛滅後　起七寶塔　長表金刹　華香伎樂
而以供養　諸佛塔廟　漸漸具足　菩薩道已
於意樂國　而得作佛　号多摩羅　栴檀之香
其佛壽命　二十四劫　常為天人　演說佛道
聲聞无量　如恒河沙　三明六通　有大威德
菩薩无數　志固精進　於佛智慧　皆不退轉
佛滅度後　正法當住　四十小劫　像法亦尒
我諸弟子　威德具足　其數五百　皆當授記
於未來世　咸得成佛　我及汝等　宿世因緣
吾今當說　汝等善聽

妙法蓮華經化城喻品第七

佛告諸比丘乃往過去无量无邊不可思議
阿僧祇劫尒時有佛名大通智勝如來應供
正遍知明行足善逝世間解无上士調御丈
夫天人師佛世尊其國名好成劫名大相諸
比丘彼佛滅度已來甚大久遠譬如三千大
千世界所有地種假使有人磨以為墨過於
東方千國土乃下一點大如微塵又過千國
土復下一點如是展轉盡地種墨於汝等意

比丘彼佛滅度已來甚大久遠譬如三千大
千世界所有地種假使有人磨以為墨過於
東方千國土乃下一點大如微塵又過千國
土復下一點如是展轉盡地種墨於汝等意
云何是諸國土若筭師若筭師弟子能得
邊際知其數不不也世尊諸比丘是人所經
國土若點不點盡末為塵一塵一劫彼佛滅度
已來復過是數无量无邊百千万億阿僧祇
劫我以如來知見力故觀彼久遠猶若今日尒
時世尊欲重宣此義而說偈言
我念過去世　无量无邊劫　有佛兩足尊　名大通智勝
如人以力磨　三千大千土　盡此諸地種　皆悉以為墨
過於千國土　乃下一塵點　如是展轉點　盡此諸塵墨
如是諸國土　點與不點等　復盡末為塵　一塵為一劫
此諸微塵數　其劫復過是　彼佛滅度來　如是无量劫
如來无礙智　如彼佛滅度　及聲聞菩薩　如見今滅度
諸比丘當知　佛智淨微妙　无漏无所礙　通達无量劫
佛告諸比丘大通智勝佛壽五百四十万億
那由他劫其佛本坐道場破魔軍已垂得阿
耨多羅三藐三菩提而諸佛法不現在前如
是一小劫乃至十小劫結加趺坐身心不動
而諸佛法猶不在前尒時忉利諸天先為彼
佛於菩提樹下敷師子座高一由旬佛於此
座當得阿耨多羅三藐三菩提適坐此座
時諸梵天王雨眾天華面百由旬香風時来
吹去萎華更雨新者如是不絕滿十小劫供

佛於菩提樹下敷師子座高一由旬佛於此
座當得阿耨多羅三藐三菩提適坐此座
時諸梵天王雨衆天華面百由旬香風時來
吹去萎華更雨新者如是不絕滿十小劫供
養於佛乃至滅度常雨此華四王諸天為供
養佛常擊天鼓其餘諸天作天伎樂滿十小
劫至于滅度亦復如是諸比丘大通智勝佛
過十小劫諸佛之法乃現在前成阿耨多羅
三藐三菩提其佛未出家時有十六王子其第
一者名曰智積諸子各有種種珍異玩好之具
聞父得成阿耨多羅三藐三菩提皆捨所珍
往詣佛所諸比丘泣而隨送之其祖轉輪聖
王與一百大臣及餘百千万億人民皆共圍繞
隨至道場咸欲親近大通智勝如来供養恭
敬尊重讚歎到已頭面礼足繞佛畢已一心
合掌瞻仰世尊以偈頌曰
大威德世尊　為度衆生故　於无量億歲　尒乃得成佛
諸願已具足　善哉吉无上　世尊甚希有　一坐十小劫
身體及手足　靜然安不動　其心常憺怕　未曾有散亂
究竟永寂滅　安住无漏法　今者見世尊　安隱成佛道
我等得善利　稱慶大歡喜　衆生常苦惱　盲瞑无導師
不識苦盡道　不知求解脫　長夜增惡趣　減損諸天衆
從瞑入於瞑　永不聞佛名　今佛得最上　安隱无漏法
我等及天人　為得最大利　是故咸稽首　歸命无上尊
尒時十六王子偈讚佛已勸請世尊轉於法
輪咸作是言世尊說法多所安隱憐愍饒益

從瞑入於瞑　永不聞佛名　今佛得最上　安隱无漏法
我等及天人　為得最大利　是故咸稽首　歸命无上尊
尒時十六王子偈讚佛已勸請世尊轉於法
輪咸作是言世尊說法多所安隱憐愍饒益
諸天人民重說偈言
世雄无等倫　百福自莊嚴　得无上智慧　願為世間說
度脫於我等　及諸衆生類　為分別顯示　令得是智慧
若我等得佛　衆生亦復然　世尊知衆生　深心之所念
亦知所行道　又知智慧力　欲樂及脩福　宿命所行業
世尊悉知已　當轉无上輪
佛告諸比丘大通智勝佛得阿耨多羅三藐
三菩提時十方各五百万億諸佛世界六種震
動其國中間幽瞑之處日月威光所不能照
而皆大明其中衆生各得相見咸作是言此
中云何忽生衆生又其國界諸天宮殿乃至
梵宮六種震動大光普照遍滿世界勝諸天
光尒時東方五百万億諸國土中梵天宮殿光
明照曜倍於常明諸梵天王各作是念今
者宮殿光明昔所未有以何因緣而現此相
是時諸梵天王即各相詣共議此事而彼衆
中有一大梵天王名救一切為諸梵衆而說偈
言
我等諸宮殿　光明昔未有　此是何因緣　宜各共求之
為大德天生　為佛出世間　而此大光明　遍照於十方
尒時五百万億國土諸梵天王與宮殿俱各
以衣裓盛諸天華共詣西方推尋是相見大
通智勝如来處于道場菩提樹下坐師子

為大德天生　為佛出世間　而此大光明　遍照於十方
尒時五百万億國土諸梵天王與宮殿俱各
以衣裓盛諸天華共詣西方推尋是相見大
通智勝如来處于道場菩提樹下坐師子
座諸天龍王乾闥婆緊那羅摩睺羅伽人非
人等恭敬圍繞及見十六王子請佛轉法輪即
時諸梵天王頭面礼佛繞百千匝即以天華
而散佛上其所散華如須弥山并以供養佛
菩提樹其菩提樹高十由旬華供養已各以
宮殿奉上彼佛而作是言唯見哀愍饒益我
等所獻宮殿願垂納處尒時諸梵天王即
於佛前一心同聲以偈頌曰
世尊甚希有　難可得值遇　具无量功德　能救護一切
天人之大師　哀愍於世間　十方諸衆生　普皆蒙饒益
我等所從来　五百万億國　捨深禪定樂　為供養佛故
我等先世福　宮殿甚嚴飾　今以奉世尊　唯願哀納受
尒時諸梵天王偈讚佛已各作是言唯願世尊
轉於法輪度脫衆生開涅槃道時諸梵天王
一心同聲而說偈言
世雄兩足尊　唯願演說法　以大慈悲力　度苦惱衆生
尒時大通智勝如来黙然許之又諸比丘東
南方五百万億國土諸大梵王各自見宮殿
光明照曜昔所未有歡喜踊躍生希有心
即各相詣共議此事而彼衆中有一大梵天
王名曰大悲為諸梵衆而說偈言
是事何因緣　而現如此相　我等諸宮殿　光明昔未有
為大德天生　為佛出世間

BD01079號　妙法蓮華經卷三　（21–9）

光明照曜昔所未有歡喜踊躍生希有心
即各相詣共議此事而彼衆中有一大梵天
王名曰大悲為諸梵衆而說偈言
是事何因緣　而現如此相　我等諸宮殿　光明昔未有
為大德天生　為佛出世間　未曾見此相　當共一心求
過千万億土　尋光共推之　多是佛出世　度脫苦衆生
尒時五百万億諸梵天王與宮殿俱各以衣裓
盛諸天華共詣西北方推尋是相見大通智
勝如来處于道場菩提樹下坐師子座諸
天龍王乾闥婆緊那羅摩睺羅伽人非人等
恭敬圍繞及見十六王子請佛轉法輪時諸梵
天王頭面礼佛繞百千匝即以天華而散佛
上所散之華如須弥山并以供養佛菩提樹
華供養已各以宮殿奉上彼佛而作是言唯
見哀愍饒益我等所獻宮殿願垂納處尒
時諸梵天王即於佛前一心同聲以偈頌曰
聖主天中王　迦陵頻伽聲　哀愍衆生者　我等今敬礼
世尊甚希有　久遠乃一現　一百八十劫　空過无有佛
三惡道充滿　諸天衆減少　今佛出於世　為衆生作眼
世間所歸趣　救護於一切　為衆生之父　哀愍饒益者
我等宿福慶　今得值世尊
尒時諸梵天王偈讚佛已各作是言唯願
世尊哀愍一切轉於法輪度脫衆生時諸梵
天王一心同聲而說偈言
大聖轉法輪　顯示諸法相　度苦惱衆生　令得大歡喜
衆生聞此法　得道若生天　諸惡道減少　忍善者增益

BD01079號　妙法蓮華經卷三　（21–10）

尒時諸梵天王偈讚佛已各作是言唯願
世尊哀愍一切轉於法輪度脫衆生時諸梵
天王一心同聲而說偈言
大聖轉法輪　顯示諸法相　度苦惱衆生　令得大歡喜
衆生聞此法　得道若生天　諸惡道減少　忍善者增益
尒時大通智勝如來嘿然許之又諸比丘南
方五百万億國土諸大梵王各自見宮殿光
明照曜昔所未有歡喜踊躍生希有心即
各相詣共議此事以何因緣我等宮殿有此
光曜而彼衆中有一大梵天王名曰妙法為
諸梵衆而說偈言
我等諸宮殿　光明甚威曜　此非无因緣　是相宜求之
過於百千劫　未曾見是相　為大德天生　為佛出世間
尒時五百万億諸梵天王與宮殿俱各以衣裓
盛諸天華共詣北方推尋是相見大通智
勝如來處于道場菩提樹下座師子座諸
天龍王乾闥婆緊那羅摩睺羅伽人非人
等恭敬圍繞及見十六王子請佛轉法輪即時
諸梵天王頭面礼佛繞百千匝即以天華而
散佛上所散之華如須弥山并以供養佛菩
提樹華供養已各以宮殿奉上彼佛而作是
言唯見哀愍饒益我等所獻宮殿願垂納
處尒時諸梵天王即於佛前一心同聲以偈
頌曰
世尊甚難見　破諸煩惱者　過百三十劫　今乃得一見
諸飢渴衆生　以法雨充滿　昔所未曾覩　无量智慧者

BD01079 號　妙法蓮華經卷三　（21–11）

頌曰
世尊甚難見　破諸煩惱者　過百三十劫　今乃得一見
諸飢渴衆生　以法雨充滿　昔所未曾覩　无量智慧者
如優曇鉢羅　今日乃值遇　我等諸宮殿　蒙光故嚴飾
世尊大慈愍　唯願垂納受
尒時諸梵天王偈讚佛已各作是言唯願
世尊轉於法輪令一切世間諸天魔梵沙門
婆羅門皆獲安隱而得度脫時諸梵天王
一心同聲以偈頌曰
唯願天人尊　轉无上法輪　擊于大法鼓　而吹大法螺
普雨大法雨　度无量衆生　我等咸歸請　當演深遠音
尒時大通智勝如來嘿然許之西南方乃至
下方亦復如是尒時上方五百万億國土諸
大梵王皆悉自覩所至宮殿光明威曜昔
所未有歡喜踊躍生希有心即各相詣共
議此事以何因緣我等宮殿有斯光明而彼
衆中有一大梵天王名曰尸棄為諸梵衆
而說偈言
今以何因緣　我等諸宮殿　威德光明曜　嚴飾未曾有
如是之妙相　昔所未聞見　為大德天生　為佛出世間
尒時五百万億諸梵天王與宮殿俱各以衣
裓盛諸天華共詣下方推尋是相見大通智
勝如來處于道場菩提樹下坐師子座諸天
龍王乾闥婆緊那羅摩睺羅伽人非人等恭
敬圍繞及見十六王子請佛轉法輪時諸梵
天王頭面礼佛繞百千匝即以天華而散佛

BD01079 號　妙法蓮華經卷三　（21–12）

龍王乾闥婆緊那羅摩睺羅伽人非人等恭
敬圍繞及見十六王子請佛轉法輪時諸梵
天王頭面礼佛繞百千匝即以天華而散佛
上所散之華如須弥山并以供養佛菩提樹
華供養已各以宮殿奉上彼佛而作是言唯
見哀愍饒益我等所獻宮殿願垂納受尒時
諸梵天王即於佛前一心同聲以偈頌曰
善哉見諸佛 救世之聖尊 能於三界獄 勉出諸衆生
普智天人尊 哀愍群萌類 能開甘露門 廣度於一切
於昔无量劫 空過无有佛 世尊未出時 十方常闇瞑
三惡道增長 阿脩羅亦盛 諸天衆轉減 死多墮惡道
不從佛聞法 常行不善事 色力及智慧 斯等皆減少
罪業因緣故 失樂及樂想 住於邪見法 不識善儀則
不蒙佛所化 常墮於惡道 佛為世間眼 久遠時乃出
哀愍於衆生 故現於世間 超出成正覺 我等甚欣慶
及餘一切衆 喜歎未曾有 我等諸宮殿 蒙光故嚴飾
今以奉世尊 唯垂哀納受 願以此功德 普及於一切
我等與衆生 皆共成佛道
尒時五百万億諸梵天王偈讚佛已各白佛言
唯願世尊轉於法輪多所安隱多所度脫時
諸梵天王而說偈言
世尊轉法輪 擊甘露法鼓 度苦惱衆生 開示涅槃道
唯願受我請 以大微妙音 哀愍而敷演 无量劫習法
尒時大通智勝如來受十方諸梵天王及十
六王子請即時三轉十二行法輪若沙門婆羅

BD01079號　妙法蓮華經卷三　（21–13）

世尊轉法輪 擊甘露法鼓 度苦惱衆生 開示涅槃道
唯願受我請 以大微妙音 哀愍而敷演 无量劫習法
尒時大通智勝如來受十方諸梵天王及十
六王子請即時三轉十二行法輪若沙門婆羅
門若天魔梵及餘世間所不能轉謂是苦是苦
集是苦滅是苦滅道及廣說十二因緣法无
明緣行行緣識識緣名色名色緣六入六入緣觸
觸緣受受緣愛愛緣取取緣有有緣生生
緣老死憂悲苦惱无明滅則行滅行滅則
識滅識滅則名色滅名色滅則六入滅六入
滅則觸滅觸滅則受滅受滅則愛滅愛
滅則取滅取滅則有滅有滅則生滅生滅
滅則老死憂悲苦惱滅佛於天人大衆之
中說是法時六百万億那由他人以不受一切
法故而於諸漏心得解脫皆得深妙禪定
三明六通具八解脫第二第三第四說法時
千万億恒河沙那由他等衆生亦以不受一
切法故而於諸漏心得解脫從是已後諸聲
聞衆无量无邊不可稱數尒時十六王子皆
以童子出家而為沙弥諸根通利智慧明
了已曾供養百千万億諸佛淨脩梵行求
阿耨多羅三藐三菩提俱白佛言世尊是諸
无量千万億大德聲聞皆已成就世尊亦當
為我等說阿耨多羅三藐三菩提法我等
聞已皆共脩學世尊我等志願如來知見
深心所念佛自證知尒時轉輪聖王所將衆中

BD01079號　妙法蓮華經卷三　（21–14）

无量千万億大德聲聞皆已成就世尊亦當
為我等說阿耨多羅三藐三菩提法我等
聞已皆共脩學世尊我等志願如来知見
深心所念佛自證知尒時轉輪聖王所將衆中
八万億人見十六王子出家亦求出家王即
聽許尒時彼佛受沙弥請過二万劫已乃於
四衆之中說是大乘經名妙法蓮華教菩薩
法佛所護念說是經已十六沙弥為阿耨多
羅三藐三菩提故皆共受持諷誦通利說
是經時十六菩薩沙弥皆悉信受聲聞衆中
亦有信解其餘衆生千万億種皆生疑惑佛
說是經於八千劫未曾休廢說此經已即入靜
室住於禪定八万四千劫是時十六菩薩沙
弥知佛入室寂然禪定各昇法座亦於八万
四千劫為四部衆廣說分別妙法華經一一皆
度六百万億那由他恒河沙等衆生示教利
喜令發阿耨多羅三藐三菩提心大通智勝
佛過八万四千劫已從三昧起往詣法座安
詳而座普告大衆是十六菩薩沙弥甚為
希有諸根通利智慧明了已曾供養无
量千万億數諸佛於諸佛所常脩梵行受
持佛智開示衆生令入其中汝等皆當數
數親近而供養之所以者何若聲聞辟
佛及諸菩薩能信是十六菩薩所說經法
受持不毀者是人皆當得阿耨多羅三藐
三菩提如来之慧佛告諸比丘是十六菩薩

BD01079號　妙法蓮華經卷三　（21–15）

佛及諸菩薩能信是十六菩薩所說經法
受持不毀者是人皆當得阿耨多羅三藐
三菩提如来之慧佛告諸比丘是十六菩薩
常樂說是妙法蓮華經一一菩薩所化六百
万億那由他恒河沙等衆生世世所生與菩
薩俱從其聞法悉皆信解以此因緣得值四
万億諸佛世尊于今不盡諸比丘我今語汝
彼佛弟子十六沙弥今皆得阿耨多羅三藐
三菩提於十方國土現在說法有无量百千万
億菩薩聲聞以為眷屬其二沙弥東方作佛
一名阿閦在歡喜國二名須弥頂東南方二佛
一名師子音二名師子相南方二佛一名虛空住
二名常滅西南方二佛一名帝相二名梵相西方
二佛一名阿弥陀二名度一切世間苦惱西北方
二佛一名多摩羅跋栴檀香神通二名須弥
相北方二佛一名雲自在二名雲自在王東北
方佛名壞一切世間怖畏第十六我釋迦牟尼
佛於娑婆國土成阿耨多羅三藐三菩提
諸比丘我等為沙弥時各各教化无量百千
万億恒沙等衆生從我聞法為阿耨多羅
三藐三菩提此諸衆生于今有住聲聞地者
我常教化阿耨多羅三藐三菩提是諸人
等應以是法漸入佛道所以者何如来智慧
難信難解尒時所化无量恒河沙等衆生
者汝等諸比丘及我滅度[illegible]

BD01079號　妙法蓮華經卷三　（21–16）

我常教化阿耨多羅三藐三菩提是諸人
等應以是法漸入佛道所以者何如來智慧
難信難解尒時所化无量恒河沙等衆生
者汝等諸比丘及我滅度後未來世中聲
聞弟子是也我滅度後復有弟子不聞是
經不知不覺菩薩所行自於所得功德生
滅度想當入涅槃我於餘國作佛更有異
名是人雖生滅度之想入於涅槃而於彼土
求佛智慧得聞是經唯以佛乘而得滅度更
无餘乘除諸如來方便說法諸比丘若如來
自知涅槃時到衆又清淨信解堅固了達空
法深入禪定便集諸菩薩及聲聞衆為說
是經世間无有二乘而得滅度唯一佛乘得
滅度耳比丘當知如來方便深入衆生之性
知其志樂小法深著五欲為是等故說於
涅槃是人若聞則便信受譬如五百由旬險
難惡道曠絕无人怖畏之處若有多衆欲
過此道至珎寶處有一導師聰慧明達善
知險道通塞之相將導衆人欲過此難所將
人衆中路懈退白導師言我等疲極而復怖
畏不能復進前路猶遠今欲退還導師多
諸方便而作是念此等可愍云何捨大珎寶
而欲退還作是念已以方便力於險道中過三
百由旬化作一城告衆人言汝等勿得怖莫
得退還今此大城可於中止隨意所作若入
是城快得安隱若能前至寶所亦可得去

BD01079 號　妙法蓮華經卷三　（21–17）

而欲退還作是念已以方便力於險道中過三
百由旬化作一城告衆人言汝等勿得怖莫
得退還今此大城可於中止隨意所作若入
是城快得安隱若能前至寶所亦可得去
是時疲極之衆心大歡喜歎未曾有我等
今者免斯惡道快得安隱於是衆人前入
化城生已度想生安隱想尒時導師知此人
衆既得止息无復疲惓即滅化城語衆人言
汝等去來寶處在近向者大城我所化作
為止息耳諸比丘如來亦復如是今為汝等作
大導師知諸生死煩惱惡道險難長遠應
去應度若衆生但聞一佛乘者則不欲見佛
不欲親近便作是念佛道長遠久受懃苦
乃可得成佛知是心怯弱下劣以方便力而
於中道為止息故說二涅槃若衆生住於二
地如來尒時即便為說汝等所作未辦汝所
住地近於佛慧當觀察籌量所得涅槃非
真實也但是如來方便之力於一佛乘分別說
三如彼導師為止息故化作大城既知息已
而告之言寶處在近此城非實我化作耳
尒時世尊欲重宣此義而說偈言
大通智勝佛　十劫坐道場　佛法不現前　不得成佛道
諸天龍鬼神　阿脩羅衆等　常雨於天華　以供養彼佛
諸天擊天鼓　并作衆伎樂　香風吹萎華　更雨新好者
過十小劫已　乃得成佛道　諸天及世人　心皆懷踊躍
彼佛十六子　皆與其眷屬　千万億圍繞　俱行至佛所
頭面禮佛足　而請轉法輪　聖師子法雨　充我及一切

BD01079 號　妙法蓮華經卷三　（21–18）

諸天擊天鼓 并作衆伎樂 香風吹萎華 更雨新好者
過十小劫已 乃得成佛道 諸天及世人 心皆懷踊躍
彼佛十六子 皆與其眷屬 千万億圍繞 俱行至佛所
頭面礼佛足 而請轉法輪 聖師子法雨 充我及一切
世尊甚難值 久遠時一現 為覺悟群生 震動於一切
東方諸世界 五百万億國 梵宮殿光曜 昔所未曾有
諸梵見此相 尋來至佛所 散華以供養 并奉上宮殿
請佛轉法輪 以偈而讚歎 佛知時未至 受請嘿然坐
三方及四維 上下亦復然 散華奉宮殿 請佛轉法輪
世尊甚難值 願以大慈悲 廣開甘露門 轉无上法輪
无量慧世尊 受彼衆人請 為宣種種法 四諦十二緣
无明至老死 皆從生緣有 如是衆過患 汝等應當知
宣暢是法時 六百万億姟 得盡諸苦際 皆成阿羅漢
第二說法時 千万恒沙衆 於諸法不受 亦得阿羅漢
從是後得道 其數无有量 万億劫筭數 不能得其邊
時十六王子 出家作沙弥 皆共請彼佛 演說大乘經
我等及營從 皆當成佛道 願得如世尊 慧眼第一淨
佛知童子心 宿世之所行 以无量因緣 種種諸譬喻
說六波羅蜜 及諸神通事 分別真實法 菩薩所行道
說是法華經 如恒河沙偈 彼佛說經已 靜室入禪定
一心一處坐 八万四千劫 是諸沙弥等 知佛未出禪
為无量億衆 說佛无上慧 各各坐法座 說是大乘經
於佛宴寂後 宣揚助法化 一一沙弥等 所度諸衆生
有六百万億 恒河沙等衆 彼佛滅度後 是諸聞法者
在在諸佛所 常與師俱生 是十六沙弥 具足行佛道
今現在十方 各得成正覺 尒時聞法者 各在諸佛所

BD01079號 妙法蓮華經卷三 （21-19）

為无量億衆 說佛无上慧 各各坐法座 說是大乘經
於佛宴寂後 宣揚助法化 一一沙弥等 所度諸衆生
有六百万億 恒河沙等衆 彼佛滅度後 是諸聞法者
在在諸佛所 常與師俱生 是十六沙弥 具足行佛道
今現在十方 各得成正覺 尒時聞法者 各在諸佛所
其有住聲聞 漸教以佛道 我在十六數 曾亦為汝說
是故以方便 引汝趣佛慧 以是本因緣 今說法華經
令汝入佛道 慎勿懷驚懼 譬如險惡道 迥絕多毒獸
又復无水草 人所怖畏處 无數千万衆 欲過此險道
其路甚曠遠 經五百由旬 時有一導師 強識有智慧
明了心決定 在險濟衆難 衆人皆疲惓 而白導師言
我等今頓乏 於此欲退還 導師作是念 此輩甚可愍
如何欲退還 而失大珍寶 尋時思方便 當設神通力
化作大城郭 莊嚴諸舍宅 周匝有園林 渠流及浴池
重門高樓閣 男女皆充滿 即作是化已 慰衆言勿懼
汝等入此城 各可隨所樂 諸人既入城 心皆大歡喜
皆生安隱想 自謂已得度 導師知息已 集衆而告言
汝等當前進 此是化城耳 我見汝疲極 中路欲退還
故以方便力 權化作此城 汝今勤精進 當共至寶所
我亦復如是 為一切導師 見諸求道者 中路而懈廢
不能度生死 煩惱諸險道 故以方便力 為息說涅槃
言汝等苦滅 所作皆已辦 既知到涅槃 皆得阿羅漢
尒乃集大衆 為說真實法 諸佛方便力 分別說三乘
唯有一佛乘 息處故說二 今為汝說實 汝所得非滅
為教一切智 當發大精進 汝證一切智 十方等佛法
具三十二相 乃是真實滅 諸佛之導師 為息說涅槃

BD01079號 妙法蓮華經卷三 （21-20）

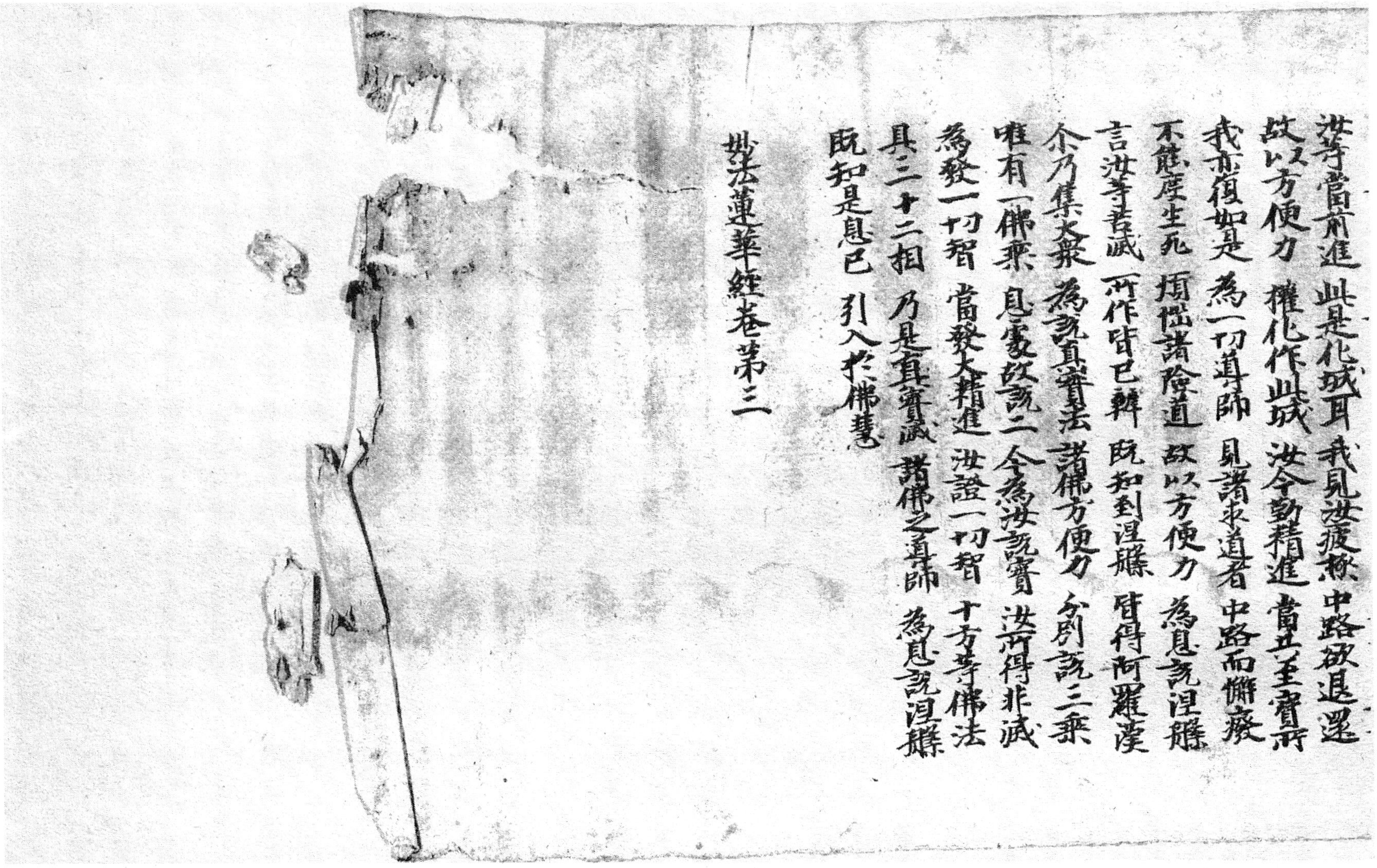

汝等當前進　此是化城耳　我見汝疲極　中路欲退還
故以方便力　權化作此城　汝今勤精進　當共至寶所
我亦復如是　為一切導師　見諸求道者　中路而懈廢
不能度生死　煩惱諸險道　故以方便力　為息說涅槃
言汝等苦滅　所作皆已辦　既知到涅槃　皆得阿羅漢
尒乃集大衆　為說真實法　諸佛方便力　分別說三乘
唯有一佛乘　息處故說二　今為汝說實　汝所得非滅
為發一切智　當發大精進　汝證一切智　十力等佛法
具三十二相　乃是真實滅　諸佛之導師　為息說涅槃
既知是息已　引入於佛慧

妙法蓮華經卷第三

BD01079 號　妙法蓮華經卷三　（21–21）

緣是因是果
果名為佛性非因生故
經中說十二因緣其義甚深
惟乃是諸佛菩薩境界非
以何義故甚深甚深衆生
而得果報雖念念滅而無所
而有作業雖無受者而有果報
果不敗亡無有慮知和合而有一
與十二因緣共行而不見知不見
始終十住菩薩唯見其終不見其
世尊見始見終以是義故諸佛了了
佛性善男子一切衆生不能見於十二
因緣是故輪轉善男子如蠶作繭自生自死
一切衆生亦復如是不見佛性故自造結業
流轉生死猶如拍毱善男子是故我於諸經
中說若有人見十二因緣者即是見法見法
者即是見佛佛者即是佛性何以故一切諸
佛以此為性善男子觀十二緣智凡有四種
一者下二者中三者上四者上上下智觀者
不見佛性以不見故得聲聞道中智觀者不
見佛性以不見故得緣覺道上智觀者見不了
了不了了故住十住地上上智觀者見了了故得
阿耨多羅三藐三菩提道以是義故十二因

BD01080 號　大般涅槃經（北本　思本　普本）卷二七　（15–1）

佛以此為性善男子觀十二緣智凡有四種
一者下二者中三者上四者上上下智觀者
不見佛性以不見故得聲聞道中智觀者不
見佛以不見故得緣覺道上智觀者見不了
了不了了故住十住地上上智者見了了故得
阿耨多羅三藐三菩提道以是義故十二因
緣名為佛性佛性者即第一義空第一義空
名為中道中道者即名佛性佛性者名為涅
槃尒時師子吼菩薩摩訶薩白佛言世尊若
佛與佛性无差別者一切眾生何用修道佛性
言善男子如汝所問是義不然佛與佛性雖
无差別然諸眾生悉未具足善男子譬如有
人惡心害母害已生悔三業雖善是人故名
地獄人也何以故是人定當墮地獄中故是
人雖无地獄陰界諸入猶故得名為地獄人善
男子是故我於諸經說中若見有人修行善
者名見天人修行惡者名見地獄何以故定
受報故善男子一切眾生定得阿耨多羅三
藐三菩提故是故我說一切眾生悉有佛性
一切眾生真實未有三十二相八十種好以是
義故我於此經而說偈言
本有今无　本无今有　三世有法　无有是處
善男子有者凡有三種一未來有二現在有
三過去有一切眾生未來之世當有阿耨多
羅三藐三菩提是名佛性一切眾生現在悉
有煩惱諸結是故現在无有三十二相八十種
好一切眾生過去之世有斷煩惱是故現在
得見佛性以是義故我常宣說一切眾生悉
有佛性乃至一闡提等亦有佛性一闡提等

BD01080號　大般涅槃經（北本　思本　普本）卷二七　（15–2）

有煩惱諸結是故現在无有三十二相八十種
好一切眾生過去之世有斷煩惱是故現在
得見佛性以是義故我常宣說一切眾生悉
有佛性乃至一闡提等亦有佛性一闡提等
无有善法佛性亦善以未來有故一闡提等
悉有佛性何以故一闡提等定當得成阿耨
多羅三藐三菩提故善男子譬如有人家有
乳酪有人問言汝有蘇耶答言我有酪實非
蘇以巧方便定當得故故言有蘇眾生亦尒
悉皆有心凡有心者定當得成阿耨多羅三藐
三菩提以是義故我常宣說一切眾生悉有
佛性善男子畢竟有二種一者莊嚴畢竟
二者究竟畢竟一者世間畢竟二者出世間
畢竟莊嚴畢竟者六波羅蜜究竟畢竟者
一切眾生所得一乘一乘者名為佛性以是義
故我說一切眾生悉有佛性一切眾生悉有
一乘以无明覆故不能得見善男子如鬱單
曰卅三天果報覆故此間眾生不能得見佛
性亦尒諸結覆故眾生不見復次善男子佛
性者即是首楞嚴三昧性如醍醐即是一切諸
佛之母以首楞嚴三昧力故而令諸佛常樂
我淨一切眾生悉有首楞嚴三昧以不修行
故不得見是故不能得成阿耨多羅三藐三
菩提善男子首楞嚴三昧者有五種名一者
首楞嚴三昧二者般若波羅蜜三者金剛三
昧四者師子吼三昧五者佛性隨其所作處
處得名善男子如一三昧得種種名如禪名
四禪根名定根力名定力覺名定覺正名正
定八大人覺名為定覺首楞嚴定亦復如是

BD01080號　大般涅槃經（北本　思本　普本）卷二七　（15–3）

首楞嚴三昧二者般若波羅蜜三者金剛三
昧四者師子吼三昧五者佛性隨其所作處
處得名善男子如一三昧得種種名如禪名
四禪根名定根力名定力覺名定覺正名正
定八大人覺名為定覺首楞嚴定亦復如是
善男子一切衆生具足三定謂上中下上者
謂佛性也以是義故言一切衆生悉有佛性
中者一切衆生具足初禪有因緣時則能修
集若无因緣則不能修因緣二種一謂火災二
謂破欲界結以是故言一切衆生悉具中定
下定者十大地中心數定也以是故言一切
衆生悉具下定一切衆生悉有佛性煩惱覆
故不能得見十住菩薩雖見一乘不知如來
是常住法以是故言十地菩薩雖見佛性而
不明了善男子首楞者名一切事竟嚴者
堅一切畢竟而得堅固名首楞嚴以是故言
首楞嚴定名為佛性善男子我於一時住尼
連禪河告阿難言我今欲洗汝可取衣及以
澡豆我既入水一切飛鳥水陸之屬悉來觀
我
尒時復有五百梵志來在河邊因到我所各
相謂言云何而得金剛之身若使瞿曇不說
斷見我當從其啟受齋法善男子我於尒時
以他心智知是梵志心之所念告梵志言云
何謂我說於斷見彼梵志言瞿曇先於處處
經中說諸衆生悉无有我既言无我云何而
言非斷見耶若无我者持戒者誰破戒者誰
佛言我亦不說一切衆生悉无有我、、常宣
說一切衆生悉有佛性佛性者豈非我耶以

BD01080號　大般涅槃經（北本　思本　普本）卷二七　（15–4）

何謂我說於斷見彼梵志言瞿曇先於處處
經中說諸衆生悉无有我既言无我云何而
言非斷見耶若无我者持戒者誰破戒者誰
佛言我亦不說一切衆生悉无有我、、常宣
說一切衆生悉有佛性佛性者豈非我耶以
是義故我不說斷一切衆生不見佛性故无
常无我无樂无淨如是則名說斷見也時諸
梵志聞說佛性即是我故即發阿耨多羅三
藐三菩提心即時出家修菩提道一切飛鳥
水陸之屬亦發无上菩提之心既發心已尋得
捨身善男子是佛性者實非我也為衆生故
說名為我善男子如來有因緣故、、說无
我為我真實无我雖作是說无有虛妄善
男子有因緣故說我為无我而實有我為世
界故雖說无我而无虛妄佛性无我如來說
我以是常故如來是我而說无我得自在故
尒時師子吼菩薩摩訶薩言世尊若一切衆生
悉有佛性如金剛力士者以何義故一切衆
生不能得見佛言善男子譬如色法雖有青
黃赤白之異長短質像盲者不見雖復不見
亦不得言无有青黃赤白長短質像何以故
盲雖不見有目見故佛性亦尒一切衆生雖
不能見十住菩薩見少分故如來全見十住
菩薩所見佛性如夜見色如來所見如晝見
色善男子譬如瞎者見色不了有善良醫而
為治目以藥力故得了了見十住菩薩亦復如
是雖見佛性不能明了以首楞嚴三昧、、力
故能得明了善男子若有人見一切諸法无
常无我无樂无淨見非一切法无常无樂无

BD01080號　大般涅槃經（北本　思本　普本）卷二七　（15–5）

色善男子[illegible]
為治目以藥力故得了了見十住菩薩亦復如
是雖見佛性不能明了以首楞嚴三昧〻〻力
故能得明了善男子若有人見一切諸法无
常无我无樂无淨見非一切法无常无樂无
我无淨如是之人不見佛性一切者名為生
死非一切者名為三寶聲聞緣覺見一切法无
常无我无樂无淨非一切法亦見无常无我无樂
无淨以是義故不見佛性十住菩薩見一切
法无常无我无樂无淨非一切法分見常樂
淨以是義故十分之中得見一分諸佛世尊
見一切法无常无我无樂无淨非一切法見
常樂我淨以是義故見於佛性如觀掌中阿
摩勒菓以是義故首楞嚴定名為畢竟善男
子譬如初月雖不可見不得言无佛性亦爾
一切凡夫雖不得見亦不得言无佛性也善
男子佛性者所謂十力四无所畏大悲三念
處一切眾生悉有三種破煩惱故然後得見
一闡提等破一闡提然後能得十力四无所
畏大悲三念處以是義故我常宣說一切眾
生悉有佛性善男子十二因緣一切眾生等
共有之亦內亦外何等十二過去煩惱名為
无明過去業者則名為行現在世中初始受
胎是名為識入胎五分四根未具名為名色
具四足根未名觸時是名六入未別苦樂是
名為觸染習一愛是名為受習近五欲是名
為愛內外貪求是名為取為內外事起身口
意業是名為有現在世識名未來生現在
名色六入觸受名未來世老病死也是名十二

BD01080號　大般涅槃經（北本　思本　普本）卷二七　（15–6）

具四足根未名觸時是名六入未別苦樂是
名為觸染習一愛是名為受習近五欲是名
為愛內外貪求是名為取為內外事起身口
意業是名為有現在世識名未來生現在
名色六入觸受名未來世老病死也是名十二
因緣善男子一切眾生雖有如是十二因緣或
有未具如歌羅邏〻時死則无十二從生至
老死得具十二色界眾生无三種受三種觸
三種愛无有老病亦得名為具足十二无
色眾生无色乃至无有老死亦得名為具足
十二以定得故〻名眾生悉有十二因
緣善男子佛性亦爾一切眾生定當得成阿
耨多羅三藐三菩提故是故我說一切眾生
悉有佛性善男子雪山有草名為忍辱牛若
食之則出醍醐更有異草牛若食者則无醍
醐雖无醍醐不可說言雪山之中无忍辱草
佛性亦爾雪山者名為如來忍辱者草名大
涅槃異草者名十二部經眾生若能聽受諮
啟大般涅槃則見佛性十二部中雖不聞有
不可說言无佛性也善男子佛性者亦色非
色非色非非色亦相非相非相非非相亦一
非一非一非非一非常非斷非非常非非斷
亦有亦无非有非无亦盡非盡非盡非非盡
亦因亦果非因非果亦義非義非義非非義
亦字非字非字非非字云何為色金剛身故
云何非色十八不共法非色法故云何非色非
非色色无定相故云何為相三十二相故
云何非相一切眾生相不現故云何非相非
非相相非相不決定故云何為一一切眾生

BD01080號　大般涅槃經（北本　思本　普本）卷二七　（15–7）

云何非色十八不共法非色法故云何非色非
非色非色无定相故云何為相三十二相故
云何非相一切衆生相不見故云何非相非
非相相非相不決定故云何為一一切衆生
悉一乘故云何非一說三乘故云何非一非
一无數法故云何非常從緣見故云何非斷
離斷見故云何非非常非非斷无始終故云
何為有一切衆生悉皆有故云何為无從善
方便而得見故云何非有非无虛空性故云
何名盡得首楞嚴三昧力故云何非盡以其常
故云何非盡非非盡一切盡相斷故云何為
因以了因故云何為果果決定故云何非因
非果以其常故云何名義悉能攝取義无导
故云何非義不可說故云何非義非非義畢
竟空故云何為字有名稱故云何非字无名
字故云何非字非非字斷一切字故云何非
苦非樂斷一切受故云何非我未能具得八
自在故云何非非我以常其故云何非我非
非我不作不受故云何為空第一義空故云
何非空以其常故云何非空非非空能為善
法作種子故善男子若有人能思惟解了大涅
槃經如是之義當知是人則見佛性佛性者
不可思議乃是諸佛如來境界非諸聲聞緣
覺所知善男子佛性者非陰界入非本无今
有非已有還无從善因緣衆生得見譬如黑
鐵入火則赤出冷還黑而是黑色非內非外
因緣故有佛性亦尒一切衆生煩惱火滅則
得聞見善男子如種滅已芽則得生而是芽
性非內非外乃至華果亦復如是從緣故有

BD01080號　大般涅槃經（北本　思本　普本）卷二七　（15–8）

因緣故有佛性亦尒一切衆生煩惱火滅則
得聞見善男子如種滅已芽則得生而是芽
性非內非外乃至華果亦復如是從緣故有
善男子是大涅槃微妙經典成就具足无量
功德佛性亦尒悉是无量无邊功德之所成
就尒時師子吼菩薩摩訶薩言世尊菩薩具
足成就幾法得見佛性而不明了諸佛世尊
成就幾法得了了見善男子菩薩具足成就
十法雖見佛性而不明了云何為十一者少
欲二者知足三者寂靜四者精進五者正念
六者正定七者正慧八者解脫九者讚嘆解
脫十者以大涅槃教化衆生師子吼菩薩言
世尊少欲知足有何差別善男子少欲者不
求不取知足者得少之時心不悔恨少欲者
少有所欲知足者但為法事心不愁惱善男
子欲有三種一惡欲二者大欲三者欲欲惡
欲者若有比丘心生貪欲欲為一切大衆
上首令一切僧隨逐我後令諸四部悉皆供
養恭敬讚嘆尊重於我令我先為四衆說法
皆令一切信受我語亦令國王大臣長者皆
恭敬我令我大得衣服飲食臥具醫藥上
妙屋宅為生死欲是名惡欲云何大欲若有比
丘生於欲心云何當令四部之衆悉皆知我
得初住地乃至十住得阿耨多羅三藐三
菩提得阿羅漢果乃至須陀洹果我得四禪
乃至四无导智為於利養是名大欲欲欲者若
有比丘欲生梵天魔天自在天轉輪聖王若
剎利婆羅門皆得自在為利養故是名欲

BD01080號　大般涅槃經（北本　思本　普本）卷二七　（15–9）

菩提得阿羅漢果乃至須陀洹果求得四禪
乃至四无量智為非利養是名大欲〻者若
有比丘欲生梵天魔天自在天轉輪聖王若
刹利婆羅門皆得自在為利養故是名欲
欲若不為是三種惡欲之所害者是名少欲
欲者名為廿五有愛无有如是廿五愛是名少
欲不求未來所欲之事是名少欲得而不著
是名知足不求恭敬是名欲少得不積聚是
名知足善男子有少欲不名知足有知足不
名少欲有少欲亦知足有不知足不少欲
少欲者謂須陀洹知足者謂辟支佛少欲者
知足者謂阿羅漢不少欲不知足者所謂菩
薩善男子少欲知足復有二種一者善二者
不善不善者所謂凡夫善者聖人菩薩一切
聖人雖得道果不自稱說不稱說故心不惱恨
是名知足善男子菩薩摩訶薩修集大乘
大涅槃經欲見佛性是故修集少欲知足云
何寂靜寂靜者有二一者心靜二者身靜身
寂靜者不造作身三種惡心寂靜者亦不造
作意三種惡是則名為身心寂靜身寂靜者
不親近四眾不豫四眾所有事業心寂靜者
終不修集貪欲恚癡是則名為身心寂靜或
有比丘身雖寂靜心不寂靜有心寂靜身不
寂靜有身心寂靜又有身心俱不寂靜身寂靜
者或有比丘坐禪靜處遠離四眾心常積聚
貪恚瞋癡是名身寂靜心寂靜者寂靜身不
靜者或有比丘親近四眾國王大臣斷貪〻
恚癡是名心靜身不寂靜身心寂靜者謂佛
菩薩身心不寂靜者謂諸凡夫何以故凡夫

者或有比丘坐禪靜處遠離四眾心常積聚
貪恚瞋癡是名身寂靜心寂靜者寂靜身不
靜者或有比丘親近四眾國王大臣斷貪〻
恚癡是名心靜身不寂靜身心寂靜者謂佛
菩薩身心不寂靜者謂諸凡夫何以故凡夫
之身人心雖淨不能深觀无常无樂无我无
淨以是義故凡夫之人不能寂靜身口意業
一闡提輩犯四重禁作五逆罪如是之人亦
不得名身心寂靜云何精進若有比丘欲令
身口意業清淨遠離一切諸不善業修集一
切諸善業者是名精進是勤進者繫念六處
所謂佛法僧戒施天是名正念具正念者所
得三昧是名正定具正定者觀見諸法猶如
虛空是名正慧具正慧者遠離一切煩惱諸
結是名解脫得解脫者為諸眾生稱美解脫
言是解脫常恒不變是名讚歎解脫即是无
上大般涅槃涅槃者即是煩惱諸結火滅又
涅槃者名為屋宅何以故能遮煩惱惡風雨
故又涅槃者名為歸依何以故能過一切諸
怖畏故又涅槃者名為洲渚何以故四大暴
河不能漂沒故何等為四一者欲暴二者有暴
三者見暴四者无明暴是故涅槃名為洲渚
又涅槃者名畢竟歸何以故能得一切畢竟
樂故若有菩薩摩訶薩成就具足如是十法
雖見佛性而不明了
復次善男子出家之人有四種病是故不得
四沙門果何等四病謂四惡欲一為衣欲二
是出家病有四良藥能遮是病謂糞掃衣
能治比丘為衣惡欲乞食能破為食惡欲樹

雖見佛性而不明了
復次善男子出家之人有四種病是故不得
四沙門果何等四病謂四惡欲一為衣欲二
是出家病有四良藥能療是病謂糞掃衣
能治比丘為衣惡欲乞食能破為食惡欲樹
下能破臥具惡欲身心寂靜能破比丘為有惡
欲以是四藥除是四病是名聖行如是聖行
則得名為少欲知足寂靜者有四種樂何等
為四一者出家樂二者寂靜樂三永滅樂四
畢竟樂得是四樂名為寂靜具四精進故名
精進具四念處故名正念具四禪故故名正
定見四聖實故故名正慧永斷一切煩惱結
故故名解脫呵責一切煩惱過故是名讚歎
解脫善男子菩薩摩訶薩安住具足如是十
法雖見佛性而不明了復次善男子菩薩摩
訶薩聞是經已親近修集遠離一切世間之
事是名少欲既出家已不生悔心是名知足
既知足已近空閑處遠離憒鬧是名寂靜不
知足者不樂空閑夫知足者常樂空寂於空
寂處常作是念一切世間悉謂我得沙門道
果然我今者實不能得我今云何誑惑於人
作是念已精懃修集沙門道果是名精進親
近修集大涅槃者是名正念隨順天行是名
正定安住是定正見正知是名正慧正見知
見能得遠離煩惱結縛是名解脫十住菩薩
為眾生故稱美涅槃是則名為讚歎解脫善
男子菩薩摩訶薩安住具足如是十法雖見
佛性而不明了復次善男子夫少欲者若有
比丘住空寂處端坐不臥或住樹下或在塚

BD01080號　大般涅槃經（北本　思本　普本）卷二七　（15-12）

為眾生故稱美涅槃是則名為讚歎解脫善
男子菩薩摩訶薩安住具足如是十法雖見
佛性而不明了復次善男子夫少欲者若有
比丘住空寂處端坐不臥或住樹下或在塚
間或在露處隨有草地而坐其上乞食而食
隨得為足或一坐食不過一食唯畜三衣糞
衣毛衣是名少欲既行是事心不生悔是名
知足修空三昧是名寂靜得四果已於阿耨
多羅三藐三菩提心不休息是名精進繫心
思惟如來常恒無有變易是名正念修八解
脫是名正定得四無礙是名正慧遠離七漏
漏是名解脫稱美涅槃無有十相名嘆解脫
脫十相者謂生老病死色聲香味觸無常遠
離十相者名大涅槃善男子是菩薩摩訶薩
安住具足如是法雖見佛性而不明了復次善
男子為多欲故親近國王大臣長者刹利婆
羅門毗舍首陀自稱我得須陀洹果至阿羅
漢果為利養故行住坐臥乃至大小便利若
見檀越猶行恭敬接引語言破惡欲者名為
少欲雖未能壞諸結煩惱而能同於如來行
處是名知足善男子如是二法乃是念定近
因緣也常為師宗同學所讚我亦常於處處
經中稱美讚嘆如是二法若能具足是二法
者則得近於大涅槃門及五種樂是名寂靜
堅持戒者名為精進有慚愧者名為正念不
見心相者名為正定不求諸法性相因緣是
名正慧無有相故煩惱則斷是名解脫稱美
如是大涅槃經名讚解脫善男子是名菩薩
摩訶薩安住十法雖見佛性而不明了善男

BD01080號　大般涅槃經（北本　思本　普本）卷二七　（15-13）

者剎得近於大涅槃門及五種樂是名寂靜
堅持戒者名為精進有慚愧者名正為念不
見心相者名為正定不求諸法性相因緣是
名正慧无有相故煩惱則斷是名解脫稱美
如是大涅槃經名諸解脫善男子是名菩薩
摩訶薩安住十法雖見佛性而不明了善男
子如汝所問十住菩薩以何眼故雖見佛性
而不明了諸佛世尊以何眼故見於佛性而
得明了善男子慧眼見故不得明了佛眼見
故故得明了為菩提行故則不了了若无行
故則得了了住十住故雖見不了不住不去
故則得了了菩薩摩訶薩智慧因故見不了
了諸佛世尊斷因果故見則了了一切覺者
名為佛性十住菩薩不得名為一切覺故是
故雖見而不明了善男子見有二種一者眼
見二者聞見諸佛世尊眼見佛性如於掌中
觀阿摩勒菓十住菩薩聞見佛性故不了了
十住菩薩唯能自知定得阿耨多羅三藐三
菩提而不能知一切眾生悉有佛性

大般涅槃經卷第廿七

BD01080號　大般涅槃經（北本　思本　普本）卷二七　　（15–14）

名為佛性十住菩薩不得名為一切覺故是
故雖見而不明了善男子見有二種一者眼
見二者聞見諸佛世尊眼見佛性如於掌中
觀阿摩勒菓十住菩薩聞見佛性故不了了
十住菩薩唯能自知定得阿耨多羅三藐三
菩提而不能知一切眾生悉有佛性

大般涅槃經卷第廿七

BD01080號　大般涅槃經（北本　思本　普本）卷二七　　（15–15）

彼國時妙喜世界於此國土所應饒益其事訖已還復本處舉衆皆見佛告舍利
弗汝見此妙喜世界及无動佛不唯然已見世尊願使一切衆生得清淨土如无動佛
獲神通力如維摩詰世尊我等快得善利得見是人親近供養其諸衆生若今現
在若佛滅後聞此經者亦得善利况復聞已信解受持讀誦解說如法脩行若
有手得是經典者便為已得法寶之藏若有讀誦解釋其義如說脩行則為諸佛
之所護念其有供養如是人者當知則為供養於佛其有書持此經卷者當知
其室則有如來若聞是經能隨喜者斯人則為取一切智若能信解此經乃至一四句
偈為他說者當知此人即是受阿耨多羅三藐三菩提記

法供養品第十三

尒時釋提桓因於大衆中白佛言世尊我雖從佛及文殊師利聞百千經未曾聞此
不可思議自在神通決定實相經典如我解佛所說義趣若有衆生聞是經法信
解受持讀誦之者必得是法不疑何况如說脩行斯人則為閉衆惡趣開諸善門
常為諸佛之所護念降伏外學摧滅魔怨脩治菩提安處道場履踐如來所行
之跡世尊若有受持讀誦如說脩行者我當與諸眷屬供養給事所在聚落
城邑山林曠野有是經處我亦與諸眷屬聽受法故共到其所其未信者當令
生信其已信者當為作護佛言善哉善哉天帝如汝所說吾助尒喜此經廣說過
去未來現在諸佛不可思議阿耨多羅三藐三菩提是故天帝若善男子善女人受
持讀誦供養是經者則為供養去來今佛天帝正使三千大千世界如來滿中譬如
甘蔗竹葦稻麻叢林若有善男子善女人或一劫或減一劫恭敬尊重讚歎供養奉
諸所安至諸佛滅後以一一全身舍利起七寶塔縱廣一四天下高至梵天表剎莊嚴以
一切華香瓔珞幢幡伎樂微妙第一若一劫若減一劫而供養之於天帝意云何其人殖
福寧為多不釋提桓因言多矣世尊彼之福德若以百千億劫說不能盡佛告天帝
當知是善男子善女人聞是不可思議解脫經典信解受持讀誦脩行福多於彼
所以者何諸佛菩提皆從是生菩提之相不可限量以是因緣福不可量
佛告天帝過去无量阿僧祇劫時世有佛號曰藥王如來應供正遍知明行足善
逝世間解无上士調御丈夫天人師佛世尊世界曰大莊嚴劫曰莊嚴佛壽廿小劫
其聲聞僧卅六億那由他菩薩僧有十二億天帝是時有轉輪聖王名曰寶蓋七
寶具足王四天下王有千子端正勇健能伏怨敵尒時寶蓋與其眷屬供養藥王

BD01081號　維摩詰所說經卷下　（4–1）

福寧為多不釋提桓因言多矣世尊彼之福德若以百千億劫說不能盡佛告天帝
當知是善男子善女人聞是不可思議解脫經典信解受持讀誦脩行福多於彼
所以者何諸佛菩提皆從是生菩提之相不可限量以是因緣福不可量
佛告天帝過去无量阿僧祇劫時世有佛號曰藥王如來應供正遍知明行足善
逝世間解无上士調御丈夫天人師佛世尊世界曰大莊嚴劫曰莊嚴佛壽廿小劫
其聲聞僧卅六億那由他菩薩僧有十二億天帝是時有轉輪聖王名曰寶蓋七
寶具足王四天下王有千子端正勇健能伏怨敵尒時寶蓋與其眷屬供養藥王
如來施諸所安至滿五劫過五劫已告其千子汝等亦當如我以深心供養於佛於是
千子受父王命供養藥王如來復滿五劫一切施安其王一子名曰月蓋獨坐思惟寧有供
養殊過此者以佛神力空中有天曰善男子法之供養勝諸供養即問何謂法之供
養天曰汝可往問藥王如來當廣為汝說法之供養即時月蓋王子行詣藥王
如來稽首佛足却住一面白佛言世尊諸供養中法供養勝云何為法供養佛
言善男子法供養者諸佛所說深經一切世間難信難受微妙難見清淨无染非
但分別思惟之所能得菩薩法藏所攝陀羅尼印印之至不退轉成就六度善分
別義順菩提法衆經之上入大慈悲離衆魔事及諸邪見順因緣法无我无人无衆生
无壽命空无相无作无起能令衆生坐於道場而轉法輪諸天龍神乾闥婆等
所共歎譽能令衆生入佛法藏攝諸賢聖一切智慧說衆菩薩所行之道依於諸法
實相之義明宣无常苦空无我寂滅能救一切毀禁衆生諸魔外道及貪著者能使
怖畏諸佛賢聖所共稱歎背生死苦示涅槃樂十方三世諸佛所說若聞如是等經
信解受持讀誦以方便力為諸衆生分別解說顯示分明守護法故是名法之供養又
於諸法如說脩行隨順十二因緣離諸邪見得无生忍決定无我无有衆生而於因
緣果報无違无諍離諸我所依於義不依語依於智不依識依了義經不依不了
義經依於法不依人隨順法相无所入无所歸无明畢竟滅故諸行亦畢竟滅乃至生畢
竟滅故老死亦畢竟滅作如是觀十二因緣无有盡相不復起見是名最上法之供養
佛告天帝王子月蓋從藥王佛聞如是法得柔順忍即解寶衣嚴身之具以供養佛
白佛言世尊如來滅後我當行法供養守護正法願以威神加哀建立令我得降伏
魔怨脩菩薩行佛知其深心所念而記之曰汝於末後守護法城天帝時王子月蓋見
法清淨聞佛授記以信出家脩集善法精進不久得五神通逮菩薩道得陀羅尼
无斷辯才於佛滅後以其所得神通總持辯才之力滿十小劫藥王如來所轉法輪隨
而分布月蓋比丘以守護法勤行精進即於此身化百萬億人於阿耨多羅三藐三菩提
立不退轉十四那由他人深發聲聞辟支佛心无量衆生得生天上天帝時王寶蓋豈
異人乎今現得佛號寶炎如來其王千子即賢劫中千佛是也從迦羅鳩孫駄為始
得佛最後如來號曰樓至月蓋比丘則我身是如是天帝當知此要以法供養於諸
供養為上為最第一无比是故天帝當以法之供養供養於佛

囑累品第十四

BD01081號　維摩詰所說經卷下　（4–2）

立不退轉十四那由他人深發聲聞辟支佛心无量衆生得生天上天帝時王寶蓋豈
異人乎今現得佛号寶炎如来其王千子即賢劫中千佛是也從迦羅鳩孫馱爲始
得佛最後如来号曰樓至月蓋比丘則我身是如是天帝當知此要以法供養於諸
供養爲上爲最第一无比是故天帝當以法之供養供養於佛
囑累品第十四
於是佛告弥勒菩薩言弥勒我今以是无量億阿僧祇劫所集阿耨多羅三藐三菩
提法付囑於汝如是輩經於佛滅後末世之中汝等當以神力廣宣流布於閻浮提无
令斷絶所以者何未來世中當有善男子善女人及天龍鬼神乾闥婆羅刹等發
阿耨多羅三藐三菩提心樂于大法若使不聞如是等經則失利如此輩人聞是
等經必多信樂發希有心當以頂受隨諸衆生所應得利而爲廣說弥勒當知
菩薩有二相何謂爲二一者好於雜句文飾之事二者不畏深義如實能入若好雜句
文飾事者當知是爲新學菩薩若於如是无染无著甚深經典无有恐畏能入
其中聞已心淨受持讀誦如說脩行當知是爲久脩道行弥勒復有二法名新
學者不能決定於甚深法何等爲二一者所未聞深經聞之驚怖生疑不能隨順毁
謗不信而作是言我初不聞從何所來二者若有護持解說如是深經者不肯親
近供養恭敬或時於中說其過惡有此二法當知是新學菩薩爲自毁傷不能
於深法中調伏其心弥勒復有二法菩薩雖信解深法猶自毁傷而不能得无
生法忍何等爲二一者輕慢新學菩薩而不教誨二者雖解深法而取相分別是爲
二法弥勒菩薩聞說是已白佛言世尊未曾有也如佛所說我當遠離如斯之惡
奉持如来无數阿僧祇劫所集阿耨多羅三藐三菩提法若未来世善男子善女
人求大乘者當令手得如是等經與其念力使受持讀誦爲他廣說世尊若後末世
有能受持爲他說者當知是弥勒神力之所建立佛言善哉善哉弥勒如汝所說佛
助尒喜　於是一切菩薩合掌白佛我等亦於如來滅後十方國土廣宣流布阿耨多
羅三藐三菩提復當開導諸說法者令得是經　尒時四天王白佛言世尊
在在處處城邑聚落山林曠野有是經卷讀誦解說者我當率諸官屬爲
聽法故往詣其所擁護其人面百由旬令无伺求得其便者是時佛告阿難受
持是經廣宣流布阿難言唯我已受持要者世尊當何名斯經佛告阿難是
經名爲維摩詰所說亦名不可思議解脫法門如是受持佛說是經已長者維
文殊師利
摩詰舍利弗阿難等及諸天人阿脩羅一切大衆聞佛所說皆大歡喜作礼而
去
維摩詰所說經一部

BD01081 號　維摩詰所說經卷下　（4–3）

奉持如来无數阿僧祇劫所集阿耨多羅三藐三菩提法若未来世善男子善女
人求大乘者當令手得如是等經與其念力使受持讀誦爲他廣說世尊若後末世
有能受持爲他說者當知是弥勒神力之所建立佛言善哉善哉弥勒如汝所說佛
助尒喜　於是一切菩薩合掌白佛我等亦於如來滅後十方國土廣宣流布阿耨多
羅三藐三菩提復當開導諸說法者令得是經　尒時四天王白佛言世尊
在在處處城邑聚落山林曠野有是經卷讀誦解說者我當率諸官屬爲
聽法故往詣其所擁護其人面百由旬令无伺求得其便者是時佛告阿難受
持是經廣宣流布阿難言唯我已受持要者世尊當何名斯經佛告阿難是
經名爲維摩詰所說亦名不可思議解脫法門如是受持佛說是經已長者維
文殊師利
摩詰舍利弗阿難等及諸天人阿脩羅一切大衆聞佛所說皆大歡喜作礼而
去
維摩詰所說經一部

BD01081 號　維摩詰所說經卷下　（4–4）

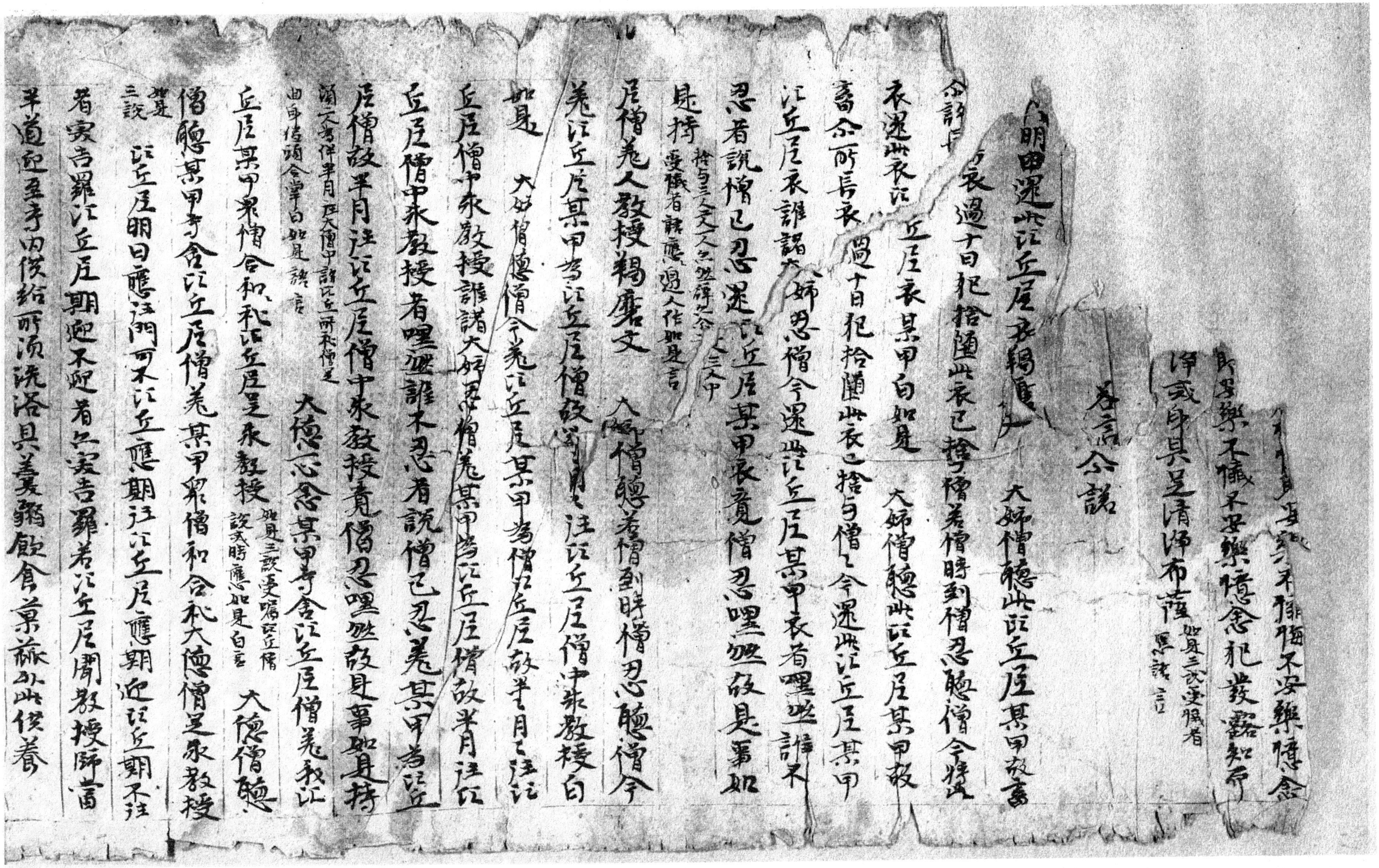

BD01082號　大比丘尼羯磨

（9–1）

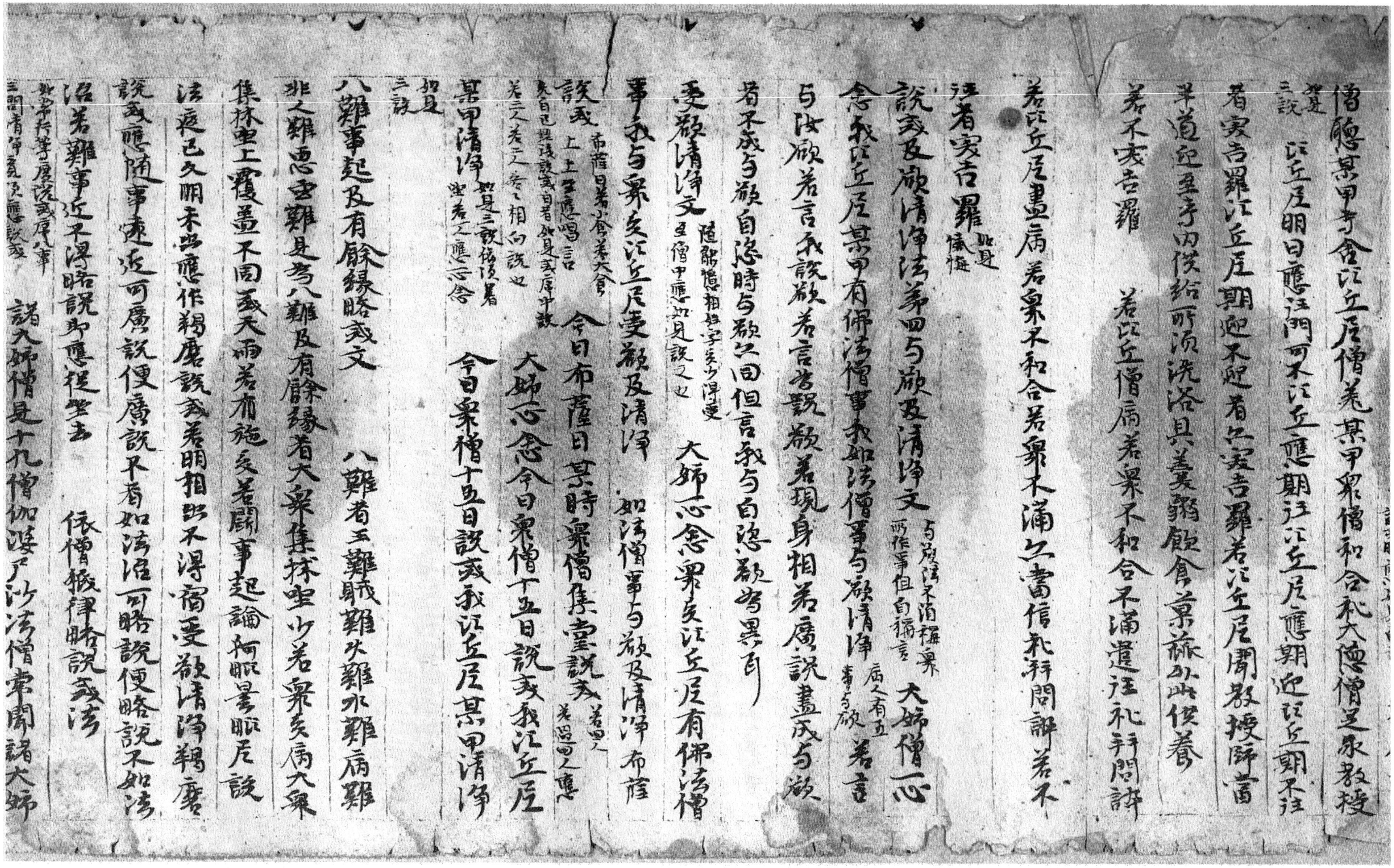

僧聽某甲寺舍比丘尼僧差某甲眾僧和合禮大德僧足求教授 如是三說
比丘尼明日應往門可不比丘尼應期往比丘尼應期迎比丘尼期不往
者突吉羅比丘尼期迎不迎者亦突吉羅若比丘尼闍教授歸當
半道迎至寺內供給所須洗浴具羹粥飯食菓蔬供養
若不突吉羅　若比丘尼僧病若眾不和合不滿遣往禮拜問訊
若比丘尼盡病若眾不和合若眾不滿亦當信禮拜問訊若不
往者突吉羅 如是懺悔
說欲及欲清淨法第四与欲及清淨文 与欲法不須稱眾所作事但自稱言 大姊僧一心
念我比丘尼某甲有佛法僧事我如法僧事与欲清淨 病人有五事与欲 若言
与汝欲若言我說欲若言為說欲若現身相若廣說盡成与欲
若不成与欲自恣時与欲亦同但言我与自恣欲為異耳
受欲清淨文 隨能憶相姓字眾少得受 至僧中應如是說之也 大姊一心念眾多比丘尼有佛法僧
事我与眾多比丘尼受欲及清淨 如法僧事与欲及清淨 布薩
說戒 布薩日若小食若大食上上座應唱言 今日布薩日某時眾僧集堂說戒 若四人若三人應
若三人若二人若一人相向說也 大姊一心念今日眾僧十五日說戒我比丘尼
某甲清淨 如是三說後眾坐者亦應心念 今日眾僧十五日說戒我比丘尼某甲清淨
如是三說
八難事起及有餘緣略說戒文　八難者王難賊難火難水難病難
非人難惡虫難是為八難及有餘緣者大眾集坐少若眾多病大眾
集坐上覆蓋不周或天雨若布施多若鬪事起論阿毗曇毗尼說
法夜已久明未出應作羯磨說戒若明相出不得宿受欲清淨羯磨
說戒應隨事遠近可廣說便廣說不者如法治可略說便略說不如法
治若難事近不得略說即應起去　依僧祇律略說戒法
此事若等處說戒序八事 三聞有[illegible]說戒　諸大姊僧是十九僧伽婆尸沙法僧常聞諸大姊

BD01082號　大比丘尼羯磨　（9–2）

法遮已久明未出應作羯磨說戒若明相出不得當受欲清淨羯磨
說戒應隨事遠近可廣說便廣說不者如法治可略說便略說不如法
治若難事近不得略說聊應從坐去　依僧祇律略說戒法
非常行等應說戒序八事三問清淨竟及應說戒　諸大姊僧是十九僧伽婆尸沙法僧常聞諸大姊
是卅尼薩耆波逸提法僧常聞　諸大姊是百卅一波逸提法僧常聞
諸大姊是八波羅提提舍尼法僧常聞　諸大姊是衆學法僧常聞
諸大姊是七滅諍法僧常聞　七滅諍已下如常廣說不得唱僧常聞七滅偈已是說法或不得使沙彌聞聽若三若四略說法猶初可知
八敬法文　何等爲八　一者雖百歲比丘尼見新受比丘應起迎禮
拜與敷淨坐具此法應尊重讚嘆盡形壽不得違　二者比丘尼不應
罵比丘呵嘖比丘不應誹謗言破戒破見破威儀此法應尊重讚嘆
盡形壽不得違　三者比丘尼不應爲比丘作舉作憶念作自言不應
遮他覓罪說戒自恣不應呵比丘尼此法應尊重讚嘆盡形壽不得違
四者式叉摩尼學戒已從比丘僧乞受大戒此法應尊重讚嘆
不得違盡形壽不得違　五者比丘尼犯僧殘罪應在二部僧中
半月行摩那埵此法應尊重讚嘆盡形壽不得違　六者比丘尼
半月從僧乞教授此法應尊重讚嘆盡形壽不得違　七者比丘尼
不應在無比丘僧處夏安居此法應尊重讚嘆盡形壽不得違
八者比丘尼僧安居竟應往比丘僧中求三事自恣見聞疑此法應
尊重讚嘆盡形壽不得違　說八不可違已竟後隨意說法
安居及分房臥具法文　大姊一心念我比丘尼某甲依某甲聚
落某僧伽藍某甲房舍前三月夏安居房舍破脩故　如是三說
依某甲持律若有疑事當往問　後安居亦如是唯言後三月夏安居為異
受七日法文　大姊一心念我比丘尼某甲受七日法出界外爲某事
故還此中安居白大姊令知　如是三說

BD01082號　大比丘尼羯磨

（9–3）

諸某僧伽藍某甲房舍前三月夏安居房舍孔破脩故 如是三說
依某甲持律若有疑事當往問 後安居亦如是，唯言後三月夏安居為異
受七日法文　大姊一心念，我比丘尼某甲受七日法出界外為某事
故還此中安居，白大姊令知 如是三說
七過七日法文　大姊僧聽，我比丘尼某甲受過七日法，若十五日
若一月出界外為某事故還此中安居，慈愍故 如是三說
与過七日法文　大姊僧聽，若僧時到，僧忍聽此比丘尼某甲
受過七日法，若十五日一月出界外為某事故還此中安居，白如是
大姊僧聽，比丘尼某甲受過七日法，若十五日一月出界外為某事故還
此中安居，誰諸大姊忍比丘尼某甲受過七日法，若十五日一月出界外為
某事故還此安居者嘿然，誰不忍說。僧已忍与某甲比丘尼受過七日法
若十五日一月出界外為某事故還此中安居竟，僧忍，嘿然故，是事如是持
比丘尼安居竟，差比丘尼往大僧中衆自恣文　大姊僧聽，若僧時到
僧忍聽，僧今差比丘尼某甲為比丘尼僧故往大僧中說三事自
恣見聞疑，白如是　大姊僧今差比丘尼某甲為某比丘尼僧故往大僧中
說三事自恣見聞疑，誰諸大姊忍僧差比丘尼某甲為比丘尼僧故往大僧
中說三事自恣見聞疑者嘿然，誰不忍者說。僧已忍差比丘尼某甲
為比丘尼僧故往大僧中說三事自恣竟，僧忍，嘿然故，是事如是持
二比丘尼為伴往大僧中礼僧足已
曲身恆跪合掌作如是說　大德僧聽，某寺比丘尼僧夏安居竟，比丘僧
夏安居竟，比丘尼說三事自恣見聞疑，大德慈愍語我，若見罪
知法懺悔 如是第二第三如是說　彼即比丘尼僧自恣日便自恣，而皆度恆，佛言不應
令，若比丘僧十四日自恣，比丘尼僧十五日自恣，若大僧病，若衆不和合
若衆不滿，比丘尼應遣信礼拜問訊，不著突吉羅，若比丘尼衆病
若不和合，若衆不滿，比丘尼亦當遣信礼拜問訊，不著突吉羅

BD01082號　大比丘尼羯磨　（9–4）

如法懺悔第二第三亦如是說　假使比丘尼僧自恣日便自恣而留應至佛言不應
令若比丘僧十四日自恣比丘尼僧十五日自恣若大僧肩若衆不和合
若衆不滿比丘尼應遣信禮拜問訊不着突吉羅若比丘尼衆肩
若不和合若衆不滿比丘尼亦當遣信禮拜問訊不着突吉羅
自恣及受功德衣法僧差自恣人羯磨文　大姊僧聽若僧時
到僧忍聽僧差比丘尼某甲作自恣人白如是　大姊僧聽僧差比
丘尼某甲作受自恣人誰諸大姊忍僧差比丘尼某甲作受自恣人者
嘿然誰不忍者說僧已忍差比丘尼某甲作受自恣人竟僧忍嘿
然故是事如是持
被差人白僧自恣文　大姊僧聽今日衆僧自恣若僧時到僧
忍聽僧今和合自恣白如是　大姊一心念衆僧今日自恣我比丘尼
某甲亦復自恣若見聞疑罪大姊慈愍故當語我我若見知罪當如
法懺悔
若四人更互自恣文　大姊一心念衆僧今日自恣我比丘尼某甲
亦清淨自恣衆僧今日自恣我比丘尼某甲亦清淨
八難事起白僧各各三語自恣文　大姊僧聽今有難事若僧
時到僧忍聽僧今各各三語自恣白如是
自受功德衣文　大姊僧聽今日衆僧受功德衣若僧時到僧忍
聽僧今和合受功德衣白如是
差持功德衣人文　大姊僧聽若僧時到僧忍聽僧差比丘尼
某甲為僧持功德衣白如是　大姊僧聽僧差比丘尼某甲為僧持
功德衣誰諸大姊忍僧差比丘尼某甲為僧持功德衣者嘿然不忍
者說僧已忍差比丘尼某甲為僧持功德衣竟僧忍嘿然故是事
如是持　羯磨着衣與持功德衣人之文　大姊僧聽此住處得可衣

BD01082號　大比丘尼羯磨

某甲為僧持功德衣白如是　大姊僧聽僧差比丘尼某甲為僧持
功德衣誰諸大姊忍僧差比丘尼某甲為僧持功德衣者嘿然不忍
者說僧已忍差比丘尼某甲為僧持功德衣竟僧忍嘿然故是事
如是持　羯磨衣与持功德衣人文　大姊僧聽此住處得可分
衣現前僧應分若僧時到僧忍聽僧今持此衣与某甲比丘尼此比丘
尼某甲當持此衣為僧受作功德衣依持此住處持白如是
大姊僧聽此住處僧得可分現僧前應分僧今持此衣与比丘尼某甲
此比丘尼某甲當持此衣為僧受作功德衣於此住處持誰諸大姊
忍僧持此衣与比丘尼某甲當持此衣為僧受作功德衣
於此住處持日嘿然誰不忍者說僧已忍持此衣与比丘尼某甲比丘
尼某甲當持此衣為僧受作功德衣於此住處持竟僧忍嘿然故是
如是持
持功德衣人持衣衆僧前白文　大姊僧聽今日衆僧受功德
衣若僧時到僧忍聽僧今和合受功德衣白如是　白已衣捷文
此衣僧衆當作功德衣此衣今衆僧受作功德衣衆僧已受作功德
衣如是三說　一衆僧各各受作功德衣文　其受衣已善受此中所
有功德衣名稱屬我彼應答言介出
出功德衣文　僧集和合未受大戒者出不來者說欲及清淨
僧今何所作答大姊僧聽今日衆僧出功德衣若僧時到僧忍聽
僧今和合出功德衣白如是
亡人衣物及分亡者衣物法第八　僧分四方僧得施物羯磨文
大姊僧聽此住處若衣若非衣現前僧應分若僧時到僧忍聽此住處
僧今与比丘尼某甲比丘尼某甲當還与僧白如是　大姊僧聽此住處
若衣若非衣現前僧應分僧今与比丘尼某甲彼比丘尼某甲當還
与僧誰諸大姊忍此住處若衣若非衣現前僧應分僧今与比丘尼

僧今與比丘尼某甲當還與僧白如是　大姊僧聽此住處
若衣若非衣現前僧應分僧今與比丘尼某甲彼比丘尼某當還
與僧誰諸大姊忍此住處若衣若非衣現前僧應分僧今與比丘尼
某甲彼比丘尼某甲當還與僧者嘿然誰不忍者說僧已忍與比丘尼
某甲彼比丘尼某甲當還僧與竟僧忍嘿然故是事如是持
大姊憶念是住處得可分衣物現前僧應分是中无僧此衣物屬我及
大姊受用　是住處得可分衣物現前僧應分是无僧此衣物屬我
受用如是三說
看病人持亡者衣物至僧中白文　大姊僧聽比丘尼某甲此住處
命過者所有衣鉢坐具針筒盛衣𧙃器此住處現前僧應分
上比丘尼衣物與看病人文　大姊僧聽比丘尼某甲命過所有衣鉢
坐具針筒盛衣𧙃器現前僧應分若僧時到僧忍聽僧今與比丘尼
某甲看病人白如是　大姊僧聽比丘尼某甲命過所有衣鉢坐具針
筒盛衣𧙃器現前應分僧今與比丘尼某甲看病人誰諸大姊忍僧與
比丘尼某甲看病人衣鉢坐具針筒盛衣𧙃器者嘿然誰不忍者說僧已
與比丘尼某甲看病人衣鉢坐具針筒盛衣𧙃器竟僧忍嘿然故是
事如是持
僧分亡者餘衣物文　大姊僧聽比丘尼某甲命過所有若
衣若非衣現前僧應分若僧時到僧忍聽僧今與比丘
尼某甲比丘尼某當還與僧白如　大姊僧聽比丘尼某
甲命過所有若衣若非衣現前僧應分僧今與比丘尼某
甲比丘尼某甲當還與僧誰諸大姊忍比丘尼某甲命過
所有若衣若非衣現前僧應分僧今與比丘尼某甲比丘尼某
甲當還與僧者嘿然誰不忍者說僧已忍與比丘尼某甲
比丘尼某甲當還與僧竟僧忍嘿然故是事如是持

（9–7）

BD01082號　大比丘尼羯磨

甲比丘尼某甲當還与僧誰諸大姊忍比丘尼某甲命過
所有若衣若非衣現前僧應分僧今与比丘尼某甲比丘尼某
甲當還与僧者嘿然誰不忍者說僧已忍与比丘尼某甲
比丘尼某甲當還与僧竟僧忍嘿然故是事如是持
若三人若二人分亡者衣物文　大姊一心念比丘尼某甲命過所有
若衣若非衣現前僧應分此住處无僧是衣物屬我及姊大
姊及我受用　比丘尼某甲命過所有衣物若衣若非衣
現前僧應分此住處无僧是衣物屬我〻受用
為自乞作小房文　大姊僧聽我比丘尼某甲自乞作房无主
自為己我從僧乞知无難處无妨處　大姊僧聽我比丘
尼某甲自乞僧作房无主自為己今從僧乞處分无難處无
妨處若僧時到僧忍聽僧今与比丘尼某甲處分无難處无
妨處白如是　大姊僧聽此比丘尼某甲自乞作房无自為己今
從僧乞處分无難處无妨處誰諸大姊忍僧与比丘尼某甲
處分无難處无妨處竟僧忍嘿然故是事如是持
老病比丘尼乞畜杖絡囊文　大姊僧聽我比丘尼某甲老
病不能杖絡囊而今衆僧乞畜杖絡囊願僧聽我畜杖絡
囊慈愍故　大姊僧聽比丘尼某甲老病不能无杖絡囊
而行今從衆僧乞畜杖絡囊若僧時到僧忍聽僧今聽此
比丘尼某甲畜杖絡囊白如是　大姊僧聽比丘尼某甲老病
不能无杖絡囊而行今從衆僧乞畜杖絡囊僧今聽此比丘尼
某甲畜杖絡囊誰諸大姊忍僧今聽此比丘尼某甲畜杖絡
囊者嘿然不忍者說僧已忍聽此比丘尼畜杖絡囊竟僧忍
嘿然故是事如是持
非時入村囑授文　大姊一心念我比丘尼某甲非時入某甲聚落至

某甲畜杖絡囊諸大姊忍僧今聽此比丘尼某甲畜杖絡
囊者嘿然不忍者說僧已忍聽此比丘尼畜杖絡囊竟僧忍
嘿然故是事如是持
非時入村囑授文　大姊一心念我比丘尼某甲非時入某甲聚落至
某甲家為如是事白大姊令
受請已食前食後入村囑授文
大姊一心念我比丘尼某甲受某甲請有緣事欲入某甲聚落至甲
家白大姊令知
自實請施文　大姊一心念我比丘尼某甲有此長衣未作淨今者請
故施大姊為自實淨故
出說戒法中文　佛言從今日不聽汝作淨羯磨若作得突吉羅
罪先作者應捨　此捨淨地文處處有
依十誦不聽結淨地一切僧食具須淨白衣作食施主語言眾僧
今請作食施主僧家所有一切生熟食具習作檀越物意施眾
僧受用如是淨施主許作竟僧家自有及餘處得來但役
屬僧一切生熟食具悉不犯內宿內煮若先不作淨今始歡主者
先所有食器大僧拿者盡不淨將與比丘尼及白衣家傳授所
淨器大僧不得手拿若自鐵器火燒即淨不須傳授若寺先有淨
檀越亦須請作施主何以如此眾僧家物不能盡是檀越家所
出物要須請作施主竟後更餘處得來者亦屬此一檀越眾僧
得淨依十誦律作檀淨法易成無罪若依僻律結淨地難成難復
大比丘尼羯磨一卷

故眼處清淨眼處清淨故四无量清淨何以
故若一切智智清淨若眼處清淨若四无量
清淨无二无二分无別无斷故一切智智清
淨故耳鼻舌身意處清淨耳鼻舌身意處清
淨故四无量清淨何以故若一切智智清淨
若耳鼻舌身意處清淨若四无量清淨无二
无二分无別无斷故善現一切智智清淨故
色處清淨色處清淨故四无量清淨何以故
若一切智智清淨若色處清淨若四无量清
淨无二无二分无別无斷故一切智智清淨
故聲香味觸法處清淨聲香味觸法處清淨
故四无量清淨何以故若一切智智清淨若
聲香味觸法處清淨若四无量清淨无二无
二分无別无斷故善現一切智智清淨故眼
界清淨眼界清淨故四无量清淨何以故若
一切智智清淨若眼界清淨若四无量清淨
无二无二分无別无斷故一切智智清淨故
色界眼識界及眼觸眼觸為緣所生諸受清
淨色界乃至眼觸為緣所生諸受清淨故四
无量清淨何以故若一切智智清淨若色界
乃至眼觸為緣所生諸受清淨若四无量清

BD01083號　大般若波羅蜜多經卷二六五　（2–1）

若一切智智清淨若色處清淨若四无量清
淨无二无二分无別无斷故一切智智清淨
故聲香味觸法處清淨聲香味觸法處清淨
故四无量清淨何以故若一切智智清淨若
聲香味觸法處清淨若四无量清淨无二无
二分无別无斷故善現一切智智清淨故眼
界清淨眼界清淨故四无量清淨何以故若
一切智智清淨若眼界清淨若四无量清淨
无二无二分无別无斷故一切智智清淨故
色界眼識界及眼觸眼觸為緣所生諸受清
淨色界乃至眼觸為緣所生諸受清淨故四
无量清淨何以故若一切智智清淨若色界
乃至眼觸為緣所生諸受清淨若四无量清
淨无二无二分无別无斷故善現一切智智
清淨故耳界清淨耳界清淨故四无量清淨
何以故若一切智智清淨若耳界清淨若四
无量清淨无二无二分无別无斷故一切智
智清淨故聲界耳識界及耳觸耳觸為緣所
生諸受清淨聲界乃至耳觸為緣所生諸受
清淨故四无量清淨何以故若一切智智清

BD01083號　大般若波羅蜜多經卷二六五　（2–2）

禾女便生端政有
殖德本眾人愛敬无盡意觀世音
菩薩有如是力若有眾生恭敬礼拜觀世音
菩薩福唐損是故眾生皆應受持觀世音
菩薩名号无盡意若有人受持六十二億恒
河沙菩薩名字復盡形供養飲食衣服卧具
醫藥於汝意云何是善男子善女人功德多
不无盡意言甚多世尊佛言若復有人受持
觀世音菩薩名号乃至一時礼拜供養是二
人福正等无異於百千万億劫不可窮盡无
盡意受持觀世音菩薩名号得如是无量无
邊福德之利
无盡意菩薩白佛言世尊觀世音菩薩云何
遊此娑婆世界云何而為眾生說法方便之
力其事云何佛告无盡意菩薩善男子若有
國土眾生應以佛身得度者觀世音菩薩即
現佛身而為說法應以辟支佛身得度者即
現辟支佛身而為說法應以聲聞身得度者
即現聲身而為說法應以梵王身得度者

BD01084號　妙法蓮華經（十卷本）卷一〇　（19–1）

現佛身而為說法應以辟支佛身得度者即
現辟支佛身而為說法應以聲聞身得度者
即現聲身而為說法應以梵王身得度者
即現梵王身而為說法應以帝釋身得度者
即現帝釋身而為說法應以自在天身得度
者即現自在天身而為說法應以大自在天身
得度者即現大自在天身而為說法應以天
大將軍身得度者即現天大將軍身而為
說法應以毗沙門身得度者即現毗沙門身
而為說法應以小王身得度者即現小王身
而為說法應以長者身得度者即現長者身
而為說法應以居士身得度者即現居士身而
為說法應以宰官身得度者即現宰官身而
為說法應以婆羅門身得度者即現婆羅門
身而為說法應以比丘比丘尼優婆塞優婆夷
身得度者即現比丘比丘尼優婆塞優婆夷
身而為說法應以長者居士宰官婆羅門婦
女身得度者即現婦女身而為說法應以童
男童女身得度者即現童男童女身而為說
法應以天龍夜叉乾闥婆阿脩羅迦樓羅緊
那羅摩睺羅伽人非人等身得度者即皆現
之而為說法應以執金剛神得度者即現金
剛神而為說法无盡意是觀世音菩薩成就

BD01084號　妙法蓮華經（十卷本）卷一〇　（19–2）

法應以天龍夜叉乾闥婆阿脩羅迦樓羅緊
那羅摩睺羅伽人非人等身得度者即皆現
之而為說法應以執金剛神得度者即現金
剛神而為說法无盡意是觀世音菩薩成就
如是功德以種種形遊諸國土度脫衆生是
故汝等當一心供養觀世音菩薩是觀世音
菩薩摩訶薩於怖畏急難之中能施无畏是
故此娑婆世界皆號之為施无畏者
无盡意菩薩白佛言世尊我今當供養觀世
音菩薩即解頸衆寶珠瓔珞價直百千兩金
而以與之作是言仁者受此法施珎寶瓔珞
時觀世音菩薩不肯受之无盡意復白觀世
音菩薩言仁者愍我等故受此瓔珞尒時佛
告觀世音菩薩當愍此无盡意菩薩及四衆
天龍夜叉乾闥婆阿脩羅迦樓羅緊那羅摩
睺羅伽人非人等故受是瓔珞即時觀世音
菩薩愍諸四衆及於天龍人非人等受其瓔
珞分作二分一分奉釋迦牟尼佛一分奉多
寶佛塔无盡意觀世音菩薩有如是自在神
力遊於娑婆世界
尒時持地菩薩即從坐起前白佛言世尊若
有衆生聞是觀世音菩薩品自在之業普門
示現神通力者當知是人功德不少佛說是

BD01084號　妙法蓮華經（十卷本）卷一〇　（19–3）

尒時持地菩薩即從坐起前白佛言世尊若
有衆生聞是觀世音菩薩品自在之業普門
示現神通力者當知是人功德不少佛說是
普門品時衆中八万四千衆生皆發无等等
阿耨多羅三藐三菩提心
妙法蓮華經陁羅尼品第廿五
尒時藥王菩薩即從坐起偏袒右肩合掌向
佛而白佛言世尊若善男子善女人有能受持
法華經者若讀誦通利若有經卷得幾所福
佛告藥王若有善男子善女人供養八百万
億那由他恒河沙等諸佛於意云何其所得
福寧為多不甚多世尊佛言若有善男子善女
人能於是經乃至受持一四句偈讀誦解義
如說脩行功德甚多尒時藥王菩薩白佛言
世尊我今當與說法者陁羅尼呪以守護之
即說呪曰
安尒（一）曼尒（二）摩祢（三）摩摩祢（四）旨隸（五）遮棃
第（六）賖咩（羊鳴音）（七）賖履（罔雉反）多瑋（八）羶（輸千反）帝（九）
目帝（十）目多履（十一）娑履（十二）阿瑋娑履（十三）桑履
（十四）娑履（十五）叉裔（十六）阿叉裔（十七）阿耆膩（十八）羶帝
（十九）賖履（廿）陁羅尼（廿一）阿盧伽婆娑（蘇奈反）簸蔗
毗叉膩（廿二）祢毗剃（廿三）阿便哆（都餓反）邏祢履剃
（廿四）阿亶哆波隸輸地（廿五）漚究隸（廿六）牟究隸（廿七）

BD01084號　妙法蓮華經（十卷本）卷一〇　（19–4）

十四婆履十五叉衆十六阿叉衆十七阿耆膩十八羶帝
十九賒履廿隨羅尼廿一阿盧伽婆娑蘇奈反簸蔗
毗叉膩廿二袮毗剃廿三阿便哆都餓反邏袮履剃
廿四阿亶哆波隸輸地廿五漚究隸廿六牟究隸廿七
阿羅隸廿八阿那隸廿九首迦差初几反卅阿三磨三
履卅一佛䭾毗吉利袠帝卅二達磨波利差猜離反帝
卅三僧伽涅瞿沙袮卅四婆舍婆舍輸地卅五曼哆
邏卅六曼哆邏叉夜多卅七郵樓哆卅八郵樓哆憍
舍略卅九惡叉邏卌惡叉冶多冶卌一阿婆盧卌二
阿磨若荏遮反那多夜卌三
世尊是陁羅尼神呪六十二億恒河沙等諸
佛所說若有侵毀此法師者則爲侵毀是諸
佛已時釋迦牟尼佛讚藥王菩薩言善哉善
哉藥王汝愍念擁護此法師故說是陁羅尼
於諸衆生多所饒益尒時勇施菩薩白佛言
世尊我亦爲擁護讀誦受持法華經者說陁
羅尼若此法師得此陁羅尼若夜叉若羅剎
若富單那若吉遮若鳩槃荼若餓鬼等伺求其
短无能得便即於佛前而說呪曰
痤擅鬘反隸一摩訶痤隸二郁枳三目枳四阿
隸五阿羅婆弟六涅隸弟七涅隸多婆弟八
伊緻猜履反柅九韋緻柅十旨緻柅十一涅隸墀
柅十二涅隸墀婆底十三

痤擅鬘反隸一摩訶痤隸二郁枳三目枳四阿
隸五阿羅婆弟六涅隸弟七涅隸多婆弟八
伊緻猜履反柅九韋緻柅十旨緻柅十一涅隸墀
柅十二涅隸墀婆底十三
世尊是陁羅尼神呪恒河沙等諸佛所說亦
皆隨喜若有侵毀此法師者則爲侵毀是諸
佛已尒時毗沙門天王護世者白佛言世尊
我亦爲愍念衆生擁護此法師故說是陁羅
尼即說呪曰
阿梨一那梨二㝹那梨三阿那盧四那履五
拘那履六
世尊以是神呪擁護法師我亦自當擁護持
是經者令百由旬内无諸衰患尒時持國天
王在此會中與千万億那由他乾闥婆衆恭
敬圍遶前詣佛所合掌白佛言世尊我亦以
陁羅尼神呪擁護持法華者即說呪曰
阿伽祢一伽祢二瞿利三乾陁利四旃陁利
五摩登耆六常求利七浮樓莎柅八頞底
世尊是陁羅尼神呪卌二億諸佛所說若有
侵毀此法師者則爲侵毀是諸佛已尒時有
羅剎女等一名藍婆二名毗藍婆三名曲齒
四名花齒五名黑齒六名多髮七名无猒足
八名持瓔珞九名睾帝十名奪一切衆生精

侵毀此法師者則為侵毀是諸佛已
羅刹女等一名藍婆二名毗藍婆三名曲齒
四名花齒五名黑齒六名多髮七名无猒足
八名持瓔珞九名睪帝十名奪一切衆生精
氣是十羅刹女與鬼子母并其子及眷屬俱
詣佛所同聲白佛言世尊我久欲擁護讀誦
受持法華經者除其衰患若有伺求法師短
者令不得便即於佛前而說呪曰
伊提履一伊提泯二伊提履三阿提履四伊
提履五泥履六泥履七泥履八泥履九泥履
十樓醯十一樓醯十二樓醯十三樓醯十四多醯十五多
醯十六多醯十七兜醯十八㝹醯十九
寧上我頭上莫惱於法師若夜叉若羅刹若
餓鬼若冨單那若吉蔗若毗陁羅若揵䭾
若烏摩勒若阿跋摩羅若夜叉吉蔗若人吉蔗
若熱病一日二日若三日若四日若至七
日若常熱病若男形若女形若童男形若童
女形乃至夢中亦復莫惱即於佛前而說偈
言
若不順我呪　惱亂說法者　頭破作七分　如阿梨樹枝
如殺父母罪　亦如押油殃　斗秤欺誑人　調達破僧罪
犯此法師者　當獲如是殃
諸羅刹女說此偈已白佛言世尊我等亦當
身自擁護受持讀誦脩行是經者令得安隱

BD01084號　妙法蓮華經（十卷本）卷一〇　（19–7）

如殺父母罪　亦如押油殃　斗秤欺誑人　調達破僧罪
犯此法師者　當獲如是殃
諸羅刹女說此偈已白佛言世尊我等亦當
身自擁護受持讀誦脩行是經者令得安隱
離諸衰患消衆毒藥佛告諸羅刹女善哉善
哉汝等但能擁護受持法華名者福不可量
何況擁護具足受持供養經卷華香瓔珞末
香塗香燒香幡蓋伎樂然種種燈蘇燈油燈
諸香油燈蘇摩那華油燈瞻蔔華油燈婆師
迦華油燈憂波羅華油燈如是等百千種供
養者睪帝汝等及眷屬應當擁護如是法師
說此陁羅尼品時六万八千人得无生法忍
妙法蓮華經妙莊嚴王本事第廿六
尒時佛告諸大衆乃往古世過无量无邊不
可思議阿僧祇劫有佛名雲雷音宿王花智
多陁阿伽度阿羅訶三藐三佛陁國名光明
莊嚴劫名喜見彼佛法中有王名妙莊嚴其
王夫人名曰淨德有二子一名淨藏二名淨
眼是二子有大神力福德智慧久脩菩薩所
行之道所謂檀波羅蜜尸波羅蜜羼提波
羅蜜毗棃耶波羅蜜禪波羅蜜般若波羅蜜
方便波羅蜜慈悲喜捨乃至卅七助道法皆
悉明了通達又得菩薩淨明三昧日星宿三

BD01084號　妙法蓮華經（十卷本）卷一〇　（19–8）

羅蜜毗棃耶波羅蜜禪波羅蜜般若波羅蜜
方便波羅蜜慈悲喜捨乃至卅七助道法皆
悉明了通達又得菩薩淨明三昧日星宿三
昧淨光三昧淨色三昧淨照明三昧長莊嚴
三昧大威德藏三昧於此三昧亦悉通達尒
時彼佛欲引導妙莊嚴王及愍念衆生故說
是法華經時淨藏淨眼二子到其母所合十
抓指掌白言願母往詣雲雷音宿王花智佛
所我等亦當侍從親近供養禮拜所以者何此
佛於一切天人衆中說法華經宜應聽受
母告子言汝父信受外道深著婆羅門法汝
等應往白父與共俱去淨藏淨眼合十抓指
掌白母我等是法王子而生此耶見家母告
子言汝等當憂念汝父為現神變若得見者
心必清淨或聽我等往到佛所於是二子念
其父故踊在虛空高七多羅樹現種種神變
於虛空中行住坐臥身上出水身下出火身
下出水身上出火或現大身滿虛空中而復
現小小復現大於空中滅忽然在地入地如
水履水如地現如是等種種神變令其父王
心淨信解時父見子神力如是心大歡喜得
未曾有合掌向子言汝等師為是誰誰之弟

BD01084號　妙法蓮華經（十卷本）卷一〇　（19-9）

心淨信解時父見子神力如是心大歡喜得
未曾有合掌向子言汝等師為是誰誰之弟
子二子白言大王彼雲雷音宿王花智佛今
在七寶菩提樹下法坐上坐於一切世間天
人衆中廣說法華經是我等師我是弟子父
語子言我等今亦欲見汝等師可共俱往於是
於是二子從空中下到其母所合掌白母父王今
已信解堪任發阿耨多羅三藐三菩提心我
等為父已作佛事願母見聽於彼佛所出家
脩道尒時二子欲重宣此意以偈白母
願母放我等　出家作沙門　諸佛甚難值　我等隨佛學
如優曇波羅　值佛復難是　說諸難難　願聽我出家
母即告言聽汝出家所以者何佛難值故於
是二子白父母言善哉父母願時往詣雲雷
音宿王花智佛所親近供養所以者何佛難
得值如優曇羅華又如一眼之龜值浮木孔
而我等宿福深厚生值佛法是故父母當聽
我等令得出家所以者何諸佛難值時亦難
遇彼時妙莊嚴王後宮八万四千人皆悉堪
任受持是法華經淨眼菩薩於法華三昧
久已通達淨藏菩薩已於无量百千万億劫
通達離諸惡趣三昧欲令一切衆生離諸惡
趣故其王夫人得諸佛集三昧能知諸佛秘

BD01084號　妙法蓮華經（十卷本）卷一〇　（19-10）

道彼時妙莊嚴王後宮八万四千人皆悉堪
任受持是法華經淨眼菩薩於法華三昧
久已通達淨藏菩薩已於无量百千万億劫
通達離諸惡趣三昧欲令一切衆生離諸惡
趣故其王夫人得諸佛集三昧能知諸佛秘
密之藏二子如是以方便力善化其父令心
信解好樂佛法於是妙莊嚴王與群臣眷属
俱淨德夫人與後宮婇女眷属俱其王二子
與四万二千人俱一時共詣佛所到已頭面
礼足遶佛三匝却住一面尒時彼佛為王說
法示教利喜王大歡喜尒時妙莊嚴王及其
夫人解頸真珠瓔珞價直百千以散佛上佛
虛空中化成四柱寶臺臺中有大寶床敷百
千万天衣其上有佛結跏趺坐放大光明尒
時妙莊嚴王作是念佛身希有端嚴殊特成
就第一微妙之色時雲雷音宿王花智佛告
四衆言汝等見是妙莊嚴王於我前合掌立
不此王於我法中作比丘精懃脩習助佛道
法當得作佛号娑羅樹王國名大光劫名大
高王其娑羅樹王佛有无量菩薩衆及无量
聲聞其國平正功德如是其王即時以國付
弟與夫人二子并諸眷属於佛法中出家脩
道王出家已於八万四千歲常精進脩行妙
法華經過是已後得一切淨功德莊嚴三昧

聲聞其國平正功德如是其王即時以國付
弟與夫人二子并諸眷属於佛法中出家脩
道王出家已於八万四千歲常精進脩行妙
法華經過是已後得一切淨功德莊嚴三昧
即昇虛空高七多羅樹而白佛言世尊此我
二子已作佛事以神通變化轉我邪心令得
安住於佛法中得見世尊此二子者是我善
知識為欲發起宿世善根饒益我故來生我
家尒時雲雷音宿王花智佛告妙莊嚴王言
如是如是如汝所言若善男子善女人種善
根故世世得善知識其善知識能作佛事示
教利喜令入阿耨多羅三藐三菩提大王當
知善知識者是大因緣所謂化導令得見佛
發阿耨多羅三藐三菩提心大王汝見此二
子不此二子已曾供養六十五百千万億那
由他恒河沙諸佛親近恭敬於諸佛所受持
法華經愍念邪見衆生令住正見妙莊嚴王
即從虛空中下而白佛言世尊如來甚希有
以功德智慧故頂上肉結光明顯照其眼長
廣而紺青色眉間豪相白如珂月齒白齊密
常有光明脣色赤好如頻婆菓尒時妙莊嚴
王讚嘆佛如是等无量百千万億功德已於
如來前一心合掌復白佛言世尊未曾有也

常有光明脣色赤好如頻婆菓尒時妙莊嚴
王讚嘆佛如是等无量百千万億功德已於
如來前一心合掌復白佛言世尊未曾有也
如來之法具足成就不可思議微妙功德教
戒所行安隱快樂善我從今日不復自隨心行
不生耶見憍慢瞋恚諸惡之心說是語已礼
佛而出佛告大衆於意云何妙莊嚴王豈異
人乎今花德菩薩是其淨德夫人今佛前光
照莊嚴相菩薩是哀愍妙莊嚴王及諸眷屬
故於彼中生其二子者今藥王菩薩藥上菩
薩是是藥王藥上菩薩成就如此諸大功德
已於无量百千万億諸佛所殖衆德本成就
不可思議諸善功德若有人識是二菩薩名
字者一切世間諸天人民亦應礼拜佛說是
妙莊嚴王本事品時八万四千人遠塵離垢
於諸法中得法眼淨

妙法蓮華經普賢菩薩勸發品第廿七

尒時普賢菩薩以自在神通威德名聞與大
菩薩无量无邊不可稱數從東方來所逕諸
國普皆震動雨寶蓮華作无量百千万億種
種伎樂又與无數諸天龍夜叉乾闥婆阿脩
羅迦樓羅緊那羅摩睺羅伽人非人等大衆
圍遶各現威德神通之力到娑婆世界耆闍

BD01084號　妙法蓮華經（十卷本）卷一〇　（19-13）

國普皆震動雨寶蓮華作无量百千万億種
種伎樂又與无數諸天龍夜叉乾闥婆阿脩
羅迦樓羅緊那羅摩睺羅伽人非人等大衆
圍遶各現威德神通之力到娑婆世界耆闍
崛山中頭面礼釋迦牟尼佛右遶七匝白佛
言世尊我於寶威德上王佛國遥聞此娑婆
世界說法華經與无量无邊百千万億諸菩
薩衆俱共來聽受唯願世尊當爲說之若善男
子善女人於如來滅後云何能得是法華經
佛告普賢菩薩若善男子善女人成就四法
於如來滅後當得法華經一者爲諸佛護念
二者殖諸德本三者入正定聚四者發救一
切衆生之心善男子善女人如是成就四法
於如來滅後必得是經尒時普賢菩薩白佛
言世尊於後五百歲濁惡世中其有受持是
經典者我當守護除其衰患令得安隱使无
伺求得其便者若魔若魔子若魔女若魔民
若爲魔所著者若夜叉若羅刹若鳩槃茶若
毗舍闍若吉遮若富單那若違陁羅等諸惱
人者皆不得便是人若行若立讀誦此經我
尒時乘六牙白象王與大菩薩衆俱詣其所
而自現身供養守護安慰其心亦爲供養法
華經故是人若坐思惟此經尒時我復乘白
象王現其人前其人若於法華經有所忘失

BD01084號　妙法蓮華經（十卷本）卷一〇　（19-14）

而自現身供養守護安慰其心亦爲供養法
華經故是人若坐思惟此經尒時我復乘白
象王現其人前其人若於法華經有所忘失
一句一偈我當教之與共讀誦還令通利尒
時受持讀誦法華經者得見我身甚大歡喜
轉復精進以見我故即得三昧及陀羅尼名
爲旋陀羅尼百千億旋陀羅尼法音方便陀
羅尼如是等陀羅尼世尊若後世後五百歲
濁惡世中比丘比丘尼優婆塞優婆夷求索
者受持者讀誦者書寫者欲脩習是法華經
於三七日中應一心精進滿三七日已我當
乘六牙白象與无量菩薩而自圍遶以一切
衆生所喜見身現其人前而說法示教利
喜亦復與其陀羅尼呪得是陀羅尼故无有
非人能破壞者亦不爲女人之所惑亂我身
亦自常護此人唯願世尊聽我說此陀羅尼
即於佛前而說呪曰
阿檀地（途賣反）一　檀陀婆地二　檀陀婆帝三　檀陀
九舍隸四　檀陀脩陀隸五　脩陀隸六　脩陀羅
波底七　佛馱波羶祢八　薩婆陀羅尼九　薩婆
婆沙阿婆多尼十　脩阿婆多尼十一　僧伽婆履
叉尼十二　僧伽涅陀伽尼十三　阿僧祇十四　僧伽波
伽地十五　帝隸阿惰僧伽兜略（盧遮反）　婆羅帝十六

婆沙阿婆多尼十　脩阿婆多尼十一　僧伽婆履
叉尼十二　僧伽涅陀伽尼十三　阿僧祇十四　僧伽波
伽地十五　帝隸阿惰僧伽兜略（盧遮反）　婆羅帝十六
薩婆伽三摩陀伽蘭地十七　薩婆達摩脩波利
刹帝十八　薩婆薩埵樓馱憍舍略阿㝹伽地十九
辛阿略吉利地帝廿
世尊若有菩薩得聞是陀羅尼者當知普賢
神通之力若法華經行閻浮提有受持者應
作此念皆是普賢威神之力若有受持讀誦
正憶念解其義趣如說脩行當知是人行普
賢行於无量无邊諸佛所深種善根爲諸如
來手摩其頭若但書寫是人命終當生忉利
天上是時八万四千天女作衆伎樂而來迎
之其人即著七寶冠於婇女中娛樂快樂何
況受持讀誦正憶念解其義趣如說脩行若
有人受持讀誦解其義趣是人命終爲千佛
授手令不恐怖不墮惡趣即往兜率天上彌
勒菩薩所彌勒菩薩有三十二相大菩薩衆
所共圍遶有百千万億天女眷屬而於中生
有如是等功德利益是故智者應當一心自
書若使人書受持讀誦正憶念如說脩行世
尊我今以神通力守護是經於如來滅後閻
浮提內廣令流布使不斷絕尒時釋迦牟尼

有如是等功德利益是故智者應當一心自
書若使人書受持讀誦正憶念如說脩行世
尊我今以神通力守護是經於如來滅後閻
浮提內廣令流布使不斷絕尒時釋迦牟尼
佛讚言善哉善哉普賢汝能護助是經令多
所衆生安樂利益汝已成就不可思議功德
深大慈悲從久遠來發阿耨多羅三藐三菩
提意而能作神通之願守護是經我當以神
通力守護能受持普賢菩薩名者普賢若有
受持讀誦正憶念脩習書寫是法華經者當
知是人則見釋迦牟尼佛如從佛口聞此經
典當知是人供養釋迦牟尼佛當知是人佛
讚善哉當知是人為釋迦牟尼佛手摩其頭
當知是人為釋迦牟尼佛衣之所覆如是之
人不復貪著世樂不好外道經書手筆亦復
不喜親近其人及諸惡者若屠兒若畜豬羊
雞狗若獵師若衒賣女色是人心意質直有
正憶念有福德力是人不為三毒所惱亦復不
為嫉妬我慢邪慢增上慢所惱是人少欲知
足能脩普賢之行普賢若如來滅後後五百
歲若有人見受持讀誦法華經者應作是念
此人不久當詣道場破諸魔衆得阿耨多羅
三藐三菩提轉法輪擊法鼓吹法螺雨法雨

BD01084號　妙法蓮華經（十卷本）卷一〇　　（19–17）

為嫉妬我慢邪慢增上慢所惱是人少欲知
足能脩普賢之行普賢若如來滅後後五百
歲若有人見受持讀誦法華經者應作是念
此人不久當詣道場破諸魔衆得阿耨多羅
三藐三菩提轉法輪擊法鼓吹法螺雨法雨
當坐天人大衆中師子法坐上普賢若於後
世受持讀誦是經典者是人不復貪著衣服
臥具飲食資生之物所願不虛亦於現世得
其福報若有人輕毀之言汝狂人耳空作是
行終无所獲如是罪報當世世无眼若有供
養讚歎之者當於今世得現果報若復見受
持是經典者出其過惡若實若不實此人現世
得白癩病若有輕笑之者當世世牙齒疏缺
醜脣平鼻手腳繚戾眼目角睞身體臭穢惡
瘡膿血水腹短氣諸惡重病是故普賢若見
受持是經者當起遠迎當如敬佛說是普賢
勸發品時恒河沙等无量无邊菩薩得百千
万億旋陁羅尼三千大千世界微塵等諸菩
薩具普賢道佛說是經時普賢等諸菩薩舍
利弗等諸聲聞及諸天龍人非人等一切大
會皆大歡喜受持佛語作礼而去

妙法蓮華經卷第十

BD01084號　妙法蓮華經（十卷本）卷一〇　　（19–18）

其福報若有人輕毀之言汝狂人耳空作是
行終无所獲如是罪報當世世无眼若有供
養讚歎之者當於今世得現果報若復見受
持是經典者出其過惡若實若不實此人現世
得白癩病若有輕咲之者當世世牙齒踈缺
醜脣平鼻手脚繚戾眼目角睞身體臭穢惡
瘡膿血水腹短氣諸惡重病是故普賢若見
受持是經者當起遠迎當如敬佛說是普賢
勸發品時恒河沙等无量无邊菩薩得百千
万億旋陁羅尼三千大千世界微塵等諸菩
薩具普賢道佛說是經時普賢等諸菩薩舍
利弗等諸聲聞及諸天龍人非人等一切大
會皆大歡喜受持佛語作礼而去
妙法蓮華經卷第十

BD01084號　妙法蓮華經（十卷本）卷一〇　（19–19）

尊
誦是法華經世尊菩薩
何能說是經佛告文殊
後惡世欲說是經當
行處親近處能為
云何名菩薩摩訶
住忍辱地柔和善順
於法無所行而觀
分別是名菩薩摩訶
摩訶薩親近處菩薩
國王王子大臣官長不親近諸
士等及造世俗文筆讚詠外
路伽耶陁者亦不親近諸有
持及那羅等種種變現之戲
陁羅及畜猪羊雞猶畋獵魰捕
儀如是人等或時來者則為說法無
望又不親近求聲聞比丘比丘尼優婆塞
優婆夷亦不問訊若於房中若經行處若
在講堂中不共住止或時來者隨宜說法無
所希求文殊師利又菩薩摩訶薩不應於女

BD01085號　妙法蓮華經卷五　（5–1）

儀如是人等或時來者則為說法無
望又不親近求聲聞比丘比丘尼優婆塞
優婆夷亦不問訊若於房中若經行處若
在講堂中不共住止或時來者隨宜說法無
所希求文殊師利又菩薩摩訶薩不應於女
人身取能生欲想相而為說法亦不樂見若
入他家不與小女處女寡女等共語亦復不近
五種不男之人以為親厚不獨入他家若有
因緣須獨入時但一心念佛若為女人說法
不露齒笑不現胸臆乃至為法猶不親厚
況復餘事不樂畜年少弟子沙彌小兒亦不
樂與同師常好坐禪在於閑處修攝其心文
殊師利是名初親近處復次菩薩摩訶薩觀
一切法空如實相不顛倒不動不退不轉如虛
空無所有性一切語言道斷不生不出不起
無名無相實無所有無量無邊無礙無鄣但
以因緣有從顛倒生故說常樂觀如是法相
是名菩薩摩訶薩第二親近處尒時世尊
欲重宣此義而說偈言
若有菩薩　於後惡世　無怖畏心　欲說是經
應入行處　及親近處　常離國王　及國王子
大臣官長　兇險戲者　及旃陀羅　外道梵志
亦不親近　增上慢人　貪著小乘　三藏學者
破戒比丘　名字羅漢　及比丘尼　好戲笑者

BD01085號　妙法蓮華經卷五　（5–2）

應入行處　及親近處　常離國王　及國王子
大臣官長　兇險戲者　及旃陀羅　外道梵志
亦不親近　增上慢人　貪著小乘　三藏學者
破戒比丘　名字羅漢　及比丘尼　好戲笑者
深著五欲　求現滅度　諸優婆夷　皆勿親近
若是人等　以好心來　到菩薩所　為聞佛道
菩薩則以　無所畏心　不懷悕望　而為說法
寡女處女　及諸不男　皆勿親近　以為親厚
亦莫親近　屠兒魁膾　畋獵漁捕　為利殺害
販肉自活　衒賣女色　如是之人　皆勿親近
兇險相撲　種種嬉戲　諸婬女等　盡勿親近
莫獨屏處　為女說法　若說法時　無得戲笑
入里乞食　將一比丘　若無比丘　一心念佛
是則名為　行處近處　以此二處　能安樂說
又復不行　上中下法　有為無為　實不實法
亦不分別　是男是女　不得諸法　不知不見
是則名為　菩薩行處　一切諸法　空無所有
無有常住　亦無起滅　是名智者　所親近處
顛倒分別　諸法有無　是實非實　是生非生
在於閑處　修攝其心　安住不動　如須彌山
觀一切法　皆無所有　猶如虛空　無有堅固
不生不出　不動不退　常住一相　是名近處
若有比丘　於我滅後　入是行處　及親近處
說斯經時　無有怯弱　菩薩有時　入於靜室
以正憶念　隨義觀法　從禪定起　為諸國王

BD01085號　妙法蓮華經卷五　（5–3）

觀一切法皆無所有猶如虛空無有堅固
不生不出不動不退常住一相是名近處
若有比丘於我滅後入是行處及親近處
說斯經時無有怯弱菩薩有時入於靜室
以正憶念隨義觀法從禪定起為諸國王
王子臣民婆羅門等開化演暢說斯經典
其心安隱無有怯弱文殊師利是名菩薩
安住初法能於後世說法華經
又文殊師利如來滅後於末法中欲說是經
應住安樂行若口宣說若讀經時不樂說人
及經典過亦不輕慢諸餘法師不說他人好
惡長短於聲聞人亦不稱名說其過惡亦不
稱名讚歎其美又亦不生怨嫌之心善脩如
是安樂心故諸有聽者不逆其意有所難問
不以小乘法荅但以大乘而為解說令得一
切種智尒時世尊欲重宣此義而說偈言
菩薩常樂安隱說法於清淨地而施牀座
以油塗身澡浴塵穢著新淨衣內外俱淨
安處法座隨問為說若有比丘及比丘尼
諸優婆塞及優婆夷國王王子羣臣士民
以微妙義和顏為說若有難問隨義而荅
因緣譬喻敷演分別以是方便皆使發心
漸漸增益入於佛道除嬾惰意及懈怠想
離諸憂惱慈心說法晝夜常說無上道教
以諸因緣無量譬喻開示衆生咸令歡喜

BD01085號　妙法蓮華經卷五　（5–4）

不以小乘法荅但以大乘而為解說令得一
切種智尒時世尊欲重宣此義而說偈言
菩薩常樂安隱說法於清淨地而施牀座
以油塗身澡浴塵穢著新淨衣內外俱淨
安處法座隨問為說若有比丘及比丘尼
諸優婆塞及優婆夷國王王子羣臣士民
以微妙義和顏為說若有難問隨義而荅
因緣譬喻敷演分別以是方便皆使發心
漸漸增益入於佛道除嬾惰意及懈怠想
離諸憂惱慈心說法晝夜常說無上道教
以諸因緣無量譬喻開示衆生咸令歡喜
衣服卧具飲食醫藥而於其中無所希望
但一心念說法因緣願成佛道令衆亦尒
是則大利[illegible]供養我滅度後若有比丘
能演說斯妙[illegible]心無嫉恚諸惱鄣礙
亦無憂愁及[illegible]又無怖畏加刀杖等
[illegible]無擯出[illegible]者如是善脩其心
[illegible]安樂[illegible]功德千萬億[illegible]
[illegible]後末世法欲
[illegible]諂誑之
[illegible]丘比丘
[illegible]者

BD01085號　妙法蓮華經卷五　（5–5）

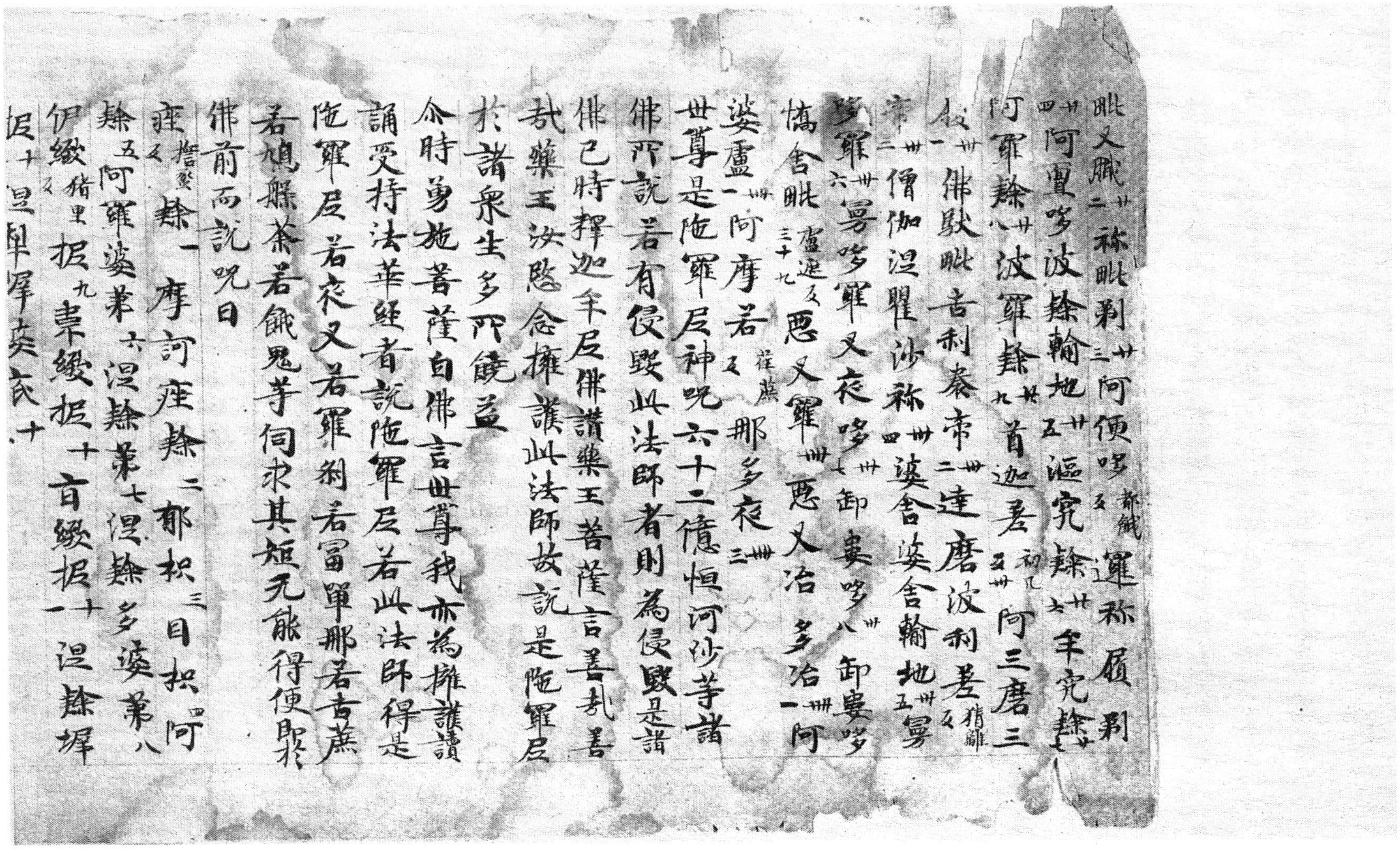

毗叉膩二十祢毗剃三十阿便哆又都鐵邏祢履剃
四十阿亶哆波隸輸地五十漚究隸六十牟究隸
阿羅隸八十波羅隸九十首迦差初几又十三阿三磨三
履一十三佛馱毗吉利袠帝二十三達磨波利差猜離又十三
帝四十三僧伽涅瞿沙祢四十三婆舍婆舍輸地五十三曼
哆邏六十三曼哆邏叉夜哆七十三郵樓哆八十三郵樓哆
憍舍略盧遮又三十九惡叉邏十四惡叉冶多冶一十四阿
婆盧二十四阿摩若荏蔗又那多夜三十四
世尊是陁羅尼神呪六十二億恒河沙等諸
佛所說若有侵毀此法師者則為侵毀是諸
佛已時釋迦牟尼佛讚藥王菩薩言善哉善
哉藥王汝愍念擁護此法師故說是陁羅尼
於諸衆生多所饒益
尒時勇施菩薩白佛言世尊我亦為擁護讀
誦受持法華經者說陁羅尼若此法師得是
陁羅尼若夜叉若羅剎若富單那若吉蔗
若鳩槃茶若餓鬼等伺求其短无能得便即於
佛前而說呪曰
痤又誓𧦩隸一摩訶痤隸二郁枳三目枳四阿
隸五阿羅婆弟六涅隸弟七涅隸多婆弟八
伊緻豬里柅九韋緻柅十旨緻柅一十涅隸墀
柅二十涅犁墀婆底三十

BD01086號　妙法蓮華經（八卷本）卷八　（13–1）

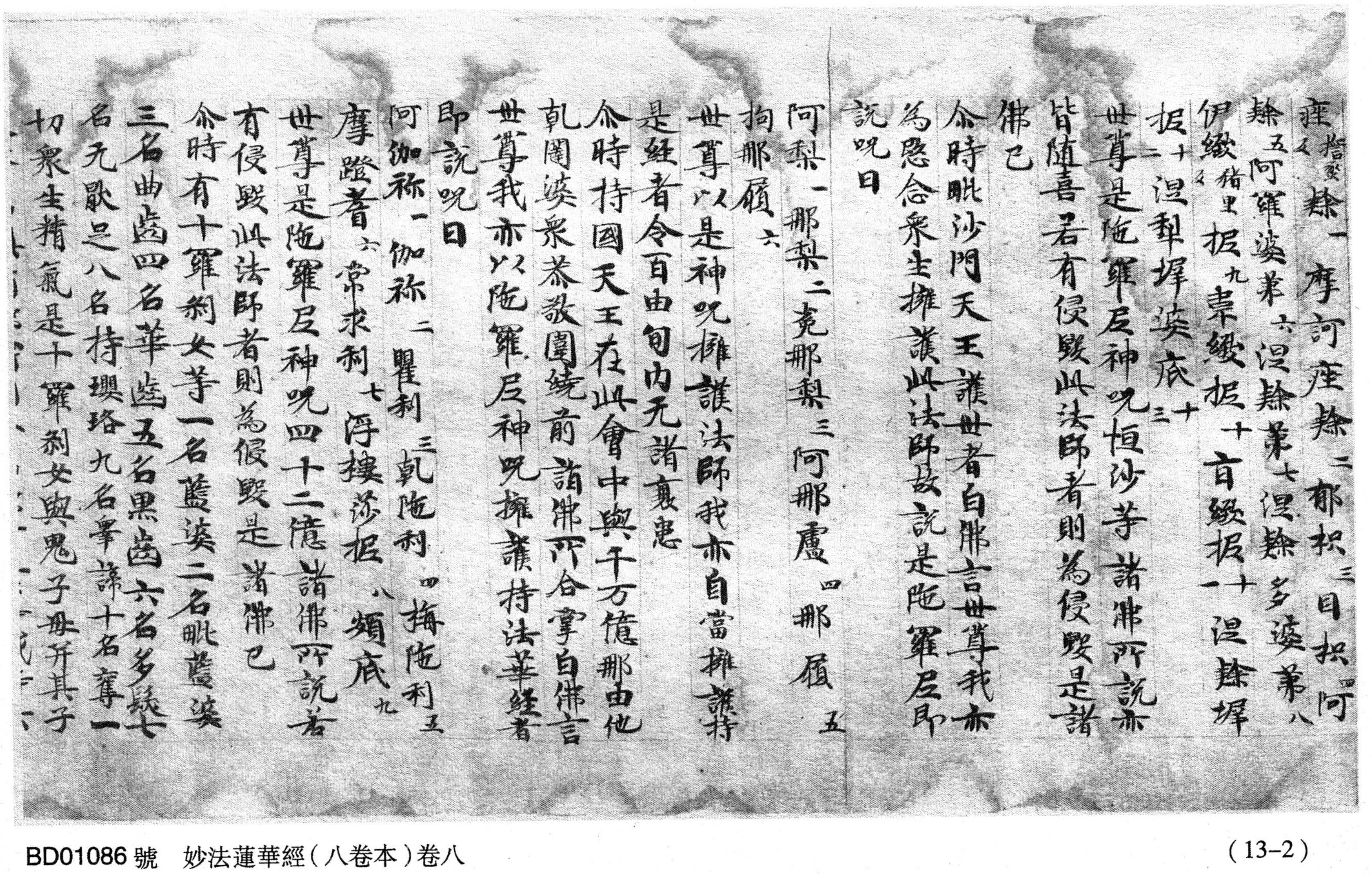

痤又誓𧦩隸一摩訶痤隸二郁枳三目枳四阿
隸五阿羅婆弟六涅隸弟七涅隸多婆弟八
伊緻豬里柅九韋緻柅十旨緻柅一十涅隸墀
柅二十涅犁墀婆底三十
世尊是陁羅尼神呪恒沙等諸佛所說亦
皆隨喜若有侵毀此法師者則為侵毀是諸
佛已
尒時毗沙門天王護世者白佛言世尊我亦
為愍念衆生擁護此法師故說是陁羅尼即
說呪曰
阿梨一那梨二㝹那梨三阿那盧四那履五
拘那履六
世尊以是神呪擁護法師我亦自當擁護持
是經者令百由旬内无諸衰患
尒時持國天王在此會中與千万億那由他
乾闥婆衆恭敬圍繞前詣佛所合掌白佛言
世尊我亦以陁羅尼神呪擁護持法華經者
即說呪曰
阿伽祢一伽祢二瞿利三乾陁利四旃陁利五
摩蹬耆六常求利七浮樓莎柅八頞底九
世尊是陁羅尼神呪四十二億諸佛所說若
有侵毀此法師者則為侵毀是諸佛已
尒時有十羅剎女等一名藍婆二名毗藍婆
三名曲齒四名華齒五名黒齒六名多髮七
名无猒足八名持瓔珞九名睪諦十名奪一
切衆生精氣是十羅剎女與鬼子母幷其子

BD01086號　妙法蓮華經（八卷本）卷八　（13–2）

……女等一名藍婆二名毗藍婆
三名曲齒四名華齒五名黑齒六名多髮七
名无猒足八名持瓔珞九名睪諦十名奪一
切衆生精氣是十羅刹女與鬼子母并其子
及眷屬俱詣佛所同聲白佛言世尊我等亦
欲擁護讀誦受持法華經者除其衰患若有
伺求法師短者令不得便即於佛前而說呪曰
伊提履一 伊提泯二 伊提履三 阿提履四 伊
提履五 泥履六 泥履七 泥履八 泥履九 泥履
樓醯十一 樓醯十二 樓醯十三 樓醯十四 多醯十五 多醯
十六 多醯十七 兜醯十八 㝹醯十九
寧上我頭上莫惱於法師若夜叉若羅刹若
餓鬼若富單那若吉蔗若毗陁羅若揵馱
若烏摩勒伽若阿跋摩羅若夜叉吉蔗若
人吉蔗若熱病若一日若二日若三日若四日乃
至七日若常熱病若男形若女形若童男形
若童女形乃至夢中亦復莫惱即於佛前
而說偈言
若不順我呪　惱亂說法者　頭破作七分　如阿梨樹枝
如殺父母罪　亦如壓油殃　斗秤欺誑人　調達破僧罪
犯此法師者　當獲如是殃
諸羅刹女說此偈已白佛言世尊我等亦當
身自擁護受持讀誦脩行是經者令得安隱
離諸衰患消衆毒藥佛告諸羅刹女善哉善
哉汝等但能擁護受持法華名者福不可量
何況擁護具足受持供養經卷華香瓔珞末
香塗香燒香幡蓋伎樂然種種燈蘇燈油燈

BD01086號　妙法蓮華經（八卷本）卷八　　（13–3）

身自擁護受持讀誦脩行是經者令得安隱
離諸衰患消衆毒藥佛告諸羅刹女善哉善
哉汝等但能擁護受持法華名者福不可量
何況擁護具足受持供養經卷華香瓔珞末
香塗香燒香幡蓋伎樂然種種燈蘇燈油燈
諸香油燈蘇摩那華油燈瞻蔔華油燈婆師
迦華油燈優鉢羅華油燈如是等百千種供
養者睪帝汝等及眷屬應當擁護如是法
師說是陁羅尼品時六万八千人得无生法忍
妙法蓮華經妙莊嚴王本事品第二十七
尒時佛告諸大衆乃往古世過无量无邊不
可思議阿僧祇劫有佛名雲雷音宿王華智
多陁阿伽度阿羅呵三藐三佛陁國名光明
莊嚴劫名憙見彼佛法中有王名妙莊嚴其
王夫人名曰淨德有二子一名淨藏二名淨眼
是二子有大神力福德智慧久脩菩薩所
行之道所謂檀波羅蜜尸羅波羅蜜羼提波
羅蜜毗梨耶波羅蜜禪波羅蜜般若波羅蜜
方便波羅蜜慈悲喜捨乃至三十七助道法
皆悉明了通達又得菩薩淨三昧日星宿三昧
淨光三昧淨色三昧淨照明三昧長莊嚴
三昧大威德藏三昧於此三昧亦悉通達尒
時彼佛欲引導妙莊嚴王及愍念衆生故說
是法華經時淨藏淨眼二子到其母所合十
指爪掌白言願母往詣雲雷音宿王華智佛
所我等亦當侍從親近供養禮拜所以者何

BD01086號　妙法蓮華經（八卷本）卷八　　（13–4）

三昧大威德藏三昧於此三昧亦悉通達尒
時彼佛欲引導妙莊嚴王及愍念衆生故說
是法華經時淨藏淨眼二子到其母所合十
指爪掌白言願母往詣雲雷音宿王華智佛
所我等亦當侍從親近供養礼拜所以者何
此佛於一切天人衆中說法華經宜應聽受
母告子言汝父信受外道深著婆羅門法汝
等應往白父與共俱去淨藏淨眼合十爪指
掌白母我等是法王子而生此邪見家母告
子言汝等當憂念汝父為現神變若得見者
心必清淨或聽我等往至佛所於是二子念
其父故踊在虛空高七多羅樹現種種神變
於虛空中行住坐臥身上出水身下出火身
下出水身上出火或現大身滿虛空中而復
現小小復現大於空中滅忽然在地入地如
水履水如地現如是等種種神變令其父王
心淨信解時父見子神力如是心大歡喜得
未曾有合掌向子言汝等師為是誰誰之弟
子二子白言大王彼雲雷音宿王華智佛今
在七寶菩提樹下法座上坐於一切世間天
人衆中廣說法華經是我等師我是弟子父
語子言我今亦欲見汝等師可共俱往於是
二子從空中下到其母所合掌白母父王今
已信解堪任發阿耨多羅三藐三菩提心我
等為父已作佛事願母見聽於彼佛所出家
脩道尒時二子欲重宣其意以偈白母

BD01086號　妙法蓮華經（八卷本）卷八　（13–5）

二子從空中下到其母所合掌白母父王今
已信解堪任發阿耨多羅三藐三菩提心我
等為父已作佛事願母見聽於彼佛所出家
脩道尒時二子欲重宣其意以偈白母
願母放我等　出家作沙門　諸佛甚難值　我等隨佛學
如優曇波羅　值佛復難是　脫諸難亦難　願聽我出家
母即告言聽汝出家所以者何佛難值故於
是二子白父母言善哉父母願時往詣雲雷
音宿王華智佛所親近供養所以者何佛難
得值如優曇波羅華又如一眼之龜值浮木
孔而我等宿福深厚生值佛法是故父母當
聽我等令得出家所以者何諸佛難值時亦
難遇彼時妙莊嚴王後宮八万四千人皆悉
堪任受持是法華經淨眼菩薩於法華三昧
久已通達淨藏菩薩已於无量百千万億劫
通達離諸惡趣三昧欲令一切衆生離諸惡
趣故其王夫人得諸佛智三昧能知諸佛祕
密之藏二子如是以方便力善化其父令心
信解好樂佛法於是妙莊嚴王與群臣眷屬
俱淨德夫人與後宮采女眷屬俱其王二子
與四万二千人俱一時共詣佛所到已頭面
礼足繞佛三帀却住一面尒時彼佛為王說
法示教利喜王大歡喜尒時妙莊嚴王及其
夫人解頸真珠瓔珞價直百千以散佛上於
虛空中化成四柱寶臺臺中有大寶床敷
百千万天衣其上有佛結加趺坐放大光明尒
時妙莊嚴王作是念佛身希有端嚴殊特成

BD01086號　妙法蓮華經（八卷本）卷八　（13–6）

法亦敎利喜王大歡喜尒時妙莊嚴王及其
夫人解頸真珠瓔珞價直百千以散佛上於
虛空中化成四柱寶臺臺中有大寶床敷
百千万天衣其上有佛結跏趺坐放大光明尒
時妙莊嚴王作是念佛身希有端嚴殊特成
就第一微妙之色時雲雷音宿王華智佛告
四衆言汝等見是妙莊嚴王於我前合掌立
不此王於我法中作比丘精勤脩習助佛道
法當得作佛号娑羅樹王國名大光劫名大
高王其娑羅樹王佛有无量菩薩衆及无量
聲聞其國平正功德如是其王即時以國付
弟與夫人二子并諸眷屬於佛法中出家脩
道王出家已於八万四千歲常勤精進脩行
妙法華經過是已後得一切淨功德莊嚴三昧
即昇虛空高七多羅樹而白佛言世尊此
我二子已作佛事以神通變化轉我邪心令
得安住於佛法中得見世尊此二子者是我
善知識為欲發起宿王善根饒益我故來
生我家尒時雲雷音宿王華智佛告妙莊嚴
王言如是如是如汝所言若善男子善女人種善
根故世世得善知識其善知識能作佛事
示敎利喜令入阿耨多羅三藐三菩提大王
當知善知識者是大因緣所謂化導令得見
佛發阿耨多羅三藐三菩提心大王汝見此二
子不此二子已曾供養六十五百千万億那由
他恒河沙諸佛親近恭敬於諸佛所受
持法華經愍念邪見衆生令住正見妙莊嚴

當知善知識者是大因緣所謂化導令得見
佛發阿耨多羅三藐三菩提心大王汝見此二
子不此二子已曾供養六十五百千万億那由
他恒河沙諸佛親近恭敬於諸佛所受
持法華經愍念邪見衆生令住正見妙莊嚴
王即從虛空中下而白佛言世尊如來甚希
有以功德智慧故頂上肉髻光明顯照其眼
長廣而紺青色眉間毫相白如珂月齒白齊
密常有光明脣色赤好如頻婆果尒時妙莊
嚴王讚歎佛如是等无量百千万億功德已
於如來前一心合掌復白佛言世尊未曾有
也如來之法具足成就不可思議微妙功德
教戒所行安隱快善我從今日不復自隨心
行不生邪見憍慢瞋恚諸惡之心說是語
已礼佛而出佛告大衆於意云何妙莊嚴王豈
異人乎今華德菩薩是其淨德夫人今佛前
光照莊嚴相菩薩是哀愍妙莊嚴王及諸眷
屬故於彼中生其二子者今藥王菩薩藥上
菩薩是是藥王藥上菩薩成就如此諸大
功德已於无量百千万億諸佛所殖衆德本成
就不可思議諸善功德若有人識是二菩薩
名字者一切世間諸天人民亦應礼拜佛說
是妙莊嚴王本事品時八万四千人遠塵離
垢於諸法中得法眼淨

妙法蓮華經普賢菩薩勸發品第二十八

尒時普賢菩薩以自在神通威德名聞與大
菩薩无量无邊不可稱數從東方來所經諸

是妙莊嚴王本事品時八万四千人遠塵離
垢於諸法中得法眼淨
妙法蓮華經普賢菩薩勸發品第二十八
尒時普賢菩薩以自在神通威德名聞與大
菩薩无量无邊不可稱數從東方來所經諸
國普皆震動雨寶蓮華作无量百千万億
種種伎樂又與无數諸天龍夜叉乾闥婆阿脩
羅迦樓羅緊那羅摩睺羅伽人非人等大衆
圍繞各現威德神通之力到娑婆世界耆闍
崛山中頭面礼釋迦牟尼佛右繞七帀白佛
言世尊我於寶威德上王佛國遥聞此娑婆
世界說法華經與无量无邊百千万億諸菩
薩衆共來聽受唯願世尊當為說之若善男
子善女人於如來滅後云何能得是法華經
佛告普賢菩薩若善男子善女人成就四法
於如來滅後當得是法華經一者為諸佛護
念二者殖衆德本三者入正定聚四者發救
一切衆生之心善男子善女人如是成就四法
於如來滅後必得是經尒時普賢菩薩白
佛言世尊於後五百歲濁惡世中其有受持
是經典者我當守護除其衰患令得安隱使
无伺求得其便者若魔若魔子若魔女若
魔民若為魔所著者若夜叉若羅剎若鳩槃
荼若毗舍闍若吉蔗若富單那若韋陁羅等
諸惱人者皆不得便是人若行若立讀誦此經
我尒時乘六牙白象王與大菩薩衆俱詣其
所而自現身供養守護安慰其心亦為供養

荼若毗舍闍若吉蔗若富單那若韋陁羅等
諸惱人者皆不得便是人若行若立讀誦此經
我尒時乘六牙白象王與大菩薩衆俱詣其
所而自現身供養守護安慰其心亦為供養
法華經故是人若坐思惟此經尒時我復乘
白象王現其人前其人若於法華經有所忘
失一句一偈我當教之與共讀誦還令通利
尒時受持讀誦法華經者得見我身甚大歡
喜轉復精進以見我故即得三昧及陁羅尼
名為旋陁羅尼百千万億旋陁羅尼法音方
便陁羅尼得如是等陁羅尼世尊若後世後
五百歲濁惡世中比丘比丘尼優婆塞優婆
夷求索者受持者讀誦者書寫者欲脩習是
法華經於三七日中應一心精進三七日已我
當乘六牙白象與无量菩薩而自圍繞以
一切衆生所憙見身現其人前而為說法
示教利喜亦復與其陁羅尼呪得是陁羅尼
故无有非人能破壞者亦不為女人之所惑
亂我身亦自常護是人唯願世尊聽我說此
陁羅尼即於佛前而說呪曰
阿檀地（途賣反）一 檀陁婆地二 檀陁婆帝三 檀陁
鳩舍隸四 檀陁脩陁隸五 脩陁隸六 脩陁羅
婆底七 佛馱波羶禰八 薩婆陁羅尼阿婆多
尼九 薩婆婆沙阿婆多尼十 脩阿婆多尼十一
僧伽婆履叉尼十二 僧伽涅伽陁尼十三 阿僧祇
十四 僧伽波伽地十五 帝隸阿惰僧伽兜略（盧遮反）
波羅帝十六 薩婆僧伽三摩地蘭地十七 薩婆

婆底 佛䭾波羶袮 薩婆陀羅尼阿婆多
尼九 薩婆婆沙阿婆多尼十 脩阿婆多尼十一
僧伽婆履叉尼十二 僧伽涅伽陀尼十三 阿僧祇
十四 僧伽波伽地十五 帝隸阿惰僧伽兜略 盧遮
波羅帝十六 薩婆僧伽三摩地蘭地十七 薩婆
達摩脩波利刹帝十八 薩婆薩埵樓馱憍舍
略阿㝹伽地十九 辛阿毗吉利地帝二十
世尊若有菩薩得聞是陀羅尼者當知普賢
神通之力若法華經行閻浮提有受持者應
作此念皆是普賢威神之力若有受持讀誦
正憶念解其義趣如說脩行當知是人行普
賢行於无量无邊諸佛所深種善根爲諸如
来手摩其頭若但書冩是人命終當生忉利
天上是時八万四千天女作衆伎樂而来迎之
其人即著七寶冠於婇女中娛樂快樂何
况受持讀誦正憶念解義趣如說脩行若
有人受持讀誦解其義趣是人命終爲千佛
授手令不恐怖不墮惡趣即往兜率天上彌
勒菩薩所彌勒菩薩有三十二相大菩薩衆
所共圍繞有百千万億天女眷屬而於中生有
如是等功德利益是故智者應當一心自
書若使人書受持讀誦正憶念如說脩行世
尊我今以神通力守護是經於如来滅後閻
浮提內廣令流布使不斷絕尒時釋迦牟尼
佛讚言善哉善哉普賢汝能護助是經令多
所衆生安樂利益汝已成就不可思議功德
深大慈悲從久遠来發阿耨多羅三藐三菩

BD01086號　妙法蓮華經（八卷本）卷八　（13–11）

書若使人書受持讀誦正憶念如說脩行世
尊我今以神通力守護是經於如来滅後閻
浮提內廣令流布使不斷絕尒時釋迦牟尼
佛讚言善哉善哉普賢汝能護助是經令多
所衆生安樂利益汝已成就不可思議功德
深大慈悲從久遠来發阿耨多羅三藐三菩
提意而能作是神通之願守護是經我當以
神通力守護能受持普賢菩薩名者
普賢若有受持讀誦正憶念脩習書冩
是法華經者當知是人則見釋迦牟尼佛
如從佛口聞此經典當知是人供養釋迦牟
尼佛當知是人佛讚善哉當知是人爲釋迦
牟尼佛手摩其頭當知是人爲釋迦牟尼佛
衣之所覆如是之人不復貪著世樂不好外
道經書手筆亦復不喜親近其人及諸惡者
若屠兒若畜猪羊雞狗若獵師若衒賣女
色是人心意質直有正憶念有福德力是人
不爲三毒所惱亦復不爲嫉妬我慢邪慢增上
慢所惱是人少欲知足能脩普賢之行
普賢若如来滅後後五百歲若有人見受持
讀誦法華經者應作是念此人不久當詣道
場破諸魔衆得阿耨多羅三藐三菩提轉法
輪擊法鼓吹法蠡雨法雨當坐天人大衆之中
師子法坐上普賢若於後世受持讀誦是
經典者是人不復貪著衣服臥具飲食資生
之物所願不虛亦於現世得其福報若有人
輕毀之言汝狂人耳空作是行終无所獲如是

BD01086號　妙法蓮華經（八卷本）卷八　（13–12）

師子法坐上普賢若於後世受持讀誦是
經典者是人不復貪著衣服臥具飲食資生
之物所願不虛亦於現世得其福報若有人
輕毀之言汝狂人耳空作是行終无所獲如是
罪報當世世无眼若有供養讚歎之者當
於今世得現果報若復見受持是經者出
其過惡若實若不實此人現世得白癩病若
有輕笑之者當世世牙齒疎缺醜脣平鼻手
腳繚戾眼目角睞身體臭穢惡瘡膿血水腹
短氣諸惡重病是故普賢若見受持是經
典者當起遠迎當如敬佛說是普賢勸發品時
恒河沙等无量无邊菩薩得百千万億旋陀羅
尼三千大千世界微塵等諸菩薩具普賢道
佛說是經時普賢等諸菩薩舍利弗等諸聲
聞及諸天龍人非人等一切大會皆大歡喜受持
佛語作礼而去

妙法蓮華經卷第八

BD01086號　妙法蓮華經（八卷本）卷八　（13–13）

瑜伽論第卌二卷手記初
第三明難行戒分三 一問 二略答並如論 三牒本釋 從前所說一切戒
由何義故名難行戒也 三別釋分三 一明大財利大族所難行
戒故論文言從說菩薩 言大財者謂七寶具足也 言大族
者謂宗葉大也 一言自在者謂上至輪王下至國王大臣於眾人尊
貴自在者是也 二依難遭迫令難行難行戒 後論文言又語菩薩是
三依遍於一切住中所難行戒中言遍於一切者謂下行住坐臥作意一切
乃至坐於行先食時住閑靜處時於定意作意時於三聚戒
不散亂也 言恒住正念者謂於壞行住作意正念 第四明一切
門戒分四 一總中言一切門者因義也 次明前三聚淨戒集起之因
也 二略答 三列名並如論 四別釋分四 一依先生所作支戒
二依無始本性種子所集戒並如論 言相續者即心相續也 三依心
纔無始種子所串習戒 四依有後四攝事方便相應戒並如論
第五明善事戒分三 一問 二略答並如論 三別釋分五 一依自與
戶羅所善事戒 二依勸他受所善事戒 三依讚揚所善事
戒 四依歡喜所善事戒 五依迴淨所善事戒 並如論 六依與
知 第六明一切種戒分三 一總問中言一切種者即是遍戒也
謂三聚淨戒遍於一切世出世間因果法故 二略答如論 三別
釋分二 一明六種遍戒分六 一略列可見 二釋分六 一依要義
所迴向戒如論 二依盡其所有性所恭傳戒中言一切菩薩者
謂三聚淨戒攝增上三文字故 三依如所有性所無罪歡喜
受戒中言表離者 謂真如之理性自表離 今人著有者
樂二邊故也 四依所依恒常戒如論 五依供養所生圓
戒分二如論 六依法門菩薩莊嚴具處所感戒中言尸羅莊
嚴具者 謂信欲等十七種沙門莊嚴 如聲聞地中已說 第二
明七種清淨戒分二 一列可見 二釋中言有其七種依處所釋
義分二 前之三種是戒之自性即因義也 後之四種是戒之
異熟即果義也 一依以戒律儀戒 二依轉作自性所攝善
[illegible]

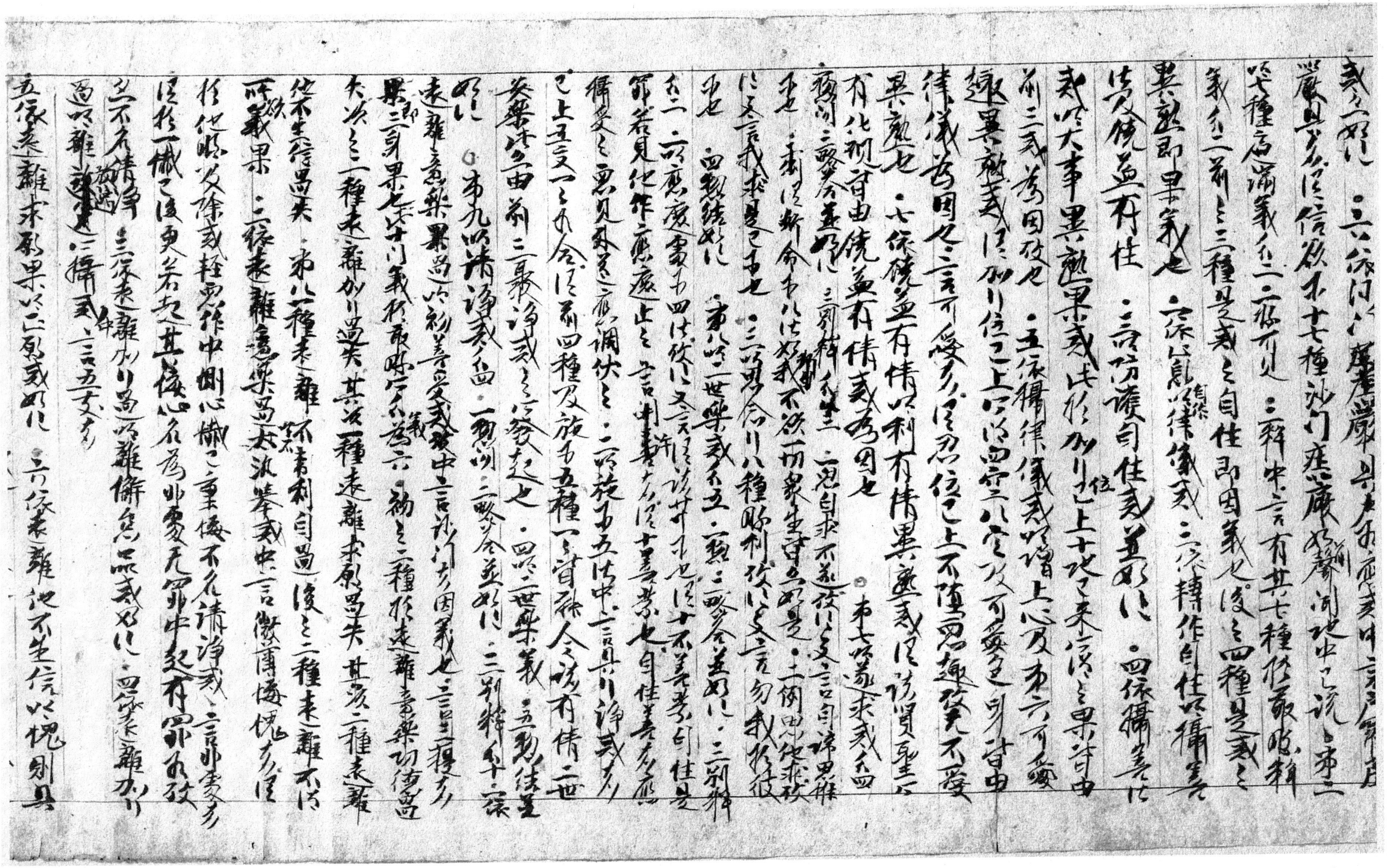

BD01087 號　瑜伽師地論隨聽手記卷四二

（3–2）

已上五支一一九合依前四種及後五種一一皆依人之方有倩二世
安樂清淨由前三最淨戒之所發起之 ・四明二世樂義 ・五明往(生) ・依
明以 ○第九明清淨戒有四 ・一總明 ・二略分合並明以 ・三別釋分 ・依
表遠離言樂果過六初善戒中一言於門有因義也 ・三(別)釋有
果(即)三身果七(果)十門義於取所(明)六為六(義) ・初之二種於遠離言樂功德過
失次之二種表遠離方明過失 其次一種遠離求顯過失 其次二種表遠離
他不生信過失 ・第八一種表之離不(頸)(名)清利自過 後之二種表離不(依)
所(欲)義果 ・一依表遠離言樂過大汲搴戒中一言(微)薄悔愧方(依)
(得)於一(愧)之後更名起其(依)心名為非處无罪中起有罪(解)故
任他所須(及)除戒輕(罪)作中(側)心愧之重悔不名清淨戒 ・二言非處(受)方
之不名清淨 (新)(過) ・三依表之離方明過明離(備)息所戒以 ・四依表之離方明
過明離(謗)之三(攝)戒 ・三五文方
五依表遠離求顯果以二顯戒以 ・六依表之離他不生信以愧別具
是戒中一言(該)(儀)方(依)四威儀也 ・七依他不生信明淨命心攝
戒以 ・八依表離不自離明表之離戒以 ・九依表遠離不
明(依)欲義以之水言離戒以 ・十依表離不(依)(欲)義(明)於先
所受无憶失戒中之言无缺(減)方於取所釋 言无憶失義依唯犯
之便(捨)(愧)故 ・一依无破壞方是无(缺)減義 依唯犯一戒而(棄)
捨一切戒故 ・第四(總)(結)以
第五明持戒功德所利有二 一依因圓滿德先竟果位所(得)利功德有二 一依
故以文言所是之等(分)也 ・二釋 故以文言依於此故出也 ・二依因未圓滿

BD01087號背　題名、雜寫

（2–1）

BD01087號背　題名

（2–2）

未來現在十方尊
我以至誠身語意
讚歎無邊功德海
設我口中有千舌
世尊功德不思議　最勝甚深
假令我舌有百千　讚歎一佛一切
於中少分尚難知　況諸佛德無邊際
假使大地及諸天　乃至有頂為海水
可以毛端滴知數　佛一切德甚難量
我以至誠身語意　礼讚諸佛德無邊
所有勝福果難思　迴施眾生速成佛
彼王讚歎如來已　倍復深心發弘願
願我當於未來世　生在無量無數劫
夢中常見大金鼓　得聞顯說懺悔音
讚佛功德喻蓮花　願證無生成正覺
諸佛出世時一現　於百千劫甚難逢
夜夢常聞妙鼓音　晝則隨應而懺悔
我當圓滿修六度　拔濟眾生出苦海
然後得成無上覺　佛土清淨不思議
以妙金鼓奉如來　并讚諸佛實功德
因斯當見釋迦佛　記我當紹人中尊
金龍金光是我子　過去曾為善知識
世世願生於我家　共受無上菩提記

BD01088號　金光明最勝王經卷五　（6–1）

然後得成無上覺　佛土清淨不思議
以妙金鼓奉如來　并讚諸佛實功德
因斯當見釋迦佛　記我當紹人中尊
金龍金光是我子　過去曾為善知識
世世願生於我家　共受無上菩提記
若有眾生無救護　長夜輪迴受眾苦
我於來世作歸依　令彼常得安隱樂
三有眾苦願除滅　悉得隨心安樂處
於未來世修菩提　皆如過去成佛者
願此金光懺悔福　永竭苦海罪消除
業障煩惱悉皆亡　令我速招清淨果
福智大海量無邊　清淨離垢深無底
願我獲斯功德海　速成無上大菩提
以此金光懺悔力　當獲福德淨光明
既得清淨妙光明　常以智光照一切
願我身光等諸佛　福德智慧亦復然
一切世界獨稱尊　威力自在無倫匹
有漏苦海願超越　無為樂海願常遊
現在福海願恒盈　常來智海願圓滿
願我剎土超三界　殊勝功量無邊
諸有緣者悉同生　皆得速成清淨智
妙幢汝當知　國王金龍主　曾發如是願　彼即是汝身
往時有二子　金龍及金光　即銀相銀光　當受我所記
大眾聞是說　皆發菩提心　願現在未來　常依此懺悔
金光明最勝王經金勝陀羅尼品第八
尒時世尊復於眾中告善住菩薩摩訶薩善
男子有陀羅尼名曰金勝若有善男子善女
人欲求親見過去未來見在諸佛恭敬供養者

BD01088號　金光明最勝王經卷五　（6–2）

金光明最勝王經金勝陀羅尼品第八
尒時世尊復於衆中告善住菩薩摩訶薩善
男子有陀羅尼名曰金勝若有善男子善女
人欲求親見過去未來現在諸佛恭敬供養者
應當受持此陀羅尼何以故此陀羅尼乃是過
現未來諸佛之母是故當智持此陀羅尼
者具大福德已於過去無量佛所殖諸善
本今得受持於戒清淨不毀不缺無有障礙
稱諸佛名及菩薩名至心礼敬然後誦呪
南謨十方一切諸佛　南謨諸菩薩摩訶薩
南謨聲聞緣覺一切賢聖
南謨釋迦牟尼佛　南謨東方不動佛
南謨南方寶幢佛　南謨西方阿彌陀佛
南謨北方天鼓音王佛　南謨上方廣衆德佛
南謨下方明德佛　南謨寶藏佛
南謨普光佛　南謨普明佛
南謨香積王佛　南謨蓮花勝佛
南謨平等見佛　南謨寶髻佛
南謨寶上佛　南謨寶光佛
南謨無垢光明佛　南謨辯才莊嚴思惟佛
南謨淨月光稱相王佛　南謨花嚴光佛
南謨光明王佛　南謨善光垢稱王佛
南謨觀察無畏自在佛　南謨無畏名稱佛
南謨最勝王佛
南謨觀自在菩薩摩訶薩　南謨地藏菩薩摩訶薩
南謨虛空藏菩薩摩訶薩　南謨妙吉祥菩薩摩訶薩
南謨金剛手菩薩摩訶薩　南謨普賢菩薩摩訶薩

BD01088號　金光明最勝王經卷五　（6–3）

南謨觀察無畏自在佛　南謨無畏名稱佛
南謨最勝王佛
南謨觀自在菩薩摩訶薩　南謨地藏菩薩摩訶薩
南謨虛空藏菩薩摩訶薩　南謨妙吉祥菩薩摩訶薩
南謨金剛手菩薩摩訶薩　南謨普賢菩薩摩訶薩
南謨無盡意菩薩摩訶薩　南謨大勢至菩薩摩訶薩
南謨慈氏菩薩摩訶薩　南謨善慧菩薩摩訶薩
陀羅尼曰
南謨曷喇怛娜怛喇夜也　妲他
君睇　君睇　矩析囇　矩析囇
壹窒哩　密窒哩　莎訶
佛告善住菩薩此陀羅尼是三世佛母若有
善男子善女人持此呪者能生无量无邊福
德之聚即是供養恭敬尊重讚歎无數諸佛
如是諸佛皆與此人授阿耨多羅三藐三菩
提記善住若有人能持此呪者隨其所欲衣
食財寶多聞聰慧無病長壽獲福甚多隨所
願求無不遂意善住持是呪者乃至未證無
上菩提常與金城山菩薩慈氏菩薩大海菩
薩觀自在菩薩妙吉祥菩薩大氷伽羅菩薩
等而共居止爲諸菩薩之所攝護善住當知
持此呪時作如是法先應誦持滿一万八遍
爲前方便次於闇室莊嚴道場黑月一日清
淨洗浴著鮮潔衣燒香散花種種供養并諸
飲食入道場中先當稱礼如前所說諸佛菩
薩至心慙重悔先罪已右膝著地可誦前呪
滿一千八遍端坐思惟念其所願日未出時
於道場中食淨黑食日唯一食至十五日方

BD01088號　金光明最勝王經卷五　（6–4）

淨洗浴著鮮潔衣燒香散花種種供養諸
飲食入道場中先當操礼如前所說諸佛菩
薩至心慇重悔先罪已右膝著地可誦前呪
滿一千八遍端坐思惟念其所願日未出時
於道場中食淨黑食日唯一食至十五日方
出道場能令此人福德威力不可思議隨所
願求無不圓滿若不遂意重入道場既稱心
已常持莫忘

金光明最勝王經顯空性品第九

尒時世尊說此呪已為欲利益菩薩摩訶薩
人天大衆令得悟解甚深真實第一義故重
明空性而說頌曰

我已於餘甚深經　廣說真空微妙法
今復於此經王內　略說空法不思議
於諸廣大甚深法　有情无智不能解
故我於斯重敷演　令於空法得開悟
大悲哀愍有情故　以善方便勝因緣
我今於此大衆中　演說令彼明空義
當知此身如空聚　六賊依止不相知
六塵諸賊別依根　各不相知亦如是
眼根常觀於色處　耳根聽聲不斷絕
鼻根恒齅於香境　舌根鎮甞於美味
身根受於輕耎觸　意根了法不知猒
此等六根隨事起　各於自境生分別
識如幻化非真實　依止根處妄貪求
如人奔走空聚中　六識依根亦如是
心遍馳求隨處轉　託根緣境了諸事

BD01088號　金光明最勝王經卷五　（6–5）

鼻根恒齅於香境　舌根鎮甞於美味
身根受於輕耎觸　意根了法不知猒
此等六根隨事起　各於自境生分別
識如幻化非真實　依止根處妄貪求
如人奔走空聚中　六識依根亦如是
心遍馳求隨處轉　託根緣境了諸事
常愛色聲香味觸　於法尋思無暫停
緣遍行於六根　如鳥飛空無障礙
此諸根作依處　方能了別於外境
身無知無作者　體不堅固託緣成
從虛妄分別生　譬如機關由業轉
水火風共成身　隨彼因緣招異果
在一處相違害　如四毒蛇居一篋
大蛇性各異　雖居一處有昇沉
遍於　斯等終歸於滅法
蛇中　地水二蛇多沉下
由此乖違衆病生
身　造作種種善惡業
處　隨其業力受身形
身死後　大小便利悉盈流
不可樂　棄在屍林如朽木
觀法如是　云何執我有衆生
無常

BD01088號　金光明最勝王經卷五　（6–6）

觸得無障礙於耳鼻
眼觸為緣所生諸受得
意觸為緣所生諸受得無障礙於地
障礙於水火風空識界得無障礙於
無障礙於行識名色六處觸受愛取有生
老死得無障礙於離害生命得無障礙於離不
與取欲邪行虛誑語離間語雜穢語
貪欲瞋恚邪見得無障礙於四靜慮得無障
礙於四無量四無色定得無障礙於布施波
羅蜜多得無障礙於淨戒安忍精進靜慮般
若波羅蜜多得無障礙於內空得無障礙於
外空內外空空空大空勝義空有為空無為
空畢竟空無際空散空無變異空本性空自
相空共相空一切法空不可得空無性空自性
空無性自性空得無障礙於真如得無障
礙於法界法性不虛妄性不變異性平等性
離生性法定法住實際虛空界不思議界得
無障礙於四念住得無障礙於四正斷四神
足五根五力七等覺支八聖道支得無障礙
於苦聖諦得無障礙於集滅道聖諦得無障
礙於八解脫得無障礙於八勝處九次第定
十遍處得無障礙於空解脫門得無障礙於
無相無願解脫門得無障礙於極喜地得無
障礙於離垢地發光地焰慧地極難勝地現
前地遠行地不動地善慧地法雲地得無障
[illegible]

BD01089 號　大般若波羅蜜多經卷三二五　（8–1）

礙於八解脫得無障礙於八勝處九次第定
十遍處得無障礙於空解脫門得無障礙於
無相無願解脫門得無障礙於極喜地得無
障礙於離垢地發光地焰慧地極難勝地現
前地遠行地不動地善慧地法雲地得無障
礙於五眼得無障礙於六神通得無障礙於
三摩地門得無障礙於陀羅尼門得無障礙
於佛十力得無障礙於四無所畏四無礙解
大慈大悲大喜大捨十八佛不共法得無障
礙於順逆觀十二支緣起得無障礙於知苦
斷集證滅修道得無障礙於預流果得無障
礙於一來不還阿羅漢果得無障礙於獨覺
菩提得無障礙於入菩薩正性離生位得無
障礙於嚴淨佛土得無障礙於成熟有情得
無障礙於起菩薩神通得無障礙於一切智
得無障礙於道相智一切相智得無障礙於斷
一切煩惱相續習氣得無障礙於無忘失
法得無障礙於恒住捨性得無障礙於圓滿
壽量得無障礙於轉法輪得無障礙於正法
住得無障礙所以者何善現是菩薩摩訶薩
從前際來不攝受色不攝受受想行識不攝
受眼處不攝受耳鼻舌身意處不攝受色
處不攝受聲香味觸法處不攝眼界不攝受
耳鼻舌身意界不攝受色界不攝受聲香味
觸法界不攝受眼識界不攝受耳鼻舌身意
識界不攝受眼觸不攝受耳鼻舌身意觸不
攝受眼觸為緣所生諸受不攝受耳鼻舌身
意觸為緣所生諸受不攝受地界不攝受水

BD01089 號　大般若波羅蜜多經卷三二五　（8–2）

耳鼻舌身意界不攝受色界不攝受聲香味
觸法界不攝受眼識界不攝受耳鼻舌身意
識界不攝受眼觸不攝受耳鼻舌身意觸不
攝受眼觸為緣所生諸受不攝受耳鼻舌身
意觸為緣所生諸受不攝受地界不攝受水
火風空識界不攝受無明不攝受行識名色
六處觸受愛取有生老死不攝受離害生命
不攝受離不與取欲邪行虛誑語麤惡語離
間語離雜穢語貪欲瞋恚邪見不攝受四靜慮
不攝受四無量四無色定不攝受布施波羅
蜜多不攝受淨戒安忍精進靜慮般若波羅
蜜多不攝受內空外空內外空空空
大空勝義空有為空無為空畢竟空無際空
散空無變異空本性空自相空共相空一
切法空不可得空無性空自性空無性自性空
不攝受真如不攝受法界法性不虛妄性不
變異性平等性離生性法定法住實際虛空
界不思議界不攝受四念住不攝受四正斷
四神足五根五力七等覺支八聖道支不攝
受苦聖諦不攝受集滅道聖諦不攝受八解
脫不攝受八勝處九次第定十遍處不攝受
空解脫門不攝受無相無願解脫門不攝受
極喜地不攝受離垢地發光地焰慧地極難
勝地現前地遠行地不動地善慧地法雲地
不攝受五眼不攝受六神通不攝受三摩地
門不攝受陀羅尼門不攝受佛十力不攝受
四無所畏四無礙解大慈大悲大喜大捨十
八佛不共法不攝受十二支緣起順逆觀不

BD01089號　大般若波羅蜜多經卷三二五　（8–3）

極喜地不[illegible]
勝地現前地遠行地不動地善慧地法雲地
不攝受五眼不攝受六神通不攝受三摩地
門不攝受陀羅尼門不攝受佛十力不攝受
四無所畏四無礙解大慈大悲大喜大捨十
八佛不共法不攝受十二支緣起順逆觀不
攝受知苦斷集證滅脩道不攝受預流果不
攝受一來不還阿羅漢果不攝受獨覺菩提
不攝受入菩薩正性離生位不攝受嚴淨佛
土不攝受成熟有情不攝受菩薩神通不攝
受一切智不攝受道相智一切相智不攝受
斷一切煩惱相續習氣不攝受無忘失法不
攝受恒住捨性不攝受圓滿壽量不攝受轉
法輪不攝受正法住何以故善現色不可攝
受故若色不可攝受則非色受想行識不可
攝受故若受想行識不可攝受則非受想行
識善現眼處不可攝受故若眼處不可攝受
則非眼處耳鼻舌身意處不可攝受故若耳
鼻舌身意處不可攝受則非耳鼻舌身意處
善現色處不可攝受故若色處不可攝受則
非色處聲香味觸法處不可攝受故若聲香
味觸法處不可攝受則非聲香味觸法處善
現眼界不可攝受故若眼界不可攝受則非
眼界耳鼻舌身意界不可攝受故若耳鼻舌
身意界不可攝受則非耳鼻舌身意界善現
色界不可攝受故若色界不可攝受則非色
界聲香味觸法界不可攝受故若聲香味觸
法界不可攝受則非聲香味觸法界善現眼
識界不可攝受故若眼識界不可攝[illegible]

BD01089號　大般若波羅蜜多經卷三二五　（8–4）

身意界不可攝受則非耳鼻舌身意界善現
色界不可攝受故若色界不可攝受則非色
界聲香味觸法界不可攝受故若聲香味觸
法界不可攝受則非聲香味觸法界善現眼
識界不可攝受故若眼識界不可攝受則非
眼識界耳鼻舌身意識界不可攝受故若耳
鼻舌身意識界不可攝受則非耳鼻舌身意
識界善現眼觸不可攝受故若眼觸不可攝
受則非眼觸耳鼻舌身意觸不可攝受故若
耳鼻舌身意觸不可攝受則非耳鼻舌身意
觸善現眼觸為緣所生諸受不可攝受故若
眼觸為緣所生諸受不可攝受則非眼觸為
緣所生諸受耳鼻舌身意觸為緣所生諸受
不可攝受故若耳鼻舌身意觸為緣所生諸
受不可攝受則非耳鼻舌身意觸為緣所生
諸受善現地界不可攝受故若地界不可攝
受則非地界水火風空識界不可攝受故若
水火風空識界不可攝受則非水火風空識
界善現無明不可攝受故若無明不可攝受
則非無明行識名色六處觸受愛取有生老
死不可攝受故若行乃至老死不可攝受則
非行乃至老死
善現離害生命不可攝受故若離害生命不
可攝受則非離害生命離不與取欲邪行不
可攝受故若離不與取欲邪行不可攝受則
非離不與取欲邪行善現離虛誑語不可攝
受故若離虛誑語不可攝受則非離虛誑語
離麤惡語離離間語離雜穢語不可攝受故若離

可攝受則非離害生命離不與取欲邪行不
可攝受故若離不與取欲邪行不可攝受則
非離不與取欲邪行善現離虛誑語不可攝
受故若離虛誑語不可攝受則非離虛誑語
離麤惡語離離間語離雜穢語不可攝受故若離
麤惡語離離間語離雜穢語不可攝受則非離麤惡
語離離間語離雜穢語善現離貪欲不可攝受故
若離貪欲不可攝受則非離貪欲離瞋恚邪
見不可攝受故若離瞋恚邪見不可攝受則
非離瞋恚邪見善現初靜慮不可攝受故若
初靜慮不可攝受則非初靜慮第二第三第
四靜慮不可攝受故若第二第三第四靜慮
不可攝受則非第二第三第四靜慮善現慈
無量不可攝受故若慈無量不可攝受則非
慈無量悲喜捨無量不可攝受故若悲喜捨
無量不可攝受則非悲喜捨無量善現空無
邊處不可攝受故若空無邊處不可攝受則
非空無邊處識無邊處無所有處非想非非
想處不可攝受故若識無邊處無所有處
非想非非想處不可攝受則非識無邊處無所
有處非想非非想處
善現布施波羅蜜多不可攝受故若布施波羅
蜜多不可攝受則非布施波羅蜜多淨戒
安忍精進靜慮般若波羅蜜多不可攝受故
若淨戒安忍精進靜慮般若波羅蜜多不可
攝受則非淨戒安忍精進靜慮般若波羅蜜
多善現內空不可攝受故若內空不可攝受
則非內空外空內外空空空大空勝義空有
為空無為空畢竟空無際空散空無變異空

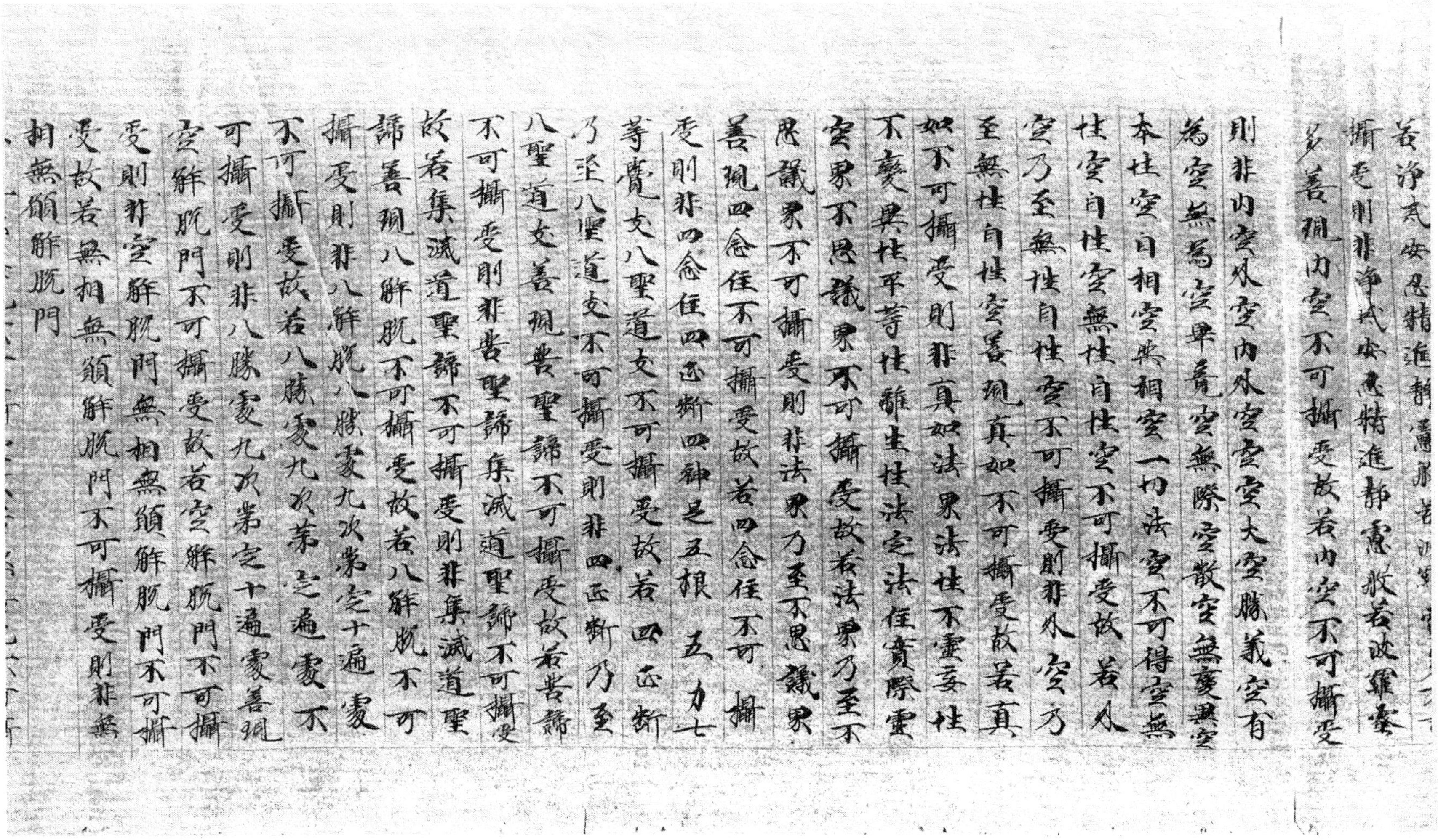

若淨戒安忍精進靜慮般若波羅蜜
攝受則非淨戒安忍精進靜慮般若波羅蜜
多善現內空不可攝受故若內空不可攝受
則非內空外空內外空空空大空勝義空有
為空無為空畢竟空無際空散空無變異空
本性空自相空共相空一切法空不可得空無
性空自性空無性自性空不可攝受故若外
空乃至無性自性空不可攝受則非外空乃
至無性自性空善現真如不可攝受故若真
如不可攝受則非真如法界法性不虛妄性
不變異性平等性離生性法定法住實際虛
空界不思議界不可攝受故若法界乃至不
思議界不可攝受則非法界乃至不思議界
善現四念住不可攝受故若四念住不可攝
受則非四念住四正斷四神足五根五力七
等覺支八聖道支不可攝受故若四正斷
乃至八聖道支不可攝受則非四正斷乃至
八聖道支善現苦聖諦不可攝受故若苦諦
不可攝受則非苦聖諦集滅道聖諦不可攝受
故若集滅道聖諦不可攝受則非集滅道聖
諦善現八解脫不可攝受故若八解脫不可
攝受則非八解脫八勝處九次第定十遍處
不可攝受故若八勝處九次第定十遍處不
可攝受則非八勝處九次第定十遍處善現
空解脫門不可攝受故若空解脫門不可攝
受則非空解脫門無相無願解脫門不可攝
受故若無相無願解脫門不可攝受則非無
相無願解脫門

BD01089 號　大般若波羅蜜多經卷三二五　（8–7）

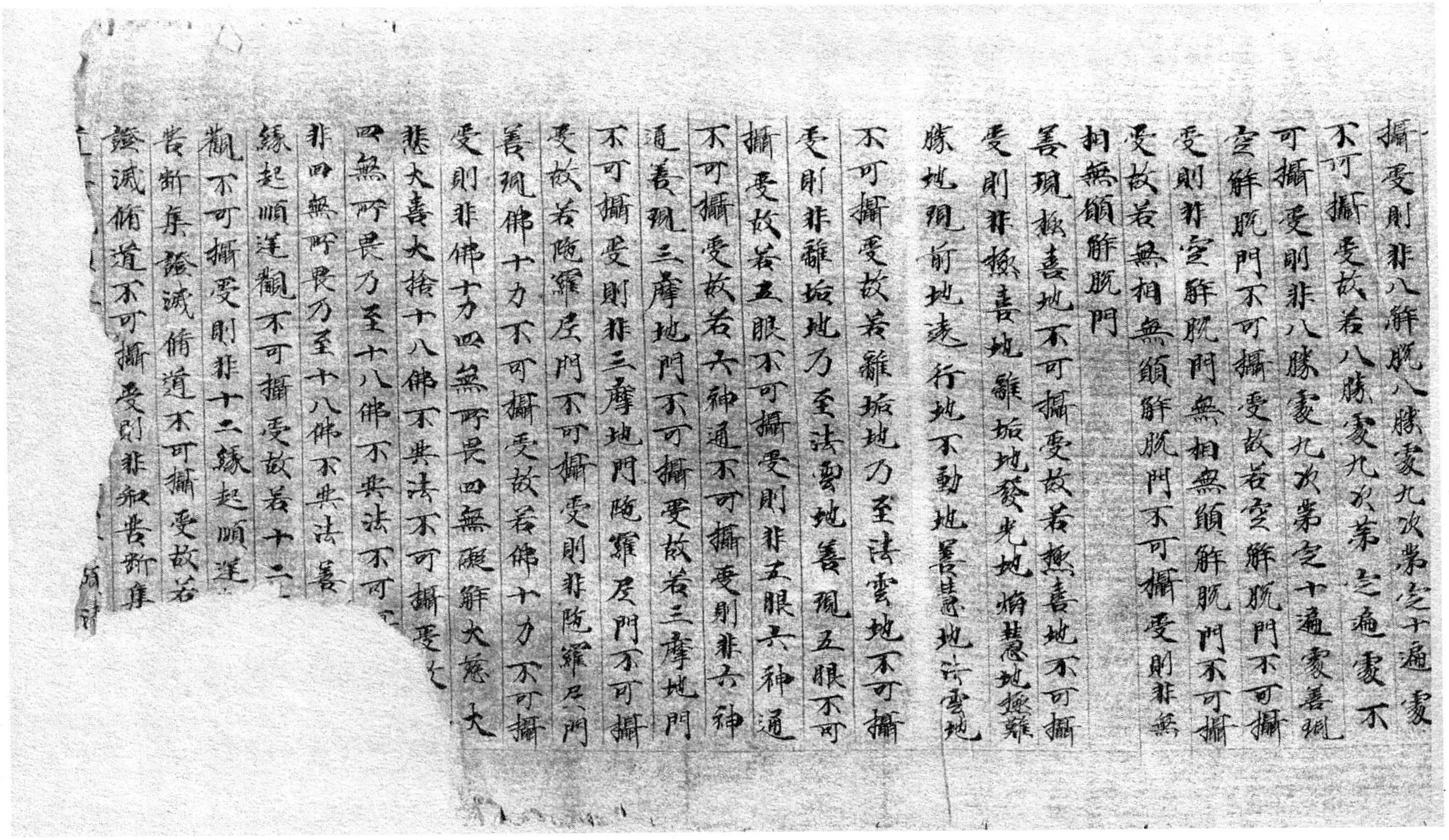

攝受則非八解脫八勝處九次第定十遍處
不可攝受故若八勝處九次第定十遍處不
可攝受則非八勝處九次第定十遍處善現
空解脫門不可攝受故若空解脫門不可攝
受則非空解脫門無相無願解脫門不可攝
受故若無相無願解脫門不可攝受則非無
相無願解脫門
善現極喜地不可攝受故若極喜地不可攝
受則非極喜地離垢地發光地焰慧地極難
勝地現前地遠行地不動地善慧地法雲地
不可攝受故若離垢地乃至法雲地不可攝
受則非離垢地乃至法雲地善現五眼不可
攝受故若五眼不可攝受則非五眼六神通
不可攝受故若六神通不可攝受則非六神
通善現三摩地門不可攝受故若三摩地門
不可攝受則非三摩地門陀羅尼門不可攝
受故若陀羅尼門不可攝受則非陀羅尼門
善現佛十力不可攝受故若佛十力不可攝
受則非佛十力四無所畏四無礙解大慈大
悲大喜大捨十八佛不共法不可攝受故
四無所畏乃至十八佛不共法不可
非四無所畏乃至十八佛不共法善
緣起順逆觀不可攝受故若十二
觀不可攝受則非十二緣起順逆
苦斷集證滅修道不可攝受故若
證滅修道不可攝受則非知苦斷集

BD01089 號　大般若波羅蜜多經卷三二五　（8–8）

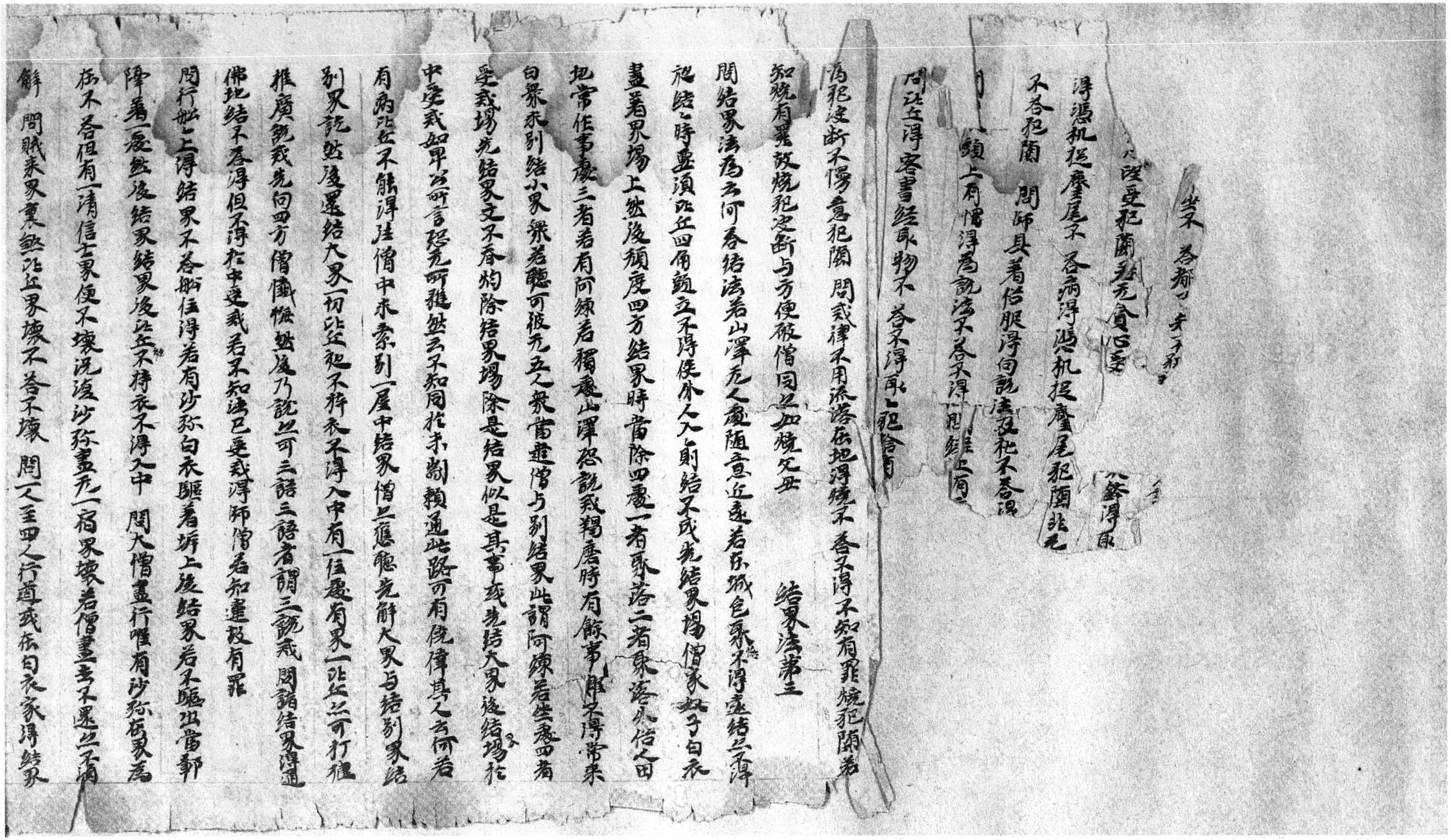

BD01090號　目連問戒律中五百輕重事

（15–1）

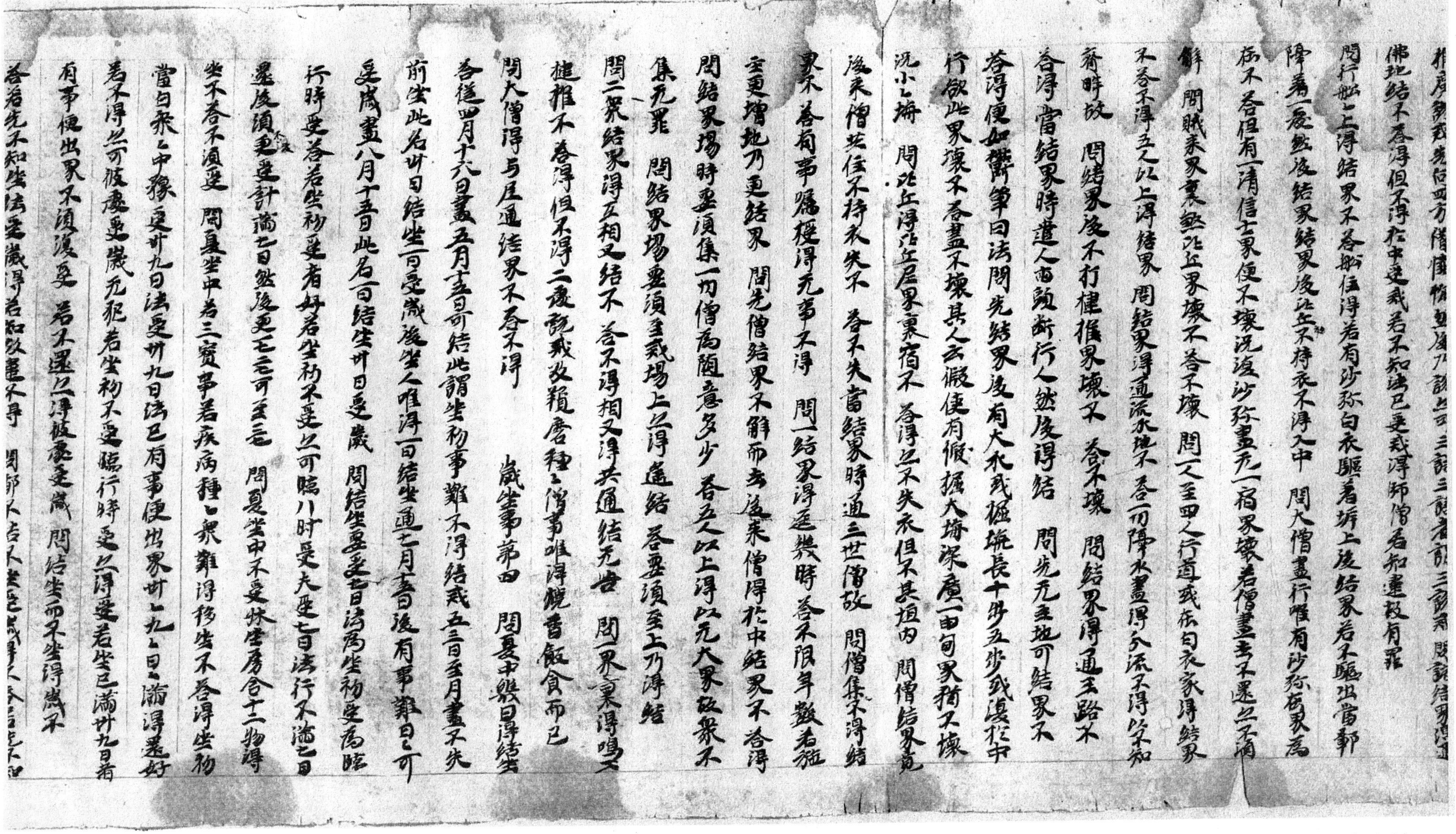
[illegible]
佛地結不　荅得但不得於中受戒若不知法已受戒得師僧者知違教有罪
問行船上得結界不　荅船住得若有沙弥白衣驅著岸上後結界若不驅出當鄣
障著一處然後結界結界後比丘不持衣不得入中　問大僧盡行唯有沙弥在界為
衣不　荅但有一清信士界便不壞況復沙弥盡无一宿界壞若僧盡去不還亦不滿
餘　問賊來界裏无比丘界壞不　荅不壞　問一人至四人行道或在白衣家得結界
不　荅不得五人以上得結界　問結界得通流水地不　荅一切障水盡得分流不得竟知
齊時故　問結界後不打揵搥界壞不　荅不壞　問結界得通王路不
荅得當結界時遣人兩頭斷行人然後得結　問先无主地可結界不
荅得便如齋筭日法　問先結界後有大水或掘塹長十步五步或復於中
行欲此界壞不　荅盡不壞其人云假使有假掘大塹深廣一由旬界猶不壞
況小小塹　問比丘得比丘尼界裏宿不　荅得亦不失衣但不具垣內　問僧結界竟
後來僧在住不持衣失不　荅不失當結界時通三世僧故　問僧集不得結
界不　荅有事緣縱得无事不得　問一結界得延幾時　荅不限年數若
更增地乃更結界　問先僧結界不解而去後來僧得於中結界不　荅得
問結界場時要須集一切僧為隨意多少　荅五人以上得以无大界故衆不
集无罪　問結界場要須至戒場上亦得遙結　荅要須至上乃得結
問二界結界得互相又結不　荅不得相又得共通結无苦　問界裏得鳴
揵搥不　荅得但不得二處說戒及羯磨種種僧事唯得鏡香飯食而已
問大僧得與尼通結界不　荅不得
歲坐事第四　問夏中幾日得結坐
荅從四月十六日盡五月十五日可結此謂坐初事難不得結或五月十五日至八月盡不失
前坐此名卅日結坐一百受歲後坐人唯得一百結坐通七月十五日後有事難日日可
受歲盡八月十五日此名百日結坐卅日受歲　問結坐要受七日法為坐初受為臨
行時受　荅若坐初受者好若坐初不受亦可臨八時受夫受七日法行不滿七日
還復須更受許滿七日然後更七七可至三七
坐不　荅不須受　問夏坐中若三寶事若疾病種種衆難得移坐不　荅得坐初
當白衆衆中稱受卅九日法受卅九日法已有事便出界卅九九日日滿得還好
若不得亦可彼處受歲无犯若坐初不受臨行時受亦得要若坐已滿卅九日者
有事便出界不須復受　若不還亦得彼處受歲　問結坐而不坐得歲不
荅若先不知坐法受歲得若知故違不得　問卯不告人坐已滅事人[illegible]

（15–2）

BD01090號　目連問戒律中五百輕重事

坐不答不須受　問夏坐中若三寶事若疾病種種衆難得移坐不答得坐初
當白衆衆中稱受卅九日法受卅九日法已有事便出界卅九九日日滿得還好
若不得止可彼處更受歲无犯若坐初不受臨行時受止得受若坐已滿卅九日者
有事便出界不須復受　若不還止得彼處受歲　問結坐而不坐得歲不
答若先不知坐法受歲得若知故違不得　問都不結不坐受歲得不答若先不知
有結不知有坐亦受歲得知便應向僧懺若先知法故違不得　問不結坐得歲不
答同上事　問夏坐中得入流水泄水浴不　答界內盡得若受七日行還止得　問夏坐犯
波斷不悔受歲得不　答有罪故得歲所以尒者故是比丘故　問受歲不和合得
歲不　答要須懺悔然後受歲若其人不悔償出得不若肯出衆當諫過三諫
不受犯波斷還四諫犯重若力能驅出界好若其人不出當牢閉著一房中然後歲
无犯以其非是比丘故若惡人多衆不敵當驅出界若共受不淨歲　問夏中得爲已
師造福業不　答得但不得自手造　問夏中得捉扇拂不　答一切毛不得捉竹
扇得　問後坐人得七月十五日受歲趣多不　答不得若先知已受得歲若
知法故爲不得若欲和合僧勉受籌而已若後坐人受歲時前坐人亦尒
問二人同臈小者前坐大者後坐前坐受歲後坐者未受於一月中何者應大
答先者大故大計本日故　問夏中不受七日法難小小出界故坐不答懺悔得
問夏中有一因緣得再三受七日不　答得　問夏中不坐人或十人五人欲來寄住得
共受歲不　答若及後坐當結若不及後坐不得此人若全不知有坐法得容若知
有故違不得　問夏坐中若爲三寶事若疾病種種衆難得移坐不答得坐初當白
衆衆中乞與受卅九日法已有事難便出界卅九日日滿得還好若不得止可彼處歲受
无罪若坐初不受臨行時止得受若坐已滿卅九日者有便事出界不須復受若不還止
不得彼處受歲　問不結坐我不受七日已受臈得不　答不知法已受臈不得若已下僧一
諫取好過三諫不取犯戾語受斷懺悔還取得當時白衆衆然可取得　問比丘不
受歲犯何事　答一比丘不受歲衆當諫便受一諫至三諫受好若過三諫不受犯
波斷過四不受非沙門以不受育法故　問夏坐新受戒人日中結坐得歲不　答得唯
後夜不得　問夏坐若不受七日法一出行得坐不　答億即悔得一坐中不得過二三悔
不得歲　問頻至其方結坐有羿不違得兔坐不　答不得止可到彼後坐若道有僧
住處便動結白一日二日治房舍然後受卅九日得無无僧住五人以上共結界結坐然後留
一人二人守界滿卅九日乃得去若後人不滿卅九日爲前者不知不失坐後人失　問一乙盡四

BD01090號　目連問戒律中五百輕重事　　（15–3）

決斷過四不受非沙門以不受僧法故　問夏坐新受戒人日中後坐得歲不　答得唯
後祇不得　問夏坐後不受七日法一出行得坐不　答憶即還得一坐中久得過七三臘
不得歲　問頗有比丘方結坐有異不還得受坐不　答不得正可到彼後坐若道有僧
住處便就結白一日二日治房舍敷後受卅九日得歲無僧住五人以上共結界結坐然後留
一人二人守界滿卅九日乃得歲若後人不滿卅九日歲者前者不知不共坐後人先問之盡四
人得白衣家結坐不　答有界得無界不得五人以上得結問之靜處得結坐不　答若有
結界二人以上得一人不得無人共受坐故無界盡不得若欲別坐當更請僧結界結坐
然後結得　問受比丘受歲時天雨得屋中受歲不　答得　問夏坐中受他淨施及受他
寄物歲遂百至三月得介不　答不從貪意受不隨限時節　問夏坐中界東作有
為事應得坐不　答福事得指授餘事不得　問受坐之房舍破當補治為謂如
坐已說時　答三月中破即治　問受歲時在來界內永棄受歲應與受不　答二反以上
得一人不得所以介者以在獨出界犯重故

度人事第五

問一人得度沙彌不　答二人乃得　問度沙彌得還請和上不　答得　問未滿五臘度人犯
何事其弟子戒為得不　答若知非法而度犯墮三諫不止決斷若弟子不知是非得戒
若知不得　問比丘都不誦戒又不知種僧事而多度人戒住三師有犯不
答此人尚不應食人信施況復度人　問若人父母五法不聽比丘盜將去度犯何事
答犯重若官人奴婢比丘為道比丘若知而盜出來度亦犯重　問若兒前出家父後出家
來投其兒得度不　答得　問犯戒比丘得度人不　答若犯重者無度之理若犯決斷事向上
未滿五臘者若犯餘輕戒要先儀悔然後得度

受戒事第六

問沙彌犯十戒一二三不悔受大戒得不　答若憶而不懺不得都不憶有不知誤犯已
受得夫受戒之法師應問沙彌不犯戒不若言犯即教悔若不師不問檀上師應
問若都不問師犯墮　問已受大戒得悔沙彌時所犯不　答得悔請問沙彌
檀上欲受大戒者借服及著處裝戒衣缽不具假借當時為得戒不　答著借服
師不問其餘並盡得師僧犯墮　問檀上師戒著借服戒犯戒受戒者為得不
答受戒人知是非法不得不知得　問受戒時眾僧不和戒時相罵為得戒不
答若檀上僧和便得不和不得　問受戒為有時節不　答唯後夜不得初夜中夜無燈
燭者不得須稱都飛色　問受戒時值天雨更移戒場屋下受戒為得戒不
答欲移戒場當先解大界更結界場乃得受戒不爾者不得　問受戒時或有
事難不得究竟是大比丘非　答但三羯磨說便得　問受戒盡五十三事後餘戒

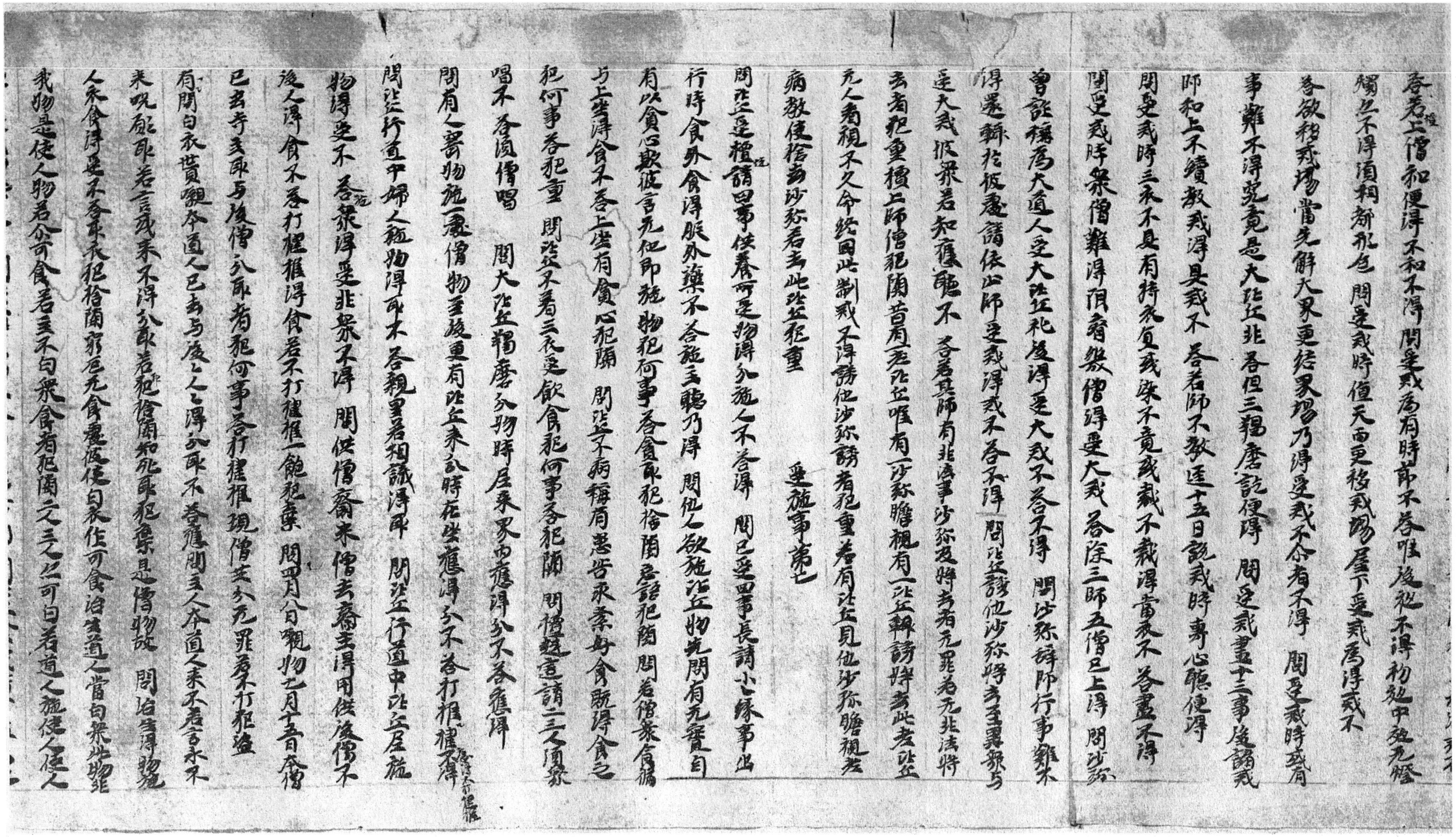

BD01090號　目連問戒律中五百輕重事　（15–5）

有問白衣貰覲本道人已去与後人人得分取不　答應問主人本道人來不若言未不
來呪願取若言來不得分取若犯捨隨知死取犯棄是僧物故　問治生得物施
人衣食得是不答取衣犯捨隨竊去无食處使白衣作可食治生道人當白衆此物施
我物是使人物若尒可食若主不白衆食者犯隨之之之可白若道人施使人使人
便言是我物此可食　問比丘得出物不答不得犯捨隨　問比丘食戒衛一口飯吐之
取一揣飯棄犯何事答犯隨　問无食長得与人不　答无貪心取有長得施衆生
若无衆生擧著樹頭有衆生噉好若无明日自取水取食不得棄以信施重故
所以還自取者以更无主故如藥第日取食法　問主人慇懃得長受請不答若
其憂得行道无衆難无斷无得住　問主人請食得遣人代不若主人无有得主
人遣代者犯隨　問鬼子食可食不　答呪願然後可食　問施比丘牛馬奴
婢供養直得取不答得取不得用買弓刀一切不得取受　問人人自出物供齋之
竟去餘物後來僧得食不　答打揵椎得不打不得犯盜　問比丘共賖食食但食犯何
事答問聽无罪不聽犯隨若不問亦犯隨所以不犯盜者以共手受故　問比丘无前
人問好比丘非答是好得物犯何事　答實好言好犯隨不好言好犯棄
問比丘一切長物施人言我後須還自取得尒不　答得与可信者然後更語一人我物施某比丘
若取還語不語不得輒取

病疾事第八

問比丘病得雜餅食不　答重病得小小病不得　問比丘病三衣不持犯何事　答大因无所
識知得有覺不得　問看病人不語病者私用錢与他病人作食犯何事　答若用五錢犯
棄若後語病者歡喜不犯若病者嫌不償亦犯棄　問為病故主人供百錢五十便足
餘者得与餘病者作食不　答病者自与便得　問病永无人看比丘得与作食不
答深山无人處无日中不得注還得作七日无淨未後還取作淨　問病人須酒一二升下藥
可比不答若師言死差得和藥服不得空服　問比丘病得服氣不　答不得向外直放
問比丘腫病得使人嗽呪不　答得　問比丘病因戒闕三衣鉢器施衆或買用作福犯
何事答若更得擧故即受得无者犯捨隨

死亡事第九

問亡比丘物都不打揵椎不羯磨而分犯何事　答若界裏一人以上盡得打揵椎
羯磨不打揵椎而羯羯磨磨而不打揵椎椎亦不羯磨盡犯棄所以尒者一切亡比丘物
盡屬四方僧故不得輒分若界外五人以上得羯磨分不須打揵椎以无界故四人以下
不得羯磨分若羯磨分犯棄當貴請僧中若自取賣去至異界物入不犯出
別犯棄如是展至餘界一出界一犯棄　弟子持師物去亦尒　問比丘亡弟子不持師物

BD01090號　目連問戒律中五百輕重事

（15–6）

……稽顙

死亡事第九

問亡比丘物都不打揵稚不羯磨而分犯何事　答若界裏一以上盡得打揵稚羯磨不打揵稚而羯磨羯磨而不打揵稚亦不羯磨盡犯棄罪以分者一切亡比丘物盡屬四方僧故不得輒分若界外五人以上得羯磨分不須打揵稚以无界故四人以下不得羯磨分若羯磨分犯棄當賣諸僧中若自取賣去至異界物入不犯出則犯棄如是復至餘界一出界一犯棄弟子持師物去亦尒　問比丘亡弟子不持師物与衆輒自分處使養衆僧奇食不　答其弟子先知法者有罪僧打揵稚不羯磨而食犯蘭　問若師亡僧羯磨分物弟子應得分不　答應得即是僧故　問若師亡更无餘僧唯有弟子或五或十得羯磨分此物不　答即是僧應得分但打揵稚羯磨不打揵稚不羯磨不得　問病者无常使病餘物後人得与餘病人用不　答從僧物不得輒与直五錢犯重　問師從父母兄弟死得然不　答不得一舉一犯蘭亡可小小啼泣而已　問或比丘死時在羯磨時不在或死時不在羯磨時在各應分不　答及羯磨者盡得死時在羯磨時不在不得　問比丘死後人与買棺木衣服衆埋与者犯何事　答白僧僧与還僧僧鳴支自惱自餘還入僧物一切不得埋埋還五錢犯棄弟子私物得若亡者不知法自分處与者无罪　問父母諸親死比丘得与辦衣棺木殯埋不　答不得若父母盲若病无人供養无食与半若自餘小小紡績縫事不得与与食犯隨与衣犯捨說復稽不殯埋　問病者无常衣鉢先与看病者竟不羯磨看病者賣為飯僧僧得食不　答衆不羯磨食衆各犯蘭若看病者不知法已作羯磨得食若未作衆當法語　問比丘借他人物前人死得還自取不　答一切不得自取取犯棄若羅白衆還乃得衆若不還衆犯突吉羅衆若不与強取犯墮　問比丘得為亡師造塔形像不　答自物得不得用師物作　問比丘得向師塚禮不　答得難曰生是我師已死常非比丘唯有枯骨而已何由向禮　答若佛在世應供養恭敬涅槃後亦是枯骨何以供養師生時以法益人死後亦應恭敬有何過　問分物時羯磨以訖更有僧來應得分不　答三羯磨訖不應得分若及後一羯磨者應得

三衣法第十

問三衣浣要須捨不　答須捨若不捨犯蘭當捨人還乃得取更受　問三衣盡得擁戒不　答大衣得中小衣不得　問小衣得著繞上講不　答无中衣得若不近身淨潔亦得　問浣衣染帛得用未耕不　答不得犯蘭若已已從沙彌白受乃得著　問三衣應施裏不　答不施裏亦得　問大衣得上講禮不拜　答无中衣得　問三衣得用坐

BD01090號　目連問戒律中五百輕重事

三衣法第十
問三衣浣要須捨不。答須捨，若不捨犯闌，當施人，人還乃得取更受。問三衣盡得攝戒
不。答大衣得，中小衣不得。問小衣得着梳上講不。答元中衣得，若不近身淨潔
亦得。問浣衣出界得用未耕不。答不得，犯闌。若日日遣沙弥白還乃得着
問三衣應施裏不。答不施裏亦得。問大衣得上講不。答元中衣得。問三衣不得用坐
納住不。答一切生納衣不見身者乃得着。問比丘回忽自壞衣鉢錫杖犯闌，若壞他物計
錢犯事。問三衣得借人不。答不得，出界逕宿界竟得不限日數。問入聚落中不着大
衣犯何事。答着肩去不犯，若僧使或病人不持去不犯。問三衣破壞補治便受得
復須施人。答衣客稱乎脚便應施人，人還乃得補受，若先補後施人亦得
鉢事第十一　問鉢云何失。答緣缺若穿死，若列若油不捨，盡是失緣，缺穿死不可復治
列者檢已施人，人還更受。油不捨亦爾，若棄出界逕宿不失。問鉢得合塵着牀上不
答若御囊得合淨處。若囊有牀上好不得塵着牀上，昔六群比丘塵鉢牀上，蘭地
破佛因此制戒，自今已後不得塵鉢，鉢牀上上者犯闌，闌地破犯捨闌。問比丘早起得鉢中
食不，不用有事不。答一切食皆用鉢，若一日都不用犯闌。問比丘食飯欲盡得將鉢舐
取飯不。答得。問食飯已訖更嗽鉢手淨離鉢不。答淨。若食未訖亦得整離
問比丘食鉢要須高聲亦得放地不。答要當聲，若放地亦不犯戒。問器盛飯高着鉢中
食得不用鉢食不。答不得，犯闌。問鉢得借人食不。答得。問鉢得炊作食不。答不得，捨墮
犯捨闌捨墮犯闌。問鉢大小齊幾許應受。答減一升過三升不應受持
雜事第十二　問比丘戒被劫盜物來出界，主見本物不知誰盜，得取不。答得取，取已同元
主事實相似者，當先念若有因者不得取，元忍者，當白衆得取，若元衆作内物亦得
取，不以為己物取。問衆僧打揵椎食而限外僧不與食犯何事。答犯闌，便是承利
問佛比丘教化作百人齋長一人至十人應受，不教化比丘有犯不。答若行打揵椎食是教化
元犯，所以爾者，打揵椎請僧爲有何過，夫打椎法要作意請四方僧，僧來若多若少一切亦
財飲食具於元盡。問比丘教化白衣供養衆，若有外人過來乞索得與一升五升不
答不得，若知非法故與過五錢犯棄，若白僧，僧若聽得。問主人供養長請僧一日百錢用五
十日供殘者餘用得不。答打揵椎不得，若元衣鉢不打椎衆和得減用，若自損施衆僧
最善。問主人請比丘十日供養，依十日食錢作五三日好食犯何事。答不犯，但不得
更棄，犯闌，若不滿十日去亦犯闌。問主人請供十日食，自複作一月食，得不。答打椎得
若不打椎，僧並有去者，若不施後人，人已食已盡，食他人一飽犯棄，不飽犯闌

BD01090號　目連問戒律中五百輕重事

（15–8）

BD01090號　目連問戒律中五百輕重事

（15–9）

（15–10）

BD01090號　目連問戒律中五百輕重事

刀者犯何事答若不知无犯知者犯突吉羅 問比丘寄乘犯何事答持者一法犯隨
過三諫不止犯決斷 持者一戴戒決斷 問聚落中比丘看白衣鬬犯何事答犯隨
問比丘戲之捉碁子而不戲犯何事答犯隨 問聚落中三歲男兒嗚犯何事答
犯隨 問聚落中合白衣相樸犯何事答犯突吉羅 問聚落中看白衣合畜生犯何
事答知非法故看者犯隨不知不犯內疑俗心口有隊方言犯決斷 問比丘食不足淨
噉未受具戒者不答得唯除婆羅門 問山中曠野見无主器物可取不答得
用若須語王若无王家人若語餘人得用不得持去不犯捨墮 問道人作醫師得物不
答若慈心治得作身物不得若无衣鉢前人與取得 若有衣鉢前人强與為福得取若人
不與比丘不得為福无為己犯捨墮 問食餅或有醬菜飯粒隨上要須洗不答若不
洗行五滴日洗若有沙彌白衣付之後從受不犯若己付者室中无器若不付有不日洗
犯隨 問私房中小小行不閉門有犯不答犯隨 問比丘私房中拍手大喚犯隨 問擲過
小小水擲不答不得犯隨 昔有優婆塞請一比丘欲與作一領好衣比丘尋即隨去中道
有一小水比丘便擲渡此優婆塞即嫌心念我請好比丘欲與一領衣便跳擲踊擲我將
當與半領 此比丘无是者人即知其心前行見水不為復擲賢者復念我歸當與三張
疊 前行見水復擲過賢者復念我歸當與一端疊布復知其念前行見水復
擲過賢者復念我歸當與一頓食无著復知其所念前行見水便舉衣涉渡賢
者問比丘何以不擲度比丘言卿前與我一領衣以擲過水已得半領復擲已得一張
疊復擲已得一端疊布復擲已得一頓食今我所以不擲者恐失此一頓食
賢者乃知得道之便向懺悔將歸大供養以此驗之知比丘不得擲度渡水
問比丘急犯何事答犯隨有急事難不犯 問人出家之後還來盜本家物犯何事答犯
棄 所以爾者初出家時一切盡捨非復己物故 問比丘本在俗時共父母兄弟藏物出
家已後家人死盡比丘來取犯何事答自取犯棄若有所親白衣可語使取作福
應半与人所以爾者此物无主應屬官不得令取 問師更受戒小於弟子弟子得為下
戒下臘及在下坐不答不得下得為作禮不答无此理 問比丘行他田或有苗稼或无苗犯
何事答有苗犯隨有急事无犯无苗盡得 問大德人已發露或五三日或有事難
衆僧分散不得說不答更求僧乃得說 問王者問比丘言此事比丘為說然後得供養
犯何事答若得食者犯隨得衣犯捨墮若說俗法得供養者犯重 問比丘有緣事
得治田行不答得 問比丘未滿五臘不誦依止師犯何事答不依止師若飲水食飯突吉
林布日犯盜若先不知法猶得懺 問比丘或十臘五臘不誦戒犯何事答罪同上不依止者

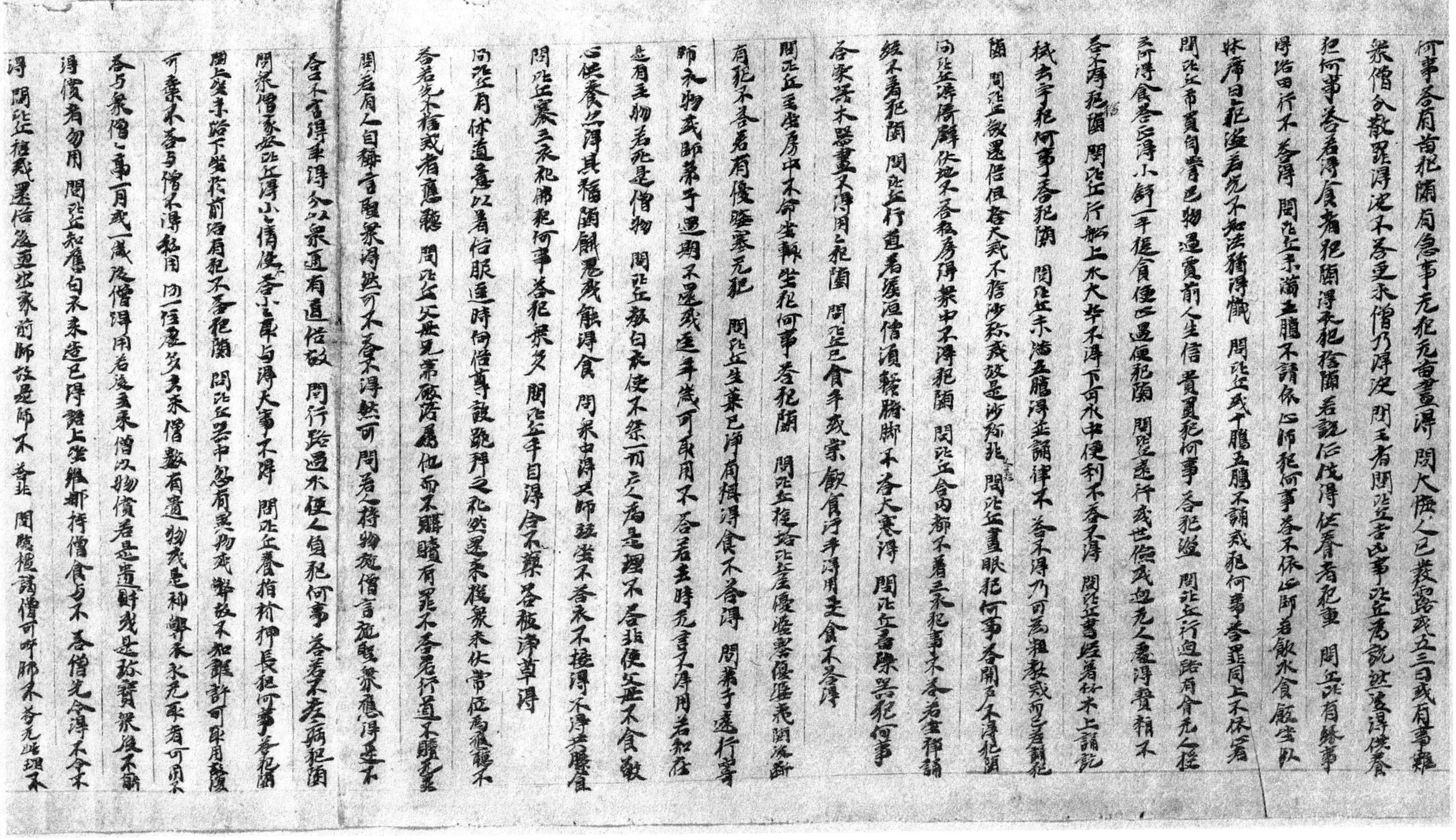

BD01090 號　目連問戒律中五百輕重事

（15–12）

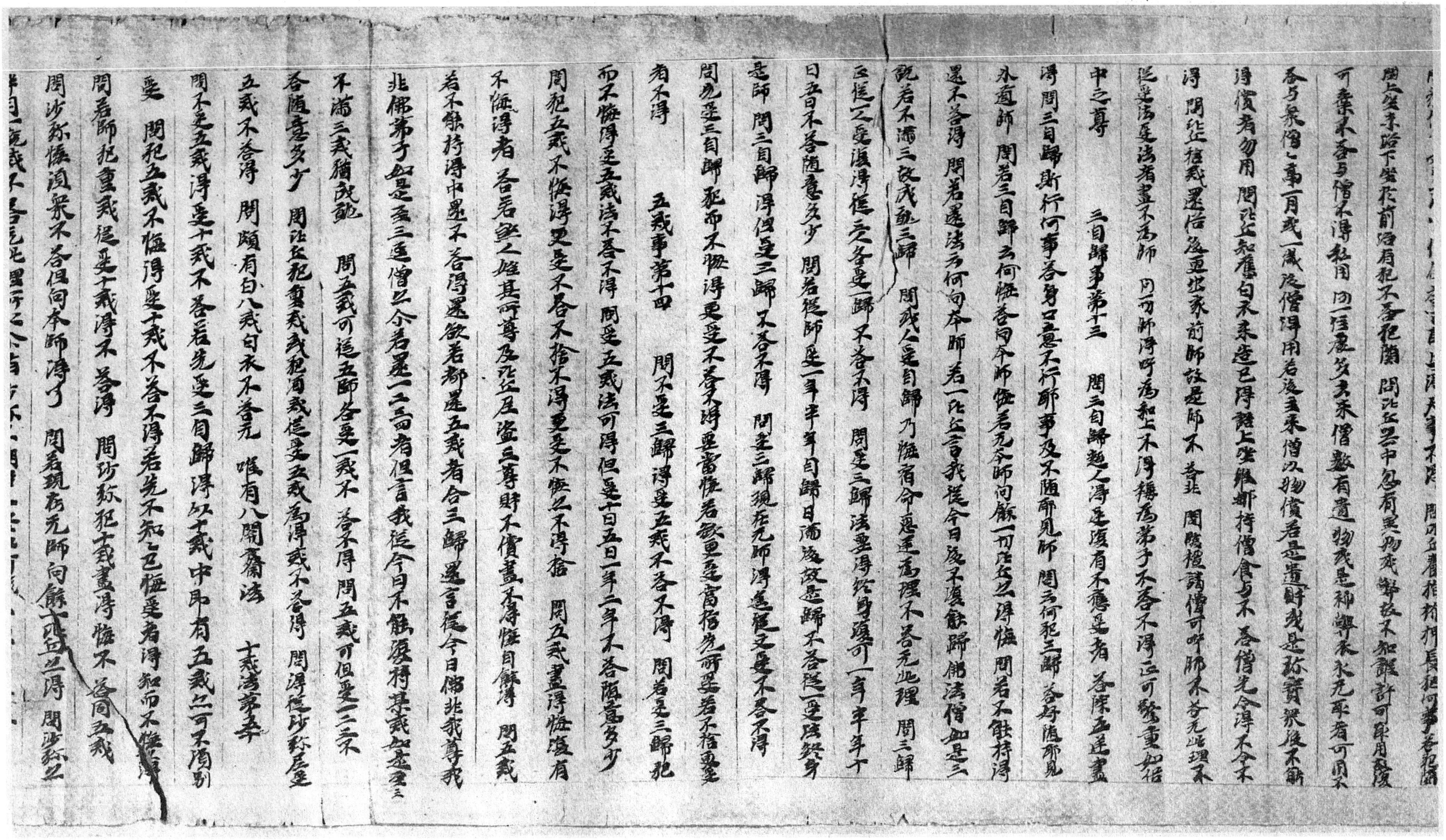
問上坐來路下坐不前迎者犯不 答犯墮 問比丘眾中忽有異物或錢等放不知誰許可取用不
可棄不 答与僧不得私用 問一住處多有來僧數有遺物或是神寺衣衣鉢取者可用不
答与眾僧、事有或一歲後僧得用若後主來僧以物償者是遺時或是珍寶衆後不斷
得償者勿用 問比丘知舊白衣來造已得請上坐雖邪持僧食与不 答僧先令得不令不
得 問比丘猶或還俗後更出家前師故是師不 答非 問若請僧可呼師不 答无此理不
從是後是法者盡不為師 問可師得呼為和上不得稱為弟子不 答不得 止可驚重如
中之尊 三自歸事第十三 問三自歸趣人得是後有不應受者 答除五逆盡
得 問三自歸斷行何事 答身口意不行邪事及不隨邪見師 問云何犯三歸 答身隨邪見
外道師 問若三自歸云何悔 答向本師悔若无本師向餘一切比丘亦得悔 問若不能持得
還不 答得 問若還法云何 向本師若一比丘言我從今日後不復歸佛法僧如是三
說若不滿三說戒猶三歸 問戒人是自歸乃悔前命還遂為理不 答无此理 問三歸
受從一乙受復得從一乙受 答是一歸不 答不得 問受三歸法要得終身復可一年半年十
日五日不 答隨意多少 問若從師受一年半年自歸日滿後故是歸不 答從一受終身
是師 問三自歸得但受三歸不 答不得 問受三歸現在无師得遂從受不 答不得
問先受三自歸犯而不悔得更受不 答不得要當悔者欲更受當從先所受者不從更受
者不得 五戒事第十四 問不受三歸得受五戒不 答不得 問若受三歸犯
而不悔得受五戒法不 答不得 問受五戒法可得但受十日五日一年二年不 答隨意多少
問犯五戒不悔得更受不 答不捨不得更受不悔亦不得捨 問五戒盡得悔復有
不悔得者 答若煞人婬其所尊及比丘尼盜三尊財不償盡不得悔自餘得 問五戒
若不能持得中還不 答得還欲若都還五戒者合三歸還言從今日佛非我尊我
非佛弟子如是至三還僧亦尒若還一二三四者但言我從今日不能復持某戒如是至三
不滿三戒猶成訖 問五戒可從五師各受一戒不 答不得 問五戒可但受一二三不
答隨意多少 問比丘犯重戒或犯餘戒從受五戒為得戒不 答得 問得從沙彌受
五戒不 答得 問頗有白八戒白衣不 答无 唯有八關齋法 十戒法事第十五
問不受五戒得受十戒不 答若先受三自歸得以十戒中即有五戒亦可不須別
受 問犯五戒不悔得受十戒不 答不得若先不知乙已悔受者得 知而不悔
問若師犯重戒從受十戒得不 答得 問沙彌犯十戒盡得悔不 答同五戒
問沙彌懈慢衆不 答但向本師得了 問若現在无師向餘十戒比丘亦得 問沙彌之

BD01090號　目連問戒律中五百輕重事

五戒不答淨　問[illegible]八戒在八戒不答[illegible]　唯有八關齋法　十戒為第[illegible]
問不受五戒得受十戒不　答若先受三自歸得以十戒中即有五戒亦可不須別
受　問犯五戒不懺得受十戒不　答不得若先不知已懺受者得知而不懺不[illegible]
問若師犯重戒從受十戒得不　答得　問沙彌犯十戒盡得懺不　答同五戒
問沙彌懺須衆不　答但向本師得了　問若現前無師向餘一比丘亦得　問沙彌亦
半月一說戒不　答無此理所以尒者沙彌不羯磨人然亦可說不須十五日集
問沙彌犯戒得還向沙彌懺不　答不得　問沙彌得看僧服不　答不得　問師有種種
違法事沙彌得捨去更求師未　答不得　問沙彌教師以白衣為師緣諸信心見
不捨戒戒逕年月還來投師故是沙彌不　答但懺而已須更受戒不　答故是沙彌但向師
懺悔今不捨戒不得更受更受亦不得戒　問沙彌為賊所抄逕歷年月或轉逕
主淨逕遠不　答轉遠至不得　問沙彌犯禁師擯已還後得更出家不　答若不捨戒
故是沙彌可懺者但懺而已　問白衣從沙彌受五戒然後出家受大戒本師故是
沙彌得呼為師不　答但不得為和沙彌應為作和白衣時從彼受五戒後出
家亦尒　問白衣投一比丘出家比丘即受更為請和上為師所投比丘故是師非
答非師若度從受法者為可受法師若依崩者可為依止師　問比丘度沙彌弟
子或住三師都不教戒犯何事　答犯崩　昔迦葉佛時有一比丘度弟子
[illegible]中龍法七日受〻對〻時火燒其身哭
[illegible]堪苦便自思惟我宿何罪致如此尋便觀宿
命以不教便作是念瞋其本師令欲傷害會後其
使出水捉其船頭衆人即問汝是誰耶答我是龍
[illegible]報汝使去問此比丘何緣汝事都不教誨令
[illegible]我使我今受苦痛是以衆之衆人事不得
入水不須見捉即捉來死以此驗之度人不可
昔有一比丘貪著一銅瓶死後作餓鬼衆
[illegible]諸比丘驚怖此是何來衆中有得
[illegible]眼餓鬼中令故貪惜欲來索之諸比丘
諸比丘還欲與之而餓鬼不可復近使人
為大患比丘貪著服乃有自燒之斛昔有
[illegible]國曷自知當死擧衣內起姦想言我
[illegible]

BD01090號　目連問戒律中五百輕重事

（15–14）

汝是沙弥可儀者但儀而已　問曰求從沙弥受五戒法後出家受大戒本師故是
沙弥得呼為師不　答但不得為和尚　沙弥應為作和尚衣時從其受五戒後出
家之爾　問曰求從一比丘出家比丘即受更為請和上為師所從比丘故是師非
答非師　若從受法者為可受法師若依止者可為依止師　問比丘受沙弥弟
子戒作三師　都不教戒犯何事　答犯墮　昔迦葉佛時有一比丘度弟子
齋中龍法七日是〻對〻時火燒其身灾
堪苦便自思惟我宿何罪致如此譬便觀宿
命之不教便作是念瞋其本師令欲傷害會後其
便出水提其船頭衆人即問汝是誰耶答我是龍
一放汝使去問此比丘何緣此事都不𥹋餘人命
我使我今受苦病是以索之衆人事不得
入水不須見提即從水死以此驗之度人不可
昔有一比丘貪著一銅瓶死後作餓鬼衆
皇靈諸比丘驚怖此是何來衆中有得
頭餓鬼中今故貪惜欲來奪之諸比丘
諸比丘還欲取之而絕見不可復近便人
為大患比丘貪著服乃有自燒之酷昔有
因萬自知當死舉襯衣内起毒想言我
還來纏衣衆僧舉死比丘出燒殯已訖
不敢近之即還白僧具說所見諸比丘便
四等觀〻盡所不中便除之近諸言此本
不遠入一草中毒蟲火出燒草還自燒
皆由貪害故爾自今以後諸比丘盡離

薩行布施時都无所捨時
若諸菩薩行布施時都无
无上正等覺時為何所得佛言菩
於一切法都无所捨當證无上正等覺
一切法亦无所得如菩薩衆行布施
切法都无所捐如是菩薩當證无上正等
覺時於一切法亦无所益捐益二門相待立
故又滿慈子如諸菩薩行布施時知一切法
皆如幻化无實可捨如是菩薩當證无上正
等覺時知一切法亦如幻化无實可得若諸
菩薩行布施時於一切法實有所捨是諸菩
薩當證无上正等覺時應亦於法實有所得
然諸菩薩行布施時於一切法實无所捨是
故菩薩當證无上正等覺時於一切法實无
所得
又滿慈子如二幻師截為交易一幻價直一
化美團此中二事俱非實有如是菩薩行布
施時捨如幻化非實有物當證无上正等覺
時得如幻化非實有法是諸菩薩如布施時
實无所捐當證无上正等覺時亦无實益是
諸菩薩行布施時雖似有捐而實无捐當證
无上正等覺時雖似有益而實无益如彼幻

BD01091號　大般若波羅蜜多經卷五八一　（20–1）

施時捨如幻化非實有物當證无上正等覺
時得如幻化非實有法是諸菩薩如布施時
實无所捐當證无上正等覺時亦无實益是
諸菩薩行布施時雖似有捐而實无捐當證
无上正等覺時雖似有益而實无益如彼幻
師捨幻價直雖似有捐而實无捐如是菩薩
行布施時捨非實物雖似有捐而實无捐如
彼幻師得化美團雖似有益而實无益如是
菩薩當證无上正等覺時雖似有益而實无
益如是法喻因果相稱諸有智者應正了知
又滿慈子如巧幻師或彼弟子在四衢道化
作女人忽現懷孕尋見生子其子纔尒便復
命終於意云何彼女子生時有喜死有憂
邪滿慈子言彼女及子俱是幻有實无死生
誰復於誰可生憂喜佛言如是如汝所說諸
菩薩衆亦復如是行布施時无捨无捐當證
无上正等覺時无得无益是故菩薩行布施
時雖有所捨而不生憂當證无上正等覺時
雖有所得而亦无喜知所捨得如幻化故
又滿慈子於意云何汝謂如來於諸善法有
大欲不滿慈子言不也世尊不也善逝何以
故如來所證諸法皆空如來能證諸法亦空
空中都无欲所欲故佛言如是如汝所說如
來觀見一切法空故善法中亦无大欲如我
今者於一切法都无欲心昔菩薩時雖行布
施而於諸法都无所捨了達諸法畢竟空故
諸佛世尊於一切法无愛无恚所以者何通
達諸法皆非實有本性空寂愛恚斷故
時滿慈子更白佛言甚奇世尊希有善逝

BD01091號　大般若波羅蜜多經卷五八一　（20–2）

今者於一切法都无欲心昔菩薩時雖行布
施而於諸法都无所捨了達諸法畢竟空故
諸佛世尊於一切法无愛无恚所以者何通
達諸法皆非實有本性空寂愛恚斷故
時滿慈子便白佛言甚奇世尊希有善逝諸
菩薩摩訶薩如如於法能有所捨如是如是
了達皆空虛妄不實性不堅固无自在用无
所報著如我解佛所說義者諸菩薩摩訶
薩雖以殑伽沙數世界盛滿珎寶施諸有情
而於其中作是念我能捨施尒時珎寶雖
於其中无所執著而布施波羅蜜多疾得圓
滿如是菩薩能以布施所集善根與有情共
迴向无上正等菩提作是事已起如是念菩
薩法應一切皆捨我今雖捨所應捨物而所
捨物皆如幻化若菩薩摩訶薩能如是知是
菩薩摩訶薩入菩薩數捨雖一切而无所捨
雖得一切而无所得若諸菩薩不能如是如
實了知非真菩薩於諸財法不能捨施於大
菩提不能證得
尒時舍利子問滿慈子言諸菩薩摩訶薩以
何等心應行布施滿慈子言唯舍利子先為
我等解說是義我於此義亦當少說時舍
利子便謂具壽滿慈子言若菩薩摩訶薩
欲證无上正等菩提是菩薩摩訶薩先應思惟
一切法性畢竟空寂次應思惟一切智智具勝
功德後應隨念一切有情貧乏珎財受諸苦
惱作是念已便捨一切若有執受若无執受
若內若外所有珎財施諸有情心无所著亦以
正法施諸有情亦以无畏上妙供具恭敬供

欲證无上正等菩提是菩薩摩訶薩先應思惟
一切法性畢竟空寂次應思惟一切智智具勝
功德後應隨念一切有情貧乏珎財受諸苦
惱作是念已便捨一切若有執受若无執受
若內若外所有珎財施諸有情心无所著亦以
正法施諸有情亦以无畏上妙供具恭敬供
養佛法僧寶如是菩薩摩訶薩衆行布施時
緣一切智心无所著應行布施如是布施隨順
菩提疾能證得一切智智與諸有情作大
饒益
尒時世尊告舍利子如是如是如汝所說諸菩
薩摩訶薩欲證无上正等菩提應觀法空
緣一切智具勝功德慈念有情而行布施心
无所著若能如是循行布施疾證无上正等
菩提與諸有情作大饒益又滿慈子汝今欲
見十方世界菩薩施不舍利子言唯然欲見
時舍利子及諸大衆承佛神力便見東方過
百世界大蓋如來應正等覺聲聞菩薩大衆
圍遶宣說布施波羅蜜多具勝功德能獲大
果彼有菩薩名曰无礙雖處居家而无所著
捨諸所有布施一切積珎寶聚其量如山隨
諸有情所須皆施勸有情類自受用已復轉
施他心无所疑如是行施无所染著晝夜精
勤常无厭倦如是精集衣服卧具飲食等
物量各如山隨諸有情所須施勸有情類
自受用已復轉施他心无所礙如是行施无所
染著晝夜精勤常无厭倦時舍利子及
諸大衆一切復見无礙菩薩七寶莊飾百
千金車是一一車載一女寶形貌端正種種

自受用已復轉施他心无所礙如是行施无所
染著晝夜精勤常无猒倦時舍利子及
諸大衆一切復見无礙菩薩七寶莊飾百
千金車是一一車載一女寶形貌端正種種
莊嚴一一女寶百女侍從各乘一車衆寶嚴
飾一一車上置百千金及諸資緣无不具足
置於市肆高聲唱言唯有須者隨意持去如
是行施无所染著晝夜精勤常无猒倦尒時佛
告舍利子言汝見東方无礙菩薩心无染著
而行施不時舍利子便白佛言見已世尊見
已善逝佛言菩薩求大菩薩皆應如是脩行
布施又舍利子於意云何无礙菩薩施廣大
不舍利子日廣大世尊廣大善逝无礙菩薩
布施善根量无邊際佛言如是如汝所說若
有菩薩能觀法空緣一切知具勝功德慈念
有情隨有所施於彼東方无礙菩薩所獲施
福百倍為勝千倍為勝乃至鄔波尼煞曇倍
亦復為勝
時舍利子及諸大衆承佛神力復見東方百
千世界一一世界无量菩薩各捨所有布施
一切積珍寶聚其量如山隨諸有情所須
皆施觀有情類自受用已復轉施他心无所礙
如是行施无所染著晝夜精勤常无猒倦如
是積集衣服卧具飲食等物量各如山隨諸
有情所須皆施勸有情類自受用已復轉
施他心无所礙如是行施无所染著晝夜精
勤常无猒倦尒時佛告舍利子言汝見東方
百千世界一一世界无量菩薩心无染著而

BD01091號　大般若波羅蜜多經卷五八一　（20–5）

是積集衣服卧具飲食等物量各如山隨諸
有情所須皆施勸有情類自受用已復轉
施他心无所礙如是行施无所染著晝夜精
勤常无猒倦尒時佛告舍利子言汝見東方
百千世界一一世界无量菩薩心无染著而
行施不時舍利子便白佛言見已世尊見已
善逝佛言菩薩求大菩提皆應如是脩行布
施又舍利子於意何云彼諸菩薩廣大不舍
利子日廣大世尊廣大善逝彼諸菩薩布施
善根量无邊際佛言如是如汝所說若有菩
薩能觀法空緣一切智具勝功德慈念有情
隨有所施於彼東方千世界一一世界无量
菩薩所獲施福百倍為勝千倍為勝乃至
鄔波尼煞曇倍亦復為勝
時舍利子及諸大衆承佛神力復見東方殑
伽沙等諸佛世界一一世界无量菩薩各捨所
有布施一切積珍寶聚其量如山隨諸有
情所須皆施勸有情類自受用已復轉施他
心无所礙如是行施无所染著晝夜精勤常
无猒倦如是積集衣服卧具飲食等物量
各如山隨諸有情所須皆施勸有情類自受用
已復轉施他心无所礙如是行施无所染著
晝夜精勤常无猒倦尒時佛告舍利子言汝
見東方殑伽沙等諸佛世界一一世界无量
菩薩心无染著而行施不時舍利子便白佛
言見已世尊見已善逝佛言菩薩求大菩
提皆應如是脩行布施又舍利子於意云何
彼諸菩薩施廣大不舍利子日廣大世尊廣

BD01091號　大般若波羅蜜多經卷五八一　（20–6）

菩薩心无染著而行施不時舍利子便白佛
言見已世尊見已善逝佛言菩薩求大菩
提皆應如是脩行布施又舍利子於意云何
彼諸菩薩施廣大不舍利子曰廣大世尊廣
大善逝彼諸菩薩布施善根量无邊際佛言
如是如汝所說若有菩薩能觀法空緣一切智
具勝功德憶念有情隨有所施於彼東方殑
伽沙等諸佛世界一一世界无量菩薩所獲
施福百倍為勝千倍為勝乃至鄔波尼煞曇
倍亦復為勝
時舍利子及諸大眾承佛神力復見東方如
十殑伽沙數世界一一世界无量菩薩各捨
所有布施一切精珎寶聚其量如山隨諸有
情所須皆施勸有情類自受用已復轉施他
心无所㝵如是行施无所染著晝夜精勤常
无厭倦如是積集衣服卧具飲食等物量各
如山隨諸有情所須皆施勸有情類自受用
已復轉施他心无所㝵如是行施无所染著
晝夜精勤常无厭倦尒時佛告舍利子言
汝見東方如十殑伽沙數世界一一世界无量菩
薩心无染著而行施不時舍利子便白佛
言見已世尊見已善逝佛言菩薩求大菩提
皆應如是脩行布施又舍利子於意云何彼
諸菩薩施廣大不舍利子曰廣大世尊廣大
善逝彼諸菩薩布施善根量无邊際佛言
如是如汝所說若有菩薩能觀法空緣一切智
具勝功德憶念有情隨有所施於彼東方如
十殑伽沙數世界一一世界无量菩薩行獲
施福百倍為勝千倍為勝乃至鄔波尼煞曇

BD01091號　大般若波羅蜜多經卷五八一　（20–7）

根量无邊際佛言
如是如汝所說若有菩薩能觀法空緣一切智
具勝功德憶念有情隨有所施於彼東方如
十殑伽沙數世界一一世界无量菩薩行獲
施福百倍為勝千倍為勝乃至鄔波尼煞曇
倍亦復為勝
時舍利子及諸大眾承佛神力復見東方如
百殑伽沙數世界一一世界无量菩薩各捨
所有布施一切精珎寶聚其量如山隨諸有
情所須皆施勸有情類自受用已復轉施他
心无所㝵如是行施无所染著晝夜精勤常
无厭倦如是積集衣服卧具飲食等物量各
如山隨諸有情所須皆施勸有情類自受用
已復轉施他心无所㝵如是行施无所染著
晝夜精勤常无厭倦尒時佛告舍利子言汝
見東方如百殑伽沙數世界一一世界无量
菩薩心无染著而行施不時舍利子便白佛
言見已世尊見已善逝佛言菩薩求大菩提
皆應如是脩行布施又舍利子於意云何彼
諸菩薩施廣大不舍利子曰廣大世尊廣大
善逝彼諸菩薩布施善根量无邊際佛言如
是如汝所說若有菩薩能觀法空緣一切智
具勝功德憶念有情隨有所施於彼東方如
百殑伽沙數世界一一世界无量菩薩所獲施
福百倍為勝千倍為勝乃至鄔波尼煞曇倍
亦復為勝
時舍利子及諸大眾承佛神力復見東方如
千殑伽沙數世界一一世界无量菩薩各捨
所有布施一切精珎寶聚其量如山隨諸有

BD01091號　大般若波羅蜜多經卷五八一　（20–8）

福百倍為勝千倍為勝乃至鄔波尼煞曇倍
亦復為勝
時舍利子及諸大衆承佛神力復見東方如
千殑伽沙數世界一一世界无量菩薩各捨
所有布施一切精珎寶聚其量如山随諸有
情所須皆施勸有情類自受用已復轉施他
心无所礙如是行施无所染著晝夜精勤常
无猒倦如是積集衣服卧具飲食等物量各
如山随諸有情所須皆施勸有情類自受用
已復轉施他心无所礙如是行施无所染著
晝夜精勤常无猒倦尒時佛告舍利子言汝
見東方如千殑伽沙數世界一一世界无量菩
薩心无染著而行施不時舍利子便白佛
言見已世尊見已善逝佛言菩薩求大菩提
皆應如是脩行布施又舍利子於意云何彼
諸菩薩施廣大不舍利子曰廣大世尊廣
大善逝彼諸菩薩布施善根量无邊際佛言如
是如汝所説若有菩薩能觀法空緣一切智
具勝功德隨念有情隨有所施於彼東方如
千殑伽沙數世界一一世界无量菩薩所獲
施福百倍為勝千倍為勝乃至鄔波尼煞曇
倍亦復為勝
時舍利子又諸大衆承佛神力復見東方百
千殑伽沙數世界一一世界无量菩薩各捨
所有布施一切精珎寶聚其量如山随諸有
情所須皆施勸有情類自受用已復轉施他
心无所礙如是行施无所染著晝夜精勤常
无猒倦如是積集衣服卧具飲食等物量
各如山随諸有情所須皆施勸有情類自受

所有布施一切精珎寶聚其量如山随諸有
情所須皆施勸有情類自受用已復轉施他
心无所礙如是行施无所染著晝夜精勤常
无猒倦如是積集衣服卧具飲食等物量
各如山随諸有情所須皆施勸有情類自受用
已復轉施他心无所礙如是行施无所染著
晝夜精勤常無猒倦尒時佛告舍利子言
汝見東方百千殑伽沙數世界一一世界无量
菩薩心无染著而行施不時舍利子便白佛
言見已世尊見已善逝佛言菩薩求大菩提
皆應如是脩行布施又舍利子於意之何彼
諸菩薩施廣大不舍利子曰廣大世尊廣大
善逝彼諸菩薩布施善根量无邊際佛言
如是如汝所説若有菩薩能觀法空緣一切
智具勝功德念有情随有所施於彼東方
百千殑伽沙數世界一一世界无量菩薩所獲
施福百倍為勝千倍為勝乃至鄔波尼煞曇
倍亦為勝
時舍利子及諸大衆承佛神力復見東方无
數殑伽沙數世界一一世界无量菩薩各捨
所有布施一切精珎寶聚其量如山随諸
有情所須皆施勸有情類自受用已復轉施
他心无所礙如是行施无所染著晝夜精勤常
无猒倦如是積集衣服卧具飲食等物量各
如山随諸有情所須皆施勸有情類自受用
已復轉施他心无所礙如是行施无所染著晝
夜精勤常无猒倦尒時佛告舍利子言
汝見東方无數殑伽沙數世界一一世界无量
菩薩心无染著而行施不時舍利子便白佛

如山頂諸有情所須皆施勸有情類自受用已復轉施他心无所礙如是行施无所染著晝夜精勤常无猒倦尒時佛告舍利子言汝見東方无數殑伽沙數世界一一世界无量菩薩心无染著而行施不時舍利子便白佛言見已世尊見已善逝佛言菩薩求大菩提皆應如是脩行布施又舍利子於意云何彼諸菩薩施廣大不舍利子曰廣世尊廣大善逝彼諸菩薩布施善根量无邊際佛言如是如汝所說若有菩薩能觀法空緣一切智具勝功德隨念有情隨有所施於東方无數殑伽沙數世尊一一世界无量菩薩所攝施福百倍為勝千倍為勝乃至鄔波尼煞曇倍為亦復為勝

時舍利子及諸大衆承佛神力復見南方百千世界如是乃至復見南方无數殑伽沙數世界一一世界无量菩薩各捨所有布施一切積珎寶聚其量如山頂諸有情所須皆施勸有情類自受用已復轉施他心无所礙如是行施无所染著晝夜精勤常无猒倦如是積集衣服卧具飲食等物量各如山頂諸有情所須皆施勸有情類自受用已復轉施他心无所礙如是行施无所染著晝夜精勤常无猒倦尒時佛告舍利子言汝見南方百千世界如是乃至无數殑伽沙數世界一一世界无量菩薩心无染著而行施不時舍利子便白佛言見已世尊見已善逝佛言菩薩求大菩提皆應如是脩行布施又舍利子於意

世界如是乃至无數殑伽沙數世界一一世界无量菩薩心无染著而行施不時舍利子便白佛言見已世尊見已善逝佛言菩薩求大菩提皆應如是脩行布施又舍利子於意云何彼諸菩薩施廣大不舍利子曰廣大世尊廣大善逝彼諸菩薩布施善根量无邊際佛言如是如汝所說若有菩薩能觀法空緣一切智具勝功德隨念有情隨有所施於彼南方百千世界如是乃至无數殑伽沙數世界一一世界无量菩薩所積施福百倍為勝千倍為勝乃至鄔波尼煞曇倍亦復為勝

時舍利子及諸大衆承佛神力復見西方百千世界如是乃至復見西方无數殑伽沙數世界一一世界无量菩薩各捨所有布施一切積珎寶聚其量如山頂諸有情所須皆施勸有情類自受用已復轉施他心无所礙如是行施无所染著晝夜精勤常无猒倦如是積集衣服卧具飲食等物量各如山頂諸有情所須皆施勸有情類自受用已復轉施他心无所礙如是行施无所染著晝夜精勤常无猒倦尒時佛告舍利子言汝見西方百千世界如是乃至无數殑伽沙數世界一一世界无量菩薩心无染著而行施不時舍利子便白佛言見已世尊見已善逝佛言菩薩求大菩提皆應如是脩行布施又舍利子於意云何彼諸菩薩施廣大不舍利子曰廣大世尊廣大善逝彼諸菩薩布施善根量无邊際佛言如是如汝所說若有菩薩能觀法空緣

大菩提皆應如是脩行布施又舍利子於意
云何彼諸菩薩施廣大不舍利子曰廣大世
尊廣大善逝彼諸菩薩布施善根量无邊
際佛言如是如汝所說若有菩薩能觀法空緣
一切智具勝功德恣念有情隨有所施於彼
西方百千世界如是乃至无數殑伽沙數世
界一一世界无量菩薩所獲施福百倍為勝
千倍為勝乃至鄔波尼殺曇倍亦復為勝
時舍利子及諸大衆承佛神力復見北方百
千世界如是乃至復見北方无數殑伽沙數世
界一一世界无量菩薩各捨所有布施一切
精珎寶聚其量如山隨諸有情所須皆施
勸有情類自受用已復轉施他心无所悋如
是行施无量染著晝夜精勤常无猒惓如是
積集衣服卧具飲食等物量各如山隨諸有
情所須皆施勸有情類自受用已復轉施他
心无所悋如是行施无所染著晝夜精勤常
无猒惓尒時佛告舍利子言汝見北方百千
世界如是乃至无數殑伽沙數世界一一世界
无量菩薩心无染著而行施不時舍利子便
白佛言見已世尊見已善逝佛言菩薩求
大菩提皆應如是脩行布施又舍利子於意
云何彼諸菩薩施廣大不舍利子曰廣大世
尊大善逝彼諸菩薩布施善根量无邊際佛
言如是如汝所說若有菩薩能觀法空緣一
切智具勝功德恣念有情隨有所施於彼北
方百千世界如是乃至无數殑伽沙數世界一
一世界无量菩薩所獲施福百倍為勝千倍

BD01091號　大般若波羅蜜多經卷五八一　（20–13）

尊大善逝彼諸菩薩布施善根量无邊際佛
言如是如汝所說若有菩薩能觀法空緣一
切智具勝功德恣念有情隨有所施於彼北
方百千世界如是乃至无數殑伽沙數世界一
一世界无量菩薩所獲施福百倍為勝千倍
為勝乃至鄔波尼殺曇倍亦復為勝
時舍利子及諸大衆承佛神力復見東南方
百千世界如是乃至復見東南方无數殑伽
沙數世界一一世界无量菩薩各捨所有布
施一切積珎寶聚其量如山隨諸有情所須
皆施勸有情類自受用已復轉施他心无所
悋如是行施无所染著晝夜精勤常无猒
惓如是積集衣服卧具飲食等物量各如山
隨諸有情所須皆施勸有情類自受用已復
轉施他心无所悋如是行施无量染著晝夜精
勤常无猒惓尒時佛告舍利子言汝見東南
方百千世界如是乃至无數殑伽沙數世界一
一世界无量菩薩心无染著而行施不時舍
利子便白佛言見已世尊見已善逝佛言菩
薩求大菩提皆應如是脩行布施又舍利子
於意云何彼諸菩薩施廣大不舍利子曰廣
大世尊廣大善逝彼諸菩薩布施善根量无
邊際佛言如是如汝所說若有菩薩能觀法
空緣一切智具勝功德恣念有情隨有所施
於彼東南方百千世界如是乃至无數殑伽
沙數世界一一世界无量菩薩所獲施福百
倍為勝千倍為勝乃至鄔波尼殺曇倍亦復
為勝
時舍利子及諸大衆承佛神力復見西南方

BD01091號　大般若波羅蜜多經卷五八一　（20–14）

倍為勝千倍為勝乃至鄔波尼殺曇倍亦復
為勝
時舍利子及諸大衆承佛神力復見西南方
百千世界如是乃至復見西南方无數殑伽
沙數世界一一世界无量菩薩各捨所有布
施一切精珎寶聚其量如山隨諸有情所須
皆施勸有情類自受用已復轉施他心无所
礙如是行施无所染著晝夜精勤常无厭倦
如是積集衣服卧具飲食等物量各如山隨
諸有情所須皆施勸有情類自受用已復轉
施他心无所礙如是行施无所染著晝夜精
勤常无厭倦尒時佛告舍利子言汝見西南
方百千世界如是乃至无數殑伽沙殑世界
一一世界无量菩薩心无染著而行施不時
舍利子便白佛言見已世尊見已善逝佛言
菩薩乘大菩提皆應如是脩行布施又舍利
子於意云何彼諸菩薩施廣大不舍利子曰
廣大世尊廣大善逝彼諸菩薩布施善根
量无邊際佛言如是如汝所說若有菩薩能
觀法空緣一切智具勝功德悲念有情隨有
所施於彼西南方百千世界如是乃至无數殑
伽沙數世界一一世界无量菩薩所獲施福百
倍為勝千倍為勝乃至鄔波尼殺曇倍亦復
為勝
時舍利子及諸大衆承佛神力復見西北方
百千世界如是乃至復見西北方无數殑伽沙
數世界一一世界无量菩薩各捨所有布施
一切精珎寶聚其量如山隨諸有情所須

BD01091號　大般若波羅蜜多經卷五八一　（20–15）

時舍利子及諸大衆承佛神力復見西北方
百千世界如是乃至復見西北方无數殑伽沙
數世界一一世界无量菩薩各捨所有布施
一切精珎寶聚其量如山隨諸有情所須
皆施勸有情類自受用已復轉施他心无所
礙如是行施无所染著晝夜精勤常无厭倦
如是積集衣服卧具飲食等物量各如山隨
諸有情所須皆施勸有情類自受用已轉復
施他心无所礙如是行施无所染著晝夜精
勤常无厭倦尒時佛告舍利子言汝見西北
方百千世界如是乃至无數殑伽沙數世界
一一世界无量菩薩心无染著而行施不時
舍利子便白佛言見已世尊見已善逝佛言
菩薩乘大菩提皆應如是脩行布施又舍利
子於意云何彼諸菩薩施廣大不舍利子曰
廣大世尊廣大善逝彼諸菩薩布施善根
量无邊際佛言如是如汝所說若有菩薩能觀
法空緣一切智具勝功德悲念有情隨有所
施於彼西北方百千世界如是乃至无數殑
伽沙數世界一一世界无量菩薩所獲施福
百倍為勝千倍為勝乃至鄔波尼殺曇倍
亦復為勝
時舍利子及諸大衆承佛神力復見東北方
百千世界如是乃至復有東北方无數殑伽
沙數世界一一世界无量菩薩各捨所有布
施一切精珎寶聚其量如山隨諸有情所須
皆施勸有情類自受用已復轉施他心无所
礙如是行施无所染著晝夜精勤常无厭倦
如是積集衣服卧具飲食等物量各如山隨

BD01091號　大般若波羅蜜多經卷五八一　（20–16）

沙數世界一一世界无量菩薩各捨所有布
施一切精珎寶聚其量如山隨諸有情所須
皆施勸有情類自受用已復轉施他心无所
礙如是行施无所染著晝夜精勤常无猒倦
如是積集衣服卧具飲食等物量各如山隨
諸有情所須皆施勸有情類自受用已復轉
施他心无所礙如是行施无所染著晝夜精
勤常无猒倦尒時佛告舍利子言汝見東方
方百千世界如是乃至无數殑伽沙數世界一
一世界无量菩薩心无染著而行施不時舍
利子便白佛言見已世尊見已善逝佛言
菩薩求大菩提皆應如是脩行布施又舍利
子於意云何彼諸菩薩施廣大不舍利子白
廣大世尊廣大善逝彼諸菩薩布施善根
量无邊際佛言如是如汝所說若有菩薩能
觀法空緣一切智具勝功德慈念有情隨有
所施於彼東北方百千世界如是乃至无數
殑伽沙數世界一一世界无量菩薩所擭施福
百倍為勝千倍為勝乃至鄔波尼煞曇倍亦
復為勝
時舍利子及諸大衆承佛神力復見下方百
千世界如是乃至復見下方无數殑伽沙數世
界一一世界无量菩薩各捨所有布施一
切積珎寶聚其量如山隨諸有情所須皆施
勸有情類自受用已復轉施他心无所礙如
是行施无所染著晝夜精勤常无猒倦如是
積集衣服卧具飲食等物量各如山隨諸有
情所須皆施勸有情類自受用已復轉施他
心无所礙如是行施无所染著晝夜精勤常

BD01091號　大般若波羅蜜多經卷五八一　（20–17）

是行施无所染著晝夜精勤常无猒倦如是
積集衣服卧具飲食等物量各如山隨諸有
情所須皆施勸有情類自受用已復轉施他
心无所礙如是行施无所染著晝夜精勤常
无猒倦尒時佛告舍利子言汝見下方百千
世界如是乃至无數殑伽沙數世界一一世界
无量菩薩心无染著而行施不時舍利子
便白佛言見已世尊見已善逝佛言菩薩求
大菩提皆應如是脩行布施又舍利子於意
云何彼諸菩薩施廣大不舍利子曰廣大世
尊廣大善逝彼諸菩薩布施善根量无邊
際佛言如是如汝所說若有菩薩能觀法空
緣一切智具勝功德慈念有情隨有所施於
彼下方百千世界如是乃至无數殑伽沙數世
界一一世界无量菩薩所擭施福百倍為勝
千倍為勝乃至鄔波尼煞曇為倍亦復為勝
時舍利子及諸大衆承佛神力復見上方百
千世界如是乃至復見上方无數殑伽沙數
世界一一世界无量菩薩各捨所有布施一
切積珎寶聚其量如山隨諸有情所須皆
施勸有情類自受用已復轉施他心无所礙
如是行施无所染著晝夜精勤常无猒倦如
是集衣服卧具飲食等物量各如山隨諸有
情所須皆施勸有情類自受用已復轉施他
心无所礙如是行施无所染著晝夜精勤常
无猒倦尒時佛告舍利子言汝見上百千
世界如是乃至无數殑伽沙數世界一一世
界无量菩薩心无染著而行施不時舍利子

BD01091號　大般若波羅蜜多經卷五八一　（20–18）

情所須皆施勸有情類自受用已復轉施他
心无所礙如是行施无所染着晝夜精勤常
无厭倦尒時佛告舍利子言汝見上方千
世界如是乃至无數殑伽沙數世界一一世
界无量菩薩心无染着而行施不時舍利子
便白佛言見已世尊見已善逝佛言菩薩求
大菩提皆應如是循行布施又舍利子於
意云何彼諸菩薩施廣大不舍利子曰廣大
世尊廣大善逝彼諸菩薩布施善根量无邊
際佛言如是如汝所說若有菩薩能觀法空緣
一切智具勝功德隨念有情隨有所施於彼
上方百千世界如是乃至无數殑伽沙數世
界一一世界无量菩薩所獲施福百倍為勝
千倍為勝乃至鄔波尼煞曇倍亦復為勝
復次舍利子菩薩摩訶薩欲疾證得一切智
智窮未來際利樂有情應觀法空緣一切智
具勝功德隨念有情受貧匱者應行布施
波羅蜜多持此善根善施一切脫惡趣生
无衆苦作是願言十方世界諸有情類由我
善根功德威力未發无上菩提心者令速發
心已發无上菩提心者令永不退若於无上
正等菩提已不退者令速圓滿一切智智

大般若波羅蜜多經卷第五百八十一

BD01091 號　大般若波羅蜜多經卷五八一　（20–19）

界一一世界无量菩薩所獲施福百倍為勝
千倍為勝乃至鄔波尼煞曇倍亦復為勝
復次舍利子菩薩摩訶薩欲疾證得一切智
智窮未來際利樂有情應觀法空緣一切智
具勝功德隨念有情受貧匱者應行布施
波羅蜜多持此善根善施一切脫惡趣生
无衆苦作是願言十方世界諸有情類由我
善根功德威力未發无上菩提心者令速發
心已發无上菩提心者令永不退若於无上
正等菩提已不退者令速圓滿一切智智

大般若波羅蜜多經卷第五百八十一

BD01091 號　大般若波羅蜜多經卷五八一　（20–20）

五百八十一

BD01091 號背　勘記　（1–1）

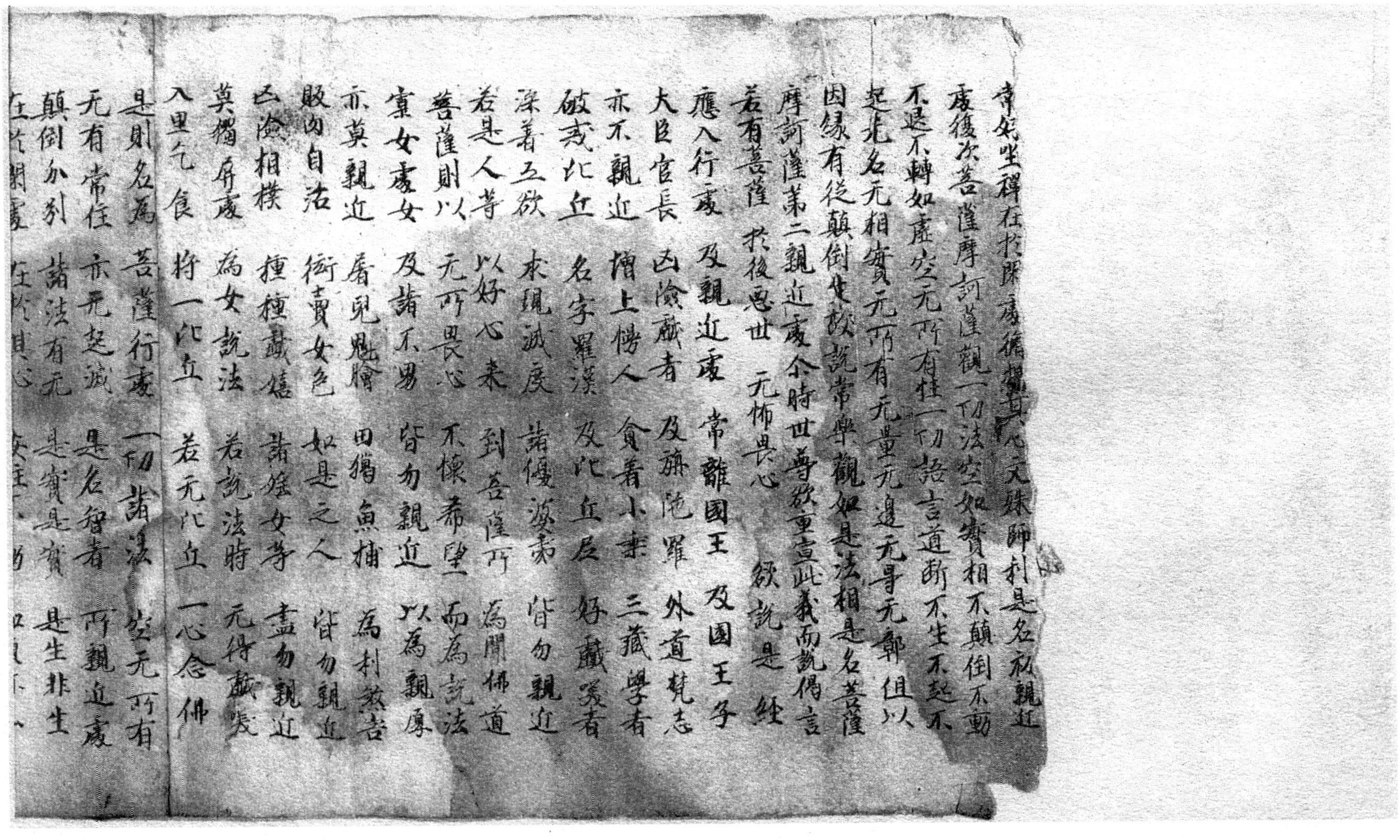
常好坐禪在於閑處修攝其心文殊師利是名初親近
處復次菩薩摩訶薩觀一切法空如實相不顛倒不動
不退不轉如虛空无所有性一切語言道斷不生不出不
起无名无相實无所有无量无邊无㝵无鄣但以
因緣有從顛倒生故說常樂觀如是法相是名菩薩
摩訶薩第二親近處尒時世尊欲重宣此義而說偈言
若有菩薩　於後惡世　无怖畏心　欲說是經
應入行處　及親近處　常離國王　及國王子
大臣官長　凶險戲者　及旃陀羅　外道梵志
亦不親近　增上慢人　貪著小乘　三藏學者
破戒比丘　名字羅漢　及比丘尼　好戲笑者
深著五欲　求現滅度　諸優婆夷　皆勿親近
若是人等　以好心來　到菩薩所　為聞佛道
菩薩則以　无所畏心　不懷希望　而為說法
寡女處女　及諸不男　皆勿親近　以為親厚
亦莫親近　屠兒魁膾　田獵魚捕　為利殺害
販肉自活　衒賣女色　如是之人　皆勿親近
凶險相撲　種種嬉戲　諸婬女等　盡勿親近
莫獨屏處　為女說法　若說法時　无得戲笑
入里乞食　將一比丘　若无比丘　一心念佛
是則名為　菩薩行處　一切諸法　空无所有
无有常住　亦无起滅　是名智者　所親近處
顛倒分別　諸法有无　是實非實　是生非生
在於閑處　修攝其心　安住不動　如須彌山

BD01092 號　妙法蓮華經卷五　（22–1）

兇險相撲 種種[illegible]
莫獨屏處 為女說法 若說法時 无得戲笑
入里乞食 將一比丘 若无比丘 一心念佛
是則名為 菩薩行處 一切諸法 空无所有
无有常住 亦无起滅 是名智者 所親近處
顛倒分別 諸法有无 是實是實 是生非生
在於閑處 在於其心 安住不動 如須弥山
觀一切法 皆无所有 猶如虛空 无有堅固
不生不出 不動不退 常住一相 是名近處
若有比丘 於我滅後 入是行處 及親近處
說斯經時 无有怯弱 菩薩有時 入於靜室
以正憶念 隨義觀法 從禪定起 為諸國王
王子臣民 婆羅門等 開化演暢 說斯經典
其心安隱 无有怯弱 文殊師利 是名菩薩
安住初法 能於後世 說法華經
又文殊師利 如來滅後 於末法中 欲說是經 應住
安樂行 若口宣說 若讀經時 不樂說人及經典過
亦不輕慢諸餘法師 不說他人好惡長短 於聲聞
人亦不稱名說其過惡 亦不稱名讚歎其美 又亦
不生怨嫌之心 善修如是安樂心故 諸有聽者 不逆
其意 有所難問 不以小乘法荅 但以大乘而為解說
令得一切種智 尒時世尊欲重宣此義 而說偈言
菩薩常樂 安隱說法 於清淨地 而施床坐
以油塗身 澡浴塵穢 著新淨衣 內外俱淨
安處法座 隨問為說 若有比丘 及比丘尼
諸優婆塞 及優婆夷 國王王子 群臣士民
以微妙義 和顏為說 若有難問 隨義而荅
因緣譬喻 敷演分別 以是方便 皆使發心
漸漸增益 入於佛道 除嬾惰意 及懈怠想
離諸憂惱 慈心說法 晝夜常說 无上道教
以諸因緣 无量譬喻 開示衆生 咸令歡喜
衣服卧具 飲食醫藥 而於其中 无所悕望

BD01092 號　妙法蓮華經卷五　（22–2）

諸優婆塞 及優婆夷 國王王子 群臣士民
以微妙義 和顏為說 若有難問 隨義而荅
因緣譬喻 敷演分別 以是方便 皆使發心
漸漸增益 入於佛道 除嬾惰意 及懈怠想
離諸憂惱 慈心說法 晝夜常說 无上道教
以諸因緣 无量譬喻 開示衆生 咸令歡喜
衣服卧具 飲食醫藥 而於其中 无所悕望
但一心念 說法因緣 願成佛道 令衆亦尒
是則大利 安樂供養 我滅度後 若有比丘
能演說斯 妙法華經 心无嫉恚 諸惱障礙
亦无憂愁 及罵詈者 又无怖畏 加刀杖等
亦无擯出 安住忍故 智者如是 善修其心
能住安樂 如我上說 其人功德 千万億劫
筭數譬喻 說不能盡
又文殊師利 菩薩摩訶薩 於後末世法欲滅時 受
持讀誦斯經典者 无懷嫉妬諂誑之心 亦勿輕罵
學佛道者 求其長短 若比丘比丘尼優婆塞優婆
夷求聲聞者 求辟支佛者 求菩薩道者 无得惱
之 令其疑悔 語其人言 汝等去道甚遠 終不能
得一切種智 所以者何 汝是放逸之人 於道懈怠故
又亦不應戲論諸法 有所諍競 當於一切衆生起
大悲想 於諸如來起慈父想 於諸菩薩起大師想
於十方諸大菩薩 常應深心恭敬禮拜 於一切衆生
平等說法 以順法故 不多不少 乃至深愛法者 亦
不為多說 文殊師利 是菩薩摩訶薩 於後末世法
欲滅時 有成就是第三安樂行者 說是法時 无能
惱亂 得好同學 共讀誦是經 亦得大衆而來聽受
聽已能持 持已能誦 誦已能說 說已能書 若
使人書 供養經卷 恭敬尊重讚歎 尒時世尊欲重
宣此義 而說偈言
若欲說是經 當捨嫉恚慢 諂誑邪偽心 常修質直行
不輕蔑於人 亦不戲論法 不令他疑悔 云汝不得佛

BD01092 號　妙法蓮華經卷五　（22–3）

者說是法時无能
惱亂得好同學共讀誦是經亦得大眾而來聽受
聽受聽已能持持已能誦誦已能說說已能書若
使人書供養恭敬恭敬尊重讚尒時世尊欲重
宣此義而說偈言
若欲說是經　當捨嫉恚慢　諂誑邪偽心　常修質直行
不輕蔑於人　亦不戲論法　不令他疑悔　云汝不得佛
是佛子說法　常柔和能忍　慈悲於一切　不生懈怠心
十方大菩薩　愍眾故行道　應生恭敬心　是則我大師
於諸佛世尊　生无上父想　破於憍慢心　說法无鄣㝵
第三法如是　智者應守護　一心安樂行　无量眾所敬
又文殊師利菩薩摩訶薩於後末世法欲滅時有持
是法華經者於在家出家人生大慈心於非菩薩人
中生大悲心應作是念如是之人則為大失如來方便隨
宜說法不聞不知不覺不問不信不解其人雖不信不
信不解是經我得阿耨多羅三藐三菩提時隨在
何地以如來神力智慧力引之令得住是法中文殊師
利是菩薩摩訶薩於如來滅後有成就此第四法者
說是法時无有過失常為比丘比丘尼優婆塞優婆
夷國王王子大臣人民婆羅門居士等供養恭敬尊
重讚歎虛空諸天為聽法故亦常隨侍若在聚落
城邑空閑林中有人來欲難問者諸天晝夜常為法
故而衛護之能令聽者皆得歡喜所以者何此經是
一切過去未來現在諸佛神力所護故文殊師利是法
華經於无量國中乃至名字不可得聞何況得見受
持讀誦文殊師利譬如強力轉輪聖王欲以威勢降
伏諸國而諸小王不順其命時轉輪王起種種兵而
往討罰王見兵眾戰有功者即大歡喜隨功賞
賜或與田宅聚落城邑或與衣服嚴身之具或與
種種珍寶金銀琉璃車磲馬瑙珊瑚虎珀象馬車
乘奴婢人民唯髻中明珠不以與之所以者何獨王
頂上有此一珠若以與之王諸眷屬必大驚怪文殊

BD01092號　妙法蓮華經卷五　（22–4）

伏諸國而諸小王不順其命時轉輪王起種種兵而
往討罰王見兵眾戰有功者即大歡喜隨功賞
賜或與田宅聚落城邑或與衣服嚴身之具或與
種種珍寶金銀琉璃車磲馬瑙珊瑚虎珀象馬車
乘奴婢人民唯髻中明珠不以與之所以者何獨王
頂上有此一珠若以與之王諸眷屬必大驚怪文殊
師利如來亦復如是以禪定智慧力得法國土王於
三界而諸魔王不肯順伏如來賢聖諸將與之共
戰其有功者心亦歡喜於四眾中為說諸經令其心
悅賜以禪定解脫无漏根力諸法之財又復賜與涅
槃之城言得滅度引導其心令皆歡喜而不為說
是法華經文殊師利如轉輪王見諸兵眾有大功
者心甚歡喜以此難信之珠久在髻中不妄與人而今
與之如來亦復如是於三界中為大法王以法化一
切眾生見賢聖軍與五陰魔煩惱魔死魔共戰
有大功勳滅三毒出三界破魔網尒時如來亦大
歡喜此法華經能令眾生至一切智一切世間多怨
難信先所未說而今說之文殊師利此法華經是諸
如來第一之說於諸說中最為甚深末後賜與如
彼強力之王久護明珠今乃與之文殊師利此法華
經諸佛如來秘密之藏於諸經中最在其上長夜
守護不妄宣說始於今日乃與汝等而敷演之尒
時世尊欲重宣此義而說偈言
常行忍辱　哀愍一切　乃能演說　佛所讚經
後末世時　持此經者　於家出家　及非菩薩
應生慈悲　斯等不聞　不信是經　則為大失
我得佛道　以諸方便　為說此經　令住其中
譬如強力　轉輪之王　兵戰有功　賞賜諸物
象馬車乘　嚴身之具　及諸田宅　聚落城邑
或與衣服　種種珍寶　奴婢財物　歡喜賜與
如有勇健　能為難事　王解髻中　明珠賜之

BD01092號　妙法蓮華經卷五　（22–5）

我得佛道　以諸方便　為說此經　令住其中
譬如強力　轉輪之王　兵戰有功　賞賜諸物
象馬車乘　嚴身之具　及諸田宅　聚落城邑
或與衣服　種種珍寶　奴婢財物　歡喜賜與
如有勇健　能為難事　王解髻中　明珠賜之
如來亦尒　為諸法王　忍辱大力　智慧寶藏
以大慈悲　如法化世　見一切人　受諸苦惱
欲求解脫　與諸魔戰　為諸衆生　說種種法
以大方便　說此諸經　既知衆生　得其力以
末後乃為　說是法華　如王解髻　明珠與之
此經為尊　衆經中上　我常守護　不妄開示
今正是時　為汝等說　我滅度後　求佛道者
欲得安隱　演說斯經　應當親近　如是四法
讀是經者　常无憂惱　又无病痛　顏色鮮白
不生貧窮　卑賤醜陋　衆生樂見　如慕賢聖
天諸童子　以為給使　刀杖不加　毒不能害
若人惡罵　口則閉塞　遊行无畏　如師子王
智慧光明　如日之照　若於夢中　但見妙事
見諸如來　坐師子座　諸比丘衆　圍繞說法
又見龍神　阿脩羅等　數如恒沙　恭敬合掌
自見其身　而為說法　又見諸佛　身相金色
放无量光　照於一切　以梵音聲　演說諸法
佛為四衆　說无上法　見身處中　合掌讚佛
聞法歡喜　而為供養　得陀羅尼　證不退智
佛知其心　深入佛道　即為受記　成最正覺
汝善男子　當於來世　得无量智　佛之大道
國土嚴淨　廣大无比　亦有四衆　合掌聽法
又見自身　在山林中　脩習善法　證諸實相
深入禪定　見十方佛
諸佛身金色　百福相莊嚴　聞法為人說　常有是好夢
又夢作國王　捨宮殿眷屬　及上妙五欲　行詣於道場
在菩提樹下　而處師子座　求道過七日　得諸佛之智

BD01092號　妙法蓮華經卷五　（22–6）

國土嚴淨　廣大无比　亦有四衆　合掌聽法
又見自身　在山林中　脩習善法　證諸實相
深入禪定　見十方佛
諸佛身金色　百福相莊嚴　聞法為人說　常有是好夢
又夢作國王　捨宮殿眷屬　及上妙五欲　行詣於道場
在菩提樹下　而處師子座　求道過七日　得諸佛之智
成无上道以　起而轉法輪　為四衆說法　經千万億劫
說无漏妙法　度无量衆生　後當入涅槃　如烟盡燈滅
若後惡世中　說是第一法　是人得大利　如上諸功德

妙法蓮華經從地踊出品第十五

尒時他方國土諸來菩薩摩訶薩過八万恒河沙數
於大衆中起立合掌作礼而白佛言世尊若聽我等
於佛滅後在此娑婆世界懃加精進護持讀誦書寫
供養是經典者當於此土而廣說之尒時佛告諸
菩薩摩訶薩衆止善男子不須汝等護持此經所
以者何我娑婆世界自有六万恒河沙等菩薩摩
訶薩一一菩薩各有六万恒河沙眷屬是諸人等能於
我滅後護持讀誦廣說此經佛說是時娑婆世界
三千大千國土地皆震裂而於其中有无量千万
億菩薩摩訶薩同時踊出是諸菩薩身皆金色
三十二相无量光明先盡在此娑婆世界之下此界虛
空中住是諸菩薩聞釋迦牟尼佛所說音聲從下
發來一一菩薩皆是大衆唱導之首各將六万恒河沙
眷屬況將五万四万三万二万一万恒河沙等眷屬者
況復乃至一恒河沙半恒河沙四分之一乃至千万億那
由他分之一況復千万億那由他眷屬況復億万眷屬
況復千万百万乃至一万一千一百乃至一十況復將五四
三二一弟子者況復單己樂遠離行如是等比
无量无邊筭數譬喻所不能知是諸菩薩從地
出已各詣虛空七寶妙塔多寶如來釋迦牟尼
佛所到已向二世尊頭面礼足及至諸寶

BD01092號　妙法蓮華經卷五　（22–7）

況復千万臣乃至一千一百乃至一十況復將五四
三二一弟子者況復單己樂遠離行如是等比
无量无邊筭數譬喻所不能知是諸菩薩從地
出已各詣虛空七寶妙塔多寶如來釋迦牟尼
佛所到已向二世尊頭面礼足及至諸寶
樹下師子座上佛所亦皆作礼右遶三匝合掌恭
敬以諸菩薩種種讚法而以讚歎住在一面欣樂瞻
仰於二世尊是諸菩薩摩訶薩從地踊出以諸菩薩
種種讚法而讚於佛如是時間經五十小劫是時釋迦
牟尼佛嘿然而座及諸四衆亦皆嘿然五十小劫佛
神力故令諸大衆謂如半日尒時四衆亦以佛神力
故見諸菩薩遍滿无量百千万億國土虛空是菩
薩衆中有四導師一名上行二名无邊行三名淨行
四名安立行是四菩薩於其衆中最為上首唱導
之師在大衆前各共合掌觀釋迦牟尼佛而問訊
言世尊少病少惱安樂行不所應度者受教易
不不令世尊生疲勞耶尒時四大菩薩而說偈言
世尊安樂　少病少惱　教化衆生　得无疲惓
又諸衆生　受化易不　不令世尊　生疲勞耶
尒時世尊於菩薩大衆中而作是言如是如是諸善男
子如來安樂少病少惱諸衆生等易可化度无有
疲勞所以者何是諸衆生世世已來常受我化亦
於過去諸佛供養恭敬尊重種諸善根此
諸衆生始見我身聞我所說即皆信受入如來慧
除先修習學小乘者如是之人我今亦令得聞是經
入於佛慧尒時諸大菩薩而說偈言
善哉善哉　大雄世尊　諸衆生等　易可化度
能問諸佛　甚深智慧　聞已信行　我等隨喜
於時世尊讚歎上首諸大菩薩善哉善哉善男
子汝等能於如來發隨喜心尒時彌勒菩薩及八

BD01092號　妙法蓮華經卷五　（22–8）

善哉善哉　大雄世尊　諸衆生等　易可化度
能問諸佛　甚深智慧　聞已信行　我等隨喜
於時世尊讚歎上首諸大菩薩善哉善哉善男
子汝等能於如來發隨喜心尒時彌勒菩薩及八
千恒河沙諸菩薩衆皆作是念我等從昔已來
不見不聞如是大菩薩摩訶薩衆從地踊出住世
尊前合掌供養問訊如來尒時彌勒菩薩摩訶
薩知八千恒河沙諸菩薩衆心之所念并欲自決
所疑合掌向佛以偈問曰
无量千万億　大衆諸菩薩　昔所未曾見　願兩足尊說
是從何所來　以何因緣集　巨身大神通　智慧叵思議
其志念堅固　有大忍辱力　衆生所樂見　為從何所來
一一諸菩薩　所將諸眷屬　其數无有量　如恒河沙等
或有大菩薩　將六万恒沙　如是諸大衆　一心求佛道
是諸大師等　六万恒河沙　俱來供養佛　及護持是經
將五万恒沙　其數過於是　四万及三万　二万至一万
一千一百等　乃至一恒沙　半及三四分　億万分之一
千万那由他　万億諸弟子　乃至於半億　其數復過上
百万至一万　一千及一百　五十與一十　乃至三二一
單己无眷屬　樂於獨處者　俱來至佛所　其數轉過上
如是諸大衆　若人行籌數　過於恒沙劫　猶不能盡知
是諸大威德　精進菩薩衆　誰為其說法　教化而成就
從誰初發心　稱揚何佛法　受持行誰經　修習何佛道
如是諸菩薩　神通大智力　四方地震裂　皆從地震出
世尊我昔來　未曾見是事　願說其所從　國土之名号
我常遊諸國　未曾見是衆　我於此衆中　乃不識一人
忽然從地出　願說其因緣　今此之大會　无量百千億
是諸菩薩等　皆欲知此事　是諸菩薩衆　本末之因緣
无量德世尊　唯願決衆疑
尒時釋迦牟尼佛分身諸佛從无量千万億他方

BD01092號　妙法蓮華經卷五　（22–9）

我常遊諸國　未曾見是衆　我於此衆中　乃不識一人
忽然從地出　願說其因緣　今此之大會　无量百千億
是諸菩薩等　皆欲知此事　是諸菩薩衆　本末之因緣
无量德世尊　唯願決衆疑
尒時釋迦牟尼佛分身諸佛從无量千万億他方
國土來者在於八方諸寶樹下師子座上結加趺坐其
佛侍者各各見是菩薩大衆於三千大千世界四方從
地踊出住於虛空各白其佛言世尊此諸无量无邊
阿僧祇菩薩大衆從何所來尒時諸佛各告侍者
諸善男子且待須臾有菩薩摩訶薩名曰弥勒釋迦
牟尼佛之所受記次後作佛以問斯事佛今答之汝
等自當因是得聞尒時釋迦牟尼佛告弥勒菩薩善
哉善哉阿逸多乃能問佛如是大事汝等當共一心
被精進鎧發堅固意如來今欲顯發宣示諸佛智慧
自在神通之力諸佛師子奮迅之力諸佛威猛大勢
之力尒時世尊欲重宣此義而說偈言
當精進一心　我欲說此事　勿得有疑悔　佛智叵思議
汝今出信力　住於忍善中　昔所未聞法　今皆當得聞
我今安慰汝　勿得懷疑懼　佛无不實語　智慧不可量
所得第一法　甚深叵分別　如是今當說　汝等一心聽
尒時世尊說此偈已告弥勒菩薩我今於此大衆宣告
汝等阿逸多是諸大菩薩摩訶薩无量无數阿僧祇
從地踊出汝等昔所未見者我於是娑婆世界得阿
耨多羅三藐三菩提已教化示導是諸菩薩調伏
其心令發道意此諸菩薩皆於是娑婆世界之下
此界虛空中住於諸經典讀誦通利思惟分別正憶
念阿逸多是諸善男子等不樂在衆多有所說常
樂靜處勤行精進未曾休息亦不依止人天而住常
樂深智无有鄣㝵亦常樂於諸佛之法一心精進求
无上慧尒時世尊欲重宣此義而說偈言
阿逸汝當知　是諸大菩薩　從无數劫來　脩習佛智慧

BD01092號　妙法蓮華經卷五　（22–10）

念阿逸多是諸善男子等不樂在衆多有所說常
樂靜處勤行精進未曾休息亦不依止人天而住常
樂深智无有鄣㝵亦常樂於諸佛之法一心精進求
无上慧尒時世尊欲重宣此義而說偈言
阿逸汝當知　是諸大菩薩　從无數劫來　脩習佛智慧
悉是我所化　令發大道心　此等是我子　依止是世界
常行頭陁事　志樂於靜處　捨大衆憒閙　不樂多所說
如是諸子等　學習我道法　晝夜常精進　為求佛道故
在娑婆世界　下方空中住　志念力堅固　常勤求智慧
說種種妙法　其心无所畏　我於伽耶城　菩提樹下坐
得成最正覺　轉无上法輪　尒乃教化之　令初發道心
今皆住不退　悉當得成佛　我今說實語　汝等一心信
我從久遠來　教化是等衆
尒時弥勒菩薩摩訶薩及无數諸菩薩等心生疑惑
怪未曾有而作是念云何世尊於少時間教化如是
无量无邊阿僧祇諸大菩薩令住阿耨多羅三藐
三菩提即白佛言世尊如來為太子時出於釋氏宮
去伽耶城不遠坐於道場得成阿耨多羅三藐三菩
提從是已來始過四十餘年世尊云何於此少時大作
佛事以佛勢力以佛功德教化如是无量大菩薩衆當
成阿耨多羅三藐三菩提世尊此大菩薩衆假使有
人於千万億劫數不能盡不得其邊斯等久遠已來
於无量无邊諸佛所殖諸善根成就菩薩道常脩
梵行世尊如此之事世所難信譬如有人色美髮黑年
二十五指百歲人言是我子其百歲人亦指年少言是我
父生育我等是事難信佛亦如是得道已來其實未
久而此大衆諸菩薩等已於无量千万億劫為佛道
故勤行精進善入出住无量百千万億三昧得大神通
久脩梵行善能次第習諸善法巧於問荅人中之寶一
切世間甚為希有今日世尊方云得佛道時初令發心
教化示導令向阿耨多羅三藐三菩提世尊得佛未久

BD01092號　妙法蓮華經卷五　（22–11）

久而此大衆諸菩薩等以於无量千万億劫為佛道
故勤行精進善入出住无量百千万億三昧得大神通
久脩梵行善能次第習諸善法巧於問荅人中之寶一
切世間甚為希有今日世尊方云得佛道時初令發心
教化示導令向阿耨多羅三藐三菩提世尊得佛未久
乃能作此大功德事我等雖復信佛隨宜所說佛所出
言未曾虛妄佛所知者皆悉通達然諸新發意菩薩
於佛滅後若聞是語或不信受而起破法罪業因緣唯
然世尊願為解說除我等疑及未來世諸善男子聞
此事已亦不生疑尒時彌勒菩薩欲重宣此義而
說偈言
佛昔從釋種　出家近伽耶　坐於菩提樹　今來尚未久
此諸佛子等　其數不可量　久已行佛道　住於神通力
善學菩薩道　不染世間法　如蓮華在水　從地而踊出
皆起恭敬心　住於世尊前　是事難思議　云何而可信
佛得道甚近　所成就甚多　願為除衆疑　如實分別說
譬如少壯人　年始二十五　示人百歲子　髮白而面皺
是等我所生　子亦說是父　父少而子老　舉世所不信
世尊亦如是　得道來甚近　是諸菩薩等　志固无怯弱
從无量劫來　而行菩薩道　巧於難問荅　其心无所畏
忍辱心決定　端政有威德　十方佛所讚　善能分別說
不樂在人衆　常好在禪定　為求佛道故　於下空中住
我等從佛聞　於此事无疑　願佛為未來　演說令開解
若有於此經　生疑不信者　即當墮惡道　願今為解說
是无量菩薩　云何於少時　教化令發心　而住不退地
妙法蓮華經如來壽量品第十六
尒時佛告諸菩薩及一切大衆諸善男子汝等當
信解如來誠諦之語復告大衆汝等當信解如來誠
諦之語又復告諸大衆汝等當信解如來誠諦之語
是時菩薩大衆彌勒為首合掌白佛言世尊唯願

BD01092號　妙法蓮華經卷五　（22–12）

妙法蓮華經如來壽量品第十六
尒時佛告諸菩薩及一切大衆諸善男子汝等當
信解如來誠諦之語復告大衆汝等當信解如來誠
諦之語又復告諸大衆汝等當信解如來誠諦之語
是時菩薩大衆彌勒為首合掌白佛言世尊唯願
說之我等當信受佛語如是三白已復言唯願說之
我等當信受佛語尒時世尊知諸菩薩三請不止而
告之言汝等諦聽如來祕密神通之力一切世間天人及
阿脩羅皆謂今釋迦牟尼佛出釋氏宮去伽耶城
不遠坐於道場得成阿耨多羅三藐三菩提然善男
子我實成佛已來无量百千万億那由他劫譬如五百
千万億那由他阿僧祇三千大千世界假使有人末為
微塵過於東方五百千万億那由他阿僧祇國乃下一
塵如是東行盡是微塵諸善男子於意云何是諸世
界可得思惟挍計知其數不彌勒菩薩等俱白佛言
世尊是諸世界非筭數所知亦非心力所及一切聲聞
辟支佛以无漏智不能思惟知其限數我等住阿惟
越致地於是中亦所不達世尊如是諸世界无量无邊
尒時佛告大菩薩衆諸善男子今當分明宣語汝等
是諸世界若著微塵及不著者盡以為塵一塵一
劫我成佛已來復過於此百千万億那由他阿僧祇劫
自從是來我常在此娑婆世界說法教化亦於餘
處百千万億那由他阿僧祇國導利衆生諸善
男子於是中間我說然燈佛等又復言其入於涅槃如
是皆以方便分別諸善男子若有衆生來至我所我
以佛眼觀其信等諸根利鈍隨所應度處處自說名
字不同年紀大小亦復現言當入涅槃又以種種方便
說微妙法能令衆生發歡喜心諸善男子如來見諸
衆生樂於小法德薄垢重者為是人說我少出家得
阿耨多羅三藐三菩提然我實成佛已來久遠若斯
但以方便教化衆生令入佛道作如是說諸善男子如

BD01092號　妙法蓮華經卷五　（22–13）

字不同年紀大小亦復現言當入涅槃又以種種方便
説微妙法能令衆生發歡喜心諸善男子如来見諸
衆生樂於小法徳薄垢重者為是人説我少出家得
阿耨多羅三藐三菩提然我實成佛已来久遠若斯
但以方便教化衆生令入佛道作如是説諸善男子如
来所演経典皆為度脱衆生或説己身或説他身或
示己身或示他身或示己事或示他事諸所言説皆
實不虚所以者何如来如實知見三界之相无有生
死若退若出亦无在世及滅度者非實非虚非如非
異不如三界見於三界如斯之事如来明見无有
錯以諸衆生有種種欲種種行種種憶想分別故欲
令生諸善根以若干因縁譬喻言辞種種説
法所作佛事未曾暫廢如是我成佛已来甚大久
遠壽命无量阿僧祇劫常住不滅諸善男子我本
行菩薩道所成壽命今猶未盡復倍上數然今非實
滅度而便唱言當取滅度如来以是方便教化衆生
所以者何若佛久住於世薄徳之人不種善根貧窮
下賤貪著五欲入於憶想妄見網中若見如来
常在不滅便起憍恣而懐厭怠不能生於難遭
之想恭敬之心是故如来以方便説比丘當知諸佛
出世難可値遇所以者何諸薄徳人過无量千万億
劫或有見佛或不見者以此事故我作是言諸比
丘如来難可得見斯衆生等聞如是語必當生
於難遭之想心懐戀慕渇仰於佛便種善根是
故如来雖不實滅而言滅度又善男子諸佛如来
法皆如是為度衆生皆實不虚譬如良醫智
慧聡達明練方藥善治衆病其人多諸子息
若十二十乃至百數以有事縁遠至餘國諸子於
後飲他毒藥藥發悶亂宛轉于地是時其父還来
歸家諸子飲毒或失本心或不失者遥見其父

慧聡達明練方藥善治衆病其人多諸子息
若十二十乃至百數以有事縁遠至餘國諸子於
後飲他毒藥藥發悶亂宛轉于地是時其父還来
歸家諸子飲毒或失本心或不失者遥見其父
皆大歡喜拜跪問訊善安隠歸我等愚癡悞服
毒藥願見救療更賜壽命父見子等苦惱如
是依諸経方求好藥草色香美味皆悉具足
汝等可和合與子令服而作是言此大良藥色
香美味皆悉具足汝等可服速除苦惱无復衆
患其諸子中不失心者見此良藥色香俱好即
便服之病盡除愈餘失心者見其父来雖亦歡
喜問訊求索救療如與其藥而不肯服我今
當設方氣深入失本心故於此好色香藥而為不美
父作是念此子可愍為毒所中心皆雖見我喜求
索救療如是好藥而不肯服我當設方便令服此
藥即作是言汝等當知我今衰老死時已至是好良
藥今留在此汝可取服勿憂不差作是教已復至
復至他國遣使還告汝父已死是時諸子聞父背喪
心大憂惱而作是念若父在者慈愍我等能見救護
今者捨我遠喪他國自惟孤露无復恃怙常懐悲
感心遂醒悟乃知此藥色味香美即取服之毒病
皆愈其父聞子悉已得差尋便来歸咸使見之諸
善男子於意云何頗有人能説此良醫虚妄罪不
不也世尊佛言我亦如是成佛已来无量无邊百千
万億那由他阿僧祇劫我故以方便力言當滅度
亦无有能如法説我虚妄過者尔時世尊欲重
宣此義而説偈言
自我得佛来　所經諸劫數　无量百千万　億載阿僧祇
常説法教化　无數億衆生　令入於佛道　尔来无量劫
為度衆生故　方便現涅槃　而實不滅度　常住此説法
我常住於此　以諸神通力　令顛倒衆生　雖近而不見

自我得佛來　所經諸劫數　无量百千万　億載阿僧祇
常說法教化　无數億眾生　令入於佛道　尒來无量劫
為度眾生故　方便現涅槃　而實不滅度　常住此說法
我常住於此　以諸神通力　令顛倒眾生　雖近而不見
眾見我滅度　廣供養舍利　咸皆懷戀慕　而生渴仰心
眾生既信伏　質直意柔軟　一心欲見佛　不自惜身命
時我及眾僧　俱出靈鷲山　我時語眾生　常在此不滅
以方便力故　現有滅不滅　餘國有眾生　恭敬信樂者
我復於彼中　為說无上法　汝等不聞此　但謂我滅度
我見諸眾生　沒在於苦惱　故不為現身　令其生渴仰
因其心戀慕　乃出為說法　神通力如是　於阿僧祇劫
常在靈鷲山　及餘諸住處　眾生見劫盡　大火所燒時
我此土安隱　天人常充滿　園林諸堂閣　種種寶莊嚴
寶樹多華菓　眾生所遊樂　諸天擊天鼓　常作眾伎樂
雨曼陀羅華　散佛及大眾　我淨土不毀　而眾見燒盡
憂怖諸苦惱　如是悉充滿　是諸罪眾生　以惡業因緣
過阿僧祇劫　不聞三寶名　諸有脩功德　柔和質直者
則皆見我身　在此而說法　或時為此眾　說佛壽无量
久乃見佛者　為說佛難值　我智力如是　慧光照无量
壽命无數劫　久脩業所得　汝等有智者　勿於此生疑
當斷令永盡　佛語實不虛　如醫善方便　為治狂子故
實在而言死　无能說虛妄　我亦為世父　救諸苦患者
為凡夫顛倒　實在而言滅　以常見我故　而生憍恣心
放逸著五欲　墮於惡道中　我常知眾生　行道不行道
隨應所可度　為說種種法　每自作是意　以何令眾生
得入於佛道　速成就佛身

妙法蓮華經分別功德品第十七

尒時大會聞佛說壽命劫數長遠如是无量无邊
阿僧祇眾生得大饒益於時世尊告彌勒菩薩摩訶
薩阿逸多我說是如來壽命長遠時六百八十万億
那由他恒河沙眾生得无生法忍復有千倍菩薩摩訶

BD01092號　妙法蓮華經卷五　（22-16）

尒時大會聞佛說壽命劫數長遠如是无量无邊
阿僧祇眾生得大饒益於時世尊告彌勒菩薩摩訶
薩阿逸多我說是如來壽命長遠時六百八十万億
那由他恒河沙眾生得无生法忍復有千倍菩薩摩訶
薩得聞持陀羅尼門復有一世界微塵數菩薩摩訶
薩得樂說无礙辯才復有一世界微塵數菩薩摩訶
薩得百千万億无量旋陀羅尼復有三千大千世界
微塵數菩薩摩訶薩能轉不退法輪復有二千中國
土微塵數菩薩摩訶薩能轉清淨法輪復有小千
國土微塵數菩薩摩訶薩八生當得阿耨多羅三
藐三菩提復有四四天下微塵數菩薩摩訶薩四
生當得阿耨多羅三藐三菩提復有三四天下微
塵數菩薩摩訶薩三生當得阿耨多羅三藐
三菩提復有二四天下微塵數菩薩摩訶薩二
生當得阿耨多羅三藐三菩提復有一四天下微
塵數菩薩摩訶薩一生當得阿耨多羅三藐三菩
提復有八世界微塵數眾生皆發阿耨多羅三藐
三菩提心佛說是諸菩薩摩訶薩得大法利時於虛
空中雨曼陀羅華摩訶曼陀羅華以散无量百千万
億寶樹下師子座上諸佛并散七寶塔中師子座
上釋迦牟尼佛及久滅度多寶如來亦散一切諸大
菩薩及四部眾又雨細末栴檀沉水香等於虛空中
天鼓自鳴妙聲深遠又雨千種天衣垂諸瓔珞真珠
瓔珞摩尼珠瓔珞如意珠瓔珞遍於九方眾寶香
爐燒无價香自然周至供養大會一一佛上有諸菩
薩執持幡蓋次第而上至于梵天是諸菩薩以妙音
聲歌无量頌讚歎諸佛尒時彌勒菩薩從座而起
偏袒右肩合掌向佛而說偈言
佛說希有法　昔所未曾聞　世尊有大力　壽命不可量
无數諸佛子　聞世尊分別　說得法利者　歡喜充遍身

BD01092號　妙法蓮華經卷五　（22-17）

薩執持幡蓋次第而上至于梵天是諸菩薩以妙音
聲歌无量頌讚歎諸佛尒時彌勒菩薩從座而起
偏袒右肩合掌向佛而說偈言
佛說希有法　昔所未曾聞　世尊有大力　壽命不可量
无數諸佛子　聞世尊分別　說得法利者　歡喜充遍身
或住不退地　或得陀羅尼　或无导樂說　万億旋揔持
或有大千界　微塵數菩薩　各各皆能轉　不退之法輪
復有中千界　微塵數菩薩　各各皆能轉　清淨之法輪
復有小千界　微塵數菩薩　餘各八生在　當得成佛道
復有四三二　如是四天下　微塵諸菩薩　隨數生成佛
或一四天下　微塵數菩薩　餘有一生在　當成一切智
如是等衆生　聞佛壽長遠　得无量无漏　清淨之果報
復有八世界　微塵數衆生　聞佛說壽命　皆發无上心
世尊說无量　不可思議法　多有所饒益　如虛空无邊
雨天曼陀羅　摩訶曼陀羅　釋梵如恒沙　无數佛土來
雨栴檀沉水　繽紛而亂墜　如鳥飛空下　供散於諸佛
天鼓虛空中　自然出妙聲　天衣千万種　旋轉而來下
衆寶妙香爐　燒无價之香　自然悉周遍　供養諸世尊
其大菩薩衆　執七寶幡蓋　高妙万億種　次第至梵天
一一諸佛前　寶幢懸勝幡　亦以千万偈　歌詠諸如來
如是種種事　昔所未曾有　聞佛壽无量　一切皆歡喜
佛名聞十方　廣饒益衆生　一切具善根　以助无上心
尒時佛告彌勒菩薩摩訶薩阿逸多其有衆
生聞佛說壽命長遠如是乃至能生一念信解所
得功德无有限量若有善男子善女人爲阿耨多
羅三藐三菩提故於八十万億那由他劫行五波
羅蜜檀波羅蜜尸波羅蜜羼提波羅蜜毗梨耶
波羅蜜禪波羅蜜除般若波羅蜜以是功德比
前功德百分千分百千万億分不及其一乃至筭
數譬喻所不能知若善男子善女人有如是功德於
阿耨多羅三藐三菩提退者无有是處尒時世尊

BD01092號　妙法蓮華經卷五　（22–18）

羅蜜檀波羅蜜尸波羅蜜羼提波羅蜜毗梨耶
波羅蜜禪波羅蜜除般若波羅蜜以是功德比
前功德百分千分百千万億分不及其一乃至筭
數譬喻所不能知若善男子善女人有如是功德於
阿耨多羅三藐三菩提退者无有是處尒時世尊
欲重宣此義而說偈言
若人求佛慧　於八十万億　那由他劫數　行五波羅蜜
於是諸劫中　布施供養佛　及緣覺弟子　并諸菩薩衆
珎異之飲食　上服與臥具　栴檀立精舍　以園林莊嚴
如是等布施　種種皆微妙　盡此諸劫數　以迴向佛道
若復持禁戒　清淨无缺漏　求於无上道　諸佛之所歎
若復行忍辱　住於調柔地　設衆惡來加　其心不傾動
諸有得法者　懷於增上慢　爲此所輕惱　如是亦能忍
若復懃精進　志念常堅固　於无量億劫　一心不懈息
又於无數劫　住於空閑處　若坐若經行　除睡常攝心
以是因緣故　能生諸禪定　八十億万劫　安住心不亂
持此一心福　願求无上道　我得一切智　盡諸禪定際
是人於百千　万億劫數中　行此諸功德　如上之所說
有善男女等　聞我說壽命　乃至一念信　其福過於彼
若人悉无有　一切諸疑悔　深心須臾信　其福爲如此
其有諸菩薩　无量劫行道　聞我說壽命　是則能信受
如是諸人等　頂受此經典　願我於未來　長壽度衆生
如今日世尊　諸釋中之王　道場師子吼　說法无所畏
我等未來世　一切所尊敬　坐於道場時　說壽亦如是
若有深心者　清淨而質直　多聞能揔持　隨義解佛語
如是諸人等　於此无有疑
又阿逸多若有聞佛壽命長遠解其言趣是
人所得功德无有限量能起如來无上之慧何況
廣聞是經若教人聞若自持若教人持若自書若教
人書若以華香瓔珞幢幡繒蓋香油蘇燈供養
經卷是人功德无量无邊能生一切種智阿逸

BD01092號　妙法蓮華經卷五　（22–19）

又阿逸多若有聞佛壽命長遠[illegible]
人所得功德无有限量能起如來无上之慧何况
廣聞是經若教人聞若自持若教持若自書若教
人書若以華香瓔珞幢幡繒蓋香油蘇燈供養
經卷是人功德无量无邊能生一切種智阿逸
多若善男子善女人聞我說壽命長遠深心信
解則為見佛常在耆闍崛山共大菩薩諸聲聞
衆圍繞說法又見此娑婆世界其地瑠璃坦平
正閻浮檀金以界八道寶樹行列諸臺樓觀皆
悉寶成其菩薩衆咸處其中若有能如是觀者
當知是為深信解相又復如來滅後若聞是經而
不毀呰起隨喜心當知已為深信解相何况讀誦
受持之者斯人頂戴如來阿逸多是善男子善
女人不須為我復起塔寺及作僧坊以四事供養
衆僧所以者何是善男子善女人受持讀誦是經典
者為已起塔造立僧坊供養衆僧則為以佛舍利
起七寶塔高廣漸小至于梵天懸諸幡蓋及衆寶
鈴華香瓔珞末香塗香燒香衆鼓伎樂簫笛箜
篌種種舞戲以妙音聲歌唄讚誦則為於无
量千万億劫作是供養已阿逸多若我滅後
聞是經典有能受持若自書若教人書則為起立
僧坊以赤栴檀作諸殿堂三十有二高八多羅樹
高廣嚴好百千比丘於其中止園林浴池經行
禪窟床褥湯藥一切樂具充滿其中如是僧
坊堂閣若干百千万億其數无量以此現前供
養於我及比丘僧是故我說如來滅後若有受
持是經為他人說若自書若教人書供養經卷不
須復起塔寺及造僧坊供養衆僧况復有人能
持是經兼行布施持戒忍辱精進一心智慧其德
最勝无量无邊譬如虛空東西南北四維上下
无量无邊是人功德亦復如是无量无邊疾至一
[illegible]

持是經兼行布施持戒忍辱精進一心智慧其德
最勝无量无邊譬如虛空東西南北四維上下
无量无邊是人功德亦復如是无量无邊疾至一
切種智若人讀誦受持是經為他人說若自書
若教人書復能起塔及造僧坊供養讚歎聲聞衆
僧亦以百千万億讚歎之法讚歎菩薩功德又
為他人種種因緣隨義解說此法華經復能清
淨持戒與柔和者而共同心忍辱无瞋志念
堅固常貴坐禪得諸深定精進勇猛攝諸善法
利根智慧善答問難阿逸多若我滅後諸善
男子善女人受持讀誦是經典者復有如是諸善
功德當知是人已趣道場近阿耨多羅三藐三
菩提坐道樹下阿逸多是善男子善女人若坐若
立若行處此中便應起塔一切天人皆應供養
如佛之塔尒時世尊欲重宣此義而說偈言
若我滅度後　能奉持此經　斯人福无量　如上之所說
是則為具足　一切諸供養　以舍利起塔　七寶而莊嚴
表刹甚高廣　漸小至梵天　寶鈴千万億　風動出妙音
又於无數劫　而供養此塔　華香諸瓔珞　天衣衆伎樂
燃香蘇油燈　周帀常照明　惡世法末時　能持此經者
則為以如上　具足諸供養　若能持此經　則如佛現在
以牛頭栴檀　起僧坊供養　堂有三十二　高八多羅樹
上饌妙衣服　床卧皆具足　百千衆住處　園林諸浴池
經行及禪窟　種種皆嚴好　若有信解心　受持讀誦書
若復教人書　及供養經卷　散華香末香　以須曼瞻蔔
阿提目多伽　薰油常燃之　如是供養者　得无量功德
如虛空无邊　其福亦如是　况復持此經　兼布施持戒
忍辱樂禪定　不瞋不惡口　恭敬於塔廟　謙下諸比丘
遠離自高心　常思惟智慧　有問難不瞋　隨順為解說
若能行是行　功德不可量　若見此法師　成就如是德
應以天華散　天衣覆其身　頭面接足禮　生心如佛想

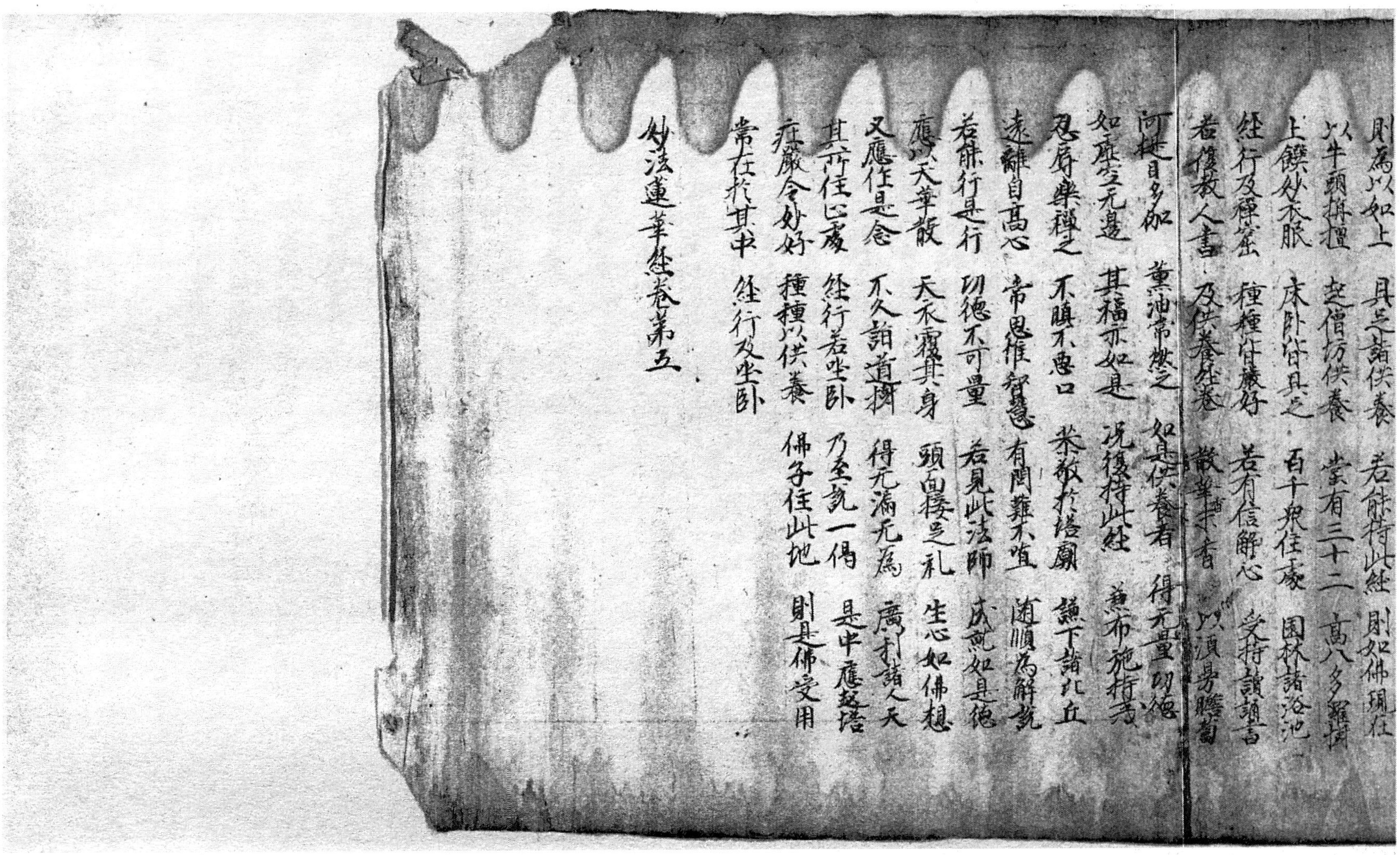

則為以如上　具足諸供養　若能持此經　則如佛現在
以牛頭栴檀　起僧坊供養　堂有三十二　高八多羅樹
上饌妙衣服　床臥皆具足　百千眾住處　園林諸浴池
經行及禪窟　種種皆嚴好　若有信解心　受持讀誦書
若復教人書　及供養經卷　散華香末香　以須曼瞻蔔
阿提目多伽　薰油常燃之　如是供養者　得无量功德
如虛空无邊　其福亦如是　況復持此經　兼布施持戒
忍辱樂禪定　不瞋不惡口　恭敬於塔廟　謙下諸比丘
遠離自高心　常思惟智慧　有問難不瞋　隨順為解說
若能行是行　功德不可量　若見此法師　成就如是德
應以天華散　天衣覆其身　頭面接足禮　生心如佛想
又應作是念　不久詣道樹　得无漏无為　廣利諸人天
其所住止處　經行若坐臥　乃至說一偈　是中應起塔
莊嚴令妙好　種種以供養　佛子住此地　則是佛受用
常在於其中　經行及坐臥
妙法蓮華經卷第五

BD01092號　妙法蓮華經卷五　　（22–22）

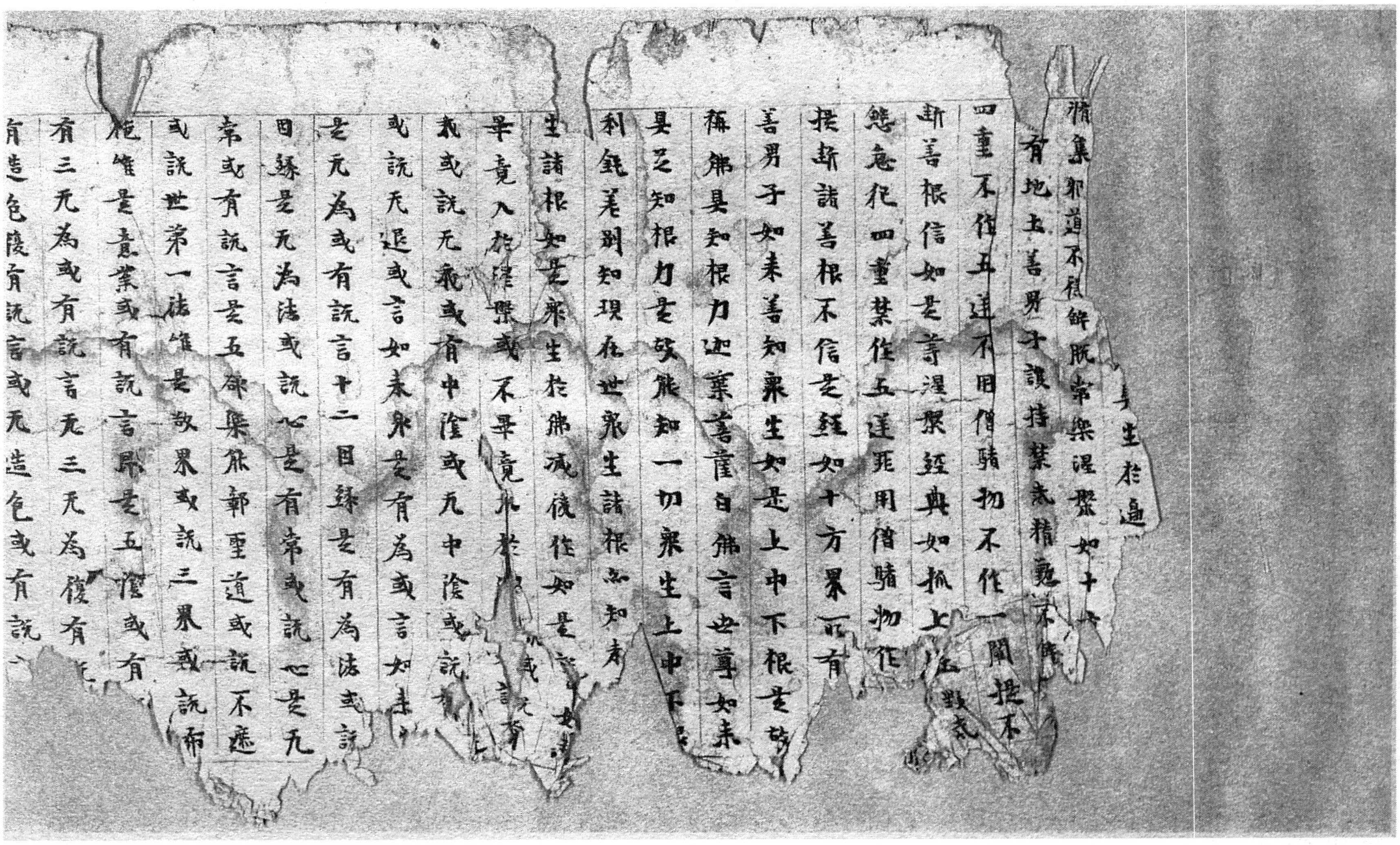

身生於過
精集邪道不能解脫常樂涅槃如十六
有地土善男子譬持禁戒精勤不懈
四重不作五逆不用僧鬘物不作一闡提不
斷善根信如是等涅槃經典如抓上土數衣
態惡犯四重禁作五逆罪用僧鬘物作
提斷諸善根不信是經如十方界所有
善男子如來善知衆生如是上中下根是故
稱佛是知根力迦葉菩薩白佛言世尊如來
是足知根力是故能知一切衆生上中下
利鈍差別知現在世衆生諸根亦知未
生諸根如是衆生於佛滅後作如是說
畢竟入於涅槃或不畢竟
義或說无我或有中陰或无中陰或說有
或說无退或言如來是有為或言如來
是无為或有說言十二因緣是有為法或說
因緣是无為法或說心是有常或說心是无
常或有說言是五欲樂能鄣聖道或說不遮
或說世第一法唯是欲界或說三界或說而
施唯是意業或有說言即是五陰或有
有三无為或有說言无三无為復有
有造色或有說言或无造色或有說

BD01093號　大般涅槃經（北本　宮本）卷三四　　（20–1）

弟或有說言是五邪聚乘郭正道或說不遮
或說世弟一法唯是欲界或說三界或說而
他唯是意業或有說言是五陰或有
有三无為或有說言无三无為復有
有造色復有說言或无造色或有說
作色或有說言无无作色或有說言有
法或有說言有五種有或有說言有六
或有說言八戒齋法優婆塞戒具足受得或
有說言不具受得或說比丘犯四重已比丘
戒在或說不在或有說言須陀洹人斯陀含
人阿那含人阿羅漢人皆得佛道或言不得
或說佛性即眾生有或說佛性離眾生有或
有說言犯四重禁作五逆罪一闡提等皆有
佛性或說言无或有說言有十方佛或有說
言无十方佛如其如來具足成就知根力者
何故今日不決定說佛告迦葉菩薩善男子
如是之義非眼識知乃至非意識知乃是智
慧之所能知若有智者於是人邊不作二是
之謂乖不作二說於无智者作不定說而是
无智亦復謂乖作不定說善男子如來所有
一切善行悉為調伏諸眾生故譬如醫王悉
為療治一切病苦善男子如來世尊為國土
故為時節故為他語故為人故為眾根故於
一法中作二種說於一名法說无量名於
義中說无量名於无量義說无量名云何一
名說无量名猶如涅槃亦名涅槃亦名无生
亦名无出亦名无作亦名无為亦名歸依亦

BD01093號　大般涅槃經（北本　宮本）卷三四　　（20–2）

一法中作二種說於一名法說无量名於
義中說无量名於无量義說无量名云何一
名說无量名猶如涅槃亦名涅槃亦名无生
亦名无出亦名无作亦名无為亦名歸依亦
名窟宅亦名解脫亦名光明亦名燈明亦名
彼岸亦名无畏亦名无退亦名安處亦名寂
靜亦名无相亦名无二亦名一行亦名清淨
亦名无闇亦名无礙亦名无諍亦名无濁亦
名廣大亦名甘露亦名吉祥是名一名作无
量名云何一義說无量名猶如帝釋亦名帝
釋亦名憍尸迦亦名婆蹉婆亦名富蘭陀羅
亦名摩佉婆亦名因陀羅亦名千眼亦名舍
脂夫亦名金剛亦名寶頂亦名寶幢是名一
義說无量名如佛如來亦名如來義異名異
亦名阿羅呵義異名異亦名三藐三佛陀義
異名異亦名船師亦名導師亦名正覺亦名
明行亦名大師子王亦名沙門亦名婆羅門
亦名寂靜亦名施主亦名到彼岸亦名大醫
王亦名大象王亦名大龍王亦名施眼亦名
大力士亦名大无畏亦名寶聚亦名商主亦
名得脫亦名大丈夫亦名天人師亦名分陀
利亦名獨无等侶亦名大福田亦名大智慧
海亦名无相亦名具足八智如是一切義異
名異善男子是名无量義中說无量名復有
一義說无量名所謂如陰亦名為陰亦名顛
倒亦名為諦亦名四念處亦名四食亦名四識

BD01093號　大般涅槃經（北本　宮本）卷三四　　（20–3）

涉亦名无相亦名具足八智如是一切義異
名異善男子苦名无量義中說无量名復有
一義說无量名所謂如陰亦名為陰亦名顛
倒亦名為諦亦名四念處亦名四食亦名四識
住處亦名為有亦名為道亦名為時亦名衆
生亦名為世亦名第一義亦名三脩謂身戒
心亦名因果亦名煩惱亦名解脫亦名十二因
緣亦名聲聞辟支佛亦名地獄餓鬼畜生
人天亦名過去現在未來是名一義說无量
名善男子如來世尊為衆生故廣中說略略
中說廣第一義諦說為世諦說世諦法為第
一義諦云何名為廣中說略如告比丘我今
宣說十二因緣云何名為十二因緣所謂因
果云何名為略中說廣如告比丘我今宣說
苦集滅道苦者所謂无量諸苦集者所謂无
量煩惱滅者所謂无量解脫道者所謂无量
方便云何名為第一義諦說為世諦如告比
丘吾今此身有老病死云何名為說世諦為
第一義諦如告憍陳如汝得法故名阿若憍
陳如是故隨人隨意隨時故名如來知諸根
力善男子我若當於如是等義作定說者則
不得稱我為如來具知根力善男子有智人
當知香象所負非驢所勝一切衆生所行无
量是故如來種種為說无量之法何以故衆
生多有諸煩惱故若使如來於一行不必如
來具足成就知諸根力是故我於餘經中說

BD01093號　大般涅槃經（北本　宮本）卷三四　（20–4）

當知香象所負非驢所勝一切衆生所行无
量是故如來種種為說无量之法何以故衆
生多有諸煩惱故若使如來於一行不必如
來具足成就知諸根力是故我於餘經中說
五種衆生不應還為說五種法為不信者不
讚正信為毀戒者不讚持戒為慳貪者不讚
布施為懈怠者不讚多聞為愚癡者不讚智
慧何以故智者若為是五種人說是五事當
知說者不得具足知諸根力亦不得名憐愍
衆生何以故是五種人聞是事已生不信心
惡心瞋心以是因緣於无量世受苦果報是
故不憐愍衆生具知根力是故我先於餘經
中告舍利弗汝慎无為利根之人廣說法語
鈍根之人略說法也舍利弗言世尊我但為
憐愍故說非是具足根力故說善男子廣略
說法是佛境界非諸聲聞緣覺所知善男子
如汝所言佛涅槃後諸弟子等各異說者是
人皆以顛倒因緣不可得見是故不能自利
利他善男子是諸衆生非唯一性一行一根
一種國土一善知識是故如來為彼種種宣
說法要以是因緣十方三世諸佛如來為衆
生故開示演說十二部經善男子如來說是
十二部經非為自利但為利他是故如來第
五力者名為解力是二力故如來深知是人
現在能斷善根是人後世能斷善根是人現
在能得解脫是故如來名无上力士善男子
若言如來畢竟涅槃不畢竟涅槃是人不解

BD01093號　大般涅槃經（北本　宮本）卷三四　（20–5）

十二部
五力者名為解力是二力故如來深知是人
現在能斷善根是人後世能斷善根是人現
在能得解脫是故如來名无上力士善男子
若言如來畢竟涅槃不畢竟涅槃是人不解
如來意故作如是說善男子是中香山有諸
仙人五万三千皆於過去迦葉佛所脩諸功
德未得正道親近諸佛聽受正法如來欲為
如是人故告阿難言過三月已吾當涅槃諸
天聞已其聲展轉乃至香山諸仙聞已即生
悔心作如是言云何我等得生人中不親近
佛諸佛如來出世甚難如優曇花我今當往
至世尊所聽受正法善男子尒時五万三千
諸仙即來我所我時即為如應說法諸大士
色是无常何以故色之因緣是无常故无常
因生色云何常乃至識亦如是尒時諸仙聞
是法已即時獲得阿羅漢果善男子拘尸那
城有諸力士卅万人无所繫屬自恃憍恣色
力命財狂醉亂心善男子我為調伏諸力士
故告目連言汝當調伏如是力士時目揵連
敬順順我敎於五年中種種敎化乃至不能
令一力士受法調伏是故我復為彼力士告
阿難言過三月已吾當涅槃善男子時諸力
士聞是語已相與聚集平治道路過三月已
我時便從毗舍離國至拘尸那城中路遙見
諸力士輩即自化身為沙門像往力士所作
如是言諸童子作何事耶力士聞已皆生瞋

BD01093號　大般涅槃經（北本　宮本）卷三四　（20–6）

阿難言過三月已吾當涅槃善
士聞是語已相與聚集平治道路過三月已
我時便從毗舍離國至拘尸那城中路遙見
諸力士輩即自化身為沙門像往力士所作
如是言諸童子作何事耶力士聞已皆生瞋
恨作如是言沙門汝今云何謂我等輩為童
子耶我時語言汝等大衆卅万人盡其身力
不能移此微末小石云何不名為童子乎諸
力士言汝若謂我為童子者當知汝即是大
人也善男子我於尒時以足二指掘出此石
是諸力士見是事已即於己身生輕劣想復
作是言沙門汝今復能移徙此石令出道不
我言童子何因緣故嚴治此道諸力士言沙
門汝知不耶釋迦如來當由此路至娑羅林
入於涅槃以是因緣我等平治我時讚言善
哉童子汝等已發如是善心我當為汝除去
此石我時以手舉擲高至阿迦尼吒時諸力
士見石在空皆生驚怖尋即四散我復告
言諸力士等汝今不應生恐怖心各欲散去
諸力士言沙門若能救護我者我當安住尒
時我復以手接石置之右掌力士見已心生
歡喜復作是言沙門是石常耶是无常乎我
於尒時以口吹之石即散壞猶如微塵力士
見已唱言沙門是石无常即生愧心而自考
責云何我等恃怙自在色力命財而生憍慢
我知其心即捨化身還復本形而為說法力
士見已一切皆發菩提之心善男子拘尸那

BD01093號　大般涅槃經（北本　宮本）卷三四　（20–7）

於今時以口吹之石所散壞猶如微塵力士
見已唱言沙門瞿曇無常所生慚愧心而自考
責云何我等恃怙自在色力命財而生憍慢
我知其心即捨化身還復本形而為說法力
士見已一切皆發菩提之心善男子拘尸那
竭有一工巧名曰純陀是人先於迦葉佛所
發大誓願釋迦如來入涅槃時我當最後奉
施飲食是故我於毗舍離國顧命比丘憂波
摩那善男子過三月已吾當於彼拘尸那竭
娑羅雙樹入般涅槃汝可往告純陀令知善
男子王舍城中有五通仙名須跋陀年百廿
常自稱是一切智人生大憍慢已於過去無
量佛所種諸善根我亦為欲調伏彼故告阿
難言過三月已吾當涅槃須跋聞已當來我
所生信敬心我當為彼說種種法其人聞已
當得盡漏善男子羅閱耆王頻婆娑羅其王
太子名曰善見業因緣故生惡逆心欲害其
父而不得便爾時惡人提婆達多亦因過去
業因緣故復於我所生不善心欲害於我即
脩五通不久獲得與善見太子共為親厚為
太子故現作種種神通之事從非門出從門
而入從門而出非門而入或時示現象馬牛
羊男女之身善見太子見已即生愛心喜心
敬信之心為是事故嚴設種種供養之具而
供養之又復白言大師聖人我今欲見曼陀
羅花時提婆達多即便往至三十三天從彼
天人而求索之其福盡故都無與者既不得

BD01093號　大般涅槃經（北本　宮本）卷三四　（20-8）

羊男女之身善見太子見已即生愛心喜心
敬信之心為是事故嚴設種種供養之具而
供養之又復白言大師聖人我今欲見曼陀
羅花時提婆達多即便往至三十三天從彼
天人而求索之其福盡故都無與者既不得
花作是思惟曼陀羅樹無我我所若自取
者有何罪即前欲取便失神通還見己身在
王舍城心生慚愧不能復見善見太子復作
是念我今當往至如來所求索大眾佛若聽
者我當隨意教詔勑使舍利弗等爾時提婆
達多便來我所作如是言唯願如來以此大
眾付囑於我我當種種說法教化令其調伏
我言癡人舍利弗等聰明大智世所信伏我
猶不以大眾付囑況汝癡人食唾者乎時提
婆達多復於我所倍生惡心作如是言瞿曇
汝今雖復調伏大眾勢亦不久當見磨滅作
是語已大地即時六反震動提婆達多尋時
躄地於其身邊出大暴風吹諸塵土而污坌
之提婆達多見惡相已復作是言若我此身
現世必入阿鼻地獄我要當報如是大怨時
提婆達尋起往至善見太子所善見見已即
問聖人何故顏容憔悴有憂色耶提婆達言
我常如是汝不知乎善見答言願說其意何
因緣爾提婆達言我今與汝極成親愛外人
罵汝以為非理我聞是事豈得不憂善見太
子復作是言國人云何罵辱於我提婆達言

BD01093號　大般涅槃經（北本　宮本）卷三四　（20-9）

我常如是汝不知乎善見答言願説其意何
因緣令提婆達言我今乃汝極欲親愛外人
罵汝以為非理我聞是事豈得不憂善見太
子復作是言國人云何罵辱於我提婆達言
國人罵汝為未生怨善見復言何故名我為
未生怨誰作此名提婆達言汝未生時一切
相師皆作是言是兒生已當煞其父是故外
人皆悉号汝為未生怨一切內人護汝心故
謂為善見韋提夫人聞是語已見生汝身於
高樓上棄之於地壞汝一指以是因緣人復
号汝為婆羅留枝我聞是已心生愁憤而復
不能向汝説之提婆達多以如是等種種惡
事教令煞父若汝父死我亦能煞瞿曇沙門
善見太子問一大臣名曰雨行大王何故為
我立字作未生怨大臣即為説其本末如提
婆達所説无異善見聞已即與大臣收其父
王閉之城外以四種兵而守護之韋提夫人
聞是事已即至王所時守王人遮不聽入爾
時夫人生瞋恚心便呵罵之時諸守人即告
太子大王夫人欲得往見父王不審聽不善
見聞已便生瞋嫉即往母所前牽母髮拔刀
欲斫爾時耆婆白言大王有國已來罪雖極
重不及女人況所生母善見太子聞是語已
為耆婆故即便放捨遮斷父王衣服臥具飲
食湯藥過七日已王命便終善見太子見父
喪已方生悔心雨行大臣復以種種惡邪之

BD01093號　大般涅槃經（北本　宮本）卷三四　　（20–10）

重不及女人況所生母善見太子聞是語已
為耆婆故即便放捨遮斷父王衣服臥具飲
食湯藥過七日已王命便終善見太子見父
喪已方生悔心雨行大臣復以種種惡邪之
法而為説之大王一切業行都无有罪何故
今者而生悔心耆婆復言大王當知如是業
者罪兼二重一者煞父王二者煞須陀洹
如是罪者除佛更无能除滅者善見王言如
来清淨无有穢濁我等罪人云何得見善男
子我知是事故告阿難過三月已吾當涅槃
善見聞已即来我所我為説法重罪得薄獲
无根信善男子我諸弟子聞説是已不解我
意故作是言如来定説畢竟涅槃善男子菩
薩二種一者實義二者假名假名菩薩聞我
三月當入涅槃皆生退心而作是言如其如
来无常不住我等何為為是事故无量世中
受大苦惱如来世尊成就具足无量功德尚
不能壞如是死魔况我等輩當能壞耶善男
子是故我為如是菩薩而作是言如来常住
无有變易善男子我諸弟子聞是説已不解
我意定言如来終不畢竟入於涅槃善男子
有諸衆生生於斷見作如是言一切衆生身
滅之後善惡之業无有受者我為是人作如
是言善惡果報實有受者云何知有善男子
過去之世拘尸那竭有王名曰善見作童子
時逕八万四千歲作太子時八万四千歲及
登王位亦八万四千歲於獨處坐作是思惟

BD01093號　大般涅槃經（北本　宮本）卷三四　　（20–11）

是言善惡果報實有受者云何知有善男子
過去之世拘尸那竭有王名曰善見作童子
時逕八万四千歲作太子時八万四千歲及
登王位亦八万四千歲於獨處坐作是思惟
衆生福薄壽命拒促常有四怨而隨逐之不自
覺知猶故放逸是故我當出家脩道斷絕四
怨生老病死即勅有司於其城外作七寶堂
作已便告群臣百官宮內婇女諸子眷屬汝
等當知我欲出家能見聽不介時大臣及其
眷屬各作是言善哉大王今正是時時見善
王將一使人獨往堂上復經八万四千年中
脩集慈心是慈因緣於後八万四千歲中次
第得作轉輪聖人王三十世中作釋提桓因
无量世中作諸小王善男子介時善見豈異
人乎莫作斯觀即我身是善男子我諸弟子
聞是說已不解我意唱言如來定說有我及
有我所又我一時為諸衆生說言我者即是
性也所謂內外因緣十二因緣衆生五陰心
界世間功德業行自在天世即名為我我諸
弟子聞是說已不解我意唱言如來定說有
我善男子復於是時有一比丘來至我所作
如是言世尊云何名我誰是我耶何緣故我
我時即為比丘說言比丘无我我所眼者即
是本无今有已有還无其生之時无所從來
及其滅時亦无所至雖有業果无有作者无
有捨陰及受陰者如汝所問云何我者我即

BD01093號　大般涅槃經（北本　宮本）卷三四

（20-12）

是本无今有已有還无其生之時无所從來
及其滅時亦无所至雖有業果无有作者无
有捨陰及受陰者如汝所問云何我者我即
其也誰是我者即是業也何緣我者即是業
也何緣我者即是愛也比丘譬如二手相拍
聲出其中我亦如是衆生業愛三因緣故名
之為我比丘一切衆生色不是我我中无色
色中无我乃至識亦如是比丘諸外道輩雖
說有我終不離陰若說離陰別有我者无有
是處一切衆生行如幻化熱時之炎比丘五
陰皆是无常无樂无我无淨善男子介時多
有无量比丘觀此五陰无我我所得阿羅果
善男子我諸弟子聞說是已不解我意唱言
如來定說无我善男子我於經中復作是言
三事和合得受身是一父二母三者中陰是
三和合得受是身我時復說阿那舍人現般
涅槃或於中陰入般涅槃或復說言中陰身
根具足明了皆因往業如淨醍醐善男子我
或時說弊惡衆生所受中陰如世間中麤澀
氀褐純善衆生所受中陰如波羅捺所出白
疊我諸弟子聞是說已不解我意唱言如來
說有中陰善男子我復為彼逆罪衆生而作
是言造五逆者捨身直入阿鼻地獄我復說
言曇摩留枝比丘身直入阿鼻地獄於其中
間无宿止處我復為彼犢子梵志說言梵志
若有中陰則有六有我復說言无色衆生无有

ED01093號　大般涅槃經（北本　宮本）卷三四

（20-13）

言曇摩留枝比丘身直入阿鼻地獄於其中
間无宿止處我復為䟦私子梵志說言梵志
若有中陰有(則)六有我復說言无色衆生无有
中陰善男子我諸弟子聞是說已不解我意
唱言佛說定无中陰善男子我於經中復說
有退何以故因於无量懈怠懶墮諸比丘等
不循道故說退五種一者樂於多事二者樂
說世事三者樂於睡眠四者樂近在家五者
樂多遊行以是因緣令比丘退說退因緣復
有二種一內二外阿羅漢人雖離內因不離
外因以外因緣故生煩惱生煩惱故則便退
失復有比丘名曰瞿坻六反退失退已慚愧
復更進脩第七反得得已恐失以刀自割(我)復
為說有時解脫或說六種阿羅漢等我諸弟
子聞是說已不解我意唱如來定說有退善
男子經中復說譬如燋炷不還為木亦如瓶
壞更无瓶用煩惱亦尒阿羅漢斷終不還生
亦說衆生生煩惱因凡有三種一者未斷煩
惱二者不斷因緣三者不善思惟而阿羅漢
无二因緣謂斷煩惱无不善思惟善男子我
諸弟子聞是說已不解我意唱言如來定說
无退善男子我於經中說如來身凡有二種
一者生身二者法身言生身者即是方便應
化之身如是身者可得言是生老病死長短
黑白是此是彼是學无學我諸弟子聞是說
已不解我意唱言如來定說佛身是有為法

BD01093號　大般涅槃經（北本　宮本）卷三四　（20–14）

一者生身二者法身言生身者即是方便應
化之身如是身者可得言是生老病死長短
黑白是此是彼是學无學我諸弟子聞是說
已不解我意唱言如來定說佛身是有為法
法身即是常樂我淨永離一切生老病死非
白非黑非長非短非此非彼非學无學若佛
出世及不出世常住不動无有變易善男子
我諸弟子聞是說已不解我意唱言如來定
說佛身是无為法善男子我經中說云何名
為十二因緣從无明生行從行生識(從識)生名色
從名色生六入從六入生觸從觸生受從受
生愛從愛生取從取生有從有生生從生則
有老死憂苦善男子我諸弟子聞是說已不
解我意唱言如來說十二緣定是有為我又
一時告諸比丘而作是言十二因緣有佛无
佛性相常住善男子有十二因緣不從緣生
有從緣生非十二緣有從緣生亦十二緣生
有非緣生非十二緣有十二緣非緣生者謂
未來世十二支也有從緣生非十二緣者謂
阿羅漢所有五陰有(從)緣生亦十二緣者謂凡
夫人所有五陰十二緣有非緣生非十二緣
者謂虛空涅槃善男子我諸弟子聞是說已
不解我意唱言如來說十二緣定是无為善
男子我經中說一切衆生作善惡業捨身之
時四大於此即時散壞純善業者心即上行
純惡業者心即下行善男子我諸弟子聞是
說已不解我意唱言如來說心定常

BD01093號　大般涅槃經（北本　宮本）卷三四　（20–15）

男子我經中說一切衆生作善惡業捨命之
時四大於此即時散壞純善業者心即上行
純惡業者心即下行善男子我諸弟子聞是
說已不解我意唱言如來說心定常善男子
我於一時為頻婆娑羅王而作是言大王當
知色是無常何以故從無常因而得生故是
色若從無常生因知者云何說言是常若色
是常不應壞滅生諸苦惱今見是色散滅破
壞是故當知色是無常乃至識亦如是善男
子我諸弟子聞是說已不解我意唱言如來
說心定斷善男子我經中說我諸弟子受諸
香花金銀寶物妻子奴婢百不淨物獲得正
道得正道已亦不捨離我諸弟子聞是說已
不解我意定言如來說受五部不防聖道又
我一時復作是說犯重之人得正道者無有
是處善男子我諸弟子聞是說已不解我意
唱言如來說受五部定遮正道善男子我經
中說遠離煩惱未得解脫猶如欲界脩集世
間第一法善男子我諸弟子聞是說已不
解我意唱言如來說第一法唯是欲界又復
我說煖法頂法忍法世第一法在於初禪至
第四禪我諸弟子聞是說已不解我意唱言
如來說如是法在於色界又復說言諸外道等
先已得斷四禪煩惱脩集煖法頂法忍法世
第一法觀四真諦得阿那含果我諸弟子聞
是說已不解我意唱言如來說第一法在無
色界善男子我經中說說四種施中有三種

BD01093號　大般涅槃經（北本　宮本）卷三四　（20–16）

如來說如是法在於色界又復說言諸外道
先已得斷四禪煩惱脩集煖法頂法忍法世
第一法觀四真諦得阿那含果我諸弟子聞
是說已不解我意唱言如來說第一法在無
色界善男子我經中說說四種施中有三種
淨一者施主信因信果施受者不得因果
乃施二者受者信因信果施主不信因果及
施三者施主受者二俱有信四者施者受者二
俱不信是四種施初三種淨我諸弟子聞是
說已不解我意唱言如來說施唯意善男子
我於一時復作是說施者施時以五事施何
等為五一者施色二者施力三者施安四者
施命五者施辯以是因緣施主還得五事果
報我諸弟子聞是說已不解我意唱言佛說
施即五陰善男子我於一時宣說涅槃即是
遠離煩惱永盡滅無遺餘猶如燈滅更無法
生涅槃亦爾時言虛空者即無所有譬如世
間無所有故名為虛空非智緣滅即無所有
如其有者應有因緣有因緣故應有盡滅以
其無故無有盡滅我諸弟子聞是說已不解
我意唱言佛說無三無為善男子我於一時
為目揵連而作是言目連夫涅槃者即是章
句即是足跡是畢竟處是無所畏即是大師
即是大果即畢竟智即是大忍無礙三昧是
大法界是甘露味即是難見目連若說無涅
槃者云何有人生誹謗者墮於地獄善男子
我諸弟子聞是說已不解我意唱言如來說

BD01093號　大般涅槃經（北本　宮本）卷三四　（20–17）

即是大果即畢竟智即是大忍无身三昧是
大法果是甘露味即是難見目連若說无湼
槃者云何有人生誹謗者墮於地獄善男子
我諸弟子聞是說已不解我意唱言如來說
有湼槃復於一時我為目連而作是說目連
眼不牢固至身亦尒皆不牢固故名為虛空
食下迴轉消化之處一切音聲皆名虛空我
諸弟子聞是說已不解我意唱言如來決定
說有虛空无為復於一時為目連說目連有
人未得須陁洹果住忍法時斷於无量三惡
道報當知不從智緣而滅我諸弟子聞是說
已不解我意唱言如來決定說有非智緣滅
善男子我又一時為跋波比丘說跋波若比
丘觀色已若過去若未來若現在若近若遠
若麤若細如是等色非我我所若有比丘如
是觀已能斷色愛跋波又言云何名色四大
名色四陰名名我諸弟子聞是說已不解我
意唱言如來決定說言色是四大善男子我
復說言譬如因鏡則有像現色亦如是因四
大造所謂麤細澁滑青黃赤白長短方圓邪
角輕重寒熱飢渴烟雲塵霧是名造色猶如
鷰像我諸弟子聞是說已不解我意唱言如
來說有四大則有造色或有四大无有造色
善男子往昔一時善提王子作如是言若有
比丘護持禁戒若發惡心當知是時失比丘
法我時語言善提王子戒有七種從身口

BD01093號　大般涅槃經（北本　宮本）卷三四　（20–18）

來說有四大則有造色或有四大无有造色
善男子往昔一時善提王子作如是言若有
比丘護持禁戒若發惡心當知是時失比丘
法我時語言善提王子戒有七種從身口
有无作色以是无作色因緣故其心雖在惡
无記中不名失戒猶名持戒以何因緣名无
作色非異色因不作異色因果善男子我諸
弟子聞是說已不解我意唱言佛說有无作
色善男子我於餘經作如是言持者即是遮
制惡法若不作惡是名持戒我諸弟子聞是
說已不解我意唱言如來決定宣說无无作
色善男子我於經中作如是說聖人色陰乃
至識陰皆是无明因緣所出一切凡夫亦復
如是從无明生愛當知是愛即是无明從愛
生取當知是取即无明愛從取生有是有即
是无明愛取從有生受當知是受即是行有
從受因緣生於名色无明愛取有行受觸識
六入等是故受者即十二枝善男子我諸弟
子聞是說已不解我意唱言如來說无心數
善男子我於經中作如是說從眼色明惡邪
等四則生眼識言惡邪者即是无明邪性求
時即名為愛愛因緣故取取名為業業因緣
識識緣名色名色緣六入六入緣觸觸因緣想受
愛信精進定慧如是等法因觸而生然非是
觸善男子我諸弟子聞是說已不解我意唱
言如來說有心數[illegible]

BD01093號　大般涅槃經（北本　宮本）卷三四　（20–19）

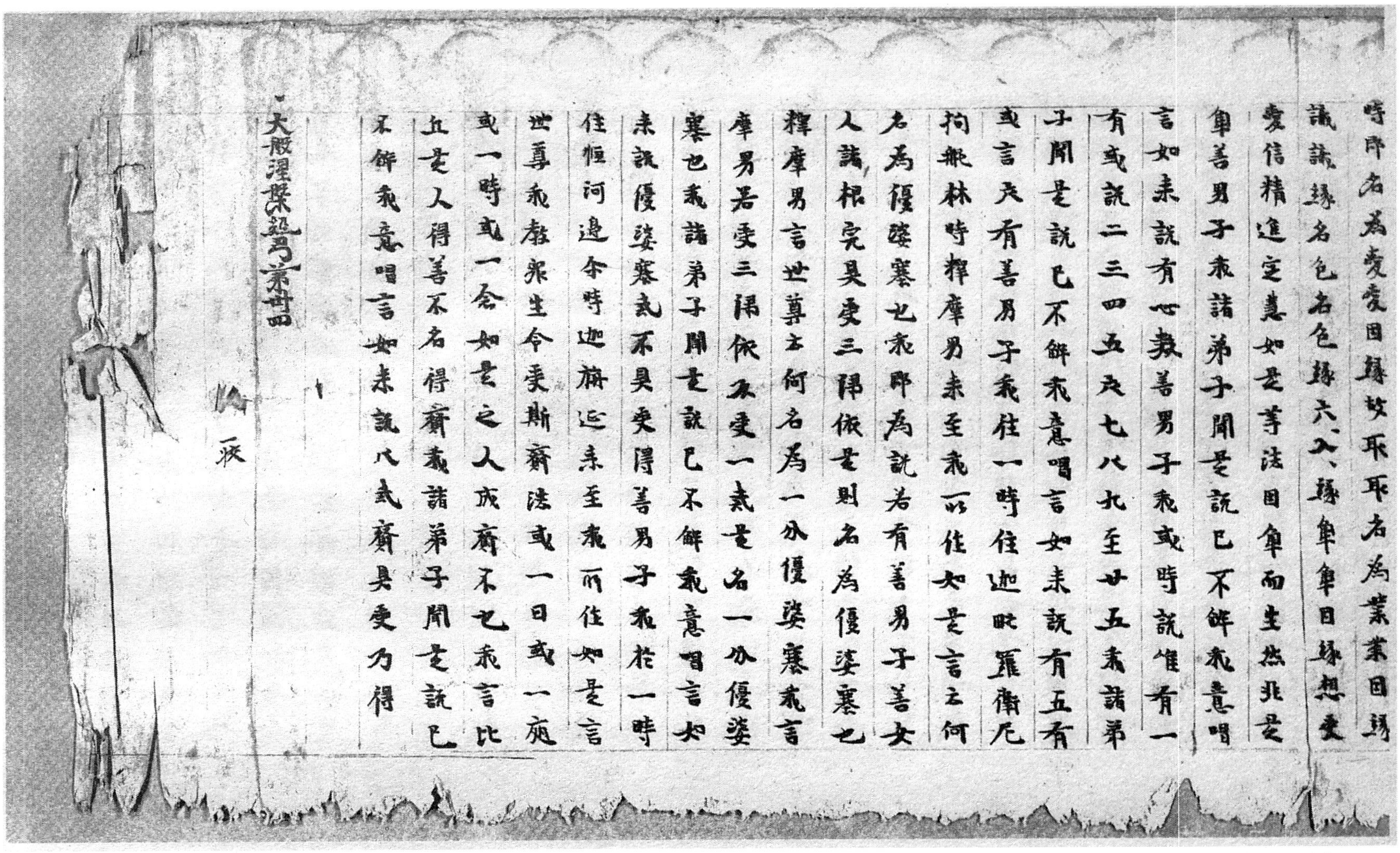

時即名為愛愛因緣故取取名為業業因緣
識識緣名色名色緣六入六入緣觸觸因緣想愛
愛信精進定慧如是等法因觸而生然非是
觸善男子我諸弟子聞是說已不解我意唱
言如來說有心數善男子我或時說唯有一
有或說二三四五六七八九至廿五者諸弟
子聞是說已不解我意唱言如來說有五有
或言六有善男子我住一時住迦毗羅衛尼
拘律林時釋摩男來至我所作如是言云何
名為優婆塞也我即為說若有善男子善女
人諸根完具受三歸依是則名為優婆塞也
釋摩男言世尊云何名為一分優婆塞我言
摩男若受三歸依不受一戒是名一分優婆
塞也我諸弟子聞是說已不解我意唱言如
來說優婆塞戒不具受得善男子我於一時
住恒河邊爾時迦旃延來至我所作如是言
世尊我教眾生令受齋法或一日或一夜
或一時或一念如是之人成齋不也我言比
丘是人得善不名得齋我諸弟子聞是說已
不解我意唱言如來說八戒齋具受乃得

大般涅槃經卷第卅四

一祓

BD01093號　大般涅槃經（北本　宮本）卷三四　　（20–20）

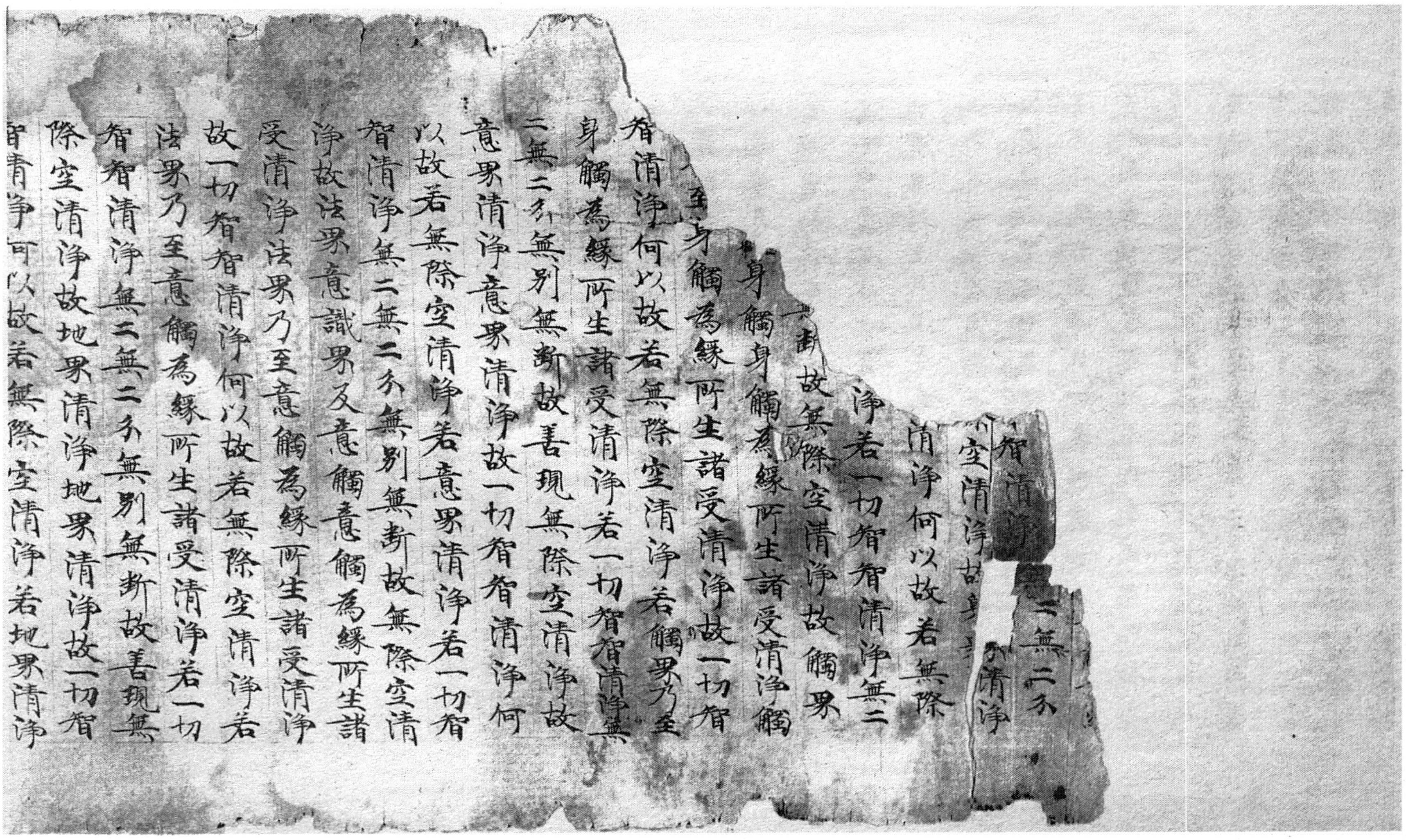

智清淨……二無二分
空清淨故身……清淨
清淨何以故若無際
淨若一切智智清淨無二
斷故無際空清淨故觸界
身觸身觸為緣所生諸受清淨觸
至身觸為緣所生諸受清淨故一切智
智清淨何以故若無際空清淨若觸界乃至
身觸為緣所生諸受清淨若一切智智清淨無
二無二分無別無斷故善現無際空清淨故
意界清淨意界清淨故一切智智清淨何
以故若無際空清淨若意界清淨若一切智
智清淨無二無二分無別無斷故無際空清
淨故法界意識界及意觸意觸為緣所生諸
受清淨法界乃至意觸為緣所生諸受清淨
故一切智智清淨何以故若無際空清淨若
法界乃至意觸為緣所生諸受清淨若一切
智智清淨無二無二分無別無斷故善現無
際空清淨故地界清淨地界清淨故一切智
智清淨何以故若無際空清淨若地界清淨

BD01094號　大般若波羅蜜多經卷二一二　　（21–1）

故一切智智清淨何以故若無際空清淨若
法界乃至意觸為緣所生諸受清淨若一切
智智清淨無二無二分無別無斷故善現無
際空清淨故地界清淨地界清淨故一切智
智清淨何以故若無際空清淨若地界清淨
若一切智智清淨無二無二分無別無斷故
無際空清淨故水火風空識界清淨水火風
空識界清淨故一切智智清淨何以故若無
際空清淨若水火風空識界清淨若一切智
智清淨無二無二分無別無斷故善現無際
空清淨故無明清淨無明清淨故一切智智
清淨何以故若無際空清淨若無明清淨若
一切智智清淨無二無二分無別無斷故無際
空清淨故行識名色六處觸受愛取有生老
死愁歎苦憂惱清淨行乃至老死愁歎苦
憂惱清淨故一切智智清淨何以故若無際
空清淨若行乃至老死愁歎苦憂惱清淨若
一切智智清淨無二無二分無別無斷故
善現無際空清淨故布施波羅蜜多清淨布
施波羅蜜多清淨故一切智智清淨何以故若
無際空清淨若布施波羅蜜多清淨若一切
智智清淨無二無二分無別無斷故無際空
清淨故淨戒安忍精進靜慮般若波羅蜜
多清淨淨戒乃至般若波羅蜜多清淨故一
切智智清淨何以故若無際空清淨若淨戒
乃至般若波羅蜜多清淨若一切智智清淨

BD01094號　大般若波羅蜜多經卷二一二　（21–2）

清淨故淨戒安忍精進靜慮般若波羅蜜
多清淨淨戒乃至般若波羅蜜多清淨故一
切智智清淨何以故若無際空清淨若淨戒
乃至般若波羅蜜多清淨若一切智智清淨
無二無二分無別無斷故善現無際空清淨
故內空清淨內空清淨故一切智智清淨何
以故若無際空清淨若內空清淨若一切智
智清淨無二無二分無別無斷故無際空清
淨故外空內外空空空大空勝義空有為空
無為空畢竟空散空無變異空本性空自相
空共相空一切法空不可得空無性空自性空
無性自性空清淨外空乃至無性自性空
清淨故一切智智清淨何以故若無際空清
淨若外空乃至無性自性空清淨若一切智
智清淨無二無二分無別無斷故善現無際空
清淨故真如清淨真如清淨故一切智智清
淨何以故若無際空清淨若真如清淨若
一切智智清淨無二無二分無別無斷故無
際空清淨故法界法性不虛妄性不變異性
平等性離生性法定法住實際虛空界不思
議界清淨法界乃至不思議界清淨故一切
智智清淨何以故若無際空清淨若法界乃
至不思議界清淨若一切智智清淨無二無
二分無別無斷故善現無際空清淨故苦聖
諦清淨苦聖諦清淨故一切智智清淨何以
故若無際空清淨若苦聖諦清淨若一切智智

BD01094號　大般若波羅蜜多經卷二一二　（21–3）

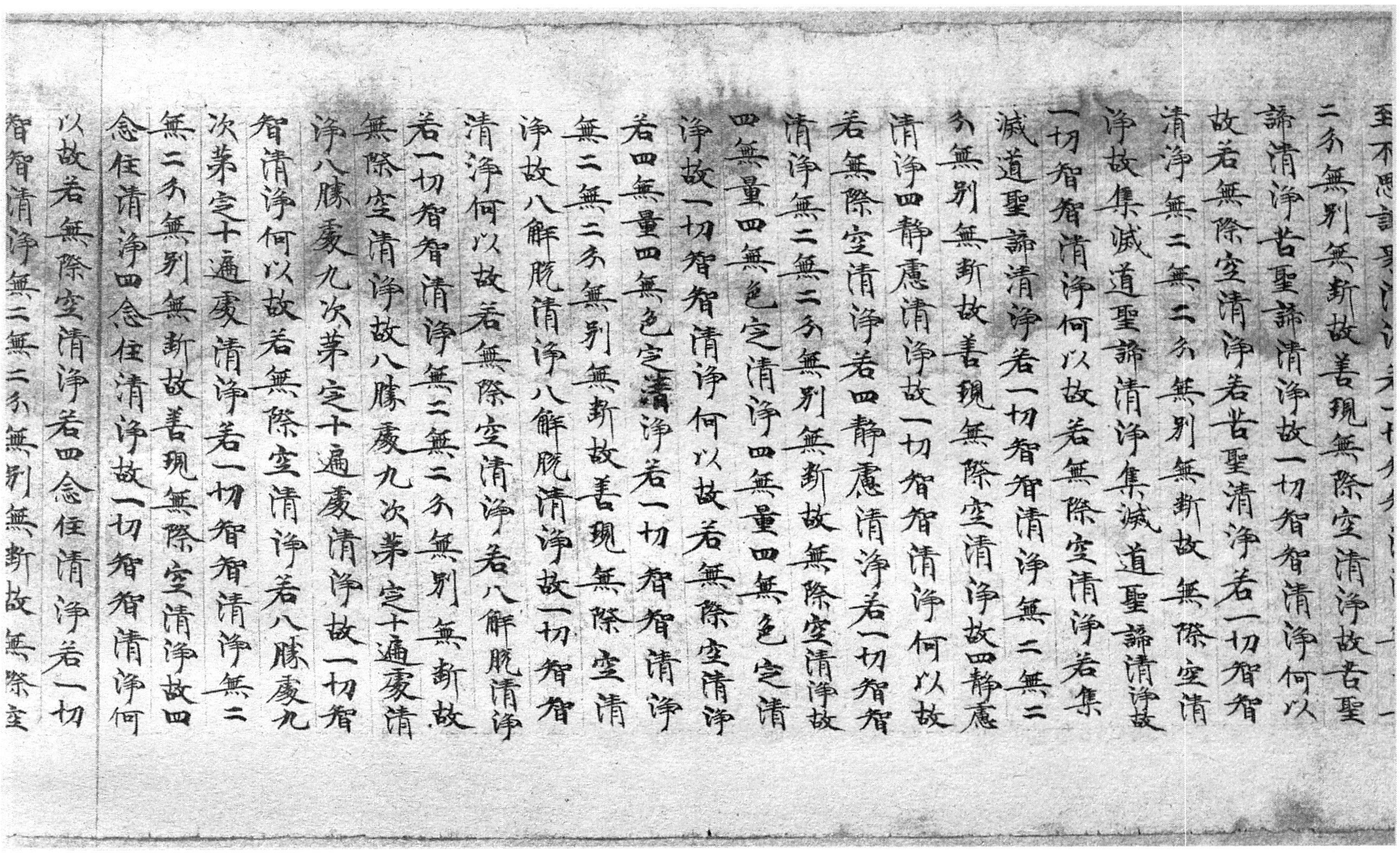
至不思議[illegible]
二分無別無斷故善現無際空清淨故苦聖
諦清淨苦聖諦清淨故一切智智清淨何以
故若無際空清淨若苦聖諦清淨若一切智智
清淨無二無二分無別無斷故無際空清
淨故集滅道聖諦清淨集滅道聖諦清淨故
一切智智清淨何以故若無際空清淨若集
滅道聖諦清淨若一切智智清淨無二無二
分無別無斷故善現無際空清淨故四靜慮
清淨四靜慮清淨故一切智智清淨何以故
若無際空清淨若四靜慮清淨若一切智智
清淨無二無二分無別無斷故無際空清淨故
四無量四無色定清淨四無量四無色定清
淨故一切智智清淨何以故若無際空清淨
若四無量四無色定清淨若一切智智清淨
無二無二分無別無斷故善現無際空清
淨故八解脫清淨八解脫清淨故一切智智
清淨何以故若無際空清淨若八解脫清淨
若一切智智清淨無二無二分無別無斷故
無際空清淨故八勝處九次第定十遍處清
淨八勝處九次第定十遍處清淨故一切智
智清淨何以故若無際空清淨若八勝處九
次第定十遍處清淨若一切智智清淨無二
無二分無別無斷故善現無際空清淨故四
念住清淨四念住清淨故一切智智清淨何
以故若無際空清淨若四念住清淨若一切
智智清淨無二無二分無別無斷故無際空

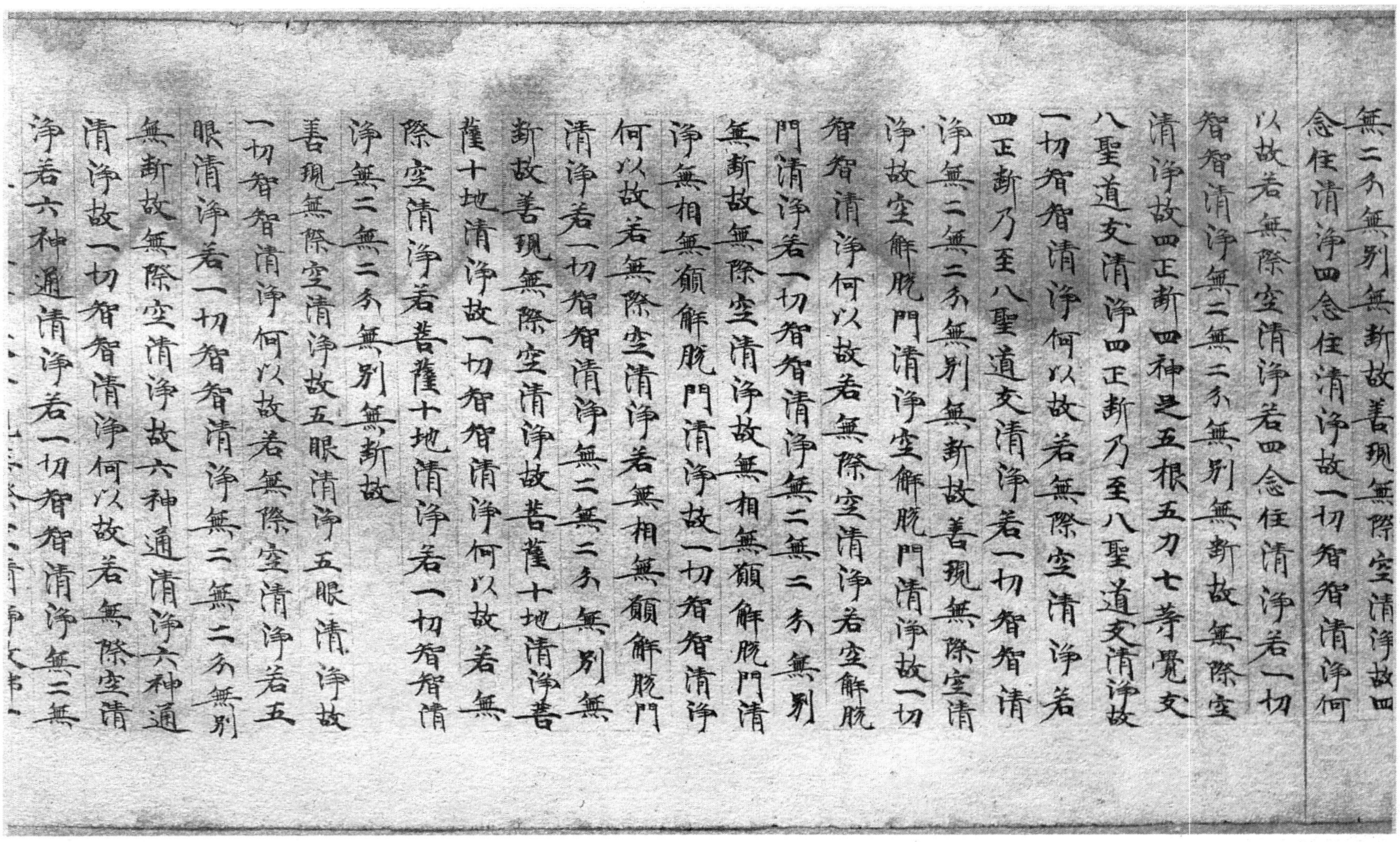
無二分無別無斷故善現無際空清淨故四
念住清淨四念住清淨故一切智智清淨何
以故若無際空清淨若四念住清淨若一切
智智清淨無二無二分無別無斷故無際空
清淨故四正斷四神足五根五力七等覺支
八聖道支清淨四正斷乃至八聖道支清淨故
一切智智清淨何以故若無際空清淨若
四正斷乃至八聖道支清淨若一切智智清
淨無二無二分無別無斷故善現無際空清
淨故空解脫門清淨空解脫門清淨故一切
智智清淨何以故若無際空清淨若空解脫
門清淨若一切智智清淨無二無二分無別
無斷故無際空清淨故無相無願解脫門清
淨無相無願解脫門清淨故一切智智清淨
何以故若無際空清淨若無相無願解脫門
清淨若一切智智清淨無二無二分無別無
斷故善現無際空清淨故菩薩十地清淨菩
薩十地清淨故一切智智清淨何以故若無
際空清淨若菩薩十地清淨若一切智智清
淨無二無二分無別無斷故
善現無際空清淨故五眼清淨五眼清淨故
一切智智清淨何以故若無際空清淨若五
眼清淨若一切智智清淨無二無二分無別
無斷故無際空清淨故六神通清淨六神通
清淨故一切智智清淨何以故若無際空清
淨若六神通清淨若一切智智清淨無二無

無斷故無際空清淨故一切智智清淨
清淨故一切智智清淨何以故若無際空清
淨若六神通清淨若一切智智清淨無二無
二分無別無斷故善現無際空清淨故佛十
力清淨佛十力清淨故一切智智清淨何以故
若無際空清淨若佛十力清淨若一切智智
清淨無二無二分無別無斷故無際空清
淨故四無所畏四無礙解大慈大悲大喜大
捨十八佛不共法清淨四無所畏乃至十八佛
不共法清淨故一切智智清淨何以故若
無際空清淨若四無所畏乃至十八佛不共
法清淨若一切智智清淨無二無二分無別
無斷故善現無際空清淨故無忘失法清淨
無忘失法清淨故一切智智清淨何以故若
無際空清淨若無忘失法清淨若一切智智
清淨無二無二分無別無斷故無際空清淨
故恒住捨性清淨恒住捨性清淨故一切智
智清淨何以故若無際空清淨若恒住捨性
清淨若一切智智清淨無二無二分無別無斷
故善現無際空清淨故一切智清淨一切
智清淨故一切智智清淨何以故若無際空
清淨若一切智清淨若一切智智清淨無二
無二分無別無斷故無際空清淨故道相智
一切相智清淨道相智一切相智清淨故一
切智智清淨何以故若無際空清淨若道相
智一切相智清淨若一切智智清淨無二無
二分無別無斷故善現無際空清淨故一切

一切相智清淨道相智一切相智清淨
切智智清淨何以故若無際空清淨若道相
智一切相智清淨若一切智智清淨無二無
二分無別無斷故善現無際空清淨故一切
陀羅尼門清淨一切陀羅尼門清淨故一切
智智清淨何以故若無際空清淨若一切陀
羅尼門清淨若一切智智清淨無二無二分
無別無斷故無際空清淨故一切三摩地門
清淨一切三摩地門清淨故一切智智清淨
何以故若無際空清淨若一切三摩地門清
淨若一切智智清淨無二無二分無別無
斷故
善現無際空清淨故預流果清淨預流果清淨
故一切智智清淨何以故若無際空清淨若
預流果清淨若一切智智清淨無二無二分
無別無斷故無際空清淨故一來不還阿
羅漢果清淨一來不還阿羅漢果清淨故一
切智智清淨何以故若無際空清淨若一來
不還阿羅漢果清淨若一切智智清淨無二
無二分無別無斷故善現無際空清淨故獨
覺菩提清淨獨覺菩提清淨故一切智智
清淨何以故若無際空清淨若獨覺菩提清
淨若一切智智清淨無二無二分無別無斷故
善現無際空清淨故一切菩薩摩訶薩行清
淨一切菩薩摩訶薩行清淨故一切智智清
淨何以故若無際空清淨若一切菩薩摩訶
薩行清淨若一切智智清淨無二無二分無

淨若一切
善現無際空清淨故一切菩薩摩訶薩行清
淨一切菩薩摩訶薩行清淨故一切智智清
淨何以故若無際空清淨若一切菩薩摩訶
薩行清淨若一切智智清淨無二無二分無
別無斷故善現無際空清淨故諸佛無上正
等菩提清淨諸佛無上正等菩提清淨故一
切智智清淨何以故若無際空清淨若諸佛
無上正等菩提清淨若一切智智清淨無二
無二分無別無斷故
復次善現散空清淨故色清淨色清淨故一
切智智清淨何以故若散空清淨若色清淨
若一切智智清淨無二無二分無別無斷故
散空清淨故受想行識清淨受想行識清淨
故一切智智清淨何以故若散空清淨若受想
行識清淨若一切智智清淨無二無二分無
別無斷故善現散空清淨故眼處清淨眼處
清淨故一切智智清淨何以故若散空清淨
若眼處清淨若一切智智清淨無二無二分
無別無斷故散空清淨故耳鼻舌身意處
清淨耳鼻舌身意處清淨故一切智智清淨
何以故若散空清淨若耳鼻舌身意處清淨
若一切智智清淨無二無二分無別無斷故
善現散空清淨故色處清淨色處清淨故一
切智智清淨何以故若散空清淨若色處清
淨若一切智智清淨無二無二分無別無斷
故散空清淨故聲香味觸法處清淨聲香

BD01094號　大般若波羅蜜多經卷二一二　（21–8）

切智智清淨何以故若散空清淨若色處清
淨若一切智智清淨無二無二分無別無斷
故散空清淨故聲香味觸法處清淨聲香
味觸法處清淨故一切智智清淨何以故若散
空清淨若聲香味觸法處清淨若一切智智
清淨無二無二分無別無斷故善現散空清
淨故眼界清淨眼界清淨故一切智智清淨何
以故若散空清淨若眼界清淨若一切智智
清淨無二無二分無別無斷故散空清淨故
色界眼識界及眼觸眼觸為緣所生諸受清
淨色界乃至眼觸為緣所生諸受清淨故一
切智智清淨何以故若散空清淨若色界乃
至眼觸為緣所生諸受清淨若一切智智清
淨無二無二分無別無斷故善現散空清淨
故耳界清淨耳界清淨故一切智智清淨何
以故若散空清淨若耳界清淨若一切智智
清淨無二無二分無別無斷故散空清淨故
聲界耳識界及耳觸耳觸為緣所生諸受清淨
聲界乃至耳觸為緣所生諸受清淨故一切
智智清淨何以故若散空清淨若聲界乃至
耳觸為緣所生諸受清淨若一切智智清淨
無二無二分無別無斷故善現散空清淨
故鼻界清淨鼻界清淨故一切智智清淨何
以故若散空清淨若鼻界清淨若一切智智
清淨無二無二分無別無斷故散空清淨故
香界鼻識界及鼻觸鼻觸為緣所生諸受

BD01094號　大般若波羅蜜多經卷二一二　（21–9）

故鼻界清淨鼻界清淨故一切智智清淨何
以故若散空清淨若鼻界清淨若一切智智
清淨無二無二分無別無斷故散空清淨故
香界鼻識界及鼻觸鼻觸為緣所生諸受
清淨香界乃至鼻觸為緣所生諸受清淨故一
切智智清淨何以故若散空清淨若香界乃
至鼻觸為緣所生諸受清淨若一切智智清
淨無二無二分無別無斷故善現散空清淨
故舌界清淨舌界清淨故一切智智清淨何
以故若散空清淨若舌界清淨若一切智智
清淨無二無二分無別無斷故散空清淨故
味界舌識界及舌觸舌觸為緣所生諸受清
淨味界乃至舌觸為緣所生諸受清淨故一
切智智清淨何以故若散空清淨若味界乃
至舌觸為緣所生諸受清淨若一切智智清
淨無二無二分無別無斷故善現散空清淨
故身界清淨身界清淨故一切智智清淨何
以故若散空清淨若身界清淨若一切智智
清淨無二無二分無別無斷故散空清淨故
觸界身識界及身觸身觸為緣所生諸受清
淨觸界乃至身觸為緣所生諸受清淨故一
切智智清淨何以故若散空清淨若觸界乃
至身觸為緣所生諸受清淨若一切智智清淨
無二無二分無別無斷故善現散空清淨故
意界清淨意界清淨故一切智智清淨何
以故若散空清淨若意界清淨若一切智智清

BD01094號　大般若波羅蜜多經卷二一二　（21–10）

至身觸為緣所生諸受
無二無二分無別無斷故善現散空清淨故
意界清淨意界清淨故一切智智清淨何
以故若散空清淨若意界清淨若一切智智清
淨無二無二分無別無斷故散空清淨故法
界意識界及意觸意觸為緣所生諸受清淨
法界乃至意觸為緣所生諸受清淨故一切
智智清淨何以故若散空清淨若法界乃至
意觸為緣所生諸受清淨若一切智智清
淨無二無二分無別無斷故善現散空清淨
故地界清淨地界清淨故一切智智清淨何
以故若散空清淨若地界清淨若一切智智
清淨無二無二分無別無斷故散空清淨故
水火風空識界清淨水火風空識界清淨故
一切智智清淨何以故若散空清淨若水火
風空識界清淨若一切智智清淨無二無二
分無別無斷故善現散空清淨故無明清淨
無明清淨故一切智智清淨何以故若散空
清淨若無明清淨若一切智智清淨無二無
二分無別無斷故散空清淨故行識名色六
處觸受愛取有生老死愁歎苦憂惱清淨行
乃至老死愁歎苦憂惱清淨故一切智智清
淨何以故若散空清淨若行乃至老死愁歎
苦憂惱清淨若一切智智清淨無二無二分
無別無斷故
善現散空清淨故布施波羅蜜多清淨布施
波羅蜜多清淨故一切智智清淨何以故若

BD01094號　大般若波羅蜜多經卷二一二　（21–11）

無別無斷故
善現散空清淨故布施波羅蜜多清淨布施
波羅蜜多清淨故一切智智清淨何以故若
散空清淨若布施波羅蜜多清淨若一切智
智清淨無二無二分無別無斷故散空清淨
故淨戒安忍精進靜慮般若波羅蜜多清淨
淨戒乃至般若波羅蜜多清淨故一切智智清
淨何以故若散空清淨若淨戒乃至般若波
羅蜜多清淨若一切智智清淨無二無二分
無別無斷故善現散空清淨故內空清淨
內空清淨故一切智智清淨何以故若散空
清淨若內空清淨若一切智智清淨無二無
二分無別無斷故散空清淨故外空內外空
空空大空勝義空有為空無為空畢竟空無
際空無變異空本性空自相空共相空一切
法空不可得空無性空自性空無性自性空清
淨外空乃至無性自性空清淨故一切智智
清淨何以故若散空清淨若外空乃至無性
自性空清淨若一切智智清淨無二無二分
無別無斷故善現散空清淨故真如清淨真
如清淨故一切智智清淨何以故若散空清
淨若真如清淨若一切智智清淨無二無二
分無別無斷故散空清淨故法界法性不虛
妄性不變異性平等性離生性法定法住實
際虛空界不思議界清淨法界乃至不思議界
清淨故一切智智清淨何以故若散空清淨

BD01094號　大般若波羅蜜多經卷二一二　（21–12）

妄性不變異性平等性離生性法定法住實
際虛空界不思議界清淨法界乃至不思議界
清淨故一切智智清淨何以故若散空清淨
若法界乃至不思議界清淨若一切智智清
淨無二無二分無別無斷故善現散空清淨
故苦聖諦清淨苦聖諦清淨故一切智智
清淨何以故若散空清淨若苦聖諦清淨若
一切智智清淨無二無二分無別無斷故散
空清淨故集滅道聖諦清淨集滅道聖諦
清淨故一切智智清淨何以故若散空清淨
若集滅道聖諦清淨若一切智智清淨無二
無二分無別無斷故善現散空清淨故四靜
慮清淨四靜慮清淨故一切智智清淨何以故
若散空清淨若四靜慮清淨若一切智智清
淨無二無二分無別無斷故散空清淨故四
無量四無色定清淨四無量四無色定清淨
故一切智智清淨何以故若散空清淨若四
無量四無色定清淨若一切智智清淨無二
無二分無別無斷故善現散空清淨故八
解脫清淨八解脫清淨故一切智智清淨何
以故若散空清淨若八解脫清淨若一切智
智清淨無二無二分無別無斷故散空清淨
故八勝處九次第定十遍處清淨八勝處九
次第定十遍處清淨故一切智智清淨何以故
若散空清淨若八勝處九次第定十遍處清
淨若一切智智清淨無二無二分無別無斷故

BD01094號　大般若波羅蜜多經卷二一二　（21–13）

次第定十遍處清淨故一切智智清淨何以故
若散空清淨若八勝處九次第定十遍處清
淨若一切智智清淨無二無二分無別無斷故
善現散空清淨故四念住清淨四念住清淨
故一切智智清淨何以故若散空清淨若四
念住清淨若一切智智清淨無二無二分無別
無斷故散空清淨故四正斷四神足五根五力
七等覺支八聖道支清淨四正斷乃至八聖
道支清淨故一切智智清淨何以故若散
空清淨若四正斷乃至八聖道支清淨若一
切智智清淨無二無二分無別無斷故善現
散空清淨故空解脫門清淨空解脫門清淨
故一切智智清淨何以故若散空清淨若空
解脫門清淨若一切智智清淨無二無二分
無別無斷故散空清淨故無相無願解脫門
清淨無相無願解脫門清淨故一切智智清
淨何以故若散空清淨若無相無願解脫門
清淨若一切智智清淨無二無二分無別無斷
故善現散空清淨故菩薩十地清淨菩薩十
地清淨故一切智智清淨何以故若散空清
淨若菩薩十地清淨若一切智智清淨無二
無二分無別無斷故
善現散空清淨故五眼清淨五眼清淨故一切
智智清淨何以故若散空清淨若五眼清淨
若一切智智清淨無二無二分無別無斷故散
空清淨故六神通清淨六神通清淨故一

智智清淨何以故若散空清淨若五眼清淨
若一切智智清淨無二無二分無別無斷故散
空清淨故六神通清淨六神通清淨故一
切智智清淨何以故若散空清淨若六神通
清淨若一切智智清淨無二無二分無別無
斷故善現散空清淨故佛十力清淨佛十力
清淨故一切智智清淨何以故若散空清淨
若佛十力清淨若一切智智清淨無二無二
分無別無斷故散空清淨故四無所畏四無
礙解大慈大悲大喜大捨十八佛不共法清
淨四無所畏乃至十八佛不共法清淨故一
切智智清淨何以故若散空清淨若四無
所畏乃至十八佛不共法清淨若一切智智
清淨無二無二分無別無斷故善現散空清
淨故無忘失法清淨無忘失法清淨故一切
智智清淨何以故若散空清淨若無忘失法
清淨若一切智智清淨無二無二分無別無
斷故散空清淨故恒住捨性清淨恒住捨性
清淨故一切智智清淨何以故若散空清淨
若恒住捨性清淨若一切智智清淨無二無
二分無別無斷故善現散空清淨故一切智
清淨一切智清淨故一切智智清淨何以故
若散空清淨若一切智清淨若一切智智清
淨無二無二分無別無斷故散空清淨故道
相智一切相智清淨道相智一切相智清淨
故一切智智清淨何以故若散空清淨若道

若散空清淨若一切智[illegible]
淨無二無二分無別無斷故散空清淨故道
相智一切相智清淨道相智一切相智清淨
故一切智智清淨何以故若散空清淨若道
相智一切相智清淨若一切智智清淨無二
無二分無別無斷故善現散空清淨故一切
陁羅尼門清淨一切陁羅尼門清淨故一切
智智清淨何以故若散空清淨若一切陁羅
尼門清淨若一切智智清淨無二無二分無
別無斷故散空清淨故一切三摩地門清淨
一切三摩地門清淨故一切智智清淨何以
故若散空清淨若一切三摩地門清淨若一
切智智清淨無二無二分無別無斷故
善現散空清淨故預流果清淨預流果清淨
故一切智智清淨何以故若散空清淨若預
流果清淨若一切智智清淨無二無二分無
別無斷故散空清淨故一來不還阿羅漢果
清淨一來不還阿羅漢果清淨故一切智智
清淨何以故若散空清淨若一來不還阿羅
漢果清淨若一切智智清淨無二無二分無
別無斷故善現散空清淨故獨覺菩提清
淨獨覺菩提清淨故一切智智清淨何以故若
散空清淨若獨覺菩提清淨若一切智智清
淨無二無二分無別無斷故善現散空清淨
故一切菩薩摩訶薩行清淨一切菩薩摩訶
薩行清淨故一切智智清淨何以故若散空
清淨若一切菩薩摩訶薩行清淨若一切智

BD01094號　大般若波羅蜜多經卷二一二　（21–16）

散空清[illegible]
淨無二無二分無別無斷故善現散空清淨
故一切菩薩摩訶薩行清淨一切菩薩摩訶
薩行清淨故一切智智清淨何以故若散空
清淨若一切菩薩摩訶薩行清淨若一切智
智清淨無二無二分無別無斷故善現散空
清淨故諸佛無上正等菩提清淨諸佛無上
正等菩提清淨故一切智智清淨何以故若
散空清淨若諸佛無上正等菩提清淨若一
切智智清淨無二無二分無別無斷故
復次善現無變異空清淨故色清淨色清淨
故一切智智清淨何以故若無變異空清淨
若色清淨若一切智智清淨無二無二分無
別無斷故無變異空清淨故受想行識清淨
受想行識清淨故一切智智清淨何以故若
無變異空清淨若受想行識清淨若一切智
智清淨無二無二分無別無斷故善現無變
異空清淨故眼處清淨眼處清淨故一切智
智清淨何以故若無變異空清淨若眼處清
淨若一切智智清淨無二無二分無別無斷
故無變異空清淨故耳鼻舌身意處清淨耳
鼻舌身意處清淨故一切智智清淨何以故
若無變異空清淨若耳鼻舌身意處清淨若
一切智智清淨無二無二分無別無斷故善
現無變異空清淨故色處清淨色處清淨故
一切智智清淨何以故若無變異空清淨若
色處清淨若一切智智清淨無二無二分無

BD01094號　大般若波羅蜜多經卷二一二　（21–17）

一切智智清淨無二無二分無別無斷故善
現無變異空清淨故色處清淨色處清淨故
一切智智清淨何以故若無變異空清淨若
色處清淨若一切智智清淨無二無二分無
別無斷故無變異空清淨故聲香味觸法處
清淨聲香味觸法處清淨故一切智智清淨
何以故若無變異空清淨若聲香味觸法處
清淨若一切智智清淨無二無二分無別無
斷故善現無變異空清淨故眼界清淨眼界
清淨故一切智智清淨何以故若無變異空
清淨若眼界清淨若一切智智清淨無二無
二分無別無斷故無變異空清淨故色界眼
識界及眼觸眼觸為緣所生諸受清淨色界
乃至眼觸為緣所生諸受清淨故一切智智
清淨何以故若無變異空清淨若色界乃至
眼觸為緣所生諸受清淨若一切智智清淨
無二無二分無別無斷故善現無變異空清
淨故耳界清淨耳界清淨故一切智智清淨
何以故若無變異空清淨若耳界清淨若一
切智智清淨無二無二分無別無斷故無變
異空清淨故聲界耳識界及耳觸耳觸為緣
所生諸受清淨聲界乃至耳觸為緣所生諸
受清淨故一切智智清淨何以故若無變異
空清淨若聲界乃至耳觸為緣所生諸受清
淨若一切智智清淨無二無二分無別無斷
故善現無變異空清淨故鼻界清淨鼻界

BD01094 號　大般若波羅蜜多經卷二一二　（21–18）

受清淨故一切智智清淨何以故若無變異
空清淨若聲界乃至耳觸為緣所生諸受清
淨若一切智智清淨無二無二分無別無斷
故善現無變異空清淨故鼻界清淨鼻界
清淨故一切智智清淨何以故若無變異空
清淨若鼻界清淨若一切智智清淨無二無二
分無別無斷故無變異空清淨故香界鼻識
界及鼻觸鼻觸為緣所生諸受清淨香界乃
至鼻觸為緣所生諸受清淨故一切智智清
淨何以故若無變異空清淨若香界乃至鼻
觸為緣所生諸受清淨若一切智智清淨無
二無二分無別無斷故善現無變異空清淨
故舌界清淨舌界清淨故一切智智清淨何以
故若無變異空清淨若舌界清淨若一切智
智清淨無二無二分無別無斷故無變異
空清淨故味界舌識界及舌觸舌觸為緣所
生諸受清淨味界乃至舌觸為緣所生諸受
清淨故一切智智清淨何以故若無變異空
清淨若味界乃至舌觸為緣所生諸受清淨
若一切智智清淨無二無二分無別無斷故
善現無變異空清淨故身界清淨身界清
淨故一切智智清淨何以故若無變異空清淨
若身界清淨若一切智智清淨無二無二分
無別無斷故無變異空清淨故觸界身識界
及身觸身觸為緣所生諸受清淨觸界乃至
身觸為緣所生諸受清淨故一切智智清淨
何以故若無變異空清淨若觸界乃至身

BD01094 號　大般若波羅蜜多經卷二一二　（21–19）

無別無斷故無變異空清淨故觸界身識界
及身觸身觸為緣所生諸受清淨觸界乃至
身觸為緣所生諸受清淨故一切智智清淨
何以故若無變異空清淨若觸界乃至身
觸為緣所生諸受清淨若一切智智清淨無二
無二分無別無斷故善現無變異空清淨故
意界清淨意界清淨故一切智智清淨何以
故若無變異空清淨若意界清淨若一切智
智清淨無二無二分無別無斷故無變異空
清淨故法界意識界及意觸意觸為緣所生
諸受清淨法界乃至意觸為緣所生諸受清
淨故一切智智清淨何以故若無變異空清
淨若法界乃至意觸為緣所生諸受清淨若
一切智智清淨無二無二分無別無斷故善
現無變異空清淨故地界清淨地界清淨故
一切智智清淨何以故若無變異空清淨若
地界清淨若一切智智清淨無二無二分無
別無斷故無變異空清淨故水火風空識界
清淨水火風空識界清淨故一切智智清淨
何以故若無變異空清淨若水火風空識界
清淨若一切智智清淨無二無二分無別無
斷故善現無變異空清淨故無明清淨無
明清淨故一切智智清淨何以故若無變異空
清淨若無明清淨若一切智智清淨無二無
二分無別無斷故無變異空清淨故行識名
色六處觸受愛取有生老死愁歎苦憂惱清

BD01094 號　大般若波羅蜜多經卷二一二　（21–20）

地界清淨若一切智智清淨無二無二分無
別無斷故無變異空清淨故水火風空識界
清淨水火風空識界清淨故一切智智清淨
何以故若無變異空清淨若水火風空識界
清淨若一切智智清淨無二無二分無別無
斷故善現無變異空清淨故無明清淨無
明清淨故一切智智清淨何以故若無變異空
清淨若無明清淨若一切智智清淨無二無
二分無別無斷故無變異空清淨故行識名
色六處觸受愛取有生老死愁歎苦憂惱清
淨行乃至老死愁歎苦憂惱清淨故一切智
智清淨何以故若無變異空清淨若行乃至
老死愁歎苦憂惱清淨若一切智智清淨
無二無二分無別無斷故

大般若波羅蜜多經卷第二百一十二

BD01094 號　大般若波羅蜜多經卷二一二　（21–21）

……更作
吅……生作如是念思惟
種方便歎譽死快勸死是比丘波羅夷不共住
若比丘實無所知自稱言我得上人法我已入聖智
勝法我知是我見是彼於異時若問若不問欲
自清淨故作是說我實不知不見言知言見虛
誑妄語除增上慢是比丘波羅夷不共住
諸大德我已說四波羅夷法若比丘犯一一波羅
夷法不得與諸比丘住如前後亦如是是比丘得
波羅夷罪不應共住今問諸大德是中清淨不三說
諸大德是中清淨默然故是事如是持
諸大德是十三僧伽婆尸沙法半月半月說戒經中
來
若比丘故弄陰出精除夢中僧伽婆尸沙
若比丘婬欲意與女人身相觸若捉手歟
若觸一一身分者僧伽婆尸沙
若比丘婬欲意與女人麤惡婬欲語隨麤惡婬
欲語者僧伽婆尸沙
若比丘婬欲意於女人前自歎身言大妹我修梵
行持戒精進修善法可持是婬欲法供養我如是
……

BD01095號　四分律比丘戒本　（9–1）

若觸一一身分者僧伽婆尸沙
若比丘婬欲意與女人麤惡婬欲語隨麤惡婬
欲語者僧伽婆尸沙
若比丘婬欲意於女人前自歎身言大妹我修梵
行持戒精進修善法可持是婬欲法供養我如是
供養最第一最僧伽婆尸沙
若比丘往來彼此媒嫁持男意語女持女意語男
若為成婦事若為私通事乃至須臾頃僧伽婆
尸沙
若比丘自求作屋無主自為己當應量作是中
量者長十二佛磔手內廣七磔手當將餘比丘指
授處所彼比丘當指示處所無難處無妨處若
比丘有難處妨處自求作屋無主自為己不將餘
比丘指示處所若過量作者僧伽婆尸沙
比丘指示處所若過量作者僧伽婆尸沙
若比丘欲作大房有主為己作當將餘比丘指授
處所彼比丘應指授處所無難處無妨處若比
丘有難處有妨作大房有主為己作不將餘比
丘授處所者僧伽婆尸沙
若比丘瞋恚所覆故非波羅夷比丘以無根
波羅夷法謗欲壞彼清淨行若於異時若問
若不問知此事無根說我瞋恚故作是語若比丘
作是語者僧伽婆尸沙
若比丘以瞋恚故於異分事中取片非波羅夷比
丘以無根波羅夷法謗欲壞彼清淨行彼於異
時若問若不問知是異分事中取片是比丘自言我
瞋恚故作是語是語者伽婆尸沙
若比丘欲壞和合僧方便受壞和合僧法堅持不
……

BD01095號　四分律比丘戒本　（9–2）

丘以无根波羅夷法謗欲壞彼清淨行彼於異
時若問若不問知是異分事中取片是比丘自言我
瞋恚故作是語是語者伽婆尸沙
若比丘欲壞和合僧方便受壞和合僧法堅持不
捨彼比丘應諫是比丘言大德莫壞和合僧莫方便
壞和合僧莫受壞僧法堅持不捨大德應與僧和合
與僧和合歡喜不諍同一師學如水乳合於佛
法中有益安樂住是比丘如是諫時堅持不捨彼
比丘應三諫捨此事故乃至三諫捨者善不捨者僧
伽婆尸沙
若比丘有餘伴黨若一若二若三乃至无數彼比丘
語是比丘言大德莫諫此比丘此比丘是法語比丘律
語是比丘此比丘所說我等喜樂此比丘所說我等
忍可彼比丘言大德莫作是說言此比丘是法語
比丘律語比丘此比丘所說我等喜樂此比丘所說我
等忍可然此比丘非法語比丘非律語比丘大德莫
破壞和合僧汝等當樂欲和合僧大德應與僧和
合歡喜不諍同一師學如水乳合於佛法中有增
安樂住是比丘如是諫時堅持不捨彼比丘應三
捨是事故乃至三諫捨者善不捨者僧伽婆尸沙
若比丘依聚落若城邑住汙他家行惡行汙他家
亦見亦聞行惡行亦見亦聞諸比丘當語是比丘
言大德汙他家行惡行汙他家亦見亦聞行惡行
亦見亦聞大德汝汙他家行惡行今可離此聚落
去不須住此是比丘語彼比丘言大德諸比丘有愛有
恚有怖有癡有如是同罪比丘有驅者有不驅者諸
比丘報言大德莫作是諸言僧有愛有恚有怖有

BD01095號　四分律比丘戒本　（9–3）

亦見亦聞大德汝汙他家行惡行今可離此聚落
去不須住此是比丘語彼比丘言大德諸比丘有愛有
恚有怖有癡有如是同罪比丘有驅者有不驅者諸
比丘報言大德莫作是諸言僧有愛有恚有怖有
癡有如是同罪比丘有驅者有不驅者而諸比丘不愛
不恚不怖不癡大德汙他家行惡行汙他家亦見亦
聞行惡行亦見亦聞是比丘如是諫時堅持不捨彼
比丘應三諫捨此事故乃至三諫捨者善不捨者
僧伽婆尸沙
若比丘惡性不受人語於戒法中諸比丘如法諫已自
身不受語諫言諸大德莫向我說若好若惡我
亦不向諸大德說若好若惡諸大德且止莫諫我彼
比丘諫是比丘言大德莫自身不受諫語大德自身
當受諫語大德如法諫諸比丘諸比丘亦如法諫
大德如是佛弟子衆得增益展轉相諫展轉相教
展轉懺悔是比丘如是諫時堅持不捨彼比丘應三
諫捨是事故乃至三諫捨者善不捨者僧伽婆尸沙
諸大德我已說十三僧伽婆尸沙法九初犯四乃至
三諫若比丘犯一一法知而覆藏應强與波利婆沙
行波利婆沙竟增上與六夜摩那埵行摩那
埵已餘有出罪法應二十僧中出是比丘罪若少
一人不滿二十衆出是比丘罪是比丘罪不得除諸比
丘亦可訶此是時今問諸大德是中清淨不三說
諸大德是中清淨嘿然故是事如是持
諸大德是二不定法半月半月說戒經中來
若比丘共女人獨在屏處覆處鄣處可作婬處坐
說非法語有住信優婆私於三法中一一法說若
波羅夷若僧伽婆尸沙若波逸提是坐比丘自

BD01095號　四分律比丘戒本　（9–4）

[illegible]今問諸大德是中清淨不三說
諸大德是中清淨嘿然故是事如是持
諸大德是二不定法半月半月說戒經中來
若比丘共女人獨在屏處覆處鄣處可作婬處坐
說非法語有住信優婆私於三法中一一法說若
波羅夷若僧伽婆尸沙若波逸提是坐比丘自
言我犯是罪於三法中應一一治若波羅夷若僧
伽婆尸沙若波逸提如住信優婆私所說應如法
治是比丘是名不定法
若比丘共女人在露現處不可作婬處坐說麁惡
語有住信優婆夷於二法中一一法說若僧伽婆尸沙
若波逸提是坐比丘自言我犯是事於二法中應二
法治若僧伽婆尸沙若波逸提如住信優婆夷所
說應如法治是比丘是名不定法
諸大德我已說二不定法今問諸大德是中清淨
不三說
諸大德是中清淨嘿然故是事如是持
諸大德是三十尼薩耆波逸提法半月半月說戒
經中來
若比丘衣已竟迦絺那衣已出畜長衣經十日不
淨施得畜若過十日尼薩耆波逸提
若比丘衣已竟迦絺那衣已出於三衣中離一一衣
異處宿除僧羯磨尼薩耆波逸提
若比丘衣已竟迦絺那衣已出若比丘得非時衣
欲須便受受已疾疾成衣若足者善若不足者
得畜經一月為滿足故若過畜者尼薩耆波逸提
若比丘從非親里比丘尼取衣除貿易尼薩耆
波逸提

BD01095號　四分律比丘戒本　（9–5）

欲須便受受已疾疾成衣若足者善若不足者
得畜經一月為滿足故若過畜者尼薩耆波逸提
若比丘從非親里比丘尼取衣除貿易尼薩耆
波逸提
若比丘令非親里比丘尼浣故衣若染若打尼薩
耆者波逸提
若比丘從非親里居士若居士婦乞衣除餘時
尼薩耆波逸提餘時者若比丘奪衣失衣燒衣
漂衣是謂餘時
若比丘失衣奪衣燒衣漂衣若非親里居士居士
婦自恣請多與衣是比丘當知足受衣若過受
者尼薩耆波逸提
若比丘居士居士婦為比丘辦衣價買如是衣與
某甲比丘是比丘先不受自恣請到居士家作如
是說善哉居士為我買如是如是衣與我為
好故若得衣者尼薩耆波逸提
若比丘二居士居士婦與比丘辦衣價持如是衣
價買如是衣與某甲比丘是比丘先不受居士自
恣請到二居士家作如是言善哉居士辦如是如
是衣價共作一衣為好故若得衣者尼薩耆
波逸提
若比丘若王若大臣若婆羅門若居士居士婦
遣使為比丘送衣價持如是衣價與某甲比丘彼
使人至比丘所語比丘言大德今為汝故送是衣價
受取是比丘應語彼使如是言我不應受此
衣價我若須衣合時清淨當受彼使語比丘言
大德有執事人不須衣比丘應語言有若僧伽藍
民若優婆塞此是比丘執事人常為諸比丘執事時彼使

BD01095號　四分律比丘戒本　（9–6）

使人至比丘所語比丘言大德今為汝故送是衣價
受取是比丘應語彼使如是言我不應受此
衣價我若須衣合時清淨當受彼使語比丘言
大德有執事人不須衣比丘應語言有若僧伽藍
民若優婆塞此是比丘執事人常為諸比丘執事時彼使
往至執事人所與衣價已還至比丘所作如是言大德
所示某甲執事人我已與衣價大德知時往彼當
得衣須衣比丘當往執事人所若二反三反為作
憶念應語言我須衣若二反三反為作憶念若得
衣者善若不得衣應四反五反六反在前嘿然立
若四反五反六反在前嘿然住得衣者善若不得
衣過是求得衣者尼薩耆波逸提若不得衣從
所得衣價處若自往若遣使往語言汝先遣使持
衣價與某甲比丘是比丘竟不得衣汝還取莫使失此
是時若比丘以新純黑糯羊毛作新臥具者尼薩耆
波逸提
若比丘作新臥具應用二分純黑羊毛三分白四分尨
若比丘不用二分黑三分白四分尨作新臥具者尼薩
耆波逸提
若比丘作新臥具持至滿六年若減六年不捨
故更作新者除僧羯磨尼薩耆波逸提
若比丘作新坐具當取故者縱廣一搩手帖著新
者上為壞色故若作新坐具不取故者縱廣一搩
手帖著新者上用壞色故尼薩耆波逸提
若比丘道路行得羊毛若無人持得自持乃至三由
旬若無人持自持過三由旬者尼薩耆波逸提
若比丘使非親里比丘尼浣染擘羊毛者尼薩耆
波逸提

BD01095 號　四分律比丘戒本　（9–7）

者上為壞色故若作新坐具不取故者縱廣一搩
手帖著新者上用壞色故尼薩耆波逸提
若比丘道路行得羊毛若無人持得自持乃至三由
旬若無人持自持過三由旬者尼薩耆波逸提
若比丘使非親里比丘尼浣染擘羊毛者尼薩耆
波逸提
若比丘自手捉錢若金銀若教人捉若置地受者
尼薩耆波逸提
若比丘種種賣買者尼薩耆波逸提
若比丘種種販賣者尼薩耆耆波逸提
若比丘畜長鉢不淨施得畜十日過者尼薩耆耆
波逸提
若比丘畜鉢減五綴不漏更求新鉢為好故尼薩耆
波逸提彼比丘應往僧中捨展轉取最下鉢與
之令持乃至破應持此是時
若比丘自乞縷綫使非親里織師織作衣者尼薩
耆波逸提
若比丘居士居士婦使織師為比丘織作衣彼比丘先
不受自恣請便往織師所語言此衣為我作與
我極好織令廣大堅緻我當少多與汝價是比
丘與衣價乃至一食直若得衣者尼薩耆波逸提
若比丘先與比丘衣後瞋恚故若自奪若教人奪
取還我衣來不與汝若比丘還衣彼取衣者尼
薩耆波逸
若比丘有病畜殘藥酥油生酥蜜石蜜齊七日得
服若過七日服者尼薩耆波逸提
若比丘春殘一月在當求雨浴衣半月應用浴若
比丘過一月前求雨浴衣過半月前用浴尼薩耆
波逸提

BD01095 號　四分律比丘戒本　（9–8）

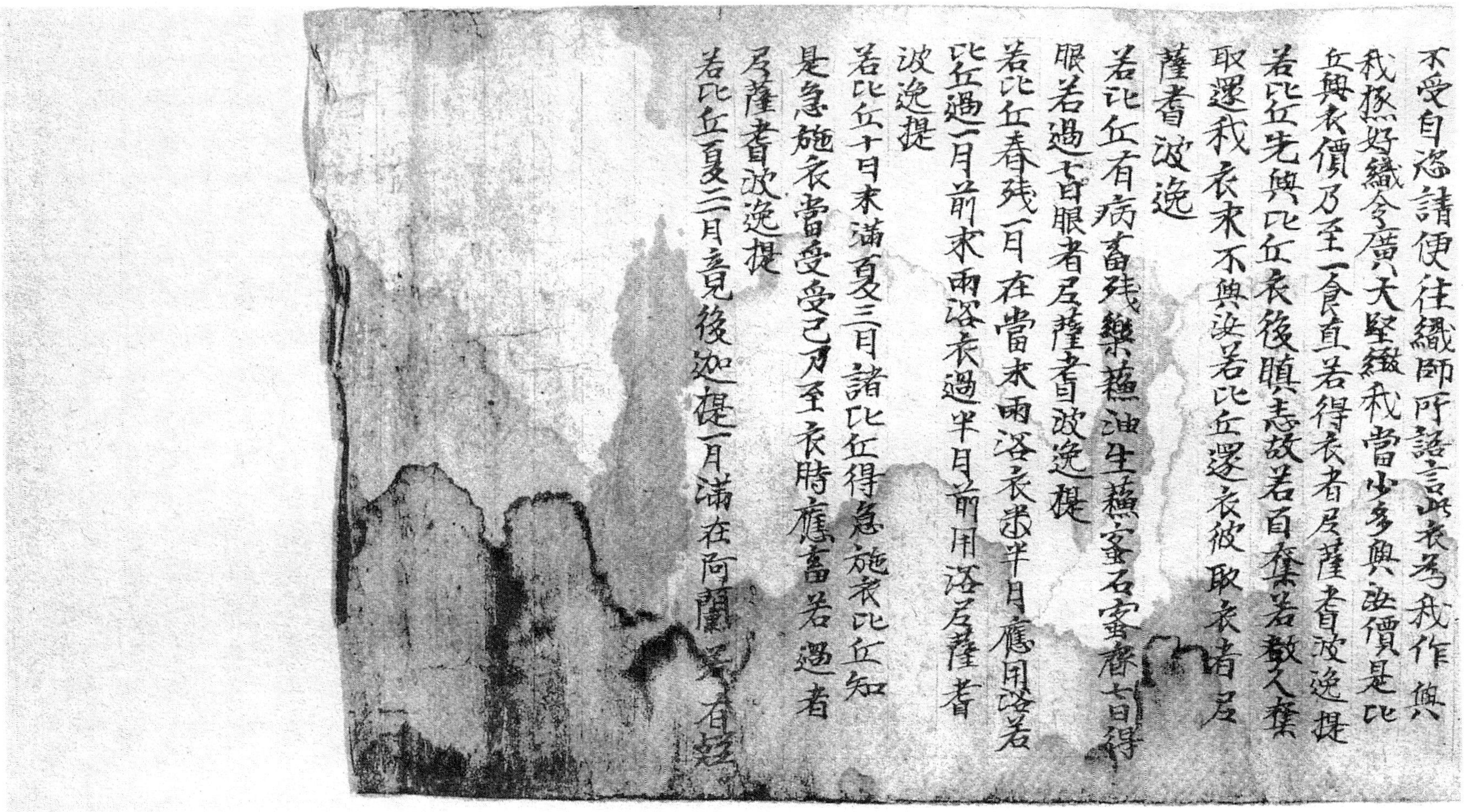
不受自恣請便往織師所語言此衣為我作與
我極好織令廣大堅緻我當少多與汝價是比
丘與衣價乃至一食直若得衣者尼薩耆波逸提
若比丘先與比丘衣後瞋恚故若自奪若教人奪
取還我衣來不與汝若比丘還衣彼取衣者尼
薩耆波逸
若比丘有病畜殘藥酥油生酥蜜石蜜齊七日得
服若過七日服者尼薩耆波逸提
若比丘春殘一月在當求雨浴衣半月應用浴若
比丘過一月前求雨浴衣過半月前用浴尼薩耆
波逸提
若比丘十日未滿夏三月諸比丘得急施衣比丘知
是急施衣當受受已乃至衣時應畜若過者
尼薩耆波逸提
若比丘夏三月竟後迦提一月滿在阿蘭若有疑

BD01095號　四分律比丘戒本　（9–9）

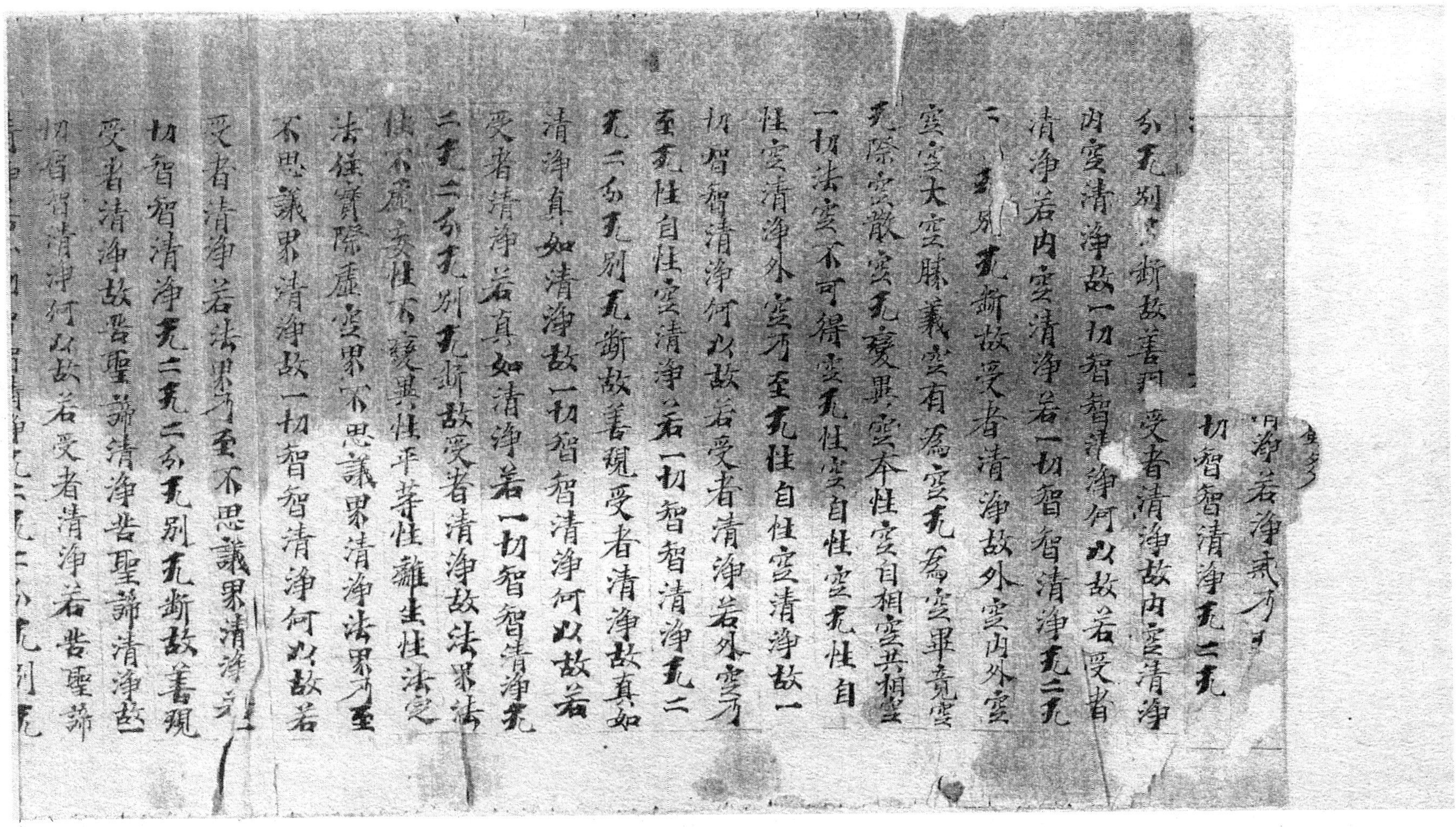
……淨若淨无二……
切智智清淨无二无
分无別无斷故善現受者清淨故內空清淨
內空清淨故一切智智清淨何以故若受者
清淨若內空清淨若一切智智清淨无二无
二分无別无斷故受者清淨故外空內外空
空空大空勝義空有為空无為空畢竟空
无際空散空无變異空本性空自相空共相空
一切法空不可得空无性空自性空无性自
性空清淨外空乃至无性自性空清淨故一
切智智清淨何以故若受者清淨若外空乃
至无性自性空清淨若一切智智清淨无二
无二分无別无斷故善現受者清淨故真如
清淨真如清淨故一切智智清淨何以故若
受者清淨若真如清淨若一切智智清淨无
二无二分无別无斷故受者清淨故法界法
性不虛妄性不變異性平等性離生性法定
法住實際虛空界不思議界清淨法界乃至
不思議界清淨故一切智智清淨何以故若
受者清淨若法界乃至不思議界清淨若一
切智智清淨无二无二分无別无斷故善現
受者清淨故苦聖諦清淨苦聖諦清淨故一
切智智清淨何以故若受者清淨若苦聖諦
……清淨……无二……无別无

BD01096號　大般若波羅蜜多經卷二〇〇　（6–1）

受者清淨若法界乃至不思議界清淨若
一切智智清淨无二无二分无別无斷故善現
受者清淨故苦聖諦清淨苦聖諦清淨故一
切智智清淨何以故若受者清淨若苦聖諦
清淨若一切智智清淨无二无二分无別无
斷故受者清淨故集滅道聖諦清淨集滅道
聖諦清淨故一切智智清淨何以故若受者
清淨若集滅道聖諦清淨若一切智智清淨
无二无二分无別无斷故善現受者清淨故
四靜慮清淨四靜慮清淨故一切智智清淨
何以故若受者清淨若四靜慮清淨若一切
智智清淨无二无二分无別无斷故受者清
淨故四无量四无色定清淨四无量四无色
定清淨故一切智智清淨何以故若受者清
淨若四无量四无色定清淨若一切智智清
淨无二无二分无別无斷故善現受者清淨
故八解脫清淨八解脫清淨故一切智智清
淨何以故若受者清淨若八解脫清淨若一
切智智清淨无二无二分无別无斷故受者
清淨故八勝處九次第定十遍處清淨八勝
處九次第定十遍處清淨故一切智智清淨
何以故若受者清淨若八勝處九次第定十
遍處清淨若一切智智清淨无二无二分无
別无斷故善現受者清淨故四念住清淨四
念住清淨故一切智智清淨何以故若受者
清淨若四念住清淨若一切智智清淨无二

BD01096號　大般若波羅蜜多經卷二〇〇　（6–2）

何以故若受者清淨若八勝處九次第定十
遍處清淨若一切智智清淨无二无二分无
別无斷故善現受者清淨故四念住清淨四
念住清淨故一切智智清淨何以故若受者
清淨若四念住清淨若一切智智清淨无二
无二分无別无斷故受者清淨故四正斷四
神足五根五力七等覺支八聖道支清淨四
正斷乃至八聖道支清淨故一切智智清淨
何以故若受者清淨若四正斷乃至八聖道
支清淨若一切智智清淨无二无二分无別
无斷故善現受者清淨故空解脫門清淨空
解脫門清淨故一切智智清淨何以故若受
者清淨若空解脫門清淨若一切智智清淨
无二无二分无別无斷故受者清淨故无相
无願解脫門清淨无相无願解脫門清淨故
一切智智清淨何以故若受者清淨若无相
无願解脫門清淨若一切智智清淨无二无
二分无別无斷故善現受者清淨故菩薩十
地清淨菩薩十地清淨故一切智智清淨何
以故若受者清淨若菩薩十地清淨若一切
智智清淨无二无二分无別无斷故
善現受者清淨故五眼清淨五眼清淨故一
切智智清淨何以故若受者清淨若五眼清
淨若一切智智清淨无二无二分无別无斷
故受者清淨故六神通清淨六神通清淨故
一切智智清淨何以故若受者清淨若六神
通清淨若一切智智清淨无二无二分无別

BD01096號　大般若波羅蜜多經卷二〇〇　（6–3）

切智智清淨何以故若受者清淨若五眼清
淨若一切智智清淨无二无二分无別无斷
故受者清淨故六神通清淨六神通清淨故
一切智智清淨何以故若受者清淨若六神
通清淨若一切智智清淨无二无二分无別
无斷故善現受者清淨故佛十力清淨佛十
力清淨故一切智智清淨何以故若受者清
淨若佛十力清淨若一切智智清淨无二无
二分无別无斷故受者清淨故四无所畏四
无礙解大慈大悲大喜大捨十八佛不共
法清淨四无所畏乃至十八佛不共法清淨故
一切智智清淨何以故若受者清淨若四无
所畏乃至十八佛不共法清淨若一切智智
清淨无二无二分无別无斷故善現受者清
淨故无忘失法清淨无忘失法清淨故一切
智智清淨何以故若受者清淨若无忘失法
清淨若一切智智清淨无二无二分无別无
斷故受者清淨故恒住捨性清淨恒住捨性
清淨故一切智智清淨何以故若受者清淨
若恒住捨性清淨若一切智智清淨无二无
二分无別无斷故善現受者清淨故一切智
清淨一切智清淨故一切智智清淨何以故
若受者清淨若一切智清淨若一切智智清
淨无二无二分无別无斷故受者清淨故道
相智一切相智清淨道相智一切相智清淨
故一切智智清淨何以故若受者清淨若

BD01096號　大般若波羅蜜多經卷二〇〇　（6–4）

若受者清淨若一切智清淨若一切智智清
淨无二无二分无別无斷故受者清淨故道
相智一切相智清淨道相智一切相智清淨
故一切智智清淨何以故若受者清淨若
道相智一切相智清淨若一切智智清淨无
二无二分无別无斷故善現受者清淨故一切
陁羅尼門清淨一切陁羅尼門清淨故一切
智智清淨何以故若受者清淨若一切陁羅
尼門清淨若一切智智清淨无二无二分无
別无斷故受者清淨故一切三摩地門清淨
一切三摩地門清淨故一切智智清淨何以
故若受者清淨若一切三摩地門清淨若一
切智智清淨无二无二分无別无斷故
善現受者清淨故預流果清淨預流果清
淨故一切智智清淨何以故若受者清淨若預
流果清淨若一切智智清淨无二无二分无別
无斷故受者清淨故一來不還阿羅漢果
清淨一來不還阿羅漢果清淨故一切智智
清淨何以故若受者清淨若一來不還阿羅
漢果清淨若一切智智清淨无二无二分无
別无斷故善現受者清淨故獨覺菩提清淨
獨覺菩提清淨故一切智智清淨何以故若
受者清淨若獨覺菩提清淨若一切智智清
淨无二无二分无別无斷故善現受者清淨
故一切菩薩摩訶薩行清淨一切菩薩摩訶
薩行清淨故一切智智清淨何以故若受者

BD01096號　大般若波羅蜜多經卷二〇〇　（6–5）

獨覺菩提清淨故一切智智清淨何以故若
受者清淨若獨覺菩提清淨若一切智智清
淨无二无二分无別无斷故善現受者清淨
故一切菩薩摩訶薩行清淨一切菩薩摩訶
薩行清淨故一切智智清淨何以故若受者
清淨若一切菩薩摩訶薩行清淨若一切智
智清淨无二无二分无別无斷故善現受者
清淨故諸佛无上正等菩提清淨諸佛无上
正等菩提清淨故一切智智清淨何以故若
受者清淨若諸佛无上正等菩提清淨若一
切智智清淨无二无二分无別无斷故
復次善現知者清淨故色清淨色清淨故一
切智智清淨何以故若知者清淨若色清淨
若一切智智清淨无二无二分无別无斷故
知者清淨故受想行識清淨受想行識清淨
故一切智智清淨何以故若知者清淨若受
想行識清淨若一切智智清淨无二无二分
无別无斷故善現知者清淨故眼處清淨
眼處清淨故一切智智清淨何以故若知者清
淨若眼處清淨若一切智智清淨无二无二
分无別无斷故知者清淨故耳鼻舌身意處
清淨耳鼻舌身意處清淨故一切智智清淨
何以故若知者清淨若耳鼻舌身意處清
淨若一切智智清淨无二无二分无別无斷故
善現知者清淨故色處清淨色處清淨故一
切智智清淨何以故若知者清淨若色處清

BD01096號　大般若波羅蜜多經卷二〇〇　（6–6）

風空識界清淨若　清淨无二无二
分无別无斷故善現无相解脫門清淨故无
明清淨无明清淨故一切智智清淨何以故
若无相解脫門清淨若无明清淨若一切
智智清淨无二无[illegible]別无斷故无相解
脫門清淨故行識名色六處觸受愛取有生
老死愁歎苦憂惱清淨行乃至老死愁歎苦
憂惱清淨故一切智智清淨何以故若无相
解脫門清淨若行乃至老死愁歎苦憂惱清
淨若一切智智清淨无二无二分无別无斷
故
善現无相解脫門清淨故布施波羅蜜多清
淨布施波羅蜜多清淨故一切智智清淨何
以故若无相解脫門清淨若布施波羅蜜多
清淨若一切智智清淨无二无二分无別无
斷故无相解脫門清淨故淨戒安忍精進靜
慮般若波羅蜜多清淨淨戒乃至般若波羅
蜜多清淨故一切智智清淨何以故若无相
解脫門清淨若淨戒乃至般若波羅蜜多清
淨若一切智智清淨无二无二分无別无斷

BD01097號　大般若波羅蜜多經卷二三二　（17–1）

斷故无相解脫門清淨故淨戒安忍精進靜
慮般若波羅蜜多清淨淨戒乃至般若波羅
蜜多清淨故一切智智清淨何以故若无相
解脫門清淨若淨戒乃至般若波羅蜜多清
淨若一切智智清淨无二无二分无別无斷
故善現无相解脫門清淨故內空清淨內空
清淨故一切智智清淨何以故若无相解脫
門清淨若內空清淨若一切智智清淨无二
无二分无別无斷故无相解脫門清淨故外
空內外空空空大空勝義空有為空无為空
畢竟空无際空散空无變異空本性空自相
空共相空一切法空不可得空无性空自性
空无性自性空清淨外空乃至无性自性空
清淨故一切智智清淨何以故若无相解脫
門清淨若外空乃至无性自性空清淨若一
切智智清淨无二无二分无別无斷故善現
无相解脫門清淨故真如清淨真如清淨故
一切智智清淨何以故若无相解脫門清淨
若真如清淨若一切智智清淨无二无二分
无別无斷故无相解脫門清淨故法界法性
不虛妄性不變異性平等性離生性法定法
住實際虛空界不思議界清淨法界乃至不
思議界清淨故一切智智清淨何以故若无
相解脫門清淨若法界乃至不思議界清淨
若一切智智清淨无二无二分无別无斷故
善現无相解脫門清淨故苦聖諦清淨苦聖
諦清淨故一切智智清淨何以故若无相解

若一切智智清淨无二无二分无別无斷故
善現无相解脫門清淨故苦聖諦清淨苦聖
諦清淨故一切智智清淨何以故若无相解
脫門清淨若苦聖諦清淨若一切智智清淨
无二无二分无別无斷故无相解脫門清淨
故集滅道聖諦清淨集滅道聖諦清淨故一
切智智清淨何以故若无相解脫門清淨若
集滅道聖諦清淨若一切智智清淨无二无
二分无別无斷故善現无相解脫門清淨故
四靜慮清淨四靜慮清淨故一切智智清淨
何以故若无相解脫門清淨若四靜慮清淨
若一切智智清淨无二无二分无別无斷故
无相解脫門清淨故四无量四无色定清淨
四无量四无色定清淨故一切智智清淨何以
故若无相解脫門清淨若四无量四无色定
清淨若一切智智清淨无二无二分无別无
斷故善現无相解脫門清淨故八解脫清淨
八解脫清淨故一切智智清淨何以故若无
相解脫門清淨若八解脫清淨若一切智智
清淨无二无二分无別无斷故无相解脫門
清淨故八勝處九次第定十遍處清淨八勝
處九次第定十遍處清淨故一切智智清淨
何以故若无相解脫門清淨若八勝處九次
第定十遍處清淨若一切智智清淨无二无
二分无別无斷故善現无相解脫門淨淨故
四念住清淨四念住清淨故一切智智清淨
相解脫門清淨若四念住清淨

苐定十遍處清淨若一切智智清淨无二无
二分无別无斷故善現无相解脫門清淨故
四念住清淨四念住清淨故一切智智清淨
何以故若无相解脫門清淨若四念住清淨
若一切智智清淨无二无二分无別无斷故
无相解脫門清淨故四正斷四神足五根五
力七等覺支八聖道支清淨四正斷乃至八
聖道支清淨故一切智智清淨何以故若无
相解脫門清淨若四正斷乃至八聖道支清
淨若一切智智清淨无二无二分无別无斷故
善現无相解脫門清淨故空解脫門清淨空
解脫門清淨故一切智智清淨何以故若无
相解脫門清淨若空解脫門清淨若一切智
智清淨无二无二分无別无斷故无相解脫
門清淨故无願解脫門清淨无願解脫門清
淨故一切智智清淨何以故若无相解脫門
清淨若无願解脫門清淨若一切智智清淨
无二无二分无別无斷故善現无相解脫門
清淨故菩薩十地清淨菩薩十地清淨故一
切智智清淨何以故若无相解脫門清淨若
菩薩十地清淨若一切智智清淨无二无二
分无別无斷故
善現无相解脫門清淨故五眼清淨五眼清
淨故一切智智清淨何以故若无相解脫門
清淨若五眼清淨若一切智智清淨无二无
二分无別无斷故无相解脫門清淨故六神

淨故一切智智清淨何以故若无相解脫門
清淨若五眼清淨若一切智智清淨无二无
二分无別无斷故无相解脫門清淨故六神
通清淨六神通清淨故一切智智清淨何以
故若无相解脫門清淨若六神通清淨若一
切智智清淨无二无二分无別无斷故善現
无相解脫門清淨故佛十力清淨佛十力清
淨故一切智智清淨何以故若无相解脫門
清淨若佛十力清淨若一切智智清淨无二
无二分无別无斷故无相解脫門清淨故四
无所畏四无礙解大慈大悲大喜大捨十八
佛不共法清淨四无所畏乃至十八佛不共
法清淨故一切智智清淨何以故若无相解
脫門清淨若四无所畏乃至十八佛不共法
清淨若一切智智清淨无二无二分无別无
斷故善現无相解脫門清淨故无忘失法清
淨无忘失法清淨故一切智智清淨何以故
若无相解脫門清淨若无忘失法清淨若一
切智智清淨无二无二分无別无斷故无相
解脫門清淨故恒住捨性清淨恒住捨性清
淨故一切智智清淨何以故若无相解脫門
清淨若恒住捨性清淨若一切智智清淨无
二无二分无別无斷故善現无相解脫門清
淨故一切智智清淨一切智清淨故一切智智
清淨何以故若无相解脫門清淨若一切智
清淨若一切智智清淨无二无二分无別无

二无二分无別无斷故善現无相解脫門清
淨故一切智智清淨一切智清淨故一切智智
清淨何以故若无相解脫門清淨若一切智
清淨若一切智智清淨无二无二分无別无
斷故无相解脫門清淨故道相智一切相智清
淨道相智一切相智清淨故一切智智清淨
何以故若无相解脫門清淨若道相智一切
相智清淨若一切智智清淨无二无二分无別
无斷故善現无相解脫門清淨故一切陁
羅尼門清淨一切陁羅尼門清淨故一切智
智清淨何以故若无相解脫門清淨若一切
陁羅尼門清淨若一切智智清淨无二无二
分无別无斷故无相解脫門清淨故一切三
摩地門清淨一切三摩地門清淨故一切智
智清淨何以故若无相解脫門清淨若一切
三摩地門清淨若一切智智清淨无二无二
分无別无斷故
善現无相解脫門清淨故預流果清淨預流
果清淨故一切智智清淨何以故若无相解
脫門清淨若預流果清淨若一切智智清淨
无二无二分无別无斷故无相解脫門清淨
故一來不還阿羅漢果清淨一來不還阿羅
漢果清淨故一切智智清淨何以故若无相
解脫門清淨若一來不還阿羅漢果清淨若
一切智智清淨无二无二分无別无斷故善
現无相解脫門清淨故獨覺菩提清淨獨覺
菩提清淨故一切智智清淨何以故若无相

BD01097 號　大般若波羅蜜多經卷二三二　（17–6）

解脫門清淨若一來不還阿羅漢果清淨若
一切智智清淨无二无二分无別无斷故善
現无相解脫門清淨故獨覺菩提清淨獨覺
菩提清淨故一切智智清淨何以故若无相
解脫門清淨若獨覺菩提清淨若一切智智
清淨无二无二分无別无斷故善現无相解
脫門清淨故一切菩薩摩訶薩行清淨一切
菩薩摩訶薩行清淨故一切智智清淨何以
故若无相解脫門清淨若一切菩薩摩訶薩
行清淨若一切智智清淨无二无二分无別
无斷故善現无相解脫門清淨故諸佛无上
正等菩提清淨諸佛无上正等菩提清淨故
一切智智清淨何以故若无相解脫門清淨
若諸佛无上正等菩提清淨若一切智智清
淨无二无二分无別无斷故
復次善現无願解脫門清淨故色清淨色清
淨故一切智智清淨何以故若无願解脫門
清淨若色清淨若一切智智清淨无二无二
分无別无斷故无願解脫門清淨故受想行
識清淨受想行識清淨故一切智智清淨何
以故若无願解脫門清淨若受想行識清淨
若一切智智清淨无二无二分无別无斷故
善現无願解脫門清淨故眼處清淨眼處
清淨故一切智智清淨何以故若无願解脫
門清淨若眼處清淨若一切智智清淨无二
无二分无別无斷故无願解脫門清淨故耳

BD01097 號　大般若波羅蜜多經卷二三二　（17–7）

清淨故一切智智清淨何以故若无願解脫
門清淨若眼處清淨若一切智智清淨无二
无二分无別无斷故无願解脫門清淨故耳
鼻舌身意處清淨耳鼻舌身意處清淨故一
切智智清淨何以故若无願解脫門清淨若耳
鼻舌身意處清淨若一切智智清淨无二无
二分无別无斷故善現无願解脫門清淨故
色處清淨色處清淨故一切智智清淨何以
故若无願解脫門清淨若色處清淨若一
切智智清淨无二无二分无別无斷故无願解
脫門清淨故聲香味觸法處清淨聲香味觸
法處清淨故一切智智清淨何以故若无願
解脫門清淨若聲香味觸法處清淨若一切
智智清淨无二无二分无別无斷故善現无
願解脫門清淨故眼界清淨眼界清淨故一
切智智清淨何以故若无願解脫門清淨若
眼界清淨若一切智智清淨无二无二分无
別无斷故无願解脫門清淨故色界眼識界
及眼觸眼觸爲緣所生諸受清淨色界乃至
眼觸爲緣所生諸受清淨故一切智智清淨
何以故若无願解脫門清淨若色界乃至眼
觸爲緣所生諸受清淨若一切智智清淨无
二无二分无別无斷故善現无願解脫門清
淨故耳界清淨耳界清淨故一切智智清淨
何以故若无願解脫門清淨若耳界清淨若
一切智智清淨无二无二分无別无斷故无

BD01097 號　大般若波羅蜜多經卷二三二　（17–8）

淨故耳界清淨耳界清淨故一切智智清淨
何以故若无願解脫門清淨若耳界清淨若
一切智智清淨无二无二分无別无斷故无
願解脫門清淨故聲界耳識界及耳觸耳觸爲
緣所生諸受清淨聲界乃至耳觸爲緣所生諸
受清淨故一切智智清淨何以故若无願解
脫門清淨若聲界乃至耳觸爲緣所生諸受
清淨若一切智智清淨无二无二分无別无
斷故善現无願解脫門清淨故鼻界清淨鼻
界清淨故一切智智清淨何以故若无願解
脫門清淨若鼻界清淨若一切智智清淨无
二无二分无別无斷故无願解脫門清淨故
香界鼻識界及鼻觸鼻觸爲緣所生諸受清
淨香界乃至鼻觸爲緣所生諸受清淨故一
切智智清淨何以故若无願解脫門清淨若
香界乃至鼻觸爲緣所生諸受清淨若一切
智智清淨无二无二分无別无斷故
善現无願解脫門清淨故舌界清淨舌界清
淨故一切智智清淨何以故若无願解脫門
清淨若舌界清淨若一切智智清淨无二无
二分无別无斷故无願解脫門清淨故味界
舌識界及舌觸舌觸爲緣所生諸受清淨味
界乃至舌觸爲緣所生諸受清淨故一切智
智清淨何以故若无願解脫門清淨若味界
乃至舌觸爲緣所生諸受清淨若一切智智
清淨无二无二分无別无斷故善現无願解

BD01097 號　大般若波羅蜜多經卷二三二　（17–9）

界乃至舌觸為緣所生諸受清淨故一切智
智清淨何以故若无願解脫門清淨若味界
乃至舌觸為緣所生諸受清淨若一切智智
清淨无二无二分无別无斷故善現无願解
脫門清淨故身界清淨身界清淨故一切智
智清淨何以故若无願解脫門清淨若身界
清淨若一切智智清淨无二无二分无別无
斷故无願解脫門清淨故觸界身識界及身
觸身觸為緣所生諸受清淨觸界乃至身觸
為緣所生諸受清淨故一切智智清淨何以故
若无願解脫門清淨若觸界乃至身觸為緣
所生諸受清淨若一切智智清淨无二无二
分无別无斷故善現无願解脫門清淨故意
界清淨意界清淨故一切智智清淨何以故
若无願解脫門清淨若意界清淨若一切智
智清淨无二无二分无別无斷故无願解脫
門清淨故法界意識界及意觸意觸為緣所
生諸受清淨法界乃至意觸為緣所生諸受
清淨故一切智智清淨何以故若无願解脫
門清淨若法界乃至意觸為緣所生諸受清
淨若一切智智清淨无二无二分无別无斷
故善現无願解脫門清淨故地界清淨地界
清淨故一切智智清淨何以故若无願解脫
門清淨若地界清淨若一切智智清淨无二
无二分无別无斷故无願解脫門清淨故水
火風空識界清淨水火風空識界清淨故

BD01097號　大般若波羅蜜多經卷二三二　（17–10）

清淨故一切智智清淨何以故若无願解脫
門清淨若地界清淨若一切智智清淨无二
无二分无別无斷故无願解脫門清淨故水
火風空識界清淨水火風空識界清淨故
一切智智清淨何以故若无願解脫門清淨
若水火風空識界清淨若一切智智清淨无
二无二分无別无斷故善現无願解脫門清
淨故无明清淨无明清淨故一切智智清淨
何以故若无願解脫門清淨若无明清淨若
一切智智清淨无二无二分无別无斷故无
願解脫門清淨故行識名色六處觸受愛取
有生老死愁歎苦憂惱清淨行乃至老死愁
歎苦憂惱清淨故一切智智清淨何以故若
无願解脫門清淨若行乃至老死愁歎苦憂
惱清淨若一切智智清淨无二无二分无別
无斷故
善現无願解脫門清淨故布施波羅蜜多清
淨布施波羅蜜多清淨故一切智智清淨何
以故若无願解脫門清淨若布施波羅蜜多
清淨若一切智智清淨无二无二分无別无
斷故无願解脫門清淨故淨戒安忍精進靜
慮般若波羅蜜多清淨淨戒乃至般若波羅
蜜多清淨故一切智智清淨何以故若无願
解脫門清淨若淨戒乃至般若波羅蜜多清
淨若一切智智清淨无二无二分无別无斷
故善現无願解脫門清淨故內空清淨內空
清淨故一切智智清淨何以故若无願解脫

BD01097號　大般若波羅蜜多經卷二三二　（17–11）

蜜多清淨故一切智智清淨何以故若无願
解脫門清淨若淨戒乃至般若波羅蜜多清
淨若一切智智清淨无二无二分无別无斷
故善現无願解脫門清淨故內空清淨內空
清淨故一切智智清淨何以故若无願解脫
門清淨若內空清淨若一切智智清淨无二
无二分无別无斷故无願解脫門清淨故外
空內外空空空大空勝義空有為空无為空
畢竟空无際空散空无變異空本性空自相
空共相空一切法空不可得空无性空自性
空无性自性空清淨外空乃至无性自性空
清淨故一切智智清淨何以故若无願解脫
門清淨若外空乃至无性自性空清淨若
一切智智清淨无二无二分无別无斷故善
現无願解脫門清淨故真如清淨真如清淨
故一切智智清淨何以故若无願解脫門清
淨若真如清淨若一切智智清淨无二无二分
无別无斷故无願解脫門清淨故法界法性
不虛妄性不變異性平等性離生性法定法
住實際虛空界不思議界清淨法界乃至不
思議界清淨故一切智智清淨何以故若无
願解脫門清淨若法界乃至不思議界清淨
若一切智智清淨无二无二分无別无斷故
善現无願解脫門清淨故苦聖諦清淨苦聖
諦清淨故一切智智清淨何以故若无願解
脫門清淨若苦聖諦清淨若一切智智清淨
无二无二分无別无斷故无願解脫門清淨

BD01097號　大般若波羅蜜多經卷二三二　（17–12）

若一切智智清淨无二无二分无別无斷故
善現无願解脫門清淨故苦聖諦清淨苦聖
諦清淨故一切智智清淨何以故若无願解
脫門清淨若苦聖諦清淨若一切智智清淨
无二无二分无別无斷故无願解脫門清淨
故集滅道聖諦清淨集滅道聖諦清淨故一
切智智清淨何以故若无願解脫門清淨若
集滅道聖諦清淨若一切智智清淨无二无
二分无別无斷故善現无願解脫門清淨故
四靜慮清淨四靜慮清淨故一切智智清淨
何以故若无願解脫門清淨若四靜慮清淨
若一切智智清淨无二无二分无別无斷故
无願解脫門清淨故四无量四无色定清淨
四无量四无色定清淨故一切智智清淨何
以故若无願解脫門清淨若四无量四无色
定清淨若一切智智清淨无二无二分无別
无斷故善現无願解脫門清淨故八解脫清
淨八解脫清淨故一切智智清淨何以故若
无願解脫門清淨若八解脫清淨若一切智
智清淨无二无二分无別无斷故无願解脫
門清淨故八勝處九次第定十遍處清淨八
勝處九次第定十遍處清淨故一切智智清
淨何以故若无願解脫門清淨若八勝處九
次第定十遍處清淨若一切智智清淨无二
无二分无別无斷故善現无願解脫門清淨
故四念住清淨四念住清淨故一切智智清
淨何以故若无願解脫門清淨若四念住清

BD01097號　大般若波羅蜜多經卷二三二　（17–13）

次第定十遍處清淨若一切智智清淨无二
无二分无別无斷故善現无願解脫門清淨
故四念住清淨四念住清淨故一切智智清
淨何以故若无願解脫門清淨若四念住清
淨若一切智智清淨无二无二分无別无斷
故无願解脫門清淨故四正斷四神足五根
五力七等覺支八聖道支清淨四正斷乃至
八聖道支清淨故一切智智清淨何以故若
无願解脫門清淨若四正斷乃至八聖道支
清淨若一切智智清淨无二无二分无別无
斷故善現无願解脫門清淨故空解脫門清
淨空解脫門清淨故一切智智清淨何以故
若无願解脫門清淨若空解脫門清淨若一
切智智清淨无二无二分无別无斷故无願
解脫門清淨故无相解脫門清淨无相解脫
門清淨故一切智智清淨何以故若无願解
脫門清淨若无相解脫門清淨若一切智智
清淨无二无二分无別无斷故善現无願解
脫門清淨故菩薩十地清淨菩薩十地清淨
故一切智智清淨何以故若无願解脫門
清淨若菩薩十地清淨若一切智智清淨无
二无二分无別无斷故
善現无願解脫門清淨故眼清淨　五眼清
淨故一切智智清淨何以故若无願解脫門
清淨若五眼清淨若一切智智清淨无二无
二分无別无斷故无願解脫門清淨故六神
通清淨六神通清淨故一切智智清淨何以

BD01097 號　大般若波羅蜜多經卷二三二　（17–14）

二无二分无別无斷故
善現无願解脫門清淨故眼清淨　五眼清
淨故一切智智清淨何以故若无願解脫門
清淨若五眼清淨若一切智智清淨无二无
二分无別无斷故无願解脫門清淨故六神
通清淨六神通清淨故一切智智清淨何以
故若无願解脫門清淨若六神通清淨若一
切智智清淨无二无二分无別无斷故善現
无願解脫門清淨故佛十力清淨佛十力清
淨故一切智智清淨何以故若无願解脫門
清淨若佛十力清淨若一切智智清淨无二
无二分无別无斷故无願解脫門清淨故四
无所畏四无礙解大慈大悲大喜大捨十八
佛不共法清淨四无所畏乃至十八佛不共
法清淨故一切智智清淨何以故若无願解
脫門清淨若四无所畏乃至十八佛不共法
清淨若一切智智清淨无二无二分无別无
斷故善現无願解脫門清淨故无忘失法清
淨无忘失法清淨故一切智智清淨何以故
若无願解脫門清淨若无忘失法清淨若一
切智智清淨无二无二分无別无斷故无願
解脫門清淨故恒住捨性清淨恒住捨性清
淨故一切智智清淨何以故若无願解脫門
清淨若恒住捨性清淨若一切智智清淨无
二无二分无別无斷故善現无願解脫門清
淨故一切智智淨一切智清淨故一切智智
清淨何以故若无願解脫門清淨若一切智

BD01097 號　大般若波羅蜜多經卷二三二　（17–15）

清淨若恒住捨性清淨若一切智智清淨无
二无二分无別无斷故善現无願解脫門清
淨故一切智智淨一切智清淨故一切智智
清淨何以故若无願解脫門清淨若一切智
清淨若一切智智清淨无二无二分无別无
斷故无願解脫門清淨故道相智一切相智
清淨道相智一切相智清淨故一切智智清
淨何以故若无願解脫門清淨若道相智一
切相智清淨若一切智智清淨无二无二分
无別无斷故善現无願解脫門清淨故一切
陁羅尼門清淨一切陁羅尼門清淨故一切
智智清淨何以故若无願解脫門清淨若一
切陁羅尼門清淨若一切智智清淨无二无
二分无別无斷故无願解脫門清淨故一切
三摩地門清淨一切三摩地門清淨故一切
智智清淨何以故若无願解脫門清淨若一
切三摩地門清淨若一切智智清淨无二无
二分无別无斷故
善現无願解脫門清淨故預流果清淨預流
果清淨故一切智智清淨何以故若无願解
脫門清淨若預流果清淨若一切智智清淨
无二无二分无別无斷故无願解脫門清淨
故一來不還阿羅漢果清淨一來不還阿羅
漢果清淨故一切智智清淨何以故若无願
解脫門清淨若一來不還阿羅漢果清淨若
一切智智清淨无二无二分无別无斷故善
現无願解脫門清淨故獨覺菩提清淨獨覺

BD01097號　大般若波羅蜜多經卷二三二　（17–16）

脫門清淨若預流果清淨若一切智智清淨
无二无二分无別无斷故无願解脫門清淨
故一來不還阿羅漢果清淨一來不還阿羅
漢果清淨故一切智智清淨何以故若无願
解脫門清淨若一來不還阿羅漢果清淨若
一切智智清淨无二无二分无別无斷故善
現无願解脫門清淨故獨覺菩提清淨獨覺
菩提清淨故一切智智清淨何以故若无願
解脫門清淨若獨覺菩提清淨若一切智智
清淨无二无二分无別无斷故善現无願解
脫門清淨故一切菩薩摩訶薩行清淨一切
菩薩摩訶薩行清淨故一切智智清淨何
故若无願解脫門清淨若一切菩薩摩訶薩
行清淨若一切智智清淨无二无二分无別
无斷故善現无願解脫門清淨故諸佛无上
正等菩提清淨諸佛无上正等菩提清淨故
一切智智清淨何以故若无願解脫門清淨
若諸佛无上正等菩提清淨若一切智智清
淨无二无二分无別无斷故

大般若波羅蜜多經卷第二百卅二

BD01097號　大般若波羅蜜多經卷二三二　（17–17）

合掌恭敬白佛言
於未來世若有國
所至處流布之時
聽受稱歎供養
衆深心擁護令離衰惱以是
及諸人衆皆令安隱遠離憂
德具足世尊若彼國王見於四衆受
恭敬守護猶如父母一切所須悉皆供
四王常為守護令諸有情無不尊敬是
我等并與無量藥叉諸
處潛身擁護令無留難
諸國王等除其衰患
使退散若有人王聽是經
是念當具四兵壞彼國
神力故是時隣敵更有異怨
境界多諸災變疫病流行
兵發向彼國欲為討罰我等
無量無邊藥叉諸神各自隱
彼怨敵自然降伏尚不敢來至
得有兵戈相罰
尒時佛告四天王善哉善哉汝
雖如是經典我於過去百
劫修諸苦行得阿耨多羅
藐三菩提證
虔

BD01098號　金光明最勝王經卷六　（20–1）

無量無邊藥叉諸神各自隱形
彼怨敵自然降伏尚不敢來至
得有兵戈相罰
尒時佛告四天王善哉善哉汝
雖如是經典我於過去百
劫修諸苦行得阿耨多羅
藐三菩提證
虔
智今說是法若有人王受
經恭敬供
者為消衰患令其安
隱復擁護城邑聚
乃至怨賊悉令退散亦令一切贍部洲內所
諸王永無衰惱鬪諍之事四王當知此贍
洲八万四千城邑聚落八万四千諸人王
各於其國受諸快樂皆得自在所有財
豐足受用不相侵奪隨彼宿因而受其
不起惡念貪求他國咸生少欲利樂之心
有鬪戰繫縛等苦其土人民自然受樂上
和穆猶如水乳情相愛重歡喜遊戲慈悲謙
讓增長善根以是因緣此贍部洲安隱豐樂
人民熾盛大地沃壤寒暑調和時不乖序日
月星宿常度無虧風雨隨時離諸災橫資產
財寶皆悉豐盈心無慳鄙常行惠施具十善
業若人命終多生天上增益天衆大王若未
來世有諸人王聽受是經恭敬供養并受持
經四部之衆尊重稱讚復欲安樂饒益汝等
及諸眷屬無量百千諸藥叉衆是故彼王常
當聽受是妙經王由得聞此正法之水甘露
上味增益汝等身心勢力精進勇猛福德威
光悉令充滿是諸人王若能至心聽受是經

BD01098號　金光明最勝王經卷六　（20–2）

經四部之衆其[illegible]
及諸眷屬無量百千諸藥叉衆是故彼王常
當聽受是妙經王由得聞此正法之水甘露
上味增益汝等身心勢力精進勇猛福德威
光悉令充滿是諸人王若能至心聽受是經
則為廣大希有供養供養於我釋迦牟尼應
正等覺若供養我則是供養過去未來現在
百千俱胝那庾多佛若能供養三世諸佛則
得無量不可思議功德之聚以是因緣汝等
應當擁護彼王后妃眷屬令無衰惱及宮宅
神常受安樂功德難思是諸國土所有人民
亦受種種五欲之樂一切惡事皆令消殄
尒時四天王白佛言世尊於未來世若有人
王樂聽如是金光明經為欲擁護自身后
妃王子乃至內宮諸婇女等城邑宮殿皆得
第一不可思議最上歡喜寂靜安樂於現世
中王位尊高自在昌盛常得增長復欲攝
受無量無邊難思福聚於自國土令無怨敵
及諸憂惱灾厄事者世尊如是人王不應放
逸令心散亂當生恭敬至誠慇重聽受如是
最勝經王欲聽之時先當莊嚴最上宮室
王所愛重顯敞之處香水灑地散衆名花安置
師子殊勝法座以諸珍寶而為挍飾張施種
種寶蓋幢幡燒無價香奏諸音樂其王尒時
當淨澡浴以香塗身著新淨衣及諸瓔珞坐小
卑座不生高舉捨自在位離諸憍慢端心正念
聽是經王於法師所起大師想復於宮內后
[illegible]

BD01098號　金光明最勝王經卷六　（20–3）

種寶蓋幢幡燒無價香奏諸音樂其王尒時
當淨澡浴以香塗身著新淨衣及諸瓔珞坐小
卑座不生高舉捨自在位離諸憍慢端心正念
聽是經王於法師所起大師想復於宮內后
妃王子婇女眷屬生慈愍心喜悅相視和顏
耎語於自身心大喜充遍作如是念我今獲
得難思殊勝廣大利益於此經王盛興供養
既敷設已見法師至當起虔敬渴仰之心
尒時佛告四天王不應如是不迎法師時彼
人王應著純淨鮮潔之衣種種瓔珞以為嚴
飾自持白蓋及以香花備整軍儀盛陳音樂
步出城闕迎彼法師運想虔恭為吉祥事四
王以何因緣令彼人王親作如是恭敬供養
由彼人王舉足下足步步即是恭敬供養承
事尊重百千万億那庾多諸佛世尊復得超
越如是劫數生死之苦復於來世如是數劫當
受輪王殊勝尊位隨其步步亦於現世福德
增長自在為王感應難思衆所欽重當於無
量百千億劫人天受用七寶宮殿所在生處
常得為王增益壽命言詞辯了人天信受無
所畏懼有大名稱咸共瞻仰天上人中受勝
妙樂獲大力勢有大威德身相奇妙端嚴
無比值天人師遇善知識成就具足無量福
聚四王當知彼諸人王見如是等種種無量
功德利益故應自往奉迎法師若一踰繕那
乃至百千踰繕那於說法師應生佛想還至
城已作如是念今日釋迦牟尼如來應正等

BD01098號　金光明最勝王經卷六　（20–4）

無比值天人師遇善知識成就具足無量福
聚四王當知彼諸人王見如是等種種無量
功德利益故應自往奉迎法師若一踰繕那
乃至百千踰繕那於說法師應生佛想還至
城已作如是念今日釋迦牟尼如來應正等
覺入我宮中受我供養為我說法我聞法已
即於阿耨多羅三藐三菩提不復退轉即是
值遇百千万億那庾多諸佛世尊我於今日
即是種種廣大殊勝上妙樂具供養過去未
來現在諸佛我於今日即是永拔琰摩王界地
獄餓鬼傍生之苦便為已種無量百千万
億轉輪聖王釋梵天主善根種子當令無量
百千万億衆生出生死苦得涅槃樂積集無
量無邊不可思議福德之聚後宮眷屬及諸
人民皆蒙安隱國土清泰無諸災厄毒害惡
人他方怨敵不來侵擾遠離憂患四王當知
時彼人王應作如是尊重正法亦於受持是
妙經典苾芻苾芻尼鄔波索迦鄔波斯迦供
養恭敬尊重讚歎所獲善根先以勝福施與
汝等及諸眷屬彼之人王有大福德善業因
緣於現世中得大自在增益威光吉祥妙相
皆悉莊嚴一切怨敵能以正法而摧伏之
尒時四天王白佛言世尊若有人王能作如
是恭敬正法聽此經王并於四衆持經之人恭
敬供養尊重讚歎時彼人王欲為我等生
歡喜故當在一邊近於法座香水灑地散衆
名花安置處所設四王座我與彼王共聽正

BD01098號　金光明最勝王經卷六

（20–5）

尒時四天王白佛言世尊若有人王能作如
是恭敬正法聽此經王并於四衆持經之人恭
敬供養尊重讚歎時彼人王欲為我等生
歡喜故當在一邊近於法座香水灑地散衆
名花安置處所設四王座我與彼王共聽正
法其王所有自利善根亦以福分施及我等
世尊時彼人王請說法者昇座之時便為我
等燒衆名香供養是經世尊時彼香烟於一
念頃上昇虛空即至我等諸天宮殿於虛空
中變成香蓋我等天衆聞彼妙香香有金光
照曜我等所居宮殿乃至梵宮及以帝釋大
辯才天大吉祥天堅牢地神正了知大將二十
八部諸藥叉神大自在天金剛密主寶賢大
將訶利底母五百眷屬無熱惱池龍王大海
龍王所居之處世尊如是等衆於自宮殿見
彼香烟一剎那頃變成香蓋聞香芬馥覩色
光明遍至一切諸天神宮佛告四天王是香光
明非但至此宮殿變成香蓋放大光明由
彼人王手執香爐燒衆名香供養經時其香
烟氣於一念頃遍至三千大千世界百億日
月百億妙高山王百億四洲於此三千大千
世界一切天龍藥叉健闥婆阿蘇羅揭路茶
緊那羅莫呼洛伽宮殿之所於虛空中充滿
而住種種香烟變成雲蓋其蓋金色普照
天宮如是三千大千世界所有種種香雲香蓋
皆是金光明最勝王經威神之力是諸人王
手持香爐供養經時種種香氣非但遍此三

BD01098號　金光明最勝王經卷六

（20–6）

而住種種香炬變成雲蓋其蓋金色普照
天宮如是三千大千世界所有種種香雲香蓋
皆是金光明最勝王經威神之力是諸人王
手持香爐供養經時種種香氣非但遍此三
千大千世界於一念頃亦遍十方無量無邊
恒河沙等百千万億諸佛國土於諸佛上虛
空之中變成香蓋金色普照亦復如是時彼
諸佛聞此妙香覩斯雲蓋及以金色於十方
界恒河沙等諸佛世尊現神變已彼諸世
尊悉共觀察異口同音讚法師曰善哉善哉
汝大丈夫能廣流布如是甚深微妙經典則
為成就無量無邊不可思議福德之聚若有
聽聞如是經者所獲功德其量甚多何況書
寫受持讀誦為他敷演如說修行何以故善
男子若有衆生聞此金光明最勝王經者即
於阿耨多羅三藐三菩提不復退轉
尒時十方有百千俱胝那庾多無量無數恒
河沙等諸佛剎土彼諸剎土一切如來異口同
音於法座上讚彼法師言善哉善哉善男子
汝於來世以精勤力當修無量百千苦行具
足資糧超諸聖衆出過三界為最勝尊當坐
菩提樹王之下殊勝莊嚴能救三千大千
世界有緣衆生善能摧伏可畏形儀諸魔軍
衆覺了諸法最勝清淨甚深無上正等菩提
善男子汝當坐於金剛之座轉於無上諸佛
所讚十二妙行甚深法輪能擊無上最大法
鼓能吹無上極妙法螺能建無上殊勝法幢

BD01098號　金光明最勝王經卷六　（20-7）

衆覺了諸法最勝清淨甚深無上正等菩提
善男子汝當坐於金剛之座轉於無上諸佛
所讚十二妙行甚深法輪能擊無上最大法
鼓能吹無上極妙法螺能建無上殊勝法幢
能然無上極明法炬能降無上甘露法雨能
斷無量煩惱怨結能令無量百千万億那庾
多有情度於無涯可畏大海解脫生死無際
輪迴值遇無量百千万億那庾多佛
尒時四天王復白佛言世尊是金光明最勝王
經能於未來現在成就如是無量功德是
故人王若得聞是微妙經典即是已於百千
万億無量佛所種諸善根於彼人王我當擁
念復見無量福德利故我等四王及餘眷屬
無量百千万億諸神於自宮殿見是種種香
烟雲蓋神變之時我當隱蔽不現其身為聽
法故當至是王清淨嚴飾所止宮殿講法之
處如是乃至梵宮帝釋大辯才天吉祥天堅
牢地神正了知神大將二十八部諸藥叉神
大自在天金剛密主寶賢大將訶利底母
五百眷屬無熱池龍王大海龍王無量百千
万億那庾多諸天藥叉如是等衆為聽法故
皆不現身至彼人王殊勝宮殿莊嚴高座說
法之所世尊我等四王及餘眷屬藥叉諸神
皆當一心共彼人王為善知識因是無上大
法施主以甘露味充足於我是故我等當護
是王除其衰患令得安隱及其宮殿城邑國
土諸惡災變悉令消滅尒時四天王俱共合

BD01098號　金光明最勝王經卷六　（20-8）

法之所世尊我等四王及餘眷屬藥叉諸神
皆當一心共彼人王為善知識因是無上大
法施主以甘露味充足於我是故我等當護
是王除其衰患令得安隱及其宮殿城邑國
土諸惡災變悉令消滅尒時四天王俱共合
掌白佛言世尊若有人王於其國土雖有此
經未嘗流布心生捨離不樂聽聞亦不供養
尊重讚歎見四部眾持經之人亦復不能尊
重供養遂令我等及餘眷屬無量諸天不
得聞此甚深妙法皆甘露味失正法流無有
威光及以勢力增長惡趣損減人天墜生死
河乖涅槃路世尊我等四王并諸眷屬及藥
叉等見如斯事捨其國土無擁護心非但我等
捨棄是王亦有無量守護國土諸大善神悉
皆捨去既捨離已其國當有種種災禍喪失
國位一切人眾皆無善心唯有繫縛殺害瞋
諍互相讒諂枉及無辜疾疫流行彗星數出
兩日並現薄蝕無恒黑白二虹表不祥相星
流地動井內發聲暴雨惡風不依時節常遭
飢饉苗實不成多有他方怨賊侵掠國內人
民受諸苦惱土地無有可樂之處世尊我等
四王及與無量百千天神并護國土諸舊善
神遠離去時生如是等無量百千災怪惡事
世尊若有人王欲護國土常受快樂欲令眾
生咸蒙安隱欲得摧伏一切外敵於自國境
永得昌盛欲令正教流布世間苦惱惡法皆
除滅者世尊是諸國主必當聽受是妙經王

BD01098號　金光明最勝王經卷六　（20–9）

神遠離去時生如
世尊若有人王欲護國土常受快樂欲令眾
生咸蒙安隱欲得摧伏一切外敵於自國境
永得昌盛欲令正教流布世間苦惱惡法皆
除滅者世尊是諸國主必當聽受是妙經王
亦應恭敬供養讀誦受持經者我等及餘無
量天眾以是聽法善根威力得服無上甘露
法味增益我等所有眷屬并餘天神皆得勝
利何以故以是人王至心聽受是經典故世
尊如大梵天於諸有情常為宣說世出世
論帝釋復說種種諸論五通神仙亦說諸論
世尊梵天帝釋五通仙人雖有百千俱胝那
庾多無量諸論然佛世尊慈悲哀愍為人天
眾說金光明微妙經典比前所說勝彼百千
俱胝那庾多倍不可為喻何以故由此能令
諸贍部洲所有王等正法化世能與眾生安
樂之事為護自身及諸眷屬令無苦惱又無
他方怨賊侵害所有諸惡悉皆遠去亦令國土
災厄屏除化以正法無有諍訟是故人王各
於國土當然法炬明照無邊增益天眾并諸
眷屬世尊我等四王無量天神藥叉之眾贍
部洲內所有天神以是因緣得服無上甘露
法味獲大威德勢力光明無不具足一切眾生
皆得安隱復於來世無量百千不可思議那
庾多劫常受快樂復得值遇無量諸佛種
諸善根然後證得阿耨多羅三藐三菩提如
是無量無邊勝利皆是如來應正等覺以大

BD01098號　金光明最勝王經卷六　（20–10）

皆得安隱復於未世無量百千不可思議那
庾多劫常受快樂復得值遇無量諸佛種
諸善根然後證得阿耨多羅三藐三菩提如
是無量無邊勝利皆是如來應正等覺以大
慈悲過梵衆以大智慧俞帝釋修諸苦行勝
五通仙百千万億那庾多倍不可稱計爲諸
衆生演說如是微妙經典令贍部洲一切國
主及諸人衆明了世間所有法式治國化人勸
導之事由此經王流通力故普得安樂此等
福利皆是釋迦大師於此經典廣爲流通慈
悲力故世尊以是因緣諸人王等皆應受持供
養恭敬尊重讚歎此妙經王何以故以如
是等不可思議殊勝功德利益一切是故名
曰最勝經王
尒時世尊復告四天王汝等四王及餘眷屬無
量百千俱胝那庾多諸天大衆見彼人王若
能至心聽是經典供養恭敬尊重讚歎者
應當擁護除其衰患能令汝等亦受安樂若
四部衆能廣流布是經王者於人天中廣作
佛事普能利益無量衆生如是之人汝等四王
常當擁護如是四衆勿使他緣共相侵擾令
彼身心寂靜安樂於此經王廣宣流布令不
斷絶利益有情盡未來際
尒時多聞天王從座而起白佛言世尊我有如
意寶珠陁羅尼法若有衆生樂受持者功德
無量我常擁護令彼衆生離苦得樂能成
福智二種資糧欲受持者先當誦此護身之

斷絶利益有情盡未來際
尒時多聞天王從座而起白佛言世尊我有如
意寶珠陁羅尼法若有衆生樂受持者功德
無量我常擁護令彼衆生離苦得樂能成
福智二種資糧欲受持者先當誦此護身之
呪即說呪曰
南謨薜室囉末拏也莫訶曷羅闍也（但是也上声字皆須引聲）
怛姪他　囉囉囉囉　矩怒矩怒
區怒區怒　窶怒窶怒　颯縛颯縛
羯囉羯囉　莫訶毗羯喇麼　莫訶毗羯喇麼
莫訶曷囉社　曷洛叉曷喀叉　覩濕（自稱己名）
薩婆薩埵難者　莎訶（此之二字皆長引聲）
世尊誦此呪者當以白線呪之七遍一遍一結
繫之肘後其事必成應取諸香所謂安息
旃檀龍腦蘇合多揭羅薰陸皆須等分和
合一處手執香爐燒香供養清淨澡浴著鮮
潔衣於一靜室可誦神呪
請我薜室囉末拏天王即說呪曰
南謨薜室羅　末拏（引也）　南謨檀那䭾也
檀泥說羅（引也）　阿揭撦　阿鉢喇彌多
檀泥說囉鉢囉麼　迦留尼迦
薩婆薩埵呬多振多　麼麼（己名）　檀那
末拏鉢喇拽撦　毘闍摩揭撦　莎訶
此呪誦滿一七遍已次誦本呪欲誦呪時先當
稱名敬礼三寶及薜室羅末拏大王能施財
物令諸衆生所求願滿悉能成就与其安
樂如是礼已次誦薜室羅末拏王如意末尼

稱名敬礼三寶及薜室羅末拏大王能施財
物令諸衆生所求願滿悉能成就与其安
樂如是礼已次誦薜室羅末拏王如意末尼
寶心神呪能施衆生隨意安樂尒時多聞天
王即於佛前說如意末尼寶心呪曰
南謨曷喇怛娜　怛喇夜　引　也
南謨薜室羅末拏　引　也　莫訶　囉闍　引　也
怛姪　他　四弭四弭　蘇母蘇母
旃茶旃茶　折囉折囉　薩囉薩囉
羯羅羯羅　枳哩枳哩　矩嚕矩嚕
母嚕母嚕　主嚕主嚕　沙大也頞貪
我名某甲　昵店頞他　達達覩莎訶
南謨薜室囉末拏也莎訶檀那馱也莎訶
曼奴喇他鉢唎脯喇迦　引　也莎訶
受持呪時先誦千遍然後於淨室中瞿摩塗
地作小壇場隨時飲食一心供養常然妙香
令烟不絕誦前心呪晝夜繫心唯自耳聞勿
令他解時有薜室囉末拏王子名禪膩師現
童子形来至其所問言何故須喚我父即可
報言我為供養三寶事須財物願當施与時
禪膩師聞是語已即還父所白其父言今有
善人發至誠心供養三寶少乏財物為斯請
名其父報曰汝可速去日日与彼一百迦利沙
波拏　此是根本梵音唯目貝齒而隨方不定或是貝
齒或是金銀銅鐵等錢然摩揭陁現今通用一
迦利沙波拏有一千六百貝齒總數可以准知若准物
直隨處不定若人持呪得成就者獲物之時自知其數有
本云每日与一百陳那羅即金錢也乃至盡
形日日常得西方求者多有神驗除不至心也

BD01098號　金光明最勝王經卷六　（20–13）

名其父報曰汝可速去日日与彼一百迦利沙
波拏　此是根本梵音唯目貝齒而隨方不定或是貝
齒或是金銀銅鐵等錢然摩揭陁現今通用一
迦利沙波拏有一千六百貝齒總數可以准知若准物
直隨處不定若人持呪得成就者獲物之時自知其數有
本云每日与一百陳那羅即金錢也乃至盡
形日日常得西方求者多有神驗除不至心也
其持呪者見相已知事得成常須獨處淨
室燒香而臥可於牀邊置一香篋每至天曉
觀其篋中獲所求物每得物時當日即須供
養三寶香花飲食兼施貧乏皆令盡不得
停留於諸有情起慈悲念勿生瞋諍謟
之心若起瞋者即失神驗常可護心勿令瞋恚
又持此呪者於每日中憶我多聞天王及男
女眷屬稱揚讚歎恒以十善共相資助令彼天
等福力增明衆善普臻證菩提處彼諸天
衆見是事已皆大歡喜共来擁衛持呪之人
又持呪者壽命長遠經無量歲永離三塗常
無災厄亦令獲得如意寶珠及以伏藏神通
自在所願皆成若求官榮無不稱意亦解一
切禽獸之語
世尊若持呪時欲得見我自身現者可於月
八日或十五日於白疊上畫佛形像當用木
膠雜彩莊飾其畫像人為受八戒於佛左邊
作吉祥天女像於佛右邊作我多聞天像并
畫男女眷屬之類安置坐處咸令如法布列
花彩燒衆名香然燈續明晝夜無歇上妙飲
食種種珎奇發慇重心隨時供養受持神呪
不得輕心請召我時持是此呪

BD01098號　金光明最勝王經卷六　（20–14）

自在所願皆成若求官榮無不稱意亦解一
切禽獸之語
世尊若持呪時欲得見我自身現者可於月
八日或十五日於白疊上畫佛形像當用木
膠雜彩莊飾其畫像人爲受八戒於佛左邊
作吉祥天女像於佛右邊作我多聞天像并
畫男女眷屬之類安置坐處咸令如法布烈
花彩燒衆名香然燈續明晝夜無歇上妙飲
食種種珍奇發慇重心隨時供養受持神呪
不得輕心請召我時應誦此呪
南謨室唎健那也 勃陁引也
南謨薜室囉末拏也 藥叉囉闍引也
莫訶囉闍 阿地囉闍也
南麼室唎耶囊 莫訶提弊引囊
怛姪他 怛囉怛囉咄嚕咄嚕
末囉末 囉 窣嚀吐窣嚀吐
漢娜漢 娜 末尼羯諾迦
跋折囉薜瑠璃也 目底迦楞訖嘌哆
設唎囉囊 蒲引薩婆薩埵
呬哆迦引摩 薜室囉末拏
室唎夜提鼻 跋囉婆引也
翳呬翳呬磨毗藍婆 瞿嘌拏瞿嘌拏
袜麻八反唎婆袜唎婆 達䭾呬麼麼
阿目迦那末寫自稱己名 達哩設那迦末寫
達哩設 南麼 麼末那
鉢喇曷羅大也 莎訶
世尊我若見此誦呪之人復見如是盛興供

BD01098號　金光明最勝王經卷六　（20–15）

阿目迦那末寫自稱己名 達哩設那迦末寫
達哩設 南麼 麼末那
鉢喇曷羅大也 莎訶
世尊我若見此誦呪之人復見如是盛興供
養即生慈愛歡喜之心我即變身作小兒形
或作老人苾芻之像手持如意末尼寶珠并持
金囊入道場內身現恭敬口稱佛名語持呪者
曰隨汝所求皆令如願或隱林藪或造寶珠或
欲衆人愛寵或求金銀等物欲持諸呪皆令
有驗或欲神通壽命長遠及勝妙樂無不稱心我
今且說如是之事若更求餘皆隨所願悉得成
就寶藏無盡功德無窮假使日月墜墮于地或
可大地有時移轉我此實語終不虛然常得安
隱隨心快樂世尊若有人能受持讀誦是經王
者誦此呪時不假疲勞法速成就世尊我今爲
彼貧窮困厄苦惱衆生說此神呪令獲大利皆
得富樂自在無患乃至盡形我當擁護隨逐是
人爲除灾厄亦復令此持金光明最勝王經流
通之者及持呪人於百步內光明照燭我之所
有千藥叉神亦常侍衛隨欲驅使無不遂心我
說實語無有虛誑唯佛證知時多聞天王說此
呪已佛言善哉大王汝能破裂一切衆生貧窮
苦網令得富樂說是神呪復令此經廣行
世時四天王俱從座起偏袒一肩頂礼雙足右
膝著地合掌恭敬以妙伽他讚佛功德
佛面猶如淨滿月 亦如千日放光明
目淨脩廣若青蓮 齒白齊密猶珂雪
德無邊如大海 無限妙寶積其

BD01098號　金光明最勝王經卷六　（20–16）

若經令得富樂說是神呪復令此經廣行於
世時四天王俱從座起偏袒一肩頂礼雙足右
膝著地合掌恭敬以妙伽他讚佛功德
佛面猶如淨滿月　亦如千日放光明
目淨脩廣若青蓮　齒白齊密猶珂雪
佛德無邊如大海　無限妙寶積其中
智慧德水鎮恒盈　百千勝定咸充
足下輪相皆嚴飾　轂輞千輻悉齊平
手足鞔網遍莊嚴　猶如鵝王相具足
佛身光曜等金山　清淨殊特無倫
亦如妙高功德滿　故我稽首佛山
相好如空不可測　逾於千月放光
皆如焰幻不思議　故我稽首心無
尒時四天王讚歎佛已世尊亦以伽他而
之曰
此金光明最勝經　無上十力之所
汝等四王常擁衛　應生勇猛不退
此妙經寶極甚深　能與一切有情樂
由彼有情安樂故　常得流通贍部洲
於此大千世界中　所有一切有情
餓鬼傍生及地獄　如是苦趣悉皆除
住此南洲諸國王　及餘一切有情類
由經威力常歡喜　皆蒙擁護得安寧
亦使此中諸有情　除衆病苦無賊盜
賴此國土弘經故　安隱豐樂無違惱
若人聽受此經王　欲求尊貴及財
國土豐樂無違諍　隨心所願悉皆

BD01098號　金光明最勝王經卷六　（20–17）

智慧德水鎮恒盈　百千勝定咸充
足下輪相皆嚴飾　轂輞千輻悉齊平
手足鞔網遍莊嚴　猶如鵝王相具足
佛身光曜等金山　清淨殊特無倫
亦如妙高功德滿　故我稽首佛山王
相好如空不可測　逾於千月放光
皆如焰幻不思議　故我稽首心無
尒時四天王讚歎佛已世尊亦以伽他而
之曰
此金光明最勝經　無上十力之所
汝等四王常擁衛　應生勇猛不退
此妙經寶極甚深　能與一切有情樂
由彼有情安樂故　常得流通贍部洲
於此大千世界中　所有一切有情
餓鬼傍生及地獄　如是苦趣悉皆除
住此南洲諸國王　及餘一切有情類
由經威力常歡喜　皆蒙擁護得安寧
亦使此中諸有情　除衆病苦無賊盜
賴此國土弘經故　安隱豐樂無違惱
若人聽受此經王　欲求尊貴及財
國土豐樂無違諍　隨心所願悉皆
能令他方賊退散　於自國界常安
由此最勝經王力　離諸苦惱無憂
如寶樹王在宅內　能生一切諸
最勝經王亦復然　能與人王勝
譬如澄潔清冷水　能除飢渴諸
最勝經王亦復然　令樂福者心
[illegible]

BD01098號　金光明最勝王經卷六　（20–18）

由此最勝經王力　離諸苦惱無有
如寶樹王在宅內　能生一切諸
最勝經王亦復然　能与人王勝
譬如澄潔清冷水　能除飢渴
最勝經王亦復然　令樂福者
如人室有妙寶篋　隨所受用悉
最勝經王亦復然　福德隨心無
汝等天主及天眾　應當供
若能依教奉持經　智慧威神
現在十方一切佛　咸共護念
見有讀誦及受持　稱歎善哉
若有人能聽此經　身心踊躍
常有百千藥叉眾　隨所住處
於此世界諸天眾　其數無量
悉共聽受此經王
若人聽受此經王
增益一切人天眾
尒時四天王聞是頌已歡喜踊躍白
尊我從昔來未曾得聞如是甚深微
心生悲喜涕淚交流舉身戰動證
希有之事以天曼陀羅花摩訶曼陀羅
佛上作是殊勝供養佛已白佛言世尊我
四王各有五百藥叉眷屬常當處處擁護
經及說法師以智光明而為助衛若於此
所有句義忘失之處我皆令彼憶念不忘
与陀羅尼殊勝法門令得具足復欲令
勝經王所在之處為諸眾生廣宣流布一

佛上作是殊勝供養佛已白佛言世尊我
四王各有五百藥叉眷屬常當處處擁護
經及說法師以智光明而為助衛若於此
所有句義忘失之處我皆令彼憶念不忘
与陀羅尼殊勝法門令得具足復欲令
勝經王所在之處為諸眾生廣宣流布一
隱沒尒時世尊於大眾中說是法時無
生皆得大智聰叡辯才攝受無量福德
離諸憂惱發喜樂心善明眾論登出離
退轉速證菩提

金光明最勝王經卷第六

胵陟尸　敞昌兩　敵亭歷從支　整征郢　觳田見　蝕乘力　掠良灼
寠劬雉　麼摩可　颯蘇合　薜蒲閉　撦車者　拏女加　窣孫骨
四虛數　毓未般　叡以苗

提言甚多世尊何以故是福德即非福德性
是故如來說福德多若復有人於此經中受
持乃至四句偈等為他人說其福勝彼何以
故須菩提一切諸佛及諸佛阿耨多羅三藐
三菩提法皆從此經出須菩提所謂佛法者
即非佛法
須菩提於意云何須陁洹能作是念我得須
陁洹果不須菩提言不也世尊何以故須陁
洹名為入流而无所入不入色聲香味觸法
是名須陁洹須菩提於意云何斯陁含能作
是念我得斯陁含果不須菩提言不也世尊
何以故斯陁含名一往來而實无往來是名
斯陁含須菩提於意云何阿那含能作是念
我得阿那含果不須菩提言不也世尊何以
故阿那含名為不來而實无來是故名阿那
含須菩提於意云何阿羅漢能作是念我得
阿羅漢道不須菩提言不也世尊何以故實
无有法名阿羅漢世尊若阿羅漢作是念我
得阿羅漢道即為著我人眾生壽者世尊佛
說我得无諍三昧人中最為第一是第一離

BD01099號　金剛般若波羅蜜經　（3–1）

含須菩提於意云何阿羅漢能作是念我得
阿羅漢道不須菩提言不也世尊何以故實
无有法名阿羅漢世尊若阿羅漢作是念我
得阿羅漢道即為著我人眾生壽者世尊佛
說我得无諍三昧人中最為第一是第一離
欲阿羅漢我不作是念我是離欲阿羅漢世
尊我若作是念我得阿羅漢道世尊則不說
須菩提是樂阿蘭那行者以須菩提實无所
行而名須菩提是樂阿蘭那行
佛告須菩提於意云何如來昔在然燈佛所
於法有所得不世尊如來在然燈佛所於法
實无所得須菩提於意云何菩薩莊嚴佛土
不不也世尊何以故莊嚴佛土者則非莊嚴
是名莊嚴是故須菩提諸菩薩摩訶薩應如
是生清淨心不應住色生心不應住聲香味
觸法生心應无所住而生其心須菩提譬如
有人身如須弥山王於意云何是身為大不
須菩提言甚大世尊何以故佛說非身是名
大身須菩提如恒河中所有沙數如是沙等
恒河於意云何是諸恒河沙寧為多不須菩
提言甚多世尊但諸恒河尚多无數何況其
沙須菩提我今實言告汝若有善男子善女
人以七寶滿爾所恒河沙數三千大千世界
以用布施得福多不須菩提言甚多世尊佛

BD01099號　金剛般若波羅蜜經　（3–2）

提言甚多世尊但諸恒河尚多无數何況其
沙須菩提我今實言告汝若有善男子善女
人以七寶滿尒所恒河沙數三千大千世界
以用布施得福多不須菩提言甚多世尊佛
告須菩提若善男子善女人於此經中乃至
受持四句偈等為他人說而此福德勝前福
德復次須菩提隨說是經乃至四句偈等當
知此處一切世間天人阿脩羅皆應供養如
佛塔廟何況有人盡能受持讀誦須菩提當
知是人成就最上第一希有之法若是經典
所在之處則為有佛若尊重弟子
尒時須菩提白佛言世尊當何名此經我等
云何奉持佛告須菩提是經名為金剛般若
波羅蜜以是名字汝當奉持所以者何須菩
提佛說般若波羅蜜則非般若波羅蜜須菩
提於意云何如来有所說法不須菩提白佛
言世尊如来无所說須菩提於意云何三千
大千世界所有微塵是為多不須菩提言甚
多世尊須菩提諸微塵如来說非微塵是名
微塵如来說世界非世界是名世界須菩提
於意云何可以三十二相見如来不不也世

BD01099號　金剛般若波羅蜜經　（3–3）

四分尼戒本
稽首礼諸佛　及法比丘僧　今演毗尼法　令正法久住
戒如海无涯　如寶求无猒　欲護聖法財　衆集聽我說
欲除八弃法　及滅僧残法　障三十捨墮　衆集聽我說
毗婆尸式弃　毗舍俱樓孫　拘那含牟尼　迦葉釋迦文
諸世尊大德　為我說是事　我今欲善說　諸賢咸共聽
譬如人毀足　不堪有所涉　毀戒亦如是　不得生天人
欲得生天上　若生人間者　常當護戒足　勿令有毀損
如御入險道　失轄折軸憂　毀戒亦如是　死時懷恐懼
如人自照鏡　好醜生欣慼　說戒亦如是　全毀生憂喜
如兩陣共戰　勇怯有進退　說戒亦如是　淨穢生安畏
世間王為最　衆流海為最　衆星月為最　衆聖佛為最
一切衆律中　戒經為上最　如来立禁戒　半月半月說
和合僧集會未受大戒者出（有者遣出遣已答言已出無者答言无）不来諸比
丘尼說欲及清淨（有依法說答言無）僧今和合何所作為（答言說戒羯磨）
大姊僧聽今十五日衆僧說戒若僧時到僧忍
聽和合說戒白如是
諸大姊我今欲說波羅提木叉戒汝等諦聽善
心念之若自知有犯者即應自懺悔不犯者默然
默然者知諸大姊清淨若有他問者亦如是答如
是比丘尼在於衆中乃至三問憶念有罪不懺悔
者得故妄語罪故妄語者佛說障道法若彼
[illegible]

BD01100號　四分比丘尼戒本　（2–1）

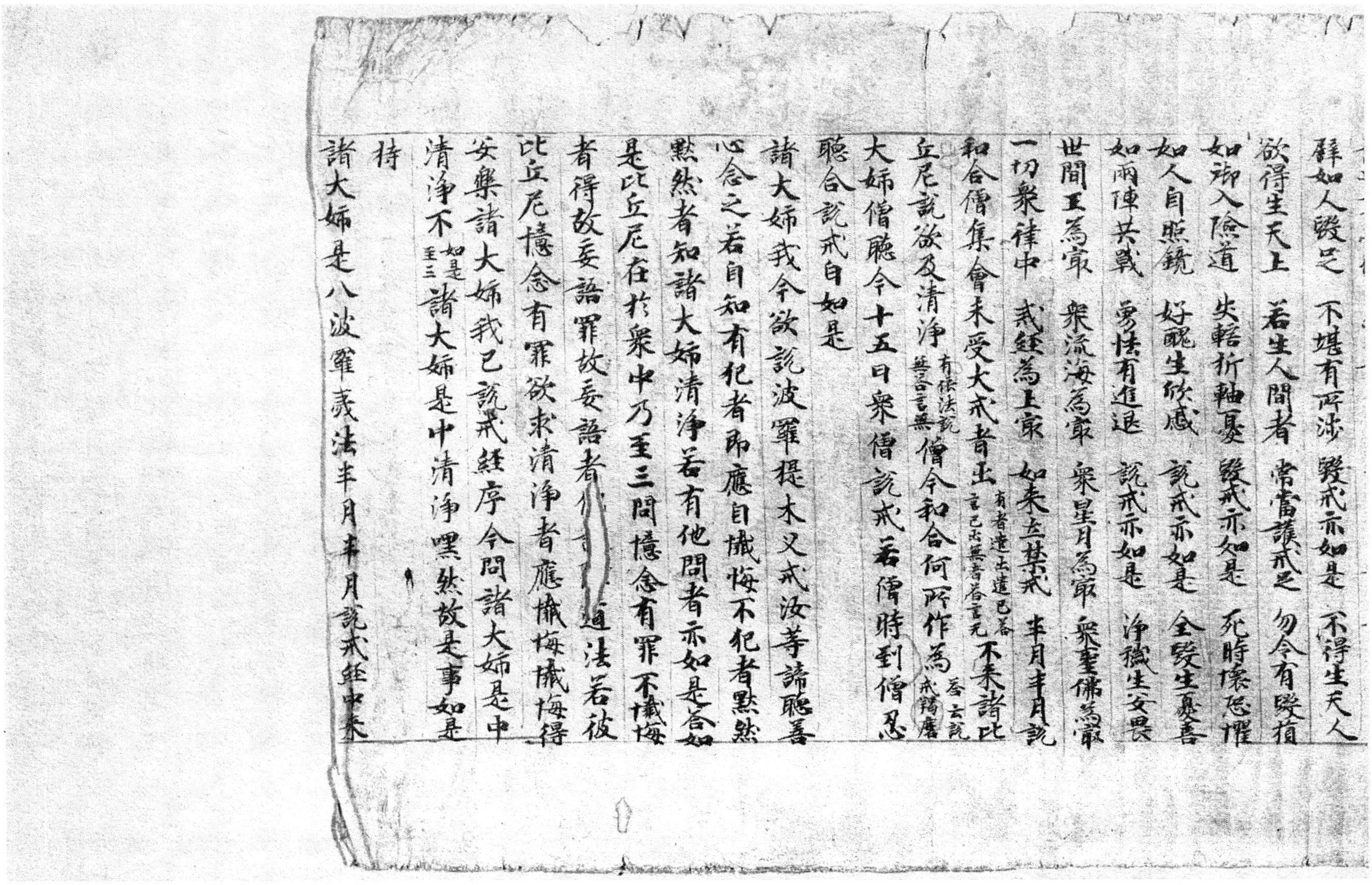

譬如人毀足　不堪有所涉　毀戒亦如是　不得生天人
欲得生天上　若生人間者　常當護戒足　勿令有毀損
如御入險道　失轄折軸憂　毀戒亦如是　死時懷恐懼
如人自照鏡　好醜生欣慼　說戒亦如是　全毀生憂喜
如兩陣共戰　勇怯有進退　說戒亦如是　淨穢生安畏
世間王為最　眾流海為最　眾星月為最　眾聖佛為最
一切眾律中　戒經為上最　如來立禁戒　半月半月說
和合僧集會未受大戒者出（有者遣出遣已答言已出無者答言無）不來諸比
丘尼說欲及清淨（有依法說無答言無）僧今和合何所作為（答云說戒羯磨）
大姊僧聽今十五日眾僧說戒若僧時到僧忍
聽和合說戒白如是
諸大姊我今欲說波羅提木叉戒汝等諦聽善
心念之若自知有犯者即應自懺悔不犯者默然
默然者知諸大姊清淨若有他問者亦如是答如
是比丘尼在於眾中乃至三問憶念有罪不懺悔
者得故妄語罪故妄語者佛說障道法若彼
比丘尼憶念有罪欲求清淨者應懺悔懺悔得
安樂諸大姊我已說戒經序今問諸大姊是中
清淨不（如是至三）諸大姊是中清淨嘿然故是事如是
持
諸大姊是八波羅夷法半月半月說戒經中來

BD01100號　四分比丘尼戒本　（2–2）

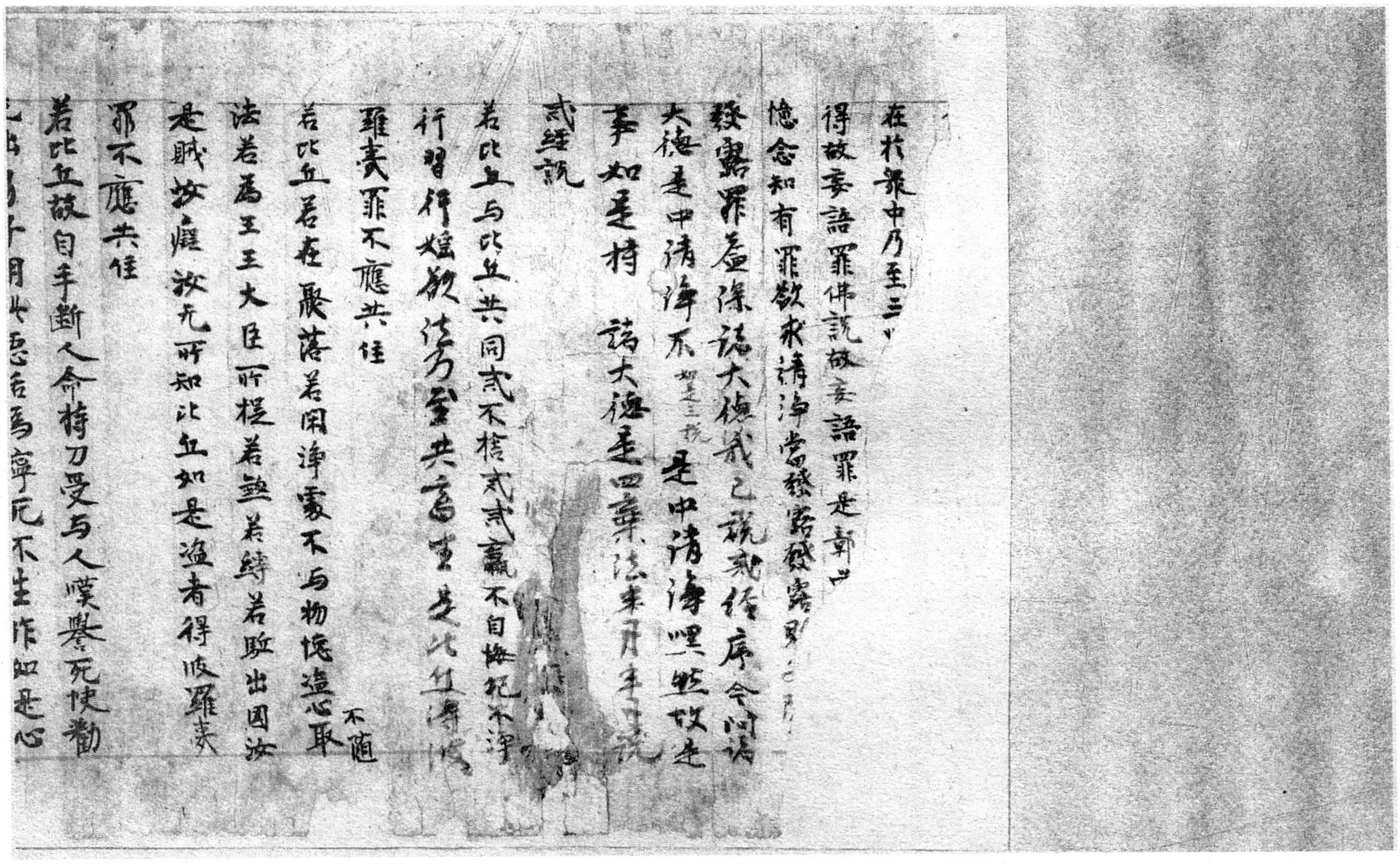

在於眾中乃至三□
得故妄語罪佛說故妄語罪是鄣□
憶念知有罪欲求清淨當發露發露則□□
發露罪蓋除諸大德我已說戒經序今問諸
大德是中清淨不（如是三說）是中清淨嘿然故是
事如是持　諸大德是四棄法半月半月說
戒經說
若比丘與比丘共同戒不捨戒戒羸不自悔犯不淨
行習行婬欲法乃至共畜生是比丘得波
羅夷罪不應共住
若比丘若在聚落若閑淨處不與物盜心取（不隨）
法若為王王大臣所捉若殺若縛若驅出國汝
是賊汝癡汝无所知比丘如是盜者得波羅夷
罪不應共住
若比丘故自手斷人命持刀授與人嘆譽死快勸
□咄男子用此惡活為寧死不生作如是心

BD01101號　四分律比丘戒本　（3–1）

若比丘若在聚落若閑淨處不与物偷盜心取
法若爲王王大臣所捉若殺若縛若駈出國汝
是賊汝癡汝无所知比丘如是盜者得波羅夷
罪不應共住
若比丘故自手斷人命持刀授与人嘆譽死快勸
死咄男子用此惡活爲寧死不生作如是心
惟種種方便嘆譽死快勸死是比丘得波
羅夷罪不應共住
若比丘實无所知自稱言我得上人法我已
入聖智勝法我知是我見是彼於異時若
問若不問欲自清淨故作如是說我實
不知不見言知言見虛誑妄語除增上
慢是比丘得波羅夷罪不應共住
諸大德我已說四波羅夷法若比丘犯
一一波羅夷法不得与諸比丘共住如前後
亦如是是比丘得波羅夷罪不應共住今
問諸大德是中清淨不是中清淨默然
故是事如是持　諸大德是十三僧伽婆
尸沙法半月半月戒經中說
若比丘故弄陰出精除夢中僧伽婆尸沙
若比丘婬欲意與女人身相觸若捉手若
捉髮若觸一一身分者僧伽婆尸沙
若比丘婬欲意與女人婬欲麤惡語隨所說
婬欲麤惡語者僧伽婆尸沙

BD01101 號　四分律比丘戒本　（3–2）

若比丘實无所知自稱言我得上人法我已
入聖智勝法我知是我見是彼於異時若
問若不問欲自清淨故作如是說我實
不知不見言知言見虛誑妄語除增上
慢是比丘得波羅夷罪不應共住
諸大德我已說四波羅夷法若比丘犯
一一波羅夷法不得与諸比丘共住如前後
亦如是是比丘得波羅夷罪不應共住今
問諸大德是中清淨不是中清淨默然
故是事如是持　諸大德是十三僧伽婆
尸沙法半月半月戒經中說
若比丘故弄陰出精除夢中僧伽婆尸沙
若比丘婬欲意與女人身相觸若捉手若
捉髮若觸一一身分者僧伽婆尸沙
若比丘婬欲意與女人婬欲麤惡語隨所說
婬欲麤惡語者僧伽婆尸沙

BD01101 號　四分律比丘戒本　（3–3）

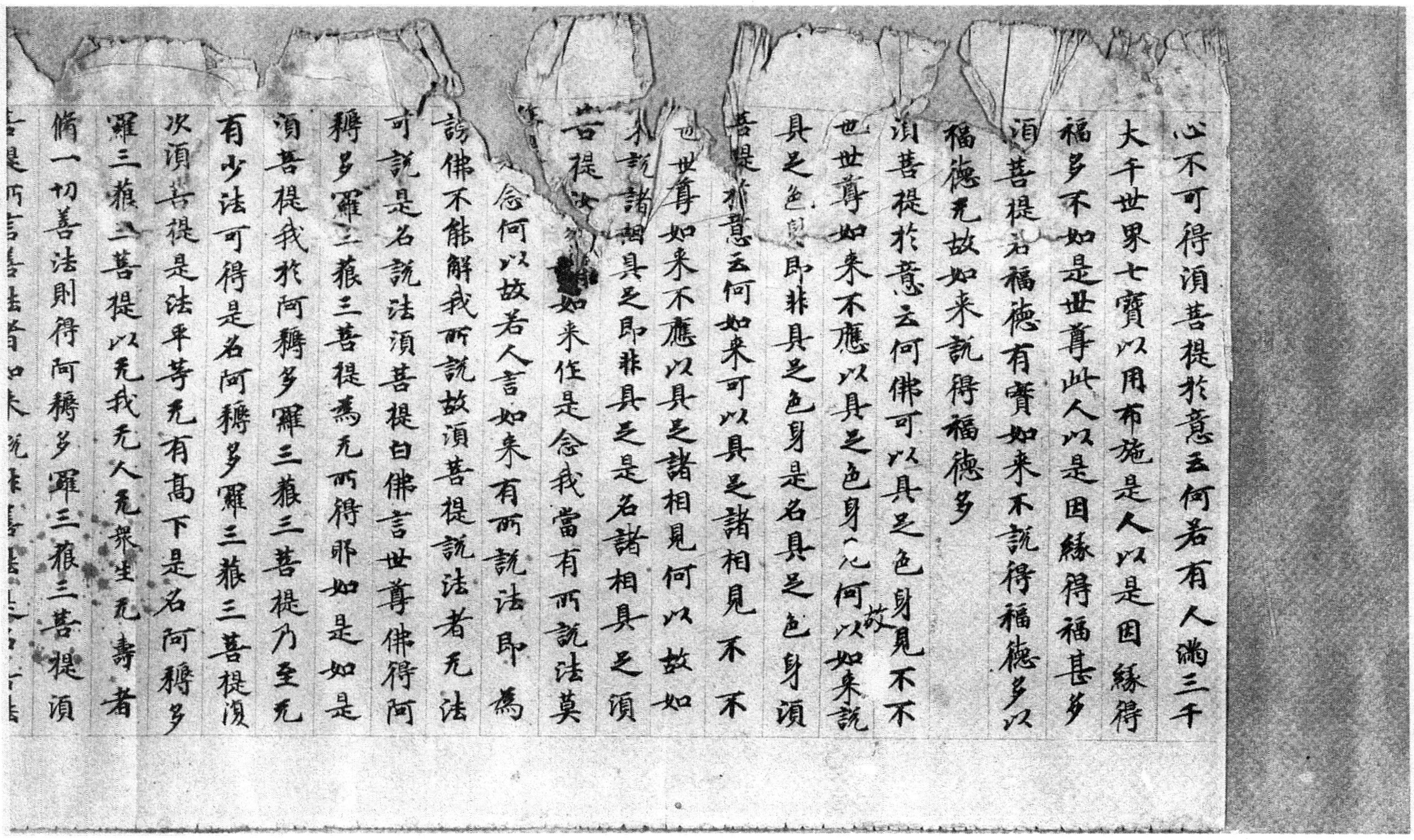
心不可得須菩提於意云何若有人滿三千
大千世界七寶以用布施是人以是因緣得
福多不如是世尊此人以是因緣得福甚多
須菩提若福德有實如来不說得福德多以
福德无故如来說得福德多
須菩提於意云何佛可以具足色身見不不
也世尊如来不應以具足色身見何以故如来說
具足色身即非具足色身是名具足色身須
菩提於意云何如来可以具足諸相見不不
也世尊如来不應以具足諸相見何以故如
来說諸相具足即非具足是名諸相具足須
菩提汝勿謂如来作是念我當有所說法莫
作是念何以故若人言如来有所說法即為
謗佛不能解我所說故須菩提說法者无法
可說是名說法須菩提白佛言世尊佛得阿
耨多羅三藐三菩提為无所得耶如是如是
須菩提我於阿耨多羅三藐三菩提乃至无
有少法可得是名阿耨多羅三藐三菩提復
次須菩提是法平等无有高下是名阿耨多
羅三藐三菩提以无我无人无眾生无壽者
脩一切善法則得阿耨多羅三藐三菩提須
菩提所言善法者如来說非善法是名善法

BD01102 號　金剛般若波羅蜜經　（5–1）

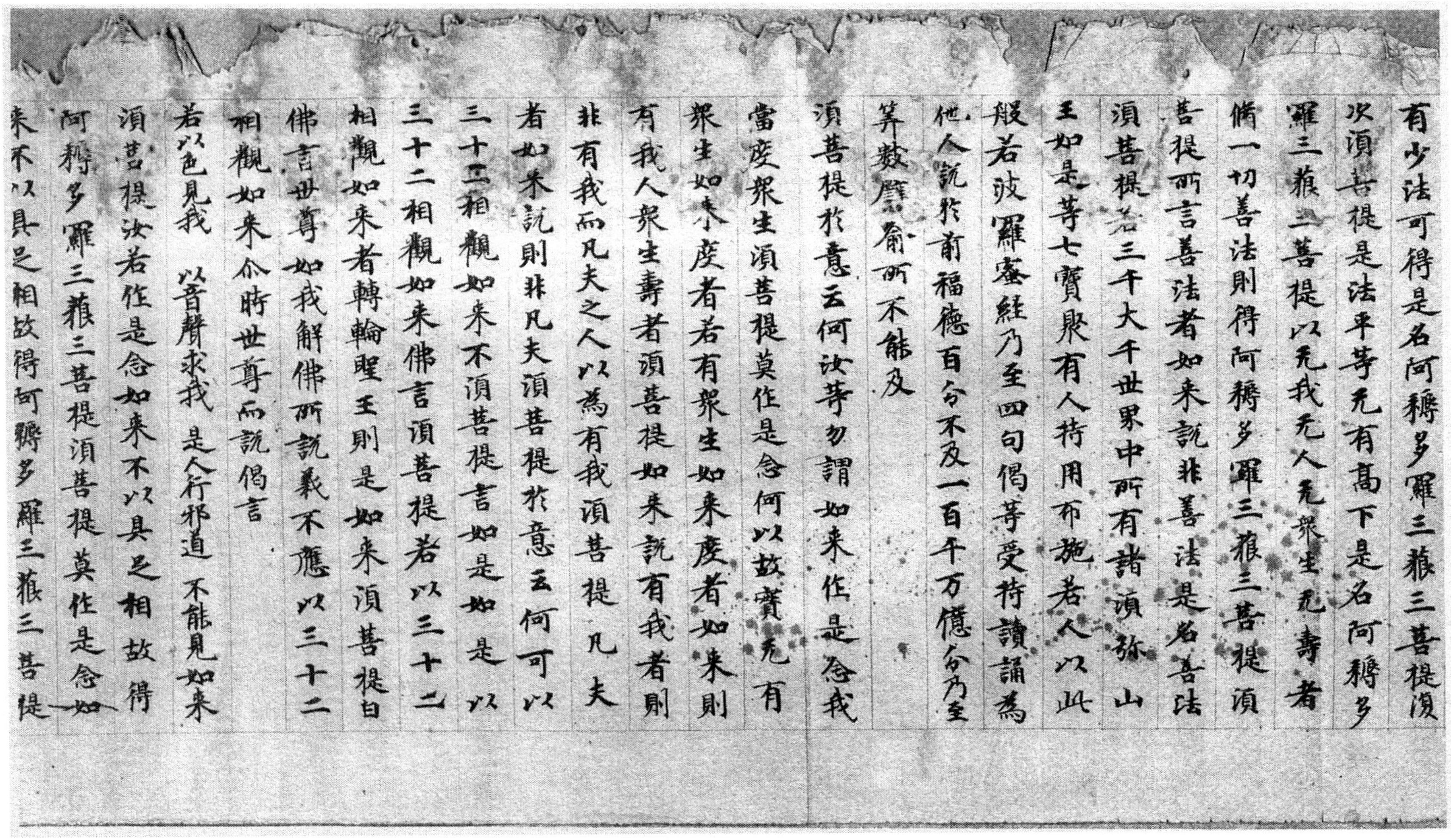
有少法可得是名阿耨多羅三藐三菩提復
次須菩提是法平等无有高下是名阿耨多
羅三藐三菩提以无我无人无眾生无壽者
脩一切善法則得阿耨多羅三藐三菩提須
菩提所言善法者如来說非善法是名善法
須菩提若三千大千世界中所有諸須弥山
王如是等七寶聚有人持用布施若人以此
般若波羅蜜經乃至四句偈等受持讀誦為
他人說於前福德百分不及一百千万億分乃至
筭數譬喻所不能及
須菩提於意云何汝等勿謂如来作是念我
當度眾生須菩提莫作是念何以故實无有
眾生如来度者若有眾生如来度者如来則
有我人眾生壽者須菩提如来說有我者則
非有我而凡夫之人以為有我須菩提凡夫
者如来說則非凡夫須菩提於意云何可以
三十二相觀如来不須菩提言如是如是以
三十二相觀如来佛言須菩提若以三十二
相觀如来者轉輪聖王則是如来須菩提白
佛言世尊如我解佛所說義不應以三十二
相觀如来尒時世尊而說偈言
若以色見我　以音聲求我　是人行邪道　不能見如来
須菩提汝若作是念如来不以具足相故得
阿耨多羅三藐三菩提須菩提莫作是念如
来不以具足相故得阿耨多羅三藐三菩提

BD01102 號　金剛般若波羅蜜經　（5–2）

相觀如来尒時世尊而說偈言
若以色見我　以音聲求我　是人行邪道　不能見如来
須菩提汝若作是念如来不以具足相故得
阿耨多羅三藐三菩提須菩提莫作是念如
来不以具足相故得阿耨多羅三藐三菩提
須菩提汝若作是念發阿耨多羅三藐三菩
提者說諸法斷滅相莫作是念何以故發阿
耨多羅三藐三菩提者於法不說斷滅相須
菩提若菩薩以滿恒河沙等世界七寶布施
若復有人知一切法无我得成於忍此菩薩
勝前菩薩所得功德須菩提以諸菩薩不受
福德故須菩提白佛言世尊云何菩薩不受
福德須菩提菩薩所作福德不應貪著是故
說不受福德須菩提若有人言如来若来若
去若坐若卧是人不解我所說義何以故如
来者无所從来亦无所去故名如来
須菩提若善男子善女人以三千大千世界
碎為微塵於意云何是微塵衆寧為多不甚
多世尊何以故若是微塵衆實有者佛則不
說是微塵衆所以者何佛說微塵衆則非微
塵衆是名微塵衆世尊如来所說三千大千
世界則非世界是名世界何以故若世界實
有者則是一合相如来說一合相則非一合
相是名一合相須菩提一合相者則是不可
說但凡夫之人貪著其事須菩提若人言佛

BD01102號　金剛般若波羅蜜經　（5–3）

塵衆是名微塵衆世尊如来所說三千大千
世界則非世界是名世界何以故若世界實
有者則是一合相如来說一合相則非一合
相是名一合相須菩提一合相者則是不可
說但凡夫之人貪著其事須菩提若人言佛
說我見人見衆生見壽者見須菩提於意云
人解我所說義不世尊是人不解如来
說義何以故世尊說我見人見衆生見壽
見即非我見人見衆生見壽者見是名我
見人見衆生見壽者見須菩提發阿耨多羅
藐三菩提心者於一切法應如是知如是
見如是信解不生法相須菩提所言法相者
如来說即非法相是名法相須菩提若有人
以滿无量阿僧祇世界七寶持用布施若有
善男子善女人發菩薩心者持於此經乃至
四句偈等受持讀誦為人演說其福勝彼云
何為人演說不取於相如如不動何以故
一切有為法　如夢幻泡影　如露亦如電　應作如是觀
佛說是經已長老須菩提及諸比丘比丘尼
優婆塞優婆夷一切世間天人阿脩羅聞佛
所說皆大歡喜信受奉行

金剛般若波羅蜜經

BD01102號　金剛般若波羅蜜經　（5–4）

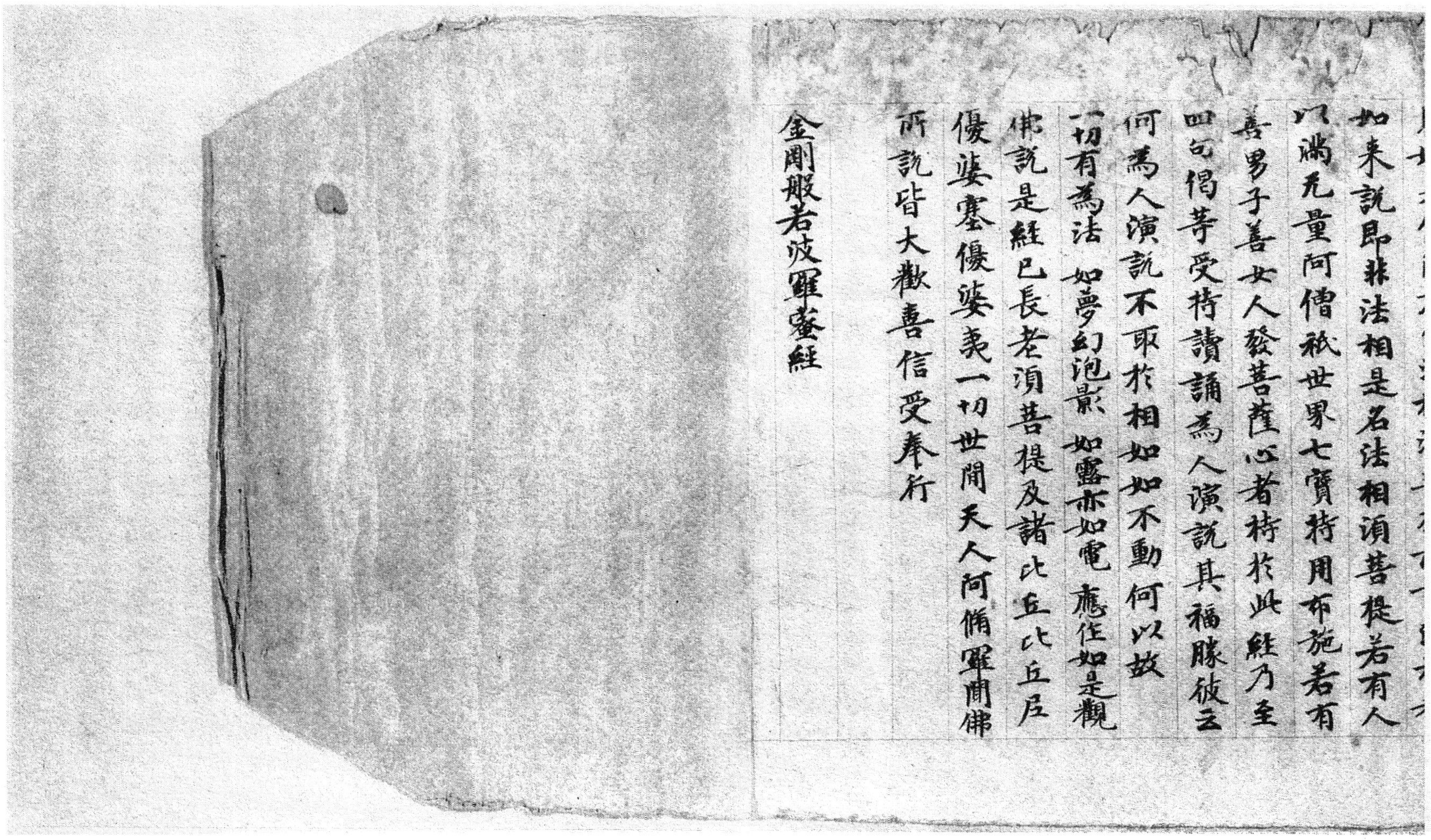
如來說即非法相是名法相須菩提若有人
以滿无量阿僧祇世界七寶持用布施若有
善男子善女人發菩薩心者持於此經乃至
四句偈等受持讀誦為人演說其福勝彼云
何為人演說不取於相如如不動何以故
一切有為法 如夢幻泡影 如露亦如電 應作如是觀
佛說是經已長老須菩提及諸比丘比丘尼
優婆塞優婆夷一切世間天人阿脩羅聞佛
所說皆大歡喜信受奉行
金剛般若波羅蜜經

BD01102 號　金剛般若波羅蜜經　（5–5）

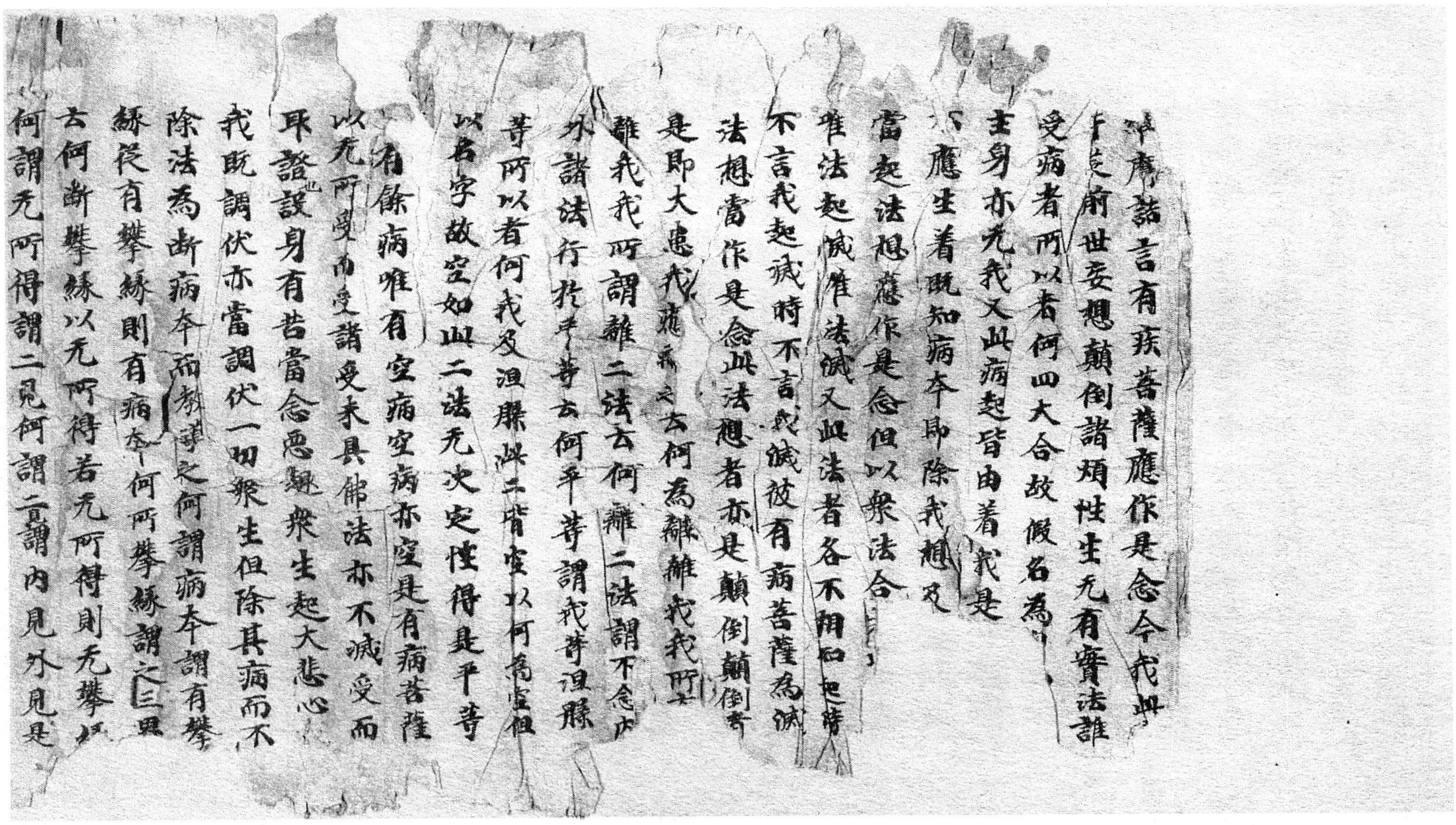
維摩詰言有疾菩薩應作是念今我此
皆前世妄想顛倒諸煩惱生无有實法誰
受病者所以者何四大合故假名為身
主身亦无我又此病起皆由著我是
不應生著既知病本即除我想及
當起法想應作是念但以衆法合
起唯法起滅唯法滅又此法者各不相知起時
不言我起滅時不言我滅彼有疾菩薩為滅
法想當作是念此法想者亦是顛倒顛倒者
是即大患我應離之云何為離離我我所
離我我所云何離我我所謂離二法云何離二法謂不念內
外諸法行於平等云何平等謂我等涅槃
等所以者何我及涅槃此二皆空以何為空但
以名字故空如此二法无決定性得是平等
有餘病唯有空病空病亦空是有病菩薩
以无所受而受諸受未具佛法亦不滅受而
取證也設身有苦當念惡趣衆生起大悲心
我既調伏亦當調伏一切衆生但除其病而不
除法為斷病本而教導之何謂病本謂有攀
緣從有攀緣則有病本何所攀緣謂之三界
云何斷攀緣以无所得若无所得則无攀緣
何謂无所得謂二見何謂二見謂內見外見是

BD01103 號　維摩詰所說經卷中　（25–1）

我既調伏亦當調伏一切衆生但除其病而不
除法為斷病本而教導之何謂病本謂有攀
緣從有攀緣則有病本何所攀緣謂之三界
云何斷攀緣以无所得若无所得則无攀緣
何謂无所得謂二見何謂二見謂內見外見是
无所得文殊師利是為有疾菩薩調伏其
心為斷老病死苦是菩薩菩提若不如是已
所脩治為无慧利譬如勝怨乃可為勇如是
兼除老病死者菩薩之謂也彼有疾菩薩應
復作是念如我此病非真非有衆生病亦非
真非有作是觀時於諸衆生若起愛見大悲
即應捨離所以者何菩薩斷除客塵煩惱而
起大悲愛見悲者則於生死有疲厭心若能
離此无有疲厭在在所生不為愛見之所覆
也所生无縛能為衆生說法解縛如佛所說
若自有縛能解彼縛无有是處若自无縛能
解彼縛斯有是處是故菩薩不應起縛何謂
縛何謂解貪着禪味是菩薩縛以方便生是
菩薩解又无方便慧縛有方便慧解无慧方
便縛有慧方便解何謂无方便慧縛謂菩薩
以愛見心莊嚴佛土成就衆生於空无相无
作法中而自調伏是名无方便慧縛何謂有
方便慧解謂不以愛見心莊嚴佛土成就衆
生於空无相无作法中以自調伏而不疲厭
是名有方便慧解何謂无慧方便縛謂菩
薩住貪欲瞋恚邪見等諸煩惱而殖衆德本

BD01103號　維摩詰所說經卷中　（25–2）

作法中而自調伏是名无方便慧縛何謂有
方便慧解謂不以愛見心莊嚴佛土成就衆
生於空无相无作法中以自調伏而不疲厭
是名有方便慧解何謂无慧方便縛謂菩
薩住貪欲瞋恚邪見等諸煩惱而殖衆德本
是名无慧方便縛何謂有慧方便解謂離諸
貪欲瞋恚邪見等諸煩惱而殖衆德本迴
向阿耨多羅三藐三菩提是名有慧方便解
文殊師利彼有疾菩薩應如是觀諸法又復
觀身无常苦空非我是名為慧雖身有疾常
在生死饒益一切而不厭惓是名方便又復觀
身身不離病病不離身是病是身非心非故
是名為慧設身有疾而不永滅是名方便文
殊師利有疾菩薩應如是調伏其心不住其
中亦復不住不調伏心所以者何若住不調伏
心是愚人法若住調伏心是聲聞法是故菩
薩不當住於調伏不調伏心離此二法是菩
薩行在於生死不為污行住於涅槃不永滅
度是菩薩行非凡夫行非賢聖行是菩薩
行非垢行非淨行是菩薩行雖過魔行而
現降衆魔是菩薩行求一切智无非時求是
菩薩行雖觀諸法不生而不入正位是菩薩
行雖觀十二緣起而入諸邪見是菩薩行雖
攝一切衆生而不愛着是菩薩行雖樂遠離
而不依身心盡是菩薩行雖行三界而不
法性是菩薩行雖行於空而殖衆德本是菩

BD01103號　維摩詰所說經卷中　（25–3）

行雖觀十二緣起而入諸邪見是菩薩行雖
攝一切衆生而不愛著是菩薩行雖樂遠離
而不依身心盡是菩薩行雖行三界而不
法性是菩薩行雖行於空而殖衆德本是菩
薩行雖行无相而度衆生是菩薩行雖行无
作而現受身是菩薩行雖行无起而起一切
善行是菩薩行雖行六波羅蜜而遍知衆生
心心數法是菩薩行雖行六通而不盡漏是
菩薩行雖行四无量心而不貪著生於梵世
是菩薩行雖行禪定解脫三昧而不隨禪生
是菩薩行雖行四念處而不永離身受心法
是菩薩行雖行四正勤而不捨身心精進是
菩薩行雖行四如意足而得自在神通是菩
薩行雖行五根而分別衆生諸根利鈍是菩
薩行雖行五力而樂求佛十力是菩薩行雖
行七覺分而分別佛之智慧是菩薩行雖行
八正道而樂行无量佛法是菩薩行雖行止
觀助道之法而不畢竟墮於寂滅是菩薩行
雖行諸法不生不滅而以相好莊嚴其身是
菩薩行雖現聲聞辟支佛威儀而不捨佛法
是菩薩行雖隨諸法究竟淨相而隨所應爲
現其身是菩薩行雖觀諸佛國土永寂如空
而現種種清淨佛土是菩薩行雖得佛道轉
于法輪入於涅槃而不捨於菩薩之道是菩
薩行說是語時文殊師利所將大衆其中八
千天子皆發阿耨多羅三藐三菩提心

BD01103號　維摩詰所說經卷中　（25–4）

現其身是菩薩行雖觀諸佛國土永寂如空
而現種種清淨佛土是菩薩行雖得佛道轉
于法輪入於涅槃而不捨於菩薩之道是菩
薩行說是語時文殊師利所將大衆其中八
千天子皆發阿耨多羅三藐三菩提心
不思議品第六
尒時舍利弗見此室中无有牀座作是念斯
諸菩薩大弟子衆當於何坐長者維摩詰知
其意語舍利弗言云何仁者爲法來耶求牀
座耶舍利弗言我爲法來非爲牀座維摩詰
言唯舍利弗夫求法者不貪軀命何況牀座
夫求法者非有色受想行識之求非有界入
之求非有欲色无色之求唯舍利弗夫求法
者不着佛求不着法求不着衆求夫求法者
无見苦求无斷集求无造盡證脩道之求所以
者何法无戲論若言我當見苦斷集證滅脩
道是則戲論非求法也唯舍利弗法名寂滅
若行生滅是求生滅非求法也法名无染若
染於法乃至涅槃是則染着非求法也法无
行處若行於法是則行處非求法也法无取
捨若取捨法是則取捨非求法也法无處所
若着處所是則着處非求法也法名无相若
隨相識是則求相非求法也法不可住若
住於法是則住法非求法也法不可見聞覺
知若行見聞覺知是則見聞覺知非求法也
法名无爲若行有爲是求有爲非求法也是
故舍利弗若求法者於一切法應无所求說

BD01103號　維摩詰所說經卷中　（25–5）

隨相識是則求相非求法也法不可住若
住於法是則住法非求法也法不可見聞覺
知若行見聞覺知是則見聞覺知非求法也
法名无為若行有為是求有為非求法也是
故舍利弗若求法者於一切法應无所求說
是語時五百天子於諸法中得法眼淨
尒時長者維摩詰問文殊師利仁者遊於无
量千万億阿僧祇國何等佛土有好上妙功
德成就師子之座文殊師利言居東方度卅
六恒河沙國有世界名須弥相其佛号須弥
燈王今現在彼佛身長八万四千由旬其師
子座高八万四千由旬嚴飾第一於是長者
維摩詰現神通力即時彼佛遣三万二千
師子座高廣嚴好來入維摩詰室諸菩薩大
弟子釋梵四天王等昔所未見其室廣博悉
苞容受三万二千師子座无所妨礙於毗耶離
城及閻浮提四天下亦不迫迮悉見如故尒
時維摩詰語文殊師利就師子座與諸菩薩
上人俱坐當自立身如彼坐像其得神通菩
薩即自變身為四万二千由旬坐師子座諸
新發意菩薩及大弟子皆不能昇尒時維摩
詰語舍利弗就師子座舍利弗言居士此座
高廣吾不能昇維摩詰言唯舍利弗為須
弥燈王如來作礼乃可得坐於是新發意菩
薩及大弟子即為須弥燈王如來作礼便得坐
師子座舍利弗言居士未曾有也如是小室乃
容受此高廣之座於毗耶離城无所妨礙

BD01103號　維摩詰所説經卷中　（25–6）

弥燈王如來作礼乃可得坐於是新發意菩
薩及大弟子即為須弥燈王如來作礼便得坐
師子座舍利弗言居士未曾有也如是小室乃
容受此高廣之座於毗耶離城无所妨礙
又於閻浮提聚落城邑及四天下諸天龍王
鬼神宮殿亦不迫迮維摩詰言唯舍利弗諸
佛菩薩有解脫名不可思議若菩薩作是解
脫者以須弥之高廣內芥子中无所增減須
弥山王本相如故而四天王忉利諸天不覺
不知己之所入唯應度者乃見須弥入芥子
中是名不可思議解脫法門又以四大海水
入一毛孔不嬈魚鱉黿鼉水性之屬而彼大
海本相如故諸龍鬼神阿脩羅等不覺不知
己之所入於此衆生亦无所嬈又舍利弗住不
可思議解脫菩薩斷取三千大千世界如
陶家輪着右掌中擲過恒河沙世界之外其
中衆生不覺不知己之所往又復還置本處
都不使人有往來想而此世界本相如故又
舍利弗或有衆生樂久住世而可度者菩薩
即演七日以為一劫令彼衆生謂之一劫或
有衆生不樂久住而可度者菩薩即促一劫
以為七日令彼衆生謂之七日又舍利弗住
不可思議解脫菩薩以一切佛土嚴飾之事
集在一國示於衆生又菩薩以一佛土衆生
置之右掌飛到十方遍示一切而不動本處
又舍利弗十方衆生供養諸佛之具菩薩於

BD01103號　維摩詰所説經卷中　（25–7）

不可思議解脫菩薩以一切佛土嚴飾之事
集在一國示於衆生又菩薩以一佛土衆生
置之右掌飛到十方遍示一切而不動本處
又舍利弗十方衆生供養諸佛之具菩薩於
一毛孔皆令得見又十方國土所有日月星
宿於一毛孔普使見之又舍利弗十方世界
所有諸風菩薩悉能吸著口中而身无損外
諸樹木亦不摧折又十方世界劫盡燒時以
一切火內於腹中火事如故而不為害又於
下方過恒河沙等諸佛世界取一佛土舉著
上方過恒河沙无數世界如持針鋒舉一棗
葉而无所嬈又舍利弗住不可思議解脫菩
薩能以神通現作佛身或現辟支佛身或
現聲聞身或現帝釋身或現梵王身或現世
主身或現轉輪王身又十方世界所有衆聲上
中下音皆能變之令作佛聲演出无常苦空
无我之音及十方諸佛所說種種之法皆於
其中普令得聞舍利弗我今略說菩薩不可
思議解脫之力若廣說者窮劫不盡是時迦
葉聞說菩薩不可思議解脫法門歎未曾有
謂舍利弗譬如有人於盲者前現衆色像非
彼所見一切聲聞聞是不可思議解脫法門
不能解了為若此也智者聞是其誰不發阿
耨多羅三藐三菩提心我等何為永絕其根
於此大乘已如敗種一切聲聞聞是不可思議
解脫法門皆應號泣聲震三千大千世界

BD01103號　維摩詰所說經卷中　（25–8）

不能解了為若此也智者聞是其誰不發阿
耨多羅三藐三菩提心我等何為永絕其根
於此大乘已如敗種一切聲聞聞是不可思議
解脫法門皆應號泣聲震三千大千世界
一切菩薩應大喜慶頂受此法若有菩薩信
解不可思議解脫法門者一切魔衆无如之何
大迦葉說是語時三万二千天子皆發阿耨
多羅三藐三菩提心
尒時維摩詰語大迦葉仁者十方无量阿僧
祇世界中作魔王者多是住不可思議解脫
菩薩以方便力教化衆生現作魔王又迦葉
十方无量菩薩或有人從乞手足耳鼻頭目
髓腦血肉皮骨聚落城邑妻子奴婢象馬
車乘金銀瑠璃車𤦲馬瑙珊瑚虎珀真珠珂
貝衣服飲食如此乞者多是住不可思議解脫
菩薩以方便力而往試之令其堅固所以者何
住不可思議解脫菩薩有威德力故行逼迫
示諸衆生如是難事凡夫下劣无有力勢不
能如是逼迫菩薩譬如龍象蹴蹹非驢所
堪是名住不可思議解脫菩薩智慧方便之門

觀衆生品第七

尒時文殊師利問維摩詰言菩薩云何觀於
衆生維摩詰言譬如幻師見所幻人菩薩觀
衆生為若此如智者見水中月如鏡中見其
面像如熱時焰如呼聲響如空中雲如水聚
沫如水上泡如芭蕉堅如電久住如第五大

BD01103號　維摩詰所說經卷中　（25–9）

尒時文殊師利問維摩詰言菩薩云何觀於
衆生維摩詰言譬如幻師見所幻人菩薩觀
衆生爲若此如智者見水中月如鏡中見其
面像如熱時焰如呼聲響如空中雲如水聚
沫如水上泡如芭蕉堅如電久住如第五大
如第六陰如第七情如十三入如十九界菩薩
觀衆生爲若此如无色界色如燋穀牙如
須陁洹身見如阿那含入胎如阿羅漢三毒
如得忍菩薩貪恚毀禁如佛煩惱習如盲者
見色如入滅盡定出入息如空中鳥跡如石
女兒如化人煩惱如夢所見已悟如滅度者
受身如无烟之火菩薩觀衆生爲若此
文殊師利言若菩薩作是觀者云何行慈維
摩詰言菩薩作是觀已自念我當爲衆生說
如斯法是即真實慈也行寂滅慈无所生故
行不熱慈无煩惱故行等之慈等三世故行
无諍慈无所起故行不二慈内外不合故行不
壞慈畢竟盡故行堅固慈心无毀故行清淨
慈諸法性淨故行无邊慈如虗空故行阿羅
慈破結賊故行菩薩慈安衆生故行如來慈
得如相故行佛之慈覺衆生故行自然慈
无因得故行菩提慈等一味故行无等慈
斷諸愛故行大悲慈導以大乘故行无厭慈
觀空无我故行法施慈无遺惜故行持戒慈
化毀禁故行忍辱慈護彼我故行精進慈荷
負衆生故行禪定慈不受味故行智慧慈无

斷諸愛故行大悲慈導以大乘故行无厭慈
觀空无我故行法施慈无遺惜故行持戒慈
化毀禁故行忍辱慈護彼我故行精進慈荷
負衆生故行禪定慈不受味故行智慧慈无
不知時故行方便慈一切示現故行无隱慈
直心清淨故行深心慈无雜行故行无誑慈
不虗假故行安樂慈令得佛樂故菩薩之慈
爲若此也
文殊師利又問何謂爲悲荅曰菩薩所作功
德皆與一切衆生共之何謂爲喜荅曰有所
饒益歡喜无悔何謂爲捨荅曰所作福祐无
所希望文殊師利又問生死有畏菩薩當何
所依維摩詰言菩薩於生死畏中當依如來
功德之力文殊師利又問菩薩欲依如來功
德之力當於何住荅曰菩薩欲依如來功德
力者當住度脫一切衆生又問欲度衆生當
何所除荅曰欲度衆生除其煩惱又問欲除
煩惱當何所行荅曰當行正念又問云何行
於正念荅曰當行不生不滅又問何法不生
何法不滅荅曰不善不生善法不滅又問善
不善孰爲本荅曰身爲本又問身孰爲本荅
曰欲貪爲本又問欲貪孰爲本荅曰虗妄分
別爲本又問虗妄分別孰爲本荅曰顛倒想
爲本又問顛倒想孰爲本荅曰无住爲本又
問无住孰爲本荅曰无住則无本文殊師利
從无住本立一切法

曰欲貪為本又問欲貪孰為本荅曰虛妄分
別為本又問虛妄分別孰為本荅曰顛倒想
為本又問顛倒想孰為本荅曰无住為本又
問无住孰為本荅曰无住則无本文殊師利
從无住本立一切法
時維摩詰室有一天女見諸大人聞所說法
便現其身即以天華散諸菩薩大弟子上華
至諸菩薩即皆墮落至大弟子便着不墮一
切弟子神力去華不能令去尒時天問舍利
弗何故去華荅曰此華不如法是以去之天
曰勿謂此華為不如法所以者何是華无所
分別仁者自生分別想耳若於佛法出家有
所分別為不如法若无分別是則如法觀諸
菩薩華不著者以斷一切分別想故譬如人
畏時非人得其便如是弟子畏生死故色聲
香味觸得其便已離畏者一切五欲无能為也
結習未盡華著身耳結習盡者華不着也
舍利弗言天止此室其已久如荅曰我止此
室如耆年解脫舍利弗言止此久耶天曰耆
年解脫亦何如久舍利弗默然不荅天曰如
何耆舊大智而默荅曰解脫者无所言說故
吾於是不知所云天曰言說文字皆解脫相
所以者何解脫者不內不外不在兩間文字
亦不內不外不在兩間是故舍利弗无離文
字說解脫也所以者何一切諸法皆是解脫
相舍利弗言不復以離婬怒癡為解脫乎天
曰佛為增上慢人說離婬怒癡為解脫耳若

BD01103 號　維摩詰所說經卷中　（25–12）

亦不內不外不在兩間是故舍利弗无離文
字說解脫也所以者何一切諸法皆是解脫
相舍利弗言不復以離婬怒癡為解脫乎天
曰佛為增上慢人說離婬怒癡為解脫耳若
无增上慢者佛說婬怒癡性即是解脫舍
利弗言善哉善哉天女汝何所得以何為證
辯乃如是天曰无得无證故辯如是所以者
何若有得有證者則於佛法為增上慢舍
利弗問天汝於三乘為何志求天曰以聲
聞法化衆生故我為聲聞以因緣法化衆生
故我為辟支佛以大悲化衆生故我為大乘
舍利弗如人入瞻蔔林唯齅瞻蔔不齅餘香
如是若入此室但聞佛法功德之香不樂聲
聞辟支佛功德香也舍利弗其有釋梵四天
王諸天龍鬼神等入此室者聞斯上人講說
正法皆樂佛功德之香發心而出舍利弗吾
止此室十有二年初不聞說聲聞辟支佛法
但聞菩薩大慈大悲不可思議諸佛之法舍
利弗此室常現八未曾有難得之法何等為
八此室常以金色光照晝夜无異不以日月所
照為明是為一未曾有難得之法此室入者
不為諸垢之所惱也是為二未曾有難得
之法此室常有釋梵四天王他方菩薩來會
不絕是為三未曾有難得之法此室常說六
波羅蜜不退轉法是為四未曾有難得之法
此室常作天人第一之樂絃出无量法化之聲

BD01103 號　維摩詰所說經卷中　（25–13）

不為諸垢之所惱也是為二未曾有難得
之法此室常有釋梵四天王他方菩薩來會
不絕是為三未曾有難得之法此室常說六
波羅蜜不退轉法是為四未曾有難得之法
此室常作天人第一之樂絃出无量法化之聲
是為五未曾有難得之法此室有四大藏衆
寶積滿周窮濟乏求得无盡是為六未曾
有難得之法此室釋迦牟尼佛阿弥陁佛阿
閦佛寶德寶炎寶月寶嚴難勝師子響一切
利成如是等十方无量諸佛是上人念時即
皆為來廣說諸佛秘要法藏說已還去是為
七未曾有難得之法此室一切諸天嚴飾宮
殿諸佛淨土皆於中現是為八未曾有難得
之法舍利弗此室常現八未曾有難得之法
誰有見斯不思議事而復樂於聲聞法乎
舍利弗言汝何以不轉女身天曰我從十二年
來求女人相了不可得當何所轉譬如幻師
化作幻女若有人問何以不轉女身是人為
正問不舍利弗言不也幻无定相當何所
轉天曰一切諸法亦復如是无有定相云何
乃問不轉女身耶時天女以神通力變舍利
弗令如天女天自化身如舍利弗而問言何
以不轉女身舍利弗以天女像而荅言我今
不知何轉而變為女身天曰舍利弗若能轉
此女身則一切女人亦當能轉如舍利弗非
女而現女身一切女人亦復如是雖現女身
而非女也是故佛說一切諸法非男非女即

弗令如天女天自化身如舍利弗而問言何
以不轉女身舍利弗以天女像而荅言我今
不知何轉而變為女身天曰舍利弗若能轉
此女身則一切女人亦當能轉如舍利弗非
女而現女身一切女人亦復如是雖現女身
而非女也是故佛說一切諸法非男非女即
時天女還攝神力舍利弗身還復如故天問
舍利弗女身色相今何所在舍利弗言女身
色相无在无不在天曰一切諸法亦復如是
无在无不在夫无在无不在者佛所說也舍
利弗問天汝於此沒當生何所天曰佛化所
生吾依生曰佛化所生非沒生也天曰衆生
猶然无沒生也舍利弗問天汝久如當得阿
耨多羅三藐三菩提天曰如舍利弗還為
凡夫我乃當成阿耨多羅三藐三菩提舍利
弗言我作凡夫无有是處天曰我得阿耨多
羅三藐三菩提亦无是處所以者何菩提无
住處是故无有得者舍利弗言諸佛得阿
耨多羅三藐三菩提已得當得如恒河沙皆
何謂乎天曰皆以世俗文字數故有三世非
謂菩提有去來今天曰舍利弗汝得阿羅漢
道耶曰无所得故而得天曰諸佛菩薩亦復
如是无所得故而得尒時維摩詰語舍利弗
是天女曾已供養九十二億佛已能遊戲菩
薩神通所願具足得无生忍住不退轉以本
願故隨意能現教化衆生

佛道品第八

如是无所得故而得佘時維摩詰語舍利弗
是天女曾已供養九十二億佛已能遊戲菩
薩神通所願具足得无生忍住不退轉以本
願故随意能現教化衆生

佛道品第八

佘時文殊師利問維摩詰言菩薩云何通達
佛道維摩詰言若菩薩行於非道是為通達
佛道又問云何菩薩行於非道荅曰若菩薩
行五无間而无惱恚至于地獄无諸罪垢至
于畜生无有无明憍慢等過至于餓鬼而具
足功德行色无色界不以為勝示行貪欲離
諸染着示行瞋恚於諸衆生无有恚碍示行
愚癡而以智慧調伏其心示行慳貪而捨内
外所有不惜身命示行毁禁而安住淨戒乃
至小罪猶懐大懼示行瞋恚而常慈忍示行
懈怠而勤脩功德示行亂意而常念定示行
愚癡而通達世間出世間慧示行諂偽而善
方便隨諸經義示行憍慢而於衆生猶如橋
梁示行諸煩惱而心常清淨示入於魔而順
佛智慧不隨他教示入聲聞而為衆生說未
聞法示入辟支佛而成就大悲教化衆生示
入貧窮而有寶手功德无盡示入形殘而具
諸相好以自莊嚴示入下賤而生佛種姓中
具諸功德示入羸劣醜陋而得那羅延身一
切衆生之所樂見示入老病而永斷病根超越
死畏示有資生而恒觀无常實无所貪示
有妻妾婇女而常遠離五欲淤泥現於訥鈍

BD01103 號　維摩詰所說經卷中　（25–16）

諸相好以自莊嚴示入下賤而生佛種姓中
具諸功德示入羸劣醜陋而得那羅延身一
切衆生之所樂見示入老病而永斷病根超越
死畏示有資生而恒觀无常實无所貪示
有妻妾婇女而常遠離五欲淤泥現於訥鈍
而成就辯才揔持无失示入邪濟而以正濟
度諸衆生現遍入諸道而斷其因緣現於涅
槃而不斷生死文殊師利菩薩能如是行於
非道是為通達佛道

於是維摩詰問文殊師利何等為如來種文
殊師利言有身為種无明有愛為種貪恚癡
為種四顛倒為種五蓋為種六入為種七識
處為種八邪法為種九惱處為種十不善道
為種以要言之六十二見及一切煩惱皆是佛
種曰何謂也荅曰若見无為入正位者不
能復發阿耨多羅三藐三菩提心譬如高原
陸地不生蓮華卑濕淤泥乃生此華如是見
无為法入正位者終不復能生於佛法煩惱
泥中乃有衆生起佛法耳又如殖種於空終
不得生糞壤之地乃能滋茂如是入无為正
位者不生佛法起於我見如須弥山猶能發
于阿耨多羅三藐三菩提心生佛法矣是故
當知一切煩惱為如來種譬如不入巨海不
能得无價寶珠如是不入煩惱大海則不能
生一切智寶之心
佘時大迦葉歎言善哉善哉文殊師利快說

BD01103 號　維摩詰所說經卷中　（25–17）

當知一切煩惱為如來種譬如不入巨海不
能得无價寶珠如是不入煩惱大海則不能
生一切智寶之心
尒時大迦葉歎言善哉善哉文殊師利快說
此語誠如所言塵勞之疇為如來種我等今
者不復堪任發阿耨多羅三藐三菩提心乃
至五无間罪猶能發意生於佛而今我等
永不能發譬如根敗之士其於五欲不能復
利如是聲聞諸結斷者於佛法中无所復益
永不志願是故文殊師利凡夫於佛法有反
復而聲聞无也所以者何凡夫聞佛法能起
无上道心不斷三寶正使聲聞終身聞佛法
力无畏等永不能發无上道意尒時會中有
菩薩名普現色身問維摩詰言居士父母妻
子親戚眷屬吏民知識悉為是誰奴婢僮僕
象馬車乘皆何所在於是維摩詰以偈荅曰

智度菩薩母　方便以為父　一切眾導師　无不由是生
法喜以為妻　慈悲心為女　善心誠實男　畢竟空寂舍
弟子眾塵勞　隨意之所轉　道品善知識　由是成正覺
諸度法等侶　四攝為妓女　歌詠誦法言　以此為音樂
總持之園苑　无漏法林樹　覺意淨妙華　解脫智慧果
八解之浴池　定水湛然滿　布以七淨華　浴此无垢人
象馬五通馳　大乘以為車　調御以一心　遊於八正路
相具以嚴容　眾好飾其姿　慚愧之上服　深心為華鬘
富有七財寶　教授以滋息　如所說脩行　迴向為大利
四禪為牀座　從於淨命生　多聞增智慧　以為自覺音

BD01103 號　維摩詰所說經卷中　（25–18）

象馬五通馳　大乘以為車　調御以一心　遊於八正路
相具以嚴容　眾好飾其姿　慚愧之上服　深心為華鬘
富有七財寶　教授以滋息　如所說脩行　迴向為大利
四禪為牀座　從於淨命生　多聞增智慧　以為自覺音
甘露法之食　解脫味為漿　淨心以澡浴　戒品為塗香
摧滅煩惱賊　勇健无能踰　降伏四種魔　勝幡建道場
雖知无起滅　示彼故有生　悉現諸國土　如日无不現
供養於十方　无量億如來　諸佛及己身　无有分別想
雖知諸佛國　及與眾生空　而常脩淨土　教化於群生
諸有眾生類　形聲及威儀　无畏力菩薩　一時能盡現
覺知眾魔事　而示隨其行　以善方便智　隨意皆能現
或示老病死　成就諸群生　了知如幻化　通達无有礙
或現劫盡燒　天地皆洞然　眾人有常想　照令知无常
无數億眾生　俱來請菩薩　一時到其舍　化令向佛道
經書禁咒術　工巧諸伎藝　盡現行此事　饒益諸群生
世間眾道法　悉於中出家　因以解人惑　而不墮邪見
或作日月天　梵王世界主　或時作地水　或復作風火
劫中有疾疫　現作諸藥草　若有服之者　除病消眾毒
劫中有飢饉　現身作飲食　先救彼飢渴　却以法語人
劫中有刀兵　為之起慈悲　化彼諸眾生　令住无諍地
若有大戰陣　立之以等力　菩薩現威勢　降伏使和安
一切國土中　諸有地獄處　輙往到于彼　勉濟諸苦惱
一切國土中　畜生相食噉　皆現生於彼　為之作利益
示受於五欲　亦復現行禪　令魔心憒亂　不能得其便
火中生蓮華　是可謂希有　在欲而行禪　希有亦如是
或現作婬女　引諸好色者　先以欲鉤牽　後令入佛智
或為邑中主　或作商人導　國師及大臣　以祐利眾生

BD01103 號　維摩詰所說經卷中　（25–19）

一切國土中　畜生相噉食　皆現生於彼　為之作利益
示受於五欲　亦復現行禪　令魔心憒亂　不能得其便
火中生蓮華　是可謂希有　在欲而行禪　希有亦如是
或現作婬女　引諸好色者　先以欲鉤牽　後令入佛智
或為邑中主　或作商人導　國師及大臣　以祐利衆生
諸有貧窮者　現為无盡藏　因以勸導之　令發菩提心
我心憍慢者　為現大力士　消伏諸貢高　令住佛上道
其有恐懼者　居前而慰安　先施以无畏　後令發道心
或現離婬欲　為五通仙人　開導諸群生　令住戒忍慈
見須供事者　現為作僮僕　既悅可其意　乃發以道心
隨彼之所須　得入於佛道　以善方便力　皆能給足之
如是道无量　所行无有崖　智慧无邊際　度脫无數衆
假令一切佛　於无數億劫　讚歎其功德　猶尚不能盡
誰聞如是法　不發菩提心　除彼不肖人　癡冥无智者
入不二法門品第九
爾時維摩詰謂衆菩薩言諸仁者云何菩薩
入不二法門各隨所樂說之會中有菩薩名
法自在說言諸仁者生滅為二法本不生今
則无滅得此无生法忍是為入不二法門
德首菩薩曰我我所為二因有我故便有我
所若无有我則无我所是為入不二法門
不眴菩薩曰受不受為二若法不受則不可
得以不可得故无取无捨无作无行是為入
不二法門
德頂菩薩曰垢淨為二見垢實性則无淨相

得以不可得故无取无捨无作无行是為入
不二法門
德頂菩薩曰垢淨為二見垢實性則无淨相
順於滅相是為入不二法門
善宿菩薩曰是動是念為二不動則无念无
念則无分別通達此者是為入不二法門
善眼菩薩曰一相无相為二若知一相即是
无相亦不取无相入於平等是為入不二法門
妙臂菩薩曰菩薩心聲聞心為二觀心相空
如幻化者无菩薩心无聲聞心是為入不二
法門
弗沙菩薩曰善不善為二若不起善不善
入无相際而通達者是為入不二法門
師子菩薩曰罪福為二若達罪性則與福无
異以金剛慧決了此相无縛无解者是為入
不二法門
師子意菩薩曰有漏无漏為二若得諸法等
則不起漏不漏想不著於相亦不住无相是
為入不二法門
淨解菩薩曰有為无為為二若離一切數則
心如虛空以清淨慧无所礙者是為入不二法
門
那羅延菩薩曰世間出世間為二世間性空
即是出世間於其中不入不出不溢不散是
為入不二法門
善意菩薩曰生死涅槃為二若見生死性

那羅延菩薩曰世間出世間為二世間性空
即是出世間於其中不入不出不溢不散是
為入不二法門
善意菩薩曰生死涅槃為二若見生死性
則无生死无縛无解不然不滅如是解者是
為入不二法門
現見菩薩曰盡不盡為二法若究竟盡若不
盡皆是无盡相无盡相即是空空則无有盡
不盡相如是入者是為入不二法門
普首菩薩曰我无我為二我尚不可得非我
何可得見我實性者不復起二是為入不二法門
雷天菩薩曰明无明為二无明實性即是明明
亦不可取離一切數於其中平等无二者是為
入不二法門
喜見菩薩曰色色空為二色即是空非色滅
空色性自空如是受想行識識空為二識即
是空非識滅空識性自空於其中而通達者
是為入不二法門
明相菩薩曰四種異空種異為二四種性即
是空種性如前際後際空故中際亦空若
能如是知諸種性者是為入不二法門
妙意菩薩曰眼色為二若知眼性於色不
貪不恚不癡是名寂滅如是耳聲鼻香
舌味身觸意法為二若知意性於法不貪不
恚不癡是名寂滅安住其中是為入不二法門
无盡意菩薩曰布施迴向一切智為二布施

BD01103號　維摩詰所說經卷中　（25–22）

貪不恚不癡是名寂滅如是耳聲鼻香
舌味身觸意法為二若知意性於法不貪不
恚不癡是名寂滅安住其中是為入不二法門
无盡意菩薩曰布施迴向一切智為二布施
性即是迴向一切智性如是持戒忍辱精進
禪定智慧迴向一切智為二智慧性即是迴
向一切智性於其中入一相者是為入不二法門
深慧菩薩曰是空是无相是无作為二空即
是无相无相即是无作若空无相无作則无
心意識於一解脫門即是三解脫門者是為
入不二法門
寂根菩薩曰佛法眾為二佛即是法法即
是眾是三寶皆无為相與虛空等一切法亦
尒能隨此行者是為入不二法門
心无礙菩薩曰身身滅為二身即是身滅所
以者何見身實相者不起見身及見滅身身
與滅身无二无分別於其中不驚不懼者是
為入不二法門
上善菩薩曰身口意善為二是三業皆无作
相身无作相即口无作相口无作相即意无
作相是三業无作相即一切法无作相能如是
隨无作慧者是為入不二法門
福田菩薩曰福行罪行不動行為二三行實
性即是空空則无福行无罪行无不動行於
此三行而不起者是為入不二法門
華嚴菩薩曰從我起二為二見我實相者

BD01103號　維摩詰所說經卷中　（25–23）

門无作慧相是為入不二法門
福田菩薩曰福行罪行不動行為二三行實
性即是空空則无福行无罪行无不動行於
此三行而不起者是為入不二法門
華嚴菩薩曰從我起二為二見我實相者
不起二法若不住二法則无有識无所識者
是為入不二法門
德藏菩薩曰有所得相為二若无所得則
无取捨无取捨者是為入不二法門
月上菩薩曰闇與明為二无闇无明則无有
二所以者何如滅受想定无闇无明一切法亦
復如是於其中平等入者是為入不二法門
寶印手菩薩曰樂涅槃不樂世間為二若不
樂涅槃不厭世間則无有二所以者何若有縛
則有解若本无縛其誰求解无縛无解則无
樂厭是為入不二法門
珠頂王菩薩曰正道耶道為二住正道者則不
分別是耶是正離此二法是為入不二法門
樂實菩薩曰實不實為二實見者尚不見實
何況非實所以者何非肉眼所見慧眼乃能
見而此慧眼无見无不見是為入不二法門
如是諸菩薩各各說已問文殊師利何等是
菩薩入不二法門文殊師利曰如我意者於一
切法无言无說无示无識離諸問荅是為入不
二法門於是文殊師利問維摩詰言我等各
自說已仁者當說何等是菩薩入不二法門時
維摩詰默然无言文殊師利歎言善哉善

BD01103號　維摩詰所說經卷中　（25–24）

何況非實所以者何非肉眼所見慧眼乃能
見而此慧眼无見无不見是為入不二法門
如是諸菩薩各各說已問文殊師利何等是
菩薩入不二法門文殊師利曰如我意者於一
切法无言无說无示无識離諸問荅是為入不
二法門於是文殊師利問維摩詰言我等各
自說已仁者當說何等是菩薩入不二法門時
維摩詰默然无言文殊師利歎言善哉善
哉乃至无有文字語言是真入不二法門說
是不二法門時於此衆中五千菩薩皆入不二
法門得无生法忍

維摩詰經卷第二

BD01103號　維摩詰所說經卷中　（25–25）

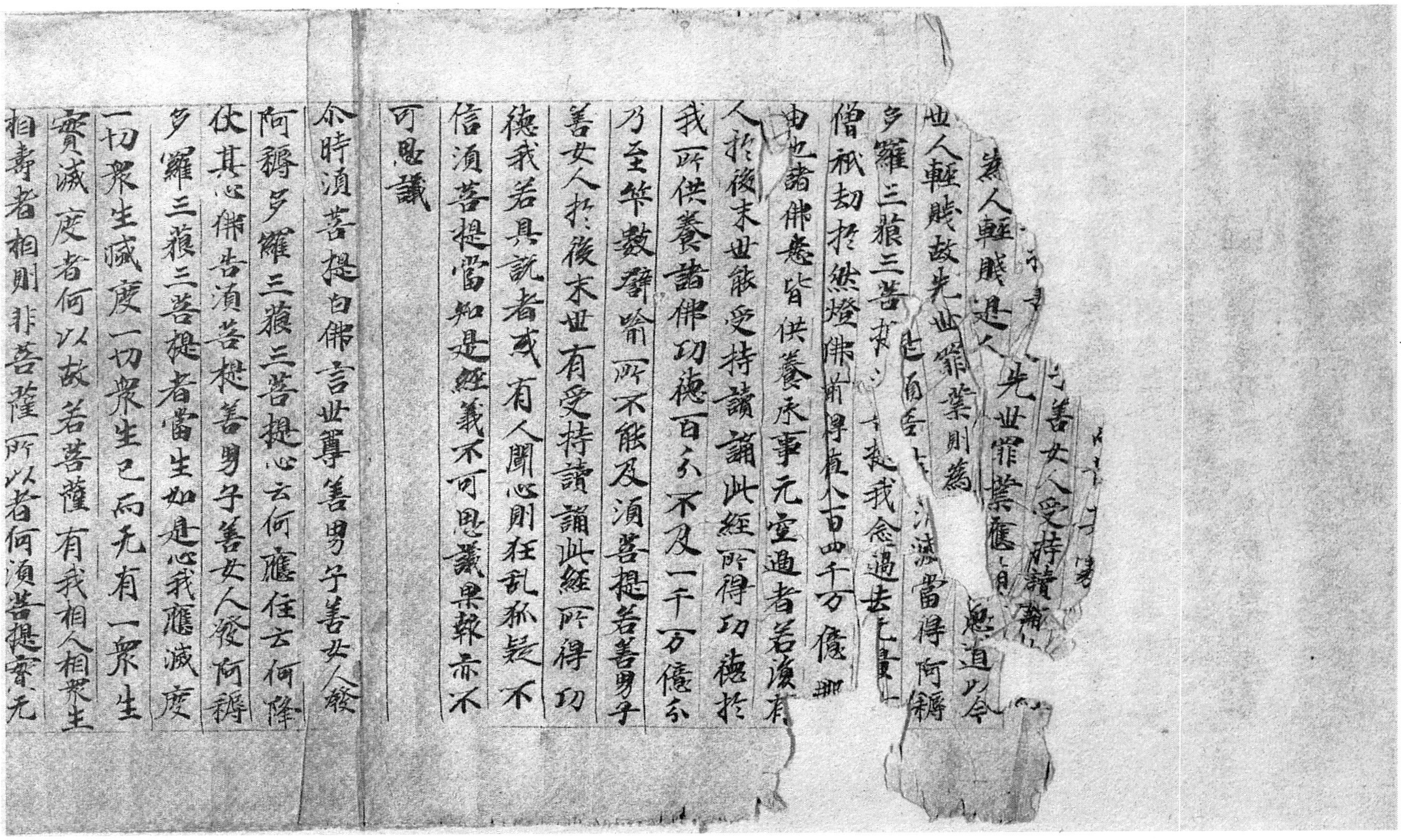
…善女人受持讀誦…
為人輕賤是人先世罪業應…惡道以今
世人輕賤故先世罪業則為…消滅當得阿耨
多羅三藐三菩提…我念過去无量阿
僧祇劫於然燈佛前得值八百四千万億那
由他諸佛悉皆供養承事无空過者若復有
人於後末世能受持讀誦此經所得功德於
我所供養諸佛功德百分不及一千万億分
乃至筭數譬喻所不能及須菩提若善男子
善女人於後末世有受持讀誦此經所得功
德我若具說者或有人聞心則狂亂狐疑不
信須菩提當知是經義不可思議果報亦不
可思議
尒時須菩提白佛言世尊善男子善女人發
阿耨多羅三藐三菩提心云何應住云何降
伏其心佛告須菩提善男子善女人發阿耨
多羅三藐三菩提者當生如是心我應滅度
一切衆生滅度一切衆生已而无有一衆生
實滅度者何以故若菩薩有我相人相衆生
相壽者相則非菩薩所以者何須菩提實无

BD01104 號　金剛般若波羅蜜經　　（8–1）

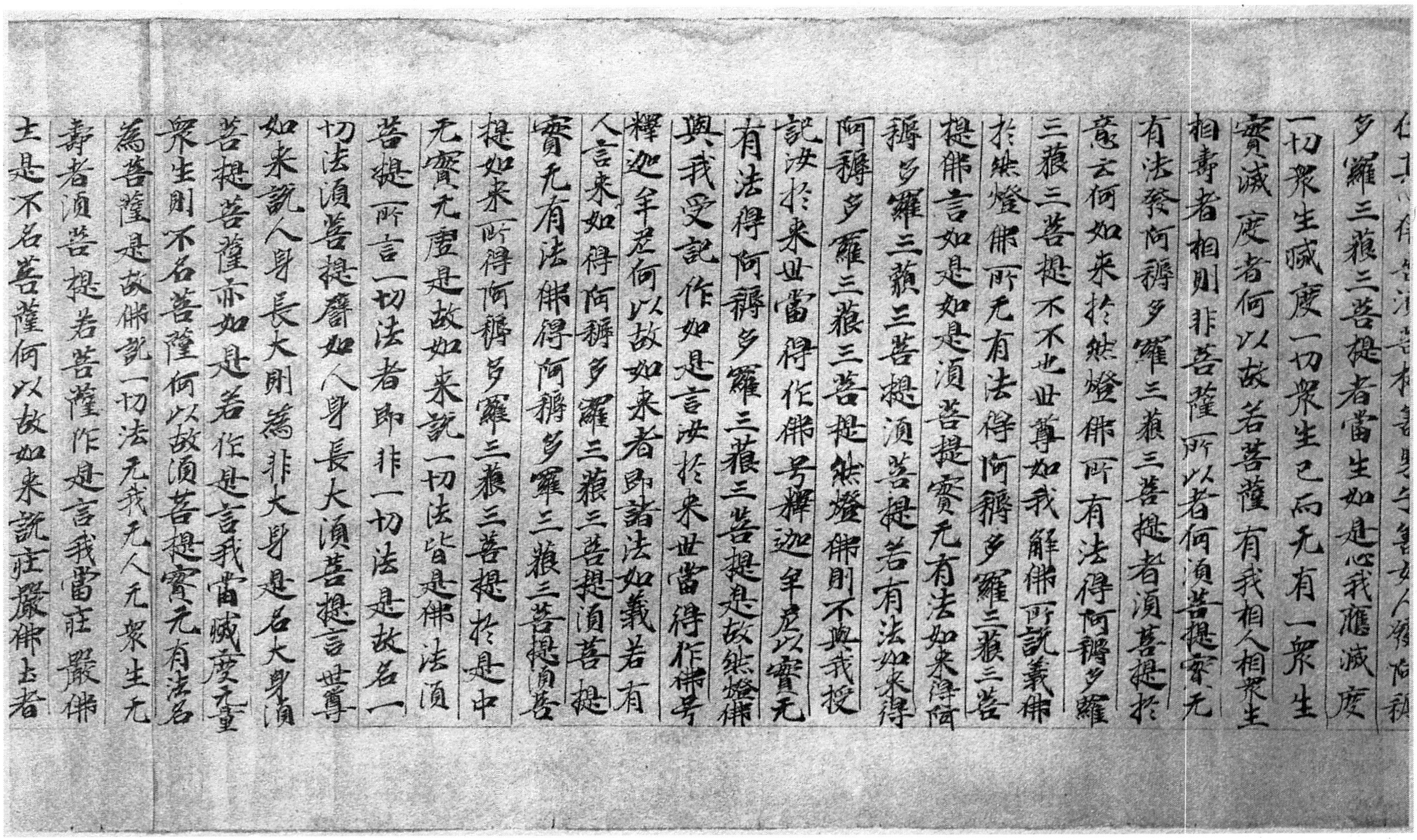
伏其心…
多羅三藐三菩提者當生如是心我應滅度
一切衆生滅度一切衆生已而无有一衆生
實滅度者何以故若菩薩有我相人相衆生
相壽者相則非菩薩所以者何須菩提實无
有法發阿耨多羅三藐三菩提者須菩提於
意云何如來於然燈佛所有法得阿耨多羅
三藐三菩提不不也世尊如我解佛所說義佛
於然燈佛所无有法得阿耨多羅三藐三菩
提佛言如是如是須菩提實无有法如來得阿
耨多羅三藐三菩提須菩提若有法如來得
阿耨多羅三藐三菩提然燈佛則不與我授
記汝於來世當得作佛号釋迦牟尼以實无
有法得阿耨多羅三藐三菩提是故然燈佛
與我受記作如是言汝於來世當得作佛号
釋迦牟尼何以故如來者即諸法如義若有
人言如來得阿耨多羅三藐三菩提須菩提
實无有法佛得阿耨多羅三藐三菩提須菩
提如來所得阿耨多羅三藐三菩提於是中
无實无虛是故如來說一切法皆是佛法須
菩提所言一切法者即非一切法是故名一
切法須菩提譬如人身長大須菩提言世尊
如來說人身長大則為非大身是名大身須
菩提菩薩亦如是若作是言我當滅度无量
衆生則不名菩薩何以故須菩提實无有法名
為菩薩是故佛說一切法无我无人无衆生无
壽者須菩提若菩薩作是言我當莊嚴佛
土是不名菩薩何以故如來說莊嚴佛土者

BD01104 號　金剛般若波羅蜜經　　（8–2）

菩提菩薩亦如是若作是言我當滅度无量
衆生則不名菩薩何以故須菩提實无有法名
爲菩薩是故佛説一切法无我无人无衆生无
壽者須菩提若菩薩作是言我當莊嚴佛
土是不名菩薩何以故如來説莊嚴佛土者
即非莊嚴是名莊嚴須菩提若菩薩通達
无我者如來説名真是菩薩
須菩提於意云何如來有肉眼不如是世尊
如來有肉眼須菩提於意云何如來有天眼
不如是世尊如來有天眼須菩提於意云何
如來有慧眼不如是世尊如來有慧眼須菩
提於意云何如來有法眼不如是世尊如來
有法眼須菩提於意云何如來有佛眼不如
是世尊如來有佛眼須菩提於意云何如恒
河中所有沙佛説是沙不如是世尊如來説是
沙須菩提於意云何如一恒河中所有沙有
如是等恒河是諸恒河所有沙數佛世界如
是寧爲多不甚多世尊佛告須菩提尒所國
土中所有衆生若干種心如來悉知何以故
如來説諸心皆爲非心是名爲心所以者何
須菩提過去心不可得現在心不可得未來
心不可得須菩提於意云何若有人滿三千
大千世界七寶以用布施是人以是因緣得福
多不如是世尊此人以是因緣得福甚多須
菩提若福德有實如來不説得福德多以
福德无故如來説得福德多
須菩提於意云何佛可以具足色身見不不
也世尊如來不應以色身見何以故如來説

BD01104號　金剛般若波羅蜜經　（8–3）

多不如是世尊此人以是因緣得福甚多須
菩提若福德有實如來不説得福德多以
福德无故如來説得福德多
須菩提於意云何佛可以具足色身見不不
也世尊如來不應以色身見何以故如來説
具足色身即非具足色身是名具足色身
須菩提於意云何如來可以具足
不也世尊如來不應以具足諸相見何以故如
來説諸相具足即非具足是名諸相具足須
菩提汝勿謂如來作是念我當有所説法莫
作是念何以故若人言如來有所説法即爲
謗佛不能解我所説故須菩提説法者无
法可説是名説法須菩提白佛言世尊佛得
阿耨多羅三藐三菩提爲无所得耶如是如
是須菩提我於阿耨多羅三藐三菩提乃至
无有少法可得是名阿耨多羅三藐三菩提
復次須菩提是法平等无有高下是名阿耨
多羅三藐三菩提以无我无人无衆生无壽
者修一切善法則得阿耨多羅三藐三菩提
須菩提所言善法者如來説非善法是名善
法須菩提若三千大千世界中所有諸須弥
山王如是等七寶聚有人持用布施若人以
此般若波羅蜜經乃至四句偈等受持讀誦
爲他人説於前福德百分不及一百千万億分乃
至筭數譬喻所不能及
須菩提於意云何汝等勿謂如來作是念我
當度衆生須菩提莫作是念何以故實无有

BD01104號　金剛般若波羅蜜經　（8–4）

為他人説於前福德百分不及一百千万億分乃
至筭數譬喻所不能及
須菩提於意云何汝等勿謂如來作是念我
當度衆生須菩提莫作是念何以故實无有
衆生如來度者若有衆生如來度者如來則
有我人衆生壽者須菩提如來説有我者
則非有我而凡夫之人以為有我須菩提凡夫
者如來説則非凡夫須菩提於意云何可以
卅二相觀如來不須菩提言如是如是以卅
二相觀如來佛言須菩提若以卅二相觀如
來者轉輪聖王則是如來須菩提白佛言世
尊如我解佛所説義不應以卅二相觀如來
尒時世尊而説偈言
若以色見我　以音聲求我　是人行邪道　不能見如來
須菩提汝若作是念如來不以具足相故得
阿耨多羅三藐三菩提須菩提莫作是念如
來不以具足相故得阿耨多羅三藐三菩提
須菩提汝若作是念發阿耨多羅三藐三菩
提者説諸法斷滅莫作是念何以故發阿耨
多羅三藐三菩提者於法不説斷滅相須菩
提若菩薩以滿恒河沙等世界七寶持用布施
若復有人知一切法无我得成於忍此菩薩勝
前菩薩所得功德須菩提以諸菩薩不受福
德故須菩提白佛言世尊云何菩薩不受福
德須菩提菩薩所作福德不應貪著是故
佛説不受福德須菩提若有人言如來若來
去若坐若卧是人不解我所説義何以故如來
[illegible]

BD01104 號　金剛般若波羅蜜經　（8–5）

德故須菩提白佛言世尊云何菩薩不受福
德須菩提菩薩所作福德不應貪著是故
佛説不受福德須菩提若有人言如來若來
去若坐若卧是人不解我所説義何以故如來
者无所從來亦无所去故名如來須菩提若
善男子善女人以三千大千世界碎為微塵
於意云何是微塵衆寧為多不甚多世尊何
以故若是微塵衆實有者佛則不説是微塵
衆所以者何佛説微塵衆則非微塵衆是名
微塵衆世尊如來所説三千大千世界則非
世界是名世界何以故若世界實有者則是一
合相如來説一合相則非一合相是名一合相
須菩提一合相者則是不可説但凡夫之
人貪著其事須菩提若人言佛説我見人見
衆生見壽者見須菩提於意云何是人解
我所説義不不也世尊是人不解如來所説義
何以故世尊説我見人見衆生見壽者見即非我
見人見衆生見壽者見是名我見人見衆生
見壽者見須菩提發阿耨多羅三藐三菩提
心者於一切法應如是知如是見如是信解
不生法相須菩提所言法相者如來説即非法
相是名法相須菩提若有人以滿无量阿僧
祇世界七寶持用布施若有善男子善女
人發菩薩心者持於此經乃至四句偈等受持
讀誦為人演説其福勝彼云何為人演説不
取於相如如不動何以故
一切有為法　如夢幻泡影　如露亦如電　應作如是觀

BD01104 號　金剛般若波羅蜜經　（8–6）

相是名法相須菩提若有人以滿無量阿僧
祇世界七寶持用布施若有善男子善女
人發菩薩心者持於此經乃至四句偈等受持
讀誦為人演說其福勝彼云何為人演說不
取於相如如不動何以故
一切有為法　如夢幻泡影　如露亦如電　應作如是觀
佛說是經已長老須菩提及諸比丘比丘尼
優婆塞優婆夷一切世間天人阿修羅聞佛
所說皆大歡喜信受奉行
佛說金剛般若波羅蜜經一卷
清信佛弟子盧師道

BD01104號　金剛般若波羅蜜經　（8-7）

佛說金剛般若波羅蜜經一卷
清信佛弟子盧師道

BD01104號　金剛般若波羅蜜經　（8-8）

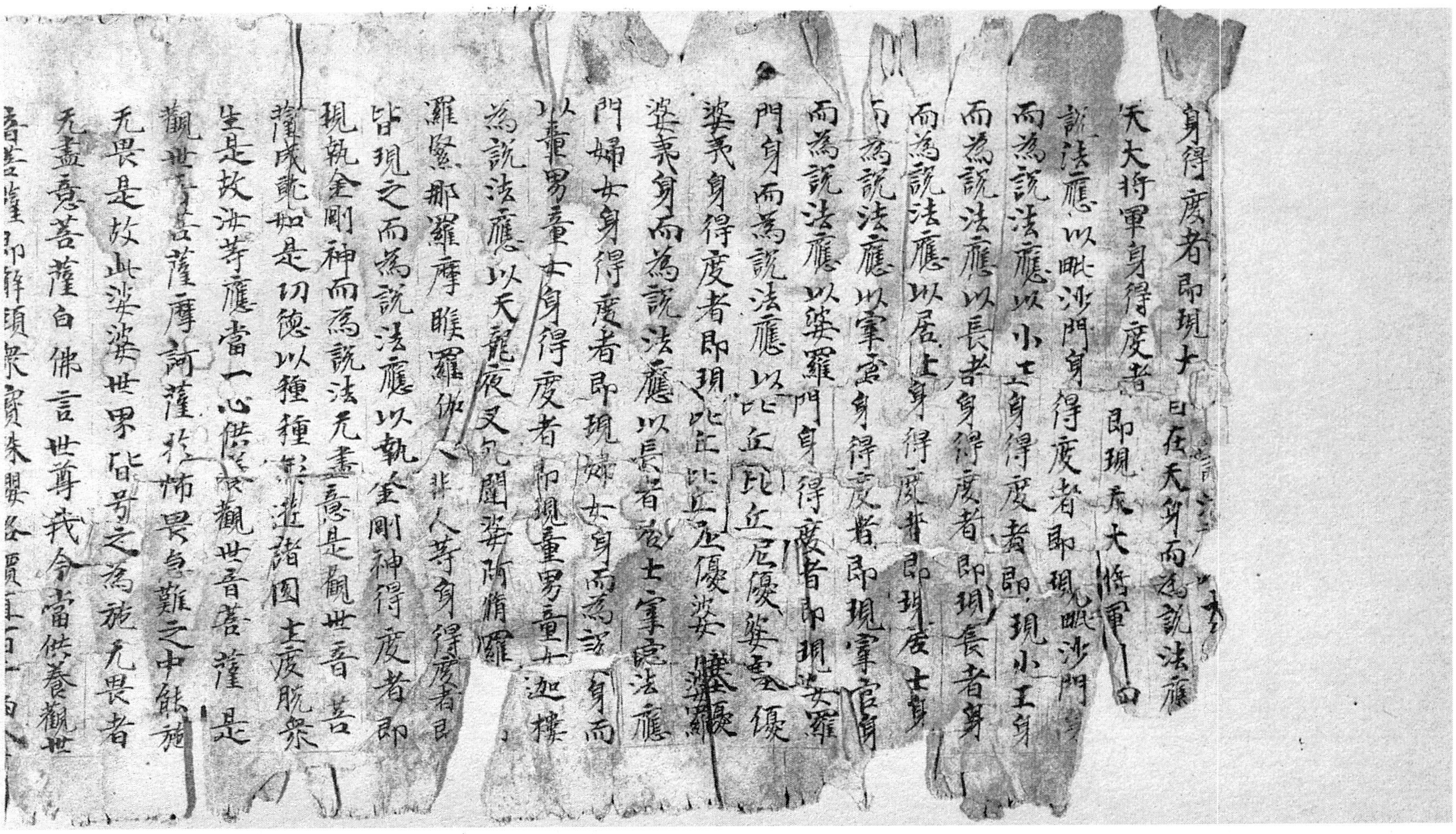
身得度者即現大自在天身而為說法應以
天大將軍身得度者 即現天大將軍身而
說法應以毗沙門身得度者即現毗沙門
而為說法應以小王身得度者即現小王身
而為說法應以長者身得度者即現長者身
而為說法應以居士身得度者即現居士身
而為說法應以宰官身得度者即現宰官身
而為說法應以婆羅門身得度者即現婆羅
門身而為說法應以比丘比丘尼優婆塞優
婆夷身得度者即現比丘比丘尼優婆塞優婆
婆夷身而為說法應以長者居士宰官法應
門婦女身得度者即現婦女身而為說 身而
以童男童女身得度者而現童男童女迦樓
為說法應以天龍夜叉乾闥婆阿脩羅
羅緊那羅摩睺羅伽人非人等身得度者即
皆現之而為說法應以執金剛神得度者即
現執金剛神而為說法无盡意是觀世音菩
薩成就如是功德以種種形遊諸國土度脫眾
生是故汝等應當一心供養觀世音菩薩是
觀世音菩薩摩訶薩於怖畏急難之中能施
无畏是故此娑婆世界皆号之為施无畏者
无盡意菩薩白佛言世尊我今當供養觀世
音菩薩即解頸眾寶珠瓔珞價直百千

BD01105號　觀世音經　（3–1）

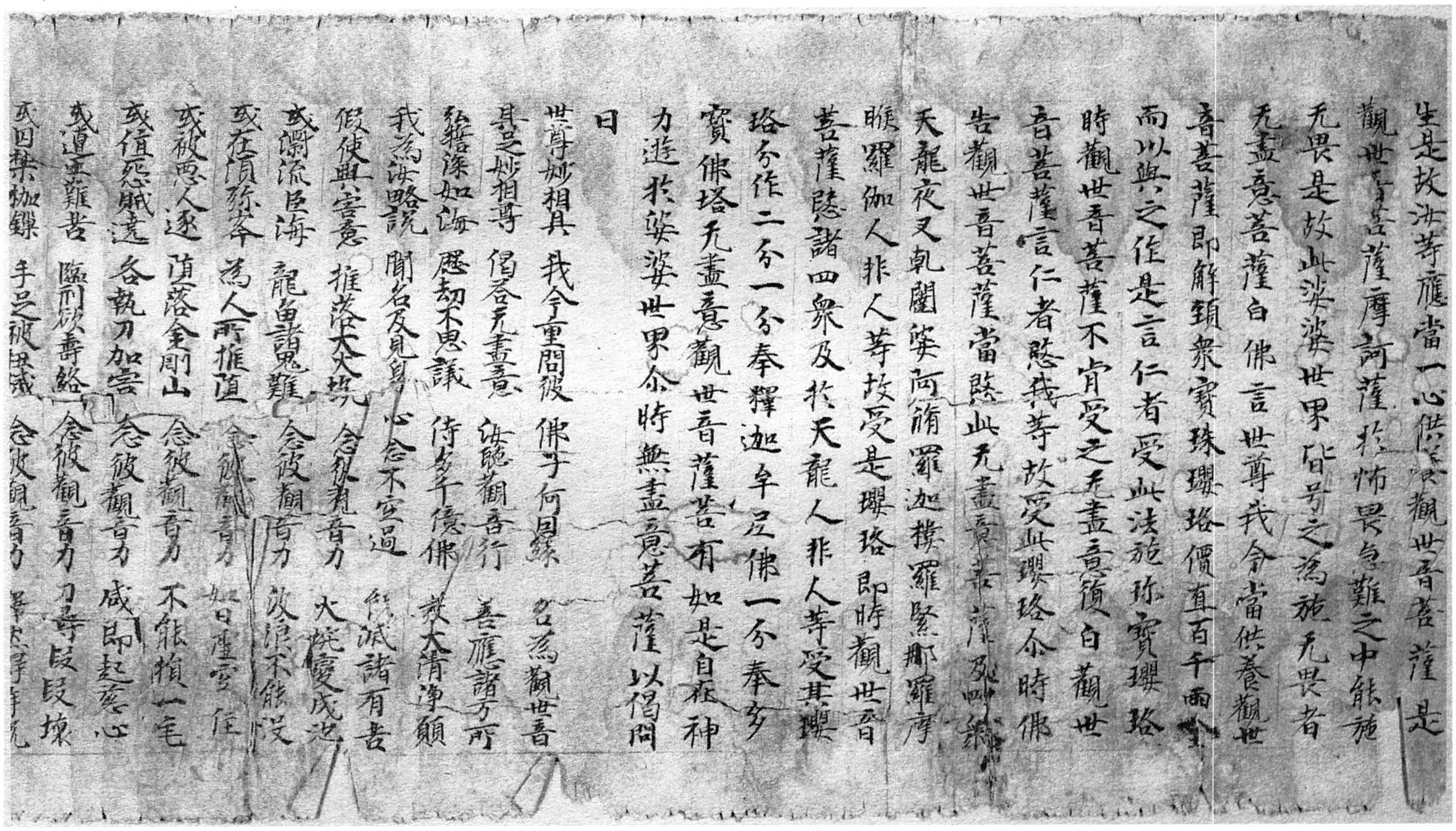
生是故汝等應當一心供養觀世音菩薩是
觀世音菩薩摩訶薩於怖畏急難之中能施
无畏是故此娑婆世界皆号之為施无畏者
无盡意菩薩白佛言世尊我今當供養觀世
音菩薩即解頸眾寶珠瓔珞價直百千兩金
而以與之作是言仁者受此法施珍寶瓔珞
時觀世音菩薩不肯受之无盡意復白觀世
音菩薩言仁者愍我等故受此瓔珞尒時佛
告觀世音菩薩當愍此无盡意菩薩及四眾
天龍夜叉乾闥婆阿脩羅迦樓羅緊那羅摩
睺羅伽人非人等故受是瓔珞即時觀世音
菩薩愍諸四眾及於天龍人非人等受其瓔
珞分作二分一分奉釋迦牟尼佛一分奉多
寶佛塔无盡意觀世音菩薩有如是自在神
力遊於娑婆世界尒時無盡意菩薩以偈問
曰
世尊妙相具　我今重問彼　佛子何因緣　名為觀世音
具足妙相尊　偈答无盡意　汝聽觀音行　善應諸方所
弘誓深如海　歷劫不思議　侍多千億佛　發大清淨願
我為汝略說　聞名及見身　心念不空過　能滅諸有苦
假使興害意　推落大火坑　念彼觀音力　火坑變成池
或漂流巨海　龍魚諸鬼難　念彼觀音力　波浪不能沒
或在須彌峯　為人所推墮　念彼觀音力　如日虛空住
或被惡人逐　墮落金剛山　念彼觀音力　不能損一毛
或值怨賊遶　各執刀加害　念彼觀音力　咸即起慈心
或遭王難苦　臨刑欲壽終　念彼觀音力　刀尋段段壞
或囚禁枷鎖　手足被杻械　念彼觀音力　釋然得解脫

BD01105號　觀世音經　（3–2）

或被惡人逐　墮落金剛山　念彼觀音力　不能損一毛
或值怨賊遶　各執刀加害　念彼觀音力　咸即起慈心
或遭王難苦　臨刑欲壽終　念彼觀音力　刀尋段段壞
或囚禁枷鎖　手足被杻械　念彼觀音力　釋然得解脫
呪詛諸毒藥　所欲害身者　念彼觀音力　還著於本人
或遇惡羅剎　毒龍諸鬼等　念彼觀音力　時悉不敢害
若惡獸圍遶　利牙爪可怖　念彼觀音力　疾走无邊方
蚖蛇及蝮蝎　氣毒煙火燃　念彼觀音力　尋聲自迴去
雲雷鼓掣電　降雹澍大雨　念彼觀音力　應時得消散
衆生被困厄　无量苦逼身　觀音妙智力　能救世間苦
具足神通力　廣修智方便　十方諸國土　无剎不現身
種種諸惡趣　地獄鬼畜生　生老病死苦　以漸悉令滅
真觀清淨觀　廣大智慧觀　悲觀及慈觀　常願常瞻仰
無垢清淨光　慧日破諸闇　能伏災風火　普明照世間
悲體戒雷震　慈意妙大雲　澍甘露法雨　滅除煩惱焰
諍訟經官處　怖畏軍陣中　念彼觀音力　衆怨悉退散
妙音觀世音　梵音海潮音　勝彼世間音　是故須常念
念念勿生疑　觀世音淨聖　於苦惱死厄　能為作依怙
具一切功德　慈眼視衆生　福聚海无量　是故應頂禮
尒時持地菩薩即從座起前白佛言世尊　若
有衆生聞是觀世音菩薩品自在之業普門
示現神通力者當知是人功德不少佛說是
普門品時衆中八万四千衆生皆發无等等
阿耨多羅三藐三菩提心

觀音經一卷

BD01105 號　觀世音經　（3–3）

此是毗葉羅如來无所著等正覺說是戒經
譬如蜂採花　不壞色與香　但取其味去　比丘入衆然
不違戾他事　不觀作不作　但自觀身行　若正若不正
此是拘留孫如來无所著等正覺說是戒經
心莫作放逸　聖法當勤學　如是无憂愁　心定入涅槃
此是拘那含牟尼如來无所著等正覺說是戒經
一切惡莫作　當奉行諸善　自淨其志意　是則諸佛教
此是迦葉如來无所著等正覺說是戒經
善護於口言　自淨其志意　身莫作諸惡　此三業道淨
能得如是行　是大仙人道
此是釋迦牟尼如來无所著等正覺於十二年中
為无事僧說是戒經從是已後廣分別說諸比丘
自為樂法樂沙門者有慚有愧樂學戒者當
於中學
明人能護戒　能得三種樂　名譽及利養　死則生天上
當觀如是處　有智勤護戒　戒淨有智慧　便得第一道
如過去諸佛　及以未來者　現在諸世尊　能勝一切憂
皆共尊敬戒　此是諸佛法　若有自為身　欲求於佛道
當尊重正法　此是諸佛教　七佛為世尊　滅除諸結使
說是七戒經　諸縛得解脫　已入於涅槃　諸戲永滅盡
尊行大仙說　聖賢稱譽戒　弟子之所行　入寂滅涅槃

BD01106 號　四分律比丘戒本　（2–1）

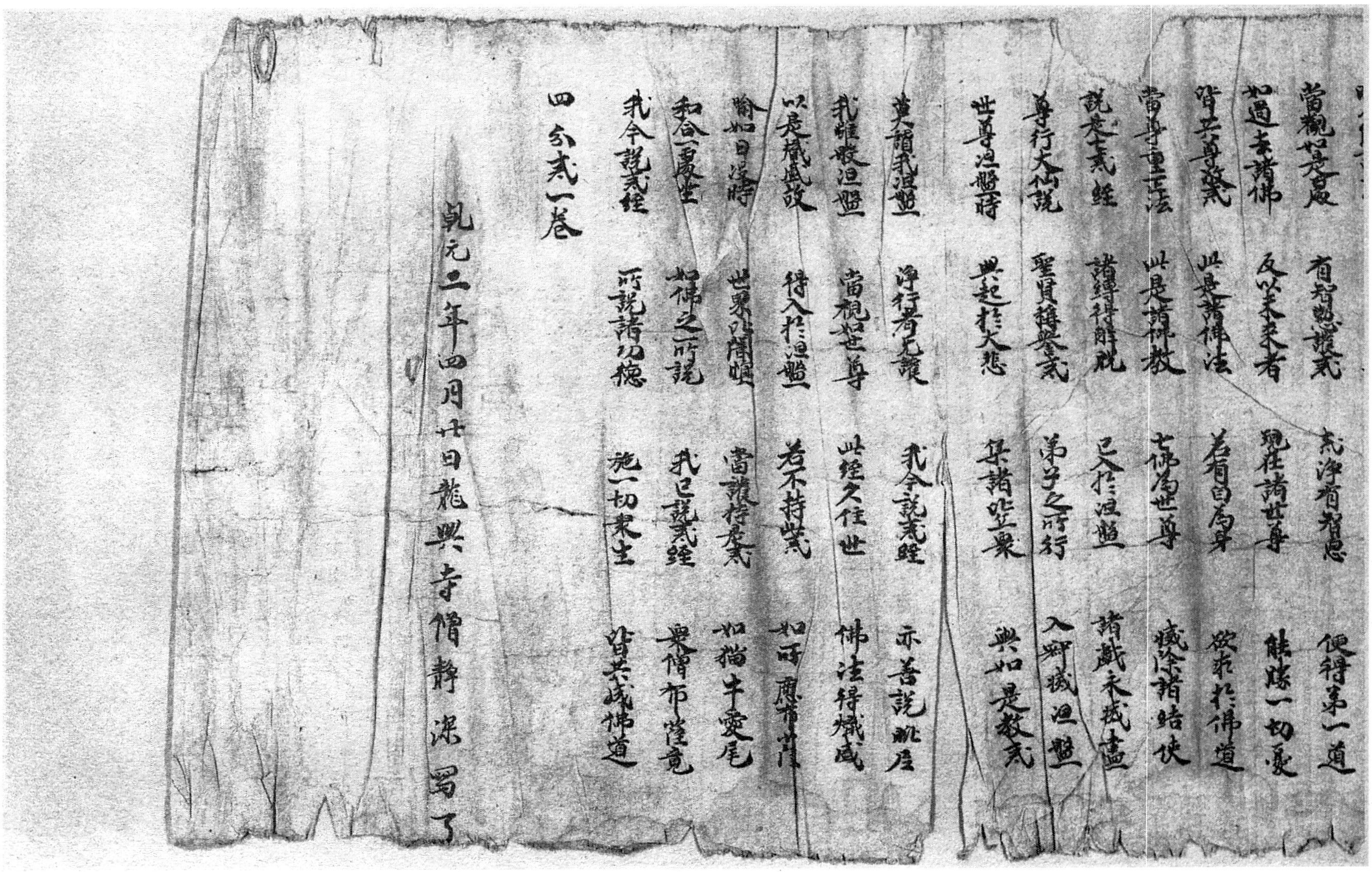

當觀如是處　有智勤護戒　戒淨有智慧　便得第一道
如過去諸佛　及以未來者　現在諸世尊　能勝一切憂
皆共尊敬戒　此是諸佛法　若有自為身　欲求於佛道
當尊重正法　此是諸佛教　七佛為世尊　滅除諸結使
說是七戒經　諸縛得解脫　已入於涅槃　諸戲永滅盡
尊行大仙說　聖賢稱譽戒　弟子之所行　入寂滅涅槃
世尊涅槃時　興起於大悲　集諸比丘眾　與如是教戒
莫謂我涅槃　淨行者無護　我今說戒經　亦善說毗尼
我雖般涅槃　當視如世尊　此經久住世　佛法得熾盛
以是熾盛故　得入於涅槃　若不持此戒　如所應布薩
喻如日沒時　世界皆闇冥　當護持是戒　如犛牛愛尾
和合一處坐　如佛之所說　我已說戒經　眾僧布薩竟
我今說戒經　所說諸功德　施一切眾生　皆共成佛道

四分戒一卷

乾元二年四月廿日龍興寺僧靜深寫了

BD01106 號　四分律比丘戒本　（2–2）

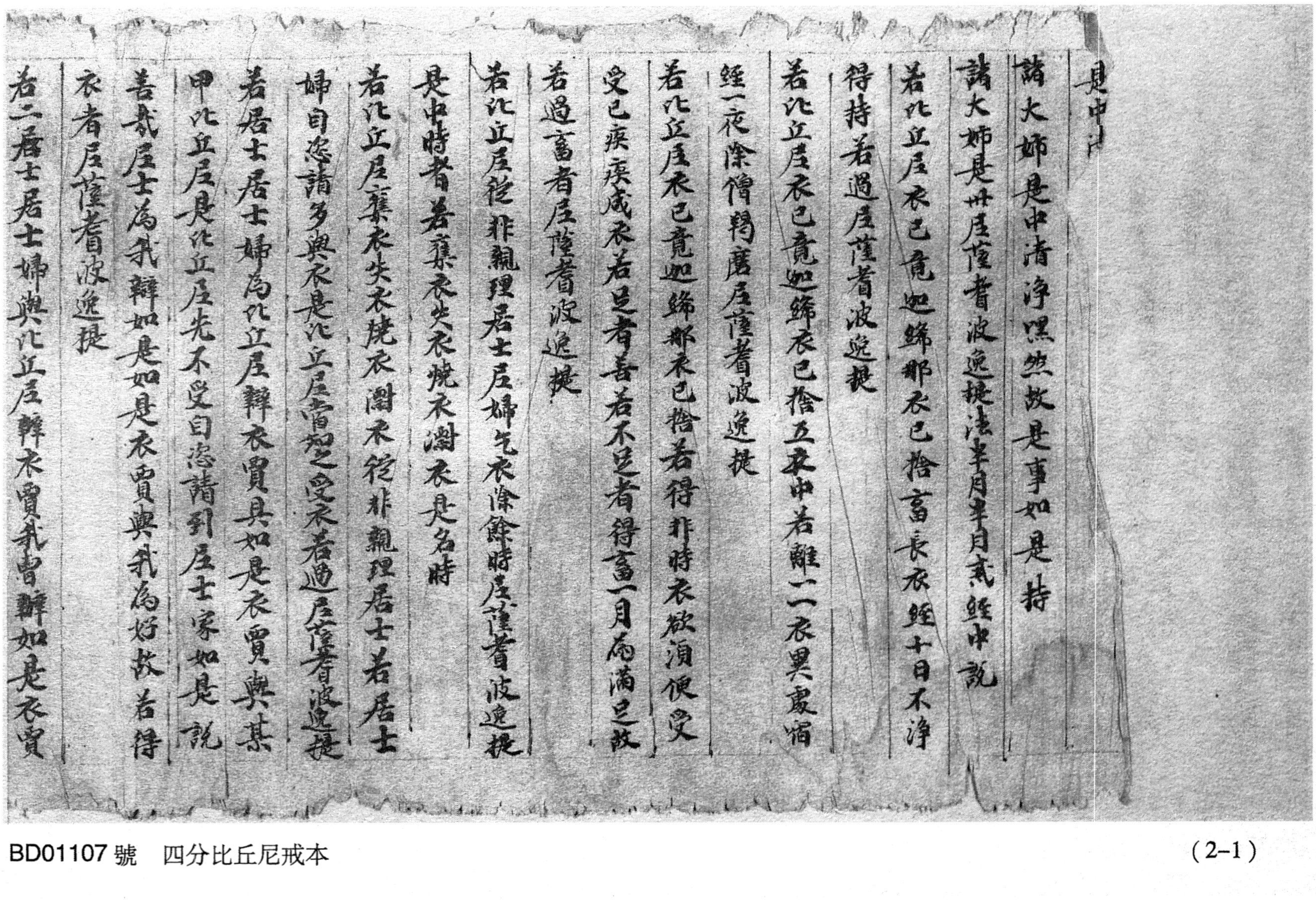

是中
諸大姊是中清淨默然故是事如是持
諸大姊是卅尼薩耆波逸提法半月半月說戒經中說
若比丘尼衣已竟迦絺那衣已捨畜長衣經十日不淨
得持若過尼薩耆波逸提
若比丘尼衣已竟迦絺那衣已捨五衣中若離一一衣異處宿
經一夜除僧羯磨尼薩耆波逸提
若比丘尼衣已竟迦絺那衣已捨若得非時衣欲須便受
受已疾疾成衣若足者善若不足者得畜一月為滿足故
若過畜者尼薩耆波逸提
若比丘尼從非親里居士居士婦乞衣除餘時尼薩耆波逸提
是中時者若奪衣失衣燒衣漂衣是名時
若比丘尼奪衣失衣燒衣漂衣從非親里居士若居士
婦自恣請多與衣是比丘尼當知足受衣若過尼薩耆波逸提
若居士居士婦為比丘尼辦衣價具如是衣價與某
甲比丘尼是比丘尼先不受自恣請到居士家如是說
善哉居士為我辦如是衣價與我為好故若得
衣者尼薩耆波逸提
若二居士居士婦與比丘尼辦衣價我曹辦如是衣價

BD01107 號　四分比丘尼戒本　（2–1）

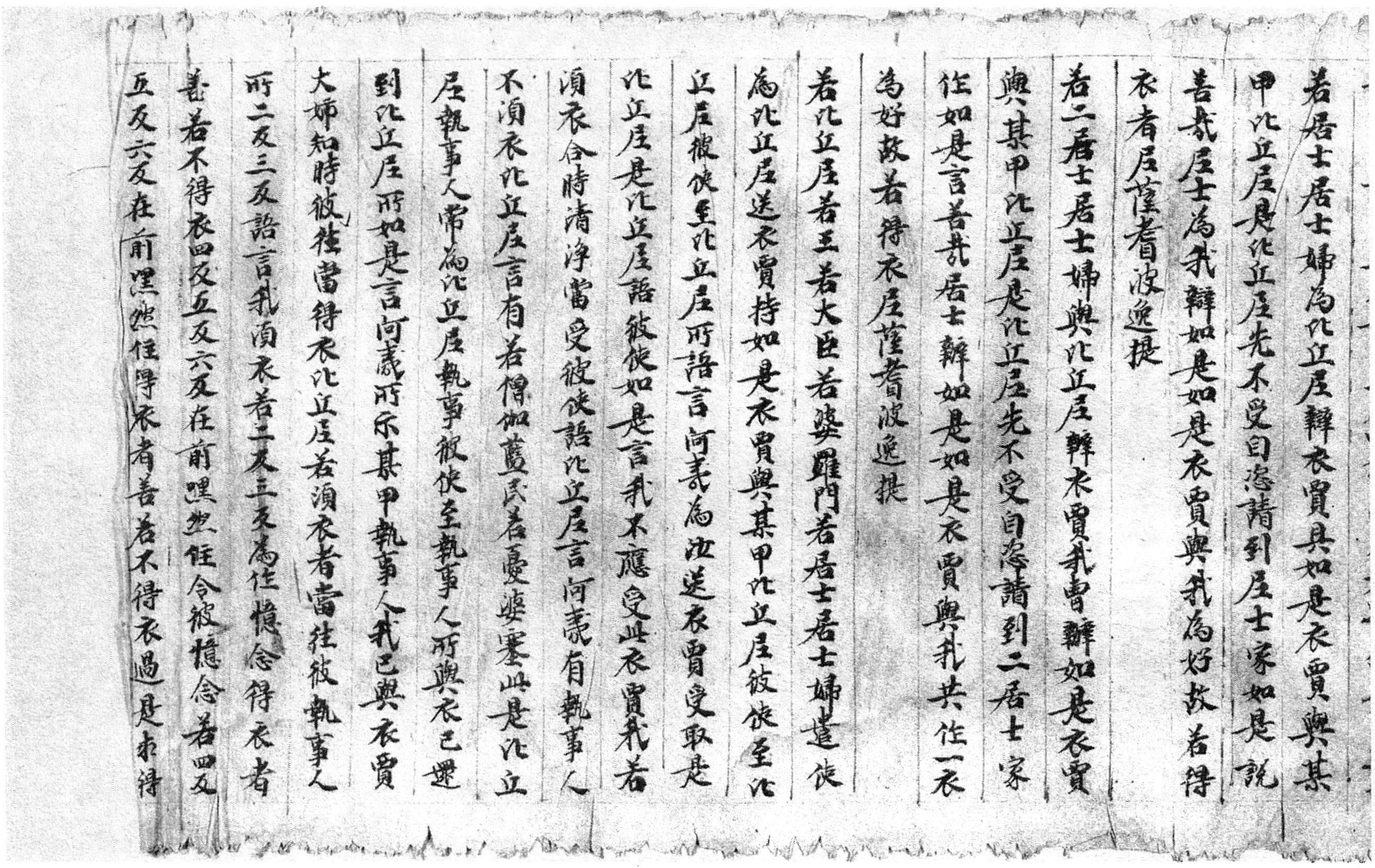
若居士居士婦為比丘尼辦衣價具如是衣價與某
甲比丘尼是比丘尼先不受自恣請到居士家如是說
善哉居士為我辦如是如是衣價與我為好故若得
衣者尼薩耆波逸提
若二居士居士婦與比丘尼辦衣價我曹辦如是衣價
與某甲比丘尼是比丘尼先不受自恣請到二居士家
作如是言善哉居士辦如是如是衣價與我共作一衣
為好故若得衣尼薩耆波逸提
若比丘尼若王若大臣若婆羅門若居士居士婦遣使
為比丘尼送衣價持如是衣價與某甲比丘尼彼使至比
丘尼所語言阿姨為汝送衣價受取是
比丘尼是比丘尼語彼使如是言我不應受此衣價我若
須衣合時清淨當受彼使語比丘尼言阿姨有執事人
不須衣比丘尼言有若僧伽藍民若優婆塞此是比丘
尼執事人常為比丘尼執事彼使至執事人所與衣已還
到比丘尼所如是言阿姨所示某甲執事人我已與衣價
大姊知時彼往當得衣比丘尼若須衣者當往彼執事人
所二反三反語言我須衣若二反三反為作憶念得衣者
善若不得衣四反五反六反在前嘿然住令彼憶念若四反
五反六反在前嘿然住得衣者善若不得衣過是求得

BD01107 號　四分比丘尼戒本　（2–2）

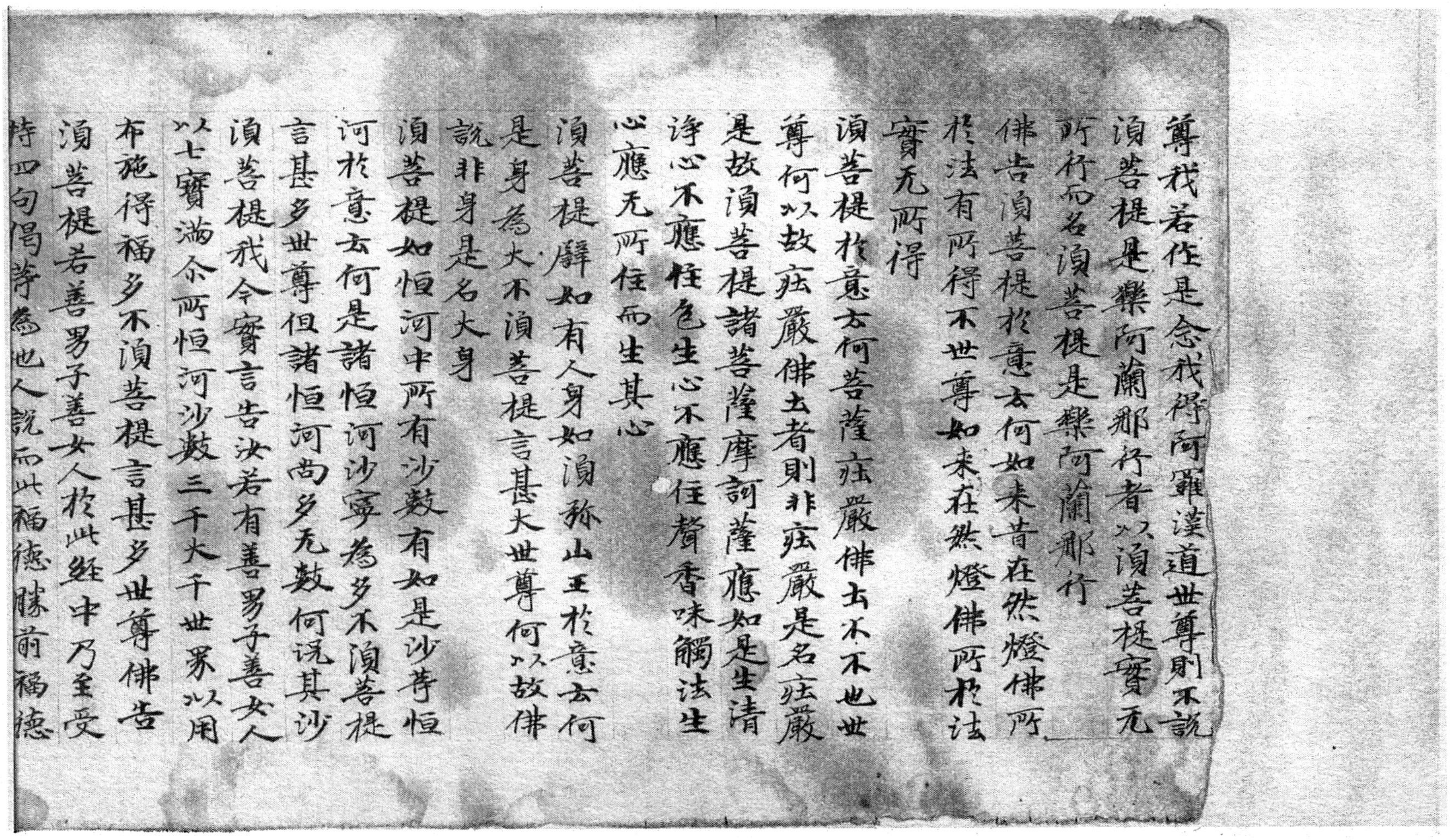
尊我若作是念我得阿羅漢道世尊則不說
須菩提是樂阿蘭那行者以須菩提實无
所行而名須菩提是樂阿蘭那行
佛告須菩提於意云何如來昔在然燈佛所
於法有所得不世尊如來在然燈佛所於法
實无所得
須菩提於意云何菩薩莊嚴佛土不不也世
尊何以故莊嚴佛土者則非莊嚴是名莊嚴
是故須菩提諸菩薩摩訶薩應如是生清
淨心不應住色生心不應住聲香味觸法生
心應无所住而生其心
須菩提譬如有人身如須彌山王於意云何
是身為大不須菩提言甚大世尊何以故佛
說非身是名大身
須菩提如恒河中所有沙數有如是沙等恒
河於意云何是諸恒河沙寧為多不須菩提
言甚多世尊但諸恒河尚多无數何況其沙
須菩提我今實言告汝若有善男子善女人
以七寶滿尒所恒河沙數三千大千世界以用
布施得福多不須菩提言甚多世尊佛告
須菩提若善男子善女人於此經中乃至受
持四句偈等為他人說而此福德勝前福德

BD01108 號　金剛般若波羅蜜經　（6–1）

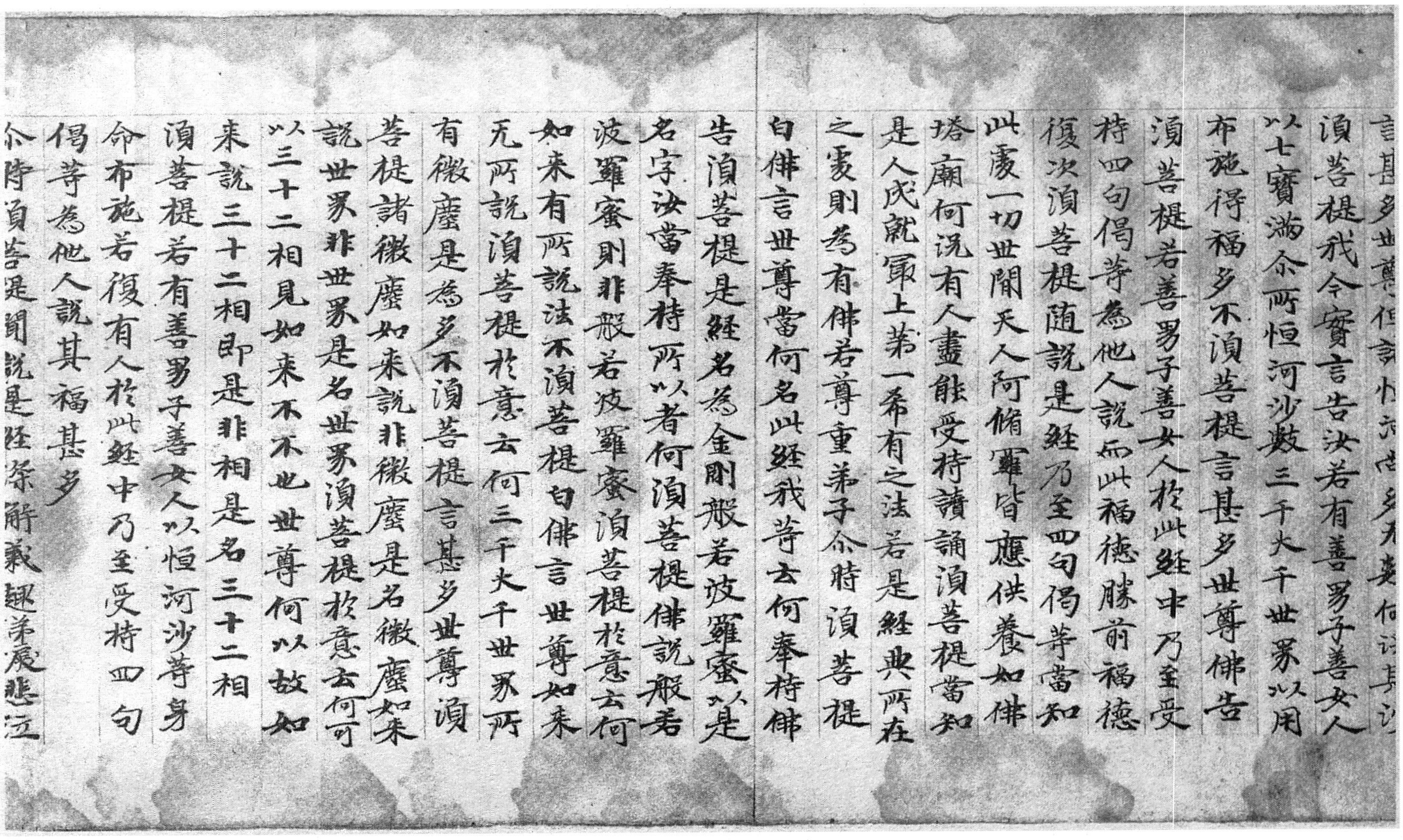

言甚多世尊但諸恒河尚多无數何況其沙
須菩提我今實言告汝若有善男子善女人
以七寶滿尒所恒河沙數三千大千世界以用
布施得福多不須菩提言甚多世尊佛告
須菩提若善男子善女人於此經中乃至受
持四句偈等為他人說而此福德勝前福德
復次須菩提隨說是經乃至四句偈等當知
此處一切世間天人阿脩羅皆應供養如佛
塔廟何況有人盡能受持讀誦須菩提當知
是人成就最上第一希有之法若是經典所在
之處則為有佛若尊重弟子尒時須菩提
白佛言世尊當何名此經我等云何奉持佛
告須菩提是經名為金剛般若波羅蜜以是
名字汝當奉持所以者何須菩提佛說般若
波羅蜜則非般若波羅蜜須菩提於意云何
如來有所說法不須菩提白佛言世尊如來
无所說須菩提於意云何三千大千世界所
有微塵是為多不須菩提言甚多世尊須
菩提諸微塵如來說非微塵是名微塵如來
說世界非世界是名世界須菩提於意云何可
以三十二相見如來不不也世尊何以故如
來說三十二相即是非相是名三十二相
須菩提若有善男子善女人以恒河沙等身
命布施若復有人於此經中乃至受持四句
偈等為他人說其福甚多
尒時須菩提聞說是經深解義趣涕淚悲泣

BD01108 號　金剛般若波羅蜜經　（6–2）

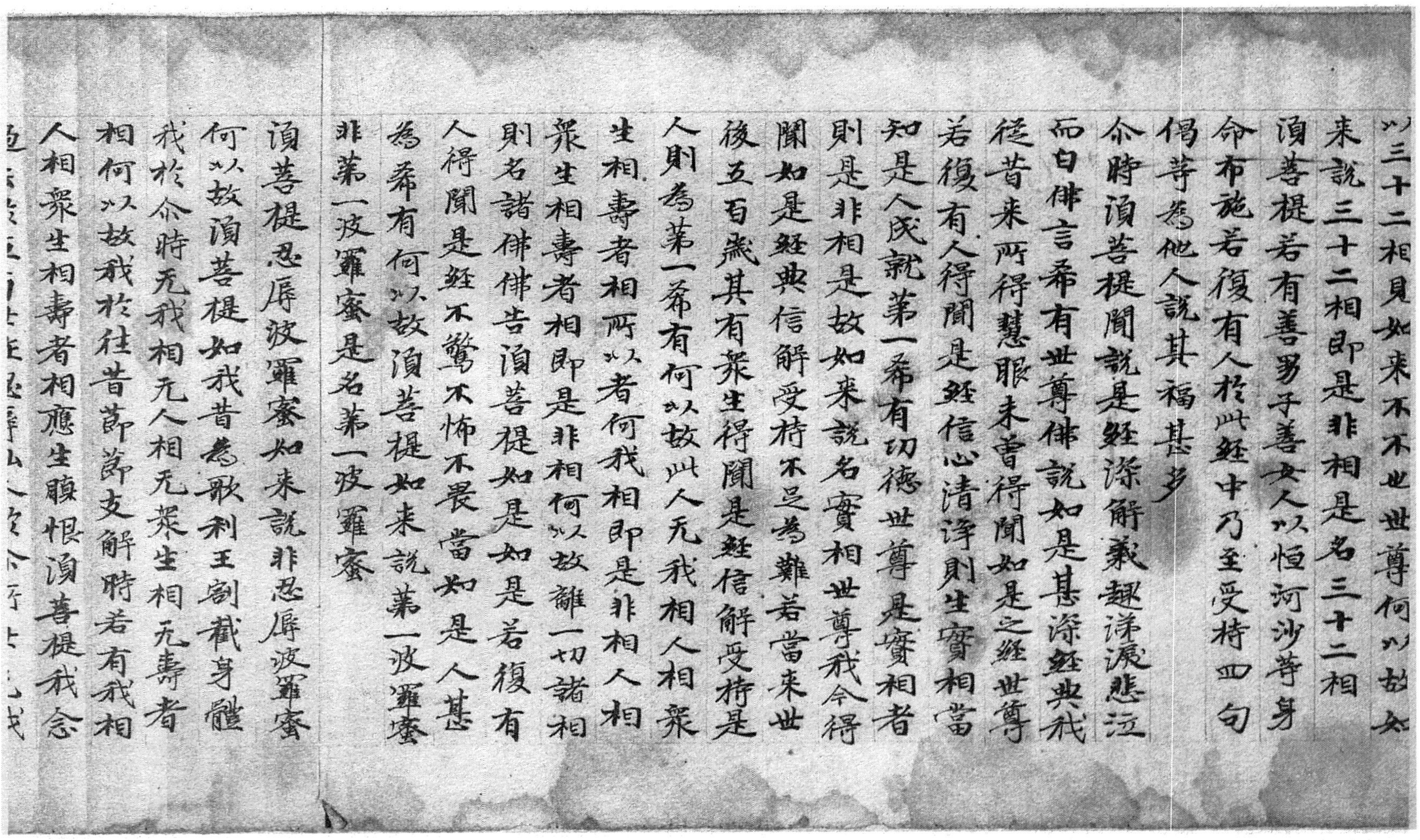

以三十二相見如來不不也世尊何以故如
來說三十二相即是非相是名三十二相
須菩提若有善男子善女人以恒河沙等身
命布施若復有人於此經中乃至受持四句
偈等為他人說其福甚多
尒時須菩提聞說是經深解義趣涕淚悲泣
而白佛言希有世尊佛說如是甚深經典我
從昔來所得慧眼未曾得聞如是之經世尊
若復有人得聞是經信心清淨則生實相當
知是人成就第一希有功德世尊是實相者
則是非相是故如來說名實相世尊我今得
聞如是經典信解受持不足為難若當來世
後五百歲其有眾生得聞是經信解受持是
人則為第一希有何以故此人无我相人相眾
生相壽者相所以者何我相即是非相人相
眾生相壽者相即是非相何以故離一切諸相
則名諸佛佛告須菩提如是如是若復有
人得聞是經不驚不怖不畏當知是人甚
為希有何以故須菩提如來說第一波羅蜜
非第一波羅蜜是名第一波羅蜜
須菩提忍辱波羅蜜如來說非忍辱波羅蜜
何以故須菩提如我昔為歌利王割截身體
我於尒時无我相无人相无眾生相无壽者
相何以故我於往昔節節支解時若有我相
人相眾生相壽者相應生瞋恨須菩提我念

BD01108 號　金剛般若波羅蜜經　（6–3）

何以故須菩提如我昔為歌利王割截身體
我於尒時无我相无人相无衆生相无壽者
相何以故我於往昔節節支解時若有我相
人相衆生相壽者相應生瞋恨須菩提我念
過去於五百世作忍辱仙人於尒所世无我
相无人相无衆生相无壽者相是故須菩提
菩薩應離一切相發阿耨多羅三藐三菩提
心不應住色生心不應住聲香味觸法生心
應生无所住心若心有住則為非住是故佛
說菩薩心不應住色布施須菩提菩薩為利
益一切衆生應如是布施如來說一切諸相即
是非相又說一切衆生則非衆生
須菩提如來是真語者實語者如語者不誑
語者不異語者須菩提如來所得法此法无
實无虛
須菩提若菩薩心住於法而行布施如人入
闇則无所見若菩薩心不住法而行布施如人
有目日光明照見種種色
須菩提當來之世若有善男子善女人能於此
經受持讀誦則為如來以佛智慧悉知是人
悉見是人皆得成就无量无邊功德須菩
提若有善男子善女人初日分以恒河沙等
身布施中日分復以恒河沙等身布施後日分
亦以恒河沙等身布施如是无量百千万億
劫以身布施若復有人聞此經典信心不逆
其福勝彼何況書寫受持讀誦為人解說

BD01108號　金剛般若波羅蜜經　（6–4）

提若有善男子善女人初日分以恒河沙等
身布施中日分復以恒河沙等身布施後日分
亦以恒河沙等身布施如是无量百千万億
劫以身布施若復有人聞此經典信心不逆
其福勝彼何況書寫受持讀誦為人解說
須菩提以要言之是經有不可思議不可稱
量无邊功德如來為發大乘者說為發最上
乘者說若有人能受持讀誦廣為人說如來
悉知是人悉見是人皆成就不可量不可稱
无有邊不可思議功德如是人等則為荷擔
如來阿耨多羅三藐三菩提何以故須菩提
若樂小法者著我見人見衆生見壽者見則
於此經不能聽受讀誦為人解說須菩提在
在處處若有此經一切世間天人阿脩羅所
應供養當知此處則為是塔皆應恭敬作礼
圍遶以諸華香而散其處復次須菩提善男
子善女人受持讀誦此經若為人輕賤是人
先世罪業應墮惡道以今世人輕賤故先世
罪業則為消滅當得阿耨多羅三藐三菩提
須菩提我念過去无量阿僧祇劫於然燈佛
前得值八百四千万億那由他諸佛悉皆供
養承事无空過者若復有人於後末世能受
持讀誦此經所得功德於我所供養諸佛功
德百分不及一千万億分乃至筭數譬喻所
不能及須菩提若善男子善女人於後末世
有受持讀誦此經所得功德我若具說者或

BD01108號　金剛般若波羅蜜經　（6–5）

子善女人受持讀誦此經若為人輕賤是人
先世罪業應墮惡道以今世人輕賤故先世
罪業則為消滅當得阿耨多羅三藐三菩提
須菩提我念過去无量阿僧祇劫於然燈佛
前得值八百四千万億那由他諸佛悉皆供
養承事无空過者若復有人於後末世能受
持讀誦此經所得功德於我所供養諸佛功
德百分不及一千万億分乃至筭數譬喻所
不能及須菩提若善男子善女人於後末世
有受持讀誦此經所得功德我若具說者或
有人聞心則狂亂狐疑不信須菩提當知是
經義不可思議果報亦不可思議
尒時須菩提白佛言世尊善
阿耨多羅三藐三菩提心云何應住云何降
伏其心
佛告須菩提善男子善女人發阿耨多羅三
藐三菩提者當生如是心我應滅度一切衆
生滅度一切衆生已而无有

BD01108號　金剛般若波羅蜜經　（6–6）

諸佛身金色　百福相莊嚴　聞法為人說　常有是好夢
又夢作國王　捨宮殿眷屬　及上妙五欲　行詣於道場
在菩提樹下　而處師子座　求道過七日　得諸佛之智
成无上道已　起而轉法輪　為四衆說法　經千万億劫
說无漏妙法　度无量衆生　後當入涅槃　如烟盡燈滅
若後惡世中　說是苐一法　是人得大利　如上諸功德
妙法蓮華經從地踊出品第十五
尒時他方國土諸來菩薩摩訶薩過八恒河
沙數於大衆中起立合掌作礼而白佛言世
尊若聽我等於佛滅後在此娑婆世界勤加精
進護持讀誦書寫供養是經典者當於此土
而廣說之尒時佛告諸菩薩摩訶薩衆止善
男子不須汝等護持此經所以者何我娑婆
世界自有六万恒河沙等菩薩摩訶薩一一
菩薩各有六万恒河沙眷屬是諸人等能於
我滅後護持讀誦廣說此經佛說是時娑婆
世界三千大千國土地皆震裂而於其中有
无量千万億菩薩摩訶薩同時踊出是諸菩
薩身皆金色三十二相无量光明先盡在此
娑婆世界之下此界虛空中住是諸菩薩聞
釋迦牟尼佛所說音聲從下發來一一菩薩

BD01109號　妙法蓮華經卷五　（21–1）

世界三千大千國土地皆震裂而於其中有
无量千万億菩薩摩訶薩同時踊出是諸菩
薩身皆金色三十二相无量光明先盡在此
娑婆世界之下此界虚空中住是諸菩薩聞
釋迦牟尼佛所說音聲從下發來一一菩薩
皆是大衆唱導之首各將六万恒河沙眷属
況將五万四万三万二万一万恒河沙等眷
屬者況復乃至一恒河沙半恒河沙四分之
一乃至千万億那由他分之一況復千万億
那由他眷屬況復億万眷屬況復千万百万
乃至一万況復一千一百乃至一十況復將
五四三二一弟子者況復單已樂遠離行如
是等比无量无邊算數譬喻所不能知是諸
菩薩從地出已各詣虚空七寶妙塔多寶如
來釋迦牟尼佛所到已向二世尊頭面礼足
及至諸寶樹下師子座上佛所亦皆作礼右
繞三帀合掌恭敬以諸菩薩種種讚法而以
讚歎住在一面欣樂瞻仰於二世尊是諸菩
薩摩訶薩從初踊出以諸菩薩種種讚法而
讚於佛如是時間經五十小劫是時釋迦牟
尼佛嘿然而坐及諸四衆亦皆嘿然五十小
劫佛神力故令諸大衆謂如半日尒時四衆
亦以佛神力故見諸菩薩遍滿无量百千万
億國土虚空是菩薩衆中有四導師一名上
行二名无邊行三名淨行四名安立行是四
菩薩於其衆中最為上首唱導之師在大衆

BD01109 號　妙法蓮華經卷五　（21–2）

劫佛神力故令諸大衆謂如半日尒時四衆
亦以佛神力故見諸菩薩遍滿无量百千万
億國土虚空是菩薩衆中有四導師一名上
行二名无邊行三名淨行四名安立行是四
菩薩於其衆中最為上首唱導之師在大衆
前各共合掌觀釋迦牟尼佛而問訊言世尊
少病少惱安樂行不所應度者受教易不不
令世尊生疲勞耶尒時四大菩薩而說偈言
世尊安樂　少病少惱　教化衆生　得无疲惓
又諸衆生　受化易不　不令世尊　生疲勞耶
尒時世尊於菩薩大衆中而作是言如是如
是諸善男子如來安樂少病少惱諸衆生等
易可化度无有疲勞所以者何是諸衆生世
世已來常受我化亦於過去諸佛供養尊重
種諸善根此諸衆生始見我身聞我所說即
皆信受入如來慧除先脩習學小乘者如是
之人我今亦令得聞是經入於佛慧尒時諸
大菩薩而說偈言
善哉善哉　大雄世尊　諸衆生等　易可化度
能問諸佛　甚深智慧　聞已信行　我等隨喜
於時世尊讚歎上首諸大菩薩善哉善哉善
男子汝等能於如來發隨喜心尒時弥勒菩
薩及八千恒河沙諸菩薩衆皆作是念我等
從昔已來不見不聞如是大菩薩摩訶薩衆
從地踊出住世尊前合掌供養問訊如來時
弥勒菩薩摩訶薩知八千恒河沙諸菩薩等

BD01109 號　妙法蓮華經卷五　（21–3）

薩及八千恒河沙諸菩薩衆皆作是念我等
從昔已來不見不聞如是大菩薩摩訶薩衆
從地踊出住世尊前合掌供養問訊如來時
弥勒菩薩摩訶薩知八千恒河沙諸菩薩等
心之所念并欲自決所疑合掌向佛以偈問
曰
无量千万億　大衆諸菩薩　昔所未曾見　願兩足尊說
是從何所來　以何因緣集　巨身大神通　智慧叵思議
其志念堅固　有大忍辱力　衆生所樂見　為從何所來
一一諸菩薩　所將諸眷屬　其數无有量　如恒河沙等
或有大菩薩　將六万恒沙　如是諸大衆　一心求佛道
是諸大師等　六万恒河沙　俱來供養佛　及護持此經
將五万恒沙　其數過於是　四万及三万　二万至一万
一千一百等　乃至一恒沙　半及三四分　億万分之一
千万那由他　万億諸弟子　乃至於半億　其數復過上
百万至一万　一千及一百　五十與一十　乃至三二一
單己无眷屬　樂於獨處者　俱來至佛所　其數轉過上
如是諸大衆　若人行籌數　過於恒沙劫　猶不能盡知
是諸大威德　精進菩薩衆　誰為其說法　教化而成就
從誰初發心　稱揚何佛法　受持行誰經　脩習何佛道
如是諸菩薩　神通大智力　四方地震裂　皆從中踊出
世尊我昔來　未曾見是事　願說其所從　國土之名号
我常遊諸國　未曾見是衆　我於此衆中　乃不識一人
忽然從地出　願說其因緣　今此之大會　无量百千億
是諸菩薩等　皆欲知此事　是諸菩薩衆　本末之因緣

BD01109號　妙法蓮華經卷五　（21–4）

我常遊諸國　未曾見是衆　我於此衆中　乃不識一人
忽然從地出　願說其因緣　今此之大會　无量百千億
是諸菩薩等　皆欲知此事　是諸菩薩衆　本末之因緣
无量德世尊　唯願決衆疑
尒時釋迦牟尼佛分身諸佛從无量千万億
他方國土來者在於八方諸寶樹下師子座
上結加趺坐其佛侍者各各見是菩薩大衆
於三千大千世界四方從地踊出住於虛空
各白其佛言世尊此諸无量无邊阿僧祇菩
薩大衆從何所來尒時諸佛各告侍者諸善
男子且待須臾有菩薩摩訶薩名曰弥勒釋
迦牟尼佛之所授記次後作佛已問斯事佛今
荅之汝等自當因是得聞尒時釋迦牟尼佛
告弥勒菩薩善哉善哉阿逸多乃能問佛如
是大事汝等當共一心被精進鎧發堅固意
如來今欲顯發宣示諸佛智慧諸佛自在神
通之力諸佛師子奮迅之力諸佛威猛大勢
之力尒時世尊欲重宣此義而說偈言
當精進一心　我欲說此事　勿得有疑悔　佛智叵思議
汝今出信力　住於忍善中　昔所未聞法　今皆當得聞
我今安慰汝　勿得懷疑懼　佛无不實語　智慧不可量
所得第一法　甚深叵分別　如是今當說　汝等一心聽
尒時世尊說此偈已告弥勒菩薩我今於此
大衆宣告汝等阿逸多是諸大菩薩摩訶薩
无量无數阿僧祇從地踊出汝等昔所未見

BD01109號　妙法蓮華經卷五　（21–5）

我今安慰汝 勿得懷疑懼 佛无不實語 智慧不可量
所得第一法 甚深叵分別 如是今當說 汝等一心聽
尒時世尊說此偈已告弥勒菩薩我今於此
大眾宣告汝等阿逸多是諸大菩薩摩訶薩
无量无數阿僧祇從地踊出汝等昔所未見
者我於是娑婆世界得阿耨多羅三藐三菩
提已教化示導是諸菩薩調伏其心令發道
意此諸菩薩皆於是娑婆世界之下此界虛
空中住於諸經典讀誦通利思惟分別正憶
念阿逸多是諸善男子等不樂在眾多有所
說常樂靜處勤行精進未曾休息亦不依止
人天而住常樂深智无有障礙亦常樂於諸
佛之法一心精進求无上慧尒時世尊欲重
宣此義而說偈言
阿逸汝當知 是諸大菩薩 從无數劫來 脩習佛智慧
悉是我所化 令發大道心 此等是我子 依止是世界
常行頭陀事 志樂於靜處 捨大眾憒閙 不樂多所說
如是諸子等 學習我道法 晝夜常精進 為求佛道故
在娑婆世界 下方空中住 志念力堅固 常勤求智慧
說種種妙法 其心无所畏 我於伽耶城 菩提樹下坐
得成最正覺 轉无上法輪 尒乃教化之 令初發道心
今皆住不退 悉當得成佛 我今說實語 汝等一心信
我從久遠來 教化是等眾
尒時弥勒菩薩摩訶薩及无數諸菩薩等心
生疑惑怪未曾有而作是念云何世尊於少
時間教化如是无量无邊阿僧祇諸大菩薩

我從久遠來 教化是等眾
尒時弥勒菩薩摩訶薩及无數諸菩薩等心
生疑惑怪未曾有而作是念云何世尊於少
時間教化如是无量无邊阿僧祇諸大菩薩
令住阿耨多羅三藐三菩提即白佛言世尊
如來為太子時出於釋宮去伽耶城不遠坐
於道場得成阿耨多羅三藐三菩提從是已
來始過四十餘年世尊云何於此少時大作
佛事以佛勢力以佛功德教化如是无量大
菩薩眾當成阿耨多羅三藐三菩提世尊此
大菩薩眾假使有人於千万億劫數不能盡
不得其邊斯等久遠已來於无量无邊諸佛
所殖諸善根成就菩薩道常脩梵行世尊如
此之事世所難信譬如有人色美髮黑年二
十五指百歲人言是我子其百歲人亦指年
少言是我父生育我等是事難信佛亦如是
得道已來其實未久而此大眾諸菩薩等已
於无量千万億劫為佛道故勤行精進善入
出住无量百千万億三昧得大神通久脩梵
行善能次第習諸善法巧於問荅人中之寶
一切世間甚為希有今日世尊方云得佛
道時初令發心教化示導令向阿耨多羅三藐
三菩提世尊得佛未久乃能作此大功德事
我等雖復信佛隨宜所說佛所出言未曾虛
妄佛所知者皆悉通達然諸新發意菩薩於
佛滅後若聞是語或不信受而起破

三菩提世尊得佛未久乃能作此大功德事
我等雖復信佛隨宜所說佛所出言未曾虛
妄佛所知者皆悉通達然諸新發意菩薩於
佛滅後若聞是語或不信受而起破法罪業
因緣唯然世尊願為解說除我等疑及未來
世諸善男子聞此事已亦不生疑尒時彌勒
菩薩欲重宣此義而說偈言
佛昔從釋種　出家近伽耶　坐於菩提樹　尒來尚未久
此諸佛子等　其數不可量　久已行佛道　住於神通力
善學菩薩道　不染世間法　如蓮華在水　從地而踊出
皆起恭敬心　住於世尊前　是事難思議　云何而可信
佛得道甚近　所成就甚多　願為除衆疑　如實分別說
譬如少壯人　年始二十五　示人百歲子　髮白而面皺
是等我所生　子亦說是父　父少而子老　舉世所不信
世尊亦如是　得道來甚近　是諸菩薩等　志固无怯弱
從无量劫來　而行菩薩道　巧於難問答　其心无所畏
忍辱心決定　端正有威德　十方佛所讚　善能分別說
不樂在人衆　常好在禪定　為求佛道故　於下空中住
我等從佛聞　於此事无疑　願佛為未來　演說令開解
若有於此經　生疑不信者　即當墮惡道　願今為解說
是无量菩薩　云何於少時　教化令發心　而住不退地

妙法蓮華經如來壽量品第十六

尒時佛告諸菩薩及一切大衆諸善男子汝
等當信解如來誠諦之語復告大衆汝等當
信解如來誠諦之語又復告諸大衆汝等當

BD01109號　妙法蓮華經卷五　（21–8）

妙法蓮華經如來壽量品第十六

尒時佛告諸菩薩及一切大衆諸善男子汝
等當信解如來誠諦之語復告大衆汝等當
信解如來誠諦之語又復告諸大衆汝等當
信解如來誠諦之語是時菩薩大衆彌勒為
首合掌白佛言世尊唯願說之我等當信受
佛語如是三白已復言唯願說之我等當信
受佛語尒時世尊知諸菩薩三請不止而告
之言汝等諦聽如來祕密神通之力一切世
間天人阿脩羅皆謂今釋迦牟尼佛出釋
氏宮去伽耶城不遠坐於道場得阿耨多羅
三藐三菩提然善男子我實成佛已來无量
无邊百千万億那由他劫譬如五百千万億
那由他阿僧祇三千大千世界假使有人末
為微塵過於東方五百千万億那由他阿僧
祇國乃下一塵如是東行盡是微塵諸善男
子於意云何是諸世界可得思惟校計知其
數不彌勒菩薩等俱白佛言世尊是諸世界
无量无邊非筭數所知亦非心力所及一切
聲聞辟支佛以无漏智不能思惟知其限數
我等住阿惟越致地於是事中亦所不達世
尊如是諸世界无量无邊尒時佛告大菩薩
衆諸善男子今當分明宣語汝等是諸世界
若著微塵及不著者盡以為塵一塵一劫我
成佛已來復過於此百千万億那由他阿僧

BD01109號　妙法蓮華經卷五　（21–9）

尊如是諸世界无量无邊尒時佛告大菩薩
衆諸善男子今當分明宣語汝等是諸世界
若著微塵及不著者盡以為塵一塵一劫我
成佛已來復過於此百千万億那由他阿僧
祇劫自從是來我常在此娑婆世界說法教
化亦於餘處百千万億那由他阿僧祇國導
利衆生諸善男子於是中間我說然燈佛等
又復言其入於涅槃如是皆以方便分別諸
善男子若有衆生來至我所我以佛眼觀其
信等諸根利鈍隨所應度處處自說名字不
同年紀大小亦復現言當入涅槃又以種種
方便說微妙法能令衆生發歡喜心諸善男
子如來見諸衆生樂於小法德薄垢重者為
是人說我少出家得阿耨多羅三藐三菩提
然我實成佛已來久遠若斯但以方便教化
衆生令入佛道作如是說諸善男子如來所
演經典皆為度脫衆生或說己身或說他身
或示己身或示他身或示己事或示他事諸
所言說皆實不虛所以者何如來如實知見
三界之相无有生死若退若出亦无在世及
滅度者非實非虛非如非異不如三界見於
三界如斯之事如來明見无有錯謬以諸衆
生有種種性種種欲種種行種種憶想分別
故欲令生諸善根以若干因緣譬喻言辭種
種說法所作佛事未曾暫廢如是我成佛已

BD01109 號　妙法蓮華經卷五　（21–10）

三界如斯之事如來明見无有錯謬以諸衆
生有種種性種種欲種種行種種憶想分別
故欲令生諸善根以若干因緣譬喻言辭種
種說法所作佛事未曾暫廢如是我成佛已
來甚大久遠壽命无量阿僧祇劫常住不滅
諸善男子我本行菩薩道所成壽命今猶未
盡復倍上數然今非實滅度而便唱言當取
滅度如來以是方便教化衆生所以者何若
佛久住於世薄德之人不種善根貧窮下賤
貪著五欲入於憶想妄見網中若見如來常
在不滅便起憍恣而懷厭怠不能生難遭之
想恭敬之心是故如來以方便說比丘當知
諸佛出世難可值遇所以者何諸薄德人過
无量百千万億劫或有見佛或不見者以此
事故我作是言諸比丘如來難可得見斯衆
生等聞如是語必當生於難遭之想心懷戀
慕渴仰於佛便種善根是故如來雖不實滅
而言滅度又善男子諸佛如來法皆如是為
度衆生皆實不虛譬如良醫智慧聰達明練
方藥善治衆病其人多諸子息若十二十乃
至百數以有事緣遠至餘國諸子於後飲他
毒藥藥發悶亂宛轉于地是時其父還來歸
家諸子飲毒或失本心或不失者遙見其父
皆大歡喜拜跪問訊善安隱歸我等愚癡誤
服毒藥願見救療更賜壽命父見子等苦惱
如是依諸經方求好藥草色香美味皆悉具

BD01109 號　妙法蓮華經卷五　（21–11）

毒藥藥發悶亂宛轉于地是時其父還來歸
家諸子飲毒或失本心或不失者遥見其父
皆大歡喜拜跪問訊善安隱歸我等愚癡誤
服毒藥願見救療更賜壽命父見子等苦惱
如是依諸經方求好藥草色香美味皆悉具
足擣篩和合與子令服而作是言此大良藥
色香美味皆悉具足汝等可服速除苦惱无
復衆患其諸子中不失心者見此良藥色香
俱好即便服之病盡除愈餘失心者見其父
来雖亦歡喜問訊求索治病然與其藥而不
肯服所以者何毒氣深入失本心故於此好
色香藥而謂不美父作是念此子可愍為毒
所中心皆顛倒雖見我喜求索救療如是好
藥而不肯服我今當設方便令服此藥即作
是言汝等當知我今衰老死時已至是好良
藥今留在此汝可取服勿憂不差作是教已
復至他國遣使還告汝父已死是時諸子聞
父背喪心大憂惱而作是念若父在者慈愍
我等能見救護今者捨我遠喪他國自惟孤
露无復恃怙常懷悲感心遂醒悟乃知此藥
色味香美即取服之毒病皆愈其父聞子悉
已得差尋便來歸咸使見之諸善男子於意
云何頗有人能說此良醫虛妄罪不不也世
尊佛言我亦如是成佛已来无量无邊百千
万億那由他阿僧祇劫為衆生故以方便力
言當滅度亦无有能如法說我虛妄過者尓

BD01109號　妙法蓮華經卷五　（21–12）

已得差尋便來歸咸使見之諸善男子於意
云何頗有人能說此良醫虛妄罪不不也世
尊佛言我亦如是成佛已来无量无邊百千
万億那由他阿僧祇劫為衆生故以方便力
言當滅度亦无有能如法說我虛妄過者尓
時世尊欲重宣此義而說偈言
自我得佛来　所經諸劫數　无量百千万　億載阿僧祇
常說法教化　无數億衆生　令入於佛道　尓来无量劫
為度衆生故　方便現涅槃　而實不滅度　常住此說法
我常住於此　以諸神通力　令顛倒衆生　雖近而不見
衆見我滅度　廣供養舍利　咸皆懷戀慕　而生渇仰心
衆生既信伏　質直意柔軟　一心欲見佛　不自惜身命
時我及衆僧　俱出靈鷲山　我時語衆生　常在此不滅
以方便力故　現有滅不滅　餘國有衆生　恭敬信樂者
我復於彼中　為說无上法　汝等不聞此　但謂我滅度
我見諸衆生　沒在於苦惱　故不為現身　令其生渇仰
因其心戀慕　乃出為說法　神通力如是　於阿僧祇劫
常在靈鷲山　及餘諸住處　衆生見劫盡　大火所燒時
我此土安隱　天人常充滿　園林諸堂閣　種種寶莊嚴
寶樹多華菓　衆生所遊樂　諸天擊天鼓　常作衆伎樂
雨曼陀羅華　散佛及大衆　我淨土不毀　而衆見燒盡
憂怖諸苦惱　如是悉充滿　是諸罪衆生　以惡業因緣
過阿僧祇劫　不聞三寶名　諸有脩功德　柔和質直者
則皆見我身　在此而說法　或時為此衆　說佛壽无量
久乃見佛者　為說佛難值　我智力如是　慧光照无量

BD01109號　妙法蓮華經卷五　（21–13）

憂怖諸苦惱　如是悉充滿　是諸罪衆生　以惡業因緣
過阿僧祇劫　不聞三寶名　諸有脩功德　柔和質直者
則皆見我身　在此而說法　或時爲此衆　說佛壽无量
久乃見佛者　爲說佛難值　我智力如是　慧光照无量
壽命无數劫　久脩業所得　汝等有智者　勿於此生疑
當斷令永盡　佛語實不虛　如醫善方便　爲治狂子故
實在而言死　无能說虛妄　我亦爲世父　救諸苦患者
爲凡夫顛倒　實在而言滅　以常見我故　而生憍恣心
放逸著五欲　墮於惡道中　我常知衆生　行道不行道
隨應所可度　爲說種種法　每自作是意　以何令衆生
得入无上道　速成就佛身

妙法蓮華經分別功德品第十七

尒時大會聞佛說壽命劫數長遠如是无量
无邊阿僧祇衆生得大饒益於時世尊告弥
勒菩薩摩訶薩阿逸多我說是如來壽命長
遠時六百八十万億那由他恒河沙衆生得
无生法忍復千倍菩薩摩訶薩得聞持陀羅
尼門復有一世界微塵數菩薩摩訶薩得樂
說无礙辯才復有一世界微塵數菩薩摩訶
薩得百万億无量旋陀羅尼復有三千大千
世界微塵數菩薩摩訶薩能轉不退法輪復
有二千中國土微塵數菩薩摩訶薩能轉清
淨法輪復有小千國土微塵數菩薩摩訶薩
八生當得阿耨多羅三藐三菩提復有四四
天下微塵數菩薩摩訶薩四生當得阿耨多

BD01109號　妙法蓮華經卷五　(21–14)

有二千中國土微塵數菩薩摩訶薩能轉清
淨法輪復有小千國土微塵數菩薩摩訶薩
八生當得阿耨多羅三藐三菩提復有四四
天下微塵數菩薩摩訶薩四生當得阿耨多
羅三藐三菩提復有三四天下微塵數菩
薩摩訶薩三生當得阿耨多羅三藐三菩提
復有二四天下微塵數菩薩摩訶薩二生當
得阿耨多羅三藐三菩提復有一四天下微
塵數菩薩摩訶薩一生當得阿耨多羅三藐
三菩提復有八世界微塵數衆生皆發阿耨
多羅三藐三菩提心佛說是諸菩薩摩訶薩
得大法利時於虛空中雨曼陀羅華摩訶曼
陀羅花以散无量百千万億寶樹下師子座
上諸佛并散七寶塔中師子座上釋迦牟尼
佛及久滅度多寶如來亦散一切諸大菩薩
及四部衆又雨細末栴檀沉水香等於虛空
中天鼓自鳴妙聲深遠又雨千種天衣垂諸
瓔珞真珠瓔珞摩尼珠瓔珞如意珠瓔珞遍
於九方衆寶香爐燒无價香自然周至供養
大會一一佛上有諸菩薩執持幡蓋次第而
上至于梵天是諸菩薩以妙音聲歌无量頌
讚歎諸佛尒時弥勒菩薩從座而起偏袒右
肩合掌向佛而說偈言
佛說希有法　昔所未曾聞　世尊有大力　壽命不可量
无數諸佛子　聞世尊分別　說得法利者　歡喜充遍身

BD01109號　妙法蓮華經卷五　(21–15)

上至于梵天是諸菩薩以妙音聲歌无量頌
讚歎諸佛尒時弥勒菩薩從座而起偏袒右
肩合掌向佛而說偈言
佛說希有法　昔所未曾聞　世尊有大力　壽命不可量
无數諸佛子　聞世尊分別　說得法利者　歡喜充遍身
或住不退地　或得陁羅尼　或无礙樂說　万億旋揔持
或有大千界　微塵數菩薩　各各皆能轉　不退之法輪
或有中千界　微塵數菩薩　各各皆能轉　清淨之法輪
復有小千界　微塵數菩薩　餘各八生在　當得成佛道
復有四三二　如是四天下　微塵諸菩薩　隨數生成佛
或一四天下　微塵數菩薩　餘有一生在　當成一切智
如是等衆生　聞佛壽長遠　得无量无漏　清淨之果報
復有八世界　微塵數衆生　聞佛說壽命　皆發无上心
世尊說无量　不可思議法　多有所饒益　如虛空无邊
雨天曼陁羅　摩訶曼陁羅　釋梵如恒沙　无數佛土來
雨栴檀沉水　繽紛而亂墜　如鳥飛空下　供散於諸佛
天鼓虛空中　自然出妙聲　天衣千万種　旋轉而來下
衆寶妙香爐　燒无價之香　自然悉周遍　供養諸世尊
其大菩薩衆　執七寶幡蓋　高妙万億種　次第至梵天
一一諸佛前　寶幢懸勝幡　亦以千万偈　歌詠諸如來
如是種種事　昔所未曾有　聞佛壽无量　一切皆歡喜
佛名聞十方　廣饒益衆生　一切具善根　以助无上心
尒時佛告弥勒菩薩摩訶薩阿逸多其有衆
生聞佛壽命長遠如是乃至能生一念信解
所得功德无有限量若有善男子善女人為
阿耨多羅三藐三菩提於八十万億那由他

尒時佛告弥勒菩薩摩訶薩阿逸多其有衆
生聞佛壽命長遠如是乃至能生一念信解
所得功德无有限量若有善男子善女人為
阿耨多羅三藐三菩提於八十万億那由他
劫行五波羅蜜檀波羅蜜尸羅波羅蜜羼提
波羅蜜毗梨耶波羅蜜禪波羅蜜除般若波
羅蜜以是功德比前功德百分千分百千万
億分不及其一乃至筭數譬喻所不能知若
善男子有如是功德於阿耨多羅三藐三菩
提退者无有是處尒時世尊欲重宣此義而
說偈言
若人求佛慧　於八十万億　那由他劫數　行五波羅蜜
於是諸劫中　布施供養佛　及緣覺弟子　并諸菩薩衆
珍異之飲食　上服與卧具　栴檀立精舍　以園林莊嚴
如是等布施　種種皆微妙　盡此諸劫數　以迴向佛道
若復持禁戒　清淨无缺漏　求於无上道　諸佛之所歎
若復行忍辱　住於調柔地　設衆惡來加　其心不傾動
諸有得法者　懷於增上慢　為此所輕惱　如是亦能忍
若復勤精進　志念常堅固　於无量億劫　一心不懈息
又於无數劫　住於空閑處　若坐若經行　除睡常攝心
以是因緣故　能生諸禪定　八十億万劫　安住心不亂
持此一心福　願求无上道　我得一切智　盡諸禪定際
是人於百千　万億劫數中　行此諸功德　如上之所說
有善男女等　聞我說壽命　乃至一念信　其福過於彼
若人悉无有　一切諸疑悔　深心須臾信　其福為如此
其有諸菩薩　无量劫行道　聞我說壽命　是則能信受

持此一心福 願求无上道 我得一切智 盡諸禪定際
是人於百千 万億劫數中 行此諸功德 如上之所說
有善男女等 聞我說壽命 乃至一念信 其福過於彼
若人悉无有 一切諸疑悔 深心須臾信 其福為如此
其有諸菩薩 无量劫行道 聞我說壽命 是則能信受
如是諸人等 頂受此經典 願我於未來 長壽度衆生
如今日世尊 諸釋中之王 道場師子吼 說法无所畏
我等未來世 一切所尊敬 坐於道場時 說壽亦如是
若有深心者 清淨而質直 多聞能總持 隨義解佛語
如是諸人等 於此无有疑
又阿逸多若有聞佛壽命長遠解其言趣是
人所得功德无有限量能起如來无上之慧
何況廣聞是經若教人聞若自持若教人持
若自書若教人書若以華香瓔珞幢幡繒蓋
香油蘇燈供養經卷是人功德无量无邊能
生一切種智阿逸多若善男子善女人聞我
說壽命長遠深心信解則為見佛常在耆闍
崛山共大菩薩諸聲聞衆圍繞說法又見此
娑婆世界其地瑠璃坦然平正閻浮檀金以
界八道寶樹行列諸臺樓觀皆悉寶成其菩
薩衆咸處其中若有能如是觀者當知是為
深信解相又復如來滅後若聞是經而不毀
呰起隨喜心當知已為深信解相何況讀誦
受持之者斯人則為頂戴如來阿逸多是善
男子善女人不須為我復起塔寺及作僧坊
以四事供養衆僧所以者何是善男子善女

BD01109號 妙法蓮華經卷五 （21–18）

受持之者斯人則為頂戴如來阿逸多是善
男子善女人不須為我復起塔寺及作僧坊
以四事供養衆僧所以者何是善男子善女
人受持讀誦是經典者為已起塔造立僧坊
供養衆僧則為以佛舍利起七寶塔高廣漸
小至于梵天懸諸幡蓋及衆寶鈴花香瓔珞
末香塗香燒香衆鼓伎樂簫笛箜篌種種儛
戲以妙音聲歌唄讚頌則為於无量千万億
劫作是供養已阿逸多若我滅後聞是經典
有能受持若自書若教人書則為起立僧坊
以赤栴檀作諸殿堂三十有二高八多羅樹
高廣嚴好百千比丘於其中止園林流池經
行禪窟衣服飲食床褥湯藥一切樂具充滿
其中如是僧坊堂閣若干百千万億其數无
量以此現前供養於我及比丘僧是故我說
如來滅後若有受持讀誦為他人說若自書
若教人書供養經卷不須復起塔寺及造僧
坊供養衆僧況復有人能持是經兼行布施
持戒忍辱精進一心智慧其德最勝无量无
邊譬如虛空東西南北四維上下无量无邊
是人功德亦復如是无量无邊疾至一切種智
若人讀誦受持是經為他人說若自書若教
人書復能起塔及造僧坊供養讚歎聲聞衆
僧亦以百千万億讚歎之法讚歎菩薩功德
又為他人種種因緣隨義解說此法華經復

BD01109號 妙法蓮華經卷五 （21–19）

若人讀誦受持是經　為他人說　若自書若教
人書　復能起塔及造僧坊　供養讚歎聲聞衆
僧　亦以百千万億讚歎之法　讚歎菩薩功德
又為他人種種因緣隨義解說此法華經　復
能清淨持戒　與柔和者而共同止　忍辱无瞋
志念堅固　常貴坐禪　得諸深定　精進勇猛　攝
諸善法　利根智慧　善荅問難　阿逸多　若我滅
後　諸善男子善女人受持讀誦是經典者　復
有如是諸善功德　當知是人已趣道場　近阿
耨多羅三藐三菩提　坐道樹下　阿逸多　是善
男子若坐若立若行處　此中便應起塔　一切
天人皆應供養如佛之塔　尒時世尊欲重宣
此義而說偈言
若我滅度後　能奉持此經　斯人福无量　如上之所說
是則為具足　一切諸供養　以舍利起塔　七寶而莊嚴
表剎甚高廣　漸小至梵天　寶鈴千万億　風動出妙音
又扵无量劫　而供養此塔　華香諸瓔珞　天衣衆伎樂
然香油蘇燈　周帀常照明　惡世法末時　能持是經者
則為已如上　具足諸供養　若能持此經　則如佛現在
以牛頭栴檀　起僧坊供養　堂有三十二　高八多羅樹
上饌妙衣服　床臥皆具足　百千衆住處　園林諸流池
經行及禪窟　種種皆嚴好　若有信解心　受持讀誦書
若復教人書　及供養經卷　散華香末香　以須曼瞻蔔
阿提目多伽　薰油常然之　如是供養者　得无量功德
如虛空无邊　其福亦如是　況復持此經　兼布施持戒
忍辱樂禪定　不瞋不惡口　恭敬扵塔廟　謙下諸比丘

BD01109 號　妙法蓮華經卷五　（21–20）

經行及禪窟　種種皆嚴好　若有信解心　受持讀誦書
若復教人書　及供養經卷　散華香末香　以須曼瞻蔔
阿提目多伽　薰油常然之　如是供養者　得无量功德
如虛空无邊　其福亦如是　況復持此經　兼布施持戒
忍辱樂禪定　不瞋不惡口　恭敬扵塔廟　謙下諸比丘
遠離自高心　常思惟智慧　有問難不瞋　隨順為解說
若能行是行　功德不可量　若見此法師　成就如是德
應以天華散　天衣覆其身　頭面接足禮　生心如佛想
又應作是念　不久詣道樹　得无漏无為　廣利諸人天
其所住止處　經行若坐臥　乃至說一偈　是中應起塔
莊嚴令妙好　種種以供養　佛子住此地　則是佛受用
常在扵其中　經行及坐臥

妙法蓮華經卷第五

BD01109 號　妙法蓮華經卷五　（21–21）

……產福子
以聞香力故 知男女所念 染欲癡恚心 亦知修善者
地中眾伏藏 金銀諸珍寶 銅器之所盛 聞香悉能知
種種諸瓔珞 無能識其價 聞香知貴賤 出處及所在
天上諸華等 曼陀曼殊沙 波利質多樹 聞香悉能知
天上諸宮殿 上中下差別 眾寶華莊嚴 聞香悉能
天園林勝殿 諸觀妙法堂 在中而娛樂 聞香悉能知
諸天若聽法 或受五欲時 來往行坐臥 聞香悉能知
天女所著衣 好香華莊嚴 周旋遊戲時 聞香悉能知
如是展轉上 乃至於梵世 入禪出禪者 聞香悉能知
光音遍淨天 乃至于有頂 初生及退沒 聞香悉能知
諸比丘眾等 於法常精進 若坐若經行 及讀誦經法
或在林樹下 專精而坐禪 持經者聞香 悉知其所在
菩薩志堅固 坐禪若讀經 或為人說法 聞香悉能知
在在方世尊 一切所恭敬 愍眾而說法 聞香悉能知
眾生在佛前 聞經皆歡喜 如法而修行 聞香悉能知
雖未得菩薩 無漏法生鼻 而是持經者 先得此鼻相
復次常精進若善男子善女人受持是經若
讀若誦若解說若書寫得千二百舌功德若
好若醜若美若不美及諸苦澀物在其舌根
於大眾中有所演說出深妙聲能入其心皆
令歡喜快樂又諸天子天女釋梵諸天聞是
深妙音聲有所演說言論次第皆悉來聽及
諸龍龍女夜叉夜叉女乾闥婆乾闥婆女阿
脩羅阿脩羅女迦樓羅迦樓羅女緊那羅緊
那羅女摩睺羅伽摩睺羅伽女為聽法故皆
來親近恭敬供養及比丘比丘尼優婆塞優

BD01110號1　妙法蓮華經（十卷本）卷八　（24–1）

於大眾中有所演說出深妙聲能入其心皆
令歡喜快樂又諸天子天女釋梵諸天聞是
深妙音聲有所演說言論次第皆悉來聽及
諸龍龍女夜叉夜叉女乾闥婆乾闥婆女阿
脩羅阿脩羅女迦樓羅迦樓羅女緊那羅緊
那羅女摩睺羅伽摩睺羅伽女為聽法故皆
來親近恭敬供養及比丘比丘尼優婆塞優
婆夷國王王子群臣眷屬小轉輪王大轉輪
王七寶千子內外眷屬乘其宮殿俱來聽法
以是菩薩善說法故婆羅門居士國內人民
盡其形壽隨侍供養及諸聲聞辟支佛菩薩
諸佛常樂見之是人所在方面諸佛皆向其
處說法悉能受持一切佛法又能出於深妙
法音爾時世尊欲重宣此義而說偈言
是人舌根淨 終不受惡味 其有所食噉 悉皆成甘露
以深淨妙聲 於大眾說法 以諸因緣喻 引導眾生心
聞者皆歡喜 設諸上供養 諸天龍夜叉 及阿脩羅等
皆以恭敬心 而共來聽法 是說法之人 若欲以妙音
遍滿三千界 隨意即能至 大小轉輪王 及千子眷屬
合掌恭敬心 常來聽受法 諸天龍夜叉 羅剎毘舍遮
亦以歡喜心 常樂來供養 梵天王魔王 自在大自在
如是諸天眾 常來至其所 諸佛及弟子 聞其說法音
常念而守護 或時為現身
復次常精進若善男子善女人受持是經若
讀若誦若解說若書寫得八百身功德得清
淨身如淨琉璃眾生喜見其身淨故三千大
千世界眾生生時死時上下好醜生善處惡
處悉於中現及鐵圍山大鐵圍山彌樓山摩訶彌
樓山等諸山及其中眾生悉於中現下至阿
鼻地獄上至有頂所有及眾生悉於中現若
聲聞辟支佛菩薩諸佛說法皆於身中現其
色像爾時世尊欲重宣此義而說偈言

BD01110號1　妙法蓮華經（十卷本）卷八　（24–2）

擾山等諸山及其中衆生悉於中現下至阿
鼻地獄上至有頂所有及衆生悉於中現若
聲聞辟支佛菩薩諸佛說法皆於身中現其
色像尒時世尊欲重宣此義而說偈言
若持法華者　其身甚清淨　如彼淨琉璃　衆生皆喜見
又如淨明鏡　悉見諸色像　菩薩於淨身　皆見世所有
唯獨自明了　餘人所不見　三千世界中　一切諸群萌
天人阿脩羅　地獄鬼畜生　如是諸色像　皆於身中現
諸天等宮殿　乃至於有頂　鐵圍及彌樓　摩訶彌樓山
諸大海水等　皆於身中現　諸佛及聲聞　佛子菩薩等
若獨若在衆　說法悉皆現　雖未得无漏　法性之妙身
以清淨常體　一切於中現
復次常精進若善男子善女人如來滅後受
持是經若讀若誦若解說若書寫得千二百
意功德以是清淨意根乃至聞一偈一句通
達无量无邊之義解是義已能演說一句
一偈至於一月四月乃至一歲諸所說法隨
其義趣皆與實相不相違背若說俗間經書
治世語言資生業等皆順正法三千大千世
界六趣衆生心之所念心行所動作心所戲
論皆悉知之雖未得无漏智慧而其意根清
淨如此是人有所思惟籌量言說皆是佛法无
不真實亦是先佛經中所說尒時世尊欲重
宣此義而說偈言
是人意清淨　明利无穢濁　以此妙意根　知上中下法
乃至聞一偈　通達无量義　次第如法說　月四月至歲
是世界內外　一切諸衆生　若天龍及人　夜叉鬼神等
其在六趣中　所念若干種　持法華之報　一時皆悉知
十方无數佛　百福莊嚴相　為衆生說法　悉聞能受持
思惟无量義　說法亦无量　終始不忘錯　以持法華故
悉知諸法相　隨義識次第　達名字語言　如所知演說

BD01110 號 1　妙法蓮華經（十卷本）卷八　（24–3）

是世界內外　一切諸衆生　若天龍及人　夜叉鬼神等
其在六趣中　所念若干種　持法華之報　一時皆悉知
十方无數佛　百福莊嚴相　為衆生說法　悉聞能受持
思惟无量義　說法亦无量　終始不忘錯　以持法華故
悉知諸法相　隨義識次第　達名字語言　如所知演說
此人有所說　皆是先佛法　以演此法故　於衆无所畏
持法華經者　意根淨若斯　雖未得无漏　先有如是相
是人持此經　安住希有地　為一切衆生　歡喜而愛敬
能以千万種　善巧之語言　分別而說法　持法華經故
妙法蓮華經常不輕菩薩品第十九
尒時佛告得大勢菩薩摩訶薩汝今當知若
比丘比丘尼優婆塞優婆夷持法華經者
若有惡口罵詈誹謗獲大罪報如前所說其
所得功德如向所說眼耳鼻舌身意清淨得
大勢乃往古昔過无量无邊不可思議阿僧
祇劫有佛名威音王如來應供正遍知明行
足善逝世間解无上士調御丈夫天人師佛
世尊劫名離衰國名大成其威音王佛於彼
世中為天人阿脩羅說法為求聲聞者說應
四諦法度生老病死究竟涅槃為求辟支佛
者說應十二因緣法為諸菩薩說應六波羅蜜
令得阿耨多羅三藐三菩提成一切種智得
大勢是威音王佛壽卌万億那由他恒河沙
劫正法住世劫數如一閻浮提微塵像法住
世劫數如四天下微塵其佛饒益衆生已然
後滅度正法像法滅盡之後於此國土復有
佛出亦號威音王如來應供正遍知明行足
善逝世間解无上士調御丈夫天人師佛世
尊如是次第有二万億佛皆同一號最初威
音王如來既已滅度正法滅後於像法中增

BD01110 號 1　妙法蓮華經（十卷本）卷八　（24–4）

佛出已号威音王如來應供正遍知明行足
善逝世間解无上士調御丈夫天人師佛世
尊如是次第有二万億佛皆同一号最初威
音王如來既已滅度正法滅後於像法中增
上慢比丘有大勢力尒時有一菩薩比丘名
常不輕得大勢以何因緣名常不輕是比丘
凡有所見若比丘比丘尼優婆塞優婆夷皆
悉礼拜讚嘆而作是言我深敬汝等不敢輕
慢所以者何汝等皆行菩薩道當得作佛而
是比丘不專讀誦經典但行礼拜乃至遠見
四衆亦復故往礼拜讚嘆而作是言我不敢
輕於汝等汝等皆當作佛四衆之中有生瞋
恚心不淨者惡口罵詈言是无智比丘從何
所來自言我不輕汝而与我等受記當得作
佛我等不用如是虛妄受記如是經歷多年
常被罵詈不生瞋恚常作是言汝當作佛說
是語時衆人或以杖木瓦石而打擲之避走
遠住猶高聲唱言我不敢輕汝汝等皆當作
佛以其常作是語故增上慢比丘比丘尼優
婆塞優婆夷号之為常不輕是比丘臨欲終
時於虛空中具聞威音王佛先所說法華經
二十千万億偈悉能受持即得如上眼根清
淨耳鼻舌身意根清淨得是六根清淨已更
增壽命二百万億那由他歲廣為人說是法
華經於時增上慢四衆比丘比丘尼優婆塞
優婆夷輕賤是人為作不輕名者見其得大
神通力樂說辯力大善寂力聞其所說皆信
伏隨從是菩薩復化千万億衆住阿耨多羅
三藐三菩提命終之後得值二千億佛皆号
日月燈明於其法中說是法華緣以是因緣
復值二千億佛同号雲自在燈王於此諸佛

神通力樂說辯力大善寂力聞其所說皆信
伏隨從是菩薩復化千万億衆住阿耨多羅
三藐三菩提命終之後得值二千億佛皆号
日月燈明於其法中說是法華緣以是因緣
復值二千億佛同号雲自在燈王於此諸佛
法中受持讀誦為諸四衆說此經典故得常
眼清淨耳鼻舌身意諸根清淨於四衆中說
法心无所畏得大勢是常不輕菩薩摩訶薩
供養若如是千諸佛恭敬尊重讚嘆種諸善根
於後復值千万億佛亦於諸佛法中說是經典
功德成就當得作佛得大勢於汝意云何尒時
常不輕菩薩豈異人乎則我身是若我於宿
世不受持讀誦此經為他說者不能疾得阿
耨多羅三藐三菩提我於先佛所受持讀誦
此經為人說故疾得阿耨多羅三藐三菩提
得大勢彼時四衆比丘比丘尼優婆塞優婆
夷以瞋恚意輕賤我故二百億劫常不值佛
不聞法不見僧千劫於阿鼻地獄受大苦惱
畢是罪已復遇常不輕菩薩教化阿耨多羅
三藐三菩提得大勢於汝意云何尒時四衆
常輕是菩薩者豈異人乎今此會中跋陀婆
羅等五百菩薩師子月等五百比丘尼思佛
等五百優婆塞皆於阿耨多羅三藐三菩提
不退轉者是得大勢當知是法華經大饒益
諸菩薩摩訶薩能令至於阿耨多羅三藐三
菩提是故諸菩薩摩訶薩於如來滅後常應
受持讀誦解說書寫是經尒時世尊欲重宣
此義而說偈言
過去有佛　号威音王　神智无量　將導一切
天人龍神　所共供養　是佛滅後　法欲盡時

此義而說偈言
過去有佛　号威音王　神智无量　將道一切
天人龍神　所共供養　是佛滅後　法欲盡時
有一菩薩　名常不輕　時諸四衆　計著於法
不輕菩薩　往到其所　而語之言　我不輕汝
汝等行道　皆當作佛　諸人聞已　輕毀罵詈
不輕菩薩　能忍受之　其罪畢已　臨命終時
得聞此經　六根清淨　神通力故　增益壽命
復為諸人　廣說是經　諸著法衆　皆蒙菩薩
教化成就　令住佛道　不輕命終　值无數佛
說是經故　得福无量　漸具功德　疾成佛道
彼時不輕　則我身是　時四部衆　著法之者
聞不輕言　汝當作佛　以是因緣　值无數佛
此會菩薩　五百之衆　并及四部　清信士女
今於我前　聽法者是　我於前世　勸是諸人
聽受斯經　第一之法　開示教化　令住涅槃
世世受持　如是經典　億億万劫　至不可議
時乃得聞　是法華經　億億万數　至不可議
諸佛世尊　時說是經　是故行者　於佛滅後
聞如是經　勿生疑惑　應當一心　廣說此經
世世值佛　疾成佛道

妙法蓮華經卷第八

BD01110 號 1　妙法蓮華經（十卷本）卷八　（24–7）

世世值佛　疾成佛道

妙法蓮華經卷第八

妙法蓮華經地踊出品第十四
尒時他方國土諸來菩薩摩訶薩過八恒河
沙數，於大衆中起立合掌作禮而白佛言：世
尊若聽我等於佛滅後在此娑婆世界懃加
精進護持讀誦書寫供養是經典者，當於此
土而廣說之。尒時佛告諸來菩薩摩訶薩衆：
止善男子，不須汝等護持此經。所以者何？我
娑婆世界自有六万恒河沙等菩薩摩訶薩，
一一菩薩各有六万恒河沙眷屬，是諸人等
能於我後護持讀誦廣說此經。佛說是時，娑
婆世界三千大千國土地皆震裂，而於其中
有无量千万億菩薩摩訶薩同時踊出。是諸
菩薩身皆金色，三十二相，无量光明，先盡在
此娑婆世界之下此土虛空中住。是諸菩薩
聞釋迦牟尼佛所說音聲，從下發來。一一菩
薩皆是大衆唱導之首，各將六万恒河沙眷
屬，況將五万四万三万二万一万恒河沙等
眷屬者，況復乃至一恒河沙半恒河沙四分
之一，乃至千万億那由他分之一，況復千万
億那由他眷屬，況復億万眷屬，況復千万百
万乃至一万，況復一千一百乃至一十，況復

BD01110 號 2　妙法蓮華經（十卷本）卷七　（24–8）

眷屬者況復乃至一恒河沙半恒河沙四分
之一乃至千万億那由他分之一況復千万
億那由他眷屬況復万億眷屬況復千万百
万乃至一万況復一千一百乃至一十況復
將五四三二一弟子者況復單己樂遠離行
者如是等比无量无邊筭數譬喻所不能知
是諸菩薩從地踊出已各詣虛空七寶妙塔
多寶如来釋迦牟尼佛所到已向二世尊頭
面礼足及至諸寶樹下師子座上佛所亦皆
作礼右繞三帀合掌恭敬以諸菩薩種種讚
法而以讚嘆住在一面欣樂瞻仰於二世尊
是諸菩薩摩訶薩從初踊出以諸菩薩種種
讚法而讚於佛如是時間逕五十小劫是時
釋迦牟尼佛嘿然而坐及諸四衆亦皆嘿然
五十小劫佛神力故令諸大衆謂如半日尒
時四衆亦以佛神力故見諸菩薩遍滿无量
百千万億國土虛空是諸菩薩衆中有四導
師一名上行二名无邊行三名淨行四名安
立行是四菩薩於其衆中最為上首唱導之
師在大衆前各共合掌觀釋迦牟尼佛而問
訊言世尊少病少惱安樂行不所應度者受
教易不不令世尊生疲勞耶尒時四大菩薩
而說偈言
世尊安樂　少病少惱　教化衆生　得无疲惓
又諸衆生　受化易不　不令世尊　生勞苦耶
尒時世尊於菩薩大衆中而作是言如是如
是諸善男子如来安樂少病少惱諸衆生等
易可化度无有疲勞所以者何是諸衆生世
世以来常受我化亦於過去諸佛供養尊重
種諸善根此諸衆見生始我身聞我所說即

是諸善男子如来安樂少病少惱諸衆生等
易可化度无有疲勞所以者何是諸衆生世
世以来常受我化亦於過去諸佛供養尊重
種諸善根此諸衆見生始我身聞我所說即
皆信受入如来慧除先脩習學小乘者如是
之人我今亦令得聞是經入於佛慧尒時諸
大菩薩而說偈言
善哉善哉　大雄世尊　諸衆生等　易可化度
能問諸佛　甚深智慧　聞已信行　我等隨喜
尒時世尊讚上首諸大菩薩善哉善哉善
男子汝等於能如来發隨喜心尒時弥勒菩
薩及八千恒河沙諸菩薩衆皆作是念我等
從昔已来不見不聞如是大菩薩摩訶薩衆
從地踊出住世尊前合掌供養問訊如来時
弥勒菩薩摩訶薩知八千恒河沙諸菩薩等
心之所念并欲自決所疑合掌向佛以偈問言
无量千万億　大衆諸菩薩　昔所未曾見　願兩足尊說
是從何所来　以何因緣集　巨身大神通　智慧叵思議
其志念堅固　有大忍辱力　衆生所樂見　為從何所来
一一諸菩薩　所將諸眷屬　其數无有量　如恒河沙等
或有大菩薩　將六万恒沙　如是諸大衆　一心求佛道
是諸大師等　六万恒河沙　俱来供養佛　及護持是經
將五万恒沙　其數過於是　四万及三万　二万至一万
一千一百等　乃至一恒沙　半及三四分　億万分之一
千万那由他　万億諸弟子　乃至於半億　其數復過上
百万至一万　一千及一百　五十与一十　乃至三二一
單己无眷屬　樂於獨處者　俱来至佛所　其數轉過上
如是諸大衆　若人行籌數　過於恒沙劫　猶不能盡知
是諸大威德　精進菩薩衆　誰為其說法　教化而成就
從誰初發心　稱揚何佛法　受持行誰經　脩習何佛道
如是諸菩薩　神通大智力　四方地震裂　皆從中踊出

如是諸大衆　若人行籌數　過於恒沙劫　猶不能盡知
是諸大威德　精進菩薩衆　誰為其說法　教化而成就
從誰初發心　稱揚何佛法　受持行誰經　脩習何佛道
如是諸菩薩　神通大智力　四方地震裂　皆從中踊出
世尊我昔來　未曾見是事　願說其所從　國土之名号
我常遊諸國　未曾見是衆　我於是衆中　乃不識一人
忽然從地出　願說其因緣　今此之大會　无量百千億
是諸菩薩等　皆欲知此事　是諸菩薩衆　本末之因緣
无量德世尊　唯願決衆疑
尒時釋迦牟尼分身諸佛從无量千万億他
方國土來者在於八方諸寶樹下師子坐上
結加趺坐其佛侍者各各見是菩薩大衆
於三千大千世界四方從地踊出住於虛空
各白其佛言世尊此諸无量无邊阿僧祇菩
薩大衆從何所來尒時諸佛各告侍者諸善
男子且待須臾有菩薩摩訶薩名弥勒釋迦
牟尼之所受記次後作佛已問斯事佛今荅
之汝等自當因是得聞尒時釋迦牟尼佛告
弥勒菩薩善哉善哉阿逸多乃能問佛如是
大事汝等當共一心被精進鎧發堅固意如
來今欲顯發宣示諸佛智慧諸佛自在神通
之力諸佛師子奮迅之力諸佛威猛大勢之力
尒時世尊欲重宣此義而說偈言
當精進一心　我欲說此事　勿得有疑悔　佛智叵思議
汝今出信力　住於忍善中　昔所未聞法　今皆當得聞
我今安慰汝　勿得懷疑懼　佛无不實語　智慧不可量
所得第一法　甚深叵分別　如是今當說　汝等一心聽
尒時世尊說此偈已告弥勒菩薩我今於此
大衆宣告汝等阿逸多是諸大菩薩摩訶
薩无量无數阿僧祇從地踊出汝等昔所未
見我於是娑婆世界得阿耨多羅三藐三

BD01110 號 2　妙法蓮華經（十卷本）卷七　（24–11）

尒時世尊說此偈已告弥勒菩薩我今於此
大衆宣告汝等阿逸多是諸大菩薩摩訶
薩无量无數阿僧祇從地踊出汝等昔所未
見我於是娑婆世界得阿耨多羅三藐三
菩提已教化示導是諸菩薩調伏其心令發
道意此諸菩薩皆於是娑婆世界之下此界
虛空中住於諸經典讀誦通利思惟分別正
憶念阿逸多是諸善男子等不樂在衆多有
所說常樂靜處懃行精進未曾休息亦不依
止人天而住常樂深智无有鄣㝵亦常樂於
諸佛之法一心精進求无上慧尒時世尊欲
重宣此義而說偈言
阿逸汝當知　是諸大菩薩　從无數劫來　脩習佛智慧
悉是我所化　令發大道心　此等是我子　依止此世界
常行頭陀事　志樂於靜處　捨大衆憒鬧　不樂多所說
如是諸子等　學習我道法　晝夜常精進　為求佛道故
在娑婆世界　下方空中住　志念力堅固　常懃求智慧
說種種妙法　其心无所畏　我於伽耶城　菩提樹下坐
得成最正覺　轉无上法輪　尒乃教化之　令初發道心
今皆住不退　悉當得成佛　我今說實語　汝等一心信
我從久遠來　教化是等衆
尒時弥勒菩薩摩訶薩及无數諸菩薩等心
生疑惑怪未曾有而作是念云何世尊於少
時間教化如是无量无邊阿僧祇諸大菩薩
令住阿耨多羅三藐三菩提即白佛言世尊
如來為太子時出於釋宮去伽耶城不遠坐
於道場得成阿耨多羅三藐三菩提從是已
來始過卌餘年世尊云何於此少時大作佛
事以佛勢力以佛功德教化如是无量大菩
薩衆當成阿耨多羅三藐三菩提世尊此大
菩薩衆假使有人於千万億劫數不能盡不

BD01110 號 2　妙法蓮華經（十卷本）卷七　（24–12）

来始過卌餘年世尊云何於此少時大作佛
事以佛勢力以佛功德教化如是无量大菩
薩衆當成阿耨多羅三藐三菩提世尊此大
菩薩衆假使有人於千万億劫數不能盡不
得其邊斯等久遠以来於无量无邊諸佛所
植諸善根成就菩薩道常脩梵行世尊如此
之事世所難信譬如有人色美髮黒年廿五
指百歳人言是我子其百歳人亦指年少言
是我父生育我等是事難信佛亦如是得道
以来其實未久而此大衆諸菩薩等已於无
量千万億劫為佛道故懃行精進善入出住
无量百千万億三昧得大神通久脩梵行善
能次第集諸善法巧於問答人中之寶一切
世間甚為希有今日世尊方云得佛道時初
令發心教化示導令向阿耨多羅三藐三菩
提世尊得佛未久乃能作此大功德事我等
雖復信佛隨宜所說佛所出言未曾虚妄佛
所知者皆悉通達然諸新發意菩薩於佛滅
後若聞是語或不信受而起破法罪業因緣
唯然世尊願為解說除我等疑及未来世諸
善男子聞此事已亦不生疑尒時弥勒菩薩
欲重宣此義而說偈言
佛昔從釋種　出家近伽耶　坐於菩提樹　尒来尚未久
此諸佛子等　其數不可量　久已行佛道　住神通智力
善學菩薩道　不染世間法　如蓮華在水　從地而踊出
皆起恭敬心　住於世尊前　是事難思議　云何而可信
佛得道甚近　所成就甚多　願為除衆疑　如實分別說
譬如少壯人　年始二十五　示人百歳子　髮白而面皺
是等我所生　子亦說是父　父少而子老　舉世所不信
世尊亦如是　得道来甚近　是諸菩薩等　志固无怯弱
從无數劫来　而行菩薩道　巧於難問答　其心无所畏

BD01110號2　妙法蓮華經（十卷本）卷七　（24–13）

譬如少壯人　年始二十五　示人百歳子　髮白而面皺
是等我所生　子亦說是父　父少而子老　舉世所不信
世尊亦如是　得道来甚近　是諸菩薩等　志固无怯弱
從无數劫来　而行菩薩道　巧於難問答　其心无所畏
忍辱心決定　端正有威德　十方佛所讃　善能分別說
不樂在人衆　常好在禪定　為求佛道故　於下空中住
我等從佛聞　於此事无疑　願佛為未来　演說令開解
若有於此經　生疑不信者　即當墮惡道　願今為解說
是无量菩薩　云何於少時　教化令發心　而住不退地

妙法蓮華經如来壽量品第十五

尒時佛告諸菩薩及一切大衆諸善男子汝
等當信解如来誠諦之語復告大衆汝等當
信解如来誠諦之語又復告諸大衆汝等當信
解如来誠諦之語是時菩薩大衆弥勒為首
合掌白佛言世尊唯願說之我等當信受佛
語如是三白已復言唯願說之我等當信受
佛語尒時世尊知諸菩薩三請不止而告
之言汝等諦聽如来秘藏神通之力一切世
間天人及阿脩羅皆謂今釋迦牟尼佛出釋
氏宮去伽耶城不遠坐於道場得阿耨多羅
三藐三菩提然善男子我實成佛以来无量
无邊百千万億那由他劫譬如五百千万億
那由他阿僧祇世界三千大千世界假使有
人末為微塵過於東方五百千万億那由他
阿僧祇國乃下一塵如是東行盡是微塵諸
善男子於汝意云何是諸世界可得思惟挍
計知其數不弥勒菩薩等俱白佛言世尊是
諸世界无量无邊非筭數所知亦非心力所
及一切聲聞辟支佛以无漏智不能思惟知
其限數我等住阿惟越致地於是事中亦所
不達世尊如是諸世界无量无邊尒時佛告

BD01110號2　妙法蓮華經（十卷本）卷七　（24–14）

計知其數不彌勒菩薩等俱白佛言世尊是
諸世界无量无邊非筭數所知亦非心力所
及一切聲聞辟支佛以无漏智不能思惟知
其限數我等住阿惟越致地於是事中亦所
不達世尊如是諸世界无量无邊爾時佛告
大菩薩衆諸善男子今當分明宣告汝等是
諸世界若著微塵及不著者盡以為塵我成
佛已來復過於此百千万億那由他阿僧祇劫
自從是來我常在此娑婆世界說法教化亦
於餘處百千万億那由他阿僧祇國導利衆
生諸善男子於是中間我說燃燈佛等又復
言其入於涅槃如是皆以方便分別諸善男
子若有衆生來至我所我以佛眼觀其信等
諸根利鈍隨所應度處處自說名字不同年
紀大小亦復現言當入涅槃又以種種方便
說微妙法能令衆生發歡喜心諸善男子如
來見諸衆生樂於小法德薄垢重者為是人
說我少出家得阿耨多羅三藐三菩提然我實
成佛以來久遠若斯但以方便教化衆生令
入佛道作如是說諸善男子如來所演經典
皆為度脫衆生或說己身或說他身或示己
身或示他身或示己事或示他事諸所言說
皆實不虛所以者何如來如實知見三界之
相无有生死若退若出亦无在世及滅度者
非實非虛非如非異不如三界見於三界如
斯之事如來明見无有錯謬以諸衆生有種
種性種種欲種種行種種憶想分別故欲令
生諸善根以若干因緣譬喻言辭種種說法
所作佛事未曾暫廢如是我成佛以來甚大
久遠壽命无量阿僧祇劫常住不滅諸善男
子我本行菩薩道時所成壽命今猶未盡復

BD01110號2　妙法蓮華經（十卷本）卷七　（24–15）

生諸善根以若干因緣譬喻言辭種種說法
所作佛事未曾暫廢如是我成佛以來甚大
久遠壽命无量阿僧祇劫常住不滅諸善男
子我本行菩薩道時所成壽命今猶未盡復
倍上數然今非實滅度而便唱言當取滅度
如來以是方便教化衆生所以者何若佛久
住於世薄德之人不種善根貧窮下賤貪著
五欲入於憶想妄見網中見如來常在不滅
便起憍恣而懷厭怠不能生難遭之想恭敬
之心是故如來以方便說比丘當知諸佛出
世難可值遇所以者何諸薄德人過无量百
千万億劫或有見佛或不見者以此事故我
作是言諸比丘如來難可得見斯衆生等聞
如是語必當生於難遭之想心懷戀慕渴仰
於佛便種善根是故如來雖不實滅而言滅
度又善男子諸佛如來法皆如是為度衆生
皆實不虛譬如良醫智慧聰達明練方藥善
治衆病其人多諸子息若十二十乃至百數
以有事緣遠至餘國諸子於後飲他毒藥發
心亂宛轉于地是時其父還來歸家諸子飲
毒或失本心或不失者遙見其父皆大歡喜
拜跪問訊善安隱歸我等愚癡誤服毒藥願
見救療更賜壽命父見子等苦惱如是依諸
經方求好藥草色香美味皆悉具足擣篩和
合與子令服而作是言此大良藥色香美味
皆悉具足汝等可服速除苦惱无復衆患其
諸子中不失心者見此良藥色香俱好即便
服之病盡除愈餘失心者見其父來雖亦歡
喜問訊求索治病然與其藥而不肯服所以
者何毒氣深入失本心故於此好色香藥而

BD01110號2　妙法蓮華經（十卷本）卷七　（24–16）

服之病盡除愈餘失心者見其父來雖亦歡
喜問信求索治病然与其藥而不肯服所以
者何毒氣深入失本心故於此好色香藥而
謂不美往是念此子可愍為毒所中心皆顛
倒雖見我喜求索救療如是好藥而不肯
服我今當設方便令服此藥即作是言汝等
當知我今衰老死時已至是好良藥今留在
此汝可取服勿憂不差作是教已復至他國
遣使還告汝父已死是時諸子聞父背喪心
大憂惱而作是念若父在者慈愍我等能見
救護今者捨我遠喪他國自惟孤露无復恃
怙常懷悲感心遂醒悟乃知此藥色味香美
即取服之毒病皆愈其父聞子悉已得差尋
便來歸咸使見之諸善男子於意云何頗有
人能說此良醫虛妄罪不不也世尊佛言我
亦如是成佛已來无量无邊百千万億那由
他阿僧祇劫為衆生故以方便力言當滅度
亦无有能如法說我虛妄過者尒時世尊欲
重宣此義而說偈言

自我得佛來　所經諸劫數　无量百千万　億載阿僧祇
常說法教化　无數億衆生　令入於佛道　尒來无量劫
為度衆生故　方便現涅槃　而實不滅度　常住此說法
我常住於此　以神通諸力　令顛倒衆生　雖近而不見
衆見我滅度　廣供養舍利　咸皆懷戀慕　而生渴仰心
衆生既信伏　質直意柔軟　一心欲見佛　不自惜身命
時我及衆僧　俱出靈鷲山　我時語衆生　常在此不滅
以方便力故　現有滅不滅　餘國有衆生　恭敬信樂者
我復於彼中　為說无上法　汝等不聞此　但謂我滅度
我見諸衆生　沒在於苦惱　故不為現身　令其生渴仰
因其心戀慕　乃出為說法　神通力如是　於阿僧祇劫

BD01110 號 2　妙法蓮華經（十卷本）卷七　（24–17）

時我及衆僧　俱出靈鷲山　我時語衆生　常在此不滅
以方便力故　現有滅不滅　餘國有衆生　恭敬信樂者
我復於彼中　為說无上法　汝等不聞此　但謂我滅度
我見諸衆生　沒在於苦惱　故不為現身　令其生渴仰
因其心戀慕　乃出為說法　神通力如是　於阿僧祇劫
常在靈鷲山　及餘諸住處　衆生見劫盡　大火所燒時
我此土安隱　天人常充滿　園林諸堂閣　種種寶莊嚴
寶樹多花菓　衆生所遊樂　諸天擊天鼓　常作衆伎樂
雨曼陀羅華　散佛及大衆　我淨土不毀　而衆見燒盡
憂怖諸苦惱　如是悉充滿　是諸罪衆生　以惡業因緣
過阿僧祇劫　不聞三寶名　諸有脩功德　柔和質直者
則皆見我身　在此而說法　或時為此衆　說佛壽无量
久乃見佛者　為說佛難值　我智力如是　慧光照无量
壽命无數劫　久脩業所得　汝等有智者　勿於此生疑
當斷令永盡　佛語實不虛　如醫善方便　為治狂子故
實在而言死　无能說虛妄　我亦為世父　救諸苦患者
為凡夫顛倒　實在而言滅　以常見我故　而生憍恣心
放逸著五欲　墮於惡道中　我常知衆生　行道不行道
隨應所可度　為說種種法　每自作是念　以何令衆生
得入无上道　速成就佛身

妙法蓮華經分別功德品第十六

尒時大會聞佛說壽命劫數長遠如是无量
无邊阿僧祇衆生得大饒益於時世尊告彌
勒菩薩摩訶薩阿逸多我說是如來壽長命
遠時六百八十万億那由他恒河沙衆生得
无生法忍復有千倍菩薩摩訶薩得聞持陀
羅尼門復有一世界微塵數菩薩摩訶薩得
樂說无导辯才復有一世界微塵數菩薩摩
訶薩得百万億无量旋陀羅尼復有三千大
千世界微塵數菩薩摩訶薩能轉不退法輪
復有中二千國土微塵數菩薩摩訶薩能轉清
淨法輪復有小千國土微塵數菩薩摩訶薩

BD01110 號 2　妙法蓮華經（十卷本）卷七　（24–18）

[illegible]
訶薩得百万億无量旋陁羅尼復有三千大
千世界微塵數菩薩摩訶薩能轉不退法輪
復有中二千國土微塵數菩薩摩訶薩能轉清
淨法輪復有小千國土微塵數菩薩摩訶薩
八生當得阿耨多羅三藐三菩提復有四四
天下微塵數菩薩摩訶薩四生當得阿耨多
羅三藐三菩提復有三四天下微塵數菩薩
摩訶薩三生當得阿耨多羅三藐三菩提復
有二四天下微塵數菩薩摩訶薩二生當得
阿耨多羅三藐三菩提復有一四天下微塵
數菩薩摩訶薩一生當得阿耨多羅三藐三
菩提復有八世界微塵數眾生皆發阿耨多
羅三藐三菩提心佛說是諸菩薩摩訶薩得
大法利時於虛空中雨曼陁羅華摩訶曼陁
羅華以散无量百千万億寶樹下師子坐上
諸佛并散七寶塔中師子坐上釋迦牟尼佛
及久滅度多寶如來亦散一切諸大菩薩及
四部眾又雨細末栴檀沉水香等於虛空中
天鼓自鳴妙聲深遠又雨千種天衣垂諸瓔
珞真珠瓔珞摩尼珠瓔珞如意珠瓔珞遍於九
方眾寶香爐燒无價香自然周至供養大會
一一佛上有諸菩薩執持幡蓋次第而上至
于梵天是諸菩薩以妙音聲歌无量頌讚歎
諸佛尒時弥勒菩薩從坐而起偏袒右肩合
掌向佛而說偈言
佛說希有法　昔所未曾有　世尊有大力　壽命不可量
无數諸佛子　聞世尊分別　說得法利者　歡喜充遍身
或住不退地　或得陁羅尼　或无导樂說　万億旋總持
或有大千世　微塵數菩薩　各各皆能轉　不退之法輪
復有中千界　微塵數菩薩　各各皆能轉　清淨之法輪
復有小千界　微塵數菩薩　餘各八生在　當得成佛道
復有三四二　如此四天下　微塵數菩薩　隨數生成佛

BD01110號2　妙法蓮華經（十卷本）卷七　（24–19）

无數諸佛子　聞世尊分別　說得法利者　歡喜充遍身
或住不退地　或得陁羅尼　或无导樂說　万億旋總持
或有大千世　微塵數菩薩　各各皆能轉　不退之法輪
復有中千界　微塵數菩薩　各各皆能轉　清淨之法輪
復有小千界　微塵數菩薩　餘各八生在　當得成佛道
復有三四二　如此四天下　微塵諸菩薩　隨數生成佛
或一四天下　微塵數菩薩　餘有一生在　當成一切智
如是等眾生　聞佛壽長遠　得无漏无為　清淨之果報
復有八世界　微塵數菩薩　聞佛說壽命　皆發无上心
世尊說无量　不可思議法　多有所饒益　如虛空无邊
天雨曼陁華　摩訶曼陁羅　釋梵如恒沙　无數佛土來
雨栴檀沉水　繽紛而亂墜　如鳥飛空下　供散於諸佛
天鼓虛空中　自然出妙音　天衣千万種　旋轉而來下
眾寶妙香爐　燒无價之香　自然悉周遍　供養諸世尊
其大菩薩眾　執七寶幡蓋　高妙万億種　次第至梵天
一一諸佛前　寶幢懸勝幡　亦以千万偈　歌詠諸如來
如是種種事　昔所未曾有　聞佛壽无量　一切皆歡喜
佛名聞十方　廣饒益眾生　一切具善根　以助无上心
尒時佛告弥勒菩薩摩訶薩阿逸多其有眾
生聞佛壽命長遠如是乃至能生一念信解
所得功德无有限量若有善男子善女人為
阿耨多羅三藐三菩提於八十億那由他劫
行五波羅蜜檀波羅蜜尸波羅蜜羼提波羅
蜜毗梨耶波羅蜜禪波羅蜜除般若波羅蜜
以是功德比前功德百分千分百千万億分
不及其一乃至筭數譬喻所不能知若善男
子善女人有如是功德於阿耨多羅三藐三
菩提退者无有是處尒時世尊欲重宣此義
而說偈言
是人求佛慧　於八十万億　那由他劫數　行五波羅蜜
於是諸劫中　布施供養佛　及緣覺弟子　并諸菩薩眾

BD01110號2　妙法蓮華經（十卷本）卷七　（24–20）

以是功德比前功德百分千分百千万億分
不及其一乃至筭數譬喻所不能知若善男
子善女人有如是功德於阿耨多羅三藐三
菩提退者无有是處介時世尊欲重宣此義
而說偈言
若人求佛慧　於八十万億　那由他劫數　行五波羅蜜
於是諸劫中　布施供養佛　及緣覺弟子　并諸菩薩衆
珍異之飲食　上服与臥具　栴檀立精舍　以園林莊嚴
如是等布施　種種皆微妙　盡此諸劫數　以迴向佛道
若復持禁戒　清淨无缺漏　求於无上道　諸佛之所歎
若復行忍辱　住於調柔地　設衆惡來加　其心不傾動
諸有得法者　懷於增上慢　為此所輕惱　如是亦能忍
若復懃精進　志念常堅固　於无量億劫　一心不懈息
又於无量劫　住於空閑處　若坐若經行　除睡常攝心
以是因緣故　能生諸禪定　八十億万劫　安住心不亂
持此一心福　願求无上道　我得一切智　盡諸禪定際
是人於百千　万億劫數中　行此諸功德　如上之所說
又善男子等　聞我說壽命　乃至一念信　其福過於彼
若人悉无有　一切諸疑悔　深心須臾信　其福為如此
其有諸菩薩　无量劫行道　聞我說壽命　是則能信受
如是諸人等　頂受此經典　願我於未來　長壽度衆生
如今日世尊　諸釋之中王　道場師子吼　說法无所畏
我等未來世　一切所尊敬　坐於道場時　說壽亦如是
若有深心者　清淨而質直　多聞能總持　隨義解佛語
如是之人等　於此无有疑
又阿逸多若有聞佛壽命長遠解其義趣是
人所得功德无有限量能起如來无上之慧
何況廣聞是經若教人聞若自持若教人持
若自書若教人書若以華香瓔珞幢幡繒蓋
香油蘇燈供養經卷是人功德无量无邊能生
一切種智阿逸多若善男子善女人聞我說

BD01110號2　妙法蓮華經（十卷本）卷七　（24–21）

如是之人等　於此无有疑
又阿逸多若有聞佛壽命長遠解其義趣是
人所得功德无有限量能起如來无上之慧
何況廣聞是經若教人聞若自持若教人持
若自書若教人書若以華香瓔珞幢幡繒蓋
香油蘇燈供養經卷是人功德无量无邊能生
一切種智阿逸多若善男子善女人聞我說
壽命長遠深心信解則為見佛常在耆闍崛
山共大菩薩諸聲聞衆圍繞說法又見此娑
婆世界其地琉璃坦然平正閻浮檀金以界
八道寶樹行列諸臺樓觀皆悉寶成其菩薩
衆咸處其中若有能如是觀者當知是為深
信解相又復如來滅後若聞是經而不毀呰
起隨喜心當知已為深信解相何況讀誦受
持之者斯人則為頂戴如來阿逸多是善男子
善女人不須為我復起塔寺及作僧坊以四
事供養衆僧所以者何是善男子善女人受
持讀誦是經典者為已起塔造立僧坊供養
衆僧則為以佛舍利起七寶塔高廣漸小至
于梵天懸諸幡蓋及衆寶鈴華香瓔珞末香
塗香燒香衆鼓伎樂簫笛箜篌種種儛戲以
妙音聲歌唄讚頌則為於无量千万億劫作
是供養已阿逸多若我滅後聞是經典有能
受持若自書若教人書則為起立僧坊以赤
栴檀作諸殿堂卅有二高八多羅樹高廣嚴
好百千比丘於其中止園林浴池經行禪窟
衣服飲食床褥湯藥一切樂具充滿其中如
是僧坊若干百千万億其數无量以此現前
供養於我及比丘僧是故我說如來滅後若
有受持讀誦為他人說若自書若教人書供
養經卷不須復起塔寺及造僧坊供養衆僧

BD01110號2　妙法蓮華經（十卷本）卷七　（24–22）

好百千比丘於其中止園林池流經行禪窟
衣服飲食床蓐湯藥一切樂具充滿其中如
是僧坊若干百千万億其數无量以此現前
供養於我及比丘僧是故我說如來滅後若
有受持讀誦為他人說若自書若教人書供
養經巻不須復起塔寺及造僧坊供養衆僧
況復有人能持是經兼行布施持戒忍辱精
進一心智慧其德最勝无量无邊譬如虛空
東西南北四維上下无量无邊是人功德亦
復如是无量无邊疾至一切種智若人讀誦
受持是經為他人說若自書若教人書復能
起塔及造僧坊供養讚歎聲聞衆僧亦以百
千万億讚歎之法讚歎菩薩功德又為他人
種種因緣隨義解說此法華經復能清淨持
戒与柔和者而共同止忍辱无瞋志念堅固
常貴坐禪得諸深定精進勇猛攝諸善法利
根智慧善答問難阿逸多若我滅後諸善男
子善女人受持讀誦是經典者復有如是諸
善功德當知是人已趣道場近阿耨多羅
三藐三菩提坐道樹下阿逸多是善男子若
坐若立若行處此中便應起塔一切天人皆
應供養如佛之塔尒時世尊欲重宣此義而
說偈言

若我滅度後　能奉持此經　斯人福无量　如上之所說
是則為具足　一切諸供養　以舍利起塔　七寶而莊嚴
表刹甚高廣　漸小至梵天　寶鈴千万億　風動出妙音
又於无量劫　而供養此塔　華香諸瓔珞　天衣衆伎樂
燃香蘇油燈　周匝常照明　惡世法末時　能持是經者
則為已如上　具足諸供養　若能持此經　則如佛現在
以牛頭栴檀　起僧坊供養　堂有三十二　高八多羅樹
上饌妙衣服　床卧皆具足　百千衆住處　園林諸池流

BD01110 號 2　妙法蓮華經（十卷本）卷七　（24–23）

說偈言

若我滅度後　能奉持此經　斯人福无量　如上之所說
是則為具足　一切諸供養　以舍利起塔　七寶而莊嚴
表刹甚高廣　漸小至梵天　寶鈴千万億　風動出妙音
又於无量劫　而供養此塔　華香諸瓔珞　天衣衆伎樂
燃香蘇油燈　周匝常照明　惡世法末時　能持是經者
則為已如上　具足諸供養　若能持此經　則如佛現在
以牛頭栴檀　起僧坊供養　堂有三十二　高八多羅樹
上饌妙衣服　床卧皆具足　百千衆住處　園林諸池流
經行及禪窟　種種皆嚴好　若有信解心　受持讀誦書
若復教人書　及供養經巻　散華香末香　以須曼瞻蔔
阿提目多伽　熏油常燃之　如是供養者　得无量功德
如虛空无邊　其福亦如是　況復持此經　兼布施持戒
忍辱樂禪定　不瞋不惡口　恭敬於塔廟　謙下諸比丘
遠離自高心　常思惟智慧　有問難不瞋　隨順為解說
若能行是行　功德不可量　若見此法師　成就如是德
應以天華散　天衣覆其身　頭面接足禮　生心如佛想
又應作是念　不久詣道樹　得无漏无為　廣利諸天人
其所住止處　經行若坐卧　乃至說一偈　是中應起塔
莊嚴令妙好　種種以供養　佛子住此地　則如佛受用
常在於其中　經行及坐卧

妙法蓮華經巻第七

BD01110 號 2　妙法蓮華經（十卷本）卷七　（24–24）

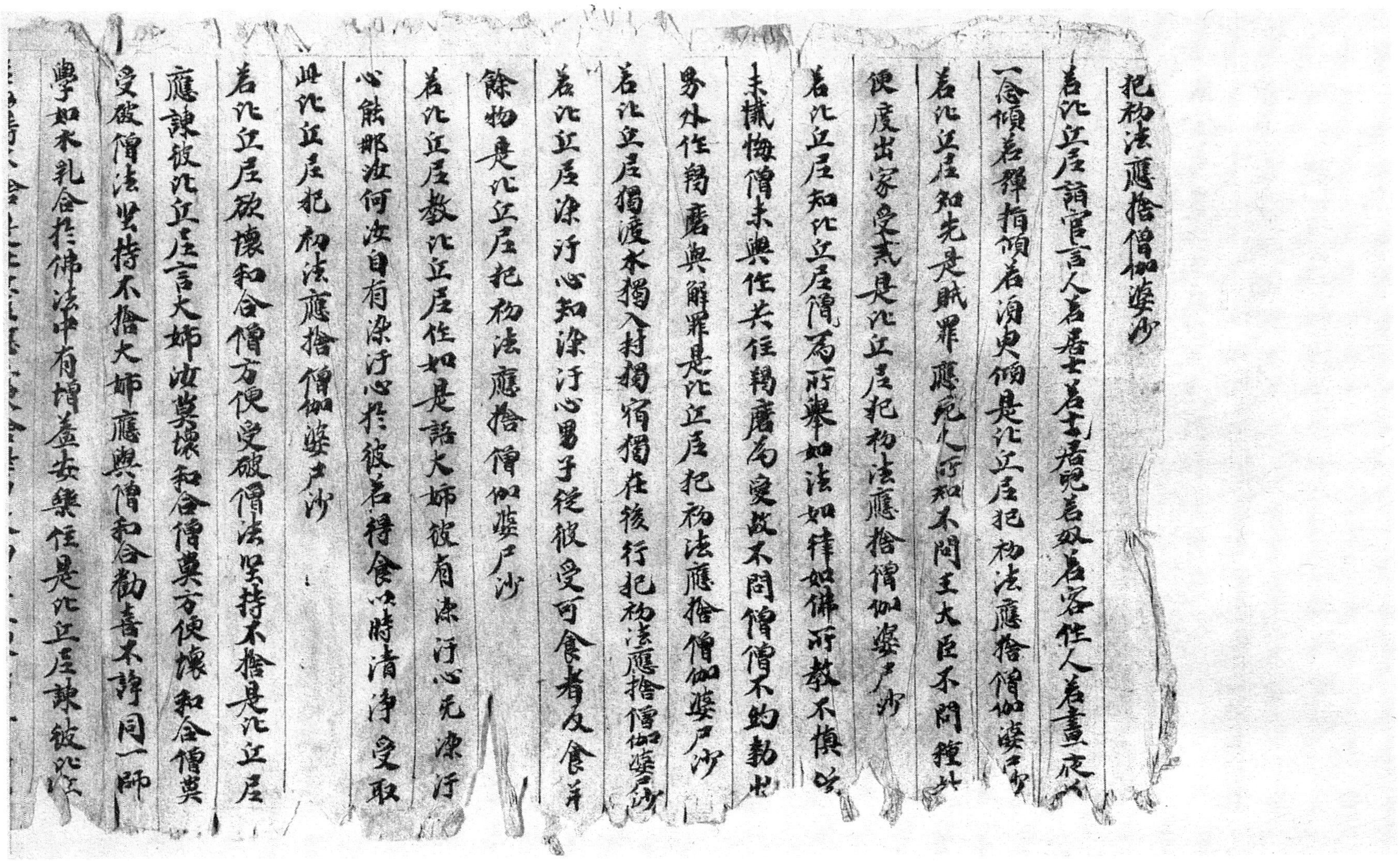

犯初法應捨僧伽婆沙
若比丘尼誦官言人若居士若居士兒若奴若客作人若晝夜
一念頃若彈指頃若須臾頃是比丘尼犯初法應捨僧伽婆尸沙
若比丘尼知先是賊罪應死人所知不問王大臣不問種姓
便度出家受戒是比丘尼犯初法應捨僧伽婆尸沙
若比丘尼知比丘尼僧爲所舉如法如律如佛所教不順從
未懺悔僧未與作共住羯磨爲愛故不問僧僧不約勅
界外作羯磨與解罪是比丘尼犯初法應捨僧伽婆尸沙
若比丘尼獨渡水獨入村獨宿獨在後行犯初法應捨僧伽婆尸沙
若比丘尼染汙心知染汙心男子從彼受可食者及食并
餘物是比丘尼犯初法應捨僧伽婆尸沙
若比丘尼教比丘尼作如是語大姊彼有染汙心无染汙
心能那汝何汝自有染汙心於彼若得食以時清淨受取
此比丘尼犯初法應捨僧伽婆尸沙
若比丘尼欲壞和合僧方便受破僧法堅持不捨是比丘尼
應諫彼比丘尼言大姊汝莫壞和合僧莫方便壞和合僧莫
受破僧法堅持不捨大姊應與僧和合歡喜不諍同一師
學如水乳合於佛法中有增益安樂住是比丘尼諫彼比丘

BD01111號　四分比丘尼戒本　（3–1）

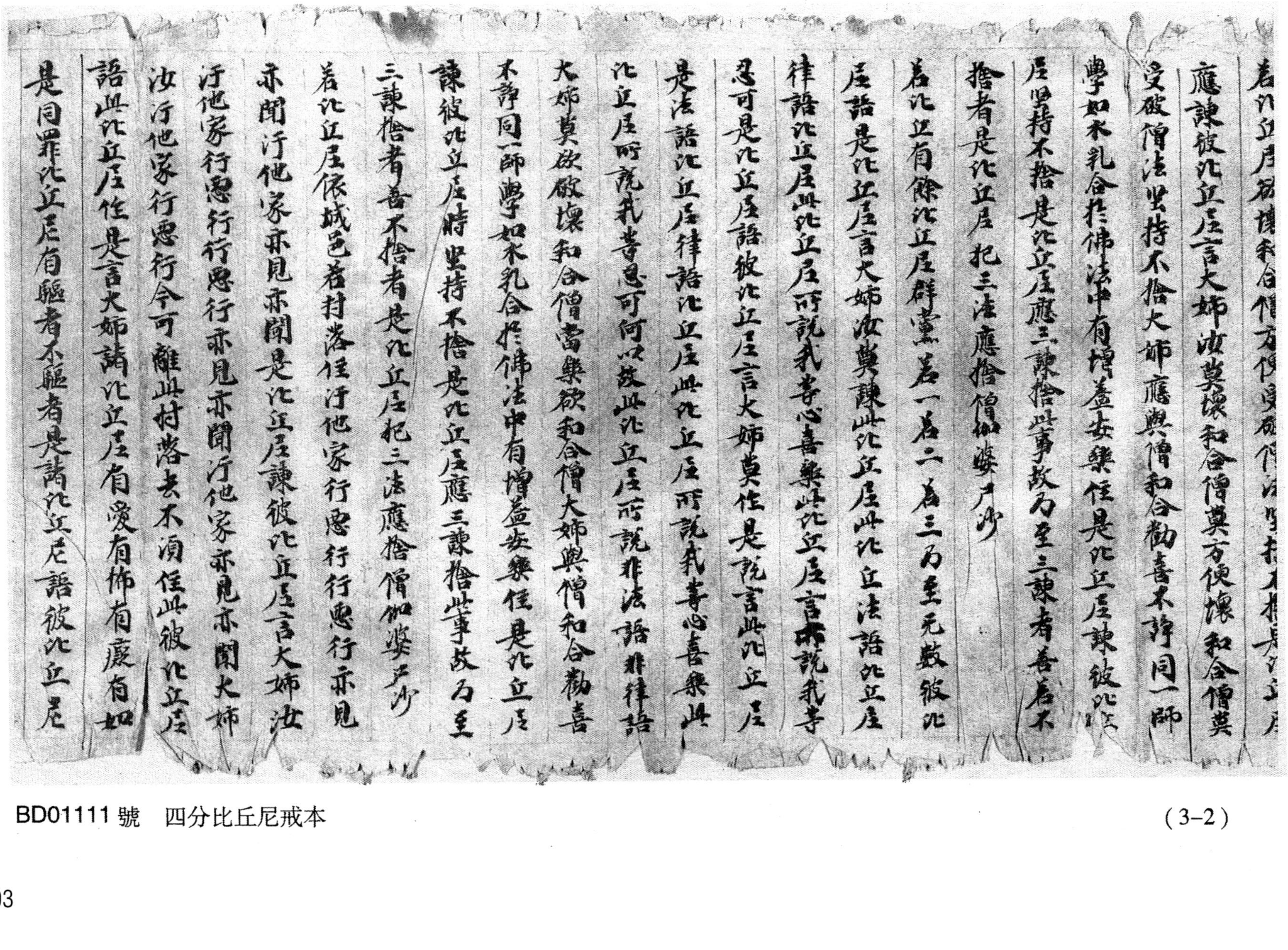

若比丘尼欲壞和合僧方便受破僧法堅持不捨是比丘尼
應諫彼比丘尼言大姊汝莫壞和合僧莫方便壞和合僧莫
受破僧法堅持不捨大姊應與僧和合歡喜不諍同一師
學如水乳合於佛法中有增益安樂住是比丘尼諫彼比丘
尼堅持不捨是比丘尼應三諫捨此事故乃至三諫者善若不
捨者是比丘尼犯三法應捨僧伽婆尸沙
若比丘有餘比丘尼群黨若一若二若三乃至无數彼比
丘尼語是比丘尼言大姊汝莫諫此比丘尼此比丘法語比丘尼
律語比丘尼此比丘尼所說我等心喜樂此比丘尼所說我等
忍可是比丘尼語彼比丘尼言大姊莫作是說言此比丘尼
是法語比丘尼律語比丘尼此比丘尼所說我等心喜樂此
比丘尼所說我等忍可何以故此比丘尼所說非法語非律語
大姊莫欲破壞和合僧當樂欲和合僧大姊與僧和合歡喜
不諍同一師學如水乳合於佛法中有增益安樂住是比丘尼
諫彼比丘尼時堅持不捨是比丘尼應三諫捨此事故乃至
三諫捨者善不捨者是比丘尼犯三法應捨僧伽婆尸沙
若比丘尼依城邑若村落住汙他家行惡行行惡行亦見
亦聞汙他家亦見亦聞是比丘尼諫彼比丘尼言大姊汝
汙他家行惡行行惡行亦見亦聞汙他家亦見亦聞大姊
汝汙他家行惡行今可離此村落去不須住此彼比丘尼
語此比丘尼作是言大姊諸比丘尼有愛有怖有癡有如
是同罪比丘尼有驅者不驅者是諸比丘尼語彼比丘尼

BD01111號　四分比丘尼戒本　（3–2）

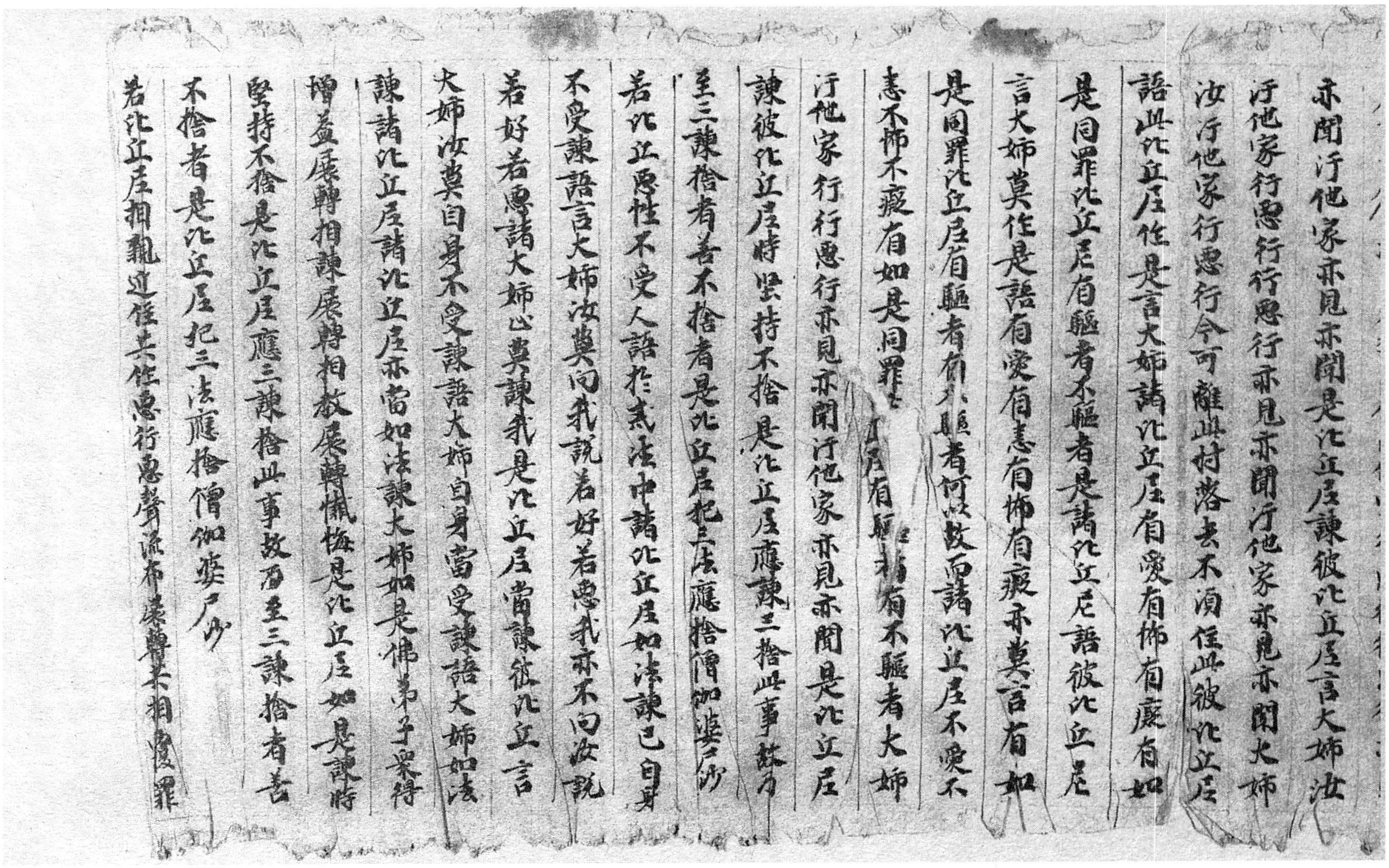

亦聞汙他家亦見亦聞是比丘尼諫彼比丘尼言大姊汝
汙他家行惡行惡行亦見亦聞汙他家亦見亦聞大姊
汝汙他家行惡行今可離此村落去不須住此彼比丘尼
語此比丘尼作是言大姊諸比丘尼有愛有怖有癡有如
是同罪比丘尼有驅者不驅者是諸比丘尼語彼比丘尼
言大姊莫作是語有愛有恚有怖有癡亦莫言有如
是同罪比丘尼有驅者有不驅者何以故而諸比丘尼不愛不
恚不怖不癡有如是同罪比丘尼有驅者有不驅者大姊
汙他家行惡行亦見亦聞汙他家亦見亦聞是比丘尼
諫彼比丘尼時堅持不捨是比丘尼應諫三捨此事故乃
至三諫捨者善不捨者是比丘尼犯三法應捨僧伽婆尸沙
若比丘尼惡性不受人語於戒法中諸比丘尼如法諫已自身
不受諫語言大姊汝莫向我說若好若惡我亦不向汝說
若好若惡諸大姊止莫諫我是比丘尼當諫彼比丘尼言
大姊汝莫自身不受諫語大姊自身當受諫語大姊如法
諫諸比丘尼諸比丘尼亦當如法諫大姊如是佛弟子眾得
增益展轉相諫展轉相教展轉懺悔是比丘尼如是諫時
堅持不捨是比丘尼應三諫捨此事故乃至三諫捨者善
不捨者是比丘尼犯三法應捨僧伽婆尸沙
若比丘尼相親近住共作惡行惡聲流布展轉共相覆罪

BD01111 號　四分比丘尼戒本　（3–3）

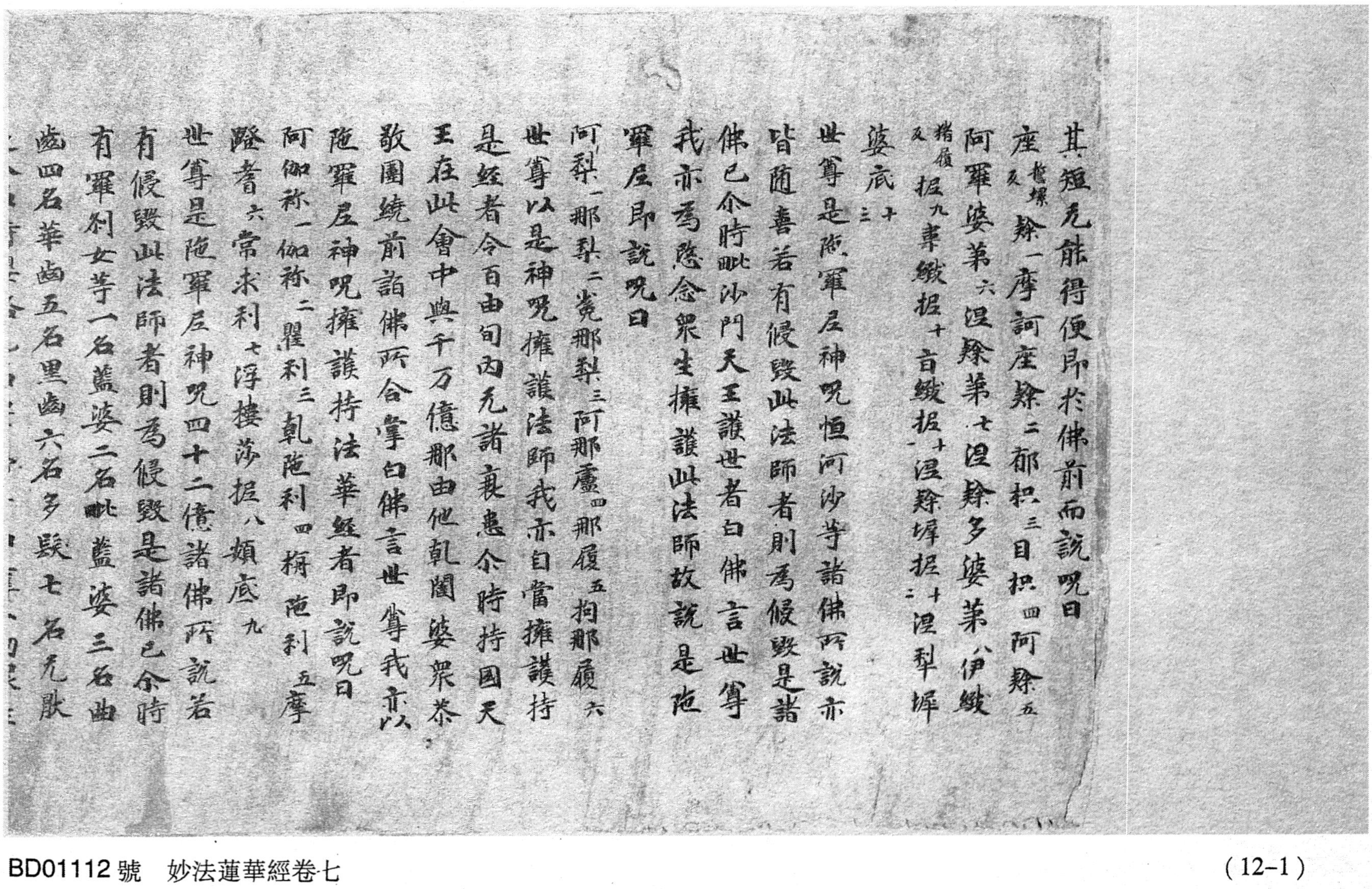

其短无能得便即於佛前而說呪曰
痤（詮螺反）黎一摩訶痤黎二郁枳三目枳四阿黎五
阿羅婆第六涅黎第七涅黎多婆第八伊緻（豬履反）
抳九韋緻抳十旨緻抳十一涅黎墀抳十二涅犁墀
婆底十三
世尊是陁羅尼神呪恒河沙等諸佛所說亦
皆隨喜若有侵毀此法師者則為侵毀是諸
佛已尒時毗沙門天王護世者白佛言世尊
我亦為愍念衆生擁護此法師故說是陁
羅尼即說呪曰
阿梨一那梨二㝹那梨三阿那盧四那履五拘那履六
世尊以是神呪擁護法師我亦自當擁護持
是經者令百由旬內无諸衰患尒時持國天
王在此會中與千万億那由他乾闥婆衆恭
敬圍繞前詣佛所合掌白佛言世尊我亦以
陁羅尼神呪擁護持法華經者即說呪曰
阿伽祢一伽祢二瞿利三乾陁利四旃陁利五摩
蹬耆六常求利七浮樓莎抳八頞底九
世尊是陁羅尼神呪四十二億諸佛所說若
有侵毀此法師者則為侵毀是諸佛已尒時
有羅刹女等一名藍婆二名毗藍婆三名曲
齒四名華齒五名黑齒六名多髮七名无猒

BD01112 號　妙法蓮華經卷七　（12–1）

蹬耆六 常求利七 浮樓莎抳八 頞底九
世尊是陁羅尼神呪四十二億諸佛所說若
有侵毀此法師者則為侵毀是諸佛已尒時
有羅刹女等一名藍婆二名毗藍婆三名曲
齒四名華齒五名黑齒六名多髮七名无猒
足八名持瓔珞九名睪帝十名奪一切衆生
精氣是十羅刹女與鬼子母并其子及眷屬
俱詣佛所同聲白佛言世尊我等亦欲擁護
讀誦受持法華經者除其衰患若有伺求
法師短者令不得便即於佛前而說呪曰
伊提履一 伊提泯二 伊提履三 阿提履四 伊提履
五 泥履六 泥履七 泥履八 泥履九 泥履十 樓醯
十一 樓醯十二 樓醯十三 樓醯十四 多醯十五 多醯十六 多醯
十七 兜醯十八 㝹醯十九
寧上我頭上莫惱於法師若夜叉若羅刹若
餓鬼若富單那若吉蔗若毗陁羅若揵馱若
烏摩勒伽若阿跋摩羅若夜叉吉蔗若人吉
蔗若熱病若一日若二日若三日若四日乃至
七日若常熱病若男形若女形若童男形若童
女形乃至夢中亦復莫惱即於佛前而說偈言
若不順我呪　惱亂說法者　頭破作七分　如阿梨樹枝
如殺父母罪　亦如壓油殃　斗秤欺誑人　調達破僧罪
犯此法師者　當獲如是殃
諸羅刹女說此偈已白佛言世尊我等亦當
身自擁護受持讀誦脩行是經者令得安隱
離諸衰患消衆毒藥佛告諸羅刹女善哉善
哉汝等但能擁護受持法華名者福不可量

BD01112號　妙法蓮華經卷七　（12–2）

諸羅刹女說此偈已白佛言世尊我等亦當
身自擁護受持讀誦脩行是經者令得安隱
離諸衰患消衆毒藥佛告諸羅刹女善哉善
哉汝等但能擁護受持法華名者福不可量
何況擁護具足受持供養經卷華香瓔珞末
香塗香燒香幡蓋伎樂然種種燈穌燈油燈
諸香油燈蘇摩那華油燈瞻蔔華油燈婆師
迦華油燈優鉢羅華油燈如是等百千種供
養者睪帝汝等及眷屬應當擁護如是法
師說是陁羅尼品時方八千人得无生法忍
妙法蓮華經妙莊嚴王本事品第二十七
尒時佛告諸大衆乃往古世過无量无邊不
可思議阿僧祇劫有佛名雲雷音宿王華智
多陁阿伽度阿羅訶三藐三佛陁國名光明
莊嚴劫名惠見彼佛法中有王名妙莊嚴其
王夫人名曰淨德有二子一名淨藏二名淨
眼是二子有大神力福德智慧久脩菩薩所
行之道所謂檀波羅蜜尸波羅蜜羼提波
羅蜜毗梨耶波羅蜜禪波羅蜜般若波羅蜜
方便波羅蜜慈悲喜捨乃至三十七助道法
皆悉明了通達又得菩薩淨藏三昧日星宿三
昧淨光三昧淨色三昧淨照明三昧長莊嚴
三昧大威德藏三昧於此三昧亦悉通達尒
時彼佛欲引導妙莊嚴王及愍念衆生故說
是法華經時淨藏淨眼二子到其母所合十
指抓掌白言願母往詣雲雷音宿王華智佛
所我等亦當侍從親近供養礼拜所以者何

BD01112號　妙法蓮華經卷七　（12–3）

時彼佛欲引導妙莊嚴王及愍念衆生故説
是法華經時淨藏淨眼二子到其母所合十
指抓掌白言願母往詣雲雷音宿王華智佛
所我等亦當侍從親近供養禮拜所以者何
此佛於一切天人衆中説法華經宜應聽受
母告子言汝父信受外道深著婆羅門法汝
等應往白父與共俱去淨藏淨眼合十指抓
掌白母我等是法王子而生此耶見家母告
子言汝等當憂念汝父爲現神變若得見者
心必清淨或聽我等往至佛所於是二子念
其父故踊在虚空高七多羅樹現種種神變
於虚空中行住坐卧身上出水身下出火身
下出水身上出火或現大身滿虚空中而復
現小小復現大於空中滅忽然在地入地如
水履水如地現如是等種種神變令其父王
心淨信解時父見子神力如是心大歡喜得
未曾有合掌向子言汝等師是誰誰之弟
子二子白言大王彼雲雷音宿王華智佛今
在七寶菩提樹下法座上坐於一切世間天
人衆中廣説法華經是我等師我是弟子父
語子言我今亦欲見汝等師可共俱往於是
二子從空中下到其母所合掌白母父王今已
信解堪任發阿耨多羅三藐三菩提心我等
爲父已作佛事願母見聽於彼佛所出家
脩道尒時二子欲重宣其意以偈白母
願母放我等　出家作沙門　諸佛甚難值　我等隨佛學
如優曇鉢羅　值佛復難是　脫諸難亦難　願聽我出家

BD01112號　妙法蓮華經卷七　（12–4）

爲父已作佛事願母見聽於彼佛所出家
脩道尒時二子欲重宣其意以偈白母
願母放我等　出家作沙門　諸佛甚難值　我等隨佛學
如優曇鉢羅　值佛復難是　脫諸難亦難　願聽我出家
母即告言聽汝出家所以者何佛難值故於
是二子白父母言善哉父母願時往詣雲雷
音宿王華智佛所親近供養所以者何佛難
得值如優曇鉢羅華又如一眼之龜值浮木
孔而我等宿福深厚生值佛法是故父母當
聽我等令得出家所以者何諸佛難值時亦
難遇彼時妙莊嚴王後宮八万四千人皆悉
堪任受持是法華經淨眼菩薩於法華三昧
久已通達淨藏菩薩已於无量百千万億劫
通達離諸惡趣三昧欲令一切衆生離諸惡
趣故其王夫人得諸佛習三昧能知諸佛秘
密之藏二子如是方便力善化其父令心
信解好樂佛法於是妙莊嚴王與群臣眷屬
俱淨德夫人與後宮采女眷屬俱其王二子
與四万二千人俱一時共詣佛所到已頭面
禮足繞佛三帀却住一面尒時彼佛爲王説
法示教利喜王大歡悅尒時妙莊嚴王及其
夫人解頸真珠瓔珞價直百千以散佛上於
虚空中化成四柱寶臺臺中有大寶牀敷百
千万天衣其上有佛結加趺坐放大光明尒
時妙莊嚴王作是念佛身希有端嚴殊特成
就第一微妙之色時雲雷音宿王華智佛告
四衆言汝等見是妙莊嚴王於我前合掌立

BD01112號　妙法蓮華經卷七　（12–5）

千万天衣其上有佛結跏趺坐放大光明尒
時妙莊嚴王作是念佛身希有端嚴殊特成
就第一微妙之色時雲雷音宿王華智佛告
四衆言汝等見是妙莊嚴王於我前合掌立
不此王於我法中作比丘精勤修習助佛道
法當得作佛号娑羅樹王國名大光劫名大
高王其娑羅樹王佛有无量菩薩衆及无量聲
聞其國平正功德如是其王即時以國付弟
與夫人二子并諸眷屬於佛法中出家修道
王出家已於八万四千歲常勤精進修行妙
法華經過是已後得一切淨功德莊嚴三昧
即昇虛空高七多羅樹而白佛言世尊此
我二子作佛事以神通變化轉我邪心令得
安住於佛法中得見世尊此二子者是我善
知識為欲發起宿世善根饒益我故來生我
家尒時雲雷音宿王華智佛告妙莊嚴王言
如是如是如汝所言若善男子善女人種善
根故世世得善知識其善知識能作佛事示
教利喜令入阿耨多羅三藐三菩提大王當
知善知識者是大因緣所謂化導令得見
佛發阿耨多羅三藐三菩心大王汝見此
二子不此二子已曾供養六十五百千万億
那由他恒河沙諸佛親近恭敬於諸佛所受
持法華經愍念邪見衆生令住正見妙莊嚴
王即從虛空中下而白佛言世尊如來甚希
有以功德智慧故頂上肉髻光明顯照其眼
長廣而紺青色眉間毫相白如珂月齒白齊
密常有光明脣色赤好如頻婆菓尒時妙莊

BD01112號　妙法蓮華經卷七　（12–6）

持法華經愍念邪見衆生令住正見妙莊嚴
王即從虛空中下而白佛言世尊如來甚希
有以功德智慧故頂上肉髻光明顯照其眼
長廣而紺青色眉間毫相白如珂月齒白齊
密常有光明脣色赤好如頻婆菓尒時妙莊
嚴王讚歎佛如是等无量百千万億功德已
於如來前一心合掌復白佛言世尊未曾有
也如來之法具足成就不可思議微妙功德
教戒所行安隱快善我從今日不復自隨心
行不生邪見憍慢瞋恚諸惡之心說是語已
礼佛而出佛告大衆於意云何妙莊嚴王豈
異人乎今華德菩薩是其淨德夫人今佛前
光照莊嚴相菩薩是哀愍妙莊嚴王及諸眷
屬故於彼中生其二子者今藥王菩薩藥上
菩薩是藥王藥上菩薩成就如此諸大功德
已於无量百千万億諸佛所植衆德本成就
不可思議諸善功德若有人識是二菩薩名
字者一切世間諸天人民亦應礼拜佛說是
妙莊嚴王本事品時八万四千人遠塵離垢
於諸法中得法眼淨
妙法蓮華經普賢菩薩勸發第二十八
尒時普賢菩薩以自在神通威德名聞與大
菩薩无量无邊不可稱數從東方來所經諸
國普皆震動雨寶蓮華作无量百千万億種
種伎樂又與无數諸天龍夜叉乾闥婆阿脩
羅迦樓羅緊那羅摩睺羅伽人非人等大衆
圍繞各現威德神通之力到娑婆世界耆闍
崛山中頭面礼釋迦牟尼佛右繞七匝白佛

BD01112號　妙法蓮華經卷七　（12–7）

國普皆震動雨寶蓮華作无量百千万億種
種伎樂又與无數諸天龍夜叉乾闥婆阿脩
羅迦樓羅緊那羅摩睺羅伽人非人等大衆
圍繞各現威德神通之力到娑婆世界耆闍
崛山中頭面禮釋迦牟尼佛右繞七匝白佛
言世尊我於寶威德上王佛國遙聞此娑婆
世界說法華經與无量无邊百千万億諸菩
薩衆共來聽受唯願世尊當為說之若善男
子善女人於如來滅後云何能得是法華經
佛告普賢菩薩若善男子善女人成就四法
於如來滅後當得是法華經一者為諸佛護
念二者植衆德本三者入正定聚四者發救
一切衆生之心善男子善女人如是成就四
法於如來滅後必得是經尒時普賢菩薩白
佛言世尊於後五百歲濁惡世中其有受持
是經典者我當守護除其衰患令得安隱
使无伺求得其便者若魔若魔子若魔女若
魔民若為魔所著者若夜叉若羅刹若鳩槃
荼若毗舍闍若吉蔗若富單那若韋陁羅等
諸惱人者皆不得便是人若行若立讀誦此經
我尒時乘六牙白象王與大菩薩衆俱詣其
所而自現身供養守護安慰其心亦為供養
法華經故是人若坐思惟此經尒時我復乘
白象王現其人前其人若於法華經有所忘
失一句一偈我當教之與共讀誦還令通利
尒時受持讀誦法華經者得見我身甚大
歡喜轉復精進以見我故即得三昧乃陁羅
尼名為旋陁羅尼百千万億旋陁羅尼法音方

BD01112號　妙法蓮華經卷七　（12–8）

白象王現其人前其人若於法華經有所忘
失一句一偈我當教之與共讀誦還令通利
尒時受持讀誦法華經者得見我身甚大
歡喜轉復精進以見我故即得三昧乃陁羅
尼名為旋陁羅尼百千万億旋陁羅尼法音方
便陁羅尼得如是等陁羅尼世尊若後世後
五百歲濁惡世中比丘比丘尼優婆塞優婆
夷求索者受持者讀誦者書寫者欲脩習
是法華經於三七日中應一心精進滿三七日
已我當乘六牙白象與无量菩薩而自圍繞
以一切衆生所憙見身現其人前而為說法
示教利喜亦復與其陁羅尼呪得是陁羅尼
故无有非人能破壞者亦不為女人之所惑
亂我身亦自常護是人唯願世尊聽我說
此陁羅尼即於佛前而說呪曰
阿檀地途賣反一檀陁婆地二檀陁婆帝三檀陁鳩
舍隸四檀陁脩陁隸五脩陁隸六脩陁羅
婆底七佛馱波羶祢八薩婆陁羅尼阿婆多
尼九薩婆婆沙阿婆多尼十脩阿婆多尼十一
僧伽婆履叉尼十二僧伽涅伽陁尼十三阿僧祇
十四僧伽波伽地十五帝隸阿惰僧伽兜略盧遮反
婆羅帝十六薩婆僧伽三地伽蘭地十七薩婆
達磨脩波利刹帝十八薩婆薩埵樓馱憍舍
略阿㝹伽地十九辛阿毗吉利地帝二十
世尊若有菩薩得聞是陁羅尼者當知普賢
神通之力若法華經行閻浮提有受持者應
作此念皆是普賢威神之力若有受持讀誦
正憶念解其義趣如說脩行當知是人行普

BD01112號　妙法蓮華經卷七　（12–9）

世尊若有菩薩得聞是陁羅尼者當知普賢
神通之力若法華經行閻浮提有受持者應
作此念皆是普賢威神之力若有受持讀誦
正憶念解其義趣如說脩行當知是人行普
賢行於无量无邊諸佛所深種善根為諸如
來手摩其頭若但書寫是人命終當生忉利
天上是時八万四千天女作衆伎樂而來迎
之其人即著七寶冠於婇女中娛樂快樂何
況受持讀誦正憶念解其義趣如說脩行若
有人受持讀誦解其義趣是人命終為千佛
授手令不恐怖不墮惡趣即往兜率天上弥
勒菩薩所弥勒菩薩有三十二相大菩薩衆
所共圍繞有百千万億天女眷屬而於中生
有如是等功德利益是故智者應當一心自
書若使人書受持讀誦正憶念如說脩行世
尊我今以神通力守護是經於如來滅後閻
浮提內廣令流布使不斷絕
尒時釋迦牟尼佛讚言善哉善哉普賢汝能
護助是經令多所衆生安樂利益汝已成就
不可思議功德深大慈悲從久遠來發阿耨
多羅三藐三菩提意而能作是神通之願守
護是經我當以神通力守護能受持普賢菩
薩名者普賢若有受持讀誦正憶念脩習書
寫是法華經者當知是人則見釋迦牟尼佛
如從佛口聞此經典當知是人供養釋迦牟
尼佛當知是人佛讚善哉當知是人為釋迦
牟尼佛手摩其頭當知是人為釋迦牟尼佛
衣之所覆如是之人不復貪著世樂不好

BD01112號　妙法蓮華經卷七　（12–10）

寫是法華經者當知是人則見釋迦牟尼佛
如從佛口聞此經典當知是人供養釋迦牟
尼佛當知是人佛讚善哉當知是人為釋迦
牟尼佛手摩其頭當知是人為釋迦牟尼佛
衣之所覆如是之人不復貪著世樂不好外
道經書手筆亦復不喜親近其人及諸惡者
若屠兒若畜猪羊鷄狗若獵師若衒賣女色
是人心意質直有正憶念有福德力是人不
為三毒所惱亦不為嫉妬我慢邪慢增上慢
所惱是人少欲知足能脩普賢之行
普賢若如來滅後後五百歲若有人見受持
讀誦法華經者應作是念此人不久當詣道
場破諸魔衆得阿耨多羅三藐三菩提轉法
輪擊法鼓吹法螺雨法雨當坐天人大衆中師
子法座上普賢若於後世受持讀誦是經
典者是人不復貪著衣服臥具飲食資生之
物所願不虛亦於現世得其福報若有人輕
毀之言汝狂人耳空作是行終无所獲如是
罪報當世世无眼若有供養讚歎之者當於
今世得現果報若復見受持是經者出其過
惡若實若不實此人現世得白癩病若有輕
笑之者當世世牙齒踈缺醜脣平鼻手脚繚
戾眼目角睞身體臭穢惡瘡膿血水腹短氣
諸惡重病是故普賢若見受持是經典者當
起遠迎當如敬佛說是普賢勸發品時恒河
沙等无量无邊菩薩得百千億旋陁羅尼
三千大千世界微塵等諸菩薩具普賢道
佛說是經時普賢等諸菩薩

BD01112號　妙法蓮華經卷七　（12–11）

毀之言汝狂人耳空作是行終无所獲如是
罪報當世世无眼若有供養讚歎之者當於
今世得現果報若復見受持是經者出其過
惡若實若不實此人現世得白癩病若有輕
咲之者當世世牙齒疎缺醜脣平鼻手腳繚
戾眼目角睞身體臭穢惡瘡膿血水腹短氣
諸惡重病是故普賢若見受持是經典者當
起遠迎當如敬佛說是普賢勸發品時恒河
沙等无量无邊菩薩得百千億旋陁羅尼
三千大千世界微塵等諸菩薩具普賢道
佛說是經時普賢等諸菩薩舍利弗等
諸聲聞及諸天龍人非人等一切大會皆大
歡喜受持佛語作礼而去

妙法蓮華經卷第七

BD01112 號　妙法蓮華經卷七　（12–12）

不得以飯覆羹更望得式叉迦羅尼
不得視比坐鉢中起嫌心式叉迦羅尼
當繫鉢想食式叉迦羅尼
不得大摶飯食式叉迦羅尼
不得大張口待飯食式叉迦羅尼
不得含食語式叉迦羅尼
不得摶飯遙擲口中食式叉迦羅尼
不得遺落飯食式叉迦羅尼 卌
不得頰飯食式叉迦羅尼
不得嚼飯作聲食式叉迦羅尼
不得噏飯食式叉迦羅尼
不得舌舐食式叉迦羅尼
不得振手食式叉迦羅尼
不得手把散飯食式叉迦羅尼
不得污手捉食器式叉迦羅尼
不得洗鉢水棄白衣舍內式叉迦羅尼
不得生草上大小便涕唾除病式叉迦羅尼
不得淨水中大小便涕唾除病式叉迦羅尼 五十
不得立大小便除病式叉迦羅尼
不得與反抄衣人說法除病式叉迦羅尼
不得為衣纏頸人說法除病式叉迦羅尼
不得為覆頭人說法除病式叉迦羅尼

BD01113 號　四分比丘尼戒本　（3–1）

不得汙手捉食器式叉迦羅尼
不得洗鉢水棄白衣舍內式叉迦羅尼
不得生草上大小便涕唾除病式叉迦羅尼
不得淨水中大小便涕唾除病式叉迦羅尼 五十
不得立大小便除病式叉迦羅尼
不得與反抄衣人說法除病式叉迦羅尼
不得為衣纏頸人說法除病式叉迦羅尼
不得為覆頭人說法除病式叉迦羅尼
不得為裹頭人說法除病式叉迦羅尼
不得為扠腰人說法除病式叉迦羅尼
不得為着革屣人說法除病式叉迦羅尼
不得着為木屐人說法除病式叉迦羅尼
不得為騎乘人說法除病式叉迦羅尼
不得佛塔內宿除病守為牢固式叉迦羅尼 六十
不得佛塔內藏財物除為堅牢故式叉迦羅尼
不得着革屣入佛塔中式叉迦羅尼
不得捉革屣入佛塔中式叉迦羅尼
不得着革屣遶佛塔行式叉迦羅尼
不得着富羅入佛塔中式叉迦羅尼
不得捉富羅入佛塔中式叉迦羅尼
不得佛塔下食留草及食汙地捨去式叉迦羅尼
不得擔死屍從佛塔下過式叉迦羅尼
不得塔下燒死屍式叉迦羅尼 七十
不得塔前燒死屍式叉迦羅尼
不得遶塔四邊燒死屍使臭氣來入式叉迦羅尼
不得持死人衣塔下過除為浣染香熏式叉迦羅尼
不得塔下大小便式叉迦羅尼

BD01113 號　四分比丘尼戒本　（3–2）

不得為着革屣人說法除病式叉迦羅尼
不得着為木屐人說法除病式叉迦羅尼
不得為騎乘人說法除病式叉迦羅尼
不得佛塔內宿除病守為牢固式叉迦羅尼 六十
不得佛塔內藏財物除為堅牢故式叉迦羅尼
不得着革屣入佛塔中式叉迦羅尼
不得捉革屣入佛塔中式叉迦羅尼
不得着革屣遶佛塔行式叉迦羅尼
不得着富羅入佛塔中式叉迦羅尼
不得捉富羅入佛塔中式叉迦羅尼
不得佛塔下食留草及食汙地捨去式叉迦羅尼
不得擔死屍從佛塔下過式叉迦羅尼
不得塔下燒死屍式叉迦羅尼 七十
不得塔前燒死屍式叉迦羅尼
不得遶塔四邊燒死屍使臭氣來入式叉迦羅尼
不得持死人衣塔下過除為浣染香熏式叉迦羅尼
不得塔下大小便式叉迦羅尼
不得向塔大小便式叉迦羅尼
不得遶佛塔四邊大小便使臭氣來入式叉迦羅尼
不得持佛像至大小便處式叉迦羅尼
不得塔下嚼楊枝式叉迦羅尼
不得向塔嚼楊枝式叉迦羅尼

BD01113 號　四分比丘尼戒本　（3–3）

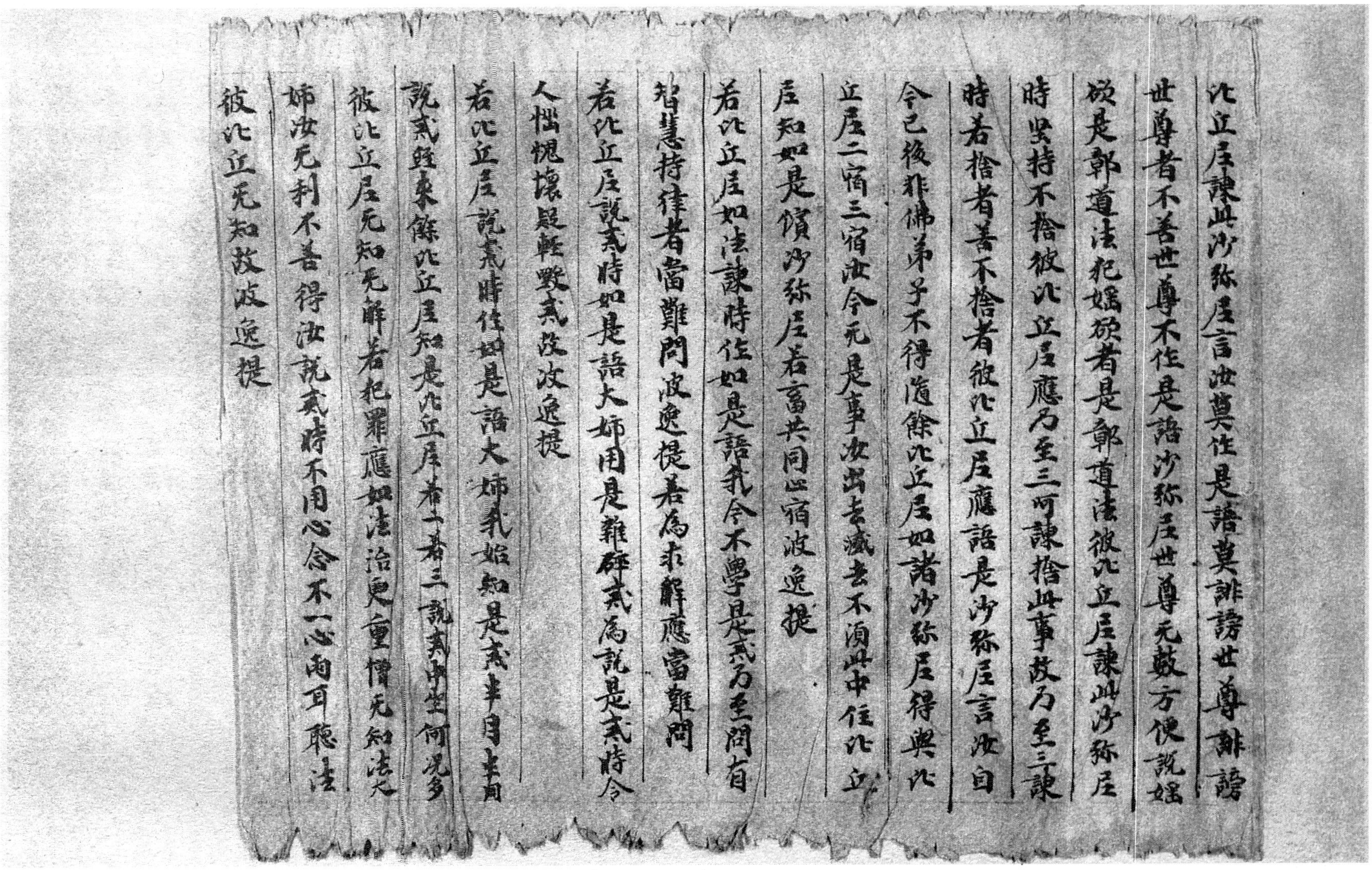
比丘尼諫此沙弥尼言汝莫作是語莫誹謗世尊誹謗
世尊者不善世尊不作是語沙弥尼世尊无數方便說婬
欲是鄣道法犯婬欲者是鄣道法彼比丘尼諫此沙弥尼
時堅持不捨彼比丘尼應乃至三呵諫捨此事故乃至三諫
時若捨者善不捨者彼比丘尼應語是沙弥尼言汝自
今已後非佛弟子不得隨餘比丘尼如諸沙弥尼得與比
丘尼二宿三宿汝今无是事汝出去滅去不須此中住比丘
尼知如是償沙弥尼若畜共同宿波逸提
若比丘尼如法諫時作如是語我今不學是戒乃至問有
智慧持律者當難問波逸提若為求解應當難問
若比丘尼說戒時作如是語大姊用是雜碎戒為說是戒時令
人惱愧懷疑輕毀戒故波逸提
若比丘尼說戒時作如是語大姊我始知是戒半月半月
說戒經來餘比丘尼知是比丘尼若二若三說戒中坐何況多
彼比丘尼无知无解若犯罪應如法治更重增无知法大
姊汝无利不善得汝說戒時不用心念不一心兩耳聽法
彼比丘无知故波逸提

BD01114 號　四分比丘尼戒本　　　　（1–1）

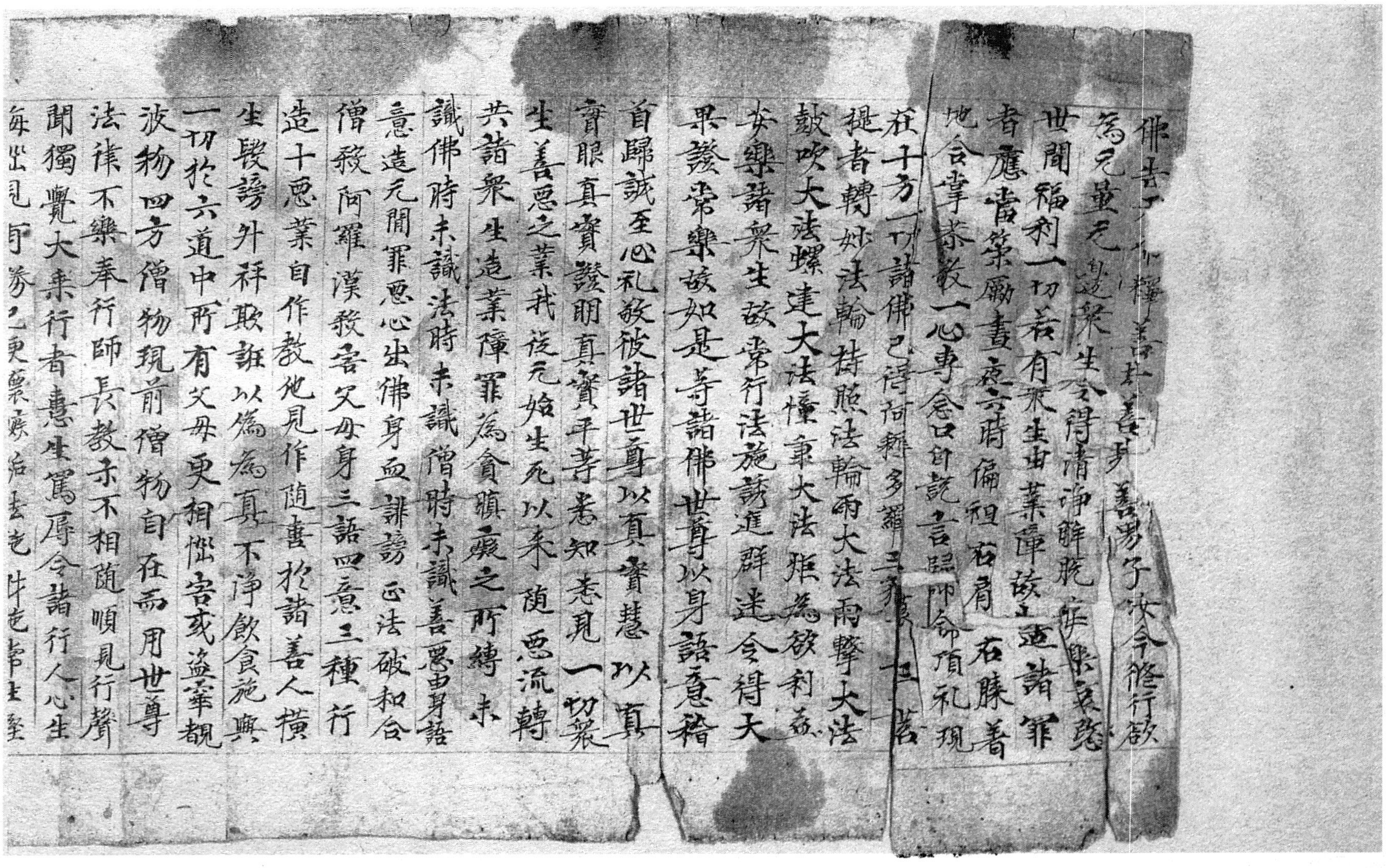
佛告天帝釋善哉善哉善男子汝今修行欲
為无量无邊衆生令得清淨解脫安樂哀愍
世間福利一切若有衆生由業障故造諸罪
者應當策勵晝夜六時偏袒右肩右膝著
地合掌恭敬一心專念口自說言歸命頂礼現
在十方一切諸佛已得阿耨多羅三藐三菩
提者轉妙法輪持照法輪雨大法雨擊大法
鼓吹大法螺建大法幢秉大法炬為欲利益
安樂諸衆生故常行法施誘進群迷令得大
果證常樂故如是等諸佛世尊以身語意稽
首歸誠至心礼敬彼諸世尊以真實慧以真
實眼真實證明真實平等悉知悉見一切衆
生善惡之業我從无始生死以來隨惡流轉
共諸衆生造業障罪為貪瞋癡之所纏縛未
識佛時未識法時未識僧時未識善惡由身語
意造无間罪惡心出佛身血誹謗正法破和合
僧殺阿羅漢殺害父母身三語四意三種行
造十惡業自作教他見作隨喜於諸善人橫
生毀謗斗秤欺誑以偽為真不淨飲食施與
一切於六道中所有父母更相惱害或盜窣覩
波物四方僧物現前僧物自在而用世尊
法律不樂奉行師長教示不相隨順見行聲
聞獨覺大乘行者喜生罵辱令諸行人心生
悔惱見有勝己便懷嫉妬法施財施常生慳

BD01115 號　金光明最勝王經卷三　　　　（15–1）

生長謗久私其謗以為真不淨飲食施與
一切於六道中所有父母更相惱害或盜窣覩
波物四方僧物現前僧物自在而用世尊
法律不樂奉行師長教示不相隨順見行聲
聞獨覺大乘行者憙生罵辱令諸行人心生
悔惱見有勝己便懷嫉妬法施財施常生慳
惜无明所覆邪見惑心不修善因令惡增長
於諸佛所而起誹謗法說非法非法說法如
是眾罪佛以真實慧真實眼真實證明真
實平等悉知悉見我今歸命對諸佛前皆悉
發露不敢覆藏未作之罪更不復作已作之罪
今皆懺悔所作業障應墮惡道地獄傍生餓
鬼之中阿蘇羅眾及八難處願我此生所有
業障皆得消滅所有惡報未來不受亦如過
去諸大菩薩修菩提行所有業障悉已懺悔
我之業障今亦懺悔皆悉發露不敢覆藏已
作之罪願得除滅未來之惡更不敢造亦如未
來諸大菩薩修菩提行所有業障悉已懺悔
我之業障今亦懺悔皆悉發露不敢覆藏已
作之罪願得除滅未來之惡更不敢造亦如來
來諸大菩薩修菩提行所有業障悉已懺悔
我之業障今亦懺悔皆悉發露不敢覆藏已
作之罪願得除滅未來之惡更不敢造亦如
現在十方世界諸大菩薩修菩提行所有
業障悉已懺悔我之業障今亦懺悔皆悉發
露不敢覆藏已作之罪願得除滅未來之惡
更不敢造
善男子以是因緣若有造罪一剎那中不得
覆藏何況一日一夜乃至多時若有犯罪欲

BD01115號　金光明最勝王經卷三　（15–2）

現在十方世界諸大菩薩修菩提行所有
業障悉已懺悔我之業障今亦懺悔皆悉發
露不敢覆藏已作之罪願得除滅未來之惡
更不敢造
善男子以是因緣若有造罪一剎那中不得
覆藏何況一日一夜乃至多時若有犯罪欲
求清淨心懷愧恥信於未來必有惡報生大
恐怖應如是懺如人被大燒頭燒衣救令速
滅大若未滅心不得安若人犯罪亦復如是
即應懺悔令速除滅若有願生富樂之家多
饒財寶復欲發意修習大乘亦應懺悔滅
除業障欲生豪貴婆羅門種剎帝利家及轉
輪王七寶具足亦應懺悔滅除業障
善男子若有欲生四大王眾三十三天夜摩
天覩史多天樂變化天他化自在天亦應
懺悔滅除業障若欲生梵眾梵輔大梵天
少光无量光極光淨天少淨无量淨遍淨天
无雲福生廣果无煩无熱善現天善見色究
竟天亦應懺悔滅除業障若欲求預流果一來
果不還果阿羅漢果亦應懺悔滅除業障若
欲願求三明六通聲聞獨覺自在菩提至究
竟地一切智智淨智不思議智不動智三藐三
菩提正遍智者亦應懺悔滅除業障何以
故善男子一切諸法從因緣生如來所說異
相生異相滅因緣異故如是過去諸法皆已
滅盡所有業障无復遺餘是諸行法未得現
生而今得生未來業障更不復起何以故善
男子一切法空如來所說无有我人眾生壽

BD01115號　金光明最勝王經卷三　（15–3）

相生果相滅因緣果故如是過去諸法皆已
滅盡所有業障无復遺餘是諸行法未得現
生而今得生未來業障更不復起何以故善
男子一切法空如來所說无有我人衆生壽
者亦无生滅亦无行法善男子一切諸法皆
依於本亦不可說何以故過一切相故若有
善男子善女人如是入於微妙真理生信敬
心是名无衆生而有於本以是義故說於懺
悔滅除業障
善男子若人成就四法能除業障永得清淨
云何為四一者不起邪心正念成就二者於甚
深理不生誹謗三者於初行菩薩起一切智
心四者於諸衆生起慈无量是謂為四尒
時世尊而說頌言
專心護三業 不誹謗深法 作一切智想 慈心淨業障
善男子有四業障難可滅除云何為四一者於
菩薩律儀犯極重惡二者於大乘經心生誹
謗三者於自善根不能增長四者貪著三有
无出離心復有四種對治業障云何為四一者
於十方世界一切如來至心親近說一切罪二
者為一切衆生勸請諸佛說深妙法三者隨
喜一切衆生所有功德四者所有一切功德善
根悉皆迴向阿耨多羅三藐三菩提尒時天
帝釋白佛言世尊世間所有男子女人於
大乘行有能行者有不行者云何能得隨
喜一切衆生功德善根佛言善男子若有
衆生雖於大乘未能修習然於晝夜六時
偏袒右肩右膝著地合掌恭敬一心專念作

BD01115 號　金光明最勝王經卷三　（15–4）

大乘行有能行者有不行者云何能得隨
喜一切衆生功德善根佛言善男子若有
衆生雖於大乘未能修習然於晝夜六時
偏袒右肩右膝著地合掌恭敬一心專念作
隨喜時得福无量應作是言十方世界一切衆
生現在修行施戒心慧我今皆悉深生隨喜
由作如是隨喜福故必當獲得尊重殊勝无
上无等最妙之果如是過去未來一切衆生
所有善根皆悉隨喜又於現在初行菩薩
發菩提心所有功德過百大劫行菩薩行有
大功德獲无生忍至不退轉一生補處如是
一切功德之蘊皆悉至心隨喜讚歎過去未
來一切菩薩所有功德隨喜讚歎亦復如是
復於現在十方世界一切諸佛應正遍知
證妙菩提為度无邊諸衆生故轉无上
法輪行无礙法施擊法鼓吹螺建法幢雨
法雨哀愍勸化一切衆生咸令信受皆蒙法
施悉得充足无盡安樂又復所有菩薩聲聞
獨覺功德積集善根若有衆生未具如是諸
功德者悉令具足我皆隨喜如是過去未來諸
佛菩薩聲聞獨覺所有功德亦皆至心隨喜
讚歎善男子如是隨喜當得无量功德之聚如
恒河沙三千大千世界所有衆生皆斷煩惱成阿
羅漢若有善男子善女人盡其形壽常以上
妙衣服飲食卧具醫藥而為供養如是功德
不及如前隨喜功德千分之一何以故供養功
德有數有量不攝一切諸功德故隨喜功德
无量无數能攝三世一切功德是故若人欲

BD01115 號　金光明最勝王經卷三　（15–5）

恒河沙三千大千世界所有衆生皆斷煩惱成阿
羅漢若有善男子善女人盡其形壽常以上
妙衣服飲食卧具醫藥而為供養如是功德
不及如前隨喜功德千分之一何以故供養功
德有數有量不攝一切諸功德故隨喜功德
无量无數能攝三世一切德是故若人欲
求增長勝善根者應修如是隨喜功德
若有女人願轉女身為男子者亦應修習隨
喜功德必得隨心現成男子尒時天帝釋白
佛言世尊已知隨喜功德勸請功德唯願為
說欲令未來一切菩薩當轉法輪現在菩薩
正修行故佛告帝釋若有善男子善女人願
求阿耨多羅三藐三菩提者應當修行聲聞
獨覺大乘之道是人當於晝夜六時如前威
儀一心專念作如是言我今歸依十方一切諸佛
世尊已得阿耨多羅三藐三菩提未轉无上
法輪欲捨報身入涅槃者我皆至誠頂礼勸
請轉大法輪雨大法雨然大法燈照明理趣
施无礙法莫般涅槃久住於世度脫安樂一
切衆生如前所說乃至无盡安樂我今以此
勸請功德迴向阿耨多羅三藐三菩提如過
去未來現在諸大菩薩勸請功德迴向菩提
我亦如是勸功德迴向无上正等菩提善
男子假使有人以三千大千世界滿中七寶
供養如來若復有人勸請如來轉大法輪所
得功德其福勝彼何以故彼是財施此是法施
善男子且置三千大千世界七寶布施若人
以滿恒河沙數大千世界七寶供養一切諸
佛勸請功德亦勝於彼由其法施有五勝利

BD01115號　金光明最勝王經卷三　（15–6）

供養如來若復有人勸請如來轉大法輪所
得功德其福勝彼何以故彼是財施此是法施
善男子且置三千大千世界七寶布施若人
以滿恒河沙數大千世界七寶供養一切諸
佛勸請功德亦勝於彼由其法施有五勝利
云何為五一者法施兼利自他財施不尒二
者法施能令衆生出於三界財施之福不出
欲界三者法施能淨法身財施但唯增長於
色四者法施无窮財施有盡五者法施能
斷无明財施唯伏貪愛是故善男子勸請功
德无量无邊難可辟喻如我昔行菩薩道時
勸請諸佛轉大法輪由彼善根是故今日一
切帝釋諸梵王等勸請於我轉大法輪善男
子請轉法輪為欲度脫安樂諸衆生故我於
往昔為菩提行勸請如來久住於世莫般涅
槃依此善根我得十力四无所畏四无礙辯
大慈大悲證得无數不共之法我當入於无
餘涅槃我之正法久住於世我法身者清淨
无比種種妙相无量知慧无量自在无量功
德難可思議一切衆生皆蒙利益百千萬劫
說不能盡法身攝藏一切諸法一切諸法不攝
法身法身常住不墮常見雖復斷滅亦非
斷見能破衆生種種異見能生衆生種種
真見能解一切衆生之縛无縛可解能植衆
生諸善根本未成熟者令成熟已成熟者
令解脫无作无動遠離閙寂靜无為自在
安樂過於三世能現三世出於聲聞獨覺之
境諸大菩薩之所脩行一切如來體无有異

BD01115號　金光明最勝王經卷三　（15–7）

真身能解一切衆生之結无結可解能拔衆
生諸善根本未成熟者令成熟已成熟者
令解脫无作无動遠離閙寂靜无為自在
安樂過於三世能現三世出於聲聞獨覺之
境諸大菩薩之所脩行一切如來體无有異
此等皆由勸請功德善根力故如是法身我
今已得是故若有欲得阿耨多羅三藐三菩
提者於諸經中一句一頌為人解說功德善
根尚无限量何況勸如來轉大法輪久住於世
莫般涅槃
時天帝釋復白佛言世尊若善男子善女
人為求阿耨多羅三藐三菩提故修三乘道
所有善根云何迴向一切知智佛告天帝善男
子若有衆生欲求菩提修三乘道所有善根
願迴向者當於晝夜六時慇重至心作如是
說我從无始生死以來於三寶所修行成就
所有善根乃至施與傍生一摶之食或以善
言和解諍訟或受三歸及諸學處或復懺悔
勸請隨喜所有善根我今作意悉皆攝取
迴施一切衆生无悔悋心是解脫分善根所攝
如佛世尊之所知見不可稱量无礙清淨如
是所有功德善根悉以迴施一切衆生不住
相心不捨相心我亦如是功德善根悉以迴
施一切衆生願皆獲得如意之手撝空出寶
滿衆生願富樂无盡智慧无窮妙法辯才
悉皆无滞共諸衆生同證阿耨多羅三藐三
菩提得一切知因此善根更復出生无量善
法亦皆迴向无上菩提又如過去諸大菩薩
修行之時功德善根悉皆迴向一切種智現在

BD01115號　金光明最勝王經卷三　（15-8）

施一切衆生願皆獲得如意之手撝空出寶
滿衆生願富樂无盡智慧无窮妙法辯才
悉皆无滞共諸衆生同證阿耨多羅三藐三
菩提得一切知因此善根更復出生无量善
法亦皆迴向无上菩提又如過去諸大菩薩
修行之時功德善根悉皆迴向一切種智現在
未來亦復如是然我所有功德善根亦皆迴
向阿耨多羅三藐三菩提是諸善根願共一
切衆生俱成正覺如餘諸佛坐於道場菩提
樹下不可思議无礙清淨住於无盡法藏
陁羅尼首楞嚴定破魔波旬无量兵衆應
見覺知應可通達如是一切一刹那中悉皆照
了於後夜中獲甘露法證甘露義我及衆生
願皆同證如是妙覺猶如
无量壽佛　勝光佛　妙光佛　阿閦佛
功德善光佛　師子光明佛　百光明佛　網光明佛
寶相佛　寶燄佛　燄明佛　燄盛光明佛
吉祥上王佛　微妙聲佛　妙莊嚴佛　法幢佛
上勝身佛　可愛色身佛　光明遍照佛　梵淨王佛
上性佛
如是等如來應正遍知過去未來及以現在
亦現應化得阿耨多羅三藐三菩提轉无上
法輪為度衆生我亦如是廣說如上
善男子若有淨信男子女人於此金光明最
勝經王滅業障品受持讀誦憶念不忘為
他廣說得无量无邊大功德聚譬如三千大
千世界所有衆生一時皆得成就人身得人身
已成獨覺道若有男子女人盡其形壽恭

BD01115號　金光明最勝王經卷三　（15-9）

善男子若有淨信男子女人於此金光明最
勝經王滅業障品受持讀誦憶念不忘為
他廣說得无量无邊大功德聚辟如三千大
千世界所有衆生一時皆得成就人身得人身
已成獨覺道若有男子女人盡其形壽恭
敬尊重四事供養一一獨覺各施七寶如
須弥山此諸獨覺入涅槃後皆以珎寶起塔
供養其塔高廣十二踰繕那以諸花香寶幢
幡蓋常為供養善男子於意云何是人所獲
功德寧為多不天帝釋言甚多世尊善男子
若復有人於此金光明微妙經典衆經之王滅
業障品受持讀誦憶念不忘為他廣說所獲
功德於前所說供養功德百分不及一百千萬
億分不及至校量辟喻所不能及何以故是善
男子善女人住正行中勸請十方一切諸佛
轉无上法輪皆為諸佛歡喜讚歎善男子
如我所說一切施中法施為勝是故善男子
於三寶所設諸供養不可為比勸受三歸持
一切戒无有毀犯三業不空不可為比一切世
界一切衆生隨力隨能隨所願樂於三乘中
勸發菩提心不可為比於三世中一切世界
所有衆生皆得无礙速令成就无量功德
不可為比三世刹土一切衆生令无障礙得
三菩提不可為比三世刹土一切衆生勸令
速出四惡道苦不可為比三世刹土一切衆生
勸令除滅極重惡業不可為比一切苦惱勸
令解脫不可為比一切怖畏苦惱逼切皆令
得解不可為比三世佛前一切衆生所有功

BD01115號　金光明最勝王經卷三　（15–10）

三菩提不可為比三世刹土一切衆生勸令
速出四惡道苦不可為比三世刹土一切衆生
勸令除滅極重惡業不可為比一切苦惱勸
令解脫不可為比一切怖畏苦惱逼切皆令
得解不可為比三世佛前一切衆生所有功
德勸令隨喜發菩提願不可為比勸除惡行
罵辱之業一切功德皆願成就所在生中勸
請供養尊重讚歎一切三寶勸請衆生淨
修福行成滿菩提不可為比是故當知勸請
一切世界三世三寶勸請滿足六波羅蜜勸
請轉於无上法輪勸請住世經无量劫演說
无量甚深妙法功德甚深无能比者
尒時天帝釋及恒河女神无量梵王四大天
衆從座而起偏袒右肩右膝著地合掌頂
礼白佛言世尊我等皆得聞是金光明最勝
王經今悉受持讀誦通利為他廣說依此法
住何以故世尊我等欲求阿耨多羅三藐三
菩提隨順此義種種勝相如法行故尒時梵
王及天帝釋等於說法處皆以種種曼陀
羅花而散佛上三千大千世界地皆大動一
切天鼓及諸音樂不鼓自鳴放金色光遍滿
世界出妙音聲時天帝釋白佛言世尊此等
皆是金光明經威神之力慈悲普救種種利
益種種增長菩薩善根滅諸業障佛言如是如
是如汝所說何以故善男子我念往昔過无
量百千阿僧祇劫有佛名寶王大光照如來
應正遍知出現於世住世六百八十億劫尒時
寶王大光照如來為欲度脫人天釋梵沙門

BD01115號　金光明最勝王經卷三　（15–11）

是如汝所說何以故善男子我念往昔過无
量百千阿僧祇劫有佛名寶王大光照如來
應正遍知出現於世住世六百八十億劫尒時
寶王大光照如來為欲度脫人天釋梵沙門
婆羅門一切衆生令安樂故當出現時初會
說法度百千億億万衆皆得阿羅漢果諸漏
已盡三明六通自在无礙於第二會復度九
十千億億萬衆皆得阿羅漢果諸漏已盡三
明六通自在无礙於第三會復度九十八千
億億万衆皆得阿羅漢果圓滿如上
善男子我於尒時作女人身名福寶光明於
第三會親近世尊受持讀誦是金光明經為
他廣說求阿耨多羅三藐三菩提故時彼世
尊為我授記此福寶光明女於未來世當得
作佛号釋迦牟尼如來應正遍知明行足善
逝世間解无上士調御丈夫天人師佛世尊
捨女身後從是以來越四惡道生人天中受
上妙樂八十四百千生作轉輪王至于今日
得成正覺名稱普聞遍滿世界時會大衆忽
然皆見寶王大光照如來轉无上法轉說微
妙法善男子去此索訶世界東方過百千恒
河沙數佛土有世界名寶莊嚴其寶王大光
照如來今現在彼未般涅槃說微妙法廣化群
生汝等見者即是彼佛
善男子若有善男子善女人聞是寶王大光照
如來名号者於菩薩地得不退轉至大涅槃
若有女人聞是佛名者臨命終時得見彼佛
來至其所既見佛已究竟不復更受女身善

BD01115 號　金光明最勝王經卷三　（15–12）

照如來今現在彼未般涅槃說微妙法廣化群
生汝等見者即是彼佛
善男子若有善男子善女人聞是寶王大光照
如來名号者於菩薩地得不退轉至大涅槃
若有女人聞是佛名者臨命終時得見彼佛
來至其所既見佛已究竟不復更受女身善
男子是金光明微妙經典種種利益種種增
長菩薩善根滅諸業障善男子若有苾芻
苾芻尼鄔波索迦鄔波斯迦隨在何處為人
講說是金光明微妙經典於其國土皆獲四種
福利善根云何為四一者國王无病離諸災
厄二者壽命長遠无有障礙三者无諸怨敵
兵衆勇健四者安隱豐樂正法流通何以故
如是人王常為釋梵四王藥叉衆共守護故
尒時世尊告天衆曰善男子是事實不是時
无量釋梵四王及藥叉衆俱時同聲白世尊
言如是如是若有國土講宣讀誦此妙經王
是諸國王我等四王常來擁護行住共俱其
王若有一切災障及諸怨敵我等四王皆使
消殄憂愁疾疫亦令除差增益壽命感應
禎祥所願遂心恒生歡喜我等亦能令其國
中所有軍兵悉皆勇健佛言善哉善哉善男
子如汝所說汝當修行何以故是諸國王如法行
時一切人民隨王修習如法行者汝等皆蒙色
力勝利宮殿光明眷屬强盛時釋梵等白
佛言如是世尊佛言若有講讀此妙經典流
通之處於其國中大臣輔相有四種益云何
為四一者更相親穆尊重愛念二者常為人

BD01115 號　金光明最勝王經卷三　（15–13）

時一切人民隨王修習如法行者汝等皆蒙色
力勝利宮殿光明眷屬强盛時釋梵等白
佛言如是世尊佛言若有講讀此妙經典流
通之處於其國中大臣輔相有四種益云何
爲四一者更相親穆尊重愛念二者常爲人
王心所愛重亦爲沙門婆羅門大國小國之
所尊敬三者輕財重法不求世利嘉名普盈
衆所欽仰四者壽命延長安隱快樂是名四
益若有國土宣說是經沙門婆羅門得四種
勝利云何爲四一者衣服飲食卧具醫藥
无所乏少二者皆得安心思惟讀誦三者依
於山林得安樂住四者隨心所願皆得滿足
是名四種勝利若有國土宣說是經一切人民
皆得豐樂无諸疾疫商估往還多獲寶貨
具足勝福是名種種功德利益
尒時梵釋四天王及諸大衆白佛言世尊如
是經典甚深之義若現在者當知如來卅七
種助菩提法住世未滅若是經典滅盡之時
正法亦滅佛言如是如是善男子是故汝等
於此金光明經一句一頌一品一部皆一心正
讀誦正聞持正思惟正修習爲諸衆生廣宣
流布長夜安樂福利无邊時諸大衆聞
佛說已咸蒙勝益歡喜受持
金光明最勝王經卷第三

BD01115號　金光明最勝王經卷三　（15–14）

具足勝福是名種種功德利益
尒時梵釋四天王及諸大衆白佛言世尊如
是經典甚深之義若現在者當知如來卅七
種助菩提法住世未滅若是經典滅盡之時
正法亦滅佛言如是如是善男子是故汝等
於此金光明經一句一頌一品一部皆一心正
讀誦正聞持正思惟正修習爲諸衆生廣宣
流布長夜安樂福利无邊時諸大衆聞
佛說已咸蒙勝益歡喜受持
金光明最勝王經卷第三

BD01115號　金光明最勝王經卷三　（15–15）

脩行得道者復見諸菩薩摩訶薩種種因緣
種種信解種種相貌行菩薩道復見諸佛般
涅槃者復見諸佛般涅槃後以佛舍利起七寶
塔尒時弥勒菩薩作是念今者世尊現神變
相以何因緣而有此瑞今佛世尊入于三昧
是不可思議現希有事當以問誰誰能答者
復作此念是文殊師利法王之子已曾親近
供養過去无量諸佛必應見此希有之相我
今當問尒時比丘比丘尼優婆塞優婆夷及
諸天龍鬼神等咸作此念是佛光明神通之
相今當問誰尒時弥勒菩薩欲自決疑又觀
四衆比丘比丘尼優婆塞優婆夷及諸天龍
鬼神等衆會之心而問文殊師利言以何因
緣而有此瑞神通之相放大光明照于東方
万八千土悉見彼佛國界莊嚴於是弥勒菩
薩欲重宣此義以偈問曰
文殊師利　導師何故　眉間白豪　大光普照
雨曼陁羅　曼殊沙華　栴檀香風　悅可衆心
以是因緣　地皆嚴淨　而此世界　六種震
時四部衆　咸皆歡喜　身意快然　得未曾有
眉間光明　照于東方　万八千土　皆如金色
從阿鼻獄　上至有頂　諸世界中　六道衆生
生死所趣　善惡業緣　受報好醜　於此悉見

BD01116號　妙法蓮華經卷一　（21–1）

時四部衆　咸皆歡喜　身意快然　得未曾有
眉間光明　照于東方　万八千土　皆如金色
從阿鼻獄　上至有頂　諸世界中　六道衆生
生死所趣　善惡業緣　受報好醜　於此悉見
又覩諸佛　聖主師子　演說經典　微妙第一
其聲清淨　出柔軟音　教諸菩薩　无數億万
梵音深妙　令人樂聞　各於世界　講說正法
種種因緣　以无量喻　照明佛法　開悟衆生
若人遭苦　猒老病死　為說涅槃　盡諸苦
若人有福　曾供養佛　志求勝法　為說緣覺
若有佛子　脩種種行　求无上慧　為說淨道
文殊師利　我住於此　見聞若斯　及千億事
如是衆多　今當略說　我見彼土　恒沙菩薩
種種因緣　而求佛道　或有行施　金銀珊瑚
真珠摩尼　車𤦲馬瑙　金剛諸珎　奴婢車乘
寶飾輦輿　歡喜布施　迴向佛道　願得
三界第一　諸佛所歎　或有菩薩　駟馬寶
欄楯華蓋　軒飾布施　復見菩薩　身肉手
及妻子施　求无上道　又見菩薩　頭目身體
欣樂施與　求佛智慧　文殊師利　我見諸王
往詣佛所　問无上道　便捨樂土　宮殿臣妾
剃除鬚髮　而被法服　或見菩薩　而作比丘
獨處閑靜　樂誦經典　又見菩薩　勇猛精進
入於深山　思惟佛道　又見離欲　常處
深脩禪定　得五神通　又見菩薩　安禪合
以千万偈　讚諸法王　復見菩薩　智深志

BD01116號　妙法蓮華經卷一　（21–2）

獨處閑靜　樂誦經典　又見菩薩　勇猛精進
入於深山　思惟佛道　又見離欲　常處
深脩禪定　得五神通　又見菩薩　安禪合
以千万偈　讚諸法王　復見菩薩　智深志
能問諸佛　聞悉受持　又見佛子　定慧具足
以无量喻　為衆講法　欣樂說法　化諸菩薩
破魔兵衆　而擊法鼓　又見菩薩　寂然宴嘿
天龍恭敬　不以為喜　又見菩薩　處林放光
濟地獄苦　令入佛道　又見佛子　未曾睡眠
經行林中　勤求佛道　又見具戒　威儀
淨如寶珠　以求佛道　又見佛子　住忍辱
增上慢人　惡罵捶打　皆悉能忍　以求佛道
又見菩薩　離諸戲咲　及癡眷屬　親近智者
一心除乱　攝念山林　億千万歲　以求佛道
或見菩薩　餚饍飲食　百種湯藥　施佛及僧
名衣上服　價直千万　或无價衣　施佛及僧
千万億種　栴檀寶舍　衆妙卧具　施佛及僧
清淨園林　華菓茂盛　流泉浴池　施佛
如是等施　種種微妙　歡喜无猒　求无上
或有菩薩　說寂滅法　種種教詔　无數衆生
或見菩薩　觀諸法性　无有二相　猶如虛空
又見佛子　心无所著　以此妙慧　求无上道
文殊師利　又有菩薩　佛滅度後　供養舍利
又見佛子　造諸塔廟　无數恒沙　嚴飾國界
寶塔高妙　五千由旬　縱廣正等　二千由旬
一一塔廟　各千幢幡　珠交露幔　寶鈴和

BD01116號　妙法蓮華經卷一　（21-3）

文殊師利　又有菩薩　佛滅度後　供養舍利
又見佛子　造諸塔廟　无數恒沙　嚴飾國界
寶塔高妙　五千由旬　縱廣正等　二千由旬
一一塔廟　各千幢幡　珠交露幔　寶鈴和
諸天龍神　人及非人　香華伎樂　常以供
文殊師利　諸佛子等　為供舍利　嚴飾塔廟
國界自然　殊特妙好　如天樹王　其華開敷
佛放一光　我及衆會　見此國界　種種殊妙
諸佛神力　智慧希有　放一淨光　照无量國
我等見此　得未曾有　佛子文殊　願決衆疑
四衆欣仰　瞻仁及我　世尊何故　放斯光明
佛子時答　決疑令喜　何所饒益　演斯光
佛坐道場　所得妙法　為欲說此　為當授記
示諸佛土　衆寶嚴淨　及見諸佛　此非小緣
文殊當知　四衆龍神　瞻察仁者　為說何等
尒時文殊師利語彌勒菩薩摩訶薩及諸大
士善男子等如我惟忖今佛世尊欲說大法
雨大法雨吹大法螺擊大法鼓演大法義諸
善男子我於過去諸佛曾見此瑞放斯光
即說大法是故當知今佛現光亦復如是
令衆生咸得聞知一切世間難信之法故現
斯瑞諸善男子如過去无量无邊不可思議
阿僧祇劫尒時有佛号日月燈明如來應供
正遍知明行足善逝世間解无上士調御丈
夫天人師佛世尊演說正法初善中善後善
其義深遠其語巧妙純一无雜具足清白梵

BD01116號　妙法蓮華經卷一　（21-4）

阿僧祇劫尒時有佛号日月燈明如來應供
正遍知明行足善逝世間解无上士調御丈
夫天人師佛世尊演說正法初善中善後善
其義深遠其語巧妙純一无雜具足清白梵
行之相為求聲聞者說應四諦法度生
死究竟涅槃為求辟支佛者說應十二因緣
法為諸菩薩說應六波羅蜜令得阿耨多羅
三藐三菩提成一切種智次復有佛亦名日月
燈明次復有佛亦名日月燈明如是二万佛皆
同一字号日月燈明又同一姓姓頗羅墮弥勒
當知初佛後佛皆同一字名日月燈明十
号具足所可說法初中後善其最後佛
出家時有八子一名有意二名善意
无量意四名寶意五名增意六名除疑意
七名嚮意八名法意是八王子威德自在各
領四天下是諸王子聞父出家得阿耨多羅
三藐三菩提悉捨王位亦隨出家發大乘意
常脩梵行皆為法師已於千万佛所殖諸善
本是時日月燈明佛說大乘經名无量義教
菩薩法佛所護念說是經已即於大衆中
跏趺坐入於无量義處三昧身心不動是時
天雨曼陁羅華摩訶曼陁羅華曼殊沙華摩
訶曼殊沙華而散佛上及諸大衆普佛世界
六種震動尒時會中比丘比丘尼優婆塞優
婆夷天龍夜叉乾闥婆阿脩羅迦樓羅緊那
羅摩睺羅伽人非人　及諸小王轉輪聖王等
是諸大衆得未曾有歡喜合掌一心觀佛

BD01116 號　妙法蓮華經卷一　（21–5）

訶曼殊沙華而散佛上及諸大衆普佛世界
六種震動尒時會中比丘比丘尼優婆塞優
婆夷天龍夜叉乾闥婆阿脩羅迦樓羅緊那
羅摩睺羅伽人非人　及諸小王轉輪聖王等
是諸大衆得未曾有歡喜合掌一心觀佛尒
時如來放眉間白豪相光照東方万八千佛
土靡不周遍如今所見是諸佛土弥勒當知
尒時會中有二十億菩薩樂欲聽法是諸菩
薩見此光明普照佛土得未曾有欲知此
光所為因緣時有菩薩名曰妙光有八百弟
子是時日月燈明佛從三昧起因妙光菩薩
說大乘經名妙法蓮華教菩薩法佛所護念
六十小劫不起于座時會聽者亦坐一處六
十小劫身心不動聽佛所說謂如食頃是時
衆中无有一人若身若心而生懈惓日月燈
明佛於六十小劫說是經已即於梵魔沙門
婆羅門及天人阿脩羅衆中而宣此言如來
於今日中夜當入无餘涅槃時有菩薩名曰
德藏日月燈明佛即授其記告諸比丘是德
藏菩薩次當作佛号曰淨身多陁阿伽度阿
羅訶三藐三佛陁佛授記已便於中夜入无餘
涅槃佛滅度後妙光菩薩持妙法蓮華經滿
八十小劫為人演說日月燈明佛八子皆師
妙光妙光教化令其堅固阿耨多羅三藐三
菩提是諸王子供養无量百千万億佛已皆
成佛道其最後成佛者名曰然燈八百弟子
中有一人号曰求名貪著利養雖復讀誦衆

BD01116 號　妙法蓮華經卷一　（21–6）

妙光妙光教化令其堅固阿耨多羅三藐三
菩提是諸王子供養无量百千万億佛已皆
成佛道其最後成佛者名曰然燈八百弟子
中有一人号曰求名貪著利養雖復讀誦衆
經而不通利多所忘失故号求名是人亦以
種諸善根因緣故得值无量百千万億諸佛
供養恭敬尊重讚歎弥勒當知尒時妙光菩
薩豈異人乎我身是也求名菩薩汝身是
也今見此瑞與本无異是故惟忖今日如來當
說大乘經名妙法蓮華教菩薩法佛所護念
尒時文殊師利於大衆中欲重宣此義而說
偈言

我念過去世　无量无數劫　有佛人中尊　号日月燈明
世尊演說法　度无量衆生　无數億菩薩　令入佛智慧
佛未出家時　所生八王子　見大聖出家　亦隨脩梵行
時佛說大乘　經名无量義　於諸大衆中　而為廣分別
佛說此經已　即於法座上　跏趺坐三昧　名无量義處
天雨曼陁華　天鼓自然鳴　諸天龍鬼神　供養人中尊
一切諸佛土　即時大震動　佛放眉間光　現諸希有事
此光照東方　万八千佛土　示一切衆生　生死業報處
有見諸佛土　以衆寶莊嚴　琉璃頗梨色　斯由佛光照
及見諸天人　龍神夜叉衆　乾闥緊那羅　各供養其佛
又見諸如來　自然成佛道　身色如金山　端嚴甚微妙
如淨琉璃中　内現真金像　世尊在大衆　敷演深法義
一一諸佛土　聲聞衆无數　因佛光所照　悉見彼大衆
或有諸比丘　在於山林中　精進持淨戒　猶如護明珠

又見諸如來　自然成佛道　身色如金山　端嚴甚微妙
如淨琉璃中　内現真金像　世尊在大衆　敷演深法義
一一諸佛土　聲聞衆无數　因佛光所照　悉見彼大衆
或有諸比丘　在於山林中　精進持淨戒　猶如護明珠
又見諸菩薩　行施忍辱等　其數如恒沙　斯由佛光照
又見諸菩薩　深入諸禪定　身心寂不動　以求无上道
又見諸菩薩　知法寂滅相　各於其國土　說法求佛道
尒時四部衆　見日月燈明　現大神通力　其心皆歡喜
各各自相問　是事何因緣　天人所奉尊　適從三昧起
讚妙光菩薩　汝為世間眼　一切所歸信　能奉持法藏
如我所說法　唯汝能證知　世尊既讚歎　令妙光歡喜
說是法華經　滿六十小劫　不起於此座　所說上妙法
是妙光法師　悉皆能受持　佛說是法華　令衆歡喜已
尋即於是日　告於天人衆　諸法實相義　已為汝等說
我今於中夜　當入於涅槃　汝一心精進　當離於放逸
諸佛甚難值　億劫時一遇　世尊諸子等　聞佛入涅槃
各各懷悲惱　佛滅一何速　聖主法之王　安慰无量衆
我若滅度時　汝等勿憂怖　是德藏菩薩　於无漏實相
心已得通達　其次當作佛　号曰為淨身　亦度无量衆
佛此夜滅度　如薪盡火滅　分布諸舍利　而起无量塔
比丘比丘尼　其數如恒沙　倍復加精進　以求无上道
是妙光法師　奉持佛法藏　八十小劫中　廣宣法華經
是諸八王子　妙光所開化　堅固无上道　當見无數佛
供養諸佛已　隨順行大道　相繼得成佛　轉次而授記
最後天中天　号曰燃燈佛　諸仙之導師　度脫无量衆
是妙光法師　時有一弟子　心常懷懈怠　貪著於名利

[illegible]
供養諸佛已　隨順行大道　相繼得成佛　轉次而授記
最後天中天　号曰燃燈佛　諸仙之導師　度脫无量衆
是妙光法師　時有一弟子　心常懷懈怠　貪著於名利
求名利无猒　多遊族姓家　弃捨所習誦　廢忘不通利
以是因緣故　号之為求名　亦行衆善業　得見无數佛
供養於諸佛　隨順行大道　具六波羅蜜　今見釋師子
其後當作佛　号名曰弥勒　廣度諸衆生　其數无有量
彼佛滅度後　懈怠者汝是　妙光法師者　今則我身是
我見燈明佛　本光瑞如此　以是知今佛　欲說法華經
今相如本瑞　是諸佛方便　今佛放光明　助發實相義
諸人今當知　合掌一心待　佛當雨法雨　充足求道者
諸求三乘人　若有疑悔者　佛當為除斷　令盡无有餘

妙法蓮華經方便品第二

尒時世尊從三昧安詳而起告舍利弗諸佛智
慧甚深无量其智慧門難解難入一切聲聞辟
支佛所不能知所以者何佛曾親近百千万億
无數諸佛盡行諸佛无量道法勇猛精進名
稱普聞成就甚深未曾有法隨宜所說意趣
難解舍利弗吾從成佛已來種種因緣種種
譬喻廣演言教无數方便引導衆生令離諸
著所以者何如來方便知見波羅蜜皆已具
足舍利弗如來知見廣大深遠无量无礙
力无所畏禪定解脫三昧深入无際成就一
切未曾有法舍利弗如來能種種分別巧說
諸法言辭柔軟悅可衆心舍利弗取要言之
无量无邊未曾有法佛悉成就止舍利弗不
[illegible]

力无所畏禪定解脫三昧深入无際成就一
切未曾有法舍利弗如來能種種分別巧說
諸法言辭柔軟悅可衆心舍利弗取要言之
无量无邊未曾有法佛悉成就止舍利弗不
須復說所以者何佛所成就第一希有難解
之法唯佛與佛乃能究盡諸法實相所謂諸
法如是相如是性如是體如是力如是作如
是因如是緣如是果如是報如是本末究竟
等尒時世尊欲重宣此義而說偈言
世雄不可量　諸天及世人　一切衆生類　无能知佛者
佛力无所畏　解脫諸三昧　及佛諸餘法　无能側量者
本從无數佛　具足行諸道　甚深微妙法　難見難可了
於无量億劫　行此諸道已　道場得成果　我已悉知見
如是大果報　種種性相義　我及十方佛　乃能知是事
是法不可示　言辭相寂滅　諸餘衆生類　无有能得解
除諸菩薩衆　信力堅固者　諸佛弟子衆　曾供養諸佛
一切漏已盡　住是最後身　如是諸人等　其力所不堪
假使滿世間　皆如舍利弗　盡思共度量　不能測佛智
正使滿十方　皆如舍利弗　及餘諸弟子　亦滿十方剎
盡思共度量　亦復不能知　辟支佛利智　无漏最後身
亦滿十方界　其數如竹林　斯等共一心　於億无量劫
欲思佛實智　莫能知少分　新發意菩薩　供養无數佛
了達諸義趣　又能善說法　如稻麻竹葦　充滿十方剎
一心以妙智　於恒河沙劫　咸皆共思量　不能知佛智
不退諸菩薩　其數如恒沙　一心共思求　亦復不能知
又告舍利弗　无漏不思議　甚深微妙法　我今已具得
唯我知是相　十方佛亦然　舍利弗當知　諸佛語无異

了達諸義趣 又[illegible]善說法 如稻麻竹葦 充滿十方剎
一心以妙智 於恒河沙劫 咸皆共思量 不能知佛智
不退諸菩薩 其數如恒沙 一心共思求 亦復不能知
又告舍利弗 无漏不思議 甚深微妙法 我今已具得
唯我知是相 十方佛亦然 舍利弗當知 諸佛語无異
於佛所說法 當生大信力 世尊法久後 要當說真實
告諸聲聞衆 及求緣覺乘 我令脫苦縛 逮得涅槃者
佛以方便力 示以三乘教 衆生處處著 引之令得出
尒時大衆中有諸聲聞漏盡阿羅漢阿若憍
陳如等千二百人及發聲聞辟支佛心比丘比
丘尼優婆塞優婆夷各作是念今者世尊何
故慇懃稱歎方便而作是言佛所得法甚深
難解有所言說意趣難知一切聲聞辟支佛
所不能及佛說一解脫義我等亦得此法
到於涅槃而今不知是義所趣尒時舍利弗
知四衆心疑自亦未了而白佛言世尊何因
何緣慇懃稱歎諸佛第一方便甚深微妙難
解之法我自昔來未曾從佛聞如是說今者
四衆咸皆有疑唯願世尊敷演斯事世尊何
故慇懃稱歎甚深微妙難解之法尒時舍利弗
欲重宣此義而說偈言
慧日大聖尊 久乃說是法 自說得如是 力无畏三昧
禪定解脫等 不可思議法 道場所得法 无能發問者
我意難可測 亦无能問者 无問而自說 稱歎所行道
智慧甚微妙 諸佛之所得 无漏諸羅漢 及求涅槃者
今皆墮疑網 佛何故說是 其求緣覺者 比丘比丘尼
諸天龍鬼神 及乾闥婆等 相視懷猶豫 瞻仰兩足尊

我意難可測 亦无能問者 无問而自說 稱歎所行道
智慧甚微妙 諸佛之所得 无漏諸羅漢 及求涅槃者
今皆墮疑網 佛何故說是 其求緣覺者 比丘比丘尼
諸天龍鬼神 及乾闥婆等 相視懷猶豫 瞻仰兩足尊
是事為云何 願佛為解說 於諸聲聞衆 佛說我第一
我今自於智 疑惑不能了 為是究竟法 為是所行道
佛口所生子 合掌瞻仰待 願出微妙音 時為如實說
諸天龍神等 其數如恒沙 求佛諸菩薩 大數有八万
又諸万億國 轉輪聖王至 合掌以敬心 欲聞具足道
尒時佛告舍利弗止止不須復說若說是事一
切世間諸天及人皆當驚疑舍利弗重白佛
言世尊唯願說之唯願說之所以者何是會无
數百千万億阿僧祇衆生曾見諸佛諸根猛
利智慧明了聞佛所說則能敬信尒時舍利
弗欲重宣此義而說偈言
法王无上尊 唯說願勿慮 是會无量衆 有能敬信者
佛復止舍利弗若說是事一切世間天人阿脩
羅皆當驚疑增上慢比丘將墜於大坑尒時
世尊重說偈言
止止不須說 我法妙難思 諸增上慢者 聞必不敬信
尒時舍利弗重白佛言世尊唯願說之唯願
說之今此會中如我等比百千万億世世已
曾從佛受化如此人等必能敬信長夜安隱
多所饒益尒時舍利弗欲重宣此義而說偈
言
无上兩足尊 願說第一法 我為佛長子 唯垂分別說

曾從佛受化如此人等必能敬信長夜安隱
多所饒益尒時舍利弗欲重宣此義而說偈
言
无上兩足尊　願說第一法　我為佛長子　唯垂分別說
是會无量衆　能敬信此法　佛已曾世世　教化如是等
皆一心合掌　欲聽受佛語　我等千二百　及餘求佛者
願為此衆故　唯垂分別說　是等聞此法　則生大歡喜
尒時世尊告舍利弗汝已慇懃三請豈得不
說汝今諦聽善思念之吾當為汝分別解說
說此語時會中有比丘比丘尼優婆塞優婆
夷五千人等即從座起礼佛而退所以者何此
輩罪根深重及增上慢未得謂得未證謂證
有如此失是以不住世尊嘿然而不制止尒時
佛告舍利弗我今此衆无復枝葉純有貞實
舍利弗如是增上慢人退亦佳矣汝今善聽當
為汝說舍利弗言唯然世尊願樂欲聞佛告
舍利弗如是妙法諸佛如來時乃說之如優
曇鉢華時一現耳舍利弗汝等當信佛之所
說言不虛妄舍利弗諸佛隨宜說法意趣難
解所以者何我以无數方便種種因緣譬喻言
辭演說諸法是法非思量分別之所能解唯
有諸佛乃能知之所以者何諸佛世尊唯
以一大事因緣故出現於世舍利弗云何
名諸佛世尊唯以一大事因緣故出現於
世諸佛世尊欲令衆生開佛知見使得清淨
故出現於世欲示衆生佛之知見故出現於世

BD01116號　妙法蓮華經卷一　（21–13）

名諸佛世尊唯以一大事因緣故出現於
世諸佛世尊欲令衆生開佛知見使得清淨
故出現於世欲示衆生佛之知見故出現於世
欲令衆生悟佛知見故出現於世欲令衆生入
佛知見道故出現於世舍利弗是為諸佛以
一大事因緣故出現於世佛告舍利弗諸佛
如來但教化菩薩諸有所作常為一事唯以
佛之知見示悟衆生舍利弗如來但以一佛乘
故為衆生說法无有餘乘若二若三舍利弗
一切十方諸佛法亦如是舍利弗過去諸佛
以无量无數方便種種因緣譬喻言辭而為
衆生演說諸法是法皆為一佛乘故是諸衆
生從諸佛聞法究竟皆得一切種智舍利弗
未來諸佛當出於世亦以无量无數方便種
種因緣譬喻言辭而為衆生演說諸法是法
皆為一佛乘故是諸衆生從佛聞法究竟皆
得一切種智舍利弗現在十方无量百千万
億佛土中諸佛世尊多所饒益安樂衆生
是諸佛亦以无量无數方便種種因緣譬喻言
辭而為衆生演說諸法是法皆為一佛乘故
是諸衆生從佛聞法究竟皆得一切種智舍
利弗是諸佛但教化菩薩欲以佛之知見示衆
生故欲以佛之知見悟衆生故欲令衆生入佛
之知見故舍利弗我今亦復如是知諸衆生
有種種欲深心所著隨其本性以種種因緣
譬喻言辭方便力故而為說法舍利弗如此

BD01116號　妙法蓮華經卷一　（21–14）

利弗是諸佛但教化菩薩欲以佛之知見示衆
生故欲以佛之知見悟衆生故欲令衆生入佛
之知見故舍利弗我今亦復如是知諸衆生
有種種欲深心所着隨其本性以種種因緣
譬喻言辞方便力故而為說法舍利弗如此
皆為得一佛乘一切種智故舍利弗十方世界
中尚无二乘何况有三舍利弗諸佛出於五
濁惡世所謂劫濁煩惱濁衆生濁見濁命
濁如是舍利弗劫濁亂時衆生垢重慳貪嫉
妬成就諸不善根故諸佛以方便力於一佛
乘分別說三舍利弗若我弟子自謂阿羅漢
辟支佛者不聞不知諸佛如來但教化菩薩事
此非佛弟子非阿羅漢非辟支佛又舍利弗是
諸比丘比丘尼自謂已得阿羅漢是最後身
究竟涅槃便不復志求阿耨多羅三藐三菩
提當知此輩皆是增上慢人所以者何若有比
丘實得阿羅漢若不信此法无有是處除佛
滅度後現前无佛所以者何佛滅度後如是
等經受持讀誦解義者是人難得若遇餘佛
於此法中便得決了舍利弗汝等當一心信解受
持佛語諸佛如來言无虚妄无有餘乘唯一
佛乘尒時世尊欲重宣此義而說偈言
比丘比丘尼 有懷增上慢 優婆塞我慢 優婆夷不信
如是四衆等 其數有五千 不自見其過 於戒有缺漏
護惜其瑕疵 是小智已出 衆中之糟糠 佛威德故去
斯人尠福德 不堪受是法 此衆无枝葉 唯有諸貞實
舍利弗善聽 諸佛所得法 无量方便力 而為衆生說

BD01116號　妙法蓮華經卷一　（21–15）

如是四衆等 其數有五千 不自見其過 於戒有缺漏
護惜其瑕疵 是小智已出 衆中之糟糠 佛威德故去
斯人尠福德 不堪受是法 此衆无枝葉 唯有諸貞實
舍利弗善聽 諸佛所得法 无量方便力 而為衆生說
衆生心所念 種種所行道 若干諸欲性 先世善惡業
佛悉知是已 以諸緣譬喻 言辞方便力 令一切歡喜
或說脩多羅 伽陁及本事 本生未曾有 亦說於因緣
譬喻并祇夜 優波提舍經 鈍根樂小法 貪着於生死
於諸无量佛 不行深妙道 衆苦所惱乱 為是說涅槃
我設是方便 令得入佛慧 未曾說汝等 當得成佛道
所以未曾說 說時未至故 今正是其時 決定說大乘
我此九部法 隨順衆生說 入大乘為本 以故說是經
有佛子心淨 柔軟亦利根 无量諸佛所 而行深妙道
為此諸佛子 說是大乘經 我記如是人 來世成佛道
以深心念佛 脩持淨戒故 此等聞得佛 大喜充遍身
佛知彼心行 故為說大乘 聲聞若菩薩 聞我所說法
乃至於一偈 皆成佛无疑 十方佛土中 唯有一乘法
无二亦无三 除佛方便說 但以假名字 引導於衆生
說佛智慧故 諸佛出於世 唯此一事實 餘二則非真
終不以小乘 濟度於衆生 佛自住大乘 如其所得法
定慧力莊嚴 以此度衆生 自證无上道 大乘平等法
若以小乘化 乃至於一人 我則墮慳貪 此事為不可
若人信歸佛 如來不欺誑 亦无貪嫉意 斷諸法中惡
故佛於十方 而獨无所畏 我以相嚴身 光明照世間
无量衆所尊 為說實相印 舍利弗當知 我本立誓願
欲令一切衆 如我等无異 如我昔所願 今者已滿足
化一切衆生 皆令入佛道 若我遇衆生 盡教以佛道

BD01116號　妙法蓮華經卷一　（21–16）

若人信歸佛　如來不欺誑　亦无貪嫉意　斷諸法中惡
故佛於十方　而獨无所畏　我以相嚴身　光明照世間
无量衆所尊　為說實相印　舍利弗當知　我本立誓願
欲令一切衆　如我等无異　如我昔所願　今者已滿足
化一切衆生　皆令入佛道　若我遇衆生　盡教以佛道
无智者錯乱　迷惑不受教　我知此衆生　未曾脩善本
堅著於五欲　癡愛故生惱　以諸欲因緣　墜墮三惡道
輪迴六趣中　備受諸苦毒　受胎之微形　世世常增長
薄德少福人　衆苦所逼迫　入邪見稠林　若有若无等
依止此諸見　具足六十二　深著虛妄法　堅受不可捨
我慢自矜高　諂曲心不實　於千万億劫　不聞佛名字
亦不聞正法　如是人難度　是故舍利弗　我為設方便
說諸盡苦道　示之以涅槃　我雖說涅槃　是亦非真滅
諸法從本來　常自寂滅相　佛子行道已　來世得作佛
我有方便力　開示三乘法　一切諸世尊　皆說一乘道
今此諸大衆　皆應除疑惑　諸佛語无異　唯一无二乘
過去无數劫　无量滅度佛　百千万億種　其數不可量
如是諸世尊　種種緣譬喻　无數方便力　演說諸法相
是諸世尊等　皆說一乘法　化无量衆生　令入於佛道
又諸大聖主　知一切世間　天人群生類　深心之所欲
更以異方便　助顯第一義　若有衆生類　值諸過去佛
若聞法布施　或持戒忍辱　精進禪智等　種種脩福慧
如是諸人等　皆已成佛道　諸佛滅度已　若人善軟心
如是諸衆生　皆已成佛道　諸佛滅度已　供養舍利者
起万億種塔　金銀及頗梨　車𤦲與馬瑙　玫瑰琉璃珠
清淨廣嚴飾　莊校於諸塔　或有起石廟　栴檀及沈水
木櫁并餘材　甎瓦泥土等　若於曠野中　積土成佛廟

BD01116號　妙法蓮華經卷一　（21–17）

如是諸衆生　皆已成佛道　諸佛滅度已　供養舍利者
起万億種塔　金銀及頗梨　車𤦲與馬瑙　玫瑰琉璃珠
清淨廣嚴飾　莊校於諸塔　或有起石廟　栴檀及沈水
木櫁并餘材　甎瓦泥土等　若於曠野中　積土成佛廟
乃至童子戲　聚沙為佛塔　如是諸人等　皆已成佛道
若人為佛故　建立諸形像　刻雕成衆相　皆已成佛道
或以七寶成　鍮鉐赤白銅　白鑞及鉛錫　鐵木及與泥
或以膠漆布　嚴飾作佛像　如是諸人等　皆已成佛道
彩畫作佛像　百福莊嚴相　自作若使人　皆已成佛道
乃至童子戲　若草木及筆　或以指爪甲　而畫作佛像
如是諸人等　漸漸積功德　具足大悲心　皆已成佛道
但化諸菩薩　度脫无量衆　若人於塔廟　寶像及畫像
以華香幡蓋　敬心而供養　若使人作樂　擊鼓吹角貝
簫笛琴箜篌　琵琶鐃銅鈸　如是衆妙音　盡持以供養
或以歡喜心　歌唄頌佛德　乃至一小音　皆已成佛道
若人散乱心　乃至以一華　供養於畫像　漸見无數佛
或有人礼拜　或復但合掌　乃至舉一手　或復小低頭
以此供養像　漸見无量佛　自成无上道　廣度无數衆
入无餘涅槃　如薪盡火滅　若人散乱心　入於塔廟中
一稱南无佛　皆已成佛道　於諸過去佛　在世或滅後
若有聞是法　皆已成佛道　未來諸世尊　其數无有量
是諸如來等　亦方便說法　一切諸如來　以无量方便
度脫諸衆生　入佛无漏智　若有聞法者　无一不成佛
諸佛本誓願　我所行佛道　普欲令衆生　亦同得此道
未來世諸佛　雖說百千億　无數諸法門　其實為一乘
諸佛兩足尊　知法常无性　佛種從緣起　是故說一乘
是法住法位　世間相常住　於道場知已　導師方便說

BD01116號　妙法蓮華經卷一　（21–18）

諸佛本誓願 我所行佛道 普欲令衆生 亦同得此道
未來世諸佛 雖說百千億 无數諸法門 其實為一乘
諸佛兩足尊 知法常无性 佛種從緣起 是故說一乘
是法住法位 世間相常住 於道場知已 導師方便說
天人所供養 現在十方佛 其數如恒沙 出現於世間
安隱衆生故 亦說如是法 知第一寂滅 以方便力故
雖示種種道 其實為佛乘 知衆生諸行 深心之所念
過去所習業 欲性精進力 及諸根利鈍 以種種因緣
譬喻亦言辭 隨應方便說 今我亦如是 安隱衆生故
以種種法門 宣示於佛道 我以智慧力 知衆生性欲
方便說諸法 皆令得歡喜 舍利弗當知 我以佛眼觀
見六道衆生 貧窮无福慧 入生死險道 相續苦不斷
深著於五欲 如犛牛愛尾 以貪愛自蔽 盲瞑无所見
不求大勢佛 及與斷苦法 深入諸邪見 以苦欲捨苦
為是衆生故 而起大悲心 我始坐道場 觀樹亦經行
於三七日中 思惟如是事 我所得智慧 微妙最第一
衆生諸根鈍 著樂癡所盲 如斯之等類 云何而可度
尒時諸梵王 及諸天帝釋 護世四天王 及大自在天
并餘諸天衆 眷屬百千万 恭敬合掌礼 請我轉法輪
我即自思惟 若但讚佛乘 衆生沒在苦 不能信是法
破法不信故 墜於三惡道 我寧不說法 疾入於涅槃
尋念過去佛 所行方便力 我今所得道 亦應說三乘
作是思惟時 十方佛皆現 梵音慰喻我 善哉釋迦文
第一之導師 得是无上法 隨諸一切佛 而用方便力
我等亦皆得 最妙第一法 為諸衆生類 分別說三乘
少智樂小法 不自信作佛 是故以方便 分別說諸果
雖復說三乘 但為教菩薩 舍利弗當知 我聞聖師

BD01116號　妙法蓮華經卷一　　（21–19）

作是思惟時 十方佛皆現 梵音慰喻我 善哉釋迦文
第一之導師 得是无上法 隨諸一切佛 而用方便力
我等亦皆得 最妙第一法 為諸衆生類 分別說三乘
少智樂小法 不自信作佛 是故以方便 分別說諸果
雖復說三乘 但為教菩薩 舍利弗當知 我聞聖師子
深淨微妙音 稱南无諸佛 復作如是念 我出濁惡世
如諸佛所說 我亦隨順行 思惟是事已 即趣波羅柰
諸法寂滅相 不可以言宣 以方便力故 為五比丘說
是名轉法輪 便有涅槃音 及以阿羅漢 法僧差別名
從久遠劫來 讚示涅槃法 生死苦永盡 我常如是說
舍利弗當知 我見佛子等 志求佛道者 无量千万億
咸以恭敬心 皆來至佛所 曾從諸佛聞 方便所說法
我即作是念 如來所以出 為說佛慧故 今正是其時
舍利弗當知 鈍根小智人 著相憍慢者 不能信是法
今我喜无畏 於諸菩薩中 正直捨方便 但說无上道
菩薩聞是法 疑網皆已除 千二百羅漢 悉亦當作佛
如三世諸佛 說法之儀式 我今亦如是 說无分別法
諸佛興出世 懸遠值遇難 正使出于世 說是法復難
无量无數劫 聞是法亦難 能聽是法者 斯人亦復難
譬如優曇華 一切皆愛樂 天人所希有 時時乃一出
聞法歡喜讚 乃至發一言 則為已供養 一切三世佛
是人甚希有 過於優曇華 汝等勿有疑 我為諸法王
普告諸大衆 但以一乘道 教化諸菩薩 无聲聞弟子
汝等舍利弗 聲聞及菩薩 當知是妙法 諸佛之秘要
以五濁惡世 但樂著諸欲 如是等衆生 終不求佛道
當來世惡人 聞佛說一乘 迷惑不信受 破法墮惡道
有慚愧清淨 志求佛道者 當為如是等 廣讚一乘道

BD01116號　妙法蓮華經卷一　　（21–20）

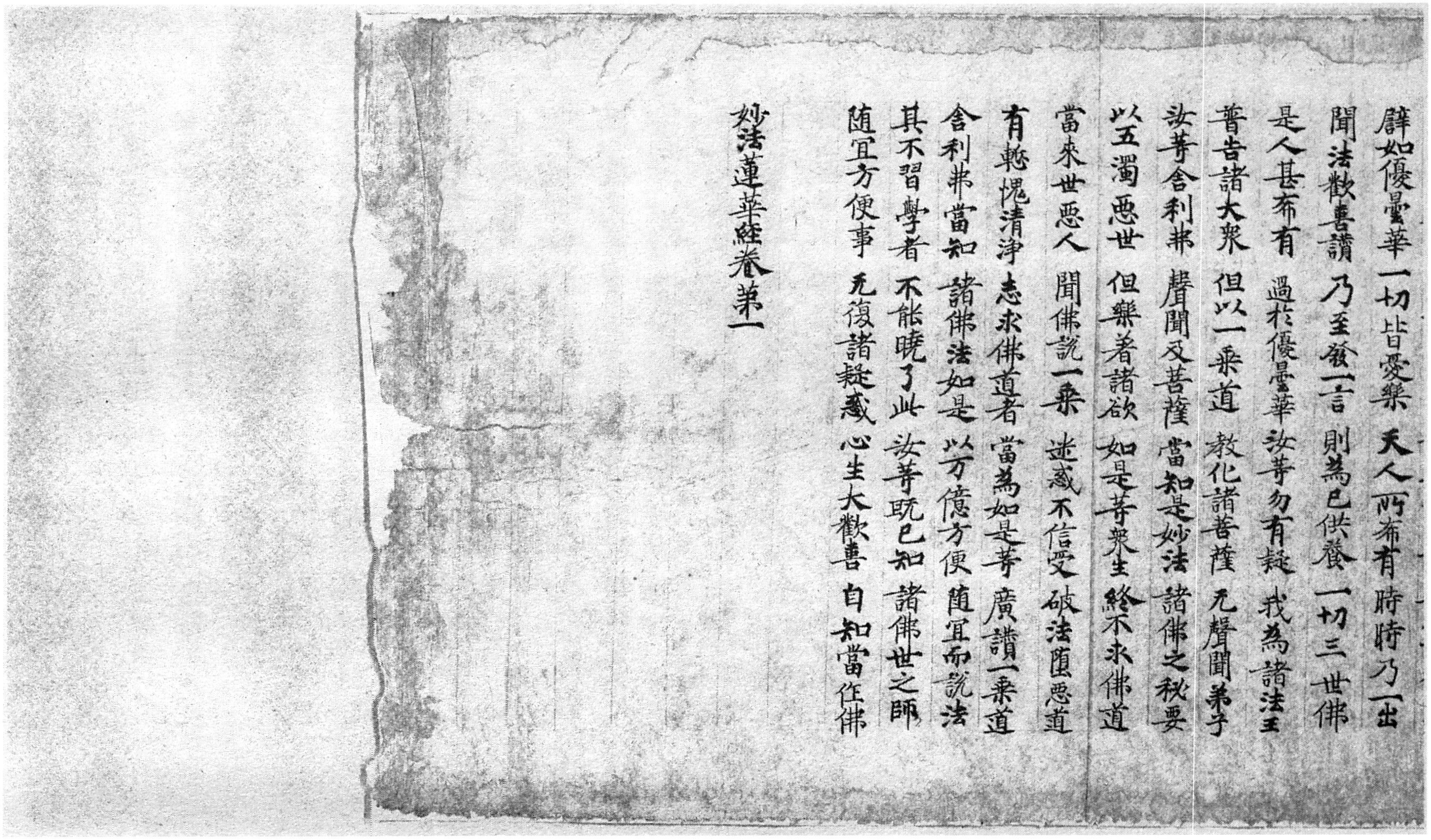

譬如優曇華　一切皆愛樂　天人所希有　時時乃一出
聞法歡喜讚　乃至發一言　則為已供養　一切三世佛
是人甚希有　過於優曇華　汝等勿有疑　我為諸法王
普告諸大衆　但以一乘道　教化諸菩薩　无聲聞弟子
汝等舍利弗　聲聞及菩薩　當知是妙法　諸佛之秘要
以五濁惡世　但樂著諸欲　如是等衆生　終不求佛道
當來世惡人　聞佛說一乘　迷惑不信受　破法墮惡道
有慚愧清淨　志求佛道者　當為如是等　廣讚一乘道
舍利弗當知　諸佛法如是　以万億方便　隨宜而說法
其不習學者　不能曉了此　汝等既已知　諸佛世之師
隨宜方便事　无復諸疑惑　心生大歡喜　自知當作佛

妙法蓮華經卷第一

BD01116號　妙法蓮華經卷一　（21–21）

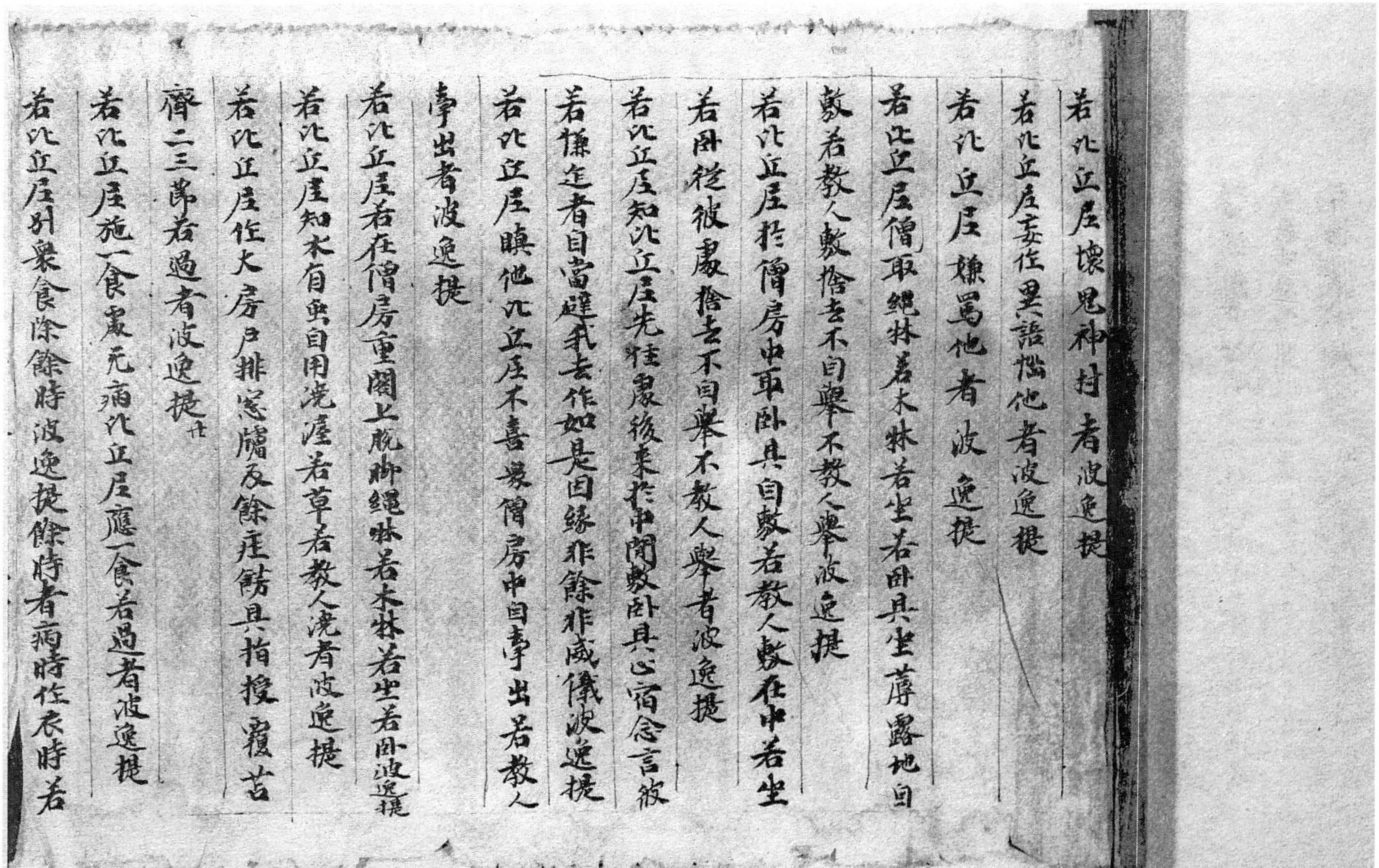

若比丘尼壞鬼神村者波逸提
若比丘尼妄作異語惱他者波逸提
若比丘尼嫌罵他者波逸提
若比丘尼僧取繩牀若木牀若坐若卧具坐蓐露地自
敷若教人敷捨去不自舉不教人舉波逸提
若比丘尼於僧房中取卧具自敷若教人敷在中若坐
若卧從彼處捨去不自舉不教人舉者波逸提
若比丘尼知比丘尼先住處後來於中間敷卧具止宿念言彼
若嫌迮者自當避我去作如是因緣非餘非威儀波逸提
若比丘尼瞋他比丘尼不喜衆僧房中牽出若教人
牽出者波逸提
若比丘尼若在僧房重閣上脫脚繩牀若木牀若坐若卧波逸提
若比丘尼知水有虫自用澆泥若草若教人澆者波逸提
若比丘尼作大房戶扉窓牖及餘莊飾具指授覆苫
齊二三節若過者波逸提廿
若比丘尼施一食處无病比丘尼應一食若過者波逸提
若比丘尼別衆食除餘時波逸提餘時者病時作衣時若

BD01117號　四分比丘尼戒本　（4–1）

若比丘尼知水有蟲自用澆泥若草若教人澆者波逸提
若比丘尼作大房戶扉窗牖及餘莊飾具指授覆苫
齊二三節若過者波逸提 廿
若比丘尼施一食處无病比丘尼應一食若過者波逸提
若比丘尼別衆食除餘時波逸提餘時者病時作衣時若
施衣時道行時船行時大會時沙門施食時此是時
若比丘尼至檀越家慇懃請與餅麨食比丘尼欲須者二三
鉢應受持至寺內分與餘比丘尼食若比丘尼无病過三
鉢受食持至寺內不分與餘比丘尼食者波逸提
若比丘尼非時食者波逸提
若比丘尼殘宿食噉者波逸提
若比丘尼不受食及藥著口中除水及楊枝波逸提
若比丘尼先受請已若前食若後食行詣餘家不囑餘
比丘尼除餘時波逸提餘時者病時作衣時施衣時此是時
若比丘尼食家中有寶強安坐者波逸提
若比丘尼食家中有寶在屏處坐者波逸提
若比丘尼獨與男子露地一處坐者波逸提 卅
若比丘尼語比丘尼如是語大姊共汝至聚落當與汝食
彼比丘尼竟不教與是比丘尼食如是言大姊去我與汝
一處共坐共語不樂我獨坐獨語樂以是因緣非餘方便遣
去波逸提
若比丘尼受四月請與藥无病比丘尼應受若過受除

BD01117號　四分比丘尼戒本　（4–2）

若比丘尼語比丘尼如是語大姊共汝至聚落當與汝食
彼比丘尼竟不教與是比丘尼食如是言大姊去我與汝
一處共坐共語不樂我獨坐獨語樂以是因緣非餘方便遣
去波逸提
若比丘尼受四月請與藥无病比丘尼應受若過受除
常請更請分請盡形請波逸提
若比丘尼往觀軍陣除時因緣波逸提
若比丘尼有因緣至軍中若二三宿過者波逸提
若比丘尼軍中若二宿三宿時或觀軍陣鬪戰若觀遊
軍象馬勢力波逸提
若比丘尼飲酒者波逸提
若比丘尼水中戲者波逸提
若比丘尼以指相擊攊者波逸提
若比丘尼不受諫者波逸提
若比丘尼恐怖比丘尼者波逸提 卌
若比丘尼半月洗浴无病比丘尼應受若過除餘時波
逸提餘時者熱時病時作時風時雨時遠行來時此是時
若比丘尼无病爲炙故露地然火若教人然除餘時波逸提
若比丘尼藏比丘尼若鉢若衣若坐具針筒自藏教
人藏下至戲笑波逸提
若比丘尼淨施比丘比丘尼式叉摩那沙彌沙彌尼衣後

BD01117號　四分比丘尼戒本　（4–3）

若比丘尼藏比丘尼若鉢若衣若坐具針筒自藏教
人藏下至戲咲波逸提
若比丘尼淨施比丘比丘尼式叉摩那沙彌沙彌尼衣後
不問主取着者波逸提
若比丘尼得新衣當作三種染壞色青黑木蘭若比丘尼
得新衣不作三種染壞色青黑木蘭着新衣持者波逸提
若比丘尼故斷畜生命者波逸提
若比丘尼知水有虫飲者波逸提
若比丘尼故惱他比丘尼乃至少時不樂者波逸提
若比丘尼知比丘尼有麁罪覆藏者波逸提
若比丘尼知諍事如法懺悔已後更發舉者波逸提 五十
若比丘尼知是賊伴共一道行乃至聚落波逸提
若比丘尼作如是語我知佛所說法行婬欲非障道法彼
比丘尼諫此比丘尼言大姊莫作是語莫謗世尊謗世尊
者不善世尊不作是語世尊无數方便說婬欲是障
道法犯婬者障道法彼比丘尼諫此比丘尼時堅持不
捨彼比丘尼乃至三諫令捨是事乃至三諫時捨者善不
捨者波逸提
若比丘尼知如是語人未作法如是惡邪不捨若畜同
一羯磨同一止宿波逸提
若沙彌尼如是言我知佛所說法行婬欲非障道法彼

BD01117 號　四分比丘尼戒本　（4–4）

若有懷任者　未辯其男女　无根及
以聞香力故　知其初懷任　成就不成就　安樂產福子
以聞香力故　知男女所念　染欲癡恚心　亦知修善者
地中眾伏藏　金銀諸珍寶　銅器之所盛　聞香悉能知
種種諸瓔珞　无能識其價　聞香知貴賤　出處及所在
天上諸華等　曼陁曼殊沙　波利質多樹　聞香悉能知
天上諸宮殿　上中下差別　眾寶華莊嚴　聞香悉能知
天園林勝殿　諸觀妙法堂　在中而娛樂　聞香悉能知
諸天若聽法　或受五欲時　來往行坐臥　聞香悉能知
天女所着衣　好華香莊嚴　周旋遊戲時　聞香悉能知
如是展轉上　乃至於梵世　入禪出禪者　聞香悉能知
光音遍淨天　乃至于有頂　初生及退沒　聞香悉能知
諸比丘眾等　於法常精進　若坐若經行　及讀誦經法
或在林樹下　專精而坐禪　持經者聞知　悉知其所在
菩薩志堅固　坐禪若讀誦　或為人說法　聞香悉能知
在在方世尊　一切所恭敬　愍眾而說法　聞香悉能知
眾生在佛前　聞經皆歡喜　如法而修行　聞香悉能知
雖未得菩薩　无漏法生鼻　而是持經者　先得此鼻相
復次常精進若善男子善女人受持是經若
讀若誦若解說若書寫得千二百舌功德若
好若醜若美不美及諸苦澀物在其舌根皆
變成上味如天甘露无不美者若以舌根於

BD01118 號　妙法蓮華經卷六　（20–1）

衆生在佛前　聞經皆歡喜　如法而脩行　聞香悉能知
雖未得菩薩　无漏法生鼻　而是持經者　先得此鼻相
復次常精進若善男子善女人受持是經若
讀若誦若解說若書寫得千二百舌功德若
好若醜若美不美及諸苦澁物在其舌根皆
變成上味如天甘露无不美者若以舌根於
大衆中有所演說出深妙聲能入其心皆令
歡喜快樂又諸天子天女釋梵諸天聞是深
妙音聲有所演說言論次第皆悉來聽及諸
龍龍女夜叉夜叉女乾闥婆乾闥婆女阿脩
羅阿脩羅女迦樓羅迦樓羅女緊那羅緊那
羅女摩睺羅伽摩睺羅伽女為聽法故皆來
親近恭敬供養及比丘比丘尼優婆塞優婆
夷國王王子羣臣眷屬小轉輪王大轉輪王
七寶千子內外眷屬乘其宮殿俱來聽法以
是菩薩善說法故婆羅門居士國內人民盡
其形壽隨侍供養又諸聲聞辟支佛菩薩諸
佛常樂見之是人所在方面諸佛皆向其處
說法悉能受持一切佛法又能出於深妙法
音尒時世尊欲重宣此義而說偈言
是人舌根淨　終不受惡味　其有所食噉　悉皆成甘露
以深淨妙音　於大衆說法　以諸因緣喻　引導衆生心
聞者皆歡喜　設諸上供養　諸天龍夜叉　及阿脩羅等
皆以恭敬心　而共來聽法　是說法之人　若欲以妙音
遍滿三千界　隨意即能至　大小轉輪王　及千子眷屬
合掌恭敬心　常來聽受法　諸天龍夜叉　羅剎毗舍闍

BD01118號　妙法蓮華經卷六　（20–2）

聞者皆歡喜　設諸上供養　諸天龍夜叉　及阿脩羅等
皆以恭敬心　而共來聽法　是說法之人　若欲以妙音
遍滿三千界　隨意即能至　大小轉輪王　及千子眷屬
合掌恭敬心　常來聽受法　諸天龍夜叉　羅剎毗舍闍
亦以歡喜心　常樂來供養　梵天王魔王　自在大自在
如是諸天衆　常來至其所　諸佛及弟子　聞其說法音
常念而守護　或時為現身
復次常精進若善男子善女人受持是經若
讀若誦若解說若書寫得八百身功德得清
淨身如淨瑠璃衆生憙見其身淨故三千大
千世界衆生生時死時上下好醜生善處惡
處悉於中現及鐵圍山大鐵圍山弥樓山摩
訶弥樓山等諸山及其中衆生悉於中現下
至阿鼻地獄上至有頂所有及衆生悉於中
現若聲聞辟支佛菩薩諸佛說法皆於身中
現其色像尒時世尊欲重宣此義而說偈言
若持法華者　其身甚清淨　如彼淨瑠璃　衆生皆憙見
又如淨明鏡　悉見諸色像　菩薩於淨身　皆見世所有
唯獨自明了　餘人所不見　三千世界中　一切諸群萌
天人阿脩羅　地獄鬼畜生　如是諸色像　皆於身中現
諸天等宮殿　乃至於有頂　鐵圍及弥樓　摩訶弥樓山
諸大海水等　皆於身中現　諸佛及聲聞　佛子菩薩等
若獨若在衆　說法悉皆現　雖未得无漏　法性之妙身
以清淨常體　一切於中現
復次常精進若善男子善女人如來滅後受
持是經若讀若誦若解說若書寫得千二百

BD01118號　妙法蓮華經卷六　（20–3）

以清淨常體　一切於中現
復次常精進，若善男子善女人如來滅後受
持是經，若讀若誦若解說若書寫，得千二百
意功德。以是清淨意根，乃至聞一偈一句，通
達无量无邊之義。解是義已，能演說一句一
偈至於一月四月乃至一歲，諸所說法隨其
義趣，皆與實相不相違背。若說俗間經書、治
世語言、資生業等，皆順正法。三千大千世界
六趣眾生心之所行、心所動作、心所戲論，皆
悉知之。雖未得无漏智慧，而其意根清淨如
此。是人有所思惟籌量言說，皆是佛法，无不
真實，亦是先佛經中所說。尒時世尊欲重宣
此義而說偈言：
是人意清淨　明利无穢濁　以此妙意根　知上中下法
乃至聞一偈　通達无量義　次第如法說　月四月至歲
是世界內外　一切諸眾生　若天龍及人　夜叉鬼神等
其在六趣中　所念若干種　持法華之報　一時皆悉知
十方无數佛　百福莊嚴相　為眾生說法　悉聞能受持
思惟无量義　說法亦无量　終始不忘錯　以持法華故
悉知諸法相　隨義識次第　達名字語言　如所知演說
此人有所說　皆是先佛法　以演此法故　於眾无所畏
持法華經者　意根淨若斯　雖未得无漏　先有如是相
是人持此經　安住希有地　為一切眾生　歡喜而愛敬
能以千万種　善巧之語言　分別而說法　持法華經故
妙法蓮華經常不輕菩薩品第二十
尒時佛告得大勢菩薩摩訶薩：汝今當知，若

BD01118號　妙法蓮華經卷六　（20–4）

是人持此經　安住希有地　為一切眾生　歡喜而愛敬
能以千万種　善巧之語言　分別而說法　持法華經故
妙法蓮華經常不輕菩薩品第二十
尒時佛告得大勢菩薩摩訶薩：汝今當知，若
比丘比丘尼優婆塞優婆夷持法華經者，若
有惡口罵詈誹謗，獲大罪報，如前所說；其所
得功德，如向所說，眼耳鼻舌身意清淨。得大
勢，乃往古昔，過无量无邊不可思議阿僧祇
劫，有佛名威音王如來、應供、正遍知、明行足、
善逝、世間解、无上士、調御丈夫、天人師、佛、世
尊。劫名離衰，國名大成。其威音王佛，於彼世
中，為天人阿脩羅說法：為求聲聞者，說應四
諦法，度生老病死，究竟涅槃；為求辟支佛者，
說應十二因緣法；為諸菩薩，因阿耨多羅三
藐三菩提，說應六波羅蜜法，究竟佛慧。得大
勢，是威音王佛壽四十万億那由他恒河沙
劫，正法住世劫數如一閻浮提微塵，像法住
世劫數如四天下微塵。其佛饒益眾生已，然
後滅度。正法像法滅盡之後，於此國土復有
佛出，亦号威音王如來、應供、正遍知、明行足、
善逝、世間解、无上士、調御丈夫、天人師、佛、世
尊。如是次第有二万億佛，皆同一号。最初威
音王如來既已滅度，正法滅後，於像法中，增
上慢比丘有大勢力。尒時有一菩薩比丘，名
常不輕。得大勢，以何因緣名常不輕？是比丘
凡有所見，若比丘比丘尼優婆塞優婆夷，皆
悉禮拜讚歎而作是言：我深敬汝等，不敢

BD01118號　妙法蓮華經卷六　（20–5）

音王如来既已滅度正法滅後於像法中增
上慢比丘有大勢力尒時有一菩薩比丘名
常不輕得大勢以何因緣名常不輕是比丘
凡有所見若比丘比丘尼優婆塞優婆夷皆
悉礼拜讃嘆而作是言我深敬汝等不敢輕
慢所以者何汝等皆行菩薩道當得作佛而
是比丘不專讀誦經典但行礼拜乃至遠見
四衆亦復故往礼拜讃嘆而作是言我不敢
輕於汝等汝等皆當作佛故四衆之中有生
瞋恚心不淨者惡口罵詈言是无智比丘從
何所來自言我不輕汝而與我等受記當得
作佛我等不用如是虚妄受記如此經歷多
年常被罵詈不生瞋恚常作是言汝當作佛
說是語時衆人或以杖木瓦石而打擲之避
走遠住猶高聲唱言我不敢輕於汝等汝等
皆當作佛以其常作是語故增上慢比丘比
丘尼優婆塞優婆夷号之為常不輕是比丘
臨欲終時於虚空中具聞威音王佛先所說
法華經二十千万億偈悉能受持即得如上
眼根清淨耳鼻舌身意根清淨得是六根清
淨已更增壽命二百万億那由他歲廣為人
說是法華經於時增上慢四衆比丘比丘尼
優婆塞優婆夷輕賤是人為作不輕名者見
其得大神通力樂說辯力大善寂力聞其所
說皆信伏隨從是菩薩復化千万億衆令住
阿耨多羅三藐三菩提命終之後得值二千

BD01118號　妙法蓮華經卷六　（20–6）

優婆塞優婆夷輕賤是人為作不輕名者見
其得大神通力樂說辯力大善寂力聞其所
說皆信伏隨從是菩薩復化千万億衆令住
阿耨多羅三藐三菩提命終之後得值二千
億佛皆号日月燈明於其法中說是法華經
以是因緣復值二千億佛同号雲自在燈王
於此諸佛法中受持讀誦為諸四衆說此經
典故得是常眼清淨耳鼻舌身意諸根清淨
於四衆中說法心无所畏得大勢是常不輕
菩薩摩訶薩供養如是若干諸佛恭敬尊重
讃嘆種諸善根於後復值千万億佛亦於諸
佛法中說是經典功徳成就當得作佛得大
勢於意云何尒時常不輕菩薩豈異人乎則
我身是若我於宿世不受持讀誦此經為他
人說者不能疾得阿耨多羅三藐三菩提我
於先佛所受持讀誦此經為人說故疾得阿
耨多羅三藐三菩提得大勢彼時四衆比丘
比丘尼優婆塞優婆夷以瞋恚意輕賤我故
二百億劫常不值佛不聞法不見僧千劫於
阿鼻地獄受大苦惱畢是罪已復遇常不輕
菩薩教化阿耨多羅三藐三菩提得大勢於
汝意云何尒時四衆常輕是菩薩者豈異人
乎今此會中跋陀婆羅等五百菩薩師子月
等五百比丘尼思佛等五百優婆塞皆於阿
耨多羅三藐三菩提不退轉者是得大勢當
知是法華經大饒益諸菩薩摩訶薩能令至
於阿耨多羅三藐三菩提是故諸菩薩摩訶

BD01118號　妙法蓮華經卷六　（20–7）

等五百比丘尼思佛等五百優婆塞皆於阿
耨多羅三藐三菩提不退轉者是得大勢當
知是法華經大饒益諸菩薩摩訶薩能令至
於阿耨多羅三藐三菩提是故諸菩薩摩訶
薩於如來滅後常應受持讀誦解說書寫是
經尒時世尊欲重宣此義而說偈言
過去有佛 号威音王 神智无量 將導一切
天人龍神 所共供養 是佛滅後 法欲盡時
有一菩薩 名常不輕 時諸四衆 計著於法
不輕菩薩 往到其所 而語之言 我不輕汝
汝等行道 皆當作佛 諸人聞已 輕毀罵詈
不輕菩薩 能忍受之 其罪畢已 臨命終時
得聞此經 六根清淨 神通力故 增益壽命
復為諸人 廣說是經 諸著法衆 皆蒙菩薩
教化成就 令住佛道 不輕命終 值无數佛
說是經故 得无量福 漸具功德 疾成佛道
彼時不輕 則我身是 時四部衆 著法之者
聞不輕言 汝當作佛 以是因緣 值无數佛
此會菩薩 五百之衆 并及四部 清信士女
今於我前 聽法者是 我於前世 勸是諸人
聽受斯經 第一之法 開示教人 令住涅槃
世世受持 如是經典 億億万劫 至不可議
時乃得聞 是法華經 億億万劫 至不可議
諸佛世尊 時說是經 是故行者 於佛滅後
聞如是經 勿生疑惑 應當一心 廣說此經
世世值佛 疾成佛道

BD01118號　妙法蓮華經卷六　（20–8）

時乃得聞 是法華經 億億万劫 至不可議
諸佛世尊 時說是經 是故行者 於佛滅後
聞如是經 勿生疑惑 應當一心 廣說此經
世世值佛 疾成佛道
妙法蓮華經如來神力品第二十一
尒時千世界微塵等菩薩摩訶薩從地踊出
者皆於佛前一心合掌瞻仰尊顏而白佛言
世尊我等於佛滅後世尊分身所在國土滅
度之處當廣說此經所以者何我等亦自欲
得是真淨大法受持讀誦解說書寫而供養
之尒時世尊於文殊師利等无量百千万億
舊住娑婆世界菩薩摩訶薩及諸比丘比丘
尼優婆塞優婆夷天龍夜叉乾闥婆阿脩羅
迦樓羅緊那羅摩睺羅伽人非人等一切衆
前現大神力出廣長舌上至梵世一切毛孔
放於无量无數色光皆悉遍照十方世界衆
寶樹下師子座上諸佛亦復如是出廣長舌
放无量光釋迦牟尼佛及寶樹下諸佛現神
力時滿百千歲然後還攝舌相一時謦欬俱
共彈指是二音聲遍至十方諸佛世界地皆
六種震動其中衆生天龍夜叉乾闥婆阿脩
羅迦樓羅緊那羅摩睺羅伽人非人等以佛
神力故皆見此娑婆世界无量无邊百千万
億衆寶樹下師子座上諸佛及見釋迦牟尼
佛共多寶如來在寶塔中坐師子座又見无
量无邊百千万億菩薩摩訶薩及諸四衆恭
敬圍繞釋迦牟尼佛既見是已皆大歡喜得

BD01118號　妙法蓮華經卷六　（20–9）

億衆寶樹下師子座上諸佛及見釋迦牟尼
佛共多寶如來在寶塔中坐師子座又見无
量无邊百千万億菩薩摩訶薩及諸四衆恭
敬圍繞釋迦牟尼佛既見是已皆大歡喜得
未曾有即時諸天於虛空中高聲唱言過此
无量无邊百千万億阿僧祇世界有國名娑
婆是中有佛名釋迦牟尼今為諸菩薩摩訶
薩說大乘經名妙法蓮華教菩薩法佛所護
念汝等當深心隨喜亦當礼拜供養釋迦牟
尼佛彼諸衆生聞虛空中聲已合掌向娑婆
世界作如是言南无釋迦牟尼佛南无釋迦
牟尼佛以種種華香瓔珞幡蓋及諸嚴身之
具珍寶妙物皆共遙散娑婆世界所散諸物
從十方來譬如雲集變成寶帳遍覆此間諸
佛之上于時十方世界通達无礙如一佛土
尒時佛告上行等菩薩大衆諸佛神力如是
无量无邊不可思議若我以是神力於无量
无邊百千万億阿僧祇劫為囑累故說此經
功德猶不能盡以要言之如來一切所有之
法如來一切自在神力如來一切秘要之藏
如來一切甚深之事皆於此經宣示顯說是
故汝等於如來滅後應當一心受持讀誦解說
書寫如說脩行所在國土若有受持讀誦解
說書寫如說脩行若經卷所住之處若於園
中若於林中若於樹下若於僧坊若白衣舍
若在殿堂若山谷曠野是中皆應起塔供養

BD01118號　妙法蓮華經卷六　（20–10）

書寫如說脩行所在國土若有受持讀誦解
說書寫如說脩行若經卷所住之處若於園
中若於林中若於樹下若於僧坊若白衣舍
若在殿堂若山谷曠野是中皆應起塔供養
所以者何當知是處即是道場諸佛於此得
阿耨多羅三藐三菩提諸佛於此轉于法輪
諸佛於此而般涅槃尒時世尊欲重宣此義
而說偈言
諸佛救世者　住於大神通　為悅衆生故　現无量神力
舌相至梵天　身放无數光　為求佛道者　現此希有事
諸佛謦欬聲　及彈指之聲　周聞十方國　地皆六種動
以佛滅度後　能持是經故　諸佛皆歡喜　現无量神力
囑累是經故　讚美受持者　於无量劫中　猶故不能盡
是人之功德　无邊无有窮　如十方虛空　不可得邊際
能持是經者　則為已見我　亦見多寶佛　及諸分身者
又見我今日　教化諸菩薩　能持是經者　令我及分身
滅度多寶佛　一切皆歡喜　十方現在佛　并過去未來
亦見亦供養　亦令得歡喜　諸佛坐道場　所得秘要法
能持是經者　不久亦當得　能持是經者　於諸法之義
名字及言辭　樂說无窮盡　如風於空中　一切无障礙
於如來滅後　知佛所說經　因緣及次第　隨義如實說
如日月光明　能除諸幽冥　斯人行世間　能滅衆生闇
教无量菩薩　畢竟住一乘　是故有智者　聞此功德利
於我滅度後　應受持斯經　是人於佛道　決定无有疑
妙法蓮華經囑累品第二十二
尒時釋迦牟尼佛從法座起現大神力以右

BD01118號　妙法蓮華經卷六　（20–11）

教无量菩薩　畢竟住一乘　是故有智者　聞此功德利
於我滅度後　應受持斯經　是人於佛道　決定无有疑
妙法蓮華經囑累品第二十二
尒時釋迦牟尼佛從法座起現大神力以右
手摩无量菩薩摩訶薩頂而作是言我於无
量百千万億阿僧祇劫脩習是難得阿耨多
羅三藐三菩提法今以付囑汝等汝等應當
一心流布此法廣令增益如是三摩諸菩薩
摩訶薩頂而作是言我於无量百千万億阿
僧祇劫脩習是難得阿耨多羅三藐三菩提
法今以付囑汝等汝等當受持讀誦廣宣此
法令一切衆生普得聞知所以者何如來有
大慈悲无諸慳悋亦无所畏能與衆生佛之
智慧如來智慧自然智慧如來是一切衆生
之大施主汝等亦應隨學如來之法勿生慳
悋於未來世若有善男子善女人信如來智
慧者當為演說此法華經使得聞知為令其
人得佛慧故若有衆生不信受者當於如來
餘深法中示教利喜汝等若能如是則為已
報諸佛之恩時諸菩薩摩訶薩聞佛作是說
已皆大歡喜遍滿其身益加恭敬曲躬低頭
合掌向佛俱發聲言如世尊勑當具奉行唯
然世尊願不有慮諸菩薩摩訶薩衆如是三
反俱發聲言如世尊勑當具奉行唯然世尊
願不有慮尒時釋迦牟尼佛令十方來諸分
身佛各還本土而作是言諸佛各隨所安多
寶佛塔還可如故說是語時十方无量分身

BD01118號　妙法蓮華經卷六　（20–12）

反俱發聲言如世尊勑當具奉行唯然世尊
願不有慮尒時釋迦牟尼佛令十方來諸分
身佛各還本土而作是言諸佛各隨所安多
寶佛塔還可如故說是語時十方无量分身
諸佛坐寶樹下師子座上者及多寶佛并上
行等无邊阿僧祇菩薩大衆舍利弗等聲聞
四衆及一切世間天人阿脩羅等聞佛所說
皆大歡喜
妙法蓮華經藥王菩薩本事品第二十三
尒時宿王華菩薩白佛言世尊藥王菩薩云
何遊於娑婆世界世尊是藥王菩薩有若干
百千万億那由他難行苦行善哉世尊願少
解說諸天龍神夜叉乾闥婆阿脩羅迦樓羅
緊那羅摩睺羅伽人非人等又他國土諸來
菩薩及此聲聞衆聞皆歡喜尒時佛告宿王
華菩薩乃往過去无量恒河沙劫有佛号曰
月淨明德如來應供正遍知明行足善逝世
間解无上士調御丈夫天人師佛世尊其佛
有八十億大菩薩摩訶薩七十二恒河沙大
聲聞衆佛壽四万二千劫菩薩壽命亦等彼
國无有女人地獄餓鬼畜生阿脩羅等及以
諸難地平如掌瑠璃所成寶樹莊嚴寶帳覆
上垂寶華幡寶瓶香爐周遍國界七寶為臺
一樹一臺其樹去臺盡一箭道此諸寶樹皆
有菩薩聲聞而坐其下諸寶臺上各有百億
諸天作天伎樂歌嘆於佛以為供養尒時彼
佛為一切衆生憙見菩薩及衆菩薩諸聲聞

BD01118號　妙法蓮華經卷六　（20–13）

一樹一臺其樹去臺盡一箭道此諸寶樹皆
有菩薩聲聞而坐其下諸寶臺上各有百億
諸天作天伎樂歌嘆於佛以為供養尒時彼
佛為一切衆生憙見菩薩及衆菩薩諸聲聞
衆說法華經是一切衆生憙見菩薩樂習苦
行於日月淨明德佛法中精進經行一心求
佛滿万二千歲已得現一切色身三昧得此
三昧已心大歡喜即作念言我得現一切色
身三昧皆是得聞法華經力我今當供養日
月淨明德佛及法華經即時入是三昧於虛
空中雨曼陁羅華摩訶曼陁羅華細末堅黑
栴檀滿虛空中如雲而下又雨海此岸栴檀
之香此香六銖價直娑婆世界以供養佛作
是供養已從三昧起而自念言我雖以神力
供養於佛不如以身供養即服諸香栴檀薰
陸兜樓婆畢力迦沉水膠香又飲瞻蔔諸華
香油滿千二百歲已香油塗身於日月淨明
德佛前以天寶衣而自纏身灌諸香油以神
通力願而自然身光明遍照八十億恒河沙
世界其中諸佛同時讚言善哉善哉善男子
是真精進是名真法供養如來若以華香瓔
珞燒香末香塗香天繒幡蓋及海此岸栴檀
之香如是等種種諸物供養所不能及假使
國城妻子布施亦所不及善男子是名第一
之施於諸施中最尊最上以法供養諸如來
故作是語已而各嘿然其身火然千二百歲
過是已後其身乃盡一切衆生憙見菩薩作

BD01118號　妙法蓮華經卷六　（20–14）

之香如是等種種諸物供養所不能及假使
國城妻子布施亦所不及善男子是名第一
之施於諸施中最尊最上以法供養諸如來
故作是語已而各嘿然其身火然千二百歲
過是已後其身乃盡一切衆生憙見菩薩作
如是法供養已命終之後復生日月淨明德
佛國中於淨德王家結加趺坐忽然化生即
為其父而說偈言
大王今當知　我經行彼處　即時得一切　現諸身三昧
懃行大精進　捨所愛之身
說是偈已而白父言日月淨明德佛今故現
在我先供養佛已得解一切衆生語言陁羅
尼復聞是法華經八百千万億那由他甄迦
羅頻婆羅阿閦婆等偈大王我今當還供養
此佛白已即坐七寶之臺上昇虛空高七多
羅樹往到佛所頭面礼足合十指爪以偈讚
佛
容顏甚奇妙　光明照十方　我適曾供養　今復還親近
尒時一切衆生憙見菩薩說是偈已而白佛
言世尊世尊猶故在世尒時日月淨明德佛
告一切衆生憙見菩薩善男子我涅槃時到
滅盡時至汝可安施床座我於今夜當般涅
槃又勑一切衆生憙見菩薩善男子我以佛
法囑累於汝及諸菩薩大弟子并阿耨多羅
三藐三菩提法亦以三千大千七寶世界諸
寶樹寶臺及給侍諸天悉付於汝我滅度後
所有舍利亦付囑汝當令流布廣設供養

BD01118號　妙法蓮華經卷六　（20–15）

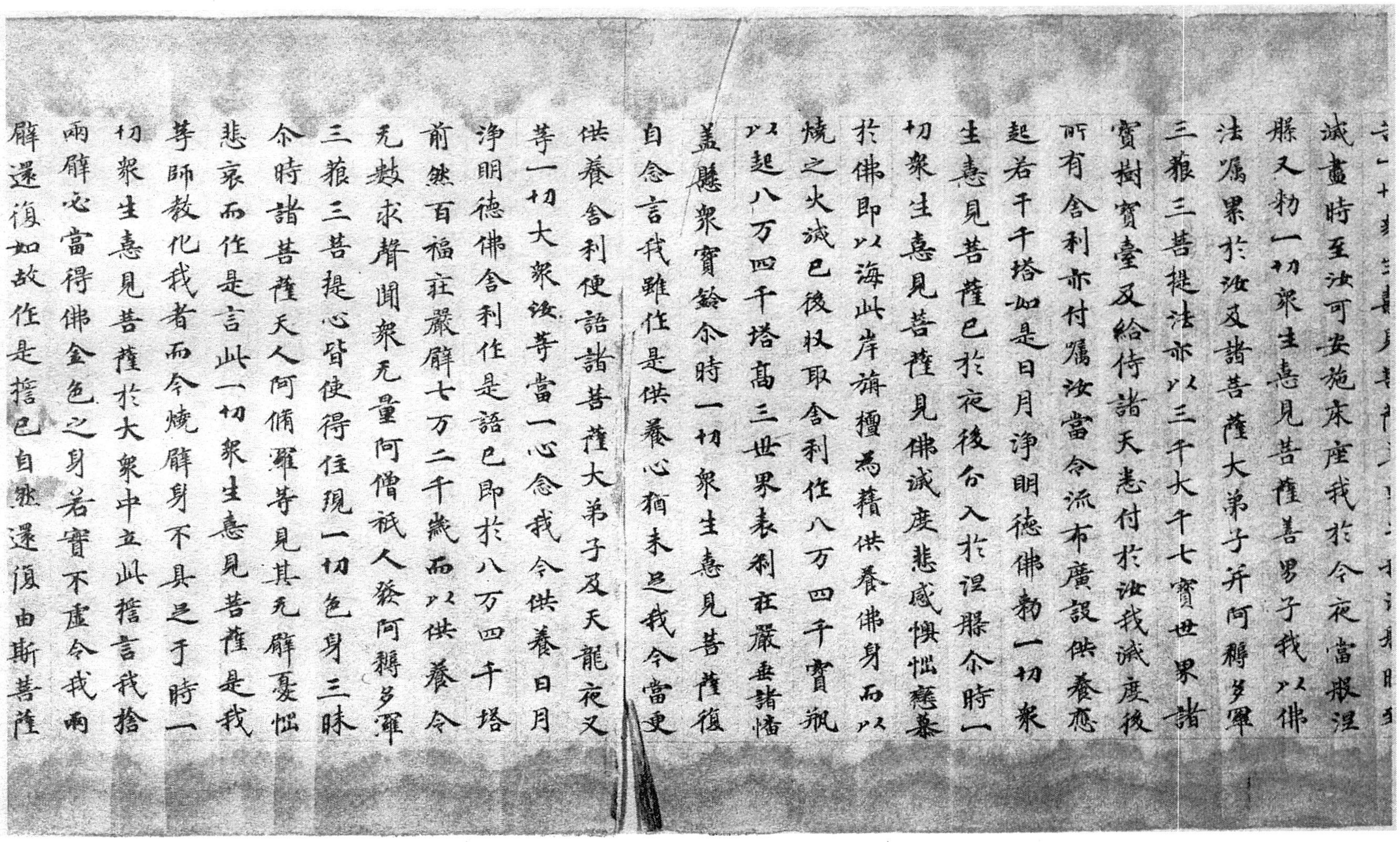

滅盡時至汝可安施床座我於今夜當般涅
槃又勑一切衆生憙見菩薩善男子我以佛
法囑累於汝及諸菩薩大弟子并阿耨多羅
三藐三菩提法亦以三千大千七寶世界諸
寶樹寶臺及給侍諸天悉付於汝我滅度後
所有舍利亦付囑汝當令流布廣設供養應
起若干千塔如是日月淨明德佛勑一切衆
生憙見菩薩已於夜後分入於涅槃尒時一
切衆生憙見菩薩見佛滅度悲感懊惱戀慕
於佛即以海此岸栴檀為積供養佛身而以
燒之火滅已後收取舍利作八万四千寶瓶
以起八万四千塔高三世界表刹莊嚴垂諸幡
蓋懸衆寶鈴尒時一切衆生憙見菩薩復
自念言我雖作是供養心猶未足我今當更
供養舍利便語諸菩薩大弟子及天龍夜叉
等一切大衆汝等當一心念我今供養日月
淨明德佛舍利作是語已即於八万四千塔
前然百福莊嚴臂七万二千歲而以供養令
无數求聲聞衆无量阿僧祇人發阿耨多羅
三藐三菩提心皆使得住現一切色身三昧
尒時諸菩薩天人阿脩羅等見其无臂憂惱
悲哀而作是言此一切衆生憙見菩薩是我
等師教化我者而今燒臂身不具足于時一
切衆生憙見菩薩於大衆中立此誓言我捨
兩臂必當得佛金色之身若實不虛令我兩
臂還復如故作是誓已自然還復由斯菩薩

BD01118 號　妙法蓮華經卷六　（20–16）

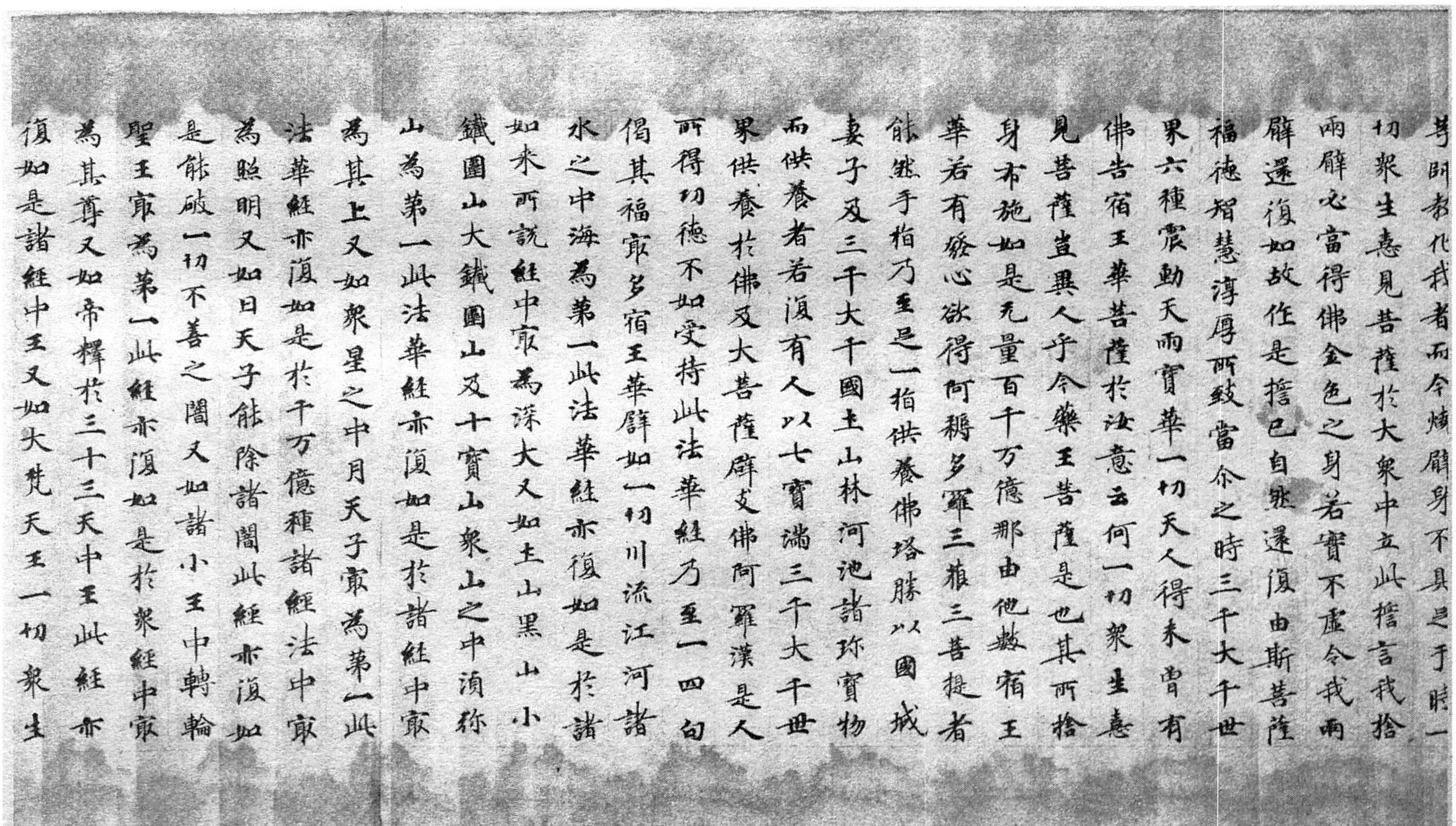

等師教化我者而今燒臂身不具足于時一
切衆生憙見菩薩於大衆中立此誓言我捨
兩臂必當得佛金色之身若實不虛令我兩
臂還復如故作是誓已自然還復由斯菩薩
福德智慧淳厚所致當尒之時三千大千世
界六種震動天雨寶華一切天人得未曾有
佛告宿王華菩薩於汝意云何一切衆生憙
見菩薩豈異人乎今藥王菩薩是也其所捨
身布施如是无量百千万億那由他數宿王
華若有發心欲得阿耨多羅三藐三菩提者
能然手指乃至足一指供養佛塔勝以國城
妻子及三千大千國土山林河池諸珍寶物
而供養者若復有人以七寶滿三千大千世
界供養於佛及大菩薩辟支佛阿羅漢是人
所得功德不如受持此法華經乃至一四句
偈其福㝡多宿王華譬如一切川流江河諸
水之中海為第一此法華經亦復如是於諸
如來所說經中㝡為深大又如土山黑山小
鐵圍山大鐵圍山及十寶山衆山之中須弥
山為第一此法華經亦復如是於諸經中㝡
為其上又如衆星之中月天子㝡為第一此
法華經亦復如是於千万億種諸經法中㝡
為照明又如日天子能除諸闇此經亦復如
是能破一切不善之闇又如諸小王中轉輪
聖王㝡為第一此經亦復如是於衆經中㝡
為其尊又如帝釋於三十三天中王此經亦
復如是諸經中王又如大梵天王一切衆生

BD01118 號　妙法蓮華經卷六　（20–17）

是能破一切不善之闇又如諸小王中轉輪
聖王最為第一此經亦復如是於衆經中最
為其尊又如帝釋於三十三天中王此經亦
復如是諸經中王又如大梵天王一切衆生
之父此經亦復如是一切賢聖學无學及發
菩薩心者之父又如一切凡夫人中須陁洹
斯陁含阿那含阿羅漢辟支佛為第一此經
亦復如是一切如來所說若菩薩所說若聲
聞所說諸經法中最為第一有能受持是經
典者亦復如是於一切衆生中亦為第一一
切聲聞辟支佛中菩薩為第一此經亦復如
是於一切諸經法中最為第一如佛為諸法
王此經亦復如是諸經中王宿王華此經能
救一切衆生者此經能令一切衆生離諸苦
惱此經能大饒益一切衆生充滿其願如清
涼池能滿一切諸渴乏者如寒者得火如裸
者得衣如商人得主如子得母如渡得舡如
病得醫如暗得燈如貧得寶如民得王如賈
客得海如炬除暗此法華經亦復如是能令
衆生離一切苦一切病痛能解一切生死之
縛若人得聞此法華經若自書若使人書所
得功德以佛智慧籌量多少不得其邊若書
是經卷華香瓔珞燒香末香塗香幡蓋衣服
種種之燈蘇燈油燈諸香油燈瞻蔔油燈須
曼油燈波羅羅油燈婆利師迦油燈那婆摩
利油燈供養所得功德亦復无量宿王華若

BD01118 號　妙法蓮華經卷六　（20–18）

是經卷華香瓔珞燒香末香塗香幡蓋衣服
種種之燈蘇燈油燈諸香油燈瞻蔔油燈須
曼油燈波羅羅油燈婆利師迦油燈那婆摩
利油燈供養所得功德亦復无量宿王華若
有人聞是藥王菩薩本事品者亦得无量无
邊功德若有女人聞是藥王菩薩本事品能
受持者盡是女身後不復受若如來滅後後
五百歲中若有女人聞是經典如說脩行於
此命終即往安樂世界阿弥陁佛大菩薩衆
圍繞住處生蓮華中寶座之上不復為貪欲
所惱亦復不為瞋恚愚癡所惱亦復不為憍
慢嫉妬諸垢所惱得菩薩神通无生法忍得
是忍已眼根清淨以是清淨眼根見七百万
二千億那由他恒河沙等諸佛如來是時諸
佛遥共讚言善哉善哉善男子汝能於釋迦
牟尼佛法中受持讀誦思惟是經為他人說
所得福德无量无邊火不能燒水不能漂汝
之功德千佛共說不能令盡汝今已能破諸
魔賊壞生死軍諸餘怨敵皆悉摧滅善男子
百千諸佛以神通力共守護汝於一切世間
天人之中无如汝者唯除如來其諸聲聞辟
支佛乃至菩薩智慧禪定无有與汝等者宿
王華此菩薩成就如是功德智慧之力若有
人聞是藥王菩薩本事品能隨喜讚善者是
人現世口中常出青蓮華香身毛孔中常出
牛頭栴檀香所得功德如上所說是故宿王
華以此藥王菩薩本事品囑累於汝我滅度

BD01118 號　妙法蓮華經卷六　（20–19）

王華此菩薩成就如是功德智慧之力若有
人聞是藥王菩薩本事品能隨喜讚善者是
人現世口中常出青蓮華香身毛孔中常出
牛頭栴檀香所得功德如上所說是故宿王
華以此藥王菩薩本事品囑累於汝我滅度
後後五百歲中廣宣流布於閻浮提无令斷絕
惡魔魔民諸天龍夜叉鳩槃茶等得其便
也宿王華汝當以神通之力守護是經所以
者何此經則為閻浮提人病之良藥若人有
病得聞是經病即消滅不老不死宿王華汝
若見有受持是經者應以青蓮華盛滿末香
供散其上散已作是念言此人不久必當取
草坐於道場破諸魔軍當吹法螺擊大法鼓
度脫一切衆生老病死海是故求佛道者見
有受持是經典人應當如是生恭敬心說是
藥王菩薩本事品時八万四千菩薩得解一
切衆生語言陁羅尼多寶如來於寶塔中讚
宿王華菩薩言善哉善哉宿王華汝成就不
可思議功德乃能問釋迦牟尼佛如此之事
利益无量一切衆生

妙法蓮華經卷第六

BD01118 號　妙法蓮華經卷六　　(20–20)

法門品而去復轉
次第說我上心地法門品
而行尒時千華上佛千百億
世界赫赫師子座起各各
思議光光皆化无量佛
白華供養盧舍那佛受
竟各各從此蓮華藏世界
瘂空華光三昧還本原世界
下從體性虛空華光三昧出
千光王座及妙光堂說十世界
至帝釋宮說十住復至炎天
從座起至四天中說十迴向復從座
樂天說十禪定復從座起至他化天中說十
地復至一禪中說十金剛復至二禪中說十
忍復至三禪中說十願復至四禪中摩醯首
羅天王宮說我本原蓮華藏世界盧舍那佛
所說心地法門品其餘千百億釋迦亦復如是
无二无別如賢劫品中說
尒時釋迦從初現蓮華藏世界東方來入天
王宮中說魔受化經已下生南閻浮提迦夷
羅國母名摩耶父字白淨吾名悉達七歲出
家三十成道号吾為釋迦牟尼佛於寂滅道
場坐金剛華光王座乃至摩醯首羅天王宮
其中次第十住處所說時佛觀諸大梵天王
網羅幢因為說无量世界猶如網孔一一世界
各各不同別異無量佛教門亦復如是吾今

BD01119 號　梵網經盧舍那佛說菩薩心地戒品第十卷下　　(2–1)

羅國毋名摩耶父字白淨吾名悉達七歳出
家三十成道号吾為釋迦牟尼佛於寂滅道
場坐金剛華光王座乃至摩醯首羅天王宮
其中次第十住處所說時佛觀諸大梵天王
網羅幢因為說无量世界猶如網孔一一世界
各各不同別異無量佛教門亦復如是吾今
來此世界八千返為此娑婆世界坐金剛座乃
至摩醯首羅天王宮是中一切大眾略開心
地竟從天王宮下至閻浮提菩提樹下為此
地上一切眾生凡夫癡闇之人說本盧舍那
佛心地中初發心中常所誦一戒光明金剛寶
戒是一切佛本原一切菩薩本原佛性種子
一切眾生皆有佛性一切意識色心是情是心
皆入佛性戒中當當常有因故當當常住法
身如是十波羅提木叉出於世界是法戒是三
世一切眾生頂戴受持吾今當為此大眾重說
十无盡藏戒品一切眾生戒本原自性清淨
我今盧舍那方坐蓮華臺周匝千華上復現千釋迦
一華百億國一國一釋迦各坐菩提樹一時成佛道
如是千百億盧舍那本身千百億釋迦各接微塵眾
俱來至我所聽我誦佛戒甘露門則開是時千百億
還至本道場各坐菩提樹誦我本師戒十重四十八
戒如明日月亦如瓔珞珠微塵菩薩眾由是成正覺
是盧舍那誦我亦如是誦汝新學菩薩頂戴受持戒
受持是戒已轉授諸眾生諦聽我正誦佛法中戒藏
波羅提木叉大眾心諦信汝是當成佛我是已成佛

BD01119號　梵網經盧舍那佛說菩薩心地戒品第十卷下　（2–2）

若比丘尼不病乞黑石蜜食者犯應懺悔可呵法應向餘比丘尼
說言大姊我犯可呵法所不應為我今向大姊懺悔是名悔過法
若比丘尼不病乞乳食者犯應懺悔可呵法應向餘比丘尼說言
大姊我犯可呵法所不應為我今向大姊懺悔是名悔過法
若比丘尼不病乞酪食犯應懺悔可呵法應向餘比丘尼說言大
姊我犯可呵法所不應為我今向大姊懺悔是名悔過法
若比丘尼不病乞魚食者犯應懺悔可呵法應向餘比丘尼說
言大姊我犯可呵法所不應為我今向大姊懺悔是名悔過法
若比丘尼不病乞肉食者犯應懺悔可呵法應向餘比丘尼說
言大姊我犯可呵法所不應為我今向大姊懺悔是名悔過法
諸大姊我已說八波羅提提舍尼法
今問諸大姊是中清淨不　如是三說
諸大姊是中清淨默然故是事如是持
諸大姊此眾學戒法半月半月戒經中說
齊整着內衣式叉迦羅尼
齊整着三衣式叉迦羅尼
不得反抄衣入白衣舍式叉迦羅尼
不得反抄衣入白衣舍坐式叉迦羅尼
不得衣纏頸入白衣舍式叉迦羅尼
不得衣纏頸入白衣舍坐式叉迦羅尼
不得覆頭入白衣舍式叉迦羅尼
不得覆頭入白衣舍坐式叉迦羅尼
不得跳行入白衣舍式叉迦羅尼

BD01120號　四分比丘尼戒本　（3–1）

不得衣纏頸入白衣舍坐式叉迦羅尼
不得衣纏頸入白衣舍坐式叉迦羅尼
不得覆頭入白衣舍式叉迦羅尼
不得覆頭入白衣舍坐式叉迦羅尼
不得跳行入白衣舍式叉迦羅尼
不得跳行入白衣舍坐式叉迦羅尼十
不得蹲坐入白衣舍式叉迦羅尼
不得蹲坐入白衣舍坐式叉迦羅尼
不得扠腰入白衣舍坐式叉迦羅尼
不得扠腰入白衣舍坐式叉迦羅尼
不得搖身入白衣舍式叉迦羅尼
不得搖身入白衣舍坐式叉迦羅尼
不得掉臂入白衣舍式叉迦羅尼
不得掉臂入白衣舍坐式叉迦羅尼
不得覆身入白衣舍式叉迦羅尼
好覆身入白衣舍坐式叉迦羅尼
不得左右顧視入白衣舍式叉迦羅尼十
不得左右顧視入白衣舍坐式叉迦羅尼
靜默入白衣舍式叉迦羅尼
靜默入白衣舍坐式叉迦羅尼
不得戲笑入白衣舍式叉迦羅尼
不得戲笑入白衣舍坐式叉迦羅尼
正意受食式叉迦羅尼
平鉢受飯式叉迦羅尼
平鉢受羹式叉迦羅尼
羹飯俱食式叉迦羅尼
以次食式叉迦羅尼卅

BD01120號　四分比丘尼戒本　（3–2）

不得掉臂入白衣舍坐式叉迦羅尼
不得覆身入白衣舍式叉迦羅尼
好覆身入白衣舍坐式叉迦羅尼
不得左右顧視入白衣舍式叉迦羅尼十
不得左右顧視入白衣舍坐式叉迦羅尼
靜默入白衣舍式叉迦羅尼
靜默入白衣舍坐式叉迦羅尼
不得戲笑入白衣舍式叉迦羅尼
不得戲笑入白衣舍坐式叉迦羅尼
正意受食式叉迦羅尼
平鉢受飯式叉迦羅尼
平鉢受羹式叉迦羅尼
羹飯俱食式叉迦羅尼
以次食式叉迦羅尼卅
不得挑鉢中央食式叉迦羅尼
無病不得為己索羹飯式叉迦羅尼

BD01120號　四分比丘尼戒本　（3–3）

十地論遠行地第七卷之九
論曰第七地中有五種相差別一樂无作
對治差別二彼鄣對治差別三雙行差別
前上地勝差別五彼果差別亦何樂无作
對治
經曰介時金剛藏菩薩言諸佛子若菩薩善
具足六地行已欲入第七菩薩地者是菩薩
當以十種方便智發起殊勝行入何等為十
所謂善脩空无相无願而集大功德助道入
諸法无我无壽命无衆生而不捨起四无量
起功德法作增上波羅蜜行而无法可取
遠離三界而能應化起莊嚴三界行畢竟寂
滅諸煩惱炎而能為一切衆生起滅貪瞋癡
煩惱炎行隨順幻夢響化水中月鏡中像
自性不二而起作業无量差別心善知一切
國土道如虛空而起莊嚴淨佛國土行知諸
佛法身自性无身而起色身相好莊嚴行知諸
佛音聲无聲本來寂滅可不說相而隨一
切衆生起種種差別莊嚴音聲行入諸佛於
一念頃通達三世事而能久別種種相劫數
脩行隨一切衆生心差別觀故諸佛子是菩
薩如是十種方便智發起殊勝行具足六地

BD01121 號　十地經論卷九　　（20–1）

佛音聲无聲本來寂滅可不說相而隨一
切衆生起種種差別莊嚴音聲行入諸佛於
一念頃通達三世事而能久別種種相劫數
脩行隨一切衆生心差別觀故諸佛子是菩
薩如是十種方便智發起殊勝行具足六地
行已得入第七菩薩地諸佛子是菩薩此十
種方便智發起殊勝行現前行名入第七菩
薩地
論曰樂无作行對治者方便智發起十種殊
勝行如經諸佛子若菩薩善具足六地行已
欲入第七菩薩地者是菩薩當以十種方便智
發起殊勝行入彼菩薩无鄣寻智現前般若
波羅蜜行現前時即於无作行中生樂心非
起增上行彼樂對治此十種治法差別示現方便
智者不捨衆生法无我智對治攝取增上
行發起殊勝行於出世間
下
行發起殊勝行此勝行於出世間及世間增
上行更無勝者有四種功德故一財及身勝
因事隨所須隨意取得財及身勝因功德集
故如經所謂善脩空无相无願而集大功德
助道故二護惡行因事如是得勝无量脩行
於一切衆生中不起惡行故如經入諸法无
我无壽命无衆生而不捨起四无量故三護善
根因事得彼勝因增上故功德法增上行以
波羅蜜行故如經起功德法作增上波羅蜜
行而无法可取故四攝衆生因事於中有七
種門一願力取生作上首教化餘衆生故上

BD01121 號　十地經論卷九　　（20–2）

我无壽命无衆生而不捨起四无量故三護善
根因事得彼勝因增上故功德法增上行以
波羅蜜行故如經起功德法作增上波羅蜜
行而无法可取故四攝衆生因事於中有七
種門一願力取生作上首教化衆生故上
首者衆生隨逐故如經得遠離三界而猒應
化起莊嚴三界行故二說對治故爲滅煩惱
餘及隨煩惱使常自穸滅故如經畢竟穸滅
諸煩惱炎而能爲一切衆生起滅貪瞋癡煩
惱炎行故三爲滅諸鄣故有四種如五地
中說如經隨順幻夢影響化水中月鏡中像
自性不二而起作業无量差別心故四於大
法衆會集故如經善知一切國土道如虛空
而起莊嚴淨佛國土行故五見聞親近供養
脩行生福德故如經知諸佛法身性自无身
而起色身相好莊嚴行故六轉法輪故如經
知諸佛音聲无聲本來穸滅不可說相而隨
一切衆生起種種差別莊嚴音聲行故七所
聞善擇故如經入諸佛於一念頃通達三世
事而能久別種種相刧數脩行隨一切衆生
心差別觀故此十種發起殊勝行共對攝取
對治攝取善脩行空无相无願等第八一切法
无我无壽命无衆生等如是次第應知此十
種法現前得住第七地如經諸佛子是菩薩
此十種方便智發起殊勝行現前行名入第
七菩薩地故如是緣无作行對治差別七地

无我无壽命无衆生等如是次第應知此十
種法現前得住第七地如經諸佛子是菩薩
此十種方便智發起殊勝行現前行名入第
七菩薩地故如是緣无作行對治差別七地
已說次說彼鄣對治有二種相一脩行无量
種二脩行无功用行
經曰是菩薩住第七菩薩地中入无量衆生
界入諸佛无量教化衆生業入无量世界網
入諸佛无量清淨國土入无量諸法差別入
无量諸佛智得无上道入无量刧數入无量
諸佛通達三世事入无量衆生信樂勝事差
別入无量諸佛名色身種種示現入无量衆
生心行根信種種差別入无量諸佛音聲語
言令衆生歡喜入无量衆生心心所行種種
差別入无量諸佛隨智慧行入乘无量聲聞
乘信解入諸佛无量說道令衆生信解入无
量辟支佛乘集成入諸佛无量深智慧門入
所說入諸菩薩无量所行道入諸佛无量所
說大乘集成事令菩薩得入
論曰脩行无量種者隨所作利益何等衆生
衆生住何處以何等智慧以何等心以何等
行置何等業以此差別有十種脩行是中隨
所作利益何等衆生者於无量衆生以无量
業教化故如經是菩薩住第七菩薩地中入
无量衆生界入諸佛无量教化衆生業故衆
生住何處者於无量世界中令住清淨佛國

下

所作利益何等衆生者於无量衆生以无量
業教化故如經是菩薩住第七菩薩地中入
无量衆生界入諸佛无量教化衆生業故衆
生住何處者於无量世界中令彼清淨佛國
土故如經入无量世界網入諸佛无量清淨
國土故以何等智慧者无量種種法界智慧
覺故如經入无量諸法差別入无量諸佛智
得无上道故无量劫數通達三世亦入智慧
覺如經入无量劫數入无量諸佛通達三世
事故以何等心者有三種事一有衆生信種
種天身心隨同行隨彼信說故如經入无量
衆生信樂勝事差別入无量諸佛名色身種
種示現故二知過去心習滯中利根如應
說法如經入无量衆生心行根信種種差別
入无量諸佛音聲語言令衆生歡喜故三以
何等行者隨衆生心說對治故如經入无量
衆生心心所行種種差別入无量諸佛隨智
慧行故量何等乘者於三乘中量聲聞乘中
者如經入乘无量聲聞乘信解入諸佛无量
說道令衆生信解故量辟支佛乘中者如經
入无量辟支佛乘集成入諸佛无量深智慧
門入所說故量大乘中者如經入諸菩薩无
量所行道入諸佛无量所說大乘集成事令
菩薩得入故如是彼鄣對治无量種差別脩
行十種已說次說脩行无功用行
經曰是菩薩作如是念諸佛世尊有

BD01121號　十地經論卷九

（20-5）

下

量所行道入諸佛无量所說大乘集成事令
菩薩得入故如是彼鄣對治无量種差別脩
行十種已說次說脩行无功用行
經曰是菩薩作如是念諸佛世尊有
經曰是菩薩作如是念是諸佛世尊有无量
无邊境界是境界不可以若干百億劫千億
劫百千億劫乃至滔過此數无量百千万億
那由他劫不可筭數如是諸佛境界我皆應
集自然不以分別得成以不分別不取相故
成是菩薩如是善觀智通日夜常脩方便智
勤發起殊勝行善住略以不動法故
論曰是中自然者自性勝无分別故如經自
然不以分別得成以不分別不取相故成此
句示現是菩薩如是善觀智通日夜常脩方
便智勤發起殊勝行善住堅固以不動法故
看彼鄣對治故如是彼鄣對治差別此地已
說次說雙行分有四種相一二行雙无間二
信勝三能作大義四菩提分差別
經曰是菩薩起於道時一念心不捨是菩薩
脩行智慧來時亦起去時亦起住時亦起生
時亦起臥時亦起乃至睡夢皆能起道離諸
陰蓋住諸威儀常離如是相念是菩薩於念
念中具足菩薩十波羅蜜何以故如是菩
薩起一切心於念念中以大悲為首脩習一切
佛法皆迴向如來智故是菩薩求佛道時所
脩善根捨與一切衆生是檀波羅蜜能滅一
切煩惱熱是尸波羅蜜慈悲為首能忍一切

BD01121號　十地經論卷九

（20-6）

捐善根捨與一切衆生是檀波羅蜜能滅一
切煩惱熱是尸波羅蜜慈悲為首能忍一切
衆生是羼提波羅蜜求轉勝善根心无厭足
是毗梨耶波羅蜜所捐諸行心不馳散常向
一切智是禪波羅蜜現忍諸法自性不生
是般若波羅蜜能起无量智門是方便波羅
蜜期上上勝智是願波羅蜜一切外道節論
及諸魔衆不能俎壞菩薩道是力波羅蜜如
實觀知一切法相是智波羅蜜如是諸佛子
是菩薩住此菩薩遠行地中念念具足十波
羅蜜尒具足四攝法亦具足四家卅七助菩
提分法三解脫門略說乃至一切菩提分法
於念念中皆悉具足
論曰是中一念中奢摩他毗婆舍那二行雙
現前故住諸威儀者一切行中彼捐行時无
間不斷不息行故如經是菩薩起於道時一
念心不捨乃至住諸威儀故遠離一切煩惱
盡故信勝者彼无量智中殊異義莊嚴相現
前等念故如經常不離如是相念故能作大
義者念念具足十波羅蜜大義故如經是
菩薩於念念中具足菩薩十波羅蜜乃至智
波羅蜜故是中方便波羅蜜者起无量智
事以是智故起布施等无量行願力彌故願
波羅蜜者起上上智以是智故起布施等上
上行生彌原勝故力波羅蜜者一切異論及
諸魔衆不能壞行以是行故遠離布施等鄣

BD01121號　十地經論卷九　（20–7）

波羅蜜者起上上智以是智故起布施等上
上行生彌原勝故力波羅蜜者一切異論及
諸魔衆不能壞行以是行故遠離布施等鄣
故智波羅蜜者如實觀知一切法相以是智
故布施等一切種差別知為化衆生故菩薩
入差別者有四種相一依大乘行波羅蜜故
如經如是諸佛子是菩薩住此菩薩遠行地
中念念具足十波羅蜜故二依教化衆生行
四攝法故如經亦具足四攝法故三依煩惱
鄣增上淨故家菩提分解脫門者何處住以
何等門捐行得清淨如經亦具足四家卅七
助菩提分法三解脫門故家者般若家諦家
捨煩惱家苦清淨家故四依智鄣清淨如經
略說一切助菩提分法於念念中皆悉具足
故如是雙行差別已說次說前上地勝差別
下地增上方便行滿足故七中地說
經曰尒時解脫月菩薩問金剛藏菩薩言佛
子菩薩但於第七菩薩地中具足一切助道
菩提分法為當一切菩薩諸地中亦皆具足金
剛藏菩薩言佛子菩薩於十菩薩地中悉具
足一切助菩提分法但第七地勝故得名何
以故佛子是菩薩此菩薩地中方便行具足
得入智慧神通行故佛子菩薩於初地中衆
願觀一切佛法故具足助菩提分法第二地
中除心惡垢故具足助菩提分法第三地中
願轉增長得法明故具足助菩提分法第四

BD01121號　十地經論卷九　（20–8）

淨入智慧神通行故佛子菩薩於初地中發
願觀一切佛法故具足助菩提分法第二地
中除心惡垢故具足助菩提分法第三地中
願轉增長得法明故具足助菩提分法第四
地中入道故具足助菩提分法第五地中
隨順行世間法故具足助菩提分法第六地
中入甚深法門故具足助菩提分法此第七
菩薩地中起一切佛法故具足一切助菩提
分法
論曰云何下地增上方便行滿足以滿足故
入大智通行如經金剛藏菩薩言佛子菩薩
於十菩薩地中皆具足一切菩提分法但第
七地勝故得名何以故佛子是菩薩此菩薩
地中方便行具足得入智慧神通行故是中
通者五神通智者如前說云何此地中方便
行滿足彼餘世間出世間行中更起殊勝行
是故此七地中起一切佛法故能具足助菩
提分法如經佛子菩薩於初地中發願觀一
切佛法故具足助菩提分法乃至此第七菩
薩地中起一切佛法故具足一切助菩提分
法故如是前上地勝差別下地增上方便行
滿足已說云何上地增上循行智慧方便菩
提分功用行滿足故
經曰何以故佛子菩薩從初地來乃至七地
得諸智慧所行道以是力故從第八菩薩地
乃至第十地无功用行自然滿足佛子譬如

提分功用行滿足故
經曰何以故佛子菩薩從初地來乃至七地
得諸智慧所行道以是力故從第八菩薩地
乃至第十地无功用行自然滿足佛子譬如
二世界一染淨世界二純淨世界是二中間
難可得過欲過此界當以大神通力佛子菩
薩如是行於染淨菩薩道難可得過當以大
願力大方便智力大神通力故乃可得過解
脫月菩薩言佛子七菩薩地為是染行為是
淨行金剛藏菩薩言佛子從初地來菩薩所
行皆離煩惱染業何以故迴向阿耨多羅三
藐三菩提故隨道所行如分平等故不名為
過七地煩惱行佛子譬如轉輪聖王乘上寶
象遊四天下知有貧窮困苦染過之人而不
為彼過所染然王未為人身若捨人身生於
梵世住梵天宮見千世界示梵王光明威
勢爾時不名為人佛子菩薩亦如是從初地
來乘諸波羅蜜乘行一切世間亦知世間煩
惱染過而不為煩惱過之所染以乘正道故
而不名為過七地煩惱染者菩薩捨一切功
用行從七地入第八地爾時名為乘菩薩清
淨乘行一切世間如實知一切煩惱染過而
不為煩惱過之所染以得過故佛子菩薩住
是第七菩薩地過多貪欲等諸煩惱眾是菩
薩住此菩薩遠行地中不名有煩惱者不名
无煩惱者何以故一切煩惱不行故不名有

不為煩惱過之所染以得過故佛子菩薩住
是第七菩薩地過多貪欲等諸煩惱衆是菩
薩住此菩薩遠行地中不名有煩惱者不名
无煩惱者何以故一切煩惱不行故不名有
煩惱者貪求如來智慧未滿足故不名无煩
惱者
論曰云何上地增上智慧方便行菩提分功
用滿足故如經何以故佛子菩薩從初地來
乃至七地得諸智慧所行道乃至當以大願
力大方便智力大神通力乃可得過故從初
地來離遠一切煩惱不現如是此地名為染
淨非染行如久行平等道故從菩薩此地中
隨力非捨功用道如轉輪王譬第八地中自
然得報行過煩惱染過不現如生梵世捨轉
輪王人身如經諸佛子譬如轉輪聖王乃至
不為煩惱過之所染以得過故佛子菩薩住
是第七菩薩地過多貪欲等諸煩惱衆者未
至報地是故此地不名離煩惱行有功用
故菩薩住此遠地行中不名有煩惱者乃至
未滿足故不名无煩惱者如是前上地勝差
別久已說次說雙行果差別此有四種相一
業清淨二得勝三昧三過地四得勝行云何
業清淨
經曰是菩薩住此第七菩薩遠行地中畢竟
成就深淨身業畢竟成就深淨口業畢竟成
就深淨意業是菩薩所有不善業道諸佛所
呵皆已捨離所有善業道諸佛所嘆是則常

經曰是菩薩住此第七菩薩遠行地中畢竟
成就深淨身業畢竟成就深淨口業畢竟成
就深淨意業是菩薩所有不善業道諸佛所
呵皆已捨離所有善業道諸佛所嘆是則常
行世間所有經書伎術如五地中說自然而
行是菩薩於三千大千世界中得為大師唯
除諸佛及八地菩薩无有衆生深心妙行能
與等者是菩薩所有禪定三昧三摩䟦提神
通解脫一切現前脩行門中非善成就報力
如第八菩薩地是菩薩住此第七菩薩遠行
地於念念中具足脩集方便智力及一切助
菩提分法得轉勝具足
論曰業清淨者有四種相一戒淨勝如經是
菩薩住此第七菩薩遠行地中畢竟成就深
淨身業乃至是則常行故二世間智清淨勝
如經世間所有經書伎術乃至自然而行故
三得自身勝心行二平等无與等者如經是
菩薩於此三千大千世界中乃至深心妙行无
與等者故四得勝力禪等現前勝如經是菩
薩所有禪定三昧乃至得轉勝具足故是中
依禪起三昧三摩䟦提神通解脫為教化衆
生故窮殘衆行故殘定三摩䟦提如是次第
如是雙行果業清淨四種相已說次說得勝
三昧
經曰是菩薩住此第七菩薩遠行地中入名
善擇智菩薩三昧善思義三昧益意三昧分

如是健行果業清淨四種相已說次說得勝
三昧
經曰是菩薩住此第七菩薩遠行地中入名
善擇智菩薩三昧善思義三昧盃意三昧分
別義藏三昧擇一切義三昧善住堅根三昧
智神通門三昧法界業三昧如來利益三昧
入名種種義藏世間涅槃門菩薩三昧菩薩
如是大智通門滿足上首十三昧餘入百千
菩薩三昧門淨治此地
論曰得勝三昧者有十種相一依示觀義二
依已觀義如經是菩薩住此第七菩薩遠行
地中入名善擇智菩薩三昧故善思義三昧
故三依一句无量義勝四依一義說无量名
如經盃意三昧故分別義藏三昧故五依通
一切五明處智如經擇一切義三昧故六依
煩惱鄣淨真如觀堅根故如經善住堅根三
昧故七依智鄣淨有四種鄣淨故一勝功德
鄣此對治如經智神通門三昧故二无鄣尋
智鄣此對治如經法界業三昧故三於滌上
佛法㤼弱鄣此對治如經如來利益三昧故
四不住行鄣此對治如經入名種種義藏世
間涅槃門菩薩三昧故種種義藏者種
種善根故如是大智通門滿足上首十三昧
餘入百千万菩薩三昧門淨治此地故已說
得勝三昧次說過地
經曰是菩薩得是三昧智慧方便善清淨故
得大悲力故過聲聞辟支佛地現前思量趣

種善根故如是大智通門滿足上首十三昧
餘入百千万菩薩三昧門淨治此地故已說
得勝三昧次說過地
經曰是菩薩得是三昧智慧方便善清淨故
得大悲力故過聲聞辟支佛地現前思量趣
智慧地
論曰過聲聞辟支佛地者有二種相一脩行
方便智力二大悲力故現前者能入法流水
思量智慧地者八地智慧應知但觀奢摩他
毗婆舍那道彼處廣說故復次過者業勝故
示現
經曰是菩薩住此第七菩薩遠行地中无量
身業无相行无量口業无相行无量意業无
相行是菩薩善清淨行故得无生法忍光明
解脫月菩薩言佛子菩薩住菩薩初地有无
量身業无量口業无量意業已過一切聲聞
辟支佛行成金剛藏菩薩言佛子觀大法故
過非是自智行力此第七菩薩地得自智行
力觀故一切聲聞辟支佛所不能壞佛子辟
如王子生在王家具足王相勝一切臣衆以
豪尊力故非自智行力故若身長大自具智
力所作事成過一切臣衆如是佛子菩薩初
發心時已勝一切聲聞辟支佛以深心大故
今住此第七菩薩地中自智行住故過一切
聲聞辟支佛事
論曰无量三業无相行者入已遠離相是无
量聲聞緣覺之有淨業遠離相非无量相不
[illegible]

聲聞辟支佛事
論曰无量三業无相行者入已遠離相是无
量聲聞緣覺之有淨業遠離相非无量相不
能利益一切衆生故復次此无量勝餘下地
事故善清淨行者脩方便行滿足故无生法
忍光明者相現前故王子爾者此地中勝過
亦現脩方便行滿足故自智行住者方便行
盡念觀住故如經佛子譬如王子生在家王
乃至自智行住故過一切聲聞辟支佛事故
无量身勝等業已說非但多无量神力亦无
量亦勝義故
經曰佛子是菩薩住此第七菩薩遠行地
得深甚遠離无行身口意業轉求勝行而不
捨離
論曰甚深者遠入故遠離者彼鄣殘故无行
者彼餘出世間地不能行故身口意業轉
求勝行而不捨離者聲聞辟支佛雖離彼
相業不如是得少為足不求上行故如是便
行界過二乘地已說云何得勝行
經曰解脫月菩薩言佛子菩薩從何地來能
入寂滅定金剛藏菩薩言佛子菩薩從第六
地來能入寂滅定今住此第七菩薩地於念
念中能入寂滅定而不證寂滅定是菩薩畢
竟成就不可思議身口意業佛子是諸菩薩
行實際行而不證寂滅定佛子譬如有人乘
大船紡入於大海善知行船善知水相不為
大海水難所害如是佛子菩薩住此第七菩

BD01121號　十地經論卷九　（20–15）

經曰解脫月菩薩言佛子菩薩從何地來能
入寂滅定金剛藏菩薩言佛子菩薩從第六
地來能入寂滅定今住此第七菩薩地於念
念中能入寂滅定而不證寂滅定是菩薩畢
竟成就不可思議身口意業佛子是諸菩薩
行實際行而不證寂滅定佛子譬如有人乘
大船紡入於大海善知行船善知水相不為
大海水難所害如是佛子菩薩住此第七菩
薩地中乘諸波羅蜜船行實際行而不證寂
滅定
論曰行實際行而不證寂滅定以不捨有故
如經金剛藏菩薩言佛子菩薩摩訶薩從第
六地來能入寂滅定乃至而不證寂滅定故
如是三摩跋提勝行已說次說發起勝行
經曰菩薩如是通達三昧智力脩行起大方
便智力故現身世間門深心涅槃雖眷屬圍
遶而心常遠離以願力受生三界而不為世
間所染心常寂滅以方便力而還熾燃雖燃
不燒隨順佛智轉聲聞辟支佛地通達諸佛
境界藏現魔境界過四魔道現行魔境界現
諸外道行而深心不捨佛法通達一切世間
事心常在出世間道法所有莊嚴之事勝諸
天龍夜叉乾闥婆阿脩羅迦樓羅緊那羅摩
睺羅伽人非人四天王釋提桓因梵天王而
不捨樂法念
論曰發起勝行者有八種行共對治攝一起
功德行隨順世間如經菩薩如是通達三

BD01121號　十地經論卷九　（20–16）

天龍夜叉乾闥婆阿脩羅迦樓羅緊那羅摩
睺羅伽人非人四天王釋提桓因梵天王而
不捨樂法念
論曰發起勝行者有八種行共對治攝一起
功德行隨順世間如經菩薩如是通達三
昧智力脩行起大方便智力故現身世間門
深心過勝故二上首攝餘行如經雖眷屬圍
遶而心常遠離故三願取有行如經以願力
受生三界而不為世間所染故四家不斷行
遠離貪欲隨煩惱使而不貪欲行事如經心
常寂滅以方便力還熾然雖然不燒故五
入行如經隨順佛智轉聲聞辟支佛地故六
資生行飲食噉嚼等魔境界故如經通達諸
佛境界藏現魔境界故七退行示老病死此
三魔境界故如經過四魔道現行魔境界故
八轉行有三種轉一見貪轉經如現諸外道
行而深心不捨佛濟故二鄣身轉如經通達
一切世間事而心常在出世間道法故三貪
轉天龍等尊重心攝取轉破貪心故如經所
有莊嚴之事勝諸天龍乃至而不捨樂法念
故
經曰菩薩成就如是智慧住此菩薩遠行地
已多見諸佛以大神通力大願力故見多百
佛多千佛多百千佛多百千那由他佛多億
佛多百億佛多千億佛多百千億佛多百千
億那由他佛以大神通力大願力故是菩薩
見諸佛時以上心深心供養恭敬尊重讚歎

已多見諸佛以大神通力大願力故見多百
佛多千佛多百千佛多百千那由他佛多億
佛多百億佛多千億佛多百千億佛多百千
億那由他佛以大神通力大願力故是菩薩
見諸佛時以上心深心供養恭敬尊重讚歎
衣服飲食臥具湯藥一切供具悉以奉施
以諸菩薩上妙樂具供養衆僧以此善根皆
願迴向阿耨多羅三藐三菩提於諸佛所生
上恭敬尊心聽法聞已受持聞受持已得如
實三昧智慧光明隨順脩行々已憶持守護
諸佛正法一切聲聞辟支佛智慧問難所不
能壞是菩薩復能利益衆生故法忍轉淨是
菩薩住此菩薩遠行地中於无量劫彼諸善
根轉勝明淨調柔成就復轉盡成就无量百
劫无量千劫无量百千劫无量百千那由他
劫无量億劫无量百億劫无量千億劫无量
百千億劫无量百千億那由他劫彼諸善根
轉勝明淨調柔成就復轉盡成就佛子譬如
本真金以一切衆寶具足莊嚴光色轉勝明
淨餘莊嚴具所不能及如是佛子菩薩住此
第七菩薩遠行地中彼諸善根是方便智起
轉勝淨明一切聲聞辟支佛所不能壞佛子
譬如日光一切星宿月光所不能壞閻浮提
内所有溪水悉能乾竭如是佛子菩薩住此
第七菩薩遠行地中彼諸善根一切聲聞辟
支佛所不能壞又能乾竭一切衆生煩惱於
溼是菩薩十波羅蜜中方便波羅蜜增上餘

內所有溪水悉能乾竭如是佛子菩薩住此
第七菩薩遠行地中彼諸善根一切聲聞辟
支佛所不能壞又能乾竭一切衆生煩惱於
溪是菩薩十波羅蜜中方便波羅蜜增上餘
波羅蜜非不脩習隨力隨分諸佛子是名略
說菩薩第七菩薩遠行地若菩薩住此地中
多作他化自在天王所作自在善令衆生發
生正智亦令衆生滅煩惱海所作善業布施
愛語利益同事是諸福德皆不離念佛念法
念僧念菩薩念菩薩行念波羅蜜念十地念
不壞力念无畏念不共佛法乃至不離念一
切種一切智智常生是心我當於一切衆生
中為首為勝為大為妙為微妙為上為无上
為導為將為師為尊乃至為一切智智依止
者復從是念發精進行以精進力故於一念
間得百千億那由他三昧見百千億那由他
佛知百千億那由他佛神力能動百千億那
由他佛世界能入百千億那由他佛世界能
照百千億那由他佛世界能化百千億那由
他佛世界衆生能住壽百千億那由他劫能
知過去未來世各百千億那由他劫事能善
入百千億那由他法門能變身為百千億那
由他於一一身能示百千億那由他菩薩以
為眷屬若以願力自在勝上菩薩願力過於
此數示種種神通或身或光明或神通或眼
或境界或音聲或行或莊嚴或加或信或

BD01121號　十地經論卷九　（20–19）

知過去未來世各百千億那由他劫事能善
入百千億那由他法門能變身為百千億那
由他於一一身能示百千億那由他菩薩以
為眷屬若以願力自在勝上菩薩願力過於
此數示種種神通或身或光明或神通或眼
或境界或音聲或行或莊嚴或加或信或
業是諸神通乃至无量百千万億那由他劫
不可數知
論曰守護諸佛正法者於三千大千世界中
得為大師故脩方便行滿足故彼守護上首
故利益衆生故法忍轉勝此地釋名應知如
經是菩薩復能利益衆生故法忍轉淨故脩
行功用盡至故名為遠行地一切衆寶具足
莊嚴真金喻者不現一切菩提分法方便行
功用滿足故此地中諸善根轉勝明淨示現
如經譬如本真金乃至一切聲聞辟支佛所
不能壞故日光喻者如前地說此地勝故如
經佛子譬如日光乃至又能乾竭一切衆生
煩惱泥潦故餘如前說

十地論遠行地第七卷之九

一校

BD01121號　十地經論卷九　（20–20）

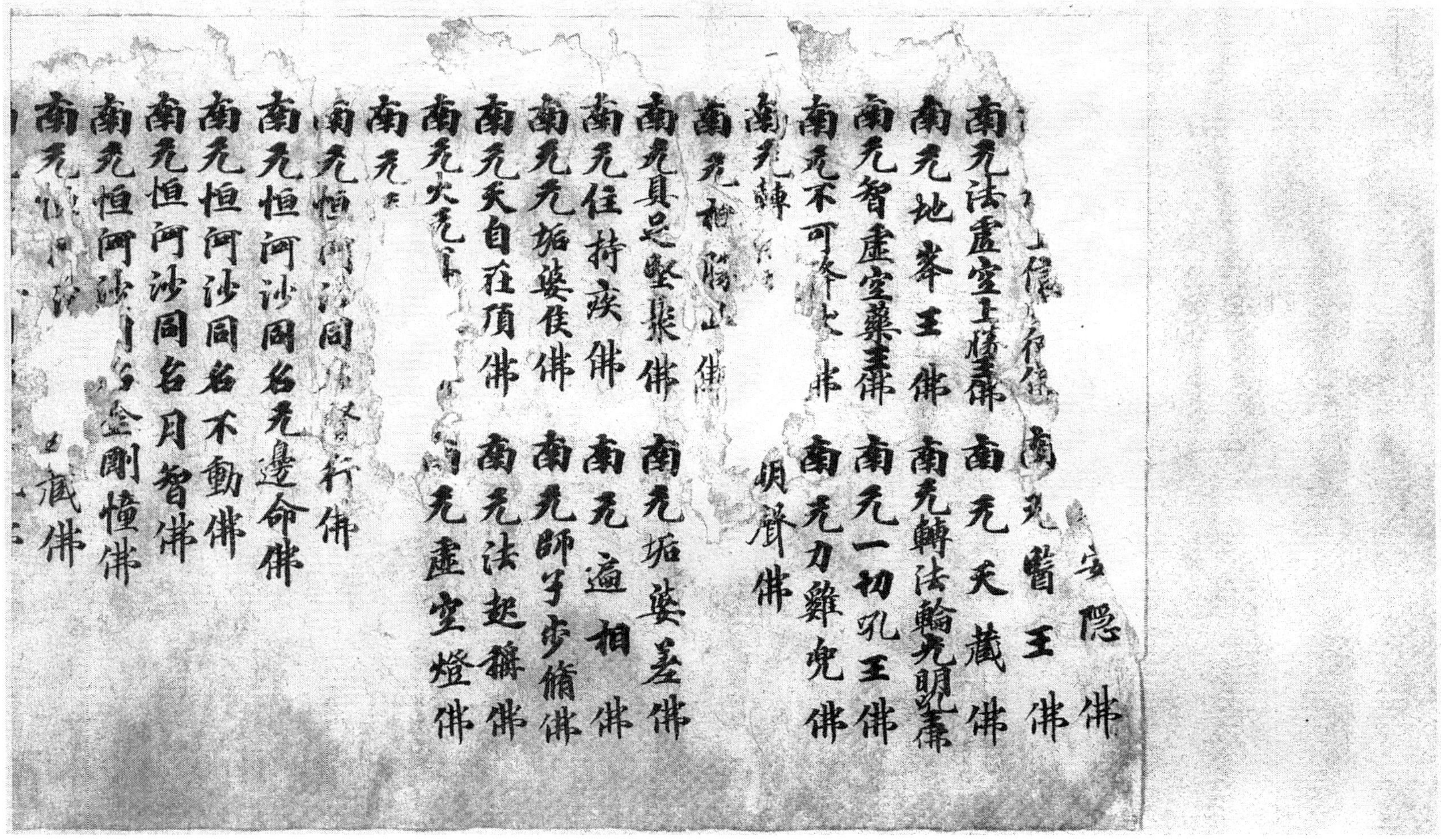

[illegible]安隱佛
[illegible]儀[illegible]佛　南无醫王佛
南无法虛空上勝佛　南无天藏佛
南无地峯王佛　南无轉法輪光明佛
南无智虛空藥王佛　南无一切吼王佛
南无不可[illegible]佛　南无力難兜佛
南无轉[illegible]　[illegible]明聲佛
南无[illegible]勝山佛
南无具足堅衆佛　南无垢婆差佛
南无住持疾佛　南无遍相佛
南无无垢婆侯佛　南无師子步脩佛
南无天自在頂佛　南无法起稱佛
南无火光[illegible]　[illegible]无虛空燈佛
南无[illegible]
南无恒[illegible]同[illegible]行佛
南无恒河沙同名无邊命佛
南无恒河沙同名不動佛
南无恒河沙同名月智佛
南无恒河沙[illegible]金剛幢佛
南无[illegible]藏佛
南[illegible]

BD01122號　佛名經（十六卷本）卷一二　（11–1）

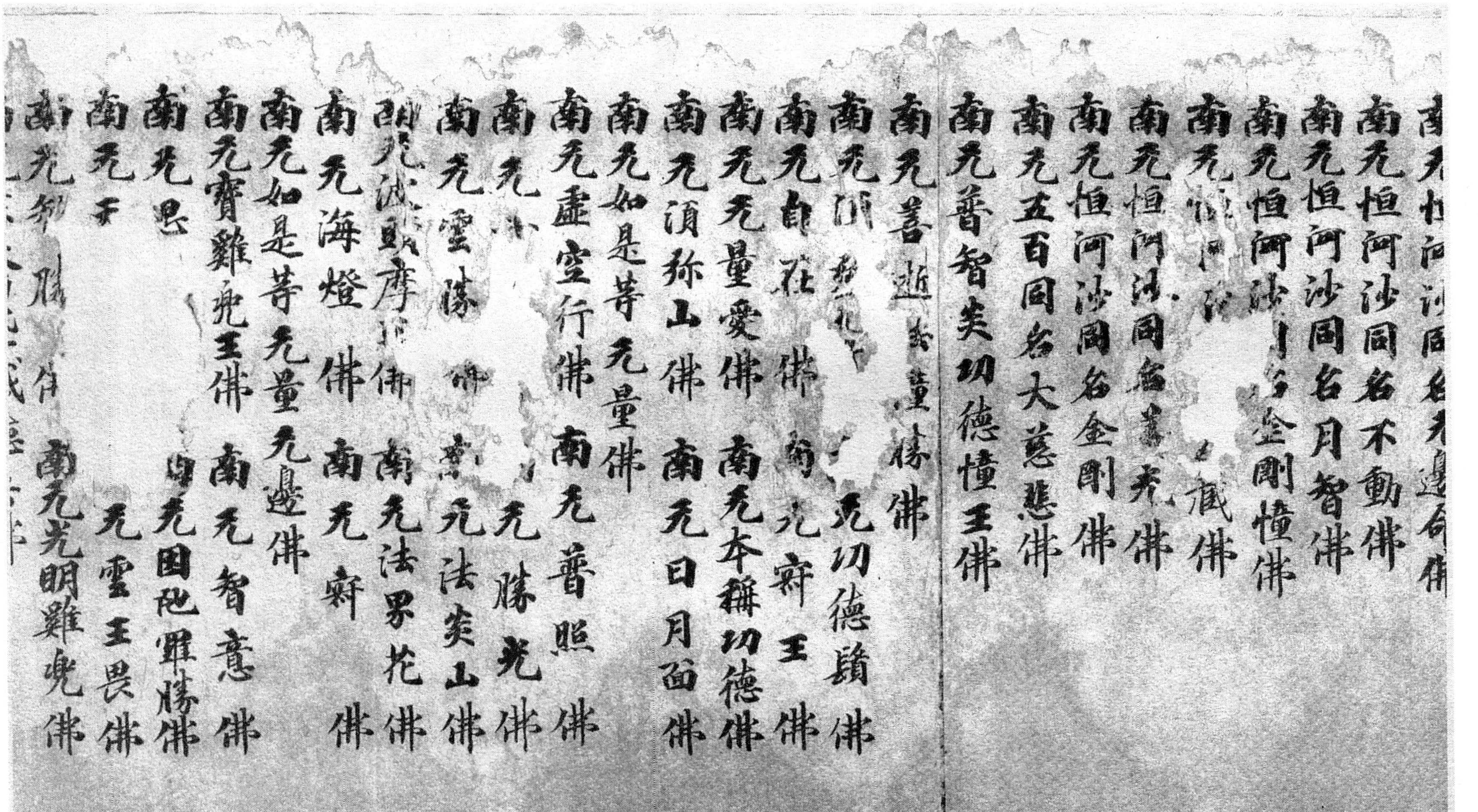

南无恒河沙同名无邊命佛
南无恒河沙同名不動佛
南无恒河沙同名月智佛
南无恒河沙[illegible]金剛幢佛
南无[illegible]藏佛
南无恒河沙同名[illegible]光佛
南无恒河沙同名金剛佛
南无五百同名大慈悲佛
南无普智實功德幢王佛
南无善逝[illegible]量勝佛
南无[illegible]　[illegible]无功德蹟佛
南无自在佛　南无寂王佛
南无无量愛佛　南无本稱功德佛
南无須弥山佛　南无日月面佛
南无如是等无量佛
南无虛空行佛　南无普照佛
南无[illegible]　[illegible]无勝光佛
南无雲勝[illegible]　[illegible]无法實山佛
南无波頭摩[illegible]佛　南无法界花佛
南无海燈佛　南无寂佛
南无如是等无量无邊佛
南无寶難兜王佛　南无智意佛
南无思[illegible]　[illegible]无因陁羅勝佛
南无[illegible]　[illegible]无雲王畏佛
南无剎[illegible]勝[illegible]　南无光明難兜佛
南[illegible]

BD01122號　佛名經（十六卷本）卷一二　（11–2）

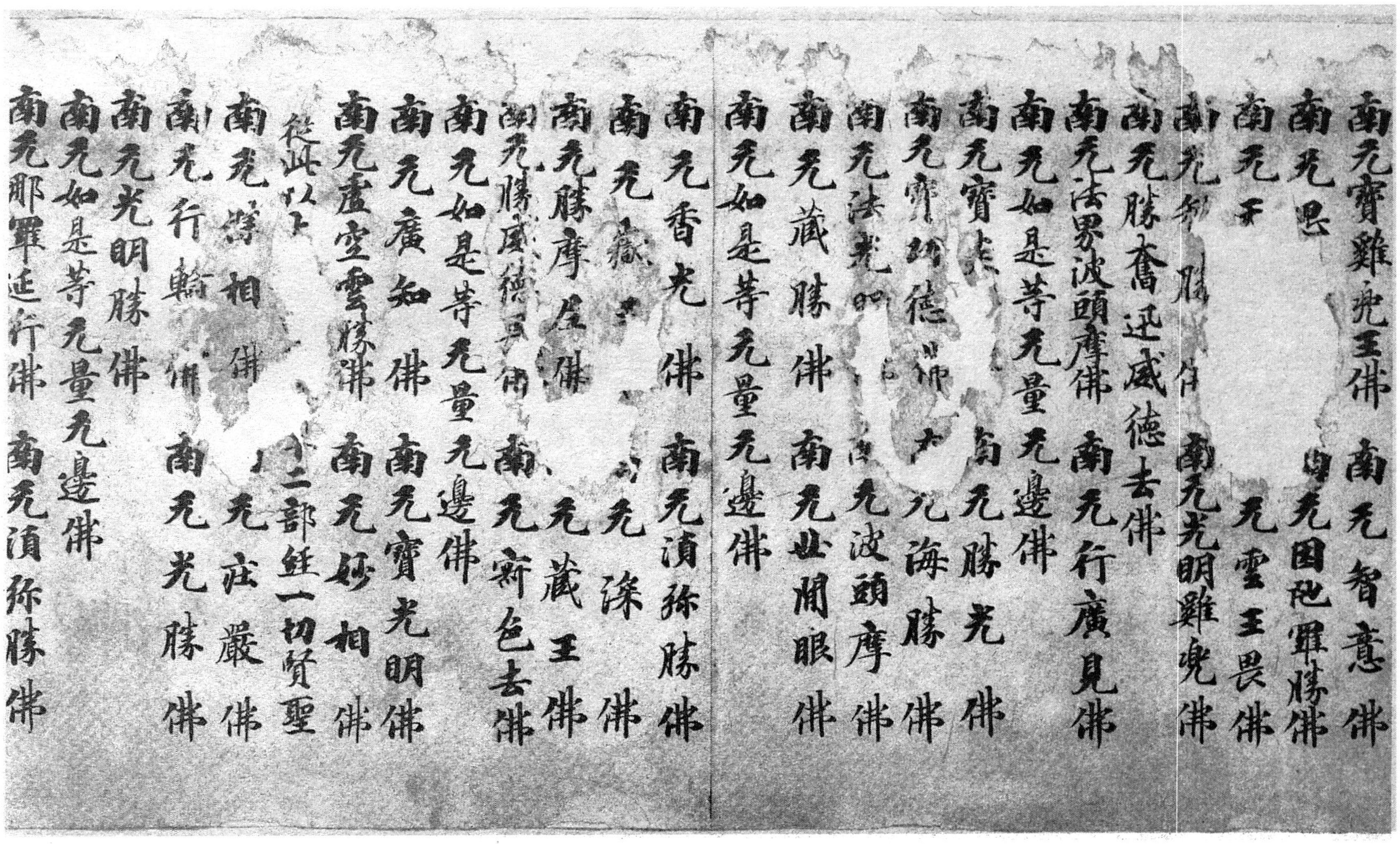

南无寶雞兜王佛　南无智意佛
南无思□　□无因陀羅勝佛
南无不□　□无雲王畏佛
南无□□勝佛　南无光明雞兜佛
南无勝奮迅威德去佛
南无法界波頭摩佛　南无行廣見佛
南无如是等无量无邊佛
南无寶□　□无勝光佛
南无寶□德佛　□无海勝佛
南无法光明□　□无波頭摩佛
南无藏勝佛　南无世間眼佛
南无如是等无量无邊佛
南无香光佛　南无須彌勝佛
南无□□佛　□无深佛
南无勝摩尼佛　□无藏王佛
南无勝威德□佛　南无寂色去佛
南无如是等无量无邊佛
南无廣知佛　南无寶光明佛
南无虛空雲勝佛　南无妙相佛
從此以下十二部經一切賢聖
南无□相佛　□无莊嚴佛
南无行輪佛　南无光勝佛
南无光明勝佛
南无如是等无量无邊佛
南无那羅延行佛　南无須彌勝佛

BD01122號　佛名經（十六卷本）卷一二　（11-3）

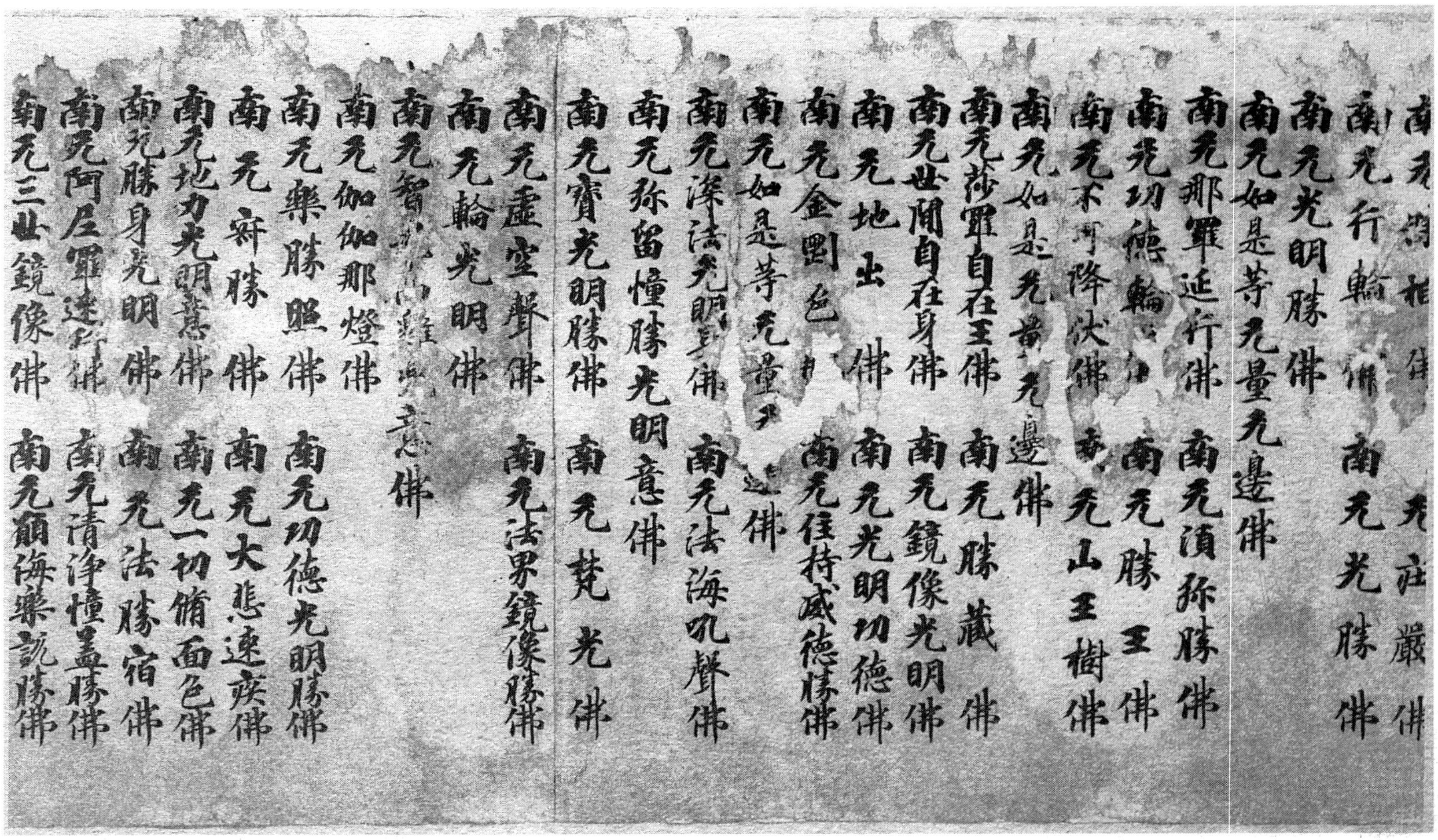

南无□相佛　□无莊嚴佛
南无行輪佛　南无光勝佛
南无光明勝佛
南无如是等无量无邊佛
南无那羅延行佛　南无須彌勝佛
南无功德輪□　南无勝王佛
南无不可降伏佛　□无山王樹佛
南无如是光□无邊佛
南无莎羅自在王佛　南无勝藏佛
南无世間自在身佛　南无鏡像光明佛
南无地出佛　南无光明功德佛
南无金剛色□　南无住持威德勝佛
南无如是等无量无邊佛
南无深法光明身佛　南无法海吼聲佛
南无彌留幢勝光明意佛
南无寶光明勝佛　南无梵光佛
南无虛空聲佛　南无法界鏡像勝佛
南无輪光明佛
南无智□□雞□意佛
南无伽伽那燈佛
南无樂勝照佛　南无功德光明勝佛
南无寂勝佛　南无大悲速疾佛
南无地力光明意佛　南无一切脩面色佛
南无勝身光明佛　南无法勝宿佛
南无阿尼羅迭行佛　南无清淨幢蓋勝佛
南无三世鏡像佛　南无顧海藥說勝佛

BD01122號　佛名經（十六卷本）卷一二　（11-4）

南无爲勝佛　南无大悲速疾佛
南无地力光明意佛　南无一切脩面色佛
南无勝身光明佛　南无法勝宿佛
南无阿尼羅速行佛　南无清淨幢蓋勝佛
南无三世鏡像佛　南无願海樂説勝佛
南无慚愧須弥山勝佛　南无念難兜王勝佛
南无法意佛　南无慧燈佛
南无光難兜勝佛　南无廣智佛
南无法界行智意佛　南无法海意智勝佛
南无法寶勝佛　南无功德輪佛
南无勝雲佛　南无忍辱燈佛
南无勝威德意佛
南无速光明賒摩世聲佛
南无爲憤佛　南无世間燈佛
[illegible]
南无不可降伏幢佛　南无智炎勝功德佛
南无法自在佛　南无无尋意佛
南无世間言語堅固吼光佛
南无一切聲分吼[illegible]精進自在佛
无具足意佛　南无諸方天佛
南无現面世間佛
南无知衆生心平等身佛
南无寂勝佛　南无行佛行佛
南无清淨身佛　南无勝賢佛
无如是等上首不可説无量无邊佛

南无現面世間佛
南无知衆生心平等身佛
南无寂勝佛　南无行佛行佛
南无清淨身佛　南无勝賢佛
无如是等上首不可説无量无邊佛
南无彼諸佛妙法身
无彼諸佛所説妙法
南无彼佛三十二相八十種好无量无邊
功德
南无彼佛種種道場菩提樹種種形像
種種妙塔去來坐臥妙處歸命彼諸佛
不退法輪菩薩大衆不退聲聞僧比丘
比丘尼優婆塞優婆夷天龍夜叉乾闥婆
阿脩羅迦樓羅緊那羅摩睺羅伽種種狀
貌信如来法輪轉如来法輪不可思議菩
薩摩訶薩悉皆　即歸命如来法身十
力四无畏戒定慧解脱解脱知見如是等
无量无邊功德如是功德迴施一切衆生
願得阿耨多羅三藐三菩提
舍利弗有善眼劫中有七十那由他佛
出世
舍利弗善見劫中有七十二億佛出世
舍利弗梵讚歎劫中有一万八千佛出世
舍利弗名過去劫中有三十二千佛出世
舍利弗莊嚴劫中有八万四千佛出世

舍利弗善見劫中有七十二億佛出世
舍利弗梵讚歎劫中有一万八千佛出世
舍利弗名過去劫中有三十二千佛出世
舍利弗莊嚴劫中有八万四千佛出世
舍利弗應以 如是等无量无邊佛
舍利弗善男子善女人欲滅一切罪當應
淨洗浴著新淨衣稱如是等佛名礼拜應
作是言我无始世界來身口意業作不善
行乃至謗方等經五逆罪等願皆消滅
舍利弗善男子善女人欲滿足波羅蜜行
欲迴向无上菩提欲滿足一切菩薩諸波
羅蜜應作是言我學過去未來現在菩
薩摩訶薩脩行大捨破句出心施於衆生
如智勝菩薩及迦尸王等
捨妻子等布施實之如不退菩薩及阿翅
那羅王須達拏及莊嚴王等入於地獄救
苦衆生如大悲菩薩及善眼天子等
救惡行衆生如善行菩薩及勝行王等捨
頂上寶天冠并刹頭皮而與如勝上身菩
薩及寶髻天子等
捨眼如愛作菩薩及月光王等
捨耳鼻如无怨菩薩及勝去天子等
捨齒如華齒菩薩及六牙象王等
捨不退菩薩及善面王等
捨手如常精進菩薩及堅意王等

BD01122號　佛名經（十六卷本）卷一二　（11–7）

捨眼如愛作菩薩及月光王等
捨耳鼻如无怨菩薩及勝去天子等
捨齒如華齒菩薩及六牙象王等
捨不退菩薩及善面王等
捨手如常精進菩薩及堅意王等
捨血如法作菩薩及月思天子等
捨肉髓如安隱菩薩及一切施王等
捨大腸小腸肝肺脾腎如善德菩薩及
自遠離諸惡王等
捨身一切大小支節如法自在菩薩及光
勝天等捨皮如清淨藏菩薩及金色天子
金色鹿王等捨手足指如堅精進菩薩及
金色王等
捨肉指甲如不可盡菩薩及求善法天子
等為求法故入大坑如精進菩薩及求妙
法王精進等受一切苦惱如妙法菩薩及
速行大王等
捨四天下大地及一切莊嚴如得大勢至
菩薩及勝功月天子等
捨身如摩訶薩埵菩薩及摩訶薩婆羅
等自身與一切貧窮苦惱衆生作給使侍
者如尸毗王等樂要言之過去未來現在
諸菩薩一切波羅蜜行願我亦如是成就十
方世界諸妙香花幢諸妙伎樂我隨喜供養
佛法僧復迴此福德施一切衆生願因此福

BD01122號　佛名經（十六卷本）卷一二　（11–8）

者如尸毗王等難要言之過去未來現在
諸菩薩一切波羅蜜行願我亦如是成就十
方世界諸妙香花幢諸妙伎樂我隨喜供養
佛法僧復迴此福德施一切衆生願因此福
德諸衆生等莫墮惡道因此福德滿足八
万四千諸波羅蜜行速得授阿耨多羅三
藐三菩提記速得不退轉大速成无上菩
提
次礼十二部尊經大藏法輪
南无五十法戒經　南无受欲齋經
南无惟明經　南无五蓋離疑經
南无一切義要經　南无慧行經
南无五陰喻經　南无思道經
南无王舍城鷲山經　南无賢劫五百佛經
南无五百弟子本起經
南无摧變經
南无五恐怖經　南无父母因緣經
南无内外无為經　南无五失蓋經
南无淨木經
南无内外六波羅蜜經
南无佛立莊嚴淨經　南无鬼子母經
從此以上九千五百佛十二部經一切賢聖
南无難龍王經　南无佛說菩意經
南无觀行移四事經　南无難提和羅經
南无佛有百比丘經　南无蒱陁越經
南无光世音大勢至力憂決經

BD01122號　佛名經（十六卷本）卷一二　（11–9）

從此以上九千五百佛十二部經一切賢聖
南无難龍王經　南无佛說菩意經
南无觀行移四事經　南无難提和羅經
南无佛有百比丘經　南无蒱陁越經
南无光世音大勢至力憂決經
南无梅有八事經
次礼十方諸大菩薩
南无導師菩薩　南无那羅達菩薩
南无星得菩薩　南无水天菩薩
南无主天菩薩　南无大意菩薩
南无益意菩薩　南无增意菩薩
南无不虛見菩薩　南无善進菩薩
南无勢勝菩薩　南无常勤菩薩
南无不捨精進菩薩　南无日藏菩薩
南无不歎意菩薩　南无觀世音菩薩
南无濡濡尸利菩薩　南无執寶印菩薩
南无常舉手菩薩　南无弥勒菩薩
次礼聲聞緣覺一切賢聖
南无无漏辟支佛　南无憍慢辟支佛
憍慢辟支佛　南无親辟支佛
南无得脫辟支佛　南无无垢辟支佛
南无獨辟支佛　南无難畫辟支佛
南无能作憍慢辟支佛
南无退辟支佛　南无不退去辟支佛
南无尋辟支佛

BD01122號　佛名經（十六卷本）卷一二　（11–10）

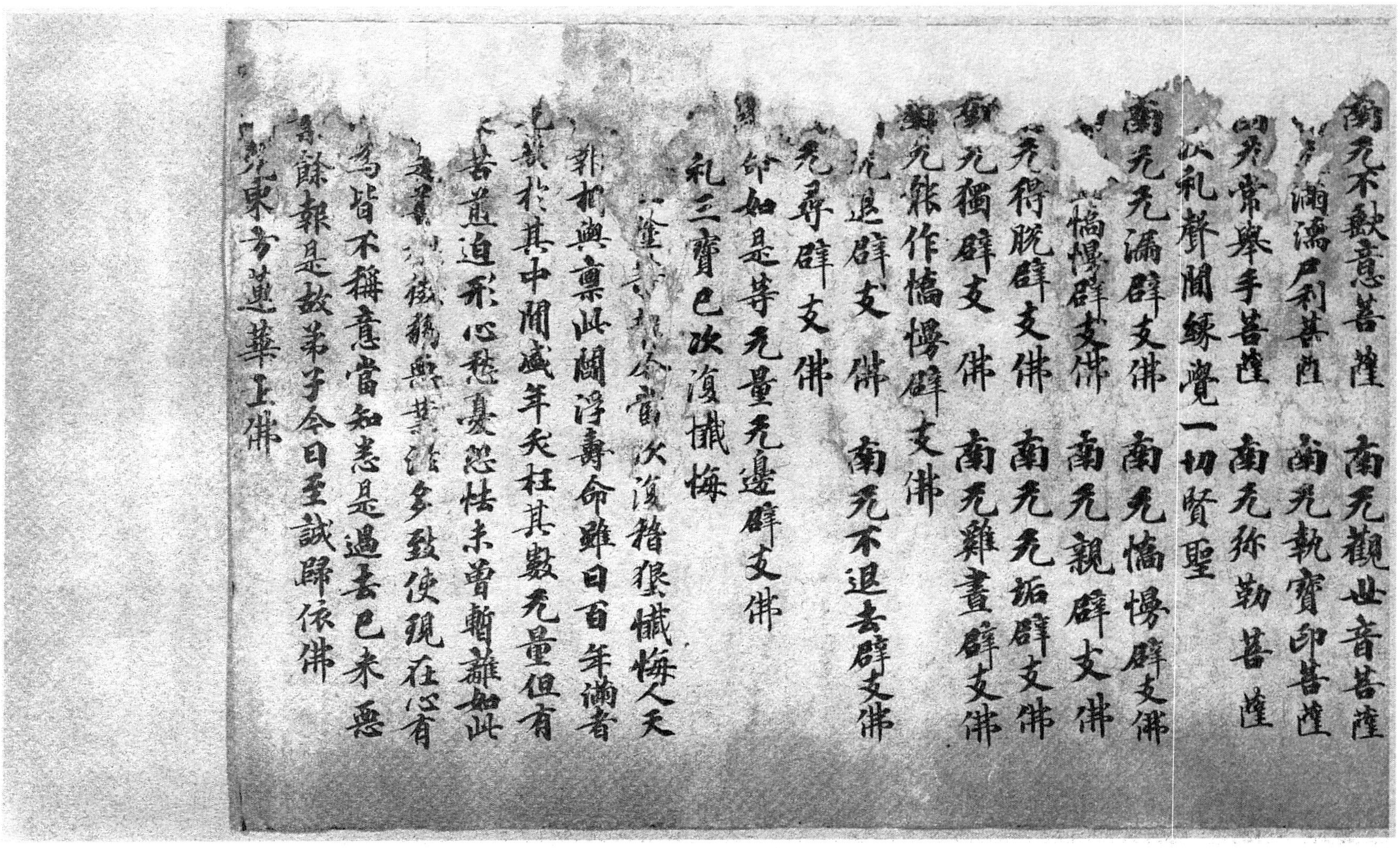
南无不歎意菩薩　南无觀世音菩薩
南无滿濡尸利菩薩　南无執寶印菩薩
南无常舉手菩薩　南无彌勒菩薩
次禮聲聞緣覺一切賢聖
南无无濡辟支佛　南无憍慢辟支佛
[illegible]憍慢辟支佛　南无親辟支佛
南无得脫辟支佛　南无无垢辟支佛
南无獨辟支佛　南无難盡辟支佛
南无能作憍慢辟支佛
南无退辟支佛　南无不退去辟支佛
南无尋辟支佛
歸命如是等无量无邊辟支佛
禮三寶已次復懺悔
[illegible]令當次復稽顙懺悔人天
果報與稟此閻浮壽命雖曰百年滿者
無幾於其中間盛年夭枉其數无量但有
苦逼迫形心愁憂怨怯未曾暫離如此
[illegible]多致使現在心有
為皆不稱意當知悉是過去已來惡
餘報是故弟子今日至誠歸依佛
南无東方蓮華上佛

BD01122號　佛名經（十六卷本）卷一二　（11–11）

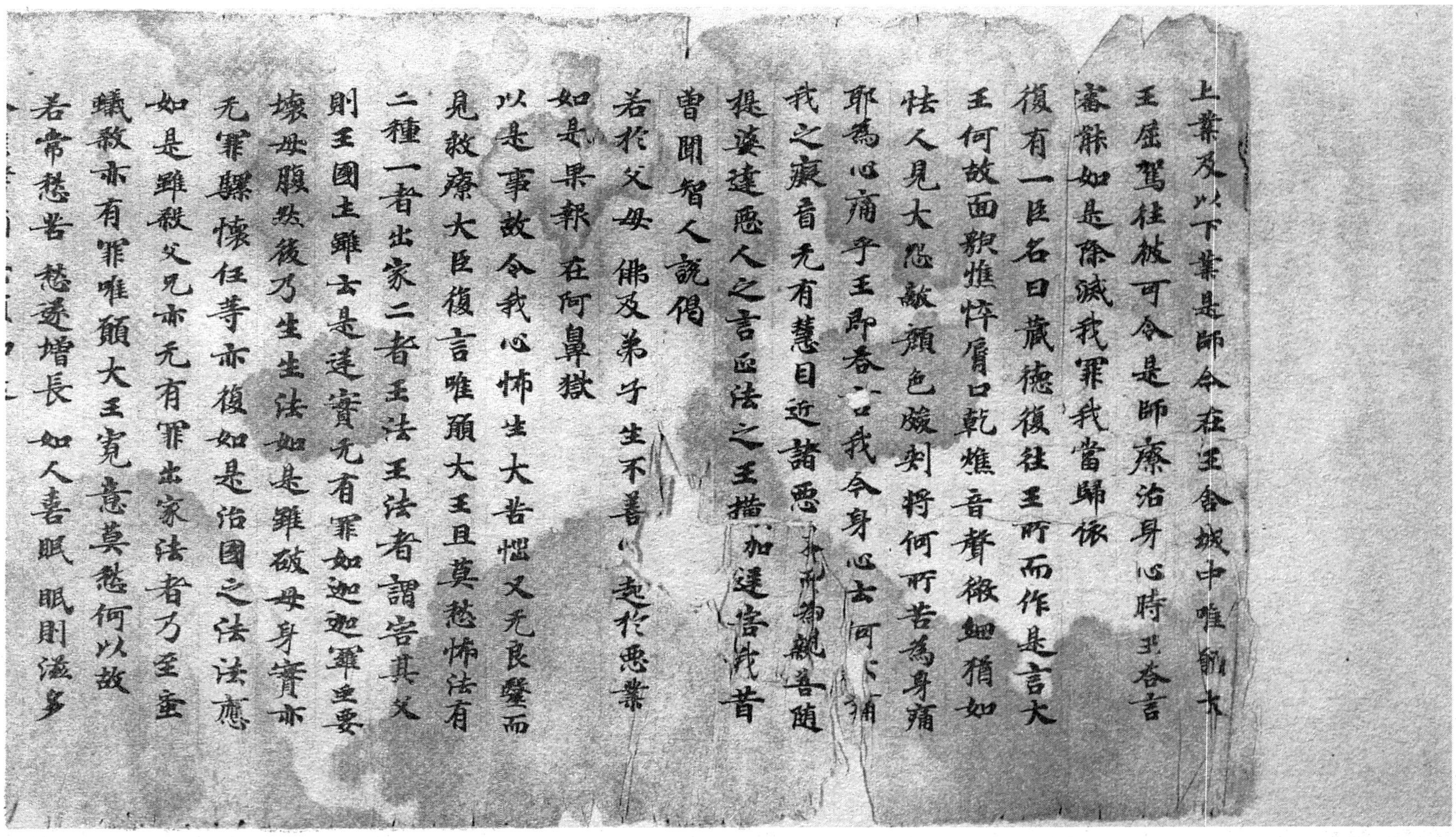
上業及以下業是師今在王舍城中唯願大
王屈駕往彼可令是師療治身心時王答言
審能如是除滅我罪我當歸依
復有一臣名曰藏德復往王所而作是言大
王何故面貌憔悴脣口乾燋音聲微細猶如
怯人見大怨敵顏色變剥將何所苦為身痛
耶為心痛乎王即答言我今身心云何不痛
我之癡盲无有慧目近諸惡友而共親善隨
提婆達惡人之言正法之王橫加逆害我昔
曾聞智人說偈
若於父母　佛及弟子　生不善心　起於惡業
如是果報　在阿鼻獄
以是事故令我心怖生大苦惱又无良醫而
見救療大臣復言唯願大王且莫愁怖法有
二種一者出家二者王法王法者謂害其父
則王國土雖云是逆實无有罪如迦羅羅虫要
壞母腹然後乃生生法如是雖破母身實亦
无罪騾懷任等亦復如是治國之法法應
如是雖殺父兄亦无有罪出家法者乃至蚊
蟻殺亦有罪唯願大王寬意莫愁何以故
若常愁苦　愁遂增長　如人喜眠　眠則滋多

BD01123號　大般涅槃經（北本）卷一九　（25–1）

[illegible]
无罪騾懐任等亦復如是治國之法法應
如是雖殺父兄亦无有罪出家法者乃至蚉
蟻殺亦有罪唯願大王寬意莫愁何以故
若常愁苦愁遂增長如人喜眠眠則滋多
貪婬嗜酒亦復如是
如王所言世无良醫治身心者今有大師名
末伽梨拘舍離子一切知見憐愍衆生猶如
赤子已離煩惱能拔衆生三毒利箭一切衆
生於一切法无知見覺唯是一人獨知見覺
如是大師常為弟子說如是法一切衆生身
有七分何等為七地水火風苦樂壽命如是
七法非化所作不可毀害如伊師迦草安住
不動如須弥山不捨不作猶如乳酪各不諍
訟若苦若樂若善若不善投之利刀无所傷
害何以故七分空中无妨㝵故命亦无害何
以故无有害者及死者故无作无受无說无
聽无有念者及以教者常說是法能令衆生
滅除一切无量重罪是師今在王舍大城唯
願大王往至其所王若見者衆罪消滅時王荅
言審能如是除滅我罪我當歸依
復有一臣名曰實德復到王所即說偈言
大王何故　身脫瓔珞　首髮蓬乱　乃至如是
王身何故　戰慄不安　猶如猛風　吹動華樹
王今何故　容色愁悴　猶如農夫　下種之後天
不降雨愁苦如[illegible]

BD01123號　大般涅槃經（北本）卷一九　（25–2）

復有一臣名曰實德復到王所即說偈言
大王何故　身脫瓔珞　首髮蓬乱　乃至如是
王身何故　戰慄不安　猶如猛風　吹動華樹
王今何故　容色愁悴　猶如農夫　下種之後天
不降雨愁苦如是為是心痛為身痛耶王即
荅言我今身心豈得不痛我父先王慈愛流
惻特見矜念實无辜咎往問相師相師荅言
是兒生已定當害父雖聞是語猶見瞻養曾
聞智者作如是言若人姧母及比丘尼偷僧
鬘物殺發无上菩提心者害及其父如是之
人畢定當墮阿鼻地獄我今身心豈得不痛
大臣復言唯願大王且莫愁苦如其父王脩
解脫者害則有罪若治國法殺則无罪大王
非法者名為非法无法者名為无法辟如无
子名為无子亦如惡子名之无子雖言无子
實非无子如食无鹽名為无鹽食若少鹽亦
名无鹽如河无水名之无水亦如少水亦名
无水如念念滅亦言无常雖住一劫亦名无
常如人受苦名為无樂雖受少樂亦名无樂
如不自在名之无我雖少自在亦名无我如
闇夜時名之无日雲霧之時亦言无日大王雖
言小法名為无法實非无法願王留神聽臣
所說一切衆生皆有餘業以業緣故數受
生死若使先王有餘業者今王殺之竟有何
罪唯願大王寬意莫愁何以故

BD01123號　大般涅槃經（北本）卷一九　（25–3）

言小法名為无法實非无法願王留神聽臣
所説一切衆生皆有餘業以業緣故數受
生死若使先王有餘業者今王殺之竟有何
罪唯願大王寬意莫愁何以故
若常愁苦愁遂增長如人憙眠眠則滋多
貪婬嗜酒亦復如是
如王所言世无良醫治身心者今有大師名
删闍耶毗羅胝子一切知見其智淵深猶如
大海有大威德具大神通能令衆生離諸疑
网一切衆生不知見覺唯是一人獨知見覺
公者近在王舍城住為諸弟子説如是法一
切衆中若是王者自在隨意造作善惡雖為
衆惡悉无有罪如火燒物无淨不淨王亦如
是與火同性譬如大地淨穢普載雖為是事
初无瞋喜王亦如是與地同性譬如水性淨穢
俱洗雖為是事亦无憂喜王亦如是與水同
性譬如風性淨穢等吹雖為是事亦无憂
喜王亦如是與風同性如秋髡樹春則還生
雖復髡斫實无有罪一切衆生亦復如是此
間命終還生此間以還生故當有何罪一切
衆生苦樂果報悉皆不由現在世業因在過
去現在受果現在无因未來无果以現果故
衆生持戒勤修精進遮現惡果以持戒故則
得无漏得无漏故盡有漏業以盡業故衆苦
得盡衆苦盡故故得解脱唯願大王速往其

BD01123號　大般涅槃經（北本）卷一九　（25–4）

去現在受果現在无因未來无果以現果故
衆生持戒勤修精進遮現惡果以持戒故則
得无漏得无漏故盡有漏業以盡業故衆苦
得盡衆苦盡故故得解脱唯願大王速往其
所令其療治身心苦痛王若見者衆罪則除
王即答言審有是師能除我罪我當歸依復
有一臣名悉知義即至王所作如是言王今
何故形不端嚴如失國者如泉枯涸池无蓮
華樹无華葉破戒比丘身无威德為身痛耶
為心痛乎王即答言今我身心豈得不痛我
父先王慈愛流念然我不孝不知報恩常
以安樂安樂於我而我背恩反斷其樂先王
无辜横興逆害我亦曾聞智者説言若有害
父當於无量阿僧祇劫受大苦惱我今不久
必墮地獄又无良醫救療我罪大臣即言唯
願大王放捨愁苦王不聞耶昔者有王名曰
羅摩害其父已得紹王位跋提大王毗樓真
王那睺沙王迦帝迦王毗舍佉王月光明王
日光明王愛王持多人王如是等王皆害其
父得紹王位然无一王入地獄者於今現在
毗流離王優陁耶王惡性王鼠王蓮華王如
是等王皆害其父悉无一王生愁惱者雖言
地獄餓鬼天中誰有見者大王當知唯有二
有一者人道二者畜生雖有是二非因緣生
非因緣死若非因緣何有善惡唯願大王勿

BD01123號　大般涅槃經（北本）卷一九　（25–5）

地獄餓鬼天中誰有見者大王當知唯有二
有一者人道二者畜生雖有是二非因緣生
非因緣死若非因緣何有善惡唯願大王勿
懷愁怖何以故
若常愁苦愁遂增長如人憙眠眠則滋多
貪婬嗜酒亦復如是
若行若立若坐若卧常在三昧心无分散告諸
差別等視怨親心无異相此師真是世之良醫
等无二刀斫右脅左塗旃檀於此二人心无
何耆多翅舍欽婆羅一切知見觀金與土平
如王所言世无良醫治身心者今有大師名
弟子作如是言若自作若教他作若自斫若
教他斫若自炙若教他炙若自害若教他害
若自偷若教他偷若自婬若教他婬若自妄
語若教他妄語若自飲酒若教他飲酒若殺
一村一城一國若以刀輪殺一切衆生若恒河
以南布施衆生恒河以北殺害衆生悉无
罪福无施戒定今者近在王舍城住願王速
往王若見者衆罪除滅王言大臣審能如是
除滅我罪我當歸依
復有大臣名曰吉得復往王所作如是言王今
何故面无光澤如日中燈如晝時月如失國
君如荒敗土大王今者四方清夷无諸怨敵而
今何故如是愁苦爲身苦耶爲心苦乎有諸

BD01123號　大般涅槃經（北本）卷一九　（25–6）

復有大臣名曰吉得復往王所作如是言王今
何故面无光澤如日中燈如晝時月如失國
君如荒敗土大王今者四方清夷无諸怨敵而
今何故如是愁苦爲身苦耶爲心苦乎有諸
王子常生此念我今何時當得自在大王今
者已果所願自在王領摩伽陁國先王實
藏具足而得唯當快意縱情受樂如是愁苦
何用婬懷王即答言我今云何得不愁惱
大臣譬如愚人但貪其味不見利刀如食雜
毒不見其過我亦如是如鹿見草不見深穽
如鼠貪食不見貓狸我亦如是見現在樂不
見未來不善苦果曾從智者聞如是言寧於
一日受三百攢不於父母生一念惡我今已
近地獄熾火云何當得不愁惱耶大臣復言
誰來誑王言有地獄如刺頭利誰之所造飛
鳥色異復誰所作水性潤漬石性堅鞕如風
動性如火熱性一切万物自死自生誰之所
作言地獄者直是智者文辞造作言地獄者
爲有何義臣當說之地者名地獄者名破破
於地獄无有罪報是名地獄又復地者名人
獄者名天以害其父故到人天以是義故婆
藪仙人唱言殺羊得人天樂是名地獄又復
地者名命獄者名長以殺生故得壽命長故
名地獄大王是故當知實无地獄大王如種
麦得麦種稻得稻殺地獄者還得地獄殺害

BD01123號　大般涅槃經（北本）卷一九　（25–7）

藪仙人唱言殺羊得人天樂是名地獄又復
地者名命獄者名長以殺生故得壽命長故
名地獄大王是故當知實无地獄大王如種
麦得麦種稻得稻殺地獄者還得地獄殺害
於人應還得人大王今當聽臣所說實无殺
害若有我者實亦无害若无我者復无所害
何以故若有我者常不變易以常住故不可
殺害不破不壞不繫不縛不瞋不喜猶如虛
空云何當有殺害之罪若无我者諸法无常
以无常故念念壞滅念念滅故殺者死者皆
念念滅若念念滅誰當有罪大王如火燒木
火則无罪如斧斫樹斧亦无罪如鎌刈草鎌
實无罪如刀殺人刀實非人刀亦无罪人云何
罪如毒殺人毒實非人毒藥非罪人云何罪
一切万物皆亦如是實无殺害云何有罪唯
願大王莫生愁苦何以故
若常愁苦　愁遂增長　如人憙眠　眠則滋多
貪婬嗜酒　亦復如是
如王所言世无良醫治惡業者今有大師名
迦羅鳩䭾迦栴延一切知見明了三世於一
念頃能見无量无邊世界聞聲亦尒能令衆
生遠離過惡猶如恒河若內若外所有諸罪
悉皆清淨是大良師亦復如是能除衆生內
外衆罪為諸弟子說如是法若人殺害一切
衆生心无慙愧終不墮惡猶如虛空不受塵

悉皆清淨是大良師亦復如是能除衆生內
外衆罪為諸弟子說如是法若人殺害一切
衆生心无慙愧終不墮惡猶如虛空不受塵
水有慚愧者即入地獄猶如大水潤漬於地
一切衆生悉是自在天之所化自在天喜衆
生安樂自在天瞋衆生苦惱一切衆生若罪
若福乃是自在之所為作云何當言人有罪
福譬如工匠作機關木人行住坐卧唯不能
言衆生亦尒自在天者喻如工匠木人者喻
衆生身如是造化誰當有罪如是大師今者
近在王舍城住唯願速往如是見者衆罪消
滅王即答言審有是人能滅我罪我當歸依
復有一臣名无所畏往至王所說如是言大
王世有愚人一日之中百喜百愁百眠百寤
百驚百哭有智之人斷无是事大王何故憂
愁如是如失伴客如墮深泥无救拔者如人
渴乏不得漿水猶如迷人无有導者如困病
人无醫救療如海舩破无救接者大王今者
為身痛耶為心痛乎王即答言我今身心豈
得不痛我近惡友不觀口過先王无辜橫興
逆害我今定知當入地獄復无良醫而見救
療臣即白言唯願大王莫生愁毒夫剎利者
名為王種若為國土若為沙門及婆羅門為
安人眠雖復殺害无有罪也先王雖復恭敬
沙門不能承事諸婆羅門心无平等无平等

療臣即白言唯願大王莫生愁毒夫刹利者
名為王種若為國土若為沙門及婆羅門為
安人眠雖復殺害无有罪也先王雖復恭敬
沙門不能承事諸婆羅門心无平等无平等
故則非刹利大王今者為欲供養諸婆羅門
殺害先王當有何罪大王實无殺害夫殺害
者殺害壽命命名風氣風氣之性不可殺害
云何害命而當有罪唯願大王莫復愁苦何
以故
若常愁苦　愁遂增長　如人憙眠　眠則滋多
貪婬嗜酒　亦復如是
如王所言世无良醫而療治者今有大師名
尼乾陀若提子一切知見憐愍衆生善知衆
生諸根利鈍達解一切隨宜方便世間八法
所不能汙寂靜脩集清淨梵行為諸弟子說
如是言无施无善无父无母今世後世无阿
羅漢无脩无道一切衆生逕八万劫於生死
輪自然得脫有罪无罪悉亦如是如四大河
所謂辛頭恒河博叉私陀悉入大海无有差
別一切衆生亦復如是得解脫時悉无差別
是師今在王舍城住唯願大王速往其所若
得見者衆罪消除王即答言審有是師能除
我罪我當歸依
尒時大醫名曰耆婆往至王所白言大王得
安眠不即以偈答言

BD01123號　大般涅槃經（北本）卷一九　（25-10）

得見者衆罪消除王即答言審有是師能除
我罪我當歸依
尒時大醫名曰耆婆往至王所白言大王得
安眠不即以偈答言
若有能永斷　一切諸煩惱　不貪染三界　乃得安隱眠
若得大涅槃　演說甚深義　名真婆羅門　乃得安隱眠
身无諸惡業　口離於四過　心无有疑网　乃得安隱眠
身心无熱惱　安住寂靜處　獲致无上樂　乃得安隱眠
心无有取著　遠離諸怨讎　常和无諍訟　乃得安隱眠
若不造惡業　心常懷慚愧　信惡有果報　乃得安隱眠
敬養於父母　不害一生命　不盜他人財　乃得安隱眠
調伏於諸根　親近善知識　破壞四魔衆　乃得安隱眠
不見吉不吉　及以苦樂等　為諸衆生故　輪轉於生死
若能如是者　乃得安隱眠
誰得安隱眠　所謂諸佛是　深觀空三昧　身心安不動
誰得安隱眠　所謂慈悲者　常脩不放逸　視衆如一子
衆生无明冥　不見煩惱果　常造諸惡業　不得安隱眠
若為於自身　及以他人身　造作十惡業　不得安隱眠
若言為樂故　害父无過咎　隨是惡知識　不得安隱眠
若食過節度　冷飲而過差　如是則病苦　不得安隱眠
若於王有過　耶念他婦女　及行曠路者　不得安隱眠
持戒果未熟　太子未紹位　盜者未獲財　不得安隱眠
耆婆我今病重於正法王興惡逆害一切良
醫妙藥呪術善巧瞻病所不能治何以故我
父法王如法治國實无辜咎横加逆害如魚

BD01123號　大般涅槃經（北本）卷一九　（25-11）

耆婆我今病重於正法王興惡逆害一切良
醫妙藥呪術善巧瞻病所不能治何以故我
父法王如法治國實无辜咎橫加逆害如魚
處陸當有何樂如鹿在檻初无歡心如人自
知命不終日如王失國遠逝他土如人聞病
不可療治如破戒者聞說罪過我昔曾聞智
者說言身口意業若不清淨當知是人必墮
地獄我亦如是云何當得安隱眠耶今我又
无无上大醫演說法藥除我病苦耆婆荅言
善哉善哉王雖作罪心生重悔而懷慚愧大
王諸佛世尊常說是言有二白法能救衆生
一慚二愧慚者自不作罪愧者不教他作慚
者內自羞恥愧者發露向人慚者羞人愧者
羞天是名慚愧无慚愧者不名為人名為畜
生有慚愧故則能恭敬父母師長有慚愧故
說有父母兄弟姊妹善哉大王具有慚愧大
王且聽臣聞佛說智者有二一者不造諸惡
二者作已懺悔愚者亦二一者作罪二者覆
藏雖先作惡後能發露悔已慚愧更不敢作
猶如濁水置之明珠以珠威力水即為清如
烟雲除月則清明作惡能悔亦復如是王若
懺悔懷慚愧者罪則除滅清淨如本大王富
有二種一者象馬種種畜生二者金銀種種
珎寶象馬雖多不敵一珠大王衆生亦尒一

BD01123號　大般涅槃經（北本）卷一九　（25–12）

烟雲除月則清明作惡能悔亦復如是王若
懺悔懷慚愧者罪則除滅清淨如本大王富
有二種一者象馬種種畜生二者金銀種種
珎寶象馬雖多不敵一珠大王衆生亦尒一
者惡富二者善富多作諸惡不如一善臣聞
佛說循一善心破百種惡大王如少金剛能
壞須弥亦如少火能燒一切如少毒藥能害
衆生小善亦尒能破大惡雖名小善其實是
大何以故破大惡故大王如佛所說覆藏者
漏不覆藏者則无有漏發露悔過是故不漏
若作衆罪不覆不藏以不覆故罪則微薄若
悔慚愧罪則消滅大王如水渧雖微漸盈大
器善心亦尒一一善心能破大惡若覆罪者
罪則增長發露慚愧罪則消滅是故諸佛說
有智者不覆藏罪善哉大王能信因果信業
信報唯願大王莫懷愁怖若有衆生造作諸
罪覆藏不悔心无慚愧不見因果及以業報
不能諮啓有智之人不近善友如是之人一
切良醫乃至瞻病所不能治始迦摩羅病世
醫拱手覆罪之人亦復如是云何罪人謂一
闡提一闡提者不信因果无有慚愧不信業
報不見現在及未來世不親善友不隨諸佛
所說教戒如是之人名一闡提諸佛世尊所
不能治何以故如世死屍醫不能治一闡提
者亦復如是諸佛世尊所不能治大王今者

BD01123號　大般涅槃經（北本）卷一九　（25–13）

親不見現在及未來世不親善友不隨諸佛
所說教戒如是之人名一闡提諸佛世尊所
不能治何以故如世死屍醫不能治一闡提
者亦復如是諸佛世尊所不能治大王今者
非一闡提云何而言不可救療如王所言无能
治者大王當知迦毗羅城淨飯王子姓瞿曇氏
字悉達多无師覺悟自然而得阿耨多羅三
藐三菩提卅二相八十種好莊嚴其身具足
十力四无所畏一切知見大慈大悲憐愍一
切如羅睺羅隨善衆生如犢逐母知時而說
非時不語實語淨語妙語義語法語一語能
令衆生永離煩惱善知衆生諸根心性隨宜方
便无不通達其智高大如須弥山深邃廣遠
猶如大海是佛世尊有金剛智能破衆生一
切惡罪若言不能无有是處今者去此十
二由旬在拘尸那城娑羅雙樹間而為无量
阿僧祇等諸菩薩僧演種種法若有若无若
有為若无為若有漏若无漏若煩惱果若善
法果若色法若非色法若非色非非色法若
我若非我若非我非非我若常若非常若非
常非非常若樂若非樂若非樂非非樂若相
若非相若非相非非相若斷若非斷若非斷
非非斷若世若出世若非世非出世若乘若
非乘若非乘非非乘若自作自受若自作他
受若无作无受大王若當於佛所聞无作无

若非相若非相非非相若斷若非斷若非斷
非非斷若世若出世若非世非出世若乘若
非乘若非乘非非乘若自作自受若自作他
受若无作无受大王若當於佛所聞无作无
受所有重罪即當消滅王今且聽釋提桓因
命將欲終有五相現一者衣裳垢膩二者頭
上華萎三者身體臭穢四者腋下汗出五者
不樂本座時天帝釋或於靜處見沙門者
婆羅門即至其所生於佛想介時沙門及婆
羅門見帝釋來深自慶幸或說是語天王我
今歸依於汝釋聞是已乃知非佛復自念言
彼若非佛不能治我五退沒相是時御臣名
般遮尸語帝釋言憍尸迦乾闥婆王名敦浮
樓其王有女字須跋陁王若能以此女見與
臣當亦王除衰相處釋即答言善男子毗摩
質多阿脩羅王有女舍脂是吾所敬卿若必
能亦吾消滅惡相處者猶當相與況須跋陁
憍尸迦有佛世尊字釋迦牟尼今者在於王
舍大城者能往彼諮稟未聞衰沒之相必得
除滅善男子若佛世尊審能滅者便可迴駕
至其住處御臣奉命即迴車乘到王舍城耆
闍崛山至於佛所頭面禮足却坐一面白佛言
世尊天人之中誰為繫縛憍尸迦慳貪嫉妬
又言慳貪嫉妬因何而生答言因无明生又言
无明復因何生[illegible]

至其住處御臣奉命即迴車乘到王舍城耆
闍崛山至於佛所頭面礼足却坐一面白佛言
世尊天人之中誰為繫縛憍尸迦慳貪嫉妬
又言慳貪嫉妬因何而生荅言因无明生又言
无明復因何生荅言因放逸生又言放逸
復因何生荅言因顛倒生又言顛倒復因何
生荅言因疑心生世尊顛倒之法因疑生者
實如聖教何以故我有疑心以疑心故則生顛
倒於非世尊生世尊想我今見佛疑网即除
疑网除故顛倒亦盡顛倒盡故无有慳心乃
至妬心佛言汝言无有慳妬心者汝今已
得阿那含耶阿那含者无有貪心若无貪心
云何為命來至我所而阿那含實不求命世
尊有顛倒者則有求命无顛倒者則不求命
然我今者實不求命所欲求者唯佛法身及
佛智慧憍尸迦求佛法身及佛慧者將來之
世必當得之尒時帝釋聞佛說已五衰沒相
即時消滅便起作礼遶佛三匝恭敬合掌而
白佛言世尊我今即死即生失命得命又聞
佛記當得阿耨多羅三藐三菩提是為更生
為更得命世尊一切人天云何增益復以何
緣而致損減憍尸迦闘諍因緣人天損減善
脩和敬則得增長世尊若以闘諍而損減者
我從今日更不復與阿脩羅戰佛言善哉善
哉憍尸迦諸佛世尊說忍辱法是阿耨多羅

脩和敬則得增長世尊若以闘諍而損減者
我從今日更不復與阿脩羅戰佛言善哉善
哉憍尸迦諸佛世尊說忍辱法是阿耨多羅
三藐三菩提因尒時釋提桓因即前礼佛於
是逃去大王如來以能除諸惡相是故稱佛
不可思議王若住者所有重罪必當得除大
王且聽有婆羅門子字曰不害以煞无量諸
衆生故名鴦崛魔復欲害母惡心起時身亦
隨動身心動者即五逆因五逆因故必墮地獄
後見佛時身心俱動復欲生害身心動者即
五逆因五逆因故當入地獄是人得遇如來大
師即時得滅地獄因緣發阿耨多羅三藐三
菩提心是故稱佛為无上醫非六師也大
王復有須毗羅王子其父瞋之截其手足推
之深井其母憐愍使人牽出將至佛所尋
見佛時手足還具即發阿耨多羅三藐三菩
提心大王以見佛故得現果報是故稱佛為
无上醫非六師也大王如恒河邊有諸餓鬼
其數五百於无量歲初不見水雖至河上純
見流火飢渴所逼發聲號哭尒時如來在其
河側欝曇鉢林坐一樹下時諸餓鬼來至佛
所白佛言世尊我等飢渴命將不遠佛言恒
河流水汝何不飲鬼即荅言如來見水我則
見火佛言恒河清流實无火也以惡業故心自

所白佛言世尊我等飢渴命将不逺佛言恒
河流水汝何不飲鬼即荅言如来見水我則
見火佛言恒河清流實无火也以悪業故心自
顛倒謂為是火我當為汝除滅顛倒令汝見
水尒時世尊廣為諸鬼説慳貪過諸鬼即言
我今渇乏雖有法言都不入心佛言汝若渇
乏先可入河恣意飲之是諸鬼等以佛力故
即得飲水既飲水已如来復為種種説法
既聞法已悉發阿耨多羅三藐三菩提心捨
餓鬼形得於天身大王是故稱佛為无上醫
非六師也大王舍婆提國羣賊五百波斯匿
王挑出其目盲无前導不能得往至於佛所
佛憐愍故即至賊所慰喻之言善男子善護身
口勿更造悪諸賊即時聞如来音微妙清徹
尋還得眼即於佛前合掌礼佛而白佛言世
尊我今知佛慈心普覆一切衆生非獨人天尒
時如来即為説法既聞法已悉發阿耨多
羅三藐三菩提心是故如来真是世間无上
良醫非六師也大王舍婆提國有旃陁羅
名曰氣嘘煞无量人見佛弟子大目乹連即時
得破地獄因緣而得上生三十三天以有如
是聖弟子故稱佛如来為无上醫非六師也
大王波羅柰城有長者子名阿逸多婬悪其
母以是因緣煞其父其母復與外人共通
子既知已便復害之有阿羅漢是其知識於

BD01123號　大般涅槃經（北本）卷一九　（25-18）

大王波羅柰城有長者子名阿逸多婬悪其
母以是因緣煞其父其母復與外人共通
子既知已便復害之有阿羅漢是其知識於
此知識復生愧恥即便煞之煞已即到祇洹
精舍求欲出家時諸比丘具知此人有三
逆罪无敢聽者以不聽故倍生瞋恚即於其
夜放大猛火焚燒僧坊多煞无辜然後復往
王舍城中至如来所求哀出家如来即聽為
説法要令其重罪漸漸輕微發阿耨多羅三
藐三菩提心是故稱佛為世良醫非六師也大
王王本性暴悪信受悪人提婆達多放大酔
象欲令踐佛象既見佛即時醒悟佛便申
手摩其頂上復為説法悉令得發阿耨多羅
三藐三菩提心大王畜生見佛猶得破壊畜
生業果况復人耶大王當知若見佛者所有
重罪必當得滅大王世尊未得阿耨多羅三
藐三菩提時魔與无量无邊眷属至菩薩所
菩薩尒時以忍辱力壊魔悪心令魔受法尋
發阿耨多羅三藐三菩提心佛有如是大功德
力大王有曠野鬼多害衆生如来尒時為善
賢長者至曠野村為其説法時曠野鬼聞
法歡喜即以長者授於如来然後便發阿耨多
羅三藐三菩提心大王波羅㮈國有屠兒名
曰廣額於日日中煞无量羊見舍利弗即受

BD01123號　大般涅槃經（北本）卷一九　（25-19）

力大王有曠野鬼多害衆生如來尒時為善
賢長者至曠野村為其說法時曠野鬼聞
法歡喜即以長者授於如來然後便發阿耨多
羅三藐三菩提心大王波羅㮈國有屠兒名
曰廣額於日日中煞无量羊見舍利弗即受
八戒逕一日夜以是因緣命終得為北方天
王毗沙門子如來弟子尚有如是大功德果
况復佛也大王北天竺有城名曰細石其城
有王名曰龍印貪國重位弑害其父害其父
已心生悔恨即捨國政來至佛所求哀出家
佛言善來即成比丘重罪消滅發阿耨多羅
三藐三菩提心大王當知佛有如是无量无邊
大功德果大王如來有弟提婆達多破壞衆
僧出佛身血害蓮華比丘尼作三逆罪如來
為說種種法要令其重罪尋得微薄是故
如來為大良醫非六師也大王若能信臣語
者唯願速往至如來所若不見信願善思之
大王諸佛世尊大悲普覆不限一人正法弘廣
无所不苞怨親平等心无憎愛終不偏為一
人令得阿耨多羅三藐三菩提餘人不得
如來非獨四部之師普是一切天人龍鬼地
獄畜生餓鬼等師一切衆生亦當視佛如父
母想大王當知如來不但獨為豪貴之人㧞
提迦王而演說法亦為下賤優波離等不獨
偏受須達多阿那邠提所奉飯食亦受貧

獄畜生餓鬼等師一切衆生亦當視佛如父
母想大王當知如來不但獨為豪貴之人㧞
提迦王而演說法亦為下賤優波離等不獨
偏受須達多阿那邠提所奉飯食亦受貧
人須達多食不但獨為舍利弗等利根說法
亦為鈍根周梨槃特不但獨聽大迦葉等无
貪之性出家求道亦聽大貪難陁出家不但
獨聽煩惱薄者優樓頻螺迦葉等出家求道
亦聽煩惱深厚造重罪者波斯匿王弟脩陁
耶出家求道不以莎草恭敬供養㧞其瞋恨
鴦崛摩羅惡心欲害捨而不救不但獨為有
智男子而演說法亦為拙愚淳合智女人
說法不但獨令出家之人得四道果亦令在
家得三道果不但獨為富多羅等捨諸忩務
閑寂思惟而說法要亦為頻婆娑羅王等統
領國事理王務者而說法要不但獨為斷酒
之人亦為耽湎郁伽長者荒醉者說不但獨
為入禪定者離波多等亦為喪子亂心婆羅
門女婆私吒說不但獨為己之弟子亦為外
道尼乾子說不但獨為盛壯之年二十五者
亦為衰老八十者說不但獨為根熟之人亦
為善根未熟者說不但獨為末利夫人亦為
婬女蓮華女說不但獨受波斯匿王上饌甘
味亦受長者尸利毱多雜毒之食大王當知

領國事理王務者而說法要不但獨為斷酒
之人亦為耽酒郁伽長者蕘醉者說不但獨
為入禪定者離波多等亦為喪子乱心婆羅
門女婆私吒說不但獨為己之弟子亦為外
道居乹子說不但獨為盛壯之年二十五者
亦為衰耄八十者說不但獨為根熟之人亦
為善根未熟者說不但獨為末利夫人亦為
婬女蓮華女說不但獨受波斯匿王上饌甘
味亦受長者尸利毱多雜毒之食大王當知
尸利毱多往昔亦作逆罪之因以遇佛聞法
即發阿耨多羅三藐三菩提心大王假使一
月常以衣食供養恭敬一切衆生不如有人
一念念佛所得功德十六分一大王假使鍛金
為人車馬載寶其數各百以用布施不如有
人發心向佛舉足一步大王假使復以為車
百乘載大秦國種種珎寶及其女人身佩
瓔珞數亦滿百持用布施猶故不如發心向
佛舉足一步復置是事若以四事供養三千
大千世界所有衆生猶亦不如發心向佛舉足
一步復置是事若使大王供養恭敬恒河沙
等无量衆生不如一往娑羅雙樹到如來所
誠心聽法尒時大王荅言耆婆如來世尊
性已調柔故得調柔以為眷屬如旃檀林純
以旃檀而為圍遶如來清淨所有眷屬亦復
清淨猶如大龍純以諸龍而為眷屬如來寂

性已調柔故得調柔以為眷屬如旃檀林純
以旃檀而為圍遶如來清淨所有眷屬亦復
清淨猶如大龍純以諸龍而為眷屬如來寂
靜所有眷屬亦復寂靜如來无貪所有眷屬
亦復无貪佛无煩惱所有眷屬亦无煩惱吾
今既是極惡之人惡業纏裹其身臭穢繫屬
地獄去何當得至如來所吾設往者恐不顧
念接叙言說卿雖勸吾今往佛所然吾今日
深自鄙悼都无去心尒時虛空尋出聲言无
上佛法將欲衰殄甚深法河於是欲涸大法
明燈將滅不久法山欲頽法船欲沉法橋欲壞
法殿欲崩法幢欲倒法樹欲折善友欲去
大怖將至法饑衆生將至不久煩惱疫病將
欲流行大闇時至渴法來時魔王欣慶解釋
甲冑佛日將沒大涅槃山大王佛若去世王
之重罪更无治者大王汝今已造阿鼻地獄
極重之業以是業緣必受不疑大王阿者言
无鼻者名間間无暫樂故言无間大王假使
一人獨墮是獄其身長大八万由延遍滿其中
間无空處其身周延受種種苦設有多人
身亦遍滿不相妨㝵大王寒地獄中暫遇𤍠
風以之為樂𤍠地獄中暫遇寒風亦名為樂
有地獄中設命終已若聞活聲即便還活阿
鼻地獄都无此事大王何鼻地獄四方有門

身亦遍滿不相妨㝵大王寒地獄中暫遇熱
風以之為樂熱地獄中暫遇寒風亦名為樂
有地獄中設命終已若聞活聲即便還活阿
鼻地獄都无此事大王阿鼻地獄四方有門
一一門外各有猛火東西南北交過通徹八万
由延周迊鐵墻鐵網彌覆其地亦鐵上火徹
下下火徹上大王若魚在熬脂膏燋然是
中罪人亦復如是大王作一逆者則便具受
如是一罪若造二逆罪則二倍五逆具者罪
亦五倍大王我今定知王之惡業必不得免
唯願大王速往佛所除佛世尊餘无能救我
今愍汝故相勸導尒時大王聞是語已心懷
怖懼舉身戰慄五體掉動如芭蕉樹仰而荅
曰汝為是誰不現色像而但有聲大王吾是
汝父頻婆娑羅汝今當隨耆婆所說莫隨邪
見六臣之言時王聞已悶絶躄地身瘡增劇
臭穢倍前雖以冷藥塗而治之瘡蒸毒熱但
增无損

大般涅槃經卷第十九

BD01123號　大般涅槃經（北本）卷一九　（25–24）

亦五倍大王我今定知王之惡業必不得免
唯願大王速往佛所除佛世尊餘无能救我
今愍汝故相勸導尒時大王聞是語已心懷
怖懼舉身戰慄五體掉動如芭蕉樹仰而荅
曰汝為是誰不現色像而但有聲大王吾是
汝父頻婆娑羅汝今當隨耆婆所說莫隨邪
見六臣之言時王聞已悶絶躄地身瘡增劇
臭穢倍前雖以冷藥塗而治之瘡蒸毒熱但
增无損

大般涅槃經卷第十九

BD01123號　大般涅槃經（北本）卷一九　（25–25）

安居竟不出行波逸提
若比丘尼邊界有疑恐怖處人間遊行者波逸提
若比丘尼於界内有疑恐怖處在閒人遊行者波逸提
若比丘尼親近居士居士兒共住作不隨順行餘比丘尼
諫此比丘尼言妹汝莫親近居士兒共住作不隨順行大
妹可別住汝若別住於佛法有增益安樂住彼比丘尼
諫此比丘尼時堅持不捨彼比丘尼應三諫捨此事故
乃至三諫捨此事者善不捨者波逸提
若比丘尼往觀王宮文飾畫堂園林浴池者波逸提 百
若比丘尼露身形在河水泉水渠水中浴者波逸提
若比丘尼作浴衣應量作應量作者長佛六磔手
廣二磔手半若過者波逸提
若比丘尼縫僧伽梨過五日除求索僧伽梨出迦絺
那衣八難事起者波逸提
若比丘尼過五日不看僧伽梨者波逸提
若比丘尼與衆僧衣作留難者波逸提
若比丘尼不問主便著他衣者波逸提
若比丘尼持沙門衣施與外道白衣者波逸提
若比丘尼作如是意衆僧如法分衣遮令不分恐弟
子不得者波逸提
若比丘尼作如是意令衆僧令不得出迦絺那衣後
當欲令五事久得放捨波逸提
若比丘尼作如是意比丘尼僧不出迦絺那衣欲令久得
五事放捨波逸提 一百一十

BD01124 號 A　四分比丘尼戒本　（4–1）

若比丘尼持沙門衣施與外道白衣者波逸提
若比丘尼作如是意衆僧如法分衣遮令不分恐弟
子不得者波逸提
若比丘尼作如是意令衆僧令不得出迦絺那衣後
當欲令五事久得放捨波逸提
若比丘尼作如是意比丘尼僧不出迦絺那衣欲令久得
五事放捨波逸提 一百一十
若比丘尼餘比丘尼語言為我滅此諍事而不作方便令
滅者波逸提
若比丘尼自手持食與白衣入外道食者波逸提
若比丘尼為白衣作使者波逸提
若比丘尼自手紡績者波逸提
若比丘尼入白衣舍内在小林大林上若坐若臥波逸提
若比丘尼至白衣舍語主人敷敷坐止宿明日不辭主人而
去波逸提
若比丘尼誦習世俗呪者波逸提
若比丘尼教人誦習呪術者波逸提
若比丘尼知女人任身度與受具足戒者波逸提
若比丘尼知婦女乳兒與受具足戒者波逸提 百廿
若比丘尼知年不滿廿與受具足戒者波逸提
若比丘尼年十八童女不與二歲學戒年廿便與受具
足戒者波逸提
若比丘尼年十八童女與二歲學戒與六法滿廿衆僧不
聽便與受具戒者波逸提
若比丘尼度曾嫁女婦年十歲與二歲學戒年滿十二
聽與受具足戒若減十二與受具戒者波逸提
若比丘尼度小年曾嫁婦女與二歲學戒年滿十二不
白衆僧與受具足戒波逸提
若比丘尼知如是人與受具足戒者波逸提

BD01124 號 A　四分比丘尼戒本　（4–2）

若比丘尼年十八童女與二歲學戒與六法滿廿衆僧不
聽便與受具戒者波逸提
若比丘尼度曾嫁女婦年十歲與二歲學戒年滿十二
聽與受具足戒若減十二與受具戒者波逸提
若比丘尼度小年曾嫁婦女與二歲學戒年滿十二不
白衆僧與受具足戒波逸提
若比丘尼知如是人與受具足戒者波逸提
若比丘尼多度弟子不教二歲學戒不以二法攝取波
逸提
若比丘尼不二歲隨和上尼者波逸提
若比丘尼僧不聽而授人具足戒者波逸提 百卅
若比丘尼年滿十二歲衆僧不聽便授人具足戒者波逸提
若比丘尼僧不聽授人具足戒便言衆僧有愛有恚有怖
有癡欲聽者便聽不欲聽者便不聽波逸提
若比丘尼父母夫主不聽與受具足戒者波逸提
若比丘尼知如女人與童男男子相敬愛愁憂瞋恚女人
度令出家受具足戒者波逸提
若比丘尼語式叉摩那言汝妹捨是學是當與汝受
具足戒若不方便與受具足戒波逸提
若比丘尼語式叉摩那言持衣來與我當我與汝受具
足戒而不方便與受具足戒波逸提
若比丘尼不滿一歲授人具足戒者波逸提
若比丘尼與人授具足戒已經宿方往比丘僧中與受具
足戒者波逸提
若比丘尼不病不往受教授者波逸提 百卌
若比丘尼半月應往比丘尼僧中求教授若不求者波逸提
若比丘尼僧夏安居竟應往比丘僧中說三事自恣見
聞疑若不者波逸提

BD01124 號 A　四分比丘尼戒本　（4–3）

若比丘尼父母夫主不聽與受具足戒者波逸提
若比丘尼知如女人與童男男子相敬愛愁憂瞋恚女人
度令出家受具足戒者波逸提
若比丘尼語式叉摩那言汝妹捨是學是當與汝受
具足戒若不方便與受具足戒波逸提
若比丘尼語式叉摩那言持衣來與我當我與汝受具
足戒而不方便與受具足戒波逸提
若比丘尼不滿一歲授人具足戒者波逸提
若比丘尼與人授具足戒已經宿方往比丘僧中與受具
足戒者波逸提
若比丘尼不病不往受教授者波逸提 百卌
若比丘尼半月應往比丘尼僧中求教授若不求者波逸提
若比丘尼僧夏安居竟應往比丘僧中說三事自恣見
聞疑若不者波逸提
若比丘尼在無比丘處夏安居者波逸提
若比丘尼知有比丘僧藍不白而入者波逸提
若比丘尼罵比丘者波逸提
若比丘尼喜闘諍不善憶持諍事後瞋恚不喜
罵比丘尼衆者波逸提
若比丘尼身生癰及種種創不白衆及餘人輒使男子

BD01124 號 A　四分比丘尼戒本　（4–4）

衣者尼薩耆波逸提
若比丘尼不得衣者隨彼所來處若自往若遣使往語言
汝先遣使持衣買與某甲比丘尼是比丘尼竟不得汝
還取莫使失此是時
若比丘尼自取金銀若錢若教人取若口可受尼薩耆波逸提
若比丘尼種種買賣寶物者尼薩耆婆逸提
若比丘尼種種販賣者尼薩耆波逸提
若比丘尼鉢減五綴不漏更求新鉢為好故尼薩耆波逸提
若比丘尼當持此新鉢於尼衆中捨從次第貿至下坐
以下坐鉢與此比丘尼言妹持此鉢不乃至破此是時
若比丘尼自求縷使非親里織師作衣者尼薩耆波逸提
若比丘尼居士居士婦使織師為比丘尼織作衣彼比丘
尼先不受自恣請便往到彼所語織師言此衣為我織極
好織令廣長堅緻齊整好我當少多與汝價若比丘尼與
價乃至一食得衣者尼薩耆波逸提
若比丘尼與比丘尼衣已後瞋恚若自奪若教人奪取還
我衣來[illegible]比丘尼應還衣彼衣者尼薩耆波逸提
若諸病比丘尼畜藥蘇油生蘇蜜石蜜得食殘宿乃至
七日得服若過七日服尼薩耆波逸提

BD01124 號 B　四分比丘尼戒本　（2–1）

若比丘尼與比丘尼衣已後瞋恚若自奪若教人奪取還
我衣來[illegible]比丘尼應還衣彼衣者尼薩耆波逸提
若諸病比丘尼畜藥蘇油生蘇蜜石蜜得食殘宿乃至
七日得服若過七日服尼薩耆波逸提
若比丘尼十日未滿夏三月若有急施衣比丘尼知是急施
衣應受受已乃至衣時應畜若過者畜尼薩耆波逸提
若比丘尼知物向僧自求入己者尼薩耆波逸提
若比丘尼欲索是更索彼者尼薩耆波逸提
若比丘尼知檀越所為僧施異迴作餘用者尼薩耆波逸提
若比丘尼所為施物異自求為僧迴作餘用者尼薩耆波逸提
若比丘尼檀越所施物異迴作餘用者尼薩耆波逸提
若比丘尼檀越所為施物異自求為僧迴作餘用者尼薩
耆波逸提
若比丘尼畜長鉢者尼薩耆波逸提
若比丘尼多畜好色器者尼薩耆波逸提
若比丘尼許比丘尼病衣後不與者尼薩耆波逸提
若比丘尼以非時衣受作時衣者尼薩耆波逸提
若比丘尼與比丘尼衣貿易衣後瞋恚還自奪取若使人
奪妹還我衣來我不與汝汝衣屬汝我衣還我　者尼薩

BD01124 號 B　四分比丘尼戒本　（2–2）

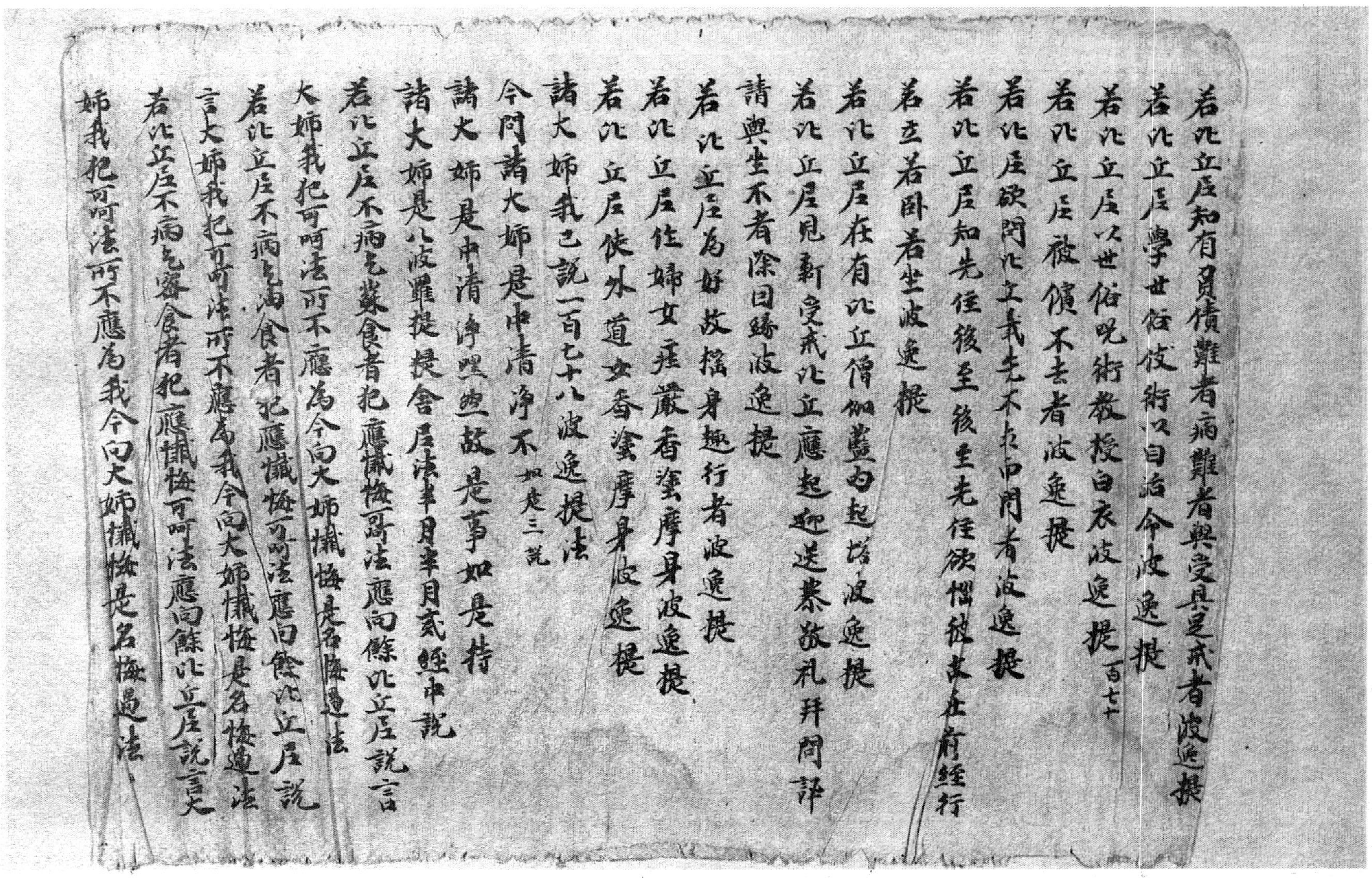

若比丘尼知有負債難者病難者與受具足戒者波逸提
若比丘尼學世俗伎術以自活命波逸提
若比丘尼以世俗呪術教授白衣波逸提 一百七十
若比丘尼被擯不去者波逸提
若比丘尼欲問比丘義先不求聽而問者波逸提
若比丘尼知先住後至後至先住欲惱彼故在前經行
若立若臥若坐波逸提
若比丘尼在有比丘僧伽藍內起塔波逸提
若比丘尼見新受戒比丘應起迎逆恭敬禮拜問訊
請與坐不者除因緣波逸提
若比丘尼為好故搖身趨行者波逸提
若比丘尼作婦女莊嚴香塗摩身波逸提
若比丘尼使外道女香塗摩身波逸提
諸大姊我已說一百七十八波逸提法
今問諸大姊是中清淨不 如是三說
諸大姊是中清淨默然故是事如是持
諸大姊是八波羅提提舍尼法半月半月戒經中說
若比丘尼不病乞蘇食者犯應懺悔可訶法應向餘比丘尼說言
大姊我犯可訶法所不應為今向大姊懺悔是名悔過法
若比丘尼不病乞油食者犯應懺悔可訶法應向餘比丘尼說
言大姊我犯可訶法所不應為我今向大姊懺悔是名悔過法
若比丘尼不病乞蜜食者犯應懺悔可訶法應向餘比丘尼說言大
姊我犯可訶法所不應為我今向大姊懺悔是名悔過法

BD01125號　四分比丘尼戒本　（1–1）

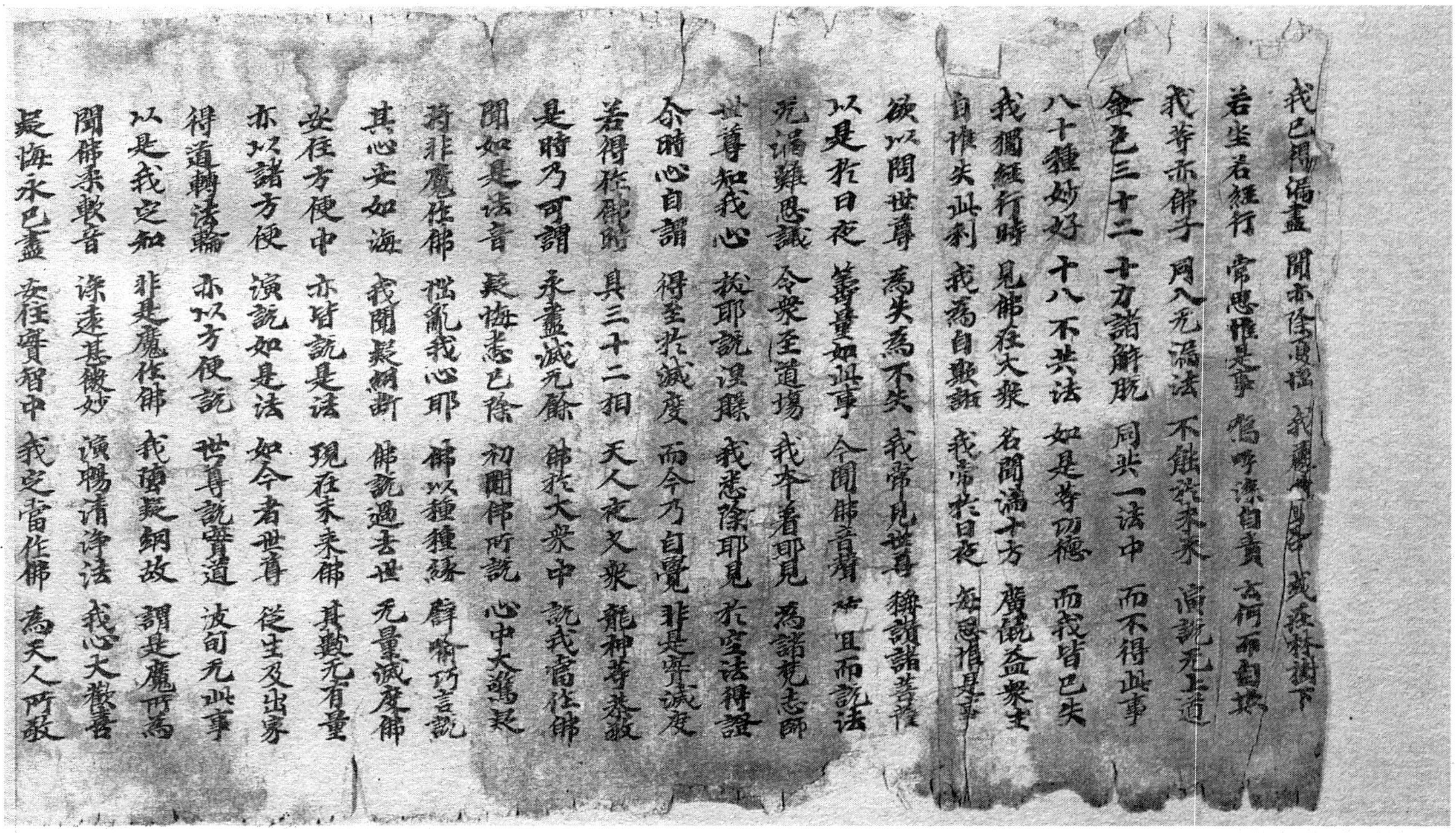

我已得漏盡　聞亦除憂惱　我處於山谷　或在林樹下
若坐若經行　常思惟是事　嗚呼深自責　云何而自欺
我等亦佛子　同入无漏法　不能於未來　演說无上道
金色三十二　十方諸解脫　同共一法中　而不得此事
八十種妙好　十八不共法　如是等功德　而我皆已失
我獨經行時　見佛在大眾　名聞滿十方　廣饒益眾生
自惟失此利　我為自欺誑　我常於日夜　每思惟是事
欲以問世尊　為失為不失　我常見世尊　稱讚諸菩薩
以是於日夜　籌量如此事　今聞佛音聲　隨宜而說法
无漏難思議　令眾至道場　我本著邪見　為諸梵志師
世尊知我心　拔邪說涅槃　我悉除邪見　於空法得證
爾時心自謂　得至於滅度　而今乃自覺　非是實滅度
若得作佛時　具三十二相　天人夜叉眾　龍神等恭敬
是時乃可謂　永盡滅无餘　佛於大眾中　說我當作佛
聞如是法音　疑悔悉已除　初聞佛所說　心中大驚疑
將非魔作佛　惱亂我心耶　佛以種種緣　譬喻巧言說
其心安如海　我聞疑網斷　佛說過去世　无量滅度佛
安住方便中　亦皆說是法　現在未來佛　其數无有量
亦以諸方便　演說如是法　如今者世尊　從生及出家
得道轉法輪　亦以方便說　世尊說實道　波旬无此事
以是我定知　非是魔作佛　我墮疑網故　謂是魔所為
聞佛柔軟音　深遠甚微妙　演暢清淨法　我心大歡喜
疑悔永已盡　安住實智中　我定當作佛　為天人所敬

BD01126號　妙法蓮華經卷二　（13–1）

亦以諸方便 演說如是法 如今者世尊 從生及出家
得道轉法輪 亦以方便說 世尊說實道 波旬无此事
以是我定知 非是魔作佛 我墮疑網故 謂是魔所為
聞佛柔軟音 深遠甚微妙 演暢清淨法 我心大歡喜
疑悔永已盡 安住實智中 我定當作佛 為天人所敬
轉无上法輪 教化諸菩薩
尒時佛告舍利弗 吾今於天人沙門婆羅門
等大衆中說 我昔曾於二万億佛所 為无上
道故 常教化汝 汝亦長夜隨我受學 我以方
便引導汝故 生我法中 舍利弗 我昔教汝志
願佛道 汝今悉忘 而便自謂已得滅度 我今
還欲令汝憶念本願所行道故 為諸聲聞說
是大乘經 名妙法蓮華 教菩薩法 佛所護念
舍利弗 汝於未來世 過无量无邊不可思議
劫 供養若干千万億佛 奉持正法 具足菩薩
所行之道 當得作佛 号曰華光如來 應供 正
遍知 明行足 善逝 世間解 无上士 調御丈夫
天人師 佛世尊 國名離垢 其土平正 清淨嚴
飾 安隱豐樂 天人熾盛 琉璃為地 有八交道
黃金為繩 以界其側 其傍各有七寶行樹 常
有華菓 華光如來亦以三乘教化衆生 舍利
弗 彼佛出時 雖非惡世 以本願故 說三乘法
其劫名大寶莊嚴 何故名曰大寶莊嚴 其國
中以菩薩為大寶故 彼諸菩薩无量无邊 不
可思議 筭數譬喻所不能及 非佛智力无能

BD01126號　妙法蓮華經卷二　（13–2）

弗 彼佛出時 雖非惡世 以本願故 說三乘法
其劫名大寶莊嚴 何故名曰大寶莊嚴 其國
中以菩薩為大寶故 彼諸菩薩无量无邊 不
可思議 筭數譬喻所不能及 非佛智力无能
知者 若欲行時 寶華承足 此諸菩薩非初發
意 皆久殖德本 於无量百千万億佛所淨脩
梵行 恒為諸佛之所稱歎 常脩佛慧 具大神
通 善知一切諸法之門 質直无偽 志念堅固
如是菩薩 充滿其國 舍利弗 華光佛壽十
二小劫 除為王子未作佛時 其國人民壽八
十劫 華光如來過十二小劫 授堅滿菩薩阿
耨多羅三藐三菩提記 告諸比丘 是堅滿菩薩
次當作佛 号曰華足安行多陀阿伽度阿羅
訶三藐三佛陀 其佛國土亦復如是 舍利弗
是華光佛滅度之後 正法住世三十二小劫
像法住世亦三十二小劫 尒時世尊欲重宣
此義而說偈言
舍利弗來世 成佛普智尊 号名曰華光 當度无量衆
供養无數佛 具足菩薩行 十力等功德 證於无上道
過无量劫已 劫名大寶嚴 世界名離垢 清淨无瑕穢
以琉璃為地 金繩界其道 七寶雜色樹 常有華菓實
彼國諸菩薩 志念常堅固 神通波羅蜜 皆已悉具足
於无數佛所 善學菩薩道 如是等大士 華光佛所化
佛為王子時 棄國捨世榮 於最末後身 出家成佛道
華光佛住世 壽十二小劫 其國人民衆 壽命八小劫

BD01126號　妙法蓮華經卷二　（13–3）

以琉璃為地　金繩界其道　七寶雜色樹　常有華菓實
彼國諸菩薩　志念常堅固　神通波羅蜜　皆已悉具足
於无數佛所　善學菩薩道　如是等大士　華光佛所化
佛為王子時　棄國捨世榮　於最末後身　出家成佛道
華光佛住世　壽十二小劫　其國人民衆　壽命八十劫
佛滅度之後　正法住於世　三十二小劫　廣度諸衆生
正法滅盡已　像法三十二　舍利廣流布　天人普供養
華光佛所為　其事皆如是　其兩足聖尊　最勝无倫匹
彼即是汝身　宜應自欣慶
尒時四部衆比丘比丘尼優婆塞優婆夷天
龍夜叉乾闥婆阿脩羅迦樓羅緊那羅摩
睺羅伽等大衆見舍利弗於佛前受阿耨多
羅三藐三菩提記心大歡喜踊躍无量各各
脫身所著上衣以供養佛釋提桓因梵天王
等與无數天子亦以天妙衣天曼陀羅華摩
訶曼陀羅華等供養於佛所散天衣住虛空
中而自迴轉諸天伎樂百千万種於虛空中一
時俱作雨衆天華而作是言佛昔於波羅柰
初轉法輪今乃復轉无上最大法輪尒時諸
天子欲重宣此義而說偈言
昔於波羅柰　轉四諦法輪　分別說諸法　五衆之生滅
今復轉最妙　无上大法輪　是法甚深奧　少有能信者
我等從昔來　數聞世尊說　未曾聞如是　深妙之上法
世尊說是法　我等皆隨喜　大智舍利弗　今得受尊記
我等亦如是　必當得作佛　於一切世間　最尊无有上

BD01126 號　妙法蓮華經卷二

(13–4)

今復轉最妙　无上大法輪　是法甚深奧　少有能信者
我等從昔來　數聞世尊說　未曾聞如是　深妙之上法
世尊說是法　我等皆隨喜　大智舍利弗　今得受尊記
我等亦如是　必當得作佛　於一切世間　最尊无有上
佛道叵思議　方便隨宜說　我所有福業　今世若過世
及見佛功德　盡迴向佛道
尒時舍利弗白佛言世尊我今无復疑悔親
於佛前得受阿耨多羅三藐三菩提記是諸
千二百心自在者昔住學地佛常教化言我
法能離生老病死究竟涅槃是學无學人亦
各自以離我見及有无見等謂得涅槃而今
於世尊前聞所未聞皆墮疑惑善哉世尊願
為四衆說其因緣令離疑悔尒時佛告舍利
弗我先不言諸佛世尊以種種因緣譬喻言
辭方便說法皆為阿耨多羅三藐三菩提耶
是諸所說皆為化菩薩故然舍利弗今當復
以譬喻更明此義諸有智者以譬喻得解舍
利弗若國邑聚落有大長者其年衰邁財富
无量多有田宅及諸僮僕其家廣大唯有一
門多諸人衆一百二百乃至五百人止住其
中堂閣朽故墻壁頹落柱根腐敗梁棟傾危
周帀俱時欻然火起焚燒舍宅長者諸子若
十二十或至三十在此宅中長者見是大火
從四面起即大驚怖而作是念我雖能於此
[illegible]

BD01126 號　妙法蓮華經卷二

(13–5)

中堂閣朽故墻壁頹落柱根腐敗梁棟傾危
周帀俱時欻然火起焚燒舍宅長者諸子若
十二十或至三十在此宅中長者見是大火
從四面起即大驚怖而作是念我雖能於此
所燒之門安隱得出而諸子等於火宅內樂
着嬉戲不覺不知不驚不怖火來逼身苦痛
切己心不猒患无求出意舍利弗是長者作是
思惟我身手有力當以衣裓若以几案從舍出
之復更思惟是舍唯有一門而復狹小諸子
幼稚未有所識戀着戲處或當墮落為火
所燒我當為說怖畏之事此舍已燒宜時
疾出无令為火之所燒害作是念已如所思
惟具告諸子汝等速出父雖憐愍善言誘喻
而諸子等樂着嬉戲不肯信受不驚不畏了
无出心亦復不知何者是火何者為舍云何
為失但東西走戲視父而已尒時長者即作
是念此舍已為大火所燒我及諸子若不時
出必為所焚我今當設方便令諸子等得免
斯害父知諸子先心各有所好種種珍玩奇
異之物情必樂着而告之言汝等所可玩好
希有難得汝若不取後必憂悔如此種種羊
車鹿車牛車今在門外可以遊戲汝等於此
火宅宜速出來隨汝所欲皆當與汝尒時諸
子聞父所說珍玩之物適其願故心各勇鋭

BD01126號　妙法蓮華經卷二　（13-6）

希有難得汝若不取後必憂悔如此種種羊
車鹿車牛車今在門外可以遊戲汝等於此
火宅宜速出來隨汝所欲皆當與汝尒時諸
子聞父所說珍玩之物適其願故心各勇鋭
互相推排競共馳走爭出火宅是時長者見
諸子等安隱得出皆於四衢道中露地而坐
无復障礙其心泰然歡喜踊躍時諸子等各
白父言父先所許玩好之具羊車鹿車牛車
願時賜與舍利弗尒時長者各賜諸子等一
大車其車高廣衆寶莊校周帀欄楯四面懸
鈴又於其上張設幰蓋亦以珍奇雜寶而嚴
飾之寶繩交絡垂諸華瓔重敷綩綖安置丹
枕駕以白牛膚色充潔形體姝好有大筋力
行步平正其疾如風又多僕從而侍衛之所
以者何是大長者財富无量種種諸藏悉皆
充溢而作是念我財物无極不應以下劣小
車與諸子等今此幼童皆是吾子愛无偏黨
我有如是七寶大車其數无量應當等心各
各與之不宜差別所以者何以我此物周給
一國猶尚不匱何況諸子是時諸子各乘大
車得未曾有非本所望舍利弗於汝意云何
是長者等與諸子珍寶大車寧有虛妄不舍
利弗言不也世尊是長者但令諸子得免火
難全其軀命非為虛妄何以故若全身命便

BD01126號　妙法蓮華經卷二　（13-7）

車得未曾有非本所望舍利弗於汝意云何
是長者等與諸子珎寶大車寧有虛妄不舍
利弗言不也世尊是長者但令諸子得免火
難全其軀命非為虛妄何以故若全身命便
為已得玩好之具况復方便於彼火宅而拔
濟之世尊若是長者乃至不與最小一車猶
不虛妄何以故是長者先作是意我以方便
令子得出以是因緣无虛妄也何况長者自
知財富无量欲饒益諸子等與大車佛告舍
利弗善哉善哉如汝所言舍利弗如來亦復
如是則為一切世間之父於諸怖畏衰惱憂
患无明闇蔽永盡无餘而悉成就无量知見
力无所畏有大神力及智慧力具足方便智
慧波羅蜜大慈大悲常无懈惓恒求善事利
益一切而生三界朽故火宅為度眾生生老
病死憂悲苦惱愚癡闇蔽三毒之火教化令
得阿耨多羅三藐三菩提見諸眾生為生老
病死憂悲苦惱之所燒煮亦以五欲財利故
受種種苦又以貪著追求故現受眾苦後受
地獄畜生餓鬼之苦若生天上及在人間貧
窮困苦愛別離苦怨憎會苦如是等種種諸
苦眾生沒在其中歡喜遊戲不覺不知不驚
不怖亦不生猒不求解脫於此三界火宅東

BD01126號　妙法蓮華經卷二　(13–8)

地獄畜生餓鬼之苦若生天上及在人間貧
窮困苦愛別離苦怨憎會苦如是等種種諸
苦眾生沒在其中歡喜遊戲不覺不知不驚
不怖亦不生猒不求解脫於此三界火宅東
西馳走雖遭大苦不以為患舍利弗佛見此
已便作是念我為眾生之父應拔其苦難與
无量无邊佛智慧樂令其遊戲舍利弗如來
復作是念若我但以神力及智慧力捨於方便
為諸眾生讚如來知見力无所畏者眾生
不能以是得度所以者何是諸眾生未免生
老病死憂悲苦惱而為三界火宅所燒何由
能解佛之智慧舍利弗如彼長者雖復身手
有力而不用之但以慇懃方便勉濟諸子火宅
之難然後各與珎寶大車如來亦復如是雖有
力无所畏而不用之但以智慧方便於三界火
宅救濟眾生為說三乘聲聞辟支佛乘而作是
言汝等莫得樂住三界火宅勿貪麁弊色聲
香味觸也若貪著生愛則為所燒汝等速出
三界當得三乘聲聞辟支佛佛乘我今為
汝保任此事終不虛也汝等但當勤脩精進
如來以是方便誘進眾生復作是言汝等當
知此三乘法皆是聖所稱歎自在无繫无所
依求乘是三乘以无漏根力覺道禪定解

BD01126號　妙法蓮華經卷二　(13–9)

如来以是方便誘進衆生復作是言汝等當
知此三乘法皆是聖所稱歎自在无繫无所
依求乘是三乘以无漏根力覺道禪定解
脫三昧等而自娛樂便得无量安隱快樂舍
利弗若有衆生内有智性從佛世尊聞法信
受慇懃精進欲速出三界自求涅槃是名聲聞
乘如彼諸子為求羊車出於火宅若有衆生
從佛世尊聞法信受慇懃精進求自然慧樂
獨善寂深知諸法因緣是名辟支佛乘如
彼諸子為求鹿車出於火宅若有衆生從佛
世尊聞法信受慇懃精進求自然慧樂獨善寂
深知諸法因緣是名辟支佛乘如彼諸子為
求鹿車出於火宅若有衆生從佛世尊聞法信
受勤修精進求一切智佛智自然智无師智如
来知見力无所畏愍念安樂无量衆生利益天
人度脫一切是名大乘菩薩求此乘故名為
摩訶薩如彼諸子為求牛車出於火宅舍利
弗如彼長者見諸子等安隱得出火宅到无
畏處自惟財富无量等以大車而賜諸子如
来亦復如是為一切衆生之父若見无量億千
衆生以佛教門出三界苦怖畏險道得涅槃
樂如来尒時便作是念我有无量无邊智慧
力无畏等諸佛法藏是諸衆生皆是我子等
與大乘不令有人獨得滅度皆以如来滅度而

BD01126號　妙法蓮華經卷二　　（13-10）

衆生以佛教門出三界苦怖畏險道得涅
樂如来尒時便作是念我有无量无邊智慧
力无畏等諸佛法藏是諸衆生皆是我子等
與大乘不令有人獨得滅度皆以如来滅度而
滅度之是諸衆生脫三界者悉與諸佛禪定
解脫等娛樂之具皆是一相一種聖所稱歎
能生淨妙第一之樂舍利弗如彼長者初
以三車誘引諸子然後但與大車寶物莊嚴
安隱第一然彼長者无虛妄之咎如来亦復
如是无有虛妄初說三乘引導衆生然後
但以大乘而度脫之何以故如来有无量智慧力
无所畏諸法之藏一切衆生大乘之法但不盡能
受舍利弗以是因緣當知諸佛方便力故於一佛
乘分別說三佛欲重宣此義而說偈言
譬如長者　有一大宅　其宅久故　而復頓弊
堂舍高危　柱根摧朽　梁棟傾斜　基陛頹毀
墻壁圮坼　泥塗褫落　覆苫亂墜　椽梠差脫
周障屈曲　雜穢充遍　有五百人　止住其中
守宮百足　狖狸鼷鼠　諸惡虫輩　交橫馳走
屎尿臭處　不淨流溢　蜣蜋諸虫　而集其上
狐狼野干　咀嚼踐蹋　嚌齧死屍　骨肉狼藉
由是群狗　競來搏撮　飢羸慞惶　處處求食
鬪諍齟掣　啀喍嗥吠　其舍恐怖　變狀如是
處處皆有　魑魅魍魎　夜叉惡鬼　食噉人肉
毒虫之屬　諸惡禽獸　孚乳產生　各自藏護

BD01126號　妙法蓮華經卷二　　（13-11）

由是群狗　競来搏撮　飢羸慞惶　處處求食
鬪諍齟掣　嘊喍嘷吠　其舍恐怖　變狀如是
處處皆有　魑魅魍魎　夜叉惡鬼　食噉人肉
毒虫之屬　諸惡禽獸　孚乳產生　各自藏護
夜叉競来　爭取食之　食之既飽　惡心轉熾
鬪諍之聲　甚可怖畏　鳩槃荼鬼　蹲踞土埵
或時離地　一尺二尺　往反遊行　縱逸嬉戲
捉狗兩足　撲令失聲　以脚加頸　怖狗自樂
復有諸鬼　其身長大　裸形黑瘦　常住其中
發大惡聲　叫呼求食　復有諸鬼　其咽如針
復有諸鬼　首如牛頭　或食人肉　或復噉狗
頭髮蓬亂　殘害凶險　飢渴所逼　叫喚馳走
夜叉餓鬼　諸惡鳥獸　飢急四向　窺看窓牖
如是諸難　恐畏无量　是朽故宅　屬于一人
其人近出　未久之間　於後舍宅　欻然火起
四面一時　其焰俱熾　棟梁椽柱　爆聲震裂
摧折墮落　墻壁崩倒　諸鬼神等　揚聲大叫
鵰鷲諸鳥　鳩槃荼等　周章惶怖　不能自出
惡獸毒虫　藏竄孔穴　毗舍闍鬼　亦住其中
薄福德故　為火所逼　共相殘害　飲血噉肉
野干之屬　並已前死　諸大惡獸　競来食噉
臭烟熢㶿　四面充塞　蜈蚣蚰蜒　毒蛇之類
為火所燒　爭走出穴　鳩槃荼鬼　隨取而食
又諸餓鬼　頭上火燃　飢渴熱惱　周章悶走
其宅如是　甚可怖畏　毒害火災　衆難非一
是時宅主　在門外立　聞有人言　汝諸子等
先因遊戲　来入此宅　稚小无知　歡娛樂著

BD01126號　妙法蓮華經卷二　（13–12）

臭烟熢㶿　四面充塞　蜈蚣蚰蜒　毒蛇之類
為火所燒　爭走出穴　鳩槃荼鬼　隨取而食
又諸餓鬼　頭上火燃　飢渴熱惱　周章悶走
其宅如是　甚可怖畏　毒害火災　衆難非一
是時宅主　在門外立　聞有人言　汝諸子等
先因遊戲　来入此宅　稚小无知　歡娛樂著
長者聞已　驚入火宅　方宜救濟　令无燒害
告喻諸子　說衆患難　惡鬼毒虫　災火蔓莚
衆苦次第　相續不絕　毒蛇蚖蝮　及諸夜叉
鳩槃荼鬼　野干狐狗　鵰鷲鵄梟　百足之屬
飢渴惱急　甚可怖畏　此苦難處　況復大火
諸子无知　雖聞父誨　猶故樂著　嬉戲不已
是時長者　而作是念　諸子如此　益我愁惱
今此舍宅　无一可樂　而諸子等　耽湎嬉戲
不受我教　將為火害　即便思惟　設諸方便
告諸子等　我有種種　珍玩之具　妙寶好車
羊車鹿車　大牛之車　今在門外　汝等出来
吾為汝等　造作此車　隨意所樂　可以遊戲
諸子聞說　如此諸車　即時奔競　馳走而出

BD01126號　妙法蓮華經卷二　（13–13）

菩提菩薩應如是布施不住於相何以故若
菩薩不住相布施其福德不可思量須菩提
於意云何東方虛空可思量不不也世尊須
菩提南西北方四維上下虛空可思不不也世
尊須菩提菩薩无住相布施福德亦復如
是不可思量須菩提菩薩但應如所教住
須菩提於意云何可以身相見如來不不也
世尊不可以身相得見如來何以故如來所
說身相即非身相佛告須菩提凡所有相皆
是虛妄若見諸相非相則見如來
須菩提白佛言世尊頗有衆生得聞如是言
說章句生實信不佛告須菩提莫作是說
如來滅後後五百歲有持戒修福者於此章
句能生信心以為實當知是人不於一佛二佛
三四五佛而種善根已於無量千万佛所種
諸善根聞是章句乃至一念生淨信者須
菩提如來悉知悉見是諸衆生得如是无量
福德何以故是諸衆生无復我相人相衆生
相壽者相无法相亦无非法相何以故是諸衆
生若心取相則為著我人衆生壽者若取法
相即著我人衆生壽者何以故若取非法相
即著我人衆生壽者是故不應取法不應取
非法以是義故如來常說汝等比丘知我說

BD01127號　金剛般若波羅蜜經　（14–1）

生若心取相則為著我人衆生壽者若取法
相即著我人衆生壽者何以故若取非法相
即著我人衆生壽者是故不應取法不應取
非法以是義故如來常說汝等比丘知我說
法如筏喻者法尚應捨何況非法
須菩提於意云何如來得阿耨多羅三藐三菩
提耶如來有所說法耶須菩提言如我解佛
所說義无有定法名阿耨多羅三藐三菩提
亦无有定法如來可說何以故如來所說法
皆不可取不可說非法非非法所以者何一切
賢聖皆以无為法而有差別
須菩提於意云何若人滿三千大千世界七
寶以用布施是人所得福德寧為多不須菩
提言甚多世尊何以故是福德即非福德性是
故如來說福德多若復有人於此經中受持
乃至四句偈等為他人說其福勝彼何以故
須菩提一切諸佛及諸佛阿耨多羅三藐三
菩提法皆從此經出須菩提所謂佛法者
即非佛法
須菩提於意云何須陁洹能作是念我得須
陁洹果不須菩提言不也世尊何以故須陁
洹名為入流而无所入不入色聲香味觸法是
名須陁洹須菩提於意云何斯陁含能作是
念我得斯陁含果不須菩提言不也世尊何
以故斯陁含名一往來而實无往來是名斯

BD01127號　金剛般若波羅蜜經　（14–2）

洹名為入流而无所入不入色聲香味觸法是
名須陁洹須菩提於意云何斯陁含能作是
念我得斯陁含果不須菩提言不也世尊何
以故斯陁含名一往來而實无往來是名斯
陁含須菩提於意云何阿那含能作是念我
得阿那含果不須菩提言不也世尊何以故
阿那含名為不來而實无來是故名阿那含
須菩提於意云何阿羅漢能作是念我得阿
羅漢道不須菩提言不也世尊何以故實无
有法名阿羅漢世尊若阿羅漢作是念我得
阿羅漢道即為著我人衆生壽者世尊佛說
我得无諍三昧人中最為第一是第一離欲
阿羅漢我不作是念我是離欲阿羅漢世尊
我若作是念我得阿羅漢道世尊則不說
須菩提是樂阿蘭那行者以須菩提實无
所行而名須菩提是樂阿蘭那行
佛告須菩提於意云何如來昔在然燈佛所
於法有所得不世尊如來在然燈佛所於法
實无所得須菩提於意云何菩薩莊嚴佛土
不不也世尊何以故莊嚴佛土者則非莊嚴是
名莊嚴是故須菩提諸菩薩摩訶薩應如是
生清淨心不應住色生心不應住聲香味觸
法生心應无所住而生其心須菩提譬如有
人身如須弥山王於意云何是身為大不須
菩提言甚大世尊何以故佛說非身是名

BD01127 號　金剛般若波羅蜜經　（14–3）

法生心應无所住而生其心須菩提譬如有
人身如須弥山王於意云何是身為大不須
菩提言甚大世尊何以故佛說非身是名
大身
須菩提如恒河中所有沙數如是沙等恒河
於意云何是諸恒河沙寧為多不須菩提言
甚多世尊但諸恒河尚多无數何況其沙須
菩提我今實言告汝若有善男子善女人以
七寶滿尒所恒河沙數三千大千世界以用
布施得福多不須菩提言甚多世尊佛告
須菩提若善男子善女人於此經中乃至受
持四句偈等為他人說而此福德勝前福德
復次須菩提隨說是經乃至四句偈等當知
此處一切世間天人阿脩羅皆應供養如佛塔
廟何況有人盡能受持讀誦須菩提當知
是人成就最上第一希有之法若是經典所在
之處則為有佛若尊重弟子
尒時須菩提白佛言世尊當何名此經我等
云何奉持佛告須菩提是經名為金剛般
若波羅蜜以是名字汝當奉持所以者何須
菩提佛說般若波羅蜜則非般若波羅蜜須
菩提於意云何如來有所說法不須菩提白
佛言世尊如來无所說須菩提於意云何三
千大千世界所有微塵是為多不須菩提言
甚多世尊須菩提諸微塵如來說非微塵是

BD01127 號　金剛般若波羅蜜經　（14–4）

佛言世尊如來无所說須菩提於意云何三
千大千世界所有微塵是為多不須菩提言
甚多世尊須菩提諸微塵如來說非微塵是
名微塵如來說世界非世界是名世界須菩提
於意云何可以三十二相見如來不不也世尊
何以故如來說三十二相即是非相是名三
十二相須菩提若有善男子善女人以恒
河沙等身命布施若復有人於此經中乃至
受持四句偈等為他人說其福甚多
尒時須菩提聞說是經深解義趣涕淚悲泣
而白佛言希有世尊佛說如是甚深經典我從
昔來所得慧眼未曾得聞如是之經世尊若
復有人得聞是經信心清淨則生實相當知
是人成就第一希有功德世尊是實相者則
是非相是故如來說名實相世尊我今得聞
如是經典信解受持不足為難若當來世
後[illegible]歲其有衆生得聞是經信解受持
是人[illegible]為第一希有何以故此人無我相人相
衆生相壽者相所以者何我相即是非相人
相衆生相壽者相即是非相何以故離一切
諸相則名諸佛
佛告須菩提如是如是若復有人得聞是經
不驚不怖不畏當知是人甚為希有何以故
須菩提如來說第一波羅蜜非第一波羅
蜜是名第一波羅蜜

BD01127號　金剛般若波羅蜜經　（14–5）

不驚不怖不畏當知是人甚為希有何以故
須菩提如來說第一波羅蜜非第一波羅
蜜是名第一波羅蜜
須菩提忍辱波羅蜜如來說非忍辱波羅蜜
何以故須菩提如我昔為歌利王割截身體
我於尒時無我相無人相無衆生相無壽者
相何以故我於往昔節節支解時若有我相
人相衆生相壽者相應生瞋恨須菩提又念
過去於五百世作忍辱仙人於尒所世无我相
无人相无衆生相无壽者相是故須菩提菩
薩應離一切相發阿耨多羅三藐三菩提
心不應住色生心不應住聲香味觸法生心
應生无所住心若心有住則為非住是故佛
說菩薩心不應住色布施須菩提菩薩為利
益一切衆生應如是布施如來說一切諸相
即是非相又說一切衆生則非衆生須菩提
如來是真語者實語者如語者不誑語者不
異語者須菩提如來所得法此法无實无虛
須菩提若菩薩心住於法而行布施如人入
闇則无所見若菩薩心不住法而行布施如
人有目日光明照見種種色須菩提當來之
世若有善男子善女人能於此經受持讀誦
則為如來以佛智慧悉知是人悉見是人皆
得成就无量无邊功德
須菩提若有善男子善女人初日分以恒河

BD01127號　金剛般若波羅蜜經　（14–6）

則為如來以佛智慧悉知是人悉見是人
得成就无量无邊功德
須菩提若有善男子善女人初日分以恒河
沙等身布施中日分復以恒河沙等身布
施後日分亦以恒河沙等身布施如是无量
百千万億劫以身布施若復有人聞此經典信
心不逆其福勝彼何況書寫受持讀誦為
人解說須菩提以要言之是經有不可思
議不可稱量无邊功德如來為發大乘者
說為發最上乘者說若有人能受持讀誦
廣為人說如來悉知是人悉見是人皆得成
就不可量不可稱无有邊不可思議功德如是
人等則為荷擔如來阿耨多羅三藐三菩
提何以故須菩提若樂小法者著我見人見
衆生見壽者則於此經不能聽受讀誦為人
解說須菩提在在處處若有此經一切世間
天人阿脩羅所應供養當知此處則為是塔
皆應恭敬作禮圍遶以諸華香而散其處
復次須菩提善男子善女人受持讀誦此經
若為人輕賤是人先世罪業應墮惡道以今世
人輕賤故先世罪業則為消滅當得阿耨多
羅三藐三菩提須菩提我念過去无量阿僧
祇劫於然燈佛前得值八百四千万億那由
他諸佛悉皆供養承事无空過者若復有
人於後末世能受持讀誦此經所得功德於
我所供養諸佛功德百分不及一千万億分

BD01127號　金剛般若波羅蜜經　（14–7）

人輕賤故先世罪業則為消滅
羅三藐三菩提須菩提我念過去无量阿僧
祇劫於然燈佛前得值八百四千万億那由
他諸佛悉皆供養承事无空過者若復有
人於後末世能受持讀誦此經所得功德於
我所供養諸佛功德百分不及一千万億分
乃至筭數譬喻所不能及須菩提若善男
子善女人於後末世有受持讀誦此經所得
功德我若具說者或有人聞心則狂亂狐疑
不信須菩提當知是經義不可思議果報亦
不可思議
爾時須菩提白佛言世尊善男子善女人發
阿耨多羅三藐三菩提心云何應住云何降
伏其心佛告須菩提善男子善女人發阿耨
多羅三藐三菩提者當生如是心我應滅度
一切衆生滅度一切衆生已而无有一衆生
實滅度者何以故若菩薩有我相人相衆生
相壽者相則非菩薩所以者何須菩提實
无有法發阿耨多羅三藐三菩提者須菩提
於意云何如來於然燈佛所有法得阿耨多
羅三藐三菩提不不也世尊如我解佛所說義
佛於然燈佛所无有法得阿耨多羅三藐三
菩提佛言如是如是須菩提實无有法如來
得阿耨多羅三藐三菩提須菩提若有法如
來得阿耨多羅三藐三菩提然燈佛則不與
我受記汝於來世當得作佛号釋迦牟尼以

BD01127號　金剛般若波羅蜜經　（14–8）

菩提佛言如是如是須菩提實无有法如來
得阿耨多羅三藐三菩提須菩提若有法如
來得阿耨多羅三藐三菩提者然燈佛則不與
我受記汝於來世當得作佛号釋迦牟尼以
實无有法得阿耨多羅三藐三菩提是故然
燈佛與我受記作是言汝於來世當得作佛
号釋迦牟尼何以故如來者即諸法如義若
有人言如來得阿耨多羅三藐三菩提須菩提
實无有法佛得阿耨多羅三藐三菩提須菩
提如來所得阿耨多羅三藐三菩提於是中
无實无虛是故如來說一切法皆是佛法須
菩提所言一切法者即非一切法是故名一切
法須菩提譬如人身長大須菩提言世尊
如來說人身長大則為非大身是名大身
須菩提菩薩亦如是若作是言我當滅度无
量眾生則不名菩薩何以故須菩提實无有
法名為菩薩是故佛說一切法无我无人无眾
生无壽者須菩提若菩薩作是言我當莊嚴
佛土是不名菩薩何以故如來說莊嚴佛土
者即非莊嚴是名莊嚴須菩提若菩薩通達
無我法者如來說名真是菩薩
須菩提於意云何如來有肉眼不如是世尊
如來有肉眼須菩提於意云何如來有天眼
不如是世尊如來有天眼須菩提於意云何
如來有慧眼不如是世尊如來有慧眼須菩
提於意云何如來有法眼不如是世尊如來

BD01127 號　金剛般若波羅蜜經　（14-9）

如來有肉眼須菩提於意云何如來有天眼
不如是世尊如來有天眼須菩提於意云何
如來有慧眼不如是世尊如來有慧眼須菩
提於意云何如來有法眼不如是世尊如來
有法眼須菩提於意云何如來有佛眼不如
是世尊如來有佛眼須菩提於意云何如恒
河中所有沙佛說是沙不如是世尊如來說
是沙須菩提於意云何如一恒河中所有沙
有如是等恒河是諸恒河所有沙數佛世界
如是寧為多不甚多世尊佛告須菩提尒所
國土中所有眾生若干種心如來悉知何以故
如來說諸心皆為非心是名為心所以者何
須菩提過去心不可得現在心不可得未來
心不可得須菩提於意云何若有人滿三千
大千世界七寶以用布施是人以是因緣得
福多不如是世尊此人以是因緣得福甚多
須菩提若福德有實如來不說得福德多以
福德无故如來說得福德多
須菩提於意云何佛可以具足色身見不不
也世尊如來不應以具足色身見何以故如來
說具足色身即非具足色身是名具足色身
須菩提於意云何如來可以具足諸相見不不
也世尊如來不應以具足諸相見何以故如來
說諸相具足即非具足是名諸相具足須菩
提汝勿謂如來作是念我當有所說法莫
作是念何以故若人言如來有所說法即為

BD01127 號　金剛般若波羅蜜經　（14-10）

也世尊如來不應以具足諸相見何以故如來
說諸相具足即非具足是名諸相具足須菩
提汝勿謂如來作是念我當有所說法莫
作是念何以故若人言如來有所說法即為
謗佛不能解我所說故須菩提說法者無
法可說是名說法須菩提白佛言世尊佛得
阿耨多羅三藐三菩提為無所得耶如是如是
須菩提我於阿耨多羅三藐三菩提乃至無
有少法可得是名阿耨多羅三藐三菩提復
次須菩提是法平等無有高下是名阿耨多
羅三藐三菩提以無我無人無衆生無壽者
脩一切善法則得阿耨多羅三藐三菩提須
菩提所言善法者如來說非善法是名善法
須菩提若三千大千世界中所有諸須弥山
王如是等七寶聚有人持用布施若人以此
般若波羅蜜經乃至四句偈等受持讀誦為
他人說於前福德百分不及一百千万億分乃
至筭數譬喻所不能及
須菩提於意云何汝等勿謂如來作是念我
當度衆生須菩提莫作是念何以故實無有
衆生如來度者若有衆生如來度者如來則
有我人衆生壽者須菩提如來說有我者則
非有我而凡夫之人以為有我須菩提凡夫
者如來說則非凡夫須菩提於意云何可以
三十二相觀如來不須菩提言如是如是以三

BD01127號　金剛般若波羅蜜經　（14–11）

有我人衆生壽者須菩提如來說有我者則
非有我而凡夫之人以為有我須菩提凡夫
者如來說則非凡夫須菩提於意云何可以
三十二相觀如來不須菩提言如是如是以三
十二相觀如來佛言須菩提若以三十二
相觀如來者轉輪聖王則是如來須菩提白
佛言世尊如我解佛所說義不應以三十二
相觀如來尒時世尊而說偈言
若以色見我　以音聲求我　是人行邪道　不能見如來
須菩提汝若作是念如來不以具足相故得
阿耨多羅三藐三菩提須菩提莫作是念
來不以具足相故得阿耨多羅三藐三菩
須菩提汝若作是念發阿耨多羅三藐三菩
提者說諸法斷滅莫作是念何以故發阿
多羅三藐三菩提者於法不說斷滅相須
提若菩薩以滿恒河沙等世界七寶布施
復有人知一切法無我得成於忍此菩薩
前菩薩所得功德須菩提以諸菩薩不受
德故須菩提白佛言世尊云何菩薩不受
德須菩提菩薩所作福德不應貪著是故
不受福德須菩提若有人言如來若來若
若坐若卧是人不解我所說義何以故如
者無所從來亦無所去故名如來須菩提
善男子善女人以三千大千世界碎為微
於意云何是微塵衆寧為多不甚多世尊
何以故若是微塵衆實有者佛則不說

BD01127號　金剛般若波羅蜜經　（14–12）

若坐若卧是人不解我所說義何以故如來
者无所從來亦无所去故名如來須菩提若
善男子善女人以三千大千世界碎為微
於意云何是微塵衆寧為多不甚多世尊
何以故若是微塵衆實有者佛則不說是
塵衆所以者何佛說微塵衆則非微塵衆是
名微塵衆世尊如來所說三千大千世界則
世界是名世界何以故若世界實有者即
合相如來說一合相則非一合相是名一合
菩提一合相者則是不可說但凡夫之人
著其事須菩提若人言佛說我見人見
生見壽者見須菩提於意云何是人
所說義不世尊是人不解如來所說義何
故世尊說我見人見衆生見壽者見
見人見衆生見壽者見是名我見人見衆
見壽者見須菩提發阿耨多羅三藐三
心者於一切法應如是知如是見如是信解
生法相須菩提所言法相者如來說
法相是名法相須菩提若有人以滿无量
僧祇世界七寶持用布施若有善男子
人發菩薩心者持於此經乃至四句偈等
持讀誦為人演說其福勝彼云何為
說不取於相如如不動何以故
一切有為法 如夢幻泡影 如露亦如電 應作如
佛說是經已長老須菩提及諸比丘比
尼優婆塞優婆夷一切世間天人阿修

BD01127號　金剛般若波羅蜜經　（14–13）

故世尊說我見人見衆生見壽者見
見人見衆生見壽者見是名我見人見衆
見壽者見須菩提發阿耨多羅三藐三
心者於一切法應如是知如是見如是信解
生法相須菩提所言法相者如來說
法相是名法相須菩提若有人以滿无量
僧祇世界七寶持用布施若有善男子
人發菩薩心者持於此經乃至四句偈等
持讀誦為人演說其福勝彼云何為
說不取於相如如不動何以故
一切有為法 如夢幻泡影 如露亦如電 應作如
佛說是經已長老須菩提及諸比丘比
尼優婆塞優婆夷一切世間天人阿修
佛所說皆大歡喜信受奉行

金剛般若波羅蜜經

BD01127號　金剛般若波羅蜜經　（14–14）

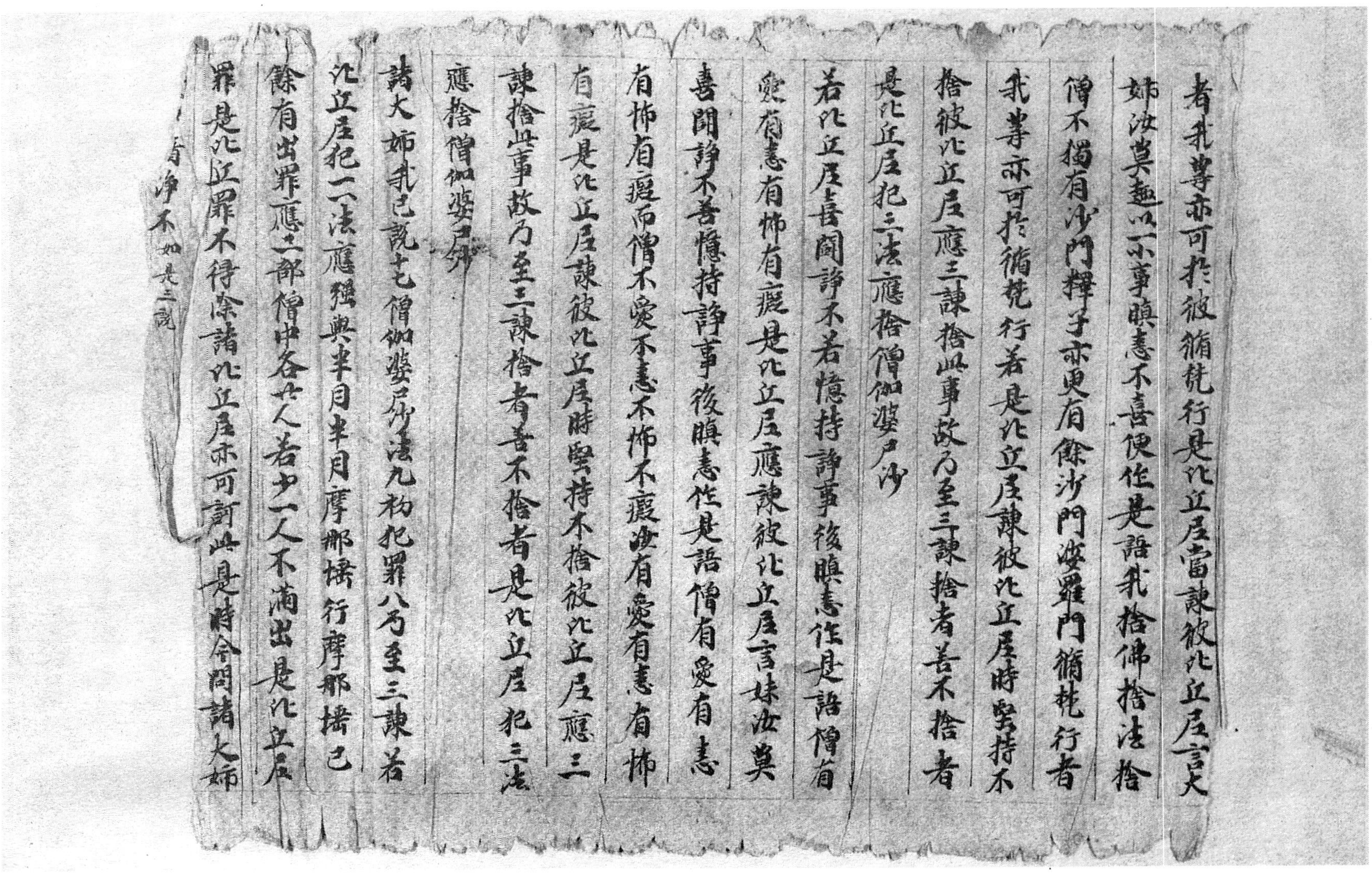
者我等亦可於彼循梵行是比丘尼當諫彼比丘尼言大
姊汝莫趣以一小事瞋恚不喜便作是語我捨佛捨法捨
僧不獨有沙門釋子亦更有餘沙門婆羅門修梵行者
我等亦可於彼循梵行若是比丘尼諫彼比丘尼時堅持不
捨彼比丘尼應三諫捨此事故乃至三諫捨者善不捨者
是比丘尼犯三法應捨僧伽婆尸沙
若比丘尼喜鬪諍不善憶持諍事後瞋恚作是語僧有
愛有恚有怖有癡是比丘尼應諫彼比丘尼言妹汝莫
喜鬪諍不善憶持諍事後瞋恚作是語僧有愛有恚
有怖有癡而僧不愛不恚不怖不癡汝有愛有恚有怖
有癡是比丘尼諫彼比丘尼時堅持不捨彼比丘尼應三
諫捨此事故乃至三諫捨者善不捨者是比丘尼犯三法
應捨僧伽婆尸沙
諸大姊我已說十七僧伽婆尸沙法九初犯罪八乃至三諫若
比丘尼犯一一法應强與半月半月摩那埵行摩那埵已
餘有出罪應二部僧中各廿人若少一人不滿出是比丘尼
罪是比丘尼罪不得除諸比丘尼亦可訶此是時今問諸大姊
……清淨不如是三說

BD01128號　四分比丘尼戒本　　　　（1–1）

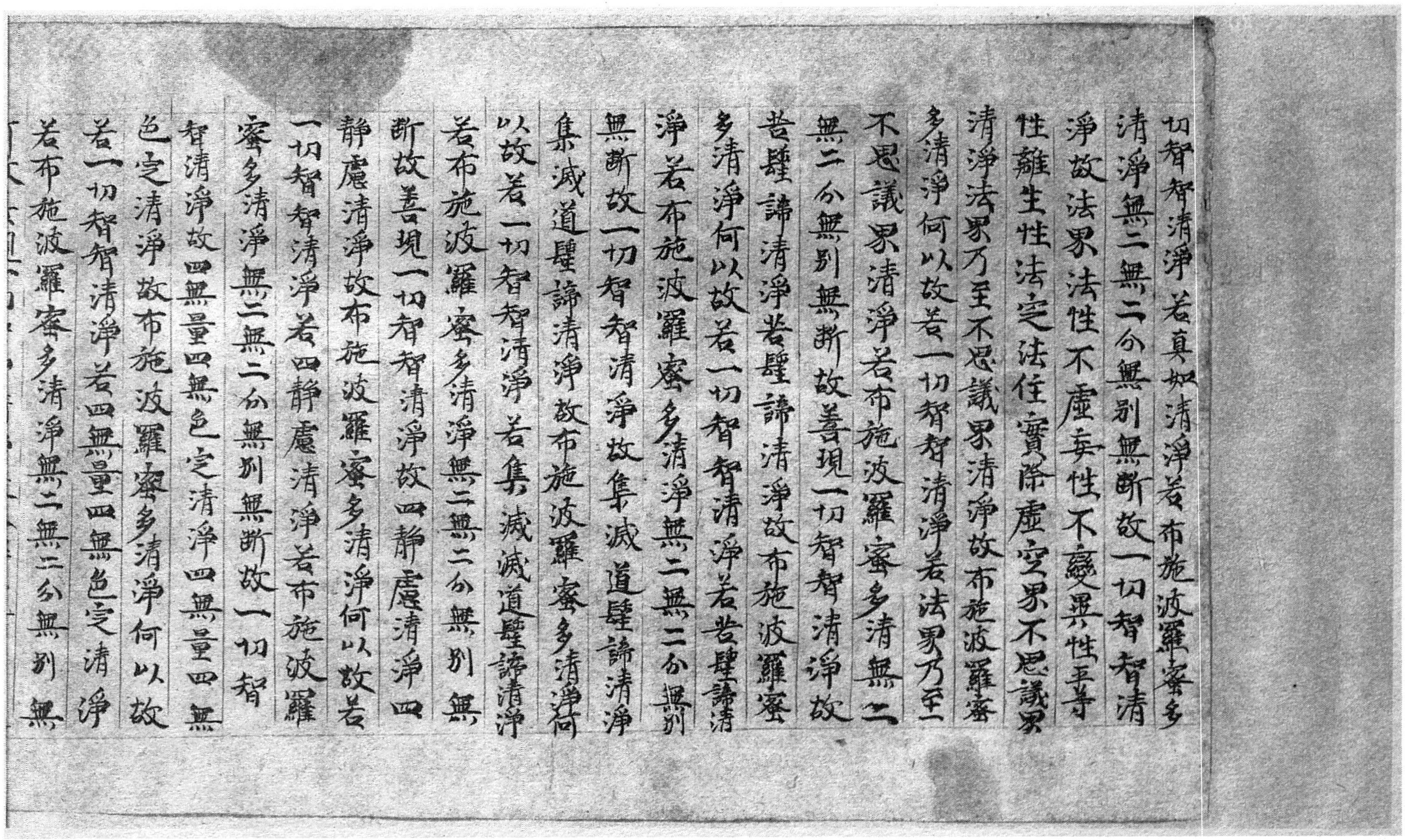
切智智清淨若真如清淨若布施波羅蜜多
清淨無二無二分無別無斷故一切智智清
淨故法界法性不虛妄性不變異性平等
性離生性法定法住實際虛空界不思議界
清淨法界乃至不思議界清淨故布施波羅蜜
多清淨何以故若一切智智清淨若法界乃至
不思議界清淨若布施波羅蜜多清淨無二
無二分無別無斷故善現一切智智清淨故
苦聖諦清淨苦聖諦清淨故布施波羅蜜
多清淨何以故若一切智智清淨若苦聖諦清
淨若布施波羅蜜多清淨無二無二分無別
無斷故一切智智清淨故集滅道聖諦清淨
集滅道聖諦清淨故布施波羅蜜多清淨何
以故若一切智智清淨若集滅道聖諦清淨
若布施波羅蜜多清淨無二無二分無別無
斷故善現一切智智清淨故四靜慮清淨四
靜慮清淨故布施波羅蜜多清淨何以故若
一切智智清淨若四靜慮清淨若布施波羅
蜜多清淨無二無二分無別無斷故一切智
智清淨故四無量四無色定清淨四無量四無
色定清淨故布施波羅蜜多清淨何以故
若一切智智清淨若四無量四無色定清淨
若布施波羅蜜多清淨無二無二分無別無

BD01129號　大般若波羅蜜多經卷二四七　　　　（6–1）

智清淨故四無量四無色定清淨四無量四無
色定清淨故布施波羅蜜多清淨何以故
若一切智智清淨若四無量四無色定清淨
若布施波羅蜜多清淨無二無二分無別無
斷故善現一切智智清淨故八解脫清淨八
解脫清淨故布施波羅蜜多清淨何以故若
一切智智清淨若八解脫清淨若布施波羅
蜜多清淨無二無二分無別無斷故一切智
智清淨故八勝處九次第定十遍處清淨八
勝處九次第定十遍處清淨故布施波羅蜜
多清淨何以故若一切智智清淨若八勝處
九次第定十遍處清淨若布施波羅蜜多清
淨無二無二分無別無斷故善現一切智智清
淨故四念住清淨四念住清淨故布施波
羅蜜多清淨何以故若一切智智清淨若四
念住清淨若布施波羅蜜多清淨無二無二
分無別無斷故一切智智清淨故四正斷四
神足五根五力七等覺支八聖道支清淨四
正斷乃至八聖道支清淨故布施波羅蜜多
清淨何以故若一切智智清淨若四正斷乃
至八聖道支清淨若布施波羅蜜多清淨無
二無二分無別無斷故善現一切智智清淨
故空解脫門清淨空解脫門清淨故布施波
羅蜜多清淨何以故若一切智智清淨若空
解脫門清淨若布施波羅蜜多清淨無二無
二分無別無斷故一切智智清淨故無相無

BD01129號　大般若波羅蜜多經卷二四七　（6–2）

故空解脫門清淨空解脫門清淨故布施波
羅蜜多清淨何以故若一切智智清淨若空
解脫門清淨若布施波羅蜜多清淨無二無
二分無別無斷故一切智智清淨故無相無
願解脫門清淨無相無願解脫門清淨故
布施波羅蜜多清淨何以故若一切智智清淨
若無相無願解脫門清淨若布施波羅蜜多
清淨無二無二分無別無斷故善現一切智
智清淨故菩薩十地清淨菩薩十地清淨故
布施波羅蜜多清淨何以故若一切智智清
淨若菩薩十地清淨若布施波羅蜜多清淨
無二無二分無別無斷故
善現一切智智清淨故五眼清淨五眼清淨
故布施波羅蜜多清淨何以故若一切智智
清淨若五眼清淨若布施波羅蜜多清淨無
二無二分無別無斷故一切智智清淨故六神
通清淨六神通清淨故布施波羅蜜多清
淨何以故若一切智智清淨若六神通清淨
若布施波羅蜜多清淨無二無二分無別無
斷故善現一切智智清淨故佛十力清淨佛
十力清淨故布施波羅蜜多清淨何以故若
一切智智清淨若佛十力清淨若布施波羅
蜜多清淨無二無二分無別無斷故一切智
智清淨故四無所畏四無礙解大慈大悲大
喜大捨十八佛不共法清淨四無所畏乃至
十八佛不共法清淨故布施波羅蜜多清淨
何以故若一切智智清淨若四無所畏乃至

BD01129號　大般若波羅蜜多經卷二四七　（6–3）

蜜多清淨無二無二分無別無斷故一切智
智清淨故四無所畏四無礙解大慈大悲大
喜大捨十八佛不共法清淨四無所畏乃至
十八佛不共法清淨故布施波羅蜜多清淨
何以故若一切智智清淨若四無所畏乃至
十八佛不共法清淨若布施波羅蜜多清淨
無二無二分無別無斷故善現一切智智清
淨故無忘失法清淨無忘失法清淨故布施
波羅蜜多清淨何以故若一切智智清淨若
無忘失法清淨若布施波羅蜜多清淨無二
無二分無別無斷故一切智智清淨故恒住
捨性清淨恒住捨性清淨故布施波羅蜜多
清淨何以故若一切智智清淨若恒住捨性
清淨若布施波羅蜜多清淨無二無二分無
別無斷故善現一切智智清淨故一切智清
淨一切智清淨故布施波羅蜜多清淨何以
故若一切智智清淨若一切智清淨若布施
波羅蜜多清淨無二無二分無別無斷故一
切智智清淨故道相智一切相智清淨道相
智一切相智清淨故布施波羅蜜多清淨何
以故若一切智智清淨若道相智一切相
智清淨若布施波羅蜜多清淨無二無二分
無別無斷故善現一切智智清淨故一切陁
羅尼門清淨一切陁羅尼門清淨故布施波
羅蜜多清淨何以故若一切智智清淨若一
切陁羅尼門清淨若布施波羅蜜多清淨
無二無二分無別無斷故一切智智清淨故一

BD01129 號　大般若波羅蜜多經卷二四七　（6–4）

無別無斷故善現一切智智清淨故一切陁
羅尼門清淨一切陁羅尼門清淨故布施波
羅蜜多清淨何以故若一切智智清淨若一
切陁羅尼門清淨若布施波羅蜜多清淨
無二無二分無別無斷故一切智智清淨故一
切三摩地門清淨一切三摩地門清淨故布
施波羅蜜多清淨何以故若一切智智清淨
若一切三摩地門清淨若布施波羅蜜多
清淨無二無二分無別無斷故
善現一切智智清淨故預流果清淨預流
果清淨故布施波羅蜜多清淨何以故若一
切智智清淨若預流果清淨若布施波羅
蜜多清淨無二無二分無別無斷故一切智智清
淨故一來不還阿羅漢果清淨一來不還阿
羅漢果清淨故布施波羅蜜多清淨何以故
若一切智智清淨若一來不還阿羅漢果清
淨若布施波羅蜜多清淨無二無二分無別
無斷故善現一切智智清淨故獨覺菩提清
淨獨覺菩提清淨故布施波羅蜜多清淨
何以故若一切智智清淨若獨覺菩提清淨若
布施波羅蜜多清淨無二無二無無別無斷
故善現一切智智清淨故一切菩薩摩訶薩
行清淨一切菩薩摩訶薩行清淨故布施波
羅蜜多清淨何以故若一切智智清淨若一
切菩薩摩訶薩行清淨若布施波羅蜜多
清淨無二無二分無別無斷故善現一切智智
清淨故諸佛無上正等菩提清淨諸佛無上

BD01129 號　大般若波羅蜜多經卷二四七　（6–5）

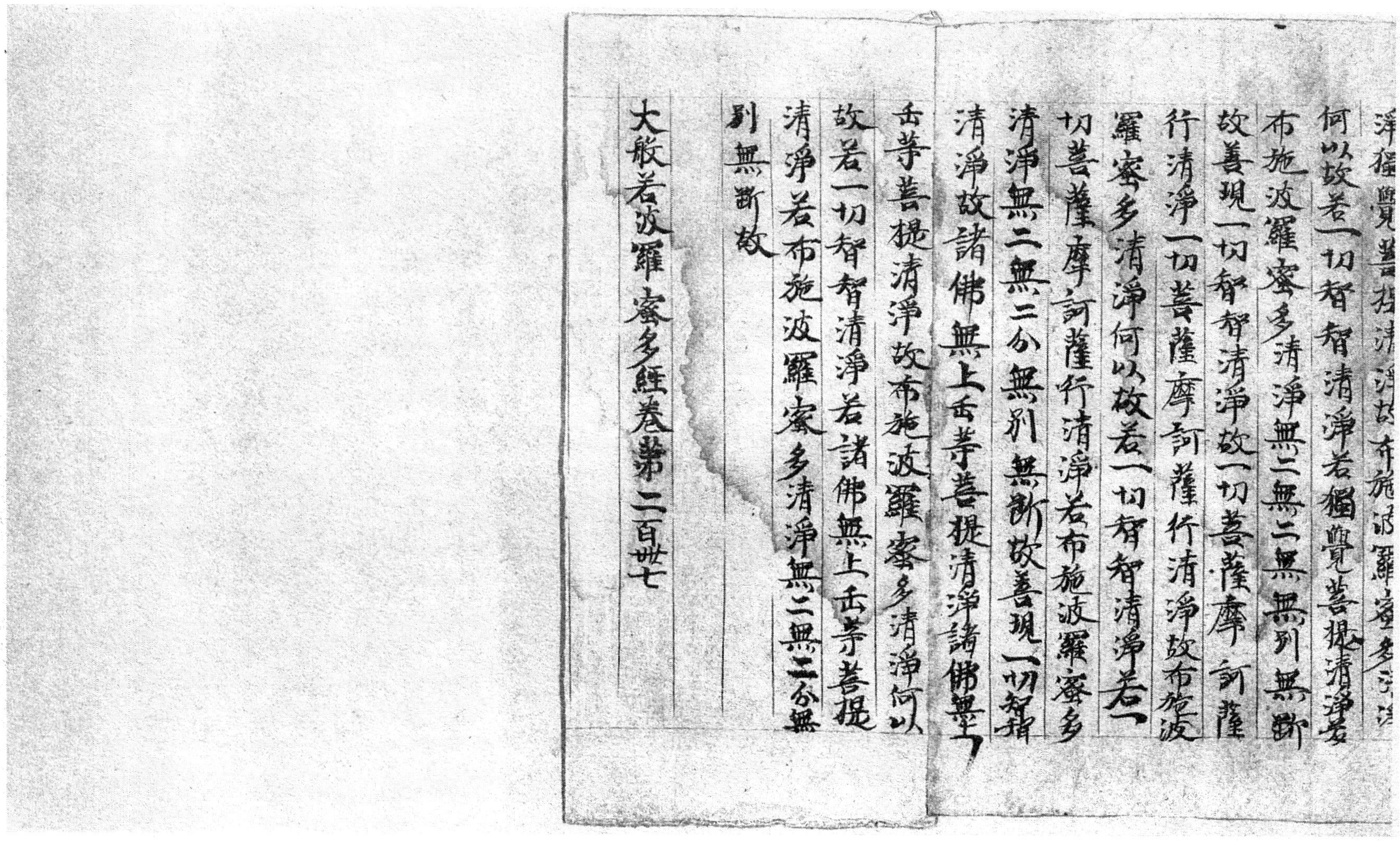

淨獨覺菩提清淨故布施波羅蜜多清淨
何以故若一切智智清淨若獨覺菩提清淨若
布施波羅蜜多清淨無二無二分無別無斷
故善現一切智智清淨故一切菩薩摩訶薩
行清淨一切菩薩摩訶薩行清淨故布施波
羅蜜多清淨何以故若一切智智清淨若一
切菩薩摩訶薩行清淨若布施波羅蜜多
清淨無二無二分無別無斷故善現一切智智
清淨故諸佛無上正等菩提清淨諸佛無上
正等菩提清淨故布施波羅蜜多清淨何以
故若一切智智清淨若諸佛無上正等菩提
清淨若布施波羅蜜多清淨無二無二分無
別無斷故

大般若波羅蜜多經卷第二百卌七

BD01129號　大般若波羅蜜多經卷二四七　（6–6）

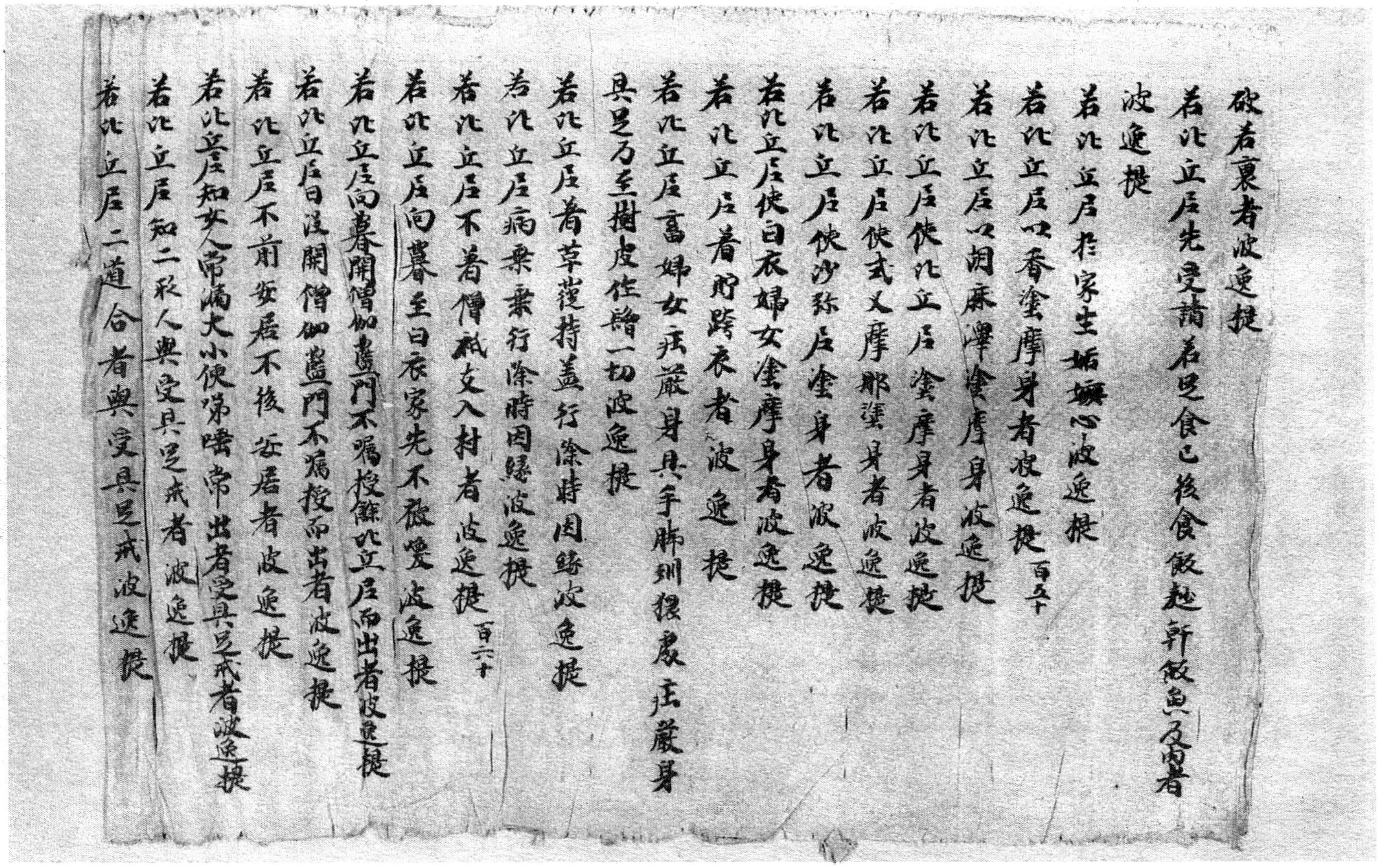

破若裹者波逸提
若比丘尼先受請若足食已後食飯麨乾飯魚及肉者
波逸提
若比丘尼於寺生嫉妒心波逸提
若比丘尼以香塗摩身者波逸提 百五十
若比丘尼以胡麻滓塗摩身波逸提
若比丘尼使比丘尼塗摩身者波逸提
若比丘尼使式叉摩那塗身者波逸提
若比丘尼使沙彌尼塗身者波逸提
若比丘尼使白衣婦女塗摩身者波逸提
若比丘尼著貯跨衣者波逸提
若比丘尼畜婦女莊嚴身具手腳釧瓔環莊嚴身
具足乃至樹皮作髻一切波逸提
若比丘尼著革屣持蓋行除時因緣波逸提
若比丘尼病乘乘行除時因緣波逸提
若比丘尼不著僧祇支入村者波逸提 百六十
若比丘尼向暮至白衣家先不被喚波逸提
若比丘尼向暮開僧伽藍門不囑授餘比丘尼而出者波逸提
若比丘尼日沒開僧伽藍門不囑授而出者波逸提
若比丘尼不前安居不後安居者波逸提
若比丘尼知女人常漏大小便涕唾常出者受具足戒者波逸提
若比丘尼知二形人與受具足戒者波逸提
若比丘尼二道合者與受具足戒波逸提

BD01130號　四分比丘尼戒本　（1–1）

上法故善男子譬如長者多有財寶唯有一
子心甚愛重情无捨離所有珍寶悉用示之
如來亦尒視諸衆生同於一子善男子如世
間人以男女根醜陋鄙悪以衣覆弊故名爲
藏如來不尒永斷此根以无根故无所覆藏
善男子如婆羅門所有語論終不欲令刹利
毗舍首陁等聞何以故以此論中有過悪故
如來正法則不如是初中後善是故不得名
之秘藏善男子譬如長者唯有一子心常憶
念憐愛无已將詣師所欲令受學懼不速成
尋便將還以愛念故晝夜慇懃教其半字
不教毗伽羅論何以故以其幼稚力未堪
故善男子假使長者教半字已是兒即時能
得了知毗伽羅論不不也世尊如是長者於
是子所有秘藏不不也世尊何以故以子年
幼故不爲說不以秘悋而不說之所以者何
若有嫉妬秘悋之心乃名爲藏如來不尒云
何當言如來秘藏佛言善哉善哉善男子如
汝所言若有瞋恚嫉妬慳悋乃名爲藏如來
无有瞋心嫉妬云何名藏善男子彼大長者者謂
如來也所言一子者謂一切衆生如來視於一
切衆生猶如一子教一子者謂聲聞弟子半

BD01131號　大般涅槃經（北本）卷五　（30–1）

若有嫉妬秘悋之心乃名爲藏如來不尒云
何當言如來秘藏佛言善哉善哉善男子如
汝所言若有瞋恚嫉妬慳悋乃名爲藏如來
无有瞋心嫉妬云何名藏善男子彼大長者者謂
如來也所言一子者謂一切衆生如來視於一
切衆生猶如一子教一子者謂聲聞弟子半
字者謂九部經毗伽羅論者所謂方等大乘
經典以諸聲聞无有慧力是故如來爲說半字
九部經典而不爲說毗伽羅論方等大乘善
男子如彼長者子既長大堪任讀學若不爲
說毗伽羅論可名爲藏若諸聲聞有堪任力
能受大乘毗伽羅論如來秘惜不爲說者可
言如來有秘密藏如來不尒是故如來无有
秘藏如彼長者教半字已次爲演說毗伽羅
論我今亦尒爲諸弟子說於半字九部經已
次爲演說毗伽羅論所謂如來常存不變復
次善男子譬如夏月興大雲雷降注大雨令
諸農夫下種之者多獲果實不下種者无所
剋獲无所獲者非龍王咎而此龍王亦无所
藏我今亦復如是降大法雨大涅槃經
若諸衆生種善子者得慧牙菓无善子者
則无所獲无所獲者非如來咎然佛如來實
无所藏迦葉復言我今定知如來世尊无所
秘藏如佛所說毗伽羅論謂佛如來常存不
變是義不然何以故佛昔說偈
諸佛与緣覺　及以弟子衆　猶捨无常身　何況諸凡夫

BD01131號　大般涅槃經（北本）卷五　（30–2）

則无所礙无所礙者非如來不然佛如來實
无所藏迦葉復言我今定知如來世尊无所
秘藏如佛所說毗伽羅論謂佛如來常存不
變是義不然何以故佛者說偈
諸佛与緣覺　及以弟子衆　猶捨无常身　何况諸凡夫
今者乃說常存无變是義云何佛言善男子
我為一切聲聞弟子教半字故而說是偈善
男子波斯匿王其母命終悲號戀慕不能自
勝來至我所我即問言大王何以悲苦懊惱
乃至於此王言世尊國大夫人是日命終假
使有能令我母命還如本者我當捨國為馬
七珎及以身命悉以賞之我復語言大王且
莫愁惱憂悲涕哭一切衆生壽命盡者名之
為死諸佛緣覺聲聞弟子尚捨此身况復凡
夫善男子我為彼王教半字故而說是偈我
今為諸聲聞弟子說毗伽羅論謂如來常存
无有變易若有人言如來无常云何是人舌
不墮落迦葉復言如佛所說
无所積聚　於食知足　如鳥飛空　跡不可尋
是義云何世尊於此衆中誰得名為无所積
聚誰復得名於食知足誰行於空跡不可尋
而此去者為至何方佛言迦葉夫積聚者名
曰財寶善男子積聚有二種一者有為二者
无為有為積聚者即聲聞行无為積聚者即
如來行善男子僧亦有二種有為无為有為

BD01131號　大般涅槃經（北本）卷五　（30–3）

而此去者為至何方佛言迦葉夫積聚者名
曰財寶善男子積聚有二種一者有為二者
无為有為積聚者即聲聞行无為積聚者即
如來行善男子僧亦有二種有為无為有為
僧者名曰聲聞聲聞僧者无有積聚所謂奴
婢非法之物庫藏穀米鹽豉胡麻大小諸豆
若有說言如來聽畜奴婢僕使如是之物舌
則捲縮我諸所有聲聞弟子名无積聚亦得
名為於食知足若有貪食名不知足不貪食
者是名知足跡難尋者則近无上菩提之道
我說是人雖去无至迦葉復言若有為僧尚
无積聚况无為僧无為僧者即是如來如來
云何當有積聚夫積聚者名為藏匿是故如
來凡有所說无所悋惜云何名藏跡不可尋
者所謂涅槃涅槃之中无有日月星辰諸宿
寒熱風雨生老病死二十五有離諸憂苦及
諸煩惱如是涅槃如來住處常不變易以是
因緣如來至是娑羅樹間於大涅槃而般涅
槃佛告迦葉所言大者其性廣博猶如有人
壽命无量名大丈夫是人若能安住正法名
人中勝如我所說八大人覺為一人有為多
人有若一人具八則為最勝所言涅槃者无
諸創疣善男子譬如有人為毒箭所射多受
苦痛值遇良醫為拔毒箭傅以妙藥令其離
苦得受安樂是醫即便遊於城邑及諸聚落

BD01131號　大般涅槃經（北本）卷五　（30–4）

諸創疣善男子譬如有人爲毒箭所射多受
苦痛值遇良醫爲拔毒箭傅以妙藥令其離
苦得受安樂是醫即便遊行城邑及諸聚落
隨有患苦創疣之處即往其所爲療衆苦善
男子如來亦尒成等正覺爲大醫王見閻浮提
苦惱衆生无量刧中被婬怒癡煩惱毒箭受
大苦切爲如是等說大乘經甘露法藥療治
此已復至他方有諸煩惱毒箭之處示現作
佛爲其療治是故名曰大般涅槃大般涅槃
者名解脫處隨有調伏衆生之處如來於中
而作示現以是真實甚深義故名大涅槃迦
葉菩薩復白佛言世尊世間醫師悉能療治
一切衆生創疣病不善男子世間創疣凡有
二種一者可治二不可治凡可治者醫則能
治不可治者則不能治迦葉復言如佛言者如
來則爲於閻浮提治衆生已若言治已是諸
衆生其中云何復有未能得涅槃者若未悉
得云何如來說言治竟欲至他方善男子閻
浮提內衆生有二種一者有信二者无信有
信之人則名可治何以故定得涅槃无瘡疣
故是故我說治閻浮提諸衆生已无信之人
名一闡提一闡提者名不可治除一闡提餘
悉治已是故涅槃名无創疣世尊何等名涅
槃善男子夫涅槃者名爲解脫迦葉復言所
言解脫爲是色耶爲非色乎佛言善男子或有

BD01131號　大般涅槃經（北本）卷五　（30–5）

故是故我說治閻浮提諸衆生已无信之人
名一闡提一闡提者名不可治除一闡提餘
悉治已是故涅槃名无創疣世尊何等名涅
槃善男子夫涅槃者名爲解脫迦葉復言所
言解脫爲是色耶爲非色乎佛言善男子或有
是色或非是色言非色者即是聲聞緣覺解
脫言是色者即是諸佛如來解脫善男子是
故解脫亦色非色如來爲諸聲聞弟子說爲
非色世尊聲聞緣覺若非色者云何得住善
男子如非想非非想天亦色非色我亦說爲
非色若人難言非想非非想天若非色者云
何得住去來進止如是之義諸佛境界非諸
聲聞緣覺所知解脫亦尒亦色非色說爲非
色亦想非想說爲非想如是之義諸佛境界
非諸聲聞緣覺所知
尒時迦葉菩薩復白佛言世尊唯願哀愍重
垂廣說大涅槃行解脫之義佛讚迦葉善哉
善哉善男子真解脫者名曰遠離一切繫縛
若真解脫離諸繫縛則无有生亦无和合譬
如父母和合生子真解脫者則不如是是故
解脫名曰不生迦葉譬如醍醐其性清淨如
來亦尒非因父母和合而生其性清淨所以
示現有父母者爲欲化度諸衆生故真解脫
者即是如來如來解脫无二无別譬如春耕
下諸豆子得暖氣已尋便出生真解脫者則

BD01131號　大般涅槃經（北本）卷五　（30–6）

来亦尒非因父母和合而生其性清淨所以
亦現有父母者為欲化度諸衆生故真解脫
者即是如来如来解脫无二无別譬如春耕
下諸豆子得暖氣已尋便出生真解脫者則
不如是又解脫者名曰虛无虛无即是解脫
解脫即是如来如来即是虛无非作所作凡
是作者猶如城郭樓觀却敵真解脫者則不
如是是故解脫即是如来又解脫者即无為
法譬如陶師作已還破解脫不尒真解脫者
不生不滅是故解脫即是如来如来亦尒不
生不滅不老不死不破不壞非有為法以是
義故名曰如来入大涅槃不老不死有何等
義老者名為遷變髮白面皺死者身壞命終
如是等法解脫中无以无是事故名解脫如
来亦无髮白面皺有為之法是故如来无有
老也无有老故則无有死人解脫者名曰无
病所謂病者四百四病及餘外来侵損身者
是處无故故名解脫无疾病者即真解脫真
解脫者即是如来如来无病是故法身亦无
有病如是无病即是如来死者名曰身壞命
終是處无死即是甘露是甘露者即真解脫
真解脫者即是如来如来成就如是功德云
何當言如来无常若言无常无有是處是金
剛身云何无常是故如来不名命終如来清
淨无有垢穢如来之身非胎所汙如分陁利

何當言如来无常若言无常无有是處是金
剛身云何无常是故如来不名命終如来清
淨无有垢穢如来之身非胎所汙如分陁利
本性清淨如来解脫亦復如是如是解脫即
是如来是故如来清淨无垢又解脫者諸漏
瘡疣求无遺餘如来亦尒无有一切諸漏瘡
疣又解脫者无有鬬諍譬如飢人見他飲食
生貪奪想解脫不尒又解脫者名曰安靜凡
夫人言夫安靜者謂摩醯首羅如是之言即
是虛妄真安靜者畢竟解脫畢竟解脫即是
如来又解脫者名曰安隱如多賊處不名安
隱清夷之處乃名安隱是解脫中无有怖畏
故名安隱是故安隱即真解脫真解脫者即
是如来如来者即是法也又解脫者无有等
侶有等侶者如有國王有隣國等夫解脫者
則无如是无等侶者謂轉輪聖王无有能与
作齊等者解脫亦尒无有等侶无等侶者即
真解脫真解脫者即是如来轉輪聖王是故如
来无有等侶有等侶者无有是處又解脫者
名无憂愁有憂愁者譬如國王畏難強隣而
生憂愁夫解脫者則无是事譬如壞怨則无
憂慮解脫亦尒是无憂畏无憂畏者即是如
来又解脫者名无憂喜譬如女人正有一子
從役遠行卒得凶問聞之愁苦後復聞活便
生歡喜夫解脫中无如是事无憂喜者即

来又解脫者名无憂喜譬如女人正有一子
從役遠行卒得凶問聞之愁苦後復聞活便
生歡喜夫解脫中无如是事无憂喜者即
真解脫真解脫者即是如來又解脫者无有
塵垢譬如春月日沒之後風起塵霧夫解脫中
无如是事无塵霧者喻真解脫真解脫者即
是如來譬如聖王髻中明珠无有垢穢夫解
脫性亦復如是无有垢穢无垢穢者喻真解
脫真解脫者即是如來如真金性不雜沙石
乃名真寶有人得之生於財想夫解脫性亦
復如是如彼真寶彼真寶者喻真解脫真解
脫者即是如來譬如瓦瓶破而聲嘶金剛寶
瓶則不如是夫解脫者亦无嘶破金剛寶瓶
喻真解脫真解脫者即是如來是故如來身
不可壞其聲嘶者如蜱麻子盛熱之時置之
日暴出聲振爆夫解脫者无如是事如彼金
剛真寶之瓶无嘶破聲假使无量百千之人
悉共射之无能壞者无嘶破聲喻真解脫真
解脫者即是如來如貧窮人負他物故為他
所繫枷鏁榮罸受諸苦毒夫解脫中无如是
事无有負債喻如長者多有財寶无量億數
勢力自在不負他物夫解脫者亦復如是多
有无量法財珎寶勢力自在无所負也无所
負者喻真解脫真解脫者即是如來又解脫
者名无逼切如春涉熱夏日食甜冬日冷單

勢力自在不負他物夫解脫者亦復如是多
有无量法財珎寶勢力自在无所負也无所
負者喻真解脫真解脫者即是如來又解脫
者名无逼切如春涉熱夏日食甜冬日冷單
真解脫中无有如是不適意事无逼切者喻
真解脫真解脫者即是如來又无逼切者譬
如有人飽食魚肉而復飲乳是人則為近死
不久真解脫中无如是事是人若得甘露
良藥所患得除真解脫者亦復如是甘露良
藥喻真解脫真解脫者即是如來云何逼切不
逼切也譬如凡人我慢自高而住是念一切
衆中誰能害我即便携持虵虎毒虫當知是
人不盡壽命則為橫死真解脫中无如是事
不逼切者如轉輪王所有神珠能伏蟻蜋九
十六種諸毒虫等若有聞是神珠香者諸毒
消滅真解脫者亦復如是皆悉遠離二十五
有毒消滅者喻真解脫真解脫者即是如來
又不逼切者譬如虛空解脫亦尒彼虛空者
喻真解脫真解脫者即是如來又逼切者如
近乾草然諸燈火近則燋然真解脫中无如
是事又不逼切者譬如日月不逼衆生解脫
亦尒於諸衆生无有逼切无有逼切喻真解
脫真解脫者即是如來又解脫者名无動法
猶如怨親真解脫中无如是事又不動者如
轉輪王更无聖王以為親友若更有親則无

亦尒於諸衆生无有遍切无有遍切喻真解
脫真解脫者即是如來又解脫者名无動法
猶如怨親真解脫中无如是事又不動者如
轉輪王更无聖王以為親友若更有親則无
是處解脫亦尒更无有親若有親者亦无是
處彼王无親喻真解脫真解脫者即是如來
如來者即是法也又无動者譬如素衣易受
染色解脫不尒又无動者如婆師華欲令
有臭及青色者无有是處解脫亦尒欲令有
臭及諸色者亦无是處是故解脫即是如來
又解脫者名為希有譬如水中生於蓮華非
為希有火中生者是乃希有有人見之便生歡
喜真解脫者亦復如是其有見者心生歡喜
彼希有者喻真解脫真解脫者即是如來具
如來者即是法身又希有者譬如嬰兒其齒未
生漸漸長大然後乃生解脫不尒无有生与
不生又解脫者名曰虛寂无有不定不定者
如一闡提究竟不移犯重禁者不成佛道无
有是處何以故是人若於佛正法中心得淨
信尒時即便滅一闡提若復得作優婆塞者
亦得斷滅於一闡提犯重禁者滅此罪已
則得成佛是故若言畢定不移不成佛道
无有是處真解脫中都无如是滅盡之事又
虛寂者墮於法果如法果性即真解脫真解
脫者即是如來又一闡提若滅盡者則不得
稱一闡提也何等名為一闡提耶一闡

有是處真解脫中都无如是滅盡之事又
虛寂者墮於法果如法果性即真解脫真解
脫者即是如來又一闡提若滅盡者則不得
稱一闡提也何等名為一闡提耶一闡提者
斷滅一切諸善根本心不攀緣一切善法乃
至不生一念之善真解脫中都无是事无是
事故即真解脫真解脫者即是如來又解脫
者不可度量譬如聚粟其量可知真解脫者
則不如是譬如大海不可度量解脫亦尒不
可度量不可量者即真解脫真解脫者即是
如來又解脫者名无量法如一衆生多有業
報解脫亦尒有无量報无量報者即真解
脫真解脫者即是如來又解脫者名為廣大
譬如大海无与等者解脫亦尒无能与等无
与等者即真解脫真解脫者即是如來又解
脫者名曰最上譬如虛空最高无比解脫亦
尒最高无比高无比者即真解脫真解脫者
即是如來又解脫者名无能過譬如師子所
住之處一切百獸无能過者解脫亦尒无有
能過无能過者即真解脫真解脫者即是如
來又解脫者名為无上譬如北方諸方中上
解脫亦尒為无有上无有上者即真解脫真
解脫者即是如來又解脫者名无上上譬如
北方之於東方為无上上解脫亦尒无有上
上无上上者即真解脫真解脫者即是如來
又解脫者名曰恒法譬如人天身壞命終是

解脫者即是如來又解脫者名无上上譬如
北方之於東方為无上上解脫亦尒无有上
上无上上者即真解脫真解脫者即是如來
又解脫者名曰恒法譬如人天身壞命終是
名曰恒非不恒也解脫亦尒非是不恒非不
恒者即真解脫真解脫者即是如來又解脫
者名曰堅住如佉陁羅旃檀沉水其性堅實
解脫亦尒其性堅實性堅實者即真解脫真
解脫者即是如來又解脫者名曰不虛譬如
葦竹其體空疎解脫不尒當知解脫即是如
來又解脫者名不可汙譬如墻壁未見塗治
蚉虻在上心住遊戲若以塗治彩畫雕鎪虫
聞彩香即便不住如是不住喻真解脫真解
脫者即是如來又解脫者名曰无邊譬如村
落皆有邊表解脫不尒譬如虛空无有邊際
解脫亦尒樂无邊際如是解脫即是如來又
解脫者名不可見譬如空中鳥跡難見如是
難見喻真解脫真解脫者即是如來又解脫
者名曰甚深何以故聲聞緣覺所不能入不
能入者即真解脫真解脫者即是如來又甚
深者諸佛菩薩之所恭敬譬如孝子供養父
母功德甚深功德甚深喻真解脫真解脫者
即是如來又解脫者名不可見譬如有人不
見自頂解脫亦尒聲聞緣覺所不能見不能
見者即真解脫真解脫者即是如來又解脫者

BD01131號　大般涅槃經（北本）卷五　（30–13）

母功德甚深功德甚深喻真解脫真解脫者
即是如來又解脫者名不可見譬如有人不
見自頂解脫亦尒聲聞緣覺所不能見不能
見者即真解脫真解脫者即是如來又解脫者
名无屋宅譬如虛空无有屋宅解脫亦尒言
屋宅者喻廿五有无有屋宅喻真解脫真解
脫者即是如來又解脫者名不可取如阿摩
勒菓人可取持解脫不尒不可取持不可取持
即真解脫真解脫者即是如來又解脫者名不
可執譬如幻物不可執持解脫亦尒不可執持
不可執持即真解脫真解脫者即是如來又
解脫者无有身體譬如有人體生瘡癩及諸癰
疽顛狂乾枯真解脫中无如是病无如是病
喻真解脫真解脫者即是如來又解脫者名
為一味如乳一味解脫亦尒唯有一味如是
一味即真解脫真解脫者即是如來又解脫
者名曰清淨如水无泥澄靜清淨解脫亦尒
澄靜清淨澄靜清淨即真解脫真解脫者即
是如來又解脫者名曰一味如空中雨一味清
淨一味清淨喻真解脫真解脫者即是如來
又解脫者名曰除却譬如滿月无諸雲翳解
脫亦尒无諸雲翳无諸雲翳即真解脫真解
脫者即是如來又解脫者名曰寂靜譬如有
人熱病除愈身得寂靜解脫亦尒身得寂靜
身得寂靜即真解脫真解脫者即是如來又
解脫者即是平等譬如野田毒蛇鼠狼俱有

BD01131號　大般涅槃經（北本）卷五　（30–14）

脫者即是如來又解脫者名曰寂靜譬如有
人熱病除愈身得寂靜解脫亦尒身得寂靜
身得寂靜即真解脫真解脫者即是如來又
解脫者即是平等譬如野田毒蛇鼠狼俱有
煞心解脫不尒无有煞心无煞心者即真解
脫真解脫者即是如來又平等者譬如父母
等心於子解脫亦尒其心平等心平等者即
真解脫真解脫者即是如來又解脫者名无
異處譬如有人唯居上妙清淨屋宅更无
異處解脫亦尒无有異處无異處者即真解
脫真解脫者即是如來又解脫者名曰知足
譬如飢人值遇甘饌食之无猒解脫不尒如
食乳糜更无所須更无所須喻真解脫真解
脫者即是如來又解脫者名曰斷絕如人被
縛斷縛得脫解脫亦尒斷絕一切疑心結縛
如是斷疑即真解脫真解脫者即是如來又
解脫者名到彼岸譬如大河有此彼岸解脫
不尒雖无此岸而有彼岸有彼岸者即真解
脫真解脫者即是如來又解脫者名曰嘿然
譬如大海其水汎漲多諸音聲解脫不尒如
是解脫即是如來又解脫者名曰美妙譬如
衆藥雜呵梨勒其味則苦解脫不尒味如甘
露味如甘露喻真解脫真解脫者即是如來
又解脫者除諸煩惱譬如良醫和合諸藥善
療衆病解脫亦尒能除煩惱除煩惱者即真

BD01131號　大般涅槃經（北本）卷五　（30–15）

露味如甘露喻真解脫真解脫者即是如來
又解脫者除諸煩惱譬如良醫和合諸藥善
療衆病解脫亦尒能除煩惱除煩惱者即真
解脫真解脫者即是如來又解脫者名曰无
迮譬如小舍不容多人解脫不尒多所容受
多所容受即真解脫真解脫者即是如來又
解脫者名滅諸愛不雜婬欲譬如女人多諸
愛欲解脫不尒如是解脫即是如來如來如
是无有貪欲瞋恚愚癡憍慢等結又解脫者
名曰无愛愛有二種一者餓鬼愛二者法愛
真解脫者離餓鬼愛憐愍衆生故有法愛如
是法愛即真解脫真解脫者即是如來又解
脫者離我我所如是解脫即是如來如來者
即是法也又解脫者即是滅盡離諸有貪如
是解脫即是如來如來者即是法也又解脫
者即是救護能救一切諸怖畏者如是解脫
即是如來如來者即是法也又解脫者即是
歸處若有歸依如是解脫不求餘依譬如有
人依恃於王不求餘依雖復依王則有動轉
依解脫者无有動轉无動轉者即真解脫真
解脫者即是如來如來者即是法也又解脫者
名為屋宅譬如有人行於曠野則有嶮難解
脫不尒无有嶮難无嶮難者即真解脫真解
脫者即是如來又解脫者是无所畏如師子
王於諸百獸不生怖畏解脫亦尒於諸魔衆

BD01131號　大般涅槃經（北本）卷五　（30–16）

名為屋宅譬如有人行於曠野財有嶮難解
脫不尒无有嶮難无嶮難者即真解脫真解
脫者即是如来又解脫者是无所畏如師子
王於諸百獸不生怖畏解脫亦尒於諸魔衆
不生怖畏无怖畏者即真解脫真解脫者即
是如来又解脫者无有迮陜譬如隘路乃至
不受二人並行解脫不尒如是解脫即是如
来又有不迮譬如有人畏虎墮井解脫不尒
如是解脫即是如来又有不迮如大海中捨
壞小船得堅牢船乘之度海到安隱處心得
快樂解脫亦尒心得快樂得快樂者即真解
脫真解脫者即是如来又解脫者拔諸因緣
譬如因乳得酪因酪得蘇因蘇得醍醐真解
脫中都无是因无是因者即真解脫真解脫
者即是如来又解脫者能伏憍慢譬如大
王慢於小王解脫不尒如是解脫即是如
来如来者即是法也又解脫者伏諸放逸諸
放逸者多有貪欲真解脫中无有是名无是
名者即真解脫真解脫者即是如来又解脫
者能除无明如上妙蘇除諸滓穢乃名醍醐
解脫亦尒除无明滓生於真明如是真明即
真解脫真解脫者即是如来又解脫者名為
寂靜純一无二如空野象獨一无侶解脫亦
尒獨一无二獨一无二即真解脫真解脫者
即是如来又解脫者名為堅實如竹葦蓖麻
莖幹空虛而子堅實除佛如来其餘人天皆

BD01131號　大般涅槃經（北本）卷五　（30–17）

尒獨一无二獨一无二即真解脫真解脫者
即是如来又解脫者名為堅實如竹葦蓖麻
莖幹空虛而子堅實除佛如来其餘人天皆
不堅實真解脫者遠離一切諸有流等如是
解脫即是如来又解脫者名能覺了增益於
我真解脫者亦復如是如是解脫即是如来
又解脫者名捨諸有譬如有人食已而吐解
脫亦尒捨於諸有捨諸有者即真解脫真解
脫者即是如来又解脫者名曰決定如婆師華
香七葉中无解脫亦尒如是解脫即是如来
又解脫者名曰水大譬如水大於諸大勝能
潤一切草木蘩子解脫亦尒能潤一切有生
之類如是解脫即是如来又解脫者名曰為
入如有門戶則通入路有金性處金則可得
解脫亦尒如彼門戶脩无我者則得入中如
是解脫即是如来又解脫者名曰為善譬如
弟子隨逐於師善奉教勑得名為善解脫亦
尒如是解脫即是如来又解脫者名出世法
於一切法最為出過如衆味中蘇乳最勝解
脫亦尒如是解脫即是如来又解脫者名曰
不動譬如門閫風不能動真解脫者亦復如
是如是解脫即是如来又解脫者名无濤波
如彼大海其水濤波解脫不尒如是解脫即
是如来又解脫者譬如宮殿解脫亦尒當
知解脫即是如来又解脫者名曰所用如閻

BD01131號　大般涅槃經（北本）卷五　（30–18）

如彼大海具水濤波解脫不尒如是解脫即
是如來又解脫者譬如宮殿解脫亦尒當
知解脫即是如來又解脫者名曰所用如閻
浮檀金多有所任无有能説是金過惡解脫
亦尒无有過惡无有過惡即真解脫真解脫
者即是如來又解脫者捨嬰兒行譬如大人
捨小兒行解脫亦尒除捨五陰除捨五陰即
真解脫真解脫者即是如來又解脫者名曰
究竟如被繫者從繫得脫洗浴清淨然後還
家解脫亦尒畢竟清淨畢竟清淨即真解脫
真解脫者即是如來又解脫者名无作樂无
作樂者貪欲瞋恚愚癡吐故喻如有人誤飲虵
毒為除毒故即服吐藥既得吐已毒即除愈
身得安樂解脫亦尒吐於煩惱諸結縛毒身
得安樂名无作樂无作樂者即真解脫真解
脫者即是如來又解脫者名斷四種毒虵煩
惱斷煩惱者即真解脫真解脫者即是如來
又解脫者名離諸有滅一切苦得一切樂永斷
貪欲瞋恚愚癡拔斷一切煩惱根本拔根本
者即真解脫真解脫者即是如來又解脫者
名斷一切有為之法出生一切无漏善法斷
塞諸道所謂若我无我非我非无我唯斷取
著不斷我見我見者名為佛性佛性者即真
解脫真解脫者即是如來又解脫者名不空
空空空者名无所有无所有者即是外道尼

BD01131 號　大般涅槃經（北本）卷五　（30–19）

著不斷我見我見者名為佛性佛性者即真
解脫真解脫者即是如來又解脫者名不空
空空空者名无所有无所有者即是外道尼
乾子等所計解脫而是尼乾實无解脫故名
空空真解脫者則不如是故不空空不空空
者即真解脫真解脫者即是如來又解脫者
名曰不空如水酒酪蘇蜜缾等雖无水酒酪
蘇蜜時猶故得名為水等缾而是缾等不可
說空及以不空若言空者則不得有色香味
觸若言不空而復无有水酒等實解脫亦尒
不可說色及以非色不可說空及以不空若言
空者則不得有常樂我淨若言不空誰受是
常樂我淨者以是義故不可說空及以不空
空者謂无廿五有及諸煩惱一切苦一切相
一切有為行如缾无酪則名為空不空者謂
真實善色常樂我淨不動不變猶如彼缾色
香味觸故名不空是故解脫喻如彼缾彼缾
遇緣則有破壞解脫不尒不可破壞不可破
壞即真解脫真解脫者即是如來又解脫者
名曰離愛譬如有人愛心悕望釋提桓因大
梵天王自在天王解脫不尒若得成於阿耨
多羅三藐三菩提已无愛无疑无愛无疑即
真解脫真解脫者即是如來若言解脫有愛
疑者无有是處又解脫者斷諸有貪斷一切
相一切繫縛一切煩惱一切生死一切因緣

BD01131 號　大般涅槃經（北本）卷五　（30–20）

多羅三藐三菩提已无愛无疑无愛无疑即
真解脫真解脫者即是如來若言解脫有愛
疑者无有是處又解脫者斷諸有貪斷一切
相一切繫縛一切煩惱一切生死一切因緣
一切果報如是解脫即是如來如來即是涅
槃一切衆生怖畏生死諸煩惱故故受三歸
譬如群鹿怖畏獵師既得免離若得一跳則
喻一歸如是三跳則喻三歸以三跳故得受
安樂衆生亦尒怖畏四魔惡獵師故受三歸
依三歸依故則得安樂受安樂者即真解脫
真解脫者即是如來如來者即是涅槃涅槃
者即是无盡无盡者即是佛性佛性者即是
決定決定者即是阿耨多羅三藐三菩提迦
葉菩薩白佛言世尊若涅槃佛性決定如來
是一義者云何說言有三歸依佛告迦葉善
男子一切衆生怖畏生死故求三歸以三歸
故則知佛性決定涅槃善男子有法名一義
異有法名義俱異名一義異者佛常法常比
丘僧常涅槃虛空皆亦是常是名名一義異
名義俱異者佛名為覺法名不覺僧名和合
涅槃名解脫虛空名非善亦名无㝵是為名
義俱異善男子三歸依者亦復如是名義俱
異云何為一是故我告摩訶波闍波提憍曇
弥莫供養我當供養僧若供養僧則得具足
供養三歸摩訶波闍波提即荅我言衆僧之
中无佛无法云何說言供養衆僧則得具足

異云何為一是故我告摩訶波闍波提憍曇
弥莫供養我當供養僧若供養僧則得具足
供養三歸摩訶波闍波提即荅我言衆僧之
中无佛无法云何說言供養衆僧則得具足
供養三歸我復告言汝隨我語則供養佛為
解脫故即供養法衆僧受者則供養僧善男
子是故三歸不得為一善男子如來或時說
一為三說三為一如是之義諸佛境界非是
聲聞緣覺所知迦葉復言如佛所說畢竟安
樂名涅槃者是義云何夫涅槃者捨身捨智
若捨身智誰當受樂佛言善男子譬如有人
食已心悶出外欲吐既得吐已而復迴還同
伴問之汝今所患竟為差不而復來還荅言
已差身得安樂如來亦尒畢竟遠離廿五有
永得涅槃安樂之處不可動轉无有盡滅斷
一切受名无受樂如是无受名為常樂若言
如來有受樂者无有是處是故畢竟樂者即
是涅槃涅槃者即真解脫真解脫者即是如
來迦葉復言不生不滅是解脫耶如是如是
善男子不生不滅即是解脫如是解脫即是
如來迦葉復言若不生不滅是解脫者虛空
之性亦无生滅應是如來如來之性即是解
脫佛告迦葉善男子是事不然世尊何故不
然善男子如迦蘭伽鳥及命命鳥其聲清妙
寧可同於烏鵲音不不也世尊烏鵲之聲比

脫佛告迦葉善男子是事不然世尊何故不
然善男子如迦蘭伽鳥及命命鳥其聲清妙
寧可同於烏鵲音不不也世尊烏鵲之聲比
命命等百千万倍不可為比迦葉復言迦蘭
伽等其聲微妙身亦不同如来云何比之烏
鵲无異亭歷比須弥山佛与虛空亦復如是
是迦蘭伽聲可喻佛聲不可以喻烏鵲之音
尒時佛讚迦葉菩薩善哉善哉汝今善解甚
深難解如来有時以因緣故引彼虛空以喻
解脫如是解脫即是如来真解脫者一切人
天无能為匹而此虛空實非其喻為化衆生
故以虛空非喻為喻當知解脫即是如来如
来之性即是解脫解脫如来无二无別善男
子非喻者如无比之物不可引喻有因緣故可得
引喻如經中說面狠端正猶月盛滿白象鮮
潔猶如雪山滿月不得即同於面雪山不得
即是白象善男子不可以喻喻真解脫為化
衆生故作喻耳以諸譬喻知諸法性皆亦如
是迦葉復言云何如来作二種說佛言善男
子譬如有人執持刀劒以瞋恚心欲害如来
如来和悅无恚恨色是人當得壞如来身成
逆罪不不也世尊何以故如来身界不可壞
故所以者何以无身聚唯有法性法性之性
理不可壞是人云何能壞佛身直以惡心故
成无間以是因緣引諸譬喻得知實法尒時

BD01131號　大般涅槃經（北本）卷五　（30–23）

故所以者何以无身聚唯有法性法性之性
理不可壞是人云何能壞佛身直以惡心故
成无間以是因緣引諸譬喻得知實法尒時
佛讚迦葉菩薩善哉善哉善男子我所欲說
汝今已說又善男子譬如惡人欲害其母住
於野田在糵積下母為送食其人見已尋生
害心便前磨刀母時知已逃入積中其人持
刀遶積遍斫斫已歡喜生已煞想其母尋後
從糵積出還至家中於意云何是人成就无
間罪不世尊不可定說何以故若說有罪母
身應壞身若不壞云何言有若說无罪生已
煞想心懷歡喜云何言无是人雖不具足逆
罪而亦是逆以是因緣引諸譬喻得知實法
佛讚迦葉善哉善哉善男子以是因緣我說
種種方便譬喻以喻解脫雖以无量阿僧祇
喻而實不可以喻為比或有因緣亦可喻說
或有因緣不可喻說是故解脫成就如是无
量功德趣涅槃者涅槃如来亦有如是无量
功德以如是等无量功德成就滿故名大涅
槃迦葉菩薩白佛言世尊我今始知如来至處
為无有盡處若无盡當知壽命亦應无盡
佛言善哉善哉善男子汝今善能護持正法
若有善男子善女人欲斷煩惱諸結縛者當
作如是護持正法
善男子是大涅槃微妙經中有四種人能護

BD01131號　大般涅槃經（北本）卷五　（30–24）

若有善男子善女人欲斷煩惱諸結縛者當
任如是護持正法
善男子是大涅槃微妙經中有四種人能護
正法建立正法憶念正法能多利益憐愍世
閒為世閒依安樂人天何等為四有人出世
具煩惱性是名第一須陁洹人斯陁含人是
名第二阿那含人是名第三阿羅漢人是名
第四是四種人出現於世能多利益憐愍世
閒為世閒依安樂人天云何名為具煩惱性
若有人能奉持禁戒威儀具足建立正法從
佛所聞解其文義轉為他人分別宣說所謂
少欲多欲非道廣說如是八大人覺有犯罪
者教令發露懺悔滅除善知菩薩方便所行
秘密之法是名凡夫非第八人第八人者不
名凡夫名為菩薩不名為佛第二人者名須
陁洹斯陁含人若得正法受持正法從佛聞
法如其所聞聞已書寫受持讀誦轉為他說
若聞法已不寫不受不持不說而言奴婢不
淨之物佛聽畜者无有是處是名第二人如
是之人未得第二第三住處名為菩薩已得
受記第三人者名阿那含阿那含者誹謗正
法若言聽畜奴婢僕使不淨之物受持外道
典籍書論及為客塵煩惱所鄣諸舊煩惱之
所覆蓋若藏如來真實舍利及為外病之
所惱害者或為四大毒虵所侵論說我者悉

BD01131號　大般涅槃經（北本）卷五　（30–25）

法若言聽畜奴婢僕使不淨之物受持外道
典籍書論及為客塵煩惱所鄣諸舊煩惱之
所覆蓋若藏如來真實舍利及為外病之
所惱害者或為四大毒虵所侵論說我者悉
无是處若說无我斯有是處說著世法无有
是處若說大乘相續不絕斯有是處若所受
身有八万戶虫亦无是處永離婬欲乃至夢
中不失不淨斯有是處臨終之日生怖畏者亦
无是處阿那含者為何謂也是人不還如上
所說所有過患永不能汙往反周旋名為菩
薩已得受記不久得成阿耨多羅三藐三菩
提是則名為第三人也第四人者名阿羅漢
阿羅漢者斷諸煩惱捨於重檐逮得己利
所作已辦住第十地得自在智隨人所樂種
種色像悉能示現如所莊嚴欲成佛道即能
得成能成如是无量功德名阿羅漢是名四
人出現於世能多利益憐愍世閒為世閒依
安樂人天於人天中最尊最勝猶如如來名
人中勝為歸依處迦葉白佛言世尊我今不依
是四種人何以故如瞿師羅經中佛為瞿師
羅說若天魔梵為欲破壞變為佛像具足莊
嚴三十二相八十種好圓光一尋面部圓滿
猶月盛明眉閒毫相白踰珂雪如是莊嚴來
向汝者汝當撿校定其虛實既覺知已應當降
伏世尊魔等尚能變作佛身況當不能作羅
漢等四種之身坐臥空中左脅出水右脅出

BD01131號　大般涅槃經（北本）卷五　（30–26）

猶月威明眉間豪相白踰珂雪如是莊嚴來
向汝者汝當撿挍定其虛實既覺知已應當降
伏世尊魔等尚能變作佛身況當不能作羅
漢等四種之身坐卧空中左脅出水右脅出
火身出烟炎猶如火聚以是因緣我於是中
心不生信或有所說不能稟受亦无敬念
而作依止佛言善男子於我所說若生疑者
尚不應受況如是等是故應當善分別知是
善不善可作不可作如是作已長夜受樂善
男子譬如偷狗夜入人舍其家婢使若覺知
者即應駈罵汝疾出去若不去者當奪汝命
時狗聞之即去不還汝等從今亦應如是降
伏波旬應作是言波旬汝今不應作如是像
若故作者當以五繫繫縛於汝魔聞是已便
當還去如彼偷狗更不復還迦葉白佛言世尊
如佛為瞿師羅長者說若能如是降伏魔者
亦可得近於大涅槃如來何必說是四人為
依止處如是四人所可言說未必可信佛告
迦葉善男子如我所說亦復如是非為不尒
善男子我為聲聞有肉眼者說言降魔不為
脩學大乘人說聲聞之人雖有天眼故名肉
眼學大乘者雖有肉眼乃名佛眼何以故是
大乘經名為佛乘而此佛乘最上最勝善男
子譬如有人勇健威猛有怯弱者常來依附其
勇健人常教怯者汝當如是持弓執箭脩學

BD01131號　大般涅槃經（北本）卷五　（30–27）

眼學大乘者雖有肉眼乃名佛眼何以故是
大乘經名為佛乘而此佛乘最上最勝善男
子譬如有人勇健威猛有怯弱者常來依附其
勇健人常教怯者汝當如是持弓執箭脩學
矟道長鈎羂索又復告言夫鬪戰者雖如
戰刀不應生於怖畏之想當視人天生輕弱想
應自生心作勇健想或時有人素无膽勇詐
作健想執持弓刀種種器杖以自莊嚴來至陣
中唱呼大喚汝於是人亦復不應生於憂怖
如是輩人若見汝時不怖畏者當知是人
不久散壞如彼偷狗善男子如來亦尒告
諸聲聞汝等不應畏魔波旬若魔波旬化作
佛身至汝所者汝當精懃堅固其心降伏於魔
時魔即當愁憂不樂復道而去善男子如彼
健人不從他習學大乘者亦復如是得聞種
種深密經典其心欣樂不生驚怖何以故如
是脩學大乘之人已曾供養恭敬礼拜過去
无量万億佛故雖有无量億千魔衆欲來侵
嬈於是事中終不驚畏善男子譬如有人得
阿竭陁藥不畏一切毒虵等畏是藥力故亦
能消除一切毒等是大乘經亦復如是如彼
藥力不畏一切諸魔毒等亦能降伏令更不
起復次善男子譬如有龍性甚姤弊欲害人
時或以眼視或以氣噓是故一切師子虎豹
豺狼狗犬皆生怖畏是等惡獸或聞聲見形
或觸其身无不喪命有善呪者以呪力故能

BD01131號　大般涅槃經（北本）卷五　（30–28）

時或以眼視或以氣噓是故一切師子虎豹
豺狼狗犬皆生怖畏是等惡獸或聞聲見形
或觸其身无不喪命有善呪者以呪力故能
令如是諸惡毒龍金翅鳥等惡鳥師子虎豹
豺狼皆悉調善任為御乘如是等獸見彼善
呪即便調伏聲聞緣覺亦復如是見魔波
旬皆生恐怖而魔波旬亦復不生畏懼之心
猶行魔業學大乘者亦復如是見諸聲聞怖
畏魔事於此大乘不生信樂先以方便降伏諸
魔悉令調善堪任為乘因為廣說種種妙法
聲聞緣覺見調魔已乃生怖畏於此大乘无
上正法方生信樂任如是言我等從今不應
於此正法之中而作鄣㝵復次善男子聲聞
緣覺於諸煩惱而生怖畏學大乘者都无恐
懼脩學大乘有如是力以是因緣先所說者
為欲令彼聲聞緣覺調伏諸魔非為大乘是
大涅槃微妙經典不可消伏甚奇甚特若有
聞者聞已信受能信如來是常住法如是之
人甚為希有如優曇華我涅槃後若有得聞
如是大乘微妙經典生信敬心當知是等於
未來世百千億劫不墮惡道

大般涅槃經卷第五

BD01131號　大般涅槃經（北本）卷五　　（30–29）

緣覺於諸煩惱而生怖畏學大乘者都无恐
懼脩學大乘有如是力以是因緣先所說者
為欲令彼聲聞緣覺調伏諸魔非為大乘是
大涅槃微妙經典不可消伏甚奇甚特若有
聞者聞已信受能信如來是常住法如是之
人甚為希有如優曇華我涅槃後若有得聞
如是大乘微妙經典生信敬心當知是等於
未來世百千億劫不墮惡道

大般涅槃經卷第五

BD01131號　大般涅槃經（北本）卷五　　（30–30）

著　録　凡　例

本目録採用條目式著録法。諸條目意義如下：

1.1　著録編號。用漢語拼音首字“BD”表示，意為“北京圖書館藏敦煌遺書”，簡稱“北敦號”。文獻寫在背面者，標註為“背”。一件遺書上抄有多個文獻者，用數字1、2、3等標示小號。一號中包括幾件遺書，且遺書形態各自獨立者，用字母A、B、C等區別。

1.2　著録分類號。本條記目録暫不分類，該項空缺。

1.3　著録文獻的名稱、卷本、卷次。

1.4　著録千字文編號。

1.5　著録縮微膠卷號。

2.1　著録遺書的總體數據。包括長度、寬度、紙數、正面抄寫總行數與每行字數、背面抄寫總行數與每行字數。如該遺書首尾有殘破，則對殘破部分單獨度量，用加號加在總長度上。凡屬這種情況，長度用括弧標註。

2.2　著録每紙數據。包括每紙長度及抄寫行數或界欄數。

2.3　著録遺書的外觀。包括：（1）裝幀形式。（2）首尾存況。（3）護首、軸、軸頭、天竿、縹帶，經名是書寫還是貼簽，有無經名號，扉頁、扉畫。（4）卷面殘破情況及其位置。（5）尾部情況。（6）有無附加物（蟲繭、油污、線繩及其他）。（7）有無裱補及其年代。（8）界欄。（9）修整。（10）其他需要交待的問題。

2.4　著録一件遺書抄寫多個文獻的情況。

3.1　著録文獻首部文字與對照本核對的結果。

3.2　著録文獻尾部文字與對照本核對的結果。

3.3　著録録文。

3.4　著録對文獻的説明。

4.1　著録文獻首題。

4.2　著録文獻尾題。

5　著録本文獻與對照本的不同之處。

6.1　著録本遺書首部可與另一遺書綴接的編號。

6.2　著録本遺書尾部可與另一遺書綴接的編號。

7.1　著録題記、題名、勘記等。

7.2　著録印章。

7.3　著録雜寫。

7.4　著録護首及扉頁的內容。

8　著録年代。

9.1　著録字體。如有武周新字、合體字、避諱字等，予以説明。

9.2　著録卷面二次加工的情況。包括句讀、點標、科分、間隔號、行間加行、行間加字、硃筆、墨塗、倒乙、刪除、兑廢等。

10　著録敦煌遺書發現後，近現代人所加內容，裝裱、題記、印章等。

11　備註。著録揭裱互見、圖版本出處及其他需要説明的問題。

上述諸條，有則著録，無則空缺。

為避文繁，上述著録中出現的各種參考、對照文獻，暫且不列版本説明。全目結束時，將統一編制本條記目録出現的各種參考書目。

本條記目録為農曆年份標註其公曆紀年時，未經行歲頭年末之換算，請讀者使用時注意自行換算。

條　記　目　錄

BD01062—BD01131

1.1　BD01062 號
1.3　四分戒本疏卷三
1.4　辰 062
1.5　169：7064
2.1　（17.5＋301）×32 厘米；7 紙；正面 193 行，行 36 字。背面 3 行，行字不等。
2.2　01：17.5＋17，20；　02：47.5，29；　03：47.5，29；
04：47.5，29；　05：47.5，29；　06：47.5，29；
07：46.5，28。
2.3　卷軸裝。首殘尾脱。首紙中下部殘缺嚴重。有烏絲欄。
2.4　本遺書包括 2 個文獻：（一）《四分戒本疏卷三》，193 行，抄寫在正面，今編為 BD01062 號。（二）《麵麥歷》，3 行，抄寫在背面，今編為 BD01062 號背。
3.1　首 10 行中下殘→大正 2787，85/597A18～B10。
3.2　尾殘→85/601C14。
6.2　尾→BD01061 號。
8　832 年。吐蕃統治時期寫本。
9.1　楷書。
9.2　有硃筆行間校加字、科分、點標、倒乙符號。
11　圖版：《敦煌寶藏》，104/42A～46A。

1.1　BD01062 號背
1.3　麵麥歷（擬）
1.4　辰 062
1.5　169：7064
2.4　本遺書由 2 個文獻組成，本號爲第 2 個，3 行，抄寫在背面。餘參見 BD01062 號 1 第 2 項、第 11 項。
3.3　錄文：
麵貳拾柒碩捌㪷，麥壹佰貳拾玖，／
油貳㪷肆升兩◇（少，勺?），／
麥肆拾柒碩玖㪷，在惠禎。／
（錄文完）

8　9～10 世紀。歸義軍時期寫本。
9.1　楷書。

1.1　BD01063 號 1
1.3　金剛般若波羅蜜經
1.4　辰 063
1.5　094：3755
2.1　（19＋604.5）×25 厘米；13 紙；342 行，行 17 字。
2.2　01：19＋24.5，25；　02：51.0，28；　03：51.0，28；
04：51.0，28；　05：51.5，28；　06：51.0，28；
07：51.0，28；　08：51.0，28；　09：50.5，28；
10：51.0，28；　11：25.0，15；　12：49.5，28；
13：46.5，22。
2.3　卷軸裝。首殘尾全。經黄打紙。接縫處有開裂，第 8、9 紙間接縫處脱爲兩截。有燕尾。背有古代裱補。有烏絲欄。已修整。
2.4　本遺書包括 2 個文獻：（一）《金剛般若波羅蜜經》，277 行，今編為 BD01063 號 1。（二）《無常經》，65 行，今編為 BD01063 號 2。
3.1　首 12 行上下殘→大正 235，8/749A22～B6。
3.2　尾全→8/752C2。
7.1　第 11 紙背裱補紙上有“乾符六年二月二日□定安”11 字。
8　7～8 世紀。唐寫本。
9.1　楷書。
11　從該件上揭下古代裱補紙 2 塊，今編爲 BD16136 號。
圖版：《敦煌寶藏》，80/184B～193B。

1.1　BD01063 號 2
1.3　無常經
1.4　辰 063
1.5　094：3755
2.4　本遺書由 2 個文獻組成，本號爲第 2 個，65 行。餘參見 BD01063 號 1 第 2 項、第 11 項。

3.1　首全→大正 801，17/0745B07。
3.2　尾全→17/0746B08。
4.1　佛説無常三稽（啓）經（首）。
4.2　佛説無常經（尾）。
8　7~8 世紀。唐寫本。
9.1　楷書。

1.1　BD01064 號
1.3　無量壽宗要經
1.4　辰 064
1.5　275：7711
2.1　176×31.5 厘米；4 紙；108 行，行 30 餘字。
2.2　01：44.0，28；　02：44.0，28；　03：44.0，29；
　　04：44.0，23。
2.3　卷軸裝。首尾全。首紙有殘裂，接縫處有開裂，第 3、4 紙脱落爲 2 截。有烏絲欄。
3.1　首全→大正 936，19/82A3。
3.2　尾全→19/84C29。
4.1　大乘無量壽經（首）。
4.2　佛説無量壽宗要經（尾）。
7.1　卷尾有題記"張瀛"。
8　8~9 世紀。吐蕃統治時期寫本。
9.1　行楷。
9.2　有行間校加字。
11　圖版：《敦煌寶藏》，107/395B~397B。

1.1　BD01065 號
1.3　摩訶般若波羅蜜經卷二六
1.4　辰 065
1.5　088：3469
2.1　（30.8+147.5）×25.1 厘米；4 紙；103 行，行 17 字。
2.2　01：30.8+15.4，26；　02：47.1，27；　03：47.0，28；
　　04：38.0，22。
2.3　卷軸裝。首尾均殘。卷首有殘缺、裂損，接縫處有開裂，尾紙下邊有殘損。有烏絲欄。已修整。
3.1　首 17 行下殘→大正 223，8/413C10~28。
3.2　尾行殘→8/415A4。
4.1　摩訶般若波羅蜜經平□…□（首）。
5　與《大正藏》本對照，文字略有參差。
8　6~7 世紀。隋寫本。
9.1　楷書。
11　圖版：《敦煌寶藏》，78/137A~139A。

1.1　BD01066 號
1.3　大方廣十輪經卷二
1.4　辰 066
1.5　020：0226
2.1　（15+244）×25.2 厘米；6 紙；140 行，行 17 字。
2.2　01：15+21，21；　02：51.5，29；　03：51.5，29；
　　04：51.5，29；　05：51.5，29；　06：17.0，03。
2.3　卷軸裝。首殘尾全。首紙殘缺破損，尾紙後部上邊下邊有殘洞、破損，卷尾有蟲繭。有燕尾。有烏絲欄。已修整。
3.1　首 9 行下殘→大正 410，13/688C9~20。
3.2　尾全→13/690B21。
4.2　十輪經卷第二（尾）。
8　6~7 世紀。隋寫本。
9.1　楷書。
11　圖版：《敦煌寶藏》，57/290B~294A。

1.1　BD01067 號
1.3　大般涅槃經（北本　宮本）卷二六
1.4　辰 067
1.5　115：6452
2.1　（4+821）×25.5 厘米；17 紙；425 行，行 17。
2.2　01：4+9，09；　02：50.5，27；　03：50.5，27；
　　04：50.5，27；　05：50.5，27；　06：51.0，27；
　　07：51.0，27；　08：51.0，27；　09：51.0，27；
　　10：51.0，27；　11：51.0，27；　12：51.0，27；
　　13：51.0，27；　14：51.0，27；　15：51.0，27；
　　16：51.0，27；　17：49.0，11。
2.3　卷軸裝。首殘尾全。尾有原軸，兩端塗黑漆，頂端點硃漆。首紙下部殘缺，上部殘裂；接縫處有開裂。有烏絲欄。
3.1　首 2 行下殘→大正 374，12/517A21。
3.2　尾全→12/522A27。
4.2　大般涅槃經卷第廾六（尾）。
5　與《大正藏》本對照，分卷不同。經文相當於《大正藏》卷第廾五光明遍照高貴德王菩薩品第十之五至卷第二十六光明遍照高貴德王菩薩品第十之六。與日本宮内寮本分卷相同。
8　5~6 世紀。南北朝寫本。
9.1　隸書。
11　圖版：《敦煌寶藏》，99/270A~281A。

1.1　BD01068 號
1.3　大佛頂如來密因修證了義諸菩薩萬行首楞嚴經卷九
1.4　辰 068
1.5　237：7421
2.1　（655.1+6.7）×25.4 厘米；17 紙；402 行，行 18 字。
2.2　01：40.7，25；　02：41.0，25；　03：41.1，25；
　　04：41.2，25；　05：41.0，25；　06：41.2，25；
　　07：41.0，25；　08：41.0，25；　09：40.9，25；
　　10：41.0，25；　11：41.0，25；　12：39.5，24；
　　13：41.2，25；　14：41.2，25；　15：41.1，25；
　　16：41.0，25；　17：06.7，03。
2.3　卷軸裝。首尾均殘。首紙上有殘缺，卷面有殘裂，通卷下

部有水漬，接縫處有開裂，卷尾殘破嚴重。有烏絲欄。
3.1 首殘→大正 945，19/146B5。
3.2 尾 3 行下殘→19/150B2～5。
8 7～8 世紀。唐寫本。
9.1 楷書。
9.2 有刮改。
11 圖版：《敦煌寶藏》，106/187B～196B。

1.1 BD01069 號
1.3 佛名經（二十卷本）卷一〇
1.4 辰 069
1.5 062：0584
2.1 （13＋752.8）×27.8 厘米；17 紙；416 行，行 16 字。
2.2 01：13＋2，8； 02：46.0，26； 03：47.2，27；
04：47.2，27； 05：47.0，27； 06：47.0，27；
07：47.0，27； 08：47.2，26； 09：47.2，26；
10：47.0，26； 11：47.0，27； 12：47.2，26；
13：46.8，27； 14：46.5，26； 15：47.0，27；
16：47.0，26； 17：46.5，10。
2.3 卷軸裝。首殘尾全。卷首殘破嚴重，有水漬，紙張變色；接縫處有開裂。第 1 至 10 紙有烏絲欄。第 11 至 17 紙有上下邊欄。
3.4 說明：
本文獻首 7 行上中殘，尾全。未為歷代大藏經所收。
4.2 佛名經卷第十（尾）。
7.1 尾題下有硃筆題記“了”。
8 7～8 世紀。唐寫本。
9.1 楷書。
9.2 有硃筆校加字；上邊有硃筆校改字；有刪除符號。
11 圖版：《敦煌寶藏》，60/163B～173A。

1.1 BD01070 號
1.3 大般若波羅蜜多經卷五五九
1.4 辰 070
1.5 084：3349
2.1 （13.7＋30.1＋3.3）×24.8 厘米；1 紙；28 行，行 17 字。
2.3 卷軸裝。首脫尾殘。卷下邊殘破。背有古代裱補。有烏絲欄。
3.1 首 8 行下殘→大正 220，7/883C5～13。
3.2 尾 2 行下殘→7/884A3～4。
6.1 首→BD08348 號。
7.1 卷背有勘記“五百五十九”。
8 8～9 世紀。吐蕃統治時期寫本。
9.1 楷書。
11 圖版：《敦煌寶藏》，77/331B。

1.1 BD01071 號
1.3 大般若波羅蜜多經（兌廢稿）卷二四一
1.4 辰 071
1.5 084：2632
2.1 （3.5＋42）×27.2 厘米；1 紙；27 行，行 17 字。
2.3 卷軸裝。首尾均脫。上下邊殘缺。尾有餘空。有烏絲欄。
3.1 首 5 行下殘→大正 220，6/216B25～C1。
3.2 尾缺→6/216C23。
7.3 卷背有墨筆雜劃。
8 8～9 世紀。吐蕃統治時期寫本。
9.1 楷書。
9.2 上邊有一“兌”字。
11 圖版：《敦煌寶藏》，74/298B～299A。

1.1 BD01072 號 1
1.3 無量壽宗要經
1.4 辰 072
1.5 275：7971
2.1 （8＋377）×30.5 厘米；9 紙；250 行，行 30 餘字。
2.2 01：8＋34.5，28； 02：42.5，29； 03：43.0，29；
04：43.0，28； 05：42.5，28； 06：43.0，29；
07：43.0，30； 08：43.0，30； 09：42.5，19。
2.3 卷軸裝。首尾均全。第 1 紙上下邊有殘損，中間有殘洞；第 3 紙下邊有撕裂。有烏絲欄。卷背有蟲繭及鳥糞。
2.4 本遺書包括 2 個文獻：（一）《佛說無量壽宗要經》，114 行，今編為 BD01072 號 1；（二）《佛說無量壽宗要經》，136 行，今編為 BD01072 號 2。
3.1 首 4 行上下殘→大正 936，19/82A3～9。
3.2 尾全→19/84C29。
4.1 □…□壽經（首）。
4.2 佛說大乘無量壽宗要陀羅尼經一卷（尾）。
7.1 第 4 紙尾後有題名“王瀚”。
8 8～9 世紀。吐蕃統治時期寫本。
9.1 行楷。
9.2 有校改。有倒乙。
11 圖版：《敦煌寶藏》，108/403B～408A。

1.1 BD01072 號 2
1.3 無量壽宗要經
1.4 辰 072
1.5 275：7971
2.4 本遺書由 2 個文獻組成，本號爲第 2 個，136 行。餘參見 BD01072 號 1 之第 2 項、第 11 項。
3.1 首全→大正 936，19/82A3。
3.2 尾全→19/84C29。
4.1 佛說大乘無量壽宗要陀羅尼經（首）。
4.2 佛說大乘無量壽宗要陀羅尼經一卷（尾）。
7.1 第 9 紙尾後有題名“王瀚”。

8　8~9 世紀。吐蕃統治時期寫本。
9.1　行楷。
9.2　有校改。

1.1　BD01073 號
1.3　妙法蓮華經卷五
1.4　辰 073
1.5　206：7235
2.1　(6.5+403)×26 厘米；8 紙；正面 220 行，行 17 字。背面 74 行，行字不等。
2.2　01：6.5+39，24；　02：52.0，28；　03：52.0，28；
04：52.0，28；　05：52.0，28；　06：52.0，28；
07：52.0，28；　08：52.0，28。
2.3　卷軸裝。首殘尾脱。經黄紙。卷首有等距離殘洞，下邊有殘裂；第 4 紙斷爲 2 截，接縫處有開裂。有烏絲欄。
2.4　本遺書包括 2 個文獻：（一）《妙法蓮華經卷五》，220 行，抄寫在正面，今編為 BD01073 號。（二）《大乘百法明門論開宗義記疏》，74 行，抄寫在背面，今編為 BD01073 號背。
3.1　首 3 行中下殘→大正 262，9/37C20~25。
3.2　尾殘→9/41A9。
8　7 世紀。唐寫本。
9.1　楷書。
11　圖版：《敦煌寶藏》，105/1A~8B。

1.1　BD01073 號背
1.3　大乘百法明門論開宗義記疏（擬）
1.4　辰 073
1.5　206：7235
2.4　本遺書由 2 個文獻組成，本號為第 2 個，74 行，抄寫在背面。餘參見 BD01073 號之第 2 項、第 11 項。
3.4　説明：
本文獻未為歷代大藏經所收。
8　8~9 世紀。吐蕃統治時期寫本。
9.1　行楷。
9.2　有塗抹、倒乙。

1.1　BD01074 號
1.3　佛名經（十六卷本）卷一二
1.4　辰 074
1.5　063：0730
2.1　(13+507.2)×31.4 厘米；11 紙；247 行，行 21 字。
2.2　01：13+23，17；　02：48.4，23；　03：48.4，23；
04：48.5，23；　05：48.5，23；　06：48.5，23；
07：48.2，23；　08：48.3，23；　09：48.4，23；
10：48.5，23；　11：48.5，23。
2.3　卷軸裝。首殘尾脱。首紙上部殘破，中下部殘缺，第 1、2 紙中部横向撕裂。有上下邊欄。已修整。
3.1　首 6 行中下殘→《七寺古逸經典研究叢書》，3/第 586 頁第 5 行。
3.2　尾殘→《七寺古逸經典研究叢書》，3/第 607 頁第 276 行。
7.3　第 3 紙背有雜寫"戊子年二月十五日沙彌定祟兼萬戶侯"。
8　9~10 世紀。歸義軍時期寫本。
9.1　楷書。
11　圖版：《敦煌寶藏》，61/595B~601B。

1.1　BD01075 號
1.3　大般若波羅蜜多經卷六六
1.4　辰 075
1.5　084：2184
2.1　249.7×26.1 厘米；6 紙；136 行，行 17 字。
2.2　01：48.0，28；　02：48.0，28；　03：48.0，28；
04：47.7，28；　05：47.5，24；　06：10.5，拖尾。
2.3　卷軸裝。首脱尾全。尾有原軸，兩端鑲亞腰形黑漆軸頭。首紙下邊有殘缺。背有古代裱補。有烏絲欄。
3.1　首殘→大正 220，5/375A7。
3.2　尾全→5/376C3。
4.2　大般若波羅蜜多經卷第六十六（尾）。
8　7~8 世紀。唐寫本。
9.1　楷書。
11　圖版：《敦煌寶藏》，72/197A~200A。

1.1　BD01076 號
1.3　維摩詰所說經卷下
1.4　辰 076
1.5　070：1229
2.1　712.5×25.5 厘米；16 紙；397 行，行 17 字。
2.2　01：26.5，15；　02：46.0，26；　03：46.0，28；
04：46.0，26；　05：46.0，26；　06：46.0，26；
07：46.0，26；　08：46.0，26；　09：46.0，26；
10：46.0，26；　11：46.0，26；　12：46.0，26；
13：46.0，26；　14：46.0，26；　15：46.0，26；
16：42.0，18。
2.3　卷軸裝。首斷尾全。經黄打紙。首紙殘破嚴重，卷面有殘裂，接縫處有開裂，尾有蟲繭。背有古代裱補。有烏絲欄。
3.1　首殘→大正 475，14/552C13。
3.2　尾全→14/557B26。
4.2　維摩詰經卷第三（尾）
8　7~8 世紀。唐寫本。
9.1　楷書。
9.2　有刮改，有行間校加字。
11　圖版：《敦煌寶藏》，66/163B~172B。

1.1　BD01077 號
1.3　妙法蓮華經卷七

1.4　辰 077
1.5　105：6086
2.1　（13 +441.5）×25.5 厘米；7 紙；251 行，行 17 字。
2.2　01：13 +，07；　02：74.5，43；　03：75.0，43；
04：75.0，43；　05：75.0，43；　06：75.0，43；
07：67.0，29。
2.3　卷軸裝。首殘尾全。卷首有火灼殘破，通卷上邊及前 4 紙下邊和中間有等距火灼殘洞，卷面有蟲繭。有燕尾。有烏絲欄。
3.1　首 7 行上下殘→大正 262，9/59A5 ~12。
3.2　尾全→9/62B1。
4.2　妙法蓮華經卷第七（尾）。
8　7 ~8 世紀。唐寫本。
9.1　楷書。
11　圖版：《敦煌寶藏》，96/607A ~613A。

1.1　BD01078 號
1.3　金剛般若波羅蜜經
1.4　辰 078
1.5　094：3610
2.1　（12.5 +532.1）×26.5 厘米；12 紙；296 行，行 17 字。
2.2　01：12.5 +20.5，19；　02：48.0，26；　03：50.0，28；
04：49.8，28；　05：49.6，28；　06：46.5，28；
07：49.5，28；　08：49.8，28；　09：49.7，28；
10：49.7，28；　11：49.5，27；　12：19.5，拖尾。
2.3　卷軸裝。首殘尾全。首紙殘破嚴重，第 2 紙中部斷爲兩截，第 5 紙有豎裂，接縫處有開裂。背有多處古代裱補。有燕尾。有烏絲欄。已修整。
3.1　首 8 行上殘→大正 235，8/748C26 ~749A5。
3.2　尾全→8/752C2。
8　7 ~8 世紀。唐寫本。
9.1　楷書。
11　從該件上揭下古代裱補紙 3 塊，今編爲 BD16102 號。
圖版：《敦煌寶藏》，79/125B ~132B。

1.1　BD01079 號
1.3　妙法蓮華經卷三
1.4　辰 079
1.5　105：5086
2.1　（2.6 +793.5）×26.8 厘米；17 紙；442 行，行 16 ~18 字。
2.2　01：2.6 +24，14；　02：48.2，27；　03：48.7，28；
04：48.4，27；　05：45.8，26；　06：48.5，28；
07：48.6，28；　08：48.6，28；　09：48.8，28；
10：49.0，28；　11：49.2，28；　12：43.5，25；
13：49.0，27；　14：49.1，28；　15：49.2，28；
16：48.8，28；　17：46.1，16。
2.3　卷軸裝。首殘尾全。前半卷黴爛殘破，第 3、4 紙接縫處脫落爲 2 截，卷尾殘破。有燕尾。有烏絲欄。
3.1　首殘→大正 262，9/20C10。
3.2　尾全→9/27B9。
4.2　妙法蓮華經卷第三（尾）。
8　9 ~10 世紀。歸義軍時期寫本。
9.1　楷書。
11　圖版：《敦煌寶藏》，88/544B ~556B。

1.1　BD01080 號
1.3　大般涅槃經（北本　思本　普本）卷二七
1.4　辰 080
1.5　115：6467
2.1　（19.5 +517.1）×25.7 厘米；16 紙；329 行，行 17。
2.2　01：18.0，11；　02：1.5 +34，23；　03：36.0，23；
04：36.0，23；　05：36.0，23；　06：36.0，23；
07：36.0，23；　08：36.0，23；　09：35.8，23；
10：36.0，23；　11：35.8，23；　12：36.0，23；
13：36.0，23；　14：36.0，23；　15：35.0，19；
16：16.5，拖尾。
2.3　卷軸裝。首殘尾全。首紙上部殘缺，卷面有殘裂及殘洞，有油污。有烏絲欄。
3.1　首 12 行上殘→大正 374，12/524A13 ~24。
3.2　尾全→12/528A4。
4.2　大般涅槃經卷第廿七（尾）。
5　與《大正藏》本對照分卷不同。與《思溪藏》、《普寧藏》本分卷相同。
8　5 ~6 世紀。南北朝寫本。
9.1　隸書。
9.2　有行間校加字。
11　圖版：《敦煌寶藏》，99/351B ~358B。

1.1　BD01081 號
1.3　維摩詰所說經卷下
1.4　辰 081
1.5　070：1281
2.1　110 ×27.5 厘米；3 紙；82 行，行 29 ~33 字。
2.2　01：34.0，27；　02：48.5，38；　03：27.5，17。
2.3　卷軸裝。首殘尾全。背有古代裱補。有烏絲欄。
3.1　首殘→大正 475，14/555C14。
3.2　尾全→14/557B25。
4.2　維摩詰所說經一部（尾）。
5　本卷經文與《大正藏》本對照，在經文尾部“皆大歡喜”之後，增加“作禮而去”1 句。
8　7 ~8 世紀。唐寫本。
9.1　楷書。
9.2　有硃筆校改，有硃、墨筆行間校加字。
11　圖版：《敦煌寶藏》，66/402B ~403B。

1.1　BD01082 號
1.3　大比丘尼羯磨
1.4　辰 082
1.5　162：6991
2.1　（8 +415.5）×28 厘米；10 紙；185 行，行 23 字。
2.2　01：05.0，03；　02：3 +46，21；　03：49.5，21；
04：49.0，21；　05：49.0，21；　06：49.5，21；
07：49.0，22；　08：49.0，21；　09：49.0，21；
10：25.5，12。
2.3　卷軸裝。首殘尾全。卷首殘破嚴重，第 3 紙中部有殘洞，接縫處有開裂，卷面有油污，卷尾有蟲繭。有烏絲欄。
3.4　説明：
本文獻首 4 行上殘，尾全。未為歷代大藏經所收。
4.2　大比丘尼羯磨一卷（尾）。
8　5 ~6 世紀。南北朝寫本。
9.1　楷書。
9.2　天頭有墨筆科分。
11　圖版：《敦煌寶藏》，103/273A ~277A。

1.1　BD01083 號
1.3　大般若波羅蜜多經卷二六五
1.4　辰 083
1.5　084：2714
2.1　46.6 ×25.4 厘米；1 紙；28 行，行 17 字。
2.3　卷軸裝。首尾均脱。卷面有殘裂。背有古代裱補。有烏絲欄。
3.1　首殘→大正 220，6/343B6。
3.2　尾殘→6/343C4。
8　8 ~9 世紀。吐蕃統治時期寫本。
9.1　楷書。
11　圖版：《敦煌寶藏》，74/502B。

1.1　BD01084 號
1.3　妙法蓮華經（十卷本）卷一〇
1.4　辰 084
1.5　105：5942
2.1　（4 +682.2）×26 厘米；16 紙；349 行，行 17 字。
2.2　01：4 +13，09；　02：44.5，23；　03：44.5，23；
04：44.8，23；　05：44.8，23；　06：44.8，23；
07：44.8，23；　08：45.0，23；　09：45.0，23；
10：44.8，23；　11：44.7，23；　12：45.0，23；
13：45.0，23；　14：44.8，23；　15：44.7，23；
16：42.0，18。
2.3　卷軸裝。首殘尾全。尾有原軸，兩端塗黑漆，軸頭已壞。首紙上邊破損，通卷下邊多處殘破，卷面有水漬。
3.1　首 2 行上殘→大正 262，9/57A8 ~9。
3.2　尾全→9/62B1。
4.2　妙法蓮華經卷第十（尾）。
5　與《大正藏》本對照，分卷不同。
8　7 ~8 世紀。唐寫本。
9.1　楷書。
9.2　有行間校加字。
11　圖版：《敦煌寶藏》，96/96A ~105A。

1.1　BD01085 號
1.3　妙法蓮華經卷五
1.4　辰 085
1.5　105：5525
2.1　（29 +120 +17.7）×25 厘米；4 紙；91 行，行 17 字。
2.2　01：29 +5.7，20；　02：43.8，24；　03：43.8，24；
04：26.7 +17.7，23。
2.3　卷軸裝。首尾殘。經黄打紙。卷首殘破嚴重，通卷油污，卷尾殘破，背有污漬。有烏絲欄。
3.1　首 17 行上殘→大正 262，9/37A11 ~28。
3.2　尾 9 行中上殘→9/38A24 ~ B6。
8　7 ~8 世紀。唐寫本。
9.1　楷書。
11　圖版：《敦煌寶藏》，92/628B ~630B。

1.1　BD01086 號
1.3　妙法蓮華經（八卷本）卷八
1.4　辰 086
1.5　105：6078
2.1　489.9 ×26.5 厘米；11 紙；277 行，行 17 字。
2.2　01：48.0，28；　02：48.0，28；　03：48.0，28；
04：48.0，28；　05：47.7，28；　06：48.0，28；
07：47.5，28；　08：48.0，28；　09：47.7，28；
10：47.5，25；　11：11.5，拖尾。
2.3　卷軸裝。首脱尾全。首紙上下邊有殘裂。有烏絲欄。
3.1　首殘→大正 262，9/58B23。
3.2　尾全→9/62B1。
4.2　妙法蓮華經卷第八（尾）。
5　與《大正藏》本對照，分卷不同。
7.3　卷尾粘接木軸的地方有絳紅色圖案，似蓮花座形。
8　8 ~9 世紀。吐蕃統治時期寫本。
9.1　楷書。
11　圖版：《敦煌寶藏》，96/555B ~561B。

1.1　BD01087 號
1.3　瑜伽師地論隨聽手記卷四二
1.4　辰 087
1.5　201：7208
2.1　89.2 ×29.4 厘米；2 紙；63 行，行字不等。
2.2　01：44.7，32；　02：44.5，31。

2.3　卷軸裝。首全尾脫。尾紙後部下邊略有殘損。有烏絲欄。
3.1　首全→大正 2801，85/895C16。
3.2　尾殘→85/896C6。
4.1　瑜伽論第卌二卷手記初（首）。
5　與《大正藏》本對照，文理相同，釋義繁簡不同。
7.1　卷背面騎縫處有"沙門洪真本"題記 2 處。
7.3　有硃筆雜寫"尸羅"。
8　9 世紀。歸義軍時期寫本。
9.1　行書。
9.2　有硃筆科分、點標；有硃、墨筆行間校加字。
11　圖版：《敦煌寶藏》，104/573B～574B。

1.1　BD01088 號
1.3　金光明最勝王經卷五
1.4　辰 088
1.5　083：1730
2.1　（10.5＋180.3＋26.1）×27.4 厘米；6 紙；131 行，行 17 字。
2.2　01：10.5＋19.7，18；　02：46.6，28；
03：46.2，28；　04：46.5，28；
05：21.3＋25，28；　06：01.1，01。
2.3　卷軸裝。首尾均殘。卷首上下殘缺，卷尾上部殘破嚴重。有烏絲欄。
3.1　首 6 行下殘→大正 665，16/423A7～12。
3.2　尾 16 行上下殘→16/424B10～24。
8　9～10 世紀。歸義軍時期寫本。
9.1　楷書。
9.2　有刮改。
11　圖版：《敦煌寶藏》，69/494A～496B。

1.1　BD01089 號
1.3　大般若波羅蜜多經卷三二五
1.4　辰 089
1.5　084：2881
2.1　（8.7＋278.9＋12）×25.4 厘米；7 紙；183 行，行 17 字。
2.2　01：8.7＋35.2，27；　02：46.8，28；　03：45.5，28；
04：46.0，28；　05：45.5，28；　06：45.2，28；
07：14.7＋12，16。
2.3　卷軸裝。首尾均殘。首紙有殘洞，卷中上邊下邊有殘破，接縫處有開裂。背有古代裱補。有烏絲欄。
3.1　首 5 行下殘→大正 220，6/660A2～7。
3.2　尾 7 行下殘→6/662A3～9。
8　8～9 世紀。吐蕃統治時期寫本。
9.1　楷書。
9.2　有刮改。
11　圖版：《敦煌寶藏》，75/338B～342A。

1.1　BD01090 號
1.3　目連問戒律中五百輕重事
1.4　辰 090
1.5　199：7180
2.1　（9.5＋489.5＋28.5）×25.8 厘米；16 紙；341 行，行 32 字。
2.2　01：9.5＋，6；　02：35.5，23；　03：35.5，23；
04：35.5，23；　05：35.5，23；　06：35.5，23；
07：35.5，23；　08：35.5，23；　09：35.5，23；
10：35.5，23；　11：35.5，23；　12：35.5，23；
13：35.5，23；　14：35.5，23；　15：28＋7.5，23；
16：21.0，13。
2.3　卷軸裝。首尾均殘。上下邊有破裂。有烏絲欄。
3.1　首 6 行中下殘→大正 1483a，24/973C27～974A11。
3.2　尾 18 行中下殘→24/982C29。
5　與《大正藏》本相比，"度人事第五"尾有缺文，相當於大正 24/976A9～28。尾行下 11 字無出處。
8　5～6 世紀。南北朝寫本。
9.1　隸書。
9.2　有行間校加字。有倒乙、重文符號。
11　圖版：《敦煌寶藏》，104/385A～391B。

1.1　BD01091 號
1.3　大般若波羅蜜多經卷五八一
1.4　辰 091
1.5　084：3378
2.1　（7.9＋713.6）×26.4 厘米；17 紙；448 行，行 17 字。
2.2　01：7.9＋26.7，22；　02：44.1，28；　03：44.3，28；
04：44.0，28；　05：43.8，28；　06：43.9，28；
07：43.7，28；　08：44.0，28；　09：43.9，28；
10：44.4，28；　11：44.2，28；　12：43.9，28；
13：44.0，28；　14：43.8，28；　15：43.9，28；
16：44.0，28；　17：27.0，06。
2.3　卷軸裝。首殘尾全。卷尾有原軸，兩端塗紫紅色漆。首紙上下撕裂殘損，個別紙下有殘裂。有烏絲欄。
3.1　首 5 行下殘→大正 220，7/1003A8～14。
3.2　尾全→7/1008A23。
4.2　大般若波羅蜜多經卷第五百八十一（尾）。
7.1　卷端背面有勘記"五百八十一"。
8　8～9 世紀。吐蕃統治時期寫本。
9.1　楷書。
11　圖版：《敦煌寶藏》，77/445A～453B。

1.1　BD01092 號
1.3　妙法蓮華經卷五
1.4　辰 092
1.5　105：5458

2.1 (1.9+802.5)×26.2 厘米；23 紙；546 行，行 19~20 字。
2.2 01：1.9+27.5，20； 02：6.2，4； 03：50.0，35；
04：37.5，26； 05：45.0，31； 06：45.5，32；
07：09.0，06； 08：45.5，31； 09：13.0，09；
10：31.0，23； 11：50.5，35； 12：50.3，34；
13：50.3，34； 14：35.4，24； 15：10.7，07；
16：50.0，35； 17：50.4，34； 18：32.0，22；
19：15.5，10； 20：50.0，34； 21：50.0，34；
22：21.2，15； 23：26.0，11。
2.3 卷軸裝。首殘尾全。卷前部有殘洞，卷面有水漬、黴斑。有烏絲欄。
3.1 首行殘→大正 262，9/37B10。
3.2 尾全→9/46B14。
4.2 妙法蓮華經卷第五（尾）。
8 9~10 世紀。歸義軍時期寫本。
9.1 楷書，硬筆書寫。
9.2 有刮改。
11 圖版：《敦煌寶藏》，92/111A~123A。

1.1 BD01093 號
1.3 大般涅槃經（北本 宮本）卷三四
1.4 辰 093
1.5 115：6498
2.1 (4.5+745.8+4.5)×25.5 厘米；22 紙；440 行，行 17 字。
2.2 01：04.5，2； 02：36.0，22； 03：37.5，22；
04：37.3，22； 05：37.2，22； 06：37.2，22；
07：37.6，22； 08：34.4，22； 09：37.5，22；
10：37.6，22； 11：37.5，22； 12：37.6，22；
13：37.5，22； 14：37.7，22； 15：38.0，22；
16：37.6，22； 17：37.5，22； 18：37.6，22；
19：37.5，22； 20：37.5，22； 21：37.5，20；
22：04.5，00。
2.3 卷軸裝。首殘尾全。前 3 紙下部殘破嚴重，接縫處有開裂，尾端殘破。有烏絲欄。
3.1 首 3 行上下殘→大正 347，12/563B3~5。
3.2 尾全→12/568B21。
4.2 大般涅槃經卷第卅四（尾）。
5 與《大正藏》本對照，分卷不同，經文相當於《大正藏》卷三十三迦葉菩薩品第十二之一至卷三十四迦葉菩薩品第十二之二。與日本宮内寮本分卷相同。
7.1 尾端有題記“一校”。
8 5 世紀。南北朝寫本。
9.1 隸書。
9.2 有行間校加字，有倒乙、刪除、重文符號。
11 圖版：《敦煌寶藏》，99/577A~587A。

1.1 BD01094 號
1.3 大般若波羅蜜多經卷二一二
1.4 辰 094
1.5 084：2538
2.1 (12+776.8)×25.9 厘米；17 紙；454 行，行 17 字。
2.2 01：12+36，28； 02：48.0，28； 03：48.3，28；
04：48.3，28； 05：48.0，28； 06：48.1，28；
07：48.1，28； 08：48.1，28； 09：48.2，28；
10：48.1，28； 11：48.3，28； 12：48.3，28；
13：48.2，28； 14：48.3，28； 15：48.0，28；
16：48.0，28； 17：18.5，06。
2.3 卷軸裝。首殘尾全。尾有原軸，上邊鑲亞腰形軸頭，下軸頭脱落。首紙有殘洞、殘裂，上下邊殘缺，脱落 1 塊殘片，可綴接；第 4 紙有殘裂；尾有蟲繭。有烏絲欄。
3.1 首 7 行下殘→大正 220，6/60A21~27。
3.2 尾全→6/65B16。
4.2 大般若波羅蜜多經卷第二百一十二（尾）。
8 8~9 世紀。吐蕃統治時期寫本。
9.1 楷書。
9.2 有刮改。
11 圖版：《敦煌寶藏》，74/8A~18A。

1.1 BD01095 號
1.3 四分律比丘戒本
1.4 辰 095
1.5 156：6844
2.1 (2+308)×24.5 厘米；5 紙；185 行，行 21 字。
2.2 01：2+20，13； 02：76.0，47； 03：76.0，47；
04：61.0，38； 05：75.0，40。
2.3 卷軸裝。首尾均殘。首紙上下殘缺。尾端未抄完。有烏絲欄。
3.1 首 1 行上下殘→大正 1429，22/1015C14。
3.2 尾缺→22/1018A28。
8 9~10 世紀。歸義軍時期寫本。
9.1 楷書。
9.2 有倒乙、校改。
11 圖版：《敦煌寶藏》，102/203A~207A。

1.1 BD01096 號
1.3 大般若波羅蜜多經卷二〇〇
1.4 辰 096
1.5 084：2503
2.1 (4.2+220.8)×25.3 厘米；5 紙；131 行，行 17 字。
2.2 01：4.2+28.8，19； 02：48.0，28； 03：48.0，28；
04：48.0，28； 05：48.0，28。
2.3 卷軸裝。首殘尾脱。首紙有殘洞、横向破裂及上下邊殘破，第 2 紙有殘裂，上邊殘缺，卷上部有油污。背有古代裱補。有烏

絲欄。
3.1　首2行下殘→大正220，5/1071A18～20。
3.2　尾殘→5/1072C3。
8　8～9世紀。吐蕃統治時期寫本。
9.1　楷書。
11　圖版：《敦煌寶藏》，73/502A～523A。

1.1　BD01097號
1.3　大般若波羅蜜多經卷二三二
1.4　辰097
1.5　084：2601
2.1　(3.8+628.5)×26.3厘米；14紙；371行，行17字。
2.2　01：3.8+43.8，28；　02：47.5，28；　03：47.4，28；
04：47.5，28；　05：47.5，28；　06：47.5，28；
07：47.5，28；　08：47.5，28；　09：47.5，28；
10：47.5，28；　11：47.5，28；　12：47.4，28；
13：47.4，28；　14：15.0，07。
2.3　卷軸裝。首殘尾全。首紙有殘洞、上邊殘缺。背有古代裱補。有烏絲欄。
3.1　首2行中殘→大正220，6/167B5～6。
3.2　尾全→6/171C5。
4.2　大般若波羅蜜多經卷第二百卌二（尾）。
8　8～9世紀。吐蕃統治時期寫本。
9.1　楷書。
9.2　有刮改。
11　圖版：《敦煌寶藏》，74/192A～200A。

1.1　BD01098號
1.3　金光明最勝王經卷六
1.4　辰098
1.5　083：1771
2.1　(52.1+650.3)×24.5厘米；16紙；411行，行17字。
2.2　01：14.5，09；　02：37.6+10.3，28；　03：47.1，28；
04：47.0，28；　05：47.5，28；　06：47.0，28；
07：47.7，28；　08：47.5，28；　09：47.3，28；
10：47.2，28；　11：47.1，28；　12：46.3，28；
13：45.3，28；　14：46.5，28；　15：46.5，28；
16：30.0，10。
2.3　卷軸裝。首尾均殘。後4紙破碎嚴重。脫落2塊殘片，已綴接。背有多處古代裱補。有燕尾。有烏絲欄。已修整。
3.1　首32行下殘→大正665，16/427C7～428A11。
3.2　尾36行下殘→16/432B3～C10。
4.2　金光明最勝王經卷第六（尾）。
5　尾附音義。
8　8～9世紀。吐蕃統治時期寫本。
9.1　楷書。
9.2　有硃筆校改。

11　圖版：《敦煌寶藏》，70/27A～36A。

1.1　BD01099號
1.3　金剛般若波羅蜜經
1.4　辰099
1.5　094：3824'
2.1　104×25.5厘米；2紙；56行，行17字。
2.2　01：52.0，28；　02：52.0，28。
2.3　卷軸裝。首尾均脫。有烏絲欄。
3.1　首殘→大正235，8/749B20。
3.2　尾殘→8/750A21。
8　7～8世紀。唐寫本。
9.1　楷書。
9.2　有刮改。
11　圖版：《敦煌寶藏》，80/481A～482A。

1.1　BD01100號
1.3　四分比丘尼戒本
1.4　辰100
1.5　157：6972
2.1　47.5×28厘米；1紙；27行，行17字。
2.3　卷軸裝。首全尾脫。尾中部有殘洞。有烏絲欄。
3.1　首全→大正1431，22/1031A2。
3.2　尾殘→22/1031B15。
4.1　四分尼戒本（首）
8　8～9世紀。吐蕃統治時期寫本。
9.1　楷書。
11　圖版：《敦煌寶藏》，103/190B～191A。

1.1　BD01101號
1.3　四分律比丘戒本
1.4　宿001
1.5　425：8609
2.1　(5.8+56.2)×26.8厘米；3紙；34行，行16～20字。
2.2　01：5.8+35.5，22；　02：17.0，10；　03：03.7，02。
2.3　卷軸裝。首尾均殘。首紙有破裂，通卷上邊下邊殘破。首紙脫落1塊殘片，已綴接。首紙背有古代裱補。第3紙字蹟與前兩紙不同。上下界欄為烏絲欄，豎欄爲折叠欄。已修整。
3.1　首3行下殘→大正1429，22/1015B26。
3.2　尾殘→22/1016A11。
5　與《大正藏》本對照，文字略有不同。
8　9～10世紀。歸義軍時期寫本。
9.1　楷書。
11　圖版：《敦煌寶藏》，111/9A～B。

1.1　BD01102號
1.3　金剛般若波羅蜜經

1.4　宿 002
1.5　094: 4329
2.1　164.2×25.6 厘米; 4 紙; 79 行, 行 17～19 字。
2.2　01: 51.4, 28;　02: 51.3, 28;　03: 44.3, 23;
04: 17.2, 拖尾。
2.3　卷軸裝。首脫尾全。前 3 紙有殘缺破損, 卷上部黴爛。有燕尾。拖尾係後接。背有古代裱補。有烏絲欄。
3.1　首殘→大正 235, 8/751B28。
3.2　尾全→8/752C3。
4.2　金剛般若波羅蜜經 (尾)。
5　與《大正藏》本對照, 本文獻無冥司偈, 文見大正 235, 8/751C16～19。
8　7～8 世紀。唐寫本。
9.1　楷書。
11　圖版:《敦煌寶藏》, 82/664A～666A。

1.1　BD01103 號
1.3　維摩詰所說經卷中
1.4　宿 003
1.5　070: 1069
2.1　930×24.5 厘米; 19 紙; 528 行, 行 17 字。
2.2　01: 49.5, 29;　02: 49.5, 29;　03: 50.0, 29;
04: 50.0, 29;　05: 50.0, 29;　06: 50.0, 29;
07: 50.0, 29;　08: 50.0, 29;　09: 50.0, 29;
10: 50.0, 29;　11: 50.0, 29;　12: 50.0, 29;
13: 50.0, 29;　14: 50.0, 28;　15: 50.0, 29;
16: 50.0, 29;　17: 50.0, 29;　18: 50.0, 29;
19: 31.0, 06。
2.3　卷軸裝。首脫尾全。首紙殘破嚴重, 卷面上下邊有破裂, 接縫處有開裂。有燕尾。
3.1　首行下殘→大正 475, 14/544C27～28。
3.2　尾全→14/551C27。
4.2　維摩詰經卷第二 (尾)。
8　9～10 世紀。歸義軍時期寫本。
9.1　楷書。
9.2　有刮改, 有行間校加字。
11　圖版:《敦煌寶藏》, 65/11B～23A。

1.1　BD01104 號
1.3　金剛般若波羅蜜經
1.4　宿 004
1.5　094: 4207
2.1　(9.5+250.5)×25.5 厘米; 7 紙; 139 行, 行 16～18 字。
2.2　01: 9.5+12.5, 13;　02: 44.0, 27;　03: 44.0, 27;
04: 44.0, 27;　05: 36.0, 21;　06: 36.0, 22;
07: 34.0, 02。
2.3　卷軸裝。首殘尾全。卷首殘破嚴重, 卷面有殘洞, 下方有殘損破裂。有燕尾。有烏絲欄。
3.1　首 6 行上下殘→235, 8/750C24～751A1。
3.2　尾全→8/752C3。
4.2　佛說金剛般若波羅蜜經一卷 (尾)。
7.1　尾有題記 "清信佛弟子盧師道"。
8　7～8 世紀。唐寫本。
9.1　楷書。
11　圖版:《敦煌寶藏》, 82/399B～403A。

1.1　BD01105 號
1.3　觀世音經
1.4　宿 005
1.5　111: 6259
2.1　112.9×24.5 厘米; 3 紙; 66 行, 行 17 字。
2.2　01: 47.2, 28;　02: 46.7, 28;　03: 19.0, 10。
2.3　卷軸裝。首殘尾全。通卷殘破嚴重。背有古代裱補, 裱補紙上有字, 文字向内粘貼, 難以辨認, 有 "並在義文身上"、"悔者" 等語, 似為社會文書。有烏絲欄。
3.1　首 2 行下殘→大正 262, 9/57B1～3。
3.2　尾全→9/58B7。
4.2　觀音經一卷 (尾)。
8　7～8 世紀。唐寫本。
9.1　楷書。
11　圖版:《敦煌寶藏》, 97/487A～488B。

1.1　BD01106 號
1.3　四分律比丘戒本
1.4　宿 006
1.5　156: 6892
2.1　66×27 厘米; 2 紙; 30 行, 行 18 字。
2.2　01: 40.0, 22;　02: 26.0, 08。
2.3　卷軸裝。首脫尾全。首紙下方撕裂, 接縫下部開裂, 卷尾有蟲繭。
3.1　首殘→大正 1429, 22/1022B21。
3.2　尾全→22/1023A11。
4.2　四分戒一卷 (尾)。
7.1　尾有題記: "乾元二年四月廿日, 龍興寺僧靜深寫了。"
8　759 年。唐寫本。
9.1　楷書。
11　圖版:《敦煌寶藏》, 102/388A～B。

1.1　BD01107 號
1.3　四分比丘尼戒本
1.4　宿 007
1.5　157: 6950
2.1　68×27 厘米; 2 紙; 33 行, 行 21 字。
2.2　01: 33.0, 16;　02: 35.0, 17。

2.3　卷軸裝。首殘尾脫。紙質薄。有烏絲欄。
3.1　首殘→大正 1431，22/1033B26。
3.2　尾殘→22/1034A13。
6.1　首→BD01128 號。
6.2　尾→BD01124 號 B。
8　9～10 世紀。歸義軍時期寫本。
9.1　楷書。
9.2　有硃筆行間校加字，有倒乙。
11　圖版：《敦煌寶藏》，103/79A。圖版前半部不完整。

1.1　BD01108 號
1.3　金剛般若波羅蜜經
1.4　宿 008
1.5　094：3900
2.1　（195＋2）×26 厘米；4 紙；112 行，行 17 字。
2.2　01：49.0，28；　02：49.5，28；　03：49.5，28；
04：47＋2，28。
2.3　卷軸裝。首尾均脫。經黄紙。卷面有水漬，下邊殘破，接縫處有開裂，卷尾殘破。有烏絲欄。
3.1　首殘→大正 235，8/749C12。
3.2　尾行下殘→8/751A13。
8　7～8 世紀。唐寫本。
9.1　楷書。
11　圖版：《敦煌寶藏》，81/123B～126A。

1.1　BD01109 號
1.3　妙法蓮華經卷五
1.4　宿 009
1.5　105：5480
2.1　784.5×25.3 厘米；19 紙；433 行，行 17 字。
2.2　01：42.7，24；　02：42.8，24；　03：43.0，24；
04：42.8，24；　05：42.8，24；　06：42.8，24；
07：43.0，24；　08：42.8，24；　09：43.0，24；
10：42.8，24；　11：42.7，24；　12：42.7，24；
13：43.0，24；　14：41.9，24；　15：42.0，24；
16：41.9，24；　17：42.0，24；　18：41.8，24；
19：18.0，01。
2.3　卷軸裝。首脫尾全。有燕尾。有烏絲欄。
3.1　首殘→大正 262，9/39C6。
3.2　尾全→9/46B14。
4.2　妙法蓮華經卷第五（尾）。
8　7～8 世紀。唐寫本。
9.1　楷書。
11　圖版：《敦煌寶藏》，92/431B～443B。

1.1　BD01110 號 1
1.3　妙法蓮華經（十卷本）卷八
1.4　宿 010
1.5　105：5747
2.1　（2＋881.6＋10）×28 厘米；22 紙；602 行，行 17 字。
2.2　01：2＋14.5，11；　02：41.5，29；　03：41.6，29；
04：39.0，26；　05：42.1，29；　06：42.1，29；
07：41.5，22；　08：42.1，27；　09：42.1，29；
10：42.1，29；　11：42.3，29；　12：42.0，29；
13：41.8，29；　14：41.8，29；　15：41.8，29；
16：42.1，29；　17：42.0，29；　18：42.1，29；
19：41.8，29；　20：42.0，29；　21：41.8，29；
22：31.5＋10，23。
2.3　卷軸裝。首尾均殘。卷首上下邊有殘裂，接縫處多有開裂，第 19、20 紙間脫落爲兩截，卷尾有 4 個殘洞。首紙前 3 行上端有古代裱補。有烏絲欄。
2.4　本遺書包括 2 個文獻：（一）《妙法蓮華經卷八》，175 行，今編為 BD01110 號 1。（二）《妙法蓮華經卷七》，427 行，今編為 BD01110 號 2。
3.1　首行上殘→大正 262，9/49A11。
3.2　尾全→9/51C7。
4.2　妙法蓮華經卷第八（尾）。
5　與《大正藏》本對照，分卷不同，品序不同。相當於《大正藏》卷六法師功德品的後部分及常不輕菩薩品的全部。《大正藏》常不輕菩薩品爲“第二十”，本卷爲“第十九”。
8　5～6 世紀。南北朝寫本。
9.1　隸書。
9.2　有校改，有重文號。
11　圖版：《敦煌寶藏》，94/595B～606B。

1.1　BD01110 號 2
1.3　妙法蓮華經（十卷本）卷七
1.4　宿 010
1.5　105：5747
2.4　本遺書由 2 個文獻組成，本號爲第 2 個，427 行。餘參見 BD01110 號 1 之第 2 項、第 11 項。
3.1　首全→大正 262，9/39C18。
3.2　尾全→9/46B14。
4.1　妙法蓮華經地踊出品第十四（首）。
4.2　妙法蓮華經卷第七（尾）。
5　與《大正藏》本對照，分卷不同，品序不同。相當於《大正藏》卷五從地踊出品至卷六分別功德品的全部。《大正藏》中各品品序分別爲“十五、十六、十七”，本卷分別爲“十四、十五、十六”。
8　5～6 世紀。南北朝寫本。
9.1　隸書。

1.1　BD01111 號
1.3　四分比丘尼戒本

1.4 宿 011
1.5 157: 6917
2.1 (14.5 +89) ×25.9 厘米; 3 紙; 51 行, 行 24 字。
2.2 01: 14.5 +20, 17; 02: 35.0, 17; 03: 34.0, 17。
2.3 卷軸裝。首尾均殘。紙質薄。各紙皆有殘裂, 上邊下邊破損, 有殘洞。有烏絲欄。
3.1 首 7 行下殘→大正 1431, 22/1032A20。
3.2 尾殘→22/1033A9。
6.2 尾→BD01140 號。
8 9 ~ 10 世紀。歸義軍時期寫本。
9.1 楷書。
9.2 有硃筆校加字。
11 圖版:《敦煌寶藏》, 102/533B ~ 534B。

1.1 BD01112 號
1.3 妙法蓮華經卷七
1.4 宿 012
1.5 105: 6083
2.1 442 ×26.5 厘米; 11 紙; 256 行, 行 17 字。
2.2 01: 42.5, 26; 02: 42.5, 26; 03: 42.5, 26;
04: 42.5, 26; 05: 42.5, 26; 06: 42.5, 26;
07: 42.5, 26; 08: 42.5, 26; 09: 42.5, 22;
10: 42.5, 26; 11: 17.0, 拖尾。
2.3 卷軸裝。首脱尾全。通卷入潢, 似為刷染。有燕尾。有烏絲欄。
3.1 首殘→大正 262, 9/58C12。
3.2 尾全→9/62B1。
4.2 妙法蓮華經卷第七 (尾)。
8 7 ~ 8 世紀。唐寫本。
9.1 楷書。
11 圖版:《敦煌寶藏》, 96/589B ~ 594B。

1.1 BD01113 號
1.3 四分比丘尼戒本
1.4 宿 013
1.5 157: 6916
2.1 77 ×27 厘米; 2 紙; 46 行, 行字不等。
2.2 01: 39.0, 23; 02: 38.0, 23。
2.3 卷軸裝。首尾均脱。紙質薄。2 紙下部均有殘裂, 卷中間有殘洞。有上下邊欄。
3.1 首殘→大正 1431, 22/1039B10。
3.2 尾殘→22/1040A1。
6.1 首→BD01120 號。
8 9 ~ 10 世紀。歸義軍時期寫本。
9.1 楷書。
11 圖版:《敦煌寶藏》, 102/532A ~ 533A。

1.1 BD01114 號
1.3 四分比丘尼戒本
1.4 宿 014
1.5 157: 6921
2.1 35 ×27 厘米; 1 紙; 17 行, 行 21 字。
2.3 卷軸裝。首尾均脱。紙質薄。下邊破損。有烏絲欄。
3.1 首殘→大正 1431, 22/1036A4。
3.2 尾殘→22/1036A26。
6.1 首→BD01117 號。
8 9 ~ 10 世紀。歸義軍時期寫本。
9.1 楷書。
9.2 有硃筆校改。
11 圖版:《敦煌寶藏》, 102/553A。

1.1 BD01115 號
1.3 金光明最勝王經卷三
1.4 宿 015
1.5 083: 1594
2.1 (1.8 +531.4) ×26 厘米; 13 紙; 320 行, 行 17 字。
2.2 01: 1.8 +15, 10; 02: 44.8, 28; 03: 44.5, 28;
04: 44.5, 28; 05: 44.8, 28; 06: 44.9, 28;
07: 44.7, 28; 08: 45.0, 28; 09: 44.8, 28;
10: 44.8, 28; 11: 44.1, 28; 12: 44.5, 28;
13: 25.0, 02。
2.3 卷軸裝。首脱尾全。卷首殘碎嚴重, 脱落一塊碎片, 可與卷端綴接; 卷面有一殘洞。有燕尾。背有古代裱補。有烏絲欄。
3.1 首行中殘→大正 665, 16/413C29。
3.2 尾全→16/417C16。
4.2 金光明最勝王經卷第三 (尾)。
8 8 ~ 9 世紀。吐蕃統治時期寫本。
9.1 楷書。
11 圖版:《敦煌寶藏》, 68/507A ~ 513B。

1.1 BD01116 號
1.3 妙法蓮華經卷一
1.4 宿 016
1.5 105: 4542
2.1 (5.4 +778.2) ×25.3 厘米; 17 紙; 454 行, 行 17 字。
2.2 01: 5.4 +39.2, 26; 02: 47.8, 28; 03: 47.7, 28;
04: 47.8, 28; 05: 47.8, 28; 06: 47.8, 28;
07: 47.8, 28; 08: 47.7, 28; 09: 47.6, 28;
10: 47.6, 28; 11: 47.6, 28; 12: 47.6, 28;
13: 47.7, 28; 14: 47.7, 28; 15: 47.6, 28;
16: 47.7, 28; 17: 23.5, 06。
2.3 卷軸裝。首殘尾全。前數紙下部殘缺。有烏絲欄。已修整。
3.1 首 3 行下殘→大正 262, 9/2B21 ~ 24。
3.2 尾全→9/10B21。

4.2　妙法蓮華經卷第一（尾）。
8　7～8世紀。唐寫本。
9.1　楷書。
9.2　有刮改。
11　圖版：《敦煌寶藏》，84/282A～292A。

1.1　BD01117號
1.3　四分比丘尼戒本
1.4　宿017
1.5　157：6924
2.1　140×27.6厘米；4紙；68行，行22字。
2.2　01：35.0，17；　02：35.0，17；　03：35.0，17；
04：35.0，17。
2.3　卷軸裝。首尾均脫。紙質薄。首有木軸，兩端塗棕色漆。接縫處有開裂。有烏絲欄。
3.1　首殘→大正1431，22/1035A3。
3.2　尾殘→22/1036A4。
6.1　首→BD09425號。
6.2　尾→BD01114號。
8　9～10世紀。歸義軍時期寫本。
9.1　楷書。
9.2　有行間校加字及校改，有倒乙。
11　圖版：《敦煌寶藏》，102/570B～572A。

1.1　BD01118號
1.3　妙法蓮華經卷六
1.4　宿018
1.5　105：5732
2.1　（2＋752）×25.5厘米；17紙；438行，行17字。
2.2　01：2＋9，06；　02：47.3，28；　03：48.0，28；
04：47.7，28；　05：47.7，28；　06：47.7，28；
07：47.7，28；　08：47.7，28；　09：47.4，28；
10：47.7，28；　11：47.7，28；　12：47.8，28；
13：47.7，28；　14：47.7，28；　15：47.7，28；
16：47.7，28；　17：27.5，12。
2.3　卷軸裝。首殘尾全。有原軸，兩端塗硃漆，下軸頭坏。接縫處有開裂，卷面多水漬，多白色斑點，附着不緊密。有烏絲欄。
3.1　首行下殘→大正262，9/49A8～9。
3.2　尾全→9/55A9。
4.2　妙法蓮華經卷第六（尾）
8　7～8世紀。唐寫本。
9.1　楷書。
11　圖版：《敦煌寶藏》，94/483B～493B。

1.1　BD01119號
1.3　梵網經盧舍那佛說菩薩心地戒品第十卷下
1.4　宿019
1.5　143：6705
2.1　（9＋52.8）×24.7厘米；2紙；46行，行17字。
2.2　01：9＋18，24；　02：34.8，22。
2.3　卷軸裝。首殘尾斷。首紙破碎，脫落一塊殘片，已綴接。背有古代裱補。有烏絲欄。已修整。
3.1　首12行下殘→大正1484，24/1003B17～C1。
3.2　尾殘→24/1004A17。
8　7～8世紀。唐寫本。
9.1　楷書。
11　圖版：《敦煌寶藏》，101/255B～256A。

1.1　BD01120號
1.3　四分比丘尼戒本
1.4　宿020
1.5　157：6915
2.1　77.5×27厘米；2紙；47行，行25字。
2.2　01：39.0，24；　02：38.5，23。
2.3　卷軸裝。首尾均脫。紙質薄。卷中間殘破。有烏絲欄。
3.1　首殘→大正1431，22/1038C15。
3.2　尾殘→22/1039B9。
5　《大正藏》本22/1039A6～B9經文中作“應當學”處，本卷均作“式叉迦羅尼”
6.1　首→BD01125號。
6.2　尾→BD01113號。
8　9～10世紀。歸義軍時期寫本。
9.1　楷書。
9.2　有行間校加字。
11　圖版：《敦煌寶藏》，102/530B～531B。

1.1　BD01121號
1.3　十地經論卷九
1.4　宿021
1.5　216：7263
2.1　（8＋731）×26.5厘米；20紙；436行，行17字。
2.2　01：8＋28，21；　02：37.0，22；　03：37.0，22；
04：37.0，22；　05：37.0，22；　06：37.0，22；
07：37.0，22；　08：37.0，22；　09：37.0，22；
10：37.0，22；　11：37.0，22；　12：37.0，22；
13：37.0，22；　14：37.0，22；　15：37.0，22；
16：37.0，22；　17：37.0，22；　18：37.0，22；
19：37.0，22；　20：37.0，19。
2.3　卷軸裝。首尾均全。尾有原軸，兩端塗黑漆，頂端點硃漆。首紙殘破。上下邊有劃界欄針孔。有烏絲欄。
3.1　首全→大正1522，26/173C16～22。
3.2　尾全→26/178C27。
4.1　十地論遠行地第七卷之九（首）。

4.2　十地論遠行地第七卷之九（尾）。
7.1　卷尾有題記“一校”。
7.3　第2、5紙上方有“下”字，又有“欲”字。
8　5~6世紀。南北朝寫本。
9.1　隸書。
9.2　有重文符號，有行間校加字，有倒乙。
11　圖版：《敦煌寶藏》，105/163A~172B。

1.1　BD01122號
1.3　佛名經（十六卷本）卷一二
1.4　宿022
1.5　063：0743
2.1　（3+339+43）×25厘米；9紙；215行，行16字。
2.2　01：3+40，24；　02：43.0，24；　03：43.0，24；
04：43.0，24；　05：43.0，24；　06：43.0，24；
07：43.0，24；　08：41+2，24；　09：41.0，23。
2.3　卷軸裝。首尾均殘。通卷上部殘破。第1至6紙中部有等距離残爛，卷尾上中部缺損。
3.1　首2行上中殘→《七寺古逸經典研究叢書》，3/第618頁第422行；
3.2　尾24行上中殘→《七寺古逸經典研究叢書》，3/第633頁第619行。
8　7~8世紀。唐寫本。
9.1　楷書。
11　圖版：《敦煌寶藏》，62/43A~48A。

1.1　BD01123號
1.3　大般涅槃經（北本）卷一九
1.4　宿023
1.5　115：6405
2.1　903×25厘米；18紙；491行，行17字。
2.2　01：50.0，28；　02：51.0，28；　03：50.5，28；
04：50.5，28；　05：50.5，28；　06：51.0，28；
07：51.0，28；　08：51.0，28；　09：51.0，28；
10：50.5，28；　11：50.5，28；　12：50.5，28；
13：50.5，28；　14：51.0，28；　15：50.5，28；
16：50.5，28；　17：50.5，28；　18：42.0，15。
2.3　卷軸裝。首脫尾全。麻紙。首紙下部殘破，接縫處有開裂，第15、16紙接縫處脫落，卷尾殘破。有烏絲欄。
3.1　首殘→大正374，12/474B24。
3.2　尾全→12/480B22。
4.2　大般涅槃經卷第十九（尾）。
8　7~8世紀。唐寫本。
9.1　楷書。
11　圖版：《敦煌寶藏》，98/633A~645A。

1.1　BD01124號A
1.3　四分比丘尼戒本
1.4　宿024
1.5　157：6943
2.1　114.5×26.6厘米；3紙；73行，行21字。
2.2　01：38.0，24；　02：38.0，25；　03：38.5，24。
2.3　卷軸裝。首尾均脫。紙質薄。後2紙中下部殘裂。有邊欄。
3.1　首殘→大正1431，22/1037A6。
3.2　尾殘→22/1038A16。
6.1　首→BD01133號。
6.2　尾→BD01130號。
8　9~10世紀。歸義軍時期寫本。
9.1　楷書。
9.2　有硃筆行間校加字。
11　圖版：《敦煌寶藏》，102/649B~650B。

1.1　BD01124號B
1.3　四分比丘尼戒本
1.4　宿024
1.5　157：6954
2.1　70×27厘米；2紙；34行，行22字。
2.2　01：35.0，17；　02：35.0，17。
2.3　卷軸裝。首尾均脫。紙質薄。接縫處有開裂。有烏絲欄。
3.1　首殘→大正1431，22/1034A13。
3.2　尾殘→22/1034C2。
6.1　首→BD01107號。
6.2　尾→BD09425號。
8　9~10世紀。歸義軍時期寫本。
9.1　楷書。
11　圖版：《敦煌寶藏》，103/86A~B。

1.1　BD01125號
1.3　四分比丘尼戒本
1.4　宿025
1.5　157：6925
2.1　39×27.5厘米；1紙；23行，行22字。
2.3　卷軸裝。首尾均脫。紙質薄。尾有殘裂。
3.1　首殘→大正1431，22/1038B14。
3.2　尾殘→22/1038C14。
6.1　首→BD01130號。
6.2　尾→BD01120號。
8　9~10世紀。歸義軍時期寫本。
9.1　楷書。
11　圖版：《敦煌寶藏》，102/572B。

1.1　BD01126號
1.3　妙法蓮華經卷二
1.4　宿026

1.5　105：4822
2.1　476.9×25.3 厘米；11 紙；260 行，行 17 字。
2.2　01：12.2，07；　02：47.0，26；　03：47.6，26；
04：47.2，25；　05：47.2，25；　06：47.1，25；
07：47.6，25；　08：47.1，25；　09：47.3，25；
10：45.6，26；　11：41.0，25。
2.3　卷軸裝。首殘尾脫。卷首油污，卷前部有殘洞、破損。有烏絲欄。
3.1　首殘→大正 262，9/10C20。
3.2　尾殘→9/14B24。
8　9～10 世紀。歸義軍時期寫本。
9.1　楷書。
11　圖版：《敦煌寶藏》，87/14B～21A。

1.1　BD01127 號
1.3　金剛般若波羅蜜經
1.4　宿 027
1.5　094：3639
2.1　（460.1+51）×26 厘米；13 紙；284 行，行 17 字。
2.2　01：42.5，24；　02：42.1，24；　03：42.2，24；
04：42.5，24；　05：42.5，24；　06：42.0，24；
07：42.5，24；　08：42.3，24；　09：42.5，24；
10：42.0，24；　11：37+5，24；　12：41.5，20；
13：04.5，拖尾。
2.3　卷軸裝。首脫尾殘。卷前部有殘裂、殘洞，卷後部下邊殘破，卷面有鼠咬殘洞。通卷刷潢，不均勻。有烏絲欄。
3.1　首殘→大正 235，8/749A14。
3.2　尾 24 行下殘→8/752B8－C3。
4.2　金剛般若波羅蜜經（尾）。
8　7～8 世紀。唐寫本。
9.1　楷書。
9.2　有刮改。
11　圖版：《敦煌寶藏》，79/286A～292B。

1.1　BD01128 號
1.3　四分比丘尼戒本
1.4　宿 028
1.5　157：6898
2.1　（34+2）×26.8 厘米；1 紙；18 行，行 21 字。
2.3　卷軸裝。首尾均殘。紙質薄。有烏絲欄。
3.1　首殘→大正 1431，22/1033B2。
3.2　尾 1 行上下殘→22/1033B26。
6.1　首→BD01140 號。
6.2　尾→BD01107 號。
8　9～10 世紀。歸義軍時期寫本。
9.1　楷書。
9.2　有硃筆校加字。

11　圖版：《敦煌寶藏》，102/406A。

1.1　BD01129 號
1.3　大般若波羅蜜多經卷二四七
1.4　宿 029
1.5　084：2650
2.1　201.8×25.7 厘米；5 紙；117 行，行 17 字。
2.2　01：47.7，28；　02：47.3，28；　03：47.5，28；
04：47.5，28；　05：11.8，05。
2.3　卷軸裝。首脫尾全。有烏絲欄。
3.1　首殘→大正 220，6/249C18。
3.2　尾全→6/251A20。
4.2　大般若波羅蜜多經卷第二百卌七（尾）。
8　7～8 世紀。唐寫本。
9.1　楷書。
有武周新字“正”、“聖”，使用周遍。
9.2　有刮改。
11　圖版：《敦煌寶藏》，74/341A～343B。

1.1　BD01130 號
1.3　四分比丘尼戒本
1.4　宿 030
1.5　198：7149
2.1　39×27 厘米；1 紙；23 行，行 21 字。
2.3　卷軸裝。首尾均脫。紙質薄。卷中部有殘裂。上邊有邊欄。
3.1　首殘→大正 1431，22/1038A16。
3.2　尾殘→22/1038B13。
6.1　首→BD01124 號 A。
6.2　尾→BD01125 號。
8　9～10 世紀。歸義軍時期寫本。
9.1　楷書。
11　圖版：《敦煌寶藏》，104/318B～。

1.1　BD01131 號
1.3　大般涅槃經（北本）卷五
1.4　宿 031
1.5　115：6316
2.1　1121.7×26.7 厘米；27 紙；623 行，行 17 字。
2.2　01：42.5，24；　02：42.0，24；　03：43.0，24；
04：43.0，24；　05：43.0，24；　06：43.0，24；
07：43.0，24；　08：43.0，24；　09：43.0，24；
10：43.0，24；　11：43.0，24；　12：43.0，24；
13：43.0，24；　14：43.0，24；　15：43.0，24；
16：43.0，24；　17：42.8，24；　18：43.0，24；
19：43.0，24；　20：42.7，24；　21：42.8，24；
22：43.0，24；　23：42.7，24；　24：42.5，24；
25：42.7，24；　26：43.0，23；　27：07.0，拖尾。

2.3　卷軸裝。首脱尾全。前2紙多鳥糞及污漬。有烏絲欄。

3.1　首殘→大正374，12/390C7。

3.2　尾全→12/398A12。

4.2　大般涅槃經卷第五（尾）。

5　與《大正藏》本對照，分卷不同。相當於《大正藏》卷五如來性品第四之二大部至卷六如來性品第四之三的前部。且此卷不分品。

7.1　尾題後有題記“校了”。

8　7~8世紀。唐寫本。

9.1　楷書。

11　圖版：《敦煌寶藏》，98/96A~110B。

新舊編號對照表

一、千字文號與北敦號、縮微膠卷號對照表

千字文號	北敦號	縮微膠卷號
辰 062	BD01062 號	169：7064
辰 062	BD01062 號背	169：7064
辰 063	BD01063 號 1	094：3755
辰 063	BD01063 號 2	094：3755
辰 064	BD01064 號	275：7711
辰 065	BD01065 號	088：3469
辰 066	BD01066 號	020：0226
辰 067	BD01067 號	115：6452
辰 068	BD01068 號	237：7421
辰 069	BD01069 號	062：0584
辰 070	BD01070 號	084：3349
辰 071	BD01071 號	084：2632
辰 072	BD01072 號 1	275：7971
辰 072	BD01072 號 2	275：7971
辰 073	BD01073 號	206：7235
辰 073	BD01073 號背	206：7235
辰 074	BD01074 號	063：0730
辰 075	BD01075 號	084：2184
辰 076	BD01076 號	070：1229
辰 077	BD01077 號	105：6086
辰 078	BD01078 號	094：3610
辰 079	BD01079 號	105：5086
辰 080	BD01080 號	115：6467
辰 081	BD01081 號	070：1281
辰 082	BD01082 號	162：6991
辰 083	BD01083 號	084：2714
辰 084	BD01084 號	105：5942
辰 085	BD01085 號	105：5525
辰 086	BD01086 號	105：6078
辰 087	BD01087 號	201：7208
辰 088	BD01088 號	083：1730
辰 089	BD01089 號	084：2881
辰 090	BD01090 號	199：7180
辰 091	BD01091 號	084：3378
辰 092	BD01092 號	105：5458
辰 093	BD01093 號	115：6498
辰 094	BD01094 號	084：2538
辰 095	BD01095 號	156：6844
辰 096	BD01096 號	084：2503
辰 097	BD01097 號	084：2601
辰 098	BD01098 號	083：1771
辰 099	BD01099 號	094：3824
辰 100	BD01100 號	157：6972
宿 001	BD01101 號	425：8609
宿 002	BD01102 號	094：4329
宿 003	BD01103 號	070：1069
宿 004	BD01104 號	094：4207
宿 005	BD01105 號	111：6259
宿 006	BD01106 號	156：6892
宿 007	BD01107 號	157：6950
宿 008	BD01108 號	094：3900
宿 009	BD01109 號	105：5480
宿 010	BD01110 號 1	105：5747
宿 010	BD01110 號 2	105：5747
宿 011	BD01111 號	157：6917
宿 012	BD01112 號	105：6083
宿 013	BD01113 號	157：6916
宿 014	BD01114 號	157：6921
宿 015	BD01115 號	083：1594
宿 016	BD01116 號	105：4542
宿 017	BD01117 號	157：6924
宿 018	BD01118 號	105：5732
宿 019	BD01119 號	143：6705
宿 020	BD01120 號	157：6915
宿 021	BD01121 號	216：7263
宿 022	BD01122 號	063：0743
宿 023	BD01123 號	115：6405
宿 024	BD01124 號 A	157：6943

宿 024	BD01124 號 B	157：6954	宿 028	BD01128 號	157：6898
宿 025	BD01125 號	157：6925	宿 029	BD01129 號	084：2650
宿 026	BD01126 號	105：4822	宿 030	BD01130 號	198：7149
宿 027	BD01127 號	094：3639	宿 031	BD01131 號	115：6316

二、縮微膠卷號與北敦號、千字文號對照表

縮微膠卷號	北敦號	千字文號
020：0226	BD01066 號	辰 066
062：0584	BD01069 號	辰 069
063：0730	BD01074 號	辰 074
063：0743	BD01122 號	宿 022
070：1069	BD01103 號	宿 003
070：1229	BD01076 號	辰 076
070：1281	BD01081 號	辰 081
083：1594	BD01115 號	宿 015
083：1730	BD01088 號	辰 088
083：1771	BD01098 號	辰 098
084：2184	BD01075 號	辰 075
084：2503	BD01096 號	辰 096
084：2538	BD01094 號	辰 094
084：2601	BD01097 號	辰 097
084：2632	BD01071 號	辰 071
084：2650	BD01129 號	宿 029
084：2714	BD01083 號	辰 083
084：2881	BD01089 號	辰 089
084：3349	BD01070 號	辰 070
084：3378	BD01091 號	辰 091
088：3469	BD01065 號	辰 065
094：3610	BD01078 號	辰 078
094：3639	BD01127 號	宿 027
094：3755	BD01063 號 1	辰 063
094：3755	BD01063 號 2	辰 063
094：3824	BD01099 號	辰 099
094：3900	BD01108 號	宿 008
094：4207	BD01104 號	宿 004
094：4329	BD01102 號	宿 002
105：4542	BD01116 號	宿 016
105：4822	BD01126 號	宿 026
105：5086	BD01079 號	辰 079
105：5458	BD01092 號	辰 092
105：5480	BD01109 號	宿 009
105：5525	BD01085 號	辰 085
105：5732	BD01118 號	宿 018
105：5747	BD01110 號 1	宿 010
105：5747	BD01110 號 2	宿 010
105：5942	BD01084 號	辰 084
105：6078	BD01086 號	辰 086
105：6083	BD01112 號	宿 012
105：6086	BD01077 號	辰 077
111：6259	BD01105 號	宿 005
115：6316	BD01131 號	宿 031
115：6405	BD01123 號	宿 023
115：6452	BD01067 號	辰 067
115：6467	BD01080 號	辰 080
115：6498	BD01093 號	辰 093
143：6705	BD01119 號	宿 019
156：6844	BD01095 號	辰 095
156：6892	BD01106 號	宿 006
157：6898	BD01128 號	宿 028
157：6915	BD01120 號	宿 020
157：6916	BD01113 號	宿 013
157：6917	BD01111 號	宿 011
157：6921	BD01114 號	宿 014
157：6924	BD01117 號	宿 017
157：6925	BD01125 號	宿 025
157：6943	BD01124 號 A	宿 024
157：6950	BD01107 號	宿 007
157：6954	BD01124 號 B	宿 024
157：6972	BD01100 號	辰 100
162：6991	BD01082 號	辰 082
169：7064	BD01062 號	辰 062
169：7064	BD01062 號背	辰 062
198：7149	BD01130 號	宿 030
199：7180	BD01090 號	辰 090
201：7208	BD01087 號	辰 087
206：7235	BD01073 號	辰 073
206：7235	BD01073 號背	辰 073
216：7263	BD01121 號	宿 021
237：7421	BD01068 號	辰 068
275：7711	BD01064 號	辰 064
275：7971	BD01072 號 1	辰 072
275：7971	BD01072 號 2	辰 072
425：8609	BD01101 號	宿 001